सामान्य गणित

STETs & TETs

(Primary+ Junior)

पवन तिवारी

S. CHAND
PUBLISHING

S Chand And Company Limited
(ISO 9001 Certified Company)

एस चन्द एण्ड कम्पनी लिमिटेड

S. CHAND PUBLISHING

(ISO 9001 Certified Company)

Head Office: D-92, Sector–2, Noida 201301, U.P. (India), Ph. 91-120-4682700

Registered Office: A-27, 2nd Floor, Mohan Co-operative Industrial Estate, New Delhi – 110 044
Phone: 011-49731800

www.schandpublishing.com; e-mail: info@schandpublishing.com

Marketing Offices:

Chennai	:	Ph: 23632120, chennai@schandpublishing.com
Guwahati	:	Ph: 2738811, 2735640 guwahati@schandpublishing.com
Hyderabad	:	Ph: 40186018, hyderabad@schandpublishing.com
Jalandhar	:	Ph: 4645630, jalandhar@schandpublishing.com
Kolkata	:	Ph: 23357458, 23353914, kolkata@schandpublishing.com
Lucknow	:	Ph: 4003633, lucknow@schandpublishing.com
Mumbai	:	Ph: 25000297, mumbai@schandpublishing.com
Patna	:	Ph: 2260011, patna@schandpublishing.com

प्रथम संस्करण 2024

ISBN : 978-93-5870-447-1

Product Code: H2SAG69MATH40HIAA24O

भारत में,

विकास पब्लिशिंग हाउस प्राइवेट लिमिटेड, प्लाट नं. 20/4, साइट-4, इंडस्ट्रियल एरिया, साहिबाबाद, गाजियाबाद-201010

द्वारा मुद्रित एवं एस चंद एण्ड कम्पनी लिमिटेड, ए-27, द्वितीय तल, मोहन कोऑपरेटिव इंडस्ट्रियल एस्टेट, नई दिल्ली-110 044 द्वारा प्रकाशित।

लेखक की कलम से ....

विशेषतः यह पुस्तक विभिन्न राज्य स्तरीय शिक्षक पात्रता परीक्षा एवं शिक्षक भर्ती परीक्षा को ध्यान में रखकर तैयार किया गया है। वस्तुतः बाजार में गणित की पुस्तकों की कोई कमी नहीं है, परन्तु जब बात **TET** एवं **STET** के पाठ्यक्रम को लेकर की जाये तो कोई भी पुस्तक खरी नहीं उतरती। इसका कारण यह है कि गणित के विभिन्न खण्डों (जैसे – सामान्य सांख्यिकी, सामान्य ज्यामिति, सामान्य बीजगणित और प्रायिकता) के प्रश्न या तो बहुत कम है या पाठ्यक्रम के अनुरूप नहीं है या कहें तो कुछ प्रश्नों की प्रकृति ऐसी है जिसका हमारे परीक्षा से कोई सम्बन्ध ही नहीं है।

गणित के प्रश्नों को हल करने में सिद्धान्तों, नियमों एवं सूत्रों के अनुप्रयोग में व्यवहारिकता अनिवार्य है, ताकि गणित को सरल एवं रूचिकर विषय बनाया जा सकें। इसी को दृष्टिगत रखते हुये मैंने प्रत्येक अध्याय को विभिन्न प्रकारों में बाँटकर जरूरी तथ्यों को नोट किया है जो पुस्तक को और आकर्षक बनाती है तथा पुस्तक को सजीवता प्रदान करती है।

पुस्तक की विशेष बात यह है कि इसमें शामिल किये गये लगभग सभी प्रश्न किसी न किसी परीक्षा के पूँछे गये प्रश्न है, प्रश्नों की मानकता पर कोई सन्देह नहीं है अर्थात् ये प्रश्न आपकी निश्चित सफलता का मार्ग प्रशस्त करेगी।

प्रत्येक अध्याय के सम्पूर्ण भाग को बार–बार पढ़े। मुझे पूर्ण विश्वास है कि जब आप परीक्षा में बैठेंगे तो लगभग–लगभग सभी प्रश्न पढ़े–पढ़े मालूम पड़ेंगे। सफलता के लिए अभी से जुट जाइये कहा गया है कि "सफलता एक दिन में नहीं मिलती, लेकिन एक दिन जरूर मिलती है।"

प्रस्तुत पुस्तक के सम्पूर्णता में मुझे आशीर्वाद मिला मेरे पूजनीय पिताजी श्री श्याम नारायण तिवारी का नहीं तो शायद यह कार्य मेरे लिए सम्भव नहीं होता। मेरे आदर्श और प्रेरणास्त्रोत, जिन्हें देखकर मुझे ऊर्जा मिली श्री वागेश कुमार पाण्डेय (निदेशक – चन्द्रा इन्स्टीट्यूट इलाहाबाद) एवं बड़े भाई डॉ0 आनन्द मोहन पाण्डेय जी से, एवं विशेष सहयोग के लिए देवेश पाण्डेय जी का आभार व्यक्त करता हूँ।

लेखन कार्य में साथ देने के लिए मैं अपनी धर्मपत्नी पूनम तिवारी को धन्यवाद देता हूँ। टंकण एवं तकनीकी कार्य के लिए छोटे भाई आकाश ओझा को भी धन्यवाद देता हूँ।

वैसे लेखन में विशेष सतर्क प्रयासों के बावजूद भी त्रुटियों की संभावनाओं को नकारा नहीं जा सकता। अतः आप सभी सुधी पाठकों और अध्यापक बन्धुओं के विचार/सुझाव सादर आमंत्रित और स्वीकार्य है।

आगामी परीक्षाओं में सफलता की शुभकामनाओं के साथ –

पवन तिवारी

विषय सूची

1 संख्या पद्धति (Number System)

इस अध्याय में अंकीय क्षमता, विभाज्य, गुणनखण्ड, स्थानीय मान तथा संख्याओं के विभिन्न व्यवहारिक प्रश्नों से दो से तीन प्रश्न पूछे जाने की संभावना रहती है।

संख्याओं का सामान्य परिचय
(Introductory Part of Numbers)

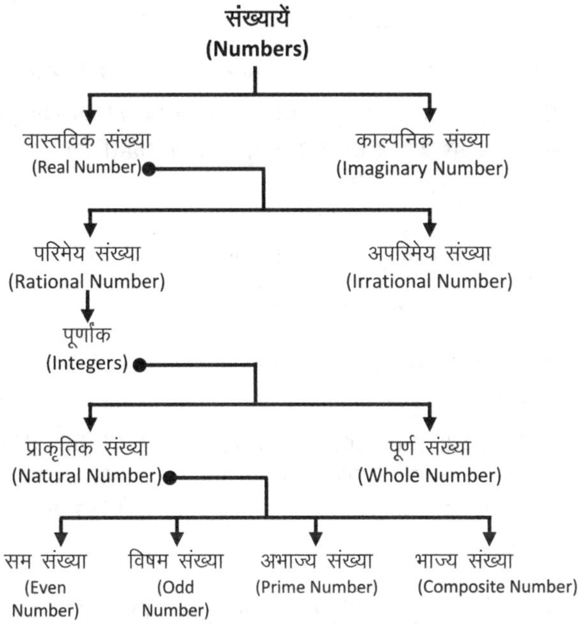

वास्तविक संख्यायें (Real Numbers) : किसी प्रश्न अथवा समीकरण को हल करने पर जो मान प्राप्त होता है (काल्पनिक संख्याओं को छोड़कर) वास्तविक संख्या कहते हैं। यह संख्या परिमेय या अपरिमेय हो सकती है। जैसे– 0, $-5, -\frac{3}{5}, \frac{23}{7}, \sqrt{7}, \sqrt[3]{5}, \pi$, *etc.*

काल्पनिक संख्यायें (Imaginary Numbers) : संख्यायें जो वास्तव में न हो केवल कल्पना में हो अर्थात् संख्यायें जिसे ठीक ढंग से परिभाषित नहीं किया जा सके काल्पनिक संख्या कहलाता है। इसे (आयोटा) द्वारा प्रदर्शित करते हैं। जहाँ, $=\sqrt{-1}$

जैसे हम $\sqrt{-4}$ को परिभाषित नहीं कर सकते है, क्योंकि -4 का वर्गमूल सम्भव नहीं है। अतः $\sqrt{-4}$ काल्पनिक संख्या है। इसे इस प्रकार व्यक्त किया जाता है–

$$\sqrt{-4} = \sqrt{4 \times -1} = \sqrt{4} \times \sqrt{-1} = 2$$

परिमेय संख्या (Rational Number) : संख्यायें जिसे $\frac{p}{q}$ के रूप में व्यक्त किया जा सके, परिमेय संख्या कहलाता है। जहाँ, p व q एक पूर्णांक संख्या है जिसमें $q \neq 0$ जैसे $\frac{5}{3}, \sqrt{9}, \sqrt[3]{8}, 0, -7$ *etc*

नोट : यदि दशमलव के बाद संख्याओं का यथार्थ निर्धारण सम्भव हो अर्थात् शान्त दशमलव संख्यायें परिमेय होती है।

जैसे–0.715, 2.314 आदि

नोटः समस्त आवर्त दशमलव संख्यायें परिमेय होती है।

आवर्त दशमलव संख्यायें :

(i) शुद्ध/सरल आवर्त दशमलव

(ii) मिश्रित आवर्त दशमलव

(i) शुद्ध/सरल आवर्त दशमलव –

Ex.: 0.555555 ……...

Solve : $0.\overline{5}$

$$= \frac{5}{9} \quad \frac{p}{q}$$

Ex.: 0.713713713713 …..

Solve : $0.\overline{713}$

$$= \frac{713}{999} \quad \frac{p}{q}$$

(ii) मिश्रित आवर्त दशमलव –

Ex.: 0.817171717 ……...

Solve : $0.8\overline{17}$

$$= \frac{817-8}{990} = \frac{809}{990}$$

विस्तृत अध्ययन के लिए भिन्न Topic देखें –

नोट : दो परिमेय संख्याओं के बीच अनन्त परिमेय संख्या होती है।

अपरिमेय संख्या (Irrational Number) :- संख्याये जिसे $\frac{p}{q}$ के रूप में व्यक्त नहीं किया जा सके अपरिमेय संख्या कहलाता है।

जैसे : $\sqrt{3}, \sqrt{5}, \frac{1}{\sqrt{7}}, 7\sqrt{5}, \overline{\Lambda}$ ……… *etc.*

पूर्णांक संख्यायें (Integer Numbers) :- जब प्राकृतिक संख्याओं को ऋणात्मक एवं धनात्मक रूप में व्यक्त करके शून्य को भी सम्मिलित कर लिया जाये तो यह समूह पूर्णांक संख्या कहलाता है।

$$-\infty - - - -3, -2, -1, 0, 1, 2, 3, - - - +\infty$$

← ऋण पूर्णांक | धन पूर्णांक →

नोट : सबसे छोटी पूर्णांक संख्या $-\infty$ होता है।

प्राकृतिक संख्यायें (Natural Numbers) : संख्यायें जिसे हम अपने गणना (Counting) के रूप में लेते है प्राकृतिक संख्या कहलाता है।

जैसे– 1, 2, 3, 4 ----------------etc.

पूर्ण संख्यायें (Whole Number) : शून्य सहित समस्त प्राकृतिक संख्याओं का समूह पूर्ण संख्या कहलाता है।

जैसे– 0, 1, 2, 3, 4 ....etc.

- सबसे छोटी पूर्ण संख्या शून्य होता है।

सम संख्यायें (Even Number) : वे सभी प्राकृतिक संख्यायें जो 2 से विभक्त हो, सम संख्यायें कहलाती है।

जैसे : 2, 4, 6, 8, ...etc.

विषम संख्यायें : वे सभी प्राकृतिक संख्यायें जो 2 से विभक्त न हो, विषम संख्यायें कहलाती है।

जैसे : 1, 3, 5, 7, ...etc.

अभाज्य संख्यायें (Prime Numbers) : वे प्राकृतिक संख्यायें जिसके केवल और केवल दो गुणनखण्ड होते है, अभाज्य संख्यायें कहलाती है।

जैसे : 2, 3, 5, 7, 11, 13, ...etc.

- सबसे छोटी अभाज्य संख्या 2 होती है।
- 2 एकमात्र सम अभाज्य संख्या होती है।
- 1 से 50 तक में 15 अभाज्य संख्यायें होती है।
- 1 से 100 तक में 25 अभाज्य संख्याये होती है।

अभाज्य संख्या की जाँच कैसे करें–

जाँच (Clarification) : यदि 'N' कोई संख्या है, तो N के बराबर या N से बड़ी कोई पूर्ण वर्ग संख्या (a) लें। अब, a या a से छोटी जितनी अभाज्य संख्यायें है को बारी–बारी से N में भाग दें। यदि N उनमें से किसी अभाज्य संख्या से विभक्त न हो तो N निश्चित रूप से एक अभाज्य संख्या होगी।

उदाहरण– 173 एक अभाज्य संख्या है या नहीं?

हल– $173 < (14)^2$

अब 14 से छोटी सभी अभाज्य संख्या निम्न है 2, 3, 5, 7, 11 व 13

173 इनमें से किसी संख्या से पूर्णतः विभक्त नही है अतः 173 एक अभाज्य संख्या है।

भाज्य संख्यायें (Composite Numbers) : वे प्राकृतिक संख्यायें जिसके कम से कम तीन गुणनखण्ड हो, भाज्य संख्यायें कहलाती है।

जैसे– 4, 6, 8, 9, 10, ...etc.

- सबसे छोटी भाज्य संख्या 4 होती है।
- भाज्य संख्यायें सम और विषम दोनों हो सकती है।

✓ आइये अब सह–अभाज्य संख्या के बारे में जाने –:

सह अभाज्य संख्या (Co-Prime Number) : संख्याओं का ऐसा युग्म जिनके बीच का म0स0 '1' हो सह–अभाज्य संख्या कहलाता है।

जैसे– (15, 7), (8, 17), (30, 47), ...etc.

Note : क्रमागत संख्या–युग्म सदैव सह–अभाज्य होता है।

जैसे– (7, 8), (10, 11), (20, 21), ...etc.

सम्पूर्ण संख्या (Perfect Number) : जब दी गई संख्या के समस्त गुणनखण्डों का योगफल (संख्या स्वयं को छोड़कर) उस संख्या के बराबर हो तो उसे सम्पूर्ण संख्या कहते है।

जैसे : 6, 28, 496, ...etc.

उदाहरण के लिए : 28 के गुणनखण्ड निम्न है –

1, 2, 4, 7, 14 (28 को छोड़कर)

अब उपर्युक्त गुणनखण्डों का योग = 1 + 2 + 4 + 7 + 14 = 28

सम्पूर्ण संख्या (Perfect Numbers) : जब दी गई संख्या के समस्त गुणनखण्डों का योगफल (संख्या स्वयं को छोड़कर) उस संख्या के बराबर हो तो उसे सम्पूर्ण संख्या कहते है।

जैसें : 6, 28, 496, ...

उदाहरण के लिए –: 28 के गुणनखण्ड निम्न हैं–

1, 2, 4, 7, 14 (28 को छोड़कर)

अब, उपर्युक्त गुणनखण्डों का योग = 1+2+4+7+14
= 28

अतः 28 संपूर्ण संख्या है।

1. निम्नलिखित में से कौन सा कथन सही हैं?

(a) सबसे छोटी अभाज्य संख्या 1 हैं।
(b) एक भाज्य संख्या विषम हो सकती है।
(c) कोई सम अभाज्य संख्या नहीं हैं।
(d) दो अभाज्य संख्याओं का योगफल सदैव अभाज्य संख्या होती हैं।

हल : सबसे छोटी अभाज्य संख्या 2 होती है, अतः कथन a असत्य है।

कोई सम अभाज्य संख्या नहीं है यह कथन असत्य है क्योंकि '2' सम अभाज्य संख्या होती है। अतः कथन c असत्य है।

दो अभाज्य संख्याओं का योगफल कभी–कभी भाज्य तथा कभी–कभी अभाज्य संख्या होता है।

जैसे : 3 + 5 = 8 भाज्य संख्या है।

$2 + 3 = 5$ अभाज्य संख्या है।
अतः कथन d भी असत्य है।
एक भाज्य संख्या विषम हो सकती है यह कथन बिल्कुल सत्य है।
जैसे : 9, 15, 21 आदि ।
अतः कथन b सत्य है।

2. सबसे छोटी ऋणेत्तर अभाज्य पूर्णांक हैं

(a) 0 (b) 1
(c) 2 (d) 3

हल : सबसे छोटी ऋणेत्तर अभाज्य 2 है।

3. किन्ही दो परिमय संख्याओं के बीच

(a) कोई परिमेय संख्या नहीं होती है।
(b) केवल एक परिमेय संख्या होती हैं
(c) अनन्त परिमेय संख्या होती है।
(d) केवल एक परिमेय संख्या और कोई अपरिमेय संख्या नहीं होती है।

हल : किन्ही दो परिमेय संख्याओं के बीच अनन्त परिमेय संख्यायें होती है।

बाइनरी और दाशमिक अंकन प्रणाली	
दाशमिक अंकन प्रणाली	**बाइनरी अंकन प्रणाली**
इसमें 10 अंकों (0, 1, 2, ...9)का प्रयोग होता है।	इसमे केवल दो अंक (0 व 1) का प्रयोग होता हैं।
इसे $(-----)_{10}$ के रूप में व्यक्त करते हैं।	इसे $(-----)_2$ के रूप में व्यक्त करते हैं।
यह स्थानीय मान पर आधारित अंकन प्रणाली है।	इसमें स्थानीय मान का प्रयोग नहीं होता हैं
इस प्रणाली में बड़ी संख्या को कम जगह में लिख सकते हैं अतः यह प्रणाली सुविधाजनक है।	इस प्रणाली में बड़ी संख्याओं को लिखना कम सुविधाजनक होता है क्योंकि यह अधिक स्थान घेरता है।

दाशमिक को बाइनरी में बदलना :–

Ex : 35 को बाइनरी में व्यक्त करें ?

हल :

2	35	
2	17	1
2	8	1
2	4	0
2	2	0
	1	0

अत : $(35)_{10} = (100011)_2$

बाइनरी को दाशमिक में बदलना :–

Ex : $(100011)_2$ को दाशमिक में व्यक्त करें ?

हल :

1	0	0	0	1	1	↓ सीधा गुणा
2^5	2^4	2^3	2^2	2^1	2^0	

$2^5 \times 1 + 2^4 \times 0 + 2^3 \times 0 + 2^2 \times 0 + 2^1 \times 1 + 2^0 \times 1$
$= 32 + 0 + 0 + 0 + 2 + 1$
$= 35$

सांकेतिक प्रतिरूपों का प्रयोग (Use of Coded Pattern)

1. यदि $a * b = 2a - 3b + ab$ है, तो $3 * 5 + 5 * 3$ किसके बराबर होगा ?

(a) 22 (b) 24
(c) 26 (d) 28

हल : $a * b = 2a - 3b + ab$
$3 * 5 = 2 \times 3 - 3 \times 5 + 3 \times 5$
$= 6 - 15 + 15$
$= 6$
$5 * 3 = 2 \times 5 - 3 \times 3 + 5 \times 3$
$= 10 - 9 + 15$
$= 16$
अतः $3 * 5 + 5 * 3 = 6 + 16 = 22$

2. यदि $x * y = x^2 + y^2 + xy + 1$ हो, तो $(1 * 2) * 3$ का मान हैं –

(a) 6 (b) 19
(c) 82 (d) 98

हल : $(1 * 2) * 3 = ?$
$(1 * 2) = (1)^2 + (2)^2 + (1).(2) + 1$
$= 1 + 4 + 2 + 1 = 8$
$(1 * 2) * 3 = 8 * 3$
$= (8)^2 + (3)^2 + (8).(3) + 1$
$= 64 + 9 + 24 + 1 = 98$

3. यदि $a * b = \frac{ab}{a+b}$ हो, तो $3 * \{(3) * (-1)\}$ का मान हैं–

(a) -3 (b) $\frac{-3}{2}$
(c) -1 (d) $\frac{2}{3}$

हल :
सर्वप्रथम, $\{(3) * (-1)\} = \frac{(3).(-1)}{(3)+(-1)} = \left(\frac{-3}{2}\right)$
$\therefore 3 * \{(3) * (-1)\} = 3 * \left(\frac{-3}{2}\right)$
$= \frac{(3).\left(\frac{-3}{2}\right)}{(3).+\left(\frac{-3}{2}\right)}$
$= \frac{\frac{-9}{2}}{\frac{3}{2}}$
$= \frac{-9}{2} \times \frac{2}{3}$
$= -3$

विभाज्य
(Division)

1. विभाज्यता की शर्त पर प्रश्न
2. भाग के लम्बी विधि पर प्रश्न
   (i) सूत्र पर प्रश्न
   (ii) जब प्रश्न में दो बार भाग देने की शर्त हो
   (iii) योग–अन्तर पर प्रश्न
3. घातांकीय भाग पर प्रश्न
4. शेषफल प्रमेय (Remainder Theorem)
5. भाग के गुणनखण्ड विधि पर प्रश्न

1. विभाज्यता की शर्त पर प्रश्न

A- 2 से विभाज्यता : यदि दी गई संख्या के इकाई का अंक 0, 2, 4, 6 या 8 हो तो पूरी संख्या 2 से विभक्त होगी।

जैसे– 273498, 871490,..........आदि।

B- 3 से विभाज्यता : यदि दी गई संख्या के समस्त अंकों का योग 3 से विभक्त हो तो पूरी संख्या 3 से पूर्णतः विभक्त होगी।

Ex. - 46314

यहाँ 4+6+3+1+4 = 18, जो 3 से पूर्णतः विभक्त है अतः दी गई संख्या 46314, 3 से पूर्णतः विभक्त होगा।

C- 4 से विभाज्यता : यदि दी गई संख्या के इकाई व दहाई का अंक 'शून्य' हो अथवा इकाई व दहाई के अंक से बनी संख्या 4 से पूर्णतः विभक्त हो तो पूरी संख्या 4 से पूर्णतः विभाजित होगी।

Ex. - 7341500 (यहाँ इकाई व दहाई का अंक शून्य है अतः पूरी संख्या 4 से पूर्णतः विभक्त होगी।

Ex. - 8146912 (यहाँ इकाई व दहाई के अंक से बनी संख्या 12 है जो 4 से पूर्णतः विभक्त है अतः पूरी संख्या 4 से पूर्णतः विभाजित होगी।

D- 6 से विभाज्यता : यदि दी गई संख्या 2 और 3 दोनों से विभाज्यता की शर्त का पालन (Follow) करे तो पूरी संख्या 6 से पूर्णतः विभक्त होगी।

Ex. - 73512 (यहाँ इकाई का अंक 2 है अतः पूरी संख्या 2 से विभक्त है तथा [7 + 3 + 5 + 1 + 2 = 18] है, जो 3 से पूर्णतः विभक्त है।

∵ उपर्युक्त संख्या 2 व 3 दोनों से Seperately विभक्त है अतः पूरी संख्या 6 से पूर्णतः विभक्त होगी।

7 से विभाज्यता :

शर्त 1 –:

(i) किसी भी एक अंकीय संख्या की 6 बार या उसके गुणजरूप के पुनरावृत्ति से बनी संख्या 7 से पूर्णतः विभक्त होगी।

Ex. - 111111, 222222, 333333, ...etc.

नोट–: ऐसी संख्यायें 3, 11, 13, 37 व 1001 से भी पूर्णतः विभक्त होगी।

प्रश्न : 444444444........... 152 बार को 37 से भाग देने पर शेषफल कितना बचेगा?

हल– ∵ हम जानते है कि एक अंकीय संख्या की 6 बार या इसके गुणज रूप के पुनरावृत्ति से बनी संख्या 37 से विभक्त होगी अतः

```
6)152(25
  12
  32
  30
  02
```

यहाँ अन्तिम के 2 बार 4 को छोड़कर शेष सभी 4, 37 से पूर्णतः विभक्त होगा अतः

```
37)44(1
   37
   7 यही अभीष्ट शेषफल होगा।
```

(ii) किसी भी द्वि–अंकीय संख्या की 3 बार या इसके गुणज रूप के पुनरावृत्ति से बनी संख्या 7 से पूर्णतः विभक्त होगी।

Ex. : 434343 , 505050, 181818, ... आदि।

Note : ऐसी संख्या 3, 13 व 37 से भी पूर्णतः विभक्त होगी।

(iii) किसी भी त्रि–अंकीय संख्या की 2 बार या इसके गुणज रूप के पुनरावृत्ति से बनी संख्या 7 से पूर्णतः विभक्त होगी।

Ex. : 108108, 235235, 123123, ... आदि।

Note : ऐसी संख्यायें 11, 13 व 1001 से भी विभक्त होगी।

शर्त 2 –: यदि दी गई संख्या के इकाई के अंक का दो गुना शेष बची हुई संख्या से घटाने पर प्राप्त मान 7 से विभक्त हो तो पूरी संख्या 7 से पूर्णतः विभक्त होगी।

Ex. : 343

3 ⟶ × 2 = 6

शेष बची संख्या = 34

अब 34 - 6 = 28 जो 7 से विभक्त है अतः पूरी संख्या 7 से पूर्णतः विभक्त होगी।

F- 8 से विभाज्यता : यदि दी गई संख्या के इकाई, दहाई व सैकड़े का अंक 'शून्य' हो अथवा इकाई, दहाई व सैकड़े के अंक से बनी संख्या 8 से विभक्त हो तो पूरी संख्या 8 से पूर्णतः विभक्त होगी।

Ex. : 546739<u>000</u>, 8146739<u>512</u>

यहाँ 512, 8 से विभक्त है अतः संख्या 8146739512, 8 से पूर्णतः विभाजित होगा।

G- **9 से विभाज्यता** : यदि दी गई संख्या के समस्त अंकों का योग 9 से विभक्त हो तो पूरी संख्या 9 से पूर्णतः विभक्त होगा।

Ex. - 721341 [यहाँ 7 + 2 + 1 + 3 + 4 + 1 = 18, है जो 9 से विभक्त है अतः संख्या 721341, 9 से पूर्णतः विभक्त होगा।

H- **11 से विभाज्यता** : यदि दी गई संख्या के सम स्थानों के अंकों के योग और विषम स्थानों के अंकों के योग का अन्तर 0 हो या 11 से विभक्त कोई संख्या हो तो पूरी संख्या 11 से पूर्णतः विभक्त होगा।

Ex. - 823515

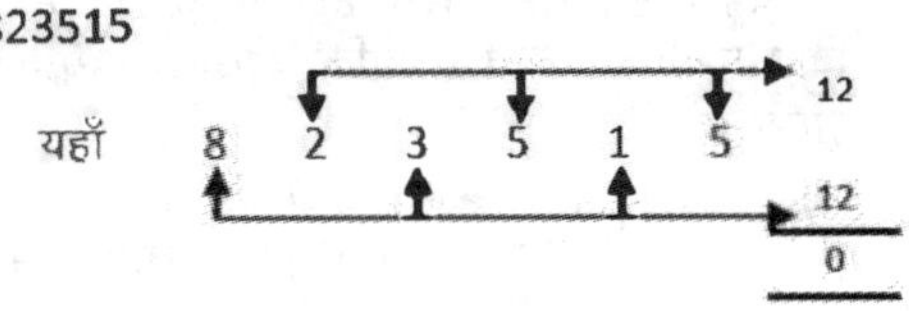

अतः उपर्युक्त संख्या 11 से विभक्त होगा।

2. भाग के लम्बी विधि पर प्रश्न

(i) **सूत्र पर प्रश्न :**

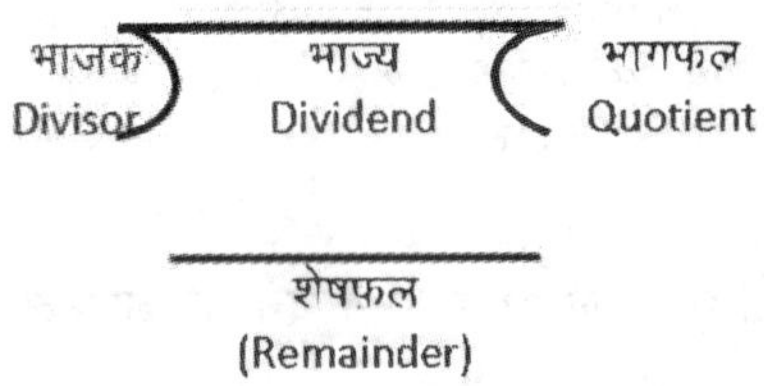

तब **भाज्य = भाजक × भागफल + शेषफल**

प्रश्न : 4610 में कौन सी संख्या से भाग दें कि भागफल 184 तथा शेषफल 10 बचे ?

हल मान, भाजक $= x$

तब सूत्र से, $4610 = x \times 184 + 10$

$x \times 184 = 4610 - 10 = 4600$

$x = \frac{4600}{184} = 25$

प्रश्न : भाग के एक प्रश्न में भाजक, भागफल का 5 गुना तथा शेषफल का 3 गुना है। यदि शेषफल 30 हो तो भाज्य बताइये ?

हल : भाजक = भागफल x 5 ....(i)

तथा, भाजक = शेषफल x 3

भाजक = 30 x 3 = 90 यह मान समीकरण (i) में रखने पर

90 = भागफल x 5

$\therefore$ भागफल $= \frac{90}{5} = 18$

अतः भाज्य = 90 x 18 + 30 = 1620 + 30 = 1650

(ii) जब प्रश्न में दो बार भाग देने की शर्त हो –:

प्रश्न : किसी संख्या को 136 से भाग देने पर शेषफल 36 प्राप्त होता है। उसी संख्या को यदि 17 से भाग दें तो शेषफल क्या होगा?

हल : माना, भागफल x है।

तब संख्या $= 136x + 36$

अब संख्या में 17 से भाग देने पर

$17\overline{)136x + 36}(8x + 2$
$\underline{136x}$
36
$\underline{34}$
2

नोट : जब प्रश्न में दो बार भाग देने की शर्त हो जिसमें पहला भाजक, दूसरे भाजक से पूर्णतः विभक्त हो तथा दूसरी स्थिति का शेषफल ज्ञात करना हो तो –:

Rule : दूसरे स्थिति का शेषफल ज्ञात करने के लिए पहले शेषफल में दूसरे भाजक से भाग देकर अभीष्ट शेषफल प्राप्त कर लेते हैं।

उपर्युक्त प्रश्न का हल देखें –:

हल : यहाँ पहला भाजक 136, दूसरे भाजक 17 से पूर्णतः विभक्त है।

अतः 17)36(2
<u>34</u>
2 यही अभीष्ट शेषफल होगा।

(iii) योग–अन्तर पर प्रश्न :

- घटायी जाने वाली संख्या = शेषफल
- जोड़ी जाने वाली संख्या = भाजक – शेषफल

प्रश्न : 4707 में वह कौन–सी संख्या घटा दी जाये कि प्राप्त मान 42 से पूर्णतः विभक्त हो जाये ?

हल : 42)4707(112
<u>42</u>
50
<u>42</u>
87
<u>84</u>
03

अतः घटायी जाने वाली संख्या = शेषफल = 3

प्रश्न : 4707 में वह कौन–सी छोटी संख्या जोड़ दिया जाये कि प्राप्त योगफल 42 से पूर्णतः विभक्त हो जाये ?

हल 42)4707(112

$\underline{42}$
50
$\underline{42}$
87
$\underline{84}$
03

अतः जोड़ी जाने वाली संख्या = भाजक – शेषफल
= 42 - 3 = 39

3. घातांकीय भाग पर प्रश्न –:

नोट :

A. $a^n + b^n$ में यदि n विषम हो तो इसका एक गुणनखण्ड निश्चित रूप से $(a+b)$ होगा।

$a^3 + b^3 = (a+b)(a^2 + b^2 - ab)$

B. $a^n - b^n$ में यदि n विषम हो तो इसका एक गुणनखण्ड निश्चित रूप से $(a-b)$ होगा।

$a^3 - b^3 = (a-b)(a^2 + b^2 + ab)$

C. $a^n - b^n$ में यदि n सम हो तो इसके निम्न दो गुणनखण्ड $(a+b)$ एवं $(a-b)$ होंगे।

$a^2 - b^2 = (a+b)(a-b)$

प्रश्न : संख्या $(25^{17} + 11^{17})$ निम्न में किस संख्या से विभक्त होगा ?

(a) 2 से (b) 3 से
(c) 36 से (d) सभी से

हल (d): उपर्युक्त संख्या का एक गुणनखण्ड $25 + 11 = 36$ है अतः उपर्युक्त संख्या 36 से तथा 36 के समस्त गुणनखण्ड से विभक्त होगा।

प्रश्न : निम्न में से कौन–सी संख्या $(23^{10} - 2^{10})$ को पूर्णतः विभक्त नहीं करेगा?

(a) 3 (b) 5
(c) 7 (d) 4

हल(d): $(23^{10} - 2^{10})$ के निम्न दो गुणनखण्ड

$23 - 2 = 21 = 1, 3, 7, 21$

$23 + 2 = 25 = 1, 5, 25$

∵ 4, 21 तथा 25 का गुणनखण्ड नहीं है। अतः उपर्युक्त संख्या 4 से विभक्त नहीं होगा।

स्थिति – II

प्रश्न : $(3^{31} + 3^{32} + 3^{33} + 3^{34})$ निम्न में से किस संख्या से विभक्त होगा ?

(a) 5 से (b) 11 से
(c) 16 से (d) 25 से

हल(a): $(3^{31} + 3^{32} + 3^{33} + 3^{34})$

$31^{31}(1 + 3^1 + 3^2 + 3^3)$

$31^{31}(1 + 3 + 9 + 27)$

$31^{31} \times 40$ उपर्युक्त संख्या के गुणनखण्ड है ।

∵ उपर्युक्त संख्या 40 से विभक्त है अतः संख्या 5 से अवश्य विभक्त होगी।

4. शेषफल प्रमेय (Remainder Theorem) :

इस प्रकार के प्रश्न (TET और S-TET) के लिए बहुत ही महत्वपूर्ण है। यहाँ प्रश्न हल करने की हम वैकल्पिक विधि पर चर्चा करते हैं ताकि परीक्षा में हम अपने कीमती समय को बचा सके।

ध्यान दें– $\frac{(15)^{30}}{14}$ → 30: भाज्य की घात; 15: भाज्य की वास्तविक संख्या; 14: भाजक

Rememberable Fact (स्मरणीय तथ्य)

(i) इस प्रकार के प्रश्न को हल करने के लिए हमें प्रयास करना है कि भाजक का गुणज, भाज्य की वास्तविक संख्या के निकट हो

(ii) वैसे शेषफल हमेशा धनात्मक होता है लेकिन अपनी सुविधा के अनुसार कभी–कभी हम ऋणात्मक शेष का भी प्रयोग कर लेते हैं।

Case-I

प्रश्न : $(38)^{40}$ को 37 से भाग देने पर शेषफल क्या होगा?

हल : $\frac{\left(\overset{1}{\underset{38}{\uparrow}}\right)^{40}}{37} = (1)^{40} = 1$ (शेष)

Case-II

प्रश्न : $(56)^{90}$ को 57 से भाग देने पर शेषफल क्या होगा?

हल $\frac{\left(\overset{-1}{\underset{56}{\uparrow}}\right)^{90}}{57} = (-1)^{90} = 1$ (शेष)

नोट : यहाँ ऋणात्मक शेष अपनी सुविधानुसार लिया गया।

Note : यदि अन्तिम शेषफल ऋणात्मक आये तो इसे निम्न प्रकार से धनात्मक बना लेते है।

उदाहरण : 7)40(6
$\underline{42}$
$\underline{-2}$ ∴ अभीष्ट शेष = 7-2 = 5

प्रश्न : $(25)^{35}$ **को 13 से भाग देने पर शेषफल क्या होगा?**

हल : यहाँ भाज्य की वास्तविक संख्या = 25

अब 13 का ऐसा गुणज रखना जो 25 के सन्निकट हो = 26

अब $\frac{\left(\overset{-1}{\underset{25}{\uparrow}}\right)^{35}}{13} = (-1)^{35} = -1$

अतः अभीष्ट शेष = 13 - 1 = 12

Case-III

नोट : जब $\frac{a^n}{b}$ की स्थिति में a व b में अन्तर ज्यादा हो तो a^n को इस प्रकार घातों में तोड़ा जाये ताकि a व b में अन्तर कम से कम हो जैसे–

प्रश्न : $(2)^{96}$ **को 7 से भाग देने पर शेषफल क्या होगा?**

हल : यहाँ भाज्य की वास्तविक संख्या को भाजक के निकट करने के लिए–

$$\frac{(2)^{96}}{7} = \frac{(2^3)^{32}}{7} = \frac{\left(\overset{1}{\underset{8}{\uparrow}}\right)^{32}}{7} = (1)^{32} = 1 \quad \text{(शेष)}$$

प्रश्न : $(2)^{50}$ **को 17 से भाग देने पर शेषफल क्या होगा?**

हल $\frac{(2^4)^{12} \times 2^2}{17} = \frac{\left(\overset{-1}{\underset{16}{\uparrow}}\right)^{12} \times 4}{17} = (-1)^{12} \times 4 = 4$

प्रश्न : 3^{55} **को 82 से भाग देने पर शेषफल कितना बचेगा?**

हल : यहाँ भाज्य की वास्तविक संख्या 3 तथा भाजक 82 के मध्य अन्तर कम करने के लिए

$\frac{(3^4)^{13} \times 3^3}{82}$

3^4 रखे जो 82 के निकट है।

$= \frac{\left(\overset{-1}{\underset{81}{\uparrow}}\right)^{13} \times 27}{82}$

$= (-1)^{13} \times 27 = -27$

अतः अभीष्ट शेषफल = 82 - 27 = 55

Case - IV

नोट : जब $\frac{a^n}{b}$ की स्थिति में a व b में '1' के अतिरिक्त अन्य गुणनखण्ड हो तो $\frac{a}{b}$ को सरल कर लेते है।

प्रश्न : $(2)^{67}$ **को 10 से भाग देने पर शेषफल कितना बचेगा?**

हल : $\frac{(2)^{67}}{10} = \frac{2 \times (2)^{66}}{2 \times 5}$

अब $= \frac{(2^2)^{33}}{5}$

$= \frac{\left(\overset{-1}{\underset{4}{\uparrow}}\right)^{33}}{5}$

$= (-1)^{33} = -1$

अब 5 − 1 = 4

∵ संख्या को 2 से काटा गया था अतः वास्तविक शेष प्राप्त करने के लिए 2 से गुणा करेंगे।

∴ अभीष्ट शेष = 4 x 2 = 8

प्रश्न : 5^{500} **को 500 से भाग देने पर शेषफल क्या होगा?**

हल : $\frac{(5)^{500}}{500} = \frac{5^3 \times 5^{497}}{5^3 \times 4}$

$= \frac{\left(\overset{1}{\underset{5}{\uparrow}}\right)^{497}}{4}$

$= 1$

∵ संख्या को $(5)^3$ से काटा गया था अतः वास्तविक शेष प्राप्त करने के लिए, 1 x $(5)^3$ = 125

Case - V

प्रश्न : $(37^{85} + 20)$ को 38 से भाग देने पर शेषफल क्या होगा?

हल $\frac{(37)^{85} + 20}{38} = \frac{\left(\overset{-1}{\underset{37}{\uparrow}}\right)^{85} + 20}{38} = -1 + 20 = 19 \quad \text{(शेष)}$

5. भाग के गुणनखण्ड विधि पर प्रश्न :

प्रश्न : वह न्यूनतम संख्या ज्ञात कीजिए जिसे 3, 5 व 7 से उत्तरोत्तर भाग देने पर शेष क्रमशः 1, 2 व 4 बचे।

नोट : न्यूनतम संख्या के लिए अन्तिम भागफल सदैव '1' रखा जाता है। जबकि अधिकतम संख्या ज्ञात नहीं किया जा सकता।

3)संख्या(a
↓
[1]

5)a(b
↓
[2]

7)b(c
↓
[4]

यहाँ, अन्तिम भागफल C=1 रखें

तब भाज्य (b) = 7 x C + 4
= 7 x 1 + 4 = 11

भाज्य (a) = 5 x b + 2
= 5 x 11 + 2 = 57

अब वह संख्या = 3 x a + 1
= 3 x 57 + 1
= 172

Short Cut Method :

	Step-3	Step-2	Step-1
भाजक	3	5	7x1
	+	+	+
शेष	1	2	4
	172	57	11

Step - 1 : 7 x 1 + 4 = 11

Step - 2 : 11 x 5 + 2 = 57

Step - 3 : 57 x 3 + 1 = 172 यही अभीष्ट उत्तर होगा

प्रश्न : किसी संख्या में उत्तरोत्तर 3, 5 व 11 से भाग देने पर शेषफल क्रमशः 1, 2 और 2 प्राप्त होता है, तो –

(i) वह न्यूनतम संख्या बताइये?

(ii) यदि उसी संख्या में 165 से भाग दिया जाये तो शेषफल कितना बचेगा?

(iii) यदि भाजक का क्रम उल्टा कर दिया जाये तो शेषफल क्रमशः कितना बचेगा?

हल :

	Step-3	Step-2	Step-1
भाजक	3	5	11 x 1
	+	+	+
शेष	1	2	2
	202	67	13

अतः वह न्यूनतम संख्या = 202 Ans.

(ii) 165)202(1
165
37

(iii) भाजक का क्रम उल्टा करने पर, भाजक = 11, 5 व 3 होगा।

अतः		शेष
11	202	
5	18	4
3	3	3
	1	0

अतः शेषफल क्रमशः 4, 3 व 0 होगा।

योग से सम्बन्धित प्रश्न

(i) प्राकृतिक संख्याओं के योग पर प्रश्न

(ii) प्राकृतिक संख्या के वर्गों के योग पर प्रश्न

(iii) प्राकृतिक संख्या के घनों के योग पर प्रश्न

(i) प्राकृतिक संख्याओं के योग पर प्रश्न

योगफल ज्ञात करना जब पदें समान्तर श्रेणी (A.P.) में हो–

योगफल $= \frac{n}{2}[2a + (n-1)d]$

$= \frac{n}{2}[a + a + (n-1)d]$

$= \frac{n}{2}[a + l] \quad [\because l = a + (n-1)d]$

$$\text{योग} = \frac{(\text{प्रथम पद} + \text{अन्तिम पद})}{2} \times \text{कुल पद}$$

Note : $l = a + (n-1)d$ से

$n = \frac{l-a}{d} + 1$	कुल पद $= \frac{\text{अन्तिम पद} - \text{प्रथम पद}}{\text{सार्वअन्तर}} + 1$

प्रश्न : प्रथम 120 क्रमागत प्राकृतिक संख्याओं का योगफल बताइये?

हल : $1 + 2 + 3 + 4 + \cdots \ldots\ldots + 120$

$$\text{योग} = \frac{(\text{प्रथम पद+अन्तिम पद})}{2} \times \text{कुल पद}$$

$= \frac{(1+120)}{2} \times 120$

$= 121 \times 60$

$= 7260 \; Ans.$

प्रश्न : 13 + 15 + 17 +............+ 125 का मान बताइये?

हल : योग $= \frac{(13+125)}{2} \times 57$ कुल पद $= \frac{125-13}{2} + 1 = 57$

$= \frac{138}{2} \times 57$

$= 3933 \; Ans.$

प्रश्न : $1 - 2 + 3 - 4 + 5 - 6 + \ldots\ldots\ldots + 99 - 100$ का मान बताइये?

हल : $(1 + 3 + 5 + \cdots + 99) - (2 + 4 + 6 + \cdots + 100)$

$$\text{योग} = \frac{(\text{प्रथम पद} + \text{अन्तिम पद})}{2} \times \text{कुल पद}$$

$= \left[\frac{(1+99)}{2} \times 50\right] - \left[\frac{(2+100)}{2} \times 50\right]$

$= 2500 - 2550$

$= -50 \; Ans.$

(ii) प्राकृतिक संख्या के वर्गों के योग पर प्रश्न

Note : प्रथम n क्रमागत प्राकृतिक संख्याओं के वर्गों का योगफल $= \frac{n(n+1)(2n+1)}{6}$ होता है।

प्रश्न : प्रथम 10 क्रमागत प्राकृतिक संख्याओं के वर्गों का योगफल क्या होगा?

हल $1^2 + 2^2 + 3^2 + \cdots \ldots + 10^2$

योगफल $= \frac{n(n+1)(2n+1)}{6}$

$= \frac{10(10+1)(2\times10+1)}{6}$ (यहाँ, n=10)

$= \frac{10\times11\times21)}{6}$

$= 385\ Ans.$

अन्य महत्त्वपूर्ण परिणाम :

- यदि श्रृंखला $1^2 + 3^2 + 5^2 + \cdots\ldots + n^2$ हो अथवा श्रृंखला $2^2 + 4^2 + 6^2 + \cdots\ldots + n^2$ हो तो

  परिणामी (योग) $= \frac{n(n+1)(2n+1)}{6}$ होगा।

प्रश्न : $1^2 + 3^2 + 5^2 + \cdots + 35^2$ **का मान बताइये?**

हल : योगफल $= \frac{n(n+1)(2n+1)}{6}$

$= \frac{35(35+1)(35+2)}{6}$

$= \frac{35\times36\times37}{6}$

$= 7770\ Ans.$

प्रश्न : $2^2 + 4^2 + 6^2 + \cdots + 60^2$ **का मान बताइये?**

हल : योगफल $= \frac{n(n+1)(2n+1)}{6}$

$= \frac{60(60+1)(60+2)}{6}$

$= \frac{60\times61\times62}{6}$

$= 37820\ Ans.$

(iii) प्राकृतिक संख्याओं के घनों के योग पर प्रश्न–:

Note: प्रथम n क्रमागत प्राकृतिक संख्याओं के

घनों का योगफल $= \left[\frac{n(n+1)}{2}\right]^2$ होता है।

प्रश्न : $1^3 + 2^3 + 3^3 + \cdots + 10^3$ का मान बताइये?

हल योगफल $= \left[\frac{n(n+1)}{2}\right]^2$

$= \left[\frac{10(10+1)}{2}\right]^2$

$= [5 \times 11]^2$

$= 3025\ Ans.$

प्रश्न : $2^3 + 4^3 + 6^3 + \cdots + 20^3$ का मान बताइये?

हल $2^3(1^3 + 2^3 + 3^3 + \cdots + 10^3)$

$= 8 \times 3025$

$= 24200\ Ans.$

Note: यदि श्रृंखला $1^3 + 3^3 + 5^3 + \cdots + K^3$ हो तो परिणामी $= n^2(2n^2 - 1)$ होगा। जहाँ, $n = \frac{K+1}{2}$

प्रश्न :$1^3 + 3^3 + 5^3 + \cdots + 15^3$ का मान बताइये?

हल $\left[n = \frac{15+1}{2} = 8\right]$

अतः परिणामी $= 8^2(2 \times 8^2 - 1)$

$= 64 \times (128 - 1)$

$= 64 \times 127$

$= 8128\ Ans.$

इकाई का अंक ज्ञात करना–:

(I) गुणनफल में इकाई का अंक ज्ञात करना

(II) घातों में इकाई का अंक ज्ञात करना

(I) गुणनफल में इकाई का अंक ज्ञात करना : सर्वप्रथम दी गई समस्त संख्याओं में इकाई का अंक नोट कर, इनका आपस में गुणा करें, और जैसे ही मान दहाई में आये दहाई के अंक को छोड़कर बचे इकाई के अंक से अगली संख्या में गुणा करते जायें अन्त में प्राप्त इकाई का अंक ही अभीष्ट उत्तर होगा।

प्रश्न :$587 \times 34 \times 5479 \times 8263$ के गुणनफल में इकाई का अंक बताइये?

हल

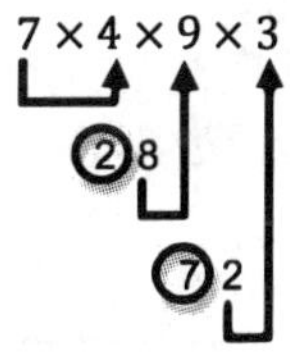

अतः इकाई का अंक = 6

स्मरणीय तथ्य

- क्रमागत या अनियमित श्रृंखला वाले संख्याओं के गुणनफल में यदि कहीं भी इकाई का अंक शून्य आये तो आगे बिना गुणा किये इकाई का अंक 'शून्य' रख देते है।
- समस्त विषम संख्याओं के गुणनफल में इकाई का अंक '5' तथा समस्त सम संख्याओं के गुणनफल में इकाई का अंक '0' होगा।
- समस्त अभाज्य संख्याओं के गुणनफल में इकाई का अंक '0' होता है।
- समस्त विषम अभाज्य संख्याओं के गुणनफल में इकाई का अंक '5' होता है।

(II) घात में इकाई का अंक ज्ञात करना :

टिप्पणी : 2^{13} में इकाई पहचानें–

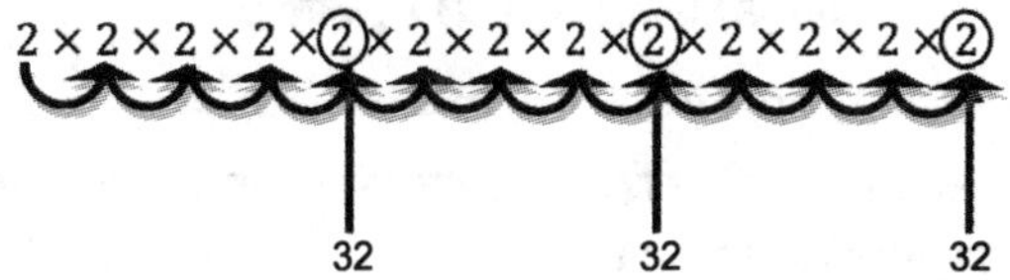

यहाँ इकाई का अंक = 2 Ans.

निष्कर्षत : कहा जा सकता है कि किसी संख्या का उसी संख्या में 4 बार और गुणा कर देने से इकाई का अंक फिर वही संख्या आ जाता है अतः (आधार में इकाई का अंक)$^{\frac{\text{घात}}{4}\text{ का शेष}}$ रखकर इकाई का अंक ज्ञात करें।

ध्यान दें–

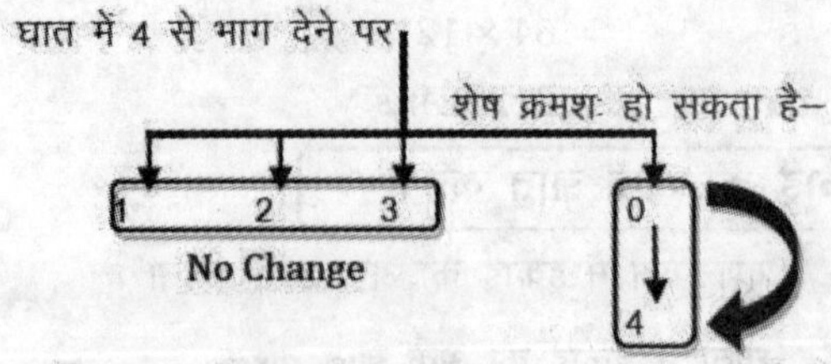

- यदि आधार में इकाई का अंक 0, 1, 5 या 6 आये तो प्रश्न को बिना हल किये इकाई का अंक वही संख्या रख देते हैं ऐसा इसलिए होता है क्योंकि–

		इकाई का अंक
$0\times0\times0\times0\times0$ ....$\times0$	=	0
$1\times1\times1\times1\times1$ ....$\times1$	=	1
$5\times5\times5\times5\times5$ ....$\times5$	=	5
$6\times6\times6\times6\times6$ ....$\times6$	=	6

प्रश्न : $(463)^{95}$ में इकाई का अंक बताइये?

हल $(3)^{\frac{95}{4}}$ का शेष

$(3)^3 = 7\ Ans.$

प्रश्न : $(2782)^{132}$ में इकाई का अंक बताइये?

हल $(2)^{\frac{132}{4}}$ का शेष

$(2)^4 = 16$

$= 6\ Ans.$

> **∵ जब शेष 0 हो तो शेष 0 के स्थान पर 4 रखकर प्रश्न हल करते है।**

प्रश्न : $(286)^{4763}$ में इकाई का अंक बताइये?

हल इकाई का अंक

$= 6\ Ans$

गुणनखण्ड (Factorisation) :

1. कुल गुणनखण्डों की संख्या ज्ञात करना :–
2. कुल गुणनखण्डों का योगफल ज्ञात करना :–
3. अभाज्य गुणनखण्डों की संख्या ज्ञात करना :–

गुणनखण्ड :

वह संख्या जो दी गई संख्या को पूर्णतः विभक्त कर दे, वह दी गई संख्या का गुणनखण्ड कहलाता है जिसमें–

- '1' प्रत्येक संख्या का गुणनखण्ड होता है।
- 'संख्या', स्वयं का एक गुणनखण्ड होता है।
- संख्या '1' को छोड़कर प्रत्येक संख्या के कम से कम दो गुणनखण्ड होते है।
- किसी संख्या का गुणनखण्ड उस संख्या के बराबर या उससे कम होता है।
- किसी संख्या का गुणनखण्ड उस संख्या का पूर्ण भाजक होता है।
- किसी संख्या का गुणज, उस संख्या के बराबर या उस संख्या से बड़ा होता है।
- किसी संख्या का एक गुणज स्वयं वह संख्या होता है।
- प्रत्येक संख्या के अनन्त गुणज होते हैं।

जैसे– 30 के गुणनखण्ड निम्न है **30 = 1,2,3,5,6,10,15** और 30 है।

अतः 30 में कुल गुणनखण्डों की संख्या 8 है।

परन्तु बड़ी संख्या में उपर्युक्त विधि कठिन हो जायेगी अतः गुणनखण्डों की कुल संख्या ज्ञात करने के लिए हम निम्न सूत्र का प्रयोग करेंगे जो क्रमचय और संचय के नियम से **Derived** किया गया है माना, **'N'** एक सम भाज्य संख्या है

		'N'
p बार	a, a, ..., a	
q बार	b, b, ..., b	
r बार	c, c, ..., c	1

अतः $N = a^p \times b^q \times c^r$

यहाँ a सम अभाज्य गुणनखण्ड (2) है।

तथा $b, c,$ ..... विषम अभाज्य गुणनखण्ड है।

तब

(i) कुल गुणनखण्डों की संख्या $= (p+1)\times(q+1)\times(r+1)$

(ii) सम गुणनखण्डों की संख्या $= p\times(q+1)\times(r+1)$

(iii) विषम गुणनखण्डों की संख्या $= (q+1)\times(r+1)$

प्रश्न : 120 में

(i) कुल गुणनखण्डों की संख्या बताइये?

(ii) सम गुणनखण्डों की संख्या बताइये?

(iii) विषम गुणनखण्डों की संख्या बताइये?

हल–

सम अभाज्य गुणनखण्ड	2	120
	2	60
	2	30
विषम अभाज्य गुणनखण्ड	3	15
	5	5
		1

$120 = 2^3 \times 3^1 \times 5^1$

(i) कुल गुणनखण्डों की संख्या $= (3+1)\times(1+1)\times(1+1)$

$= 4\times2\times2$

$= 16$

(ii) सम गुणनखण्डों की संख्या $= 3\times(1+1)\times(1+1)$

$= 3\times2\times2$

$= 12$

(iii) विषम गुणनखण्डों की संख्या $= (1+1)\times(1+1)$

$= 2 \times 2 = 4\ Ans.$

2. कुल गुणनखण्डों का योगफल ज्ञात करना :–

माना, 'N' कोई सम भाज्य संख्या है $N = a^p \times b^q \times c^r$ जहाँ, *'a'* सम अभाज्य संख्या (2) है तथा *b, c,* ..... विषम अभाज्य संख्या है।

(i) कुल गुणनखण्डों का योगफल $= (a^0 + a^1 + a^2 + \cdots + a^p) \times (b^0 + b^1 + b^2 + \cdots + b^q) \times (c^0 + c^1 + c^2 + \cdots + c^r)$

(ii) सम गुणनखण्डों का योगफल $= (a^1 + a^2 + a^3 + \cdots + a^p) \times (b^0 + b^1 + b^2 + \cdots + b^q) \times (c^0 + c^1 + c^2 + \cdots + c^r)$

(iii) विषम गुणनखण्डों का योगफल $= (b^0 + b^1 + b^2 + \cdots + b^q) \times (c^0 + c^1 + c^2 + \cdots + c^r$

प्रश्न : 120 में

(i) कुल गुणनखण्डों का योगफल बताइये?

(ii) सम गुणनखण्डों का योगफल बताइये?

(iii) विषम गुणनखण्डों का योगफल बताइये?

हल–

2	120
2	60
2	30
3	15
5	5
	1

$120 = 2^3 \times 3^1 \times 5^1$

(i) कुल गुणनखण्डों का योगफल $= (2^0 + 2^1 + 2^2 + 2^3) \times (3^0 + 3^1) \times (5^0 + 5^1)$

$= (1 + 2 + 4 + 8) \times (1 + 3) \times (1 + 5)$

$= 15 \times 4 \times 6$

$= 360\ Ans.$

(ii) सम गुणनखण्डों का योगफल $= (2^1 + 2^2 + 2^3) \times (3^0 + 3^1) \times (5^0 + 5^1)$

$= (2 + 4 + 8) \times (1 + 3) \times (1 + 5)$

$= 14 \times 4 \times 6$

$= 336\ Ans.$

(iii) विषम गुणनखण्डों का योगफल $= (3^0 + 3^1) \times (5^0 + 5^1)$

$= (1 + 3) \times (1 + 5)$

$= 4 \times 6$

$= 24\ Ans.$

अभाज्य गुणनखण्ड : जब किसी संख्या को अभाज्य संख्याओं के गुणज के रूप में लिखा जाये तो उस संख्या का गुणनखण्ड, अभाज्य गुणनखण्ड कहलाता है।

प्रश्न : 1080 में अभाज्य गुणनखण्डों की संख्या बताइये?

हल–

2	1080
2	540
2	270
3	135
3	45
3	15
5	5
	1

$1080 = 2^3 \times 3^3 \times 5^1$

∴ अभाज्य गुणनखण्डों की संख्या

$= 3 + 3 + 1 = 7\ Ans.$

प्रश्न : $12^2 \times 15^3 \times 35$ में अभाज्य गुणनखण्डों की संख्या बताइये?

हल– $12^2 \times 15^3 \times 35$

$= (2 \times 2 \times 3)^2 \times (3 \times 5)^3 \times (5 \times 7)$

$= 2^2 \times 2^2 \times 3^2 \times 3^3 \times 5^3 \times 5^1 \times 7^1$

$= 2^4 \times 3^5 \times 5^4 \times 7^1$

∴ अभाज्य गुणनखण्डों की संख्या $= 4 + 5 + 4 + +1 = 14\ Ans.$

''हस्तमिलाप'' से प्रश्न :–

यदि व्यक्तियों की संख्या 'n' हो तो, हम जानते हैं कि दो व्यक्तियों से एक हस्तमिलाप होगा अतः

कुल हस्तमिलापों की संख्या $n_{C_2} = \frac{n!}{2!(n-2)!}$

कुल हस्तमिलापों की संख्या	$= \dfrac{n \times (n-1)}{2}$

प्रश्न : एक पार्टी में प्रत्येक व्यक्ति सभी उपस्थित व्यक्तियों से हाथ मिलाता है। यदि कुल हैण्डशेक 66 हुये हो तो पार्टी में कितने व्यक्ति थे?

हल कुल हैण्डशेक की संख्या $= \frac{n \times (n-1)}{2}$

$66 = \frac{n \times (n-1)}{2}$

$132 = n^2 - n$

$n^2 - n - 132 = 0$

$n^2 - 12n + 11n - 132 = 0$

$n(n - 12) + 11(n - 12) = 0$

$(n + 11)(n - 12) = 0$

अतः $n = 12\ Ans.$

सही–गलत प्रश्नों की संख्या ज्ञात करना :–

प्रश्न : किसी परीक्षा में प्रत्येक सही उत्तर के लिए 5 अंक मिलते है तथा प्रत्येक गलत उत्तर के लिये 2 अंक काट लिये जाते हैं। यदि एक छात्र 140 प्रश्नों का उत्तर दे तथा 350 अंक प्राप्त करे तो उसने कितने प्रश्नों का सही उत्तर दिया?

हल सही 140 गलत

x $(140-x)$

$5x+(140-x)\times -2=350$

$5x-280+2x=350$

$7x=630$

$x=90$

IInd Method :

140 x 5 = 700 अंक मिलते (यदि सभी प्रश्नों का सही जवाब देता)

परन्तु 350 अंक मिले अर्थात् उसने 350 अंक Loss किया (गलत हल करने के कारण)

∵ 1 गलत उत्तर देने पर 5 + 2 = 7 अंक Loss होता है

अतः गलत उत्तर की संख्या $=\frac{350}{7}=50$

अतः सही उत्तर की संख्या $=140-50$

$=90$

दो पैर और चार पैर वाले जानवरों की संख्या ज्ञात करना :–

प्रश्न : किसी खेत में कुछ मुर्गियाँ और कुछ बकरियाँ है। यदि इन सबके गर्दनों की संख्या 35 तथा पैरों की संख्या 90 हो तो बकरियों की कुल संख्या बताइये?

हल बकरी 35 गर्दन / जानवर मुर्गी

x $(35-x)$

$4x+(35-x)\times 2=90$

$4x+70-2x=90$

$2x=20$

$x=10$ (बकरियाँ)

तथा मुर्गियाँ $=35-x$

$=35-10$

$=25$

Note :

- **चार पैर वाले जानवर** : की संख्या ज्ञात करने के लिए पैरों की कुल संख्या में से गर्दनों की संख्या के दो गुने को घटाकर प्राप्त मान में 2 से भाग कर देते हैं।

उपर्युक्त प्रश्न के हल में

बकरियाँ $=\frac{90-35\times2}{2}=\frac{20}{2}=10$

- **दो पैर वाले जानवर** : की संख्या ज्ञात करने के लिए गर्दनों की संख्या के 4 गुने में से पैरों की कुल संख्या घटाकर प्राप्त मान में 2 से भाग कर देते हैं।

उपर्युक्त प्रश्न के हल में

मुर्गियाँ $=\frac{35\times4-90}{2}=\frac{50}{2}=25$

प्रश्न : किसी समूह में जितने संख्या में आदमी उतने ही संख्या में घोड़े थे। आधे व्यक्ति अपने–अपने घोड़े पर बैठे थे, जबकि शेष व्यक्ति पैदल चल रहे थे। यदि जमीन पर कुल पैरों की संख्या 120 हो तो समूह में कुल कितने घोड़े थे?

हल माना, जमीन पर चलने वाले आदमी $=x$

तब जमीन पर चलने वाले घोड़े $=2x$

∵ जमीन पर आदमी के पैर+जमीन पर घोड़े के पैर = 120

$2x+2x\times4=120$

$10x=120$

$x=12$

∴ कुछ घोड़े $=2x=2\times12$

$=24\ Ans.$

'n' अंकों वाली कुल संख्या ज्ञात करना :–

'n' अंकों वाली कुल संख्या $=9\times10^{n-1}$

प्रश्न : तीन अंकों की कुल संख्यायें कितनी है?

हल 100, 101, 102, ... , 999

$n=\frac{999-100}{1}+1$

$n=899+1$

$n=900\ Ans.$

IInd विधि :

तीन अंकों वाली कुल संख्या $=9\times10^{3-1}$

$=9\times10^{2}$

$=900\ Ans.$

प्रश्न : पाँच अंकों की कुल संख्यायें कितनी है?

हल पाँच अंकों वाली कुल संख्या $=9\times10^{5-1}$

$=9\times10^{4}$

$=90000\ Ans.$

संख्याओं पर प्रश्न

द्वि–अंकीय संख्या के लिए–

संख्या = दहाई का अंक × 10 + इकाई का अंक × 1

प्रश्न : किसी द्वि–अंकीय संख्या के अंकों का योग 9 है। जब मूल संख्या में से 27 घटाया जाता है तो प्राप्त संख्या मूल संख्या के बदले हुये अंक होते हैं तो वह संख्या बताइये?

हल : माना, इकाई का अंक $= x$ तथा दहाई का अंक $= y$

तब मूल संख्या $= 10y + x$ तथा $x + y = 9$ ... (i)

प्रश्नानुसार,

$$10y + x - 27 = 10x + y$$

$$9y - 9x = 27$$

$$y - x = 3 \; \ldots\ldots\ldots (ii)$$

समीकरण (i) तथा (ii) को जोड़ने पर

$$2y = 12$$

$$y = 6$$

$$\therefore x = 3$$

तब, मूल संख्या $= 10 \times 6 + 3 = 63$ *Ans.*

प्रश्न : दो अंकों की संख्या का दहाई का अंक, इकाई के अंक से 2 अधिक है। यदि अंकों को पलट दिया जाये तो इस प्रकार बनी नई संख्या एवं मूल संख्या का योगफल 88 हो तो वह संख्या ज्ञात कीजिए?

हल : माना, इकाई का अंक $= x$

तब, दहाई का अंक $= x + 2$

अतः मूल संख्या $= (x + 2) \times 10 + x$

$= 10x + 20 + x$

$= 11x + 20$

तथा अंकों को पलटने से बनी संख्या $= x \times 10 + (x + 2) = 11x + 2$

प्रश्नानुसार,

$$(11x + 2) + (11x + 20) = 88$$

$$22x + 22 = 88$$

$$22x = 66$$

$$x = 3 \text{ (इकाई)}$$

$\therefore$ मूल संख्या $= 11 \times 3 + 20 = 53$ *Ans.*

नोट :

(i) दो अंकों की संख्या और उसके अंकों को पलटने से प्राप्त संख्या का योग सदैव 11 से विभक्त होगा।

(ii) दो अंकों की संख्या और उसके अंकों को पलटने से प्राप्त संख्या का अन्तर सदैव 9 से विभक्त होगा।

उभयनिष्ठ गुणनखण्ड ज्ञात करना :–

गुणनखण्ड प्रमेय के अनुसार, व्यंजक $f(x)$ का गुणनखण्ड ज्ञात करने के लिए $f(x)$ को शून्य के बराबर रखते हैं तथा हल करने के बाद जो मान शून्य के बराबर आता है वह $f(x)$ का एक गुणनखण्ड होता है।

माना, $f(x) = a^n + b^n$

$$0 = a^n + b^n$$

$$a^n = -b^n$$

तब n के विषम मान के लिये

$$a = -b$$

$$a + b = 0$$

$\therefore$ $(a + b), (a^n + b^n)$ का एक गुणनखण्ड होगा।

प्रश्न : $(23^{19} + 19^{19})$ **तथा** $(23^{23} + 19^{23})$ **का एक उभयनिष्ठ गुणनखण्ड ज्ञात कीजिए?**

हल $\because$ $a^n + b^n$ का एक गुणनखण्ड $(a + b)$ होगा (जब n विषम हो)

अतः $23^{19} + 19^{19}$ का एक गुणनखण्ड $= 23 + 19 = 42$

तथा $23^{23} + 19^{23}$ का एक गुणनखण्ड $= 23 + 19 = 42$

$\therefore$ उभयनिष्ठ गुणनखण्ड = 42 एवं 42 के सभी गुणनखण्ड = 2, 3, 6, 7, 21 व 42

प्रश्नावली

TYPE - 01

1. **निम्नलिखित में कौन सही नहीं है–**
(a) दो पूर्णांकों का योग एक पूर्णांक होता है।
(b)दो परिमेय संख्याओं का योग एक परिमेय संख्या होती है।
(c)दो अपरिमेय संख्याओं का योग एक अपरिमेय संख्या होती है।
(d)दो प्राकृतिक संख्याओं का योग एक प्राकृतिक संख्या होती है।
UP TET (I-V)25-11-2021

2. **निम्नलिखित में से कौन–सा सही है?**
(a) सब सम संख्या संयुक्त संख्या है।
(b) शून्य एक अभाज्य संख्या है।
(c)सब अभाज्य संख्या विषम है।
(d) अभाज्य संख्या की संख्या असंख्य है।
Assam TET (I-V) 10-11-2019

3. **निम्न में से कौन से कथन सही है?**
(1) दो अभाज्य संख्याओं का योगफल सदैव एक अभाज्य संख्या होता है।
(2) एक भाज्य संख्या विषम संख्या हो सकती है।
(3) '2' एकमात्र सम अभाज्य संख्या है।
(4) सबसे छोटी अभाज्य संख्या '1' है।
(a) (1) और (3) (b) (2) और (3)
(c) (2) और (4) (d) (3) और (4)

4. **प्राकृत संख्याओं के बारे में निम्नलिखित में से कौन–सा कथन सत्य नहीं है?**
(i) 1 प्रत्येक संख्या का एक गुणनखंड होता है।
(ii) किसी संख्या का प्रत्येक गुणनखंड उस संख्या का पूर्ण भाजक होता है।
(iii) किसी दी गई संख्या के गुणनखंडों की संख्या परिमित होती है।
(iv) 1 सबसे छोटी अभाज्य संख्या है।
(a) केवल (iii)
(b) केवल (ii)
(c) केवल (iv) (iii) और
(c) केवल (iv)

5. **निम्नलिखित जोड़ों में कौन–सा युग्म सह अभाज्य संख्या का है?**
(a) (7, 49) (b) (17, 25)
(c) (8, 52) (d) (13, 91)
HTET (I-V) 19-12-2021

6. **निम्नलिखित कथन में से कौन सा कथन सही नही है?**
(a)प्रत्येक प्राकृतिक संख्या एक वास्तविक संख्या है।
(b)प्रत्येक वास्तविक संख्या एक परिमेय संख्या है।
(c) प्रत्येक पूर्णाक परिमेय संख्या है।
(d)प्रत्येक प्राकृतिक संख्या एक पूर्णांक है।
(LDC) 15-11-2025 Evening)

7. **निम्नलिखित विशेषताओं वाली गुप्त संख्या को ढूढिए –**
(i) उसमें तीन अंक है
(ii)वह 2,3,7 से विभाजित हो सकती है लेकिन 5 से नहीं
(iii)यह सबसे छोटी तीन अंकीय संख्या है जिसमे (ii) में दी गई विशेषता है और इसके पहले और आखिरी अंक का जोड़ बीच के अंक के बराबर है।
(a) 210 (b) 231
(c) 132 (d) 462

TYPE - 02

8. **यदि a * b = 2a – 3b + ab, हो, तो 3 * 5 + 5 * 3 बराबर है–**
(a) 22 (b) 24
(c) 26 (d)28
(SSC CGL pre 4-7-1999 first meating)

9. **यदि Δ एक ऐसी संक्रिया है कि धन पूर्णांकों a और b के लिए $a \Delta b = -a + b - (-2)$ है, तो $4 \Delta 3$ का मान है?**
(a)1 (b) –1
(c) +3 (d) –3

10. **यदि a * b = a + b + ab हो, तो 3 * 4 – 2 * 3 बराबर है–**
(a) 6 (b) 8
(c) 10 (d)12
(SSC CGL Pre 24-2-2002 second meating)

TYPE – 03

11. **मान लें कि $x = (433)^{24} - (377)^{38} + (166)^{54}$ है, तो x का इकाई का अंक क्या है?**
(a) 8 (b) 6
(c) 9 (d) 7
(SSC CGL mains 2020, 29 jan 2022)

12. **यदि $x = (633)^{24} - (277)^{38} + (266)^{54}$ है, तो *x* का इकाई अंक क्या है?** **(SSC CGL pre, 2021)**
(a) 8 (b) 6
(c) 4 (d) 7

13. **यदि $x = (164)^{169} + (333)^{337} - (727)^{726}$ है तो x का इकाई अंक क्या है?** **(SSC CGL Mains, 2021)**
(a) 5 (b) 7
(c) 8 (d) 9

TYPE – 04

14. **75 से 97 तक की सभी प्राकृतिक संख्याओं का योग क्या होगा?**
(a) 1598 (b) 1978

(c) 1798 (d) 1958
(SSC Constable GD)

TYPE - 04

15. **यदि 5 क्रमिक पूर्णांकों का योग S हो, तो उनमें सबसे बड़ा पूर्णांक S से किस रूप में संबंधित होगा?**
(a) $\frac{S-10}{5}$ (b) $\frac{S+4}{4}$
(c) $\frac{S+5}{4}$ (d) $\frac{S+10}{5}$
(SSC (10+2)Data entry Operator and LDC exame 4/12/2011)

16. **100 तथा 400 के मध्य सभी प्राकृतिक संख्याओं का योग क्या है, जो 13 से विभाज्य हैं?**
(a) 5681 (b) 5334
(c) 5434 (d) 5761

17. **यदि $1^3 + 2^3........+ 10^3 = 3025$ तो $2^3 + 4^3 ....+ 20^3$ का मान क्या होगा?**
(a) 7590 (b) 5060
(c) 24200 (d) 12100
(SSC CGL Pre. 2020)

18. **यदि $1^2 + 2^2 + ... + 9^2 = 285$ हो, तो $(0.11)^2 + (0.22)^2 + ... + (0.99)^2$ का मान है?**
(a) 2.4485 (b) 0.24485
(c) 3.4485 (d) 0.34485
(UPTET (Class I-V) 18Nov 2018)

19. **$11^2 + 12^2 + 13^2 +........+ 20^2$ का मान है–**
(a) 2685 (b) 2585
(c) 2870 (d) 2485
(HTET (I-V) 19-12-2021)

20. **3 तथा 200 के बीच कितनी प्राकृत संख्याएँ 7 से विभाजित होगी?**
(a) 27 (b) 28
(c) 29 (d) 30
(UttarakhandTET (I–V) 2021)

21. **100 तथा 300 के मध्य कितनी संख्याएँ 7 से विभाज्य हैं?**
(a) 42 (b) 28
(c) 35 (d) 31
(UttarakhandTET (I–V) 28-4-2015)

22. **1 से 200 के बीच ऐसी कितनी संख्याएँ है, जो 3 से तो विभाजित होती है, लेकिन 7 से नहीं ?**
(a) 38 (b) 45
(c) 57 (d) 66
(SSC CGL Mains 2020)

23. **समान्तर श्रेणी –37, –33, – 29,...........में प्रथम 12 पदों तक योगफल ज्ञात करें–**
(a) –180 (b) 180
(c) 810 (d) –108
(Haryana TET (I–V) November,2011)

TYPE - 05

24. **8 से भाज्य होने वाली संख्याएं हैं–**
(i) 5240 **(ii) 5220**
(iii) 97128 **(iv) 97124**
(a) ii और iii (b) I,iii और iv
(c) i और iii (d) i और ii
UPTET (Class I-V) 8 Jan 2020

25. **यदि 8 अंकीय संख्या 179x091y, 88 से विभाज्य है, तो (x–y) का क्या मान है?**
(a) 3 (b) 4
(c) 1 (d) 2
CTET (VI-VIII)3-10-2021

26. **यदि 6 अंको की संख्या 24678x, 11 से विभाज्य है और 5 अंकों की संख्या 3671y, 9 से विभाज्य है, तो $\frac{x+y}{x-y}$ का मान क्या होगा?**
(a) $\frac{3}{2}$ (b) $\frac{1}{2}$
(c) $\frac{2}{3}$ (d) $\frac{1}{5}$
CTET (I–V) 24-12-2021

27. **वह न्यूनतम अंक x है, जिसके लिए संख्या 324x342, 11 से विभाज्य हो, है–**
(a) 6 (b) 5
(c) 3 (d) 8
UP TET (I–V) 28-11-2021(Cancelled)

28. **निम्नलिखित में से कौन–सी संख्या 99 से विभाजित होती है?**
(a) 913462 (b) 135792
(c) 114345 (d) 3572406
UP TET (I–V) 23-1-2022(Re-exame)

29. **चार अंकों की एक संख्या 4ba5, संख्या 55 से विभाज्य है। तब, (a–b) का मान है:**
(a) 3 (b) 2
(c) 1 (d) 0
C TET IVI–VIII) 21-12-2021)

30. **यदि 9 से संख्या 5432x7 विभाज्य है, तो x के स्थान पर अंक है?**
(a) 9 (b) 6
(c) 3 (d) 1
C TET IVI–VIII) 29-12-2021)

31. **यदि 6 अंकों वाली एक संख्या 43x82y , 72 से विभाज्य है, तो (2x–y) का मान क्या है?**
(a) 8 (b) 10
(c) 12 (d) 14
C TET IVI–VIII) 17-1-2022)

32. **यदि 9 अंकीय संख्या 985x3678y, 72 से विभाज्य है, तो (3x+2y) का क्या मान है?**
(a) 16 (b) 18
(c) 20 (d) 24
C TET IVI–VIII) 21-1-2022)

TYPE - 06

33. एक भाजक, भागफल का 15 गुना तथा शेषफल का 3 गुना है। यदि शेषफल 40 है, तो भाज्य ज्ञात कीजिए?

(a) 900 (b) 750
(c) 1000 (d) 600

(SSC MTS 2017)

34. भाजक भागफल का 25 गुना है और शेषफल का 5 गुना है। यदि भागफल 16 हो, तो भाज्य है?

(a) 6400 (b) 6480
(c) 400 (d) 480

(SSC CGL Exam 24-2-2022 first meeting))

35. एक भाग के प्रश्न में भागफल, भाजक का 4 गुना है और शेषफल, भाजक का एक–चौथाई है। यदि शेषफल 8 है, तो भाज्य क्या होगा?

(a) 4096 (b)5004
(c) 4004 (d) 4104

CTET (I-V)12-1-2022

36. भाग के एक सवाल में गुणक भागफल का दस गुणा है तथा शेषफल भाजक का पांच गुणा है। यदि शेषफल 46 है, तो भाज्य कितना है?

(a) 4236 (b)4306
(c) 4336 (d) 5336

(Bihar SSC 16-2-2015)

TYPE - 07

37. यदि किसी संख्या को 899 से विभाज्य किया जाता है, तो शेषफल 63 बचता है। यदि उसी संख्या को 29 से विभाज्य किया जाये तो शेषफल क्या होगा?

(a) 10 (b)2
(c) 4 (d) 5

(SSC CGL PRE 2017)

38. किसी संख्या को 52 से भाग देने पर शेष 45 आता है। यदि उसी संख्या को 13 से भाग दें, तो शेष रहेगा–

(a) 5 (b) 6
(c) 12 (d) 7

(SSC CGL Pre Exam 24-1-2002)

39. जब n को 6 से विभाजित किया जाता है, तो शेषफल 4 आता है। तदनुसार, जब 2n को 6 से विभाजित किया जाए, तो शेषफल कितना होगा?

(a) 2 (b) 0
(c) 4 (d) 1

(SSC Data entry Operator and LDC 10-12-2013 first meating)

40. जब किसी संख्या को 14 से विभाजित किया जाता है, तो शेषफल 9 प्राप्त होता है। यदि उसी संख्या के वर्ग को 14 से विभाजित किया जाए, तो शेषफल होगा–

(a) 11 (b) 9
(c) 10 (d) 8

(SSC CGL Pre 2017)

41. जब एक संख्या को 5 से विभाजित किया जाता है, तो उसका शेष 3 आता है। जब उस संख्या के घन और वर्ग के योग को 5 से विभाजित किया जाएगा तो शेष क्या होगा?

(a) 1 (b) 2
(c) 3 (d) 4

42. जब एक पूर्णांक 'K' को 3 से विभाजित किया जाता है, तो शेषफल 1 प्राप्त होता है और जब K + 1 को 5 से विभाजित किया जाता है, तो शेषफल 0 प्राप्त होता है, तो निम्न में से 'K' का संभावित मान क्या होगा?

(a) 62 (b) 63
(c) 64 (d) 65

(SSC CHSL 2019)

TYPE - 08

43. ऐसी कौन सी न्यूनतम संख्या है जिसे 1039 में जोड़े जाने के बाद प्राप्त योग 29 से पूरी तरह से विभाजित हो जाए?

(a) 4 (b) 5
(c) 8 (d) 6

44. 2401 के साथ ऐसी कौन–सी न्युनतम संख्या को जोड़ा जाना चाहिए ताकि योग 14 से पूरी तरह से विभाजित हो जाए।

(a) 8 (b) 7
(c) 4 (d) 5

45. 84 से पूरी तरह विभाज्य होने वाली 5 अंकों की अधिकतम संख्या कौन सी है?

(a) 99960 (b) 99955
(c) 99952 (d) 99956

46. 4 अंकों की सबसे बड़ी संख्या में कौन–सी न्यूनतम संख्या जोड़ी जायें कि संख्या को 307 से पूरा विभाजित किया जा सके।

(a) 132 (b) 32
(c) 43 (d) 75

(SSC MTS 2020)

TYPE - 09

47. यदि n प्राकृत संख्या हो तो किस संख्या को n(n+1)(n+2) के रूप में लिखा जा सकता है?

(a) 7 (b) 5
(c) 3 (d) 6

SSC CGL PRE 2020

48. वह सबसे बड़ी संख्या, जो $n^3 - n$, जबकि n एक प्राकृत संख्या है, के रूप की प्रत्येक संख्या को पूर्णतः विभाजित करें, हैं–

(a) 12 (b) 6
(c) 3 (d) 2

(SSC CGL Pre Exame 13-11-2005)

49. n के किसी पूर्णांक मान के लिए $3^{2n} + 9n + 5$ को 3 से भाग दिए जाने पर क्या शेष रहेगा?

(a) 1 (b) 2

(c) 0 (d) 5

(SSC CGL Tire –1 Exame 19-10-2014)

50. **वह सबसे बड़ी संख्या ज्ञात करें जो $(n^3-n)(n-2)$, के रूप वाली प्रत्येक संख्या को पूर्णतः विभाजित करेंगी, जहाँ n कोई 2 से बड़ी प्राकृत संख्या है।**

(a) 6 (b) 12
(c) 24 (d) 48

(SSC CPO sub inspector exame 9-11-2008)

TYPE – 10

51. $(4^{61}+4^{62}+4^{63})$ **निम्न में से किससे विभाज्य है?**

(a) 3 (b) 11
(c) 13 (d) 17

(SSC Data entry Operator 4-12-2011)

52. $(3^{25}+3^{26}+3^{27}+3^{28})$ **विभाजित हैं।**

(a) 11 (b) 16
(c) 25 (d) 30

53. $(2^{71}+2^{72}+2^{73}+2^{74})$ **किससे विभाजित हैं।**

(a) 9 (b) 10
(c) 11 (d) 13

TYPE – 11

54. **तीन क्रमागत प्राकृतिक संख्याओं का योग ......से हमेशा विभाजित होता है।**

(a) 3 (b) 9
(c) 15 (d) 21

SSC CGL Main 2020

55. **तीन क्रमागत सम संख्याओं का योग हमेशा विभाजित होता है।**

(a) 12 (b) 6
(c) 18 (d) 24

56. **तीन क्रमागत विषम संख्याओं का योग हमेंशा विभाजित है।**

(a) 3 (b) 9
(c) 15 (d) 21

TYPE–12

57. **जब किस संख्या को क्रमशः 3, 4 और 7 से विभाजित किया जाता है, तो शेषफल क्रमशः 2, 3 और 5 प्राप्त होते हैं। जब उसी संख्या को 42 से विभाजित किया जाए तो प्राप्त शेषफल ज्ञात करे?**

(a) 41 (b) 31
(c) 30 (d) 29

(SSC CPO 2017)

58. **एक संख्या को 13 से विभाजित करने पर शेषफल 1 आता है और भागफल को 5 से विभाजित करने पर शेषफल 3 आता है, यदि उसी संख्या को 65 से विभाजित किया जाए, तो शेषफल क्या होगा?**

(a) 28 (b) 16
(c) 18 (d) 40

SSC CGL Pre 2017

59. **एक संख्या को क्रमशः 9, 11, 13 से विभक्त करने पर क्रमशः 8, 9, 8 शेष बचते हैं, यदि विभाजकों के क्रम को उलट दिया जाये तो शेष क्या बचेगा?**

(a) 8,9,8 (b) 9,8,8
(c) 10,1,6 (d) 10,8,9

60. **किसी संख्या को 4 से भाग देने पर शेषफल 2 प्राप्त होता है, इससे प्राप्त भागफल को 5 से भाग देने पर शेषफल 3 प्राप्त होता है, इस प्रकार प्राप्त भागफल को 6 से भाग देने पर शेषफल 5 प्राप्त होता है, यदि अन्तिम भागफल 7 हो , तो संख्या क्या थी?**

(a) 962 (b) 954
(c) 946 (d) 938

TYPE - 13

61. $142^2 - 1$ **संख्या किससे विभाज्य है?**

(a) 19 (b) 7
(c) 9 (d) 13

62. $(49)^{15} - 1$ **किस संख्या से पूर्णतः विभाजित है।**

(a) 50 (b) 51
(c) 29 (d) 8

63. **निम्न में से कौन–सी संख्या** $(3^{41} + 7^{82})$ **को पूर्णतः विभाजित नहीं करेगी।**

(a) 4 (b) 52
(c) 17 (d) 26

TYPE - 14

64. **जब** 4^{96} **को 6 से विभाजित किया जाता है, तो शेषफल प्राप्त होता है?**

(a) 3 (b) 4
(c) 5 (d) 6

(Hariyana TET (Class VI-VIII)2Feb2014)

65. 7^{99} **को 2400 से विभाजित करने पर शेषफल क्या होगा?**

(a) 1 (b) 49
(c) 343 (d) 7

66. **जब** 2^{30} **को 5 से विभाजित किया जाता है तो शेषफल प्राप्त होता है?**

(a) 1 (b) 2
(c) 3 (d) 4

67. $(17)^{200}$ **को 18 से भाग देने पर शेषफल होगा–**

(a) 1 (b) 7
(c) 9 (d) 17

Uttrakhand TET (I-V)2020

68. **संख्या** 3^{98} **को 5 से भाग देने पर शेष रहता है–**

(a) 1 (b) 2
(c) 3 (d) 4

69. 3^{21} **को 5 से विभाजित करने पर शेषफल क्या होगा?**

(a) 1 (b) 2
(c) 3 (d) 4

70. **जब $(51^{203} + 2^{49})$ को 17 से विभाजित किया जाता है, तब शेषफल ज्ञात करें?**
(a) 4 (b) 5
(c) 6 (d) इनमें से कोई नहीं

71. **10^{100} को 5^{75} से से विभाजित करने पर भागफल है :**
(a) 10^{25} (b) 2^{75}
(c) $2^{75} \times 10^{25}$ (d) $2^{25} \times 10^{75}$
(SSC CGL Pre .2020)

72. **यदि $(29)^{75}$ को 28 से विभाजित किया जाय, तो शेषफल होगा।**
(a) 0 (b) 1
(c) 29 (d) 7

73. **जब $(127^{97} + 97^{97})$ को 32 से विभाजित किया जाता है, तो कितना शेष बचता है?**
(a) 0 (b) 4
(c) 2 (d) 7
(SSC CGL Pre 2021)

74. **यदि $29^{41} + 37^{41}$ को 33 से विभाजित किया जाता है, तो प्राप्त होने वाला शेषफल ज्ञात करें।**
(a) 2 (b) 3
(c) 1 (d) 0
(SSC CHSL 2017)

75. **यदि 3^{61284} को 5 से विभाजित किया जाता है तो शेष x बचता है और यदि 4^{96} को 6 से विभाजित किया जाता है तो शेष y बचता है। (2x – y) का मान क्या है?**
(a) –4 (b) 2
(c) –2 (d) 4
(SSC CGL Pre 2021)

TYPE - 15

75. **यदि एक संख्या $8^{10} \times 9^{7} \times 7^{8}$ के रूप में है, तो दी गई संख्या के अभाज्य गुणनखण्डों की संख्या है–**
(a) 36 (b) 46
(c) 52 (d) 55
HTET (I-V)19-12-2021

77. **$(30)^5 \times (24)^5$ के अभाज्य गुणनखण्डों की संख्या कितनी है?**
(a) 35 (b) 30
(c) 45 (d) 10
(SSC MTS 2017)

TYPE - 16

78. **यदि A और B अंक हैं तथा A3 + 8B = 150 है, तो A – B का मान है:**
(a) 1 (b) 2
(c) –2 (d) –1
CTET(VI-VIII)21-12-2021

79. **A, B और C विभिन्न अंकों को इस प्रकार व्यक्त करते है कि B एक अभाज्य संख्या नहीं है। यदि AB × 5 = CAB है, तो A + C = ?**
(a) 7 (b) 5
(c) 3 (d) 2
CTET(VI-VIII)23-12-2021

80. **A तथा B धनात्मक पूर्णांक है। यदि A + B + AB = 65 है, तो A तथा B के मध्य अंतर क्या है (A, B ≤ 15)?**
(a) 3 (b) 4
(c) 5 (d) 6
(SSC CGL Pre.2021)

TYPE - 17

81. **यदि दो संख्याओं का योगफल a तथा उनका गुणनफल b है तो उनके व्युत्क्रमों का योगफल होगा।**
(a) $\frac{1}{a} + \frac{1}{b}$ (b) $\frac{b}{a}$
(c) $\frac{a}{b}$ (d) $\frac{1}{ab}$

82. **यदि दो संख्याओं का अंतर तथा गुणनफल क्रमशः 5 तथा 36 हो तो उनके व्युत्क्रमों का अंतर है–**
(a) $\frac{31}{36}$ (b) $\frac{5}{9}$
(c) $\frac{9}{5}$ (d) $\frac{5}{36}$
UPTET(ClassI-V)8Jan 2020

TPYE - 18

83. **किसी दो अंकों की संख्या में दहाई का अंक इकाई के अंक से 4 अधिक है। दोनों अंकों का योग उस संख्या का 1/7 है, तो इकाई के स्थान वाला अंक है?**
(a) 5 (b) 4
(c) 3 (d) 1
Punjab TET(Class I-V)18Nov,2011

84. **किसी दो अंकीय संख्या के अंको का गुणनफल 6 है। उस संख्या में 9 जोड़नें से प्राप्त संख्या में अंकों के स्थान बदल जाते हैं। वह संख्या है?**
(a) 16 (b) 35
(c) 43 (d) 23
UPTET (Class I–V)15 Oct.2017

85. **कोई दो अंकों की संख्या तथा उनके स्थान परिवर्तन से बनने वाली नई संख्या का योग 110 है। यदि उन अंकों का अन्तर 4 है, तो वह संख्या है?**
(a) 62 (b) 73
(c) 84 (d) 51
Punjab TET (Class I–V)18 Nov.2011

86. **दो–अंकों की एक संख्या में ईकाई के स्थान का अंक दहाई के स्थान पर अंक के दुगुने से 1 कम है। यदि इकाई और दहाई के स्थान पर अंकों को आपस में बदल दिया जाये तो नयी और मूल संख्या के बीच अन्तर मूल संख्या से 20 कम है। मूल संख्या हैं।**
(a) 59 (b) 23
(c) 35 (d) 47

(SSC CGL Mains 2019)

87. दो अंकों की एक संख्या अपने अंकों के योग के तीन गुनी है। यदि उस संख्या में 45 जोड़ दिया जाता है, तो उसके अंकों के स्थान बदल जाता है, तो इस संख्या के अंकों का योग ज्ञात करें।

(a) 11 (b) 9
(c) 7 (d) 5

(SSC CHSL .2018)

88. दो अंकों वाली एक संख्या में, इसके इकाई का अंक इसके दहाई के अंक से 2 अधिक है और दी गई संख्या एवं इसके अंकों के योग का गुणनफल 460 है। वह संख्या ज्ञात कीजिए?

(a) 48 (b) 64
(c) 46 (d) 36

(SSC MTS 2017)

89. दो अंकों की एक संख्या में दहाई स्थान का अंक इकाई स्थान के अंक से 5 अधिक है। यदि अंकों के योग का पाँच गुना उस संख्या में से घटाया जाता है, तो उस संख्या के अंकों का स्थान बदल जाता है तो संख्या के अंकों का योग ज्ञात करें।

(a) 11 (b) 7
(c) 9 (d) 13

(SSC CHSL,2019)

90. तीन अंकों की एक संख्या में सैकड़े के स्थान का अंक, इकाई स्थान के अंक का दोगुना है और संख्या के अंकों का योग 18 है। यदि अंकों के स्थान बदल दिया जाता है, तो संख्या में 396 की कमी आ जाती है। तो संख्या के सैकड़े तथा दहाई स्थान के अंक का अंतर ज्ञात करें।

(a) 1 (b) 2
(c) 3 (d) 5

(SSC CHSL 2019)

91. दो अंकों की एक संख्या तथा संख्या के अंकों के स्थान को आपस में बदल कर बनी संख्या का योग एक पूर्ण वर्ग संख्या है, तो इस तरह की कितनी संख्याएँ हैं?

(a) 5 (b) 6
(c) 7 (d) 8

(SSC CGL Pre.2019)

TYPE - 19

92. एक परीक्षा में एक छात्र को प्रत्येक सही उत्तर के लिये 4 अंक मिलते हैं तथा प्रत्येक गलत उत्तर के लिये 1 अंक काट लिया जाता है। एक छात्र सभी 200 प्रश्नों को हल करता है तथा उसे कुल 200 अंक प्राप्त होते हैं तो उसने कितने प्रश्नों के सही उत्तर दिए?

(a) 82 (b) 80
(c) 68 (d) 60

93. एक परीक्षा में एक छात्र को प्रत्येक सही उत्तर के लिये 4 अंक मिलते हैं, तथा प्रत्येक गलत उत्तर के लिए 1 अंक कटते हैं। यदि वह सभी 75 प्रश्नों के उत्तर देता है और उसे कुल 125 अंक प्राप्त होते हैं तो उसने कितने प्रश्नों के सही उत्तर दिए?

(a) 35 (b) 40
(c) 42 (d) 46

94. किसी परीक्षा में प्रत्येक सही उत्तर के लिये 1 अंक दिया गया तथा प्रत्येक गलत उत्तर के लिये 1 अंक काट लिया गया। यदि किसी छात्र ने सभी 20 प्रश्नों के उत्तर दिये तथा 8 अंक प्राप्त किये। उसके द्वारा दिये गये सही उत्तरों की संख्या ज्ञात करें।

(a) 16 (b) 14
(c) 12 (d) 8

TYPE - 20

95. एक फार्म में गायें और मुर्गियाँ हैं। यदि सिर गिने जाएँ तो 180 हैं, यदि टाँगे गिनें तो 420 हैं। फार्म में गायों की कुल संख्या कितनी है?

(a) 130 (b) 50
(c) 150 (d) 30

(SSC CGL main 12-6-2015)

96. एक आदमी के पास कुछ मुर्गियाँ और कुछ गायें हैं। यदि सिरों की संख्या : पैरों की संख्या = 12 : 35 हो, तो मुर्गियों की संख्या ज्ञात कीजिये, यदि केवल सिरों की संख्या 48 हैं।

(a) 28 (b) 26
(c) 24 (d) 22

TYPE - 21

97. दो अंकों वाली एक संख्या के अंकों का जोड़ 10 है। यदि दो अंकों वाली एक संख्या के अंकों को व्युत्क्रमित कर दिया जाये, तो संख्या 36 कम हो जाती है। संख्या के संदर्भ में निम्नलिखित में से कौन–सा कथन सही है?

(I) अंकों का अंतर 4 है।

(II) संख्या 84 हो सकती है।

(III) संख्या सदैव एक भाज्य संख्या है।

(a) II तथा III (b) I तथा III
(c) I,II तथा III (d) I तथा II

98. निम्नलिखित में से कौन सा/से कथन सत्य है/हैं?

(I) 72 के कुल 12 धनात्मक गुणनखण्ड है।

(II) प्रथम 20 विषम संख्याओं का योग 400 है।

(III) दो अंकों की सबसे बड़ी अभाज्य संख्या 97 है।

(a) केवल I और II (b) केवल II और III
(c) केवल I और III (d) सभी सही है।

99. **निम्नलिखित में से कौन सा/व्यंजक सही है/हैं?**
(I) 337 एक अभाज्य संख्या है।
(II) संख्या 12 के 6 धनात्मक गुणनखंड है।
(III) 32724 पूर्णतः 9 से भाज्य है।
(a) केवल I
(b) केवल I तथा II
(c) केवल III
(d) सभी व्यंजक सही है।

TYPE - 22

100. **सही विकल्प चुनिए :**
दशमलव 99 को बाइनरी में बदले।
(a) 1100101 (b) 1101001
(c) 11100011 (d) 1100011

101. **वह न्यूनतम संख्या कौन–सी है, जिसे 210 में से घटाये जाने पर प्राप्त राशि 11 से पूरी तरह विभाजित हो जायेगी?**
(a) 2 (b) 3
(c) 4 (d) 1
SSC CGL Mains 2020

सही विकल्प चुनिए :
102. **बाइनरी 1101111 को दशमलव में बदलें।**
(a) 111 (b) 101
(c) 110 (d) 100
(SSC CGL Mains 2020)

103. **257 संख्या के द्विआधारी प्रस्तुतीकरण में कितने द्विआधारी अंक होंगे?**
(a) 8 (b) 9
(c) 7 (d) 10
CTET (I-V)30-12-2021

TYPE - 23

104. **84 के सभी धनात्मक गुणनखण्डों का योग, जो 7 के गुणज, हैं निम्न है–**
(a) 113 (b) 189
(c) 196 (d) 112
CTET (Class I-V)20 Sep. 2015

105. **96 के सभी धनात्मक गुणनखंडो का योगफल है**
(a) 251 (b) 252
(c) 155 (d) 156
CTET(Class I-V)22Feb.2015

106. **संख्या 105 के गुणनखंडों की संख्या है–**
(a) 8 (b) 3
(c) 4 (d) 6
CTET(ClassI-V)28 July.2013

107. **210 के धनात्मक गुणनखंडों का योगफल है–**
(a) 575 (b) 573
(c) 366 (d) 576

108. **संख्या 100 के सभी गुणनखंडों का योगफल है–**
(a) 216 (b) 217
(c) 223 (d) 115
CTET (Class I-V)18 Nov 2012

TYPE - 24

109. **यदि 14331433 × 1422 × 1425 को 10 से विभाजित किया जाता है, तो प्राप्त शेषफल ज्ञात करें।**
(a) 9 (b) 0
(c) 3 (d) 8
(SSC MTS 2017)

110. **दो धनात्मक संख्याओं का अंतर 1280 है। जब बड़ी संख्या को छोटी संख्या से विभाजित किया जाता है, तो भागफल 7 और शेषफल 50 प्राप्त होता है। बड़ी संख्या ज्ञात कीजिए?**
(a) 1558 (b) 1458
(c) 1585 (d) 1485
(CGL Pre 2016)

111. **यदि दो संख्याओं का योग 80 हो, एवं उनके बीच 3 : 5 का अनुपात हो, तो संख्या क्या होगी?**
(a) 50, 30 (b) 60, 20
(c) 20, 60 (d) 30, 50
(SSC CGL Pre Exam 2016)

112. **दो संख्याओं का योग उनके अंतर से तिगुना है। उनका अनुपात क्या है?**
(a) 1 : 2 (b) 2 : 1
(c) 3 : 1 (d) 1 : 3
(SSC CGL)Pre Exam 2016)

113. **दो धनात्मक संख्याओं का अनुपात 3 : 4 है। उनके वर्गो का योग 400 है। संख्याओं का योग कितना है?**
(a) 28 (b) 22
(c) 23 (d) 24
(SSC CGL Pre Exam 2016)

114. **तीन संख्याऐं 1 : 2 : 3 के अनुपात में है और उनके घनों का योग 4500 है। सबसे छोटी संख्या क्या है?**
(a) 4 (b) 5
(c) 6 (d) 10

Revision Series

115. **यदि a तथा b दो वास्तविक संख्यायें ऐसी हो कि $ab = 0$ तो–**
(a) $a = 0$ तथा $b = 0$
(b) $a = 0$ अथवा $b = 0$ अथवा दोनों में से प्रत्येक 0
(c) $a = 0$ तथा $b \neq 0$
(d) $b = 0$ तथा $a \neq 0$

116. **यदि a और b दो धनात्मक पूर्णांक इस प्रकार है कि $a^b = 125$ तो $(a-b)^{a+b-4}$ बराबर है –**

(a) 16 (b) 25
(c) 28 (d) 360

117. $49^{15} - 1$ किस संख्या से पूर्णतः विभक्त है?
(a) 50 (b) 51
(c) 29 (d) 48

118. यदि $(67^{67} + 67)$ को 68 से विभाजित किया जाये तो शेषफल क्या होगा?
(a) 1 (b) 67
(c) 66 (d) इनमें से कोई नहीं

119. यदि n एक प्राकृत संख्या है तो $n(n+1)(n+2)$ निम्न में से किससे हमेशा विभक्त होगा?
(a) 4 (b) 5
(c) 6 (d) 7

120. सुधीर प्रत्येक सही हल के लिये 3 अंक प्राप्त करता है और प्रत्येक गलत हल किये प्रश्न के लिए 2 अंक खोता है। यदि वह 30 प्रश्न हल करता है और 40 अंक प्राप्त करता है तो सही हल किये गये प्रश्नों की संख्या है–
(a) 25 (b) 20
(c) 15 (d) 14

121. यदि किसी संख्या के 75% में 75 जोड़ने पर वही संख्या प्राप्त हो तो वह संख्या ज्ञात कीजिए?
(a) 225 (b) 270
(c) 300 (d) 325

122. 1 से 50 तक की संख्यायें लिखने में कुल कितने अंकों की आवश्यकता होगी?
(a) 100 (b) 92
(c) 91 (d) 50

123. 3 ट्रंक एवं 8 सूटकेस की कुल लागत ₹ 7200 है। अगर तीन सूटकेसों की लागत ₹ 1800 है तो प्रत्येक ट्रंक की लागत क्या है?
(a) ₹ 800 (b) ₹ 700
(c) ₹ 650 (d) ₹ 500

124. $2684 \times 738 \times 47 \times 52363$ के गुणनफल में इकाई का अंक बताइये?
(a) 2 (b) 3
(c) 4 (d) 5

125. $(7^{95} - 3^{58})$ में इकाई का अंक क्या होगा?
(a) 0 (b) 4
(c) 6 (d) 7

126. 7^{105} में इकाई का अंक कितना है?
(a) 5 (b) 7
(c) 9 (d) 1

127. यदि 1Y3Y6 पूर्णतया 11 से विभक्त हो तो Y का मान होगा?
(a) 6 (b) 1
(c) 2 (d) 5

128. $6735 * 1$ में $*$ का न्यूनतम मान क्या होगा जिससे प्राप्त संख्या 9 से पूर्णतः विभक्त हो?
(a) 7 (b) 9
(c) 5 (d) 4

129. $(25)^{25}$ को 26 से भाग दे तो शेषफल क्या होगा?
(a) 1 (b) 2
(c) 24 (d) 25

130. किसी संख्या में 7 जोड़कर योगफल को 5 से गुणा करके गुणनफल को 9 से भाग देते हैं। इस प्रकार प्राप्त भागफल में से 3 घटाने पर 12 शेष बचते हैं तो संख्या कितना होगा?
(a) 20 (b) 30
(c) 40 (d) 60

131. 1 से 200 के बीच कितने पूर्णांक है जो 2 तथा 3 दोनों से विभक्त हो?
(a) 25 (b) 27
(c) 29 (d) 33

132. 200 एवं 400 के बीच कितनी ऐसी संख्यायें है जो 3, 4 एवं 5 तीनों से विभाज्य हो?
(a) 2 (b) 3
(c) 4 (d) 5

133. वह न्यूनतम संख्या कौन–सी है जिसे 3000 में जोड़ने पर वह 57 का अपवर्त्य बन जाये?
(a) 21 (b) 19
(c) 23 (d) 36

134. 84159 के समीपतम कौन–सी संख्या है जो 97 से पूर्णतः विभक्त हो जाये?
(a) 84099 (b) 84196
(c) 84000 (d) इनमें से कोई नहीं

135. 5 अंकों की वह बड़ी से बड़ी संख्या बताइये जो 463 से पूर्णतः विभकत हो जाये?
(a) 99082 (b) 99545
(c) 99568 (d) 99999

136. संख्या पद्धति में 4 अंकों की कुल कितनी संख्यायें है?
(a) 9999 (b) 8999
(c) 9000 (d) 9090

137. किसी संख्या में 69 से भाग देने पर शेषफल 35 बचता है। यदि उसी संख्या में 23 से भाग दे तो शेषफल कितना बचेगा?
(a) 10 (b) 11
(c) 22 (d) 12

138. किसी संख्या n में 72 से भाग देने पर शेफल 7 बचता है तो n^2 में 18 से भाग देने पर शेषफल कितना बचेगा?

(a) 13 (b) 11
(c) 10 (d) ज्ञात नहीं किया जा सकता

139. **8^{36} को 6 से भाग देने पर शेषफल कितना बचेगा?**
(a) 2 (b) 1
(c) 4 (d) 5

140. **दो संख्याओं का अन्तर 1365 है। जब बड़ी संख्या में छोटी संख्या से भाग दिया जाता है तो भागफल 7 एवं शेषफल 15 बचता है तो छोटी संख्या बताइये?**
(a) 225 (b) 215
(c) 1570 (d) इनमें से कोई नहीं

141. **भाग के एक प्रश्न में भाजक भागफल का 4 गुना तथा शेषफल का 3 गुना है। यदि शेषफल 24 हो तो भाज्य बताइये?**
(a) 1320 (b) 1296
(c) 1120 (d) 1420

142. **किसी संख्या में 9 जोड़कर 8 से गुणा करके गुणनफल को 12 से भाग देते हैं। इस प्रकार प्राप्त भागफल में 5 घटाने पर 15 शेष बचे तो वह संख्या कौन–सी है?**
(a) 21 (b) 22
(c) 23 (d) 24

143. **दो संख्याओं का अन्तर 1080 है। बड़ी संख्या में छोटी संख्या से भाग देने पर भागफल 3, शेषफल 240 हैं तो छोटी संख्या कौन–सी है?**
(a) 400 (b) 420
(c) 440 (d) 480

144. **$(4^{81}+4^{82}+4^{83}+4^{84})$ निम्नलिखित में से कौन–सी संख्या से पूर्णतया विभक्त होगा?**
(a) 3 (b) 10
(c) 11 (d) 13

145. **निम्नलिखित में से कौन–सा युग्म सह–अभाज्य है–**
(a) $(15, 27)$ (b) $(35, 63)$
(c) $(42, 56)$ (d) $(16, 25)$

146. **निम्नलिखित में अभाज्य संख्या है–**
(a) 889 (b) 997
(c) 899 (d) 1145

147. **सबसे छोटा पूर्णांक है–**
(a) 0 (b) 1
(c) ∞
(d) ज्ञात नहीं किया जा सकता

148. **निम्नलिखित में परिमेय संख्या है–**
(a) $\sqrt{5}$ (b) $\sqrt{7}$
(c) π (d) $\frac{22}{7}$

149. **निम्नलिखित में कौन–सी संख्या वास्तविक नहीं है–**
(a) π (b) $\frac{22}{7}$
(c) $\sqrt{-5}$ (d) $\sqrt{5}$

150. **संख्या '1' है–**
(a) भाज्य (b) अभाज्य
(c) सम (d) विषम

151. **संख्या 95759 में 5 के स्थानीयमानों में कितना अन्तर है?**
(a) 4950 (b) 4925
(c) 4900 (d) इनमें से कोई नहीं

152. **संख्या 17.4295 में अंक 9 के स्थानीय मान और जातीय मान में कितना अन्तर है?**
(a) 81 (b) 0.999
(c) 0.991 (d) 8.991

153. **भाग की एक संक्रिया में भाजक, भागफल का 5 गुना तथा शेषफल, भाजक का आधा है। यदि भागफल 12 हो तो भाज्य क्या होगा?**
(a) 720 (b) 750
(c) 770 (d) 792

154. **निम्नलिखित में से कौन–सी संख्या 45 से विभाजित होगी?**
(a) 262945 (b) 262935
(c) 262917 (d) 260035

155. **x का न्यूनतम मान क्या होगा कि संख्या $78x55x59$ पूर्णतया 9 से विभक्त हो जाये?**
(a) 0 (b) 1
(c) 2 (d) 3

156. **$1^2+2^2+3^2+\cdots\ldots\ldots+25^2=?$**
(a) 5525 (b) 5550
(c) 5575 (d) इनमें से कोई नहीं

157. **$1^3+2^3+3^3+\cdots\ldots\ldots+20^3=?$**
(a) 44000 (b) 44100
(c) 44200 (d) 44400

158. **यदि $1^3+2^3+3^3+\cdots\ldots+10^3=3025$ तो $4+32+108\ldots\ldots+4000=?$**
(a) 24200 (b) 12100
(c) 22400 (d) इनमें से कोई नहीं

159. **यदि $1^2+2^2+3^2+\cdots\ldots+9^2=285$ तो $(0.11)^2+(0.22)^2+(0.33)^2+\cdots+(0.99)^2=?$**
(a) 3.4485 (b) 34.485
(c) 0.34485 (d) इनमें से कोई नहीं

160. **प्राकृत संख्या n के लिए (n^3-n) सर्वदा किस बड़ी से बड़ी संख्या से विभक्त होगा?**
(a) 3 (b) 6
(c) 12 (d) 18

161. **1440 के कुल कितने गुणनखण्ड होंगे?**
(a) 18 (b) 36
(c) 54 (d) 72

162. **180 के सभी गुणनखण्डों का योग कितना होगा?**
(a) 300 (b) 360
(c) 460 (d) 546

163. **14112 के कुल कितने अभाज्य गुणनखण्ड होंगे?**
(a) 5 (b) 7
(c) 9 (d) 11

164. **$(15)^2 \times (12)^2 \times 35$ में कुल अभाज्य गुणनखण्डों की संख्या बताइये?**
(a) 14 (b) 15
(c) 13 (d) 16

165. **यदि $a = 11$ तथा $b = 9$ तो $\frac{(a^2+b^2+ab)}{a^3-b^3}$ का मान बताइये?**
(a) $\frac{1}{2}$ (b) 2
(c) $\frac{1}{20}$ (d) 20

166. **यदि $a * b = (a^2 + b^2 - ab)$ तो $9 * 10$ का मान बताइये?**
(a) 81 **(b) 91**
(c) 181 **(d) 61**

167. **यदि $a * b = 2(a + b)$ तो $5 * 2$ का मान बताइये?**
(a) 3 (b) 10
(c) 14 (d) 20

168. **एक किसान के पास कुछ मुर्गियाँ तथा बकरियाँ है। यदि इन सबके 240 सिर तथ 640 पैर हो तो मुर्गियाँ कितनी है?**
(a) 80 (b) 120
(c) 140 (d) 160

169. **किसी परीक्षा में प्रत्येक सही उत्तर के लिए +1 अंक तथा प्रत्येक गलत उत्तर के लिए -0.25 अंक निर्धारित किये गये। इस परीक्षा में एक छात्र ने 80 प्रश्नों को हल किया और उसे 60 अंक मिले तो बताइये उसने कितने प्रश्नों का सही जवाब दिया?**
(a) 16 (b) 60
(c) 64 (d) इनमें से कोई नहीं

170. **किसी क्रिकेट प्रतियोगिता में कुल 10 टीम थी। उपस्थित प्रत्येक टीम एक दूसरे से मैच खेलती है तो बताइये इस प्रकार कुल कितने मैच खेले जायेंगे?**
(a) 90 (b) 35
(c) 100 (d) 45

171. **कुछ दोस्तों ने पिकनिक पर जाकर खाद्य पदार्थ पर ₹ 108 खर्च करने की योजना बनायी, उनमें से 3 पिकनिक पर पहुँचे ही नहीं फलस्वरूप शेष दोस्तों में से प्रत्येक को अपने हिस्से के ₹ 3 अतिरिक्त देने पड़े तब उस पिकनिक में शामिल दोस्तों की संख्या कितनी थी?**
(a) 15 (b) 12
(c) 9 (d) 6

172. **कोई निश्चित संख्या जब 7 एवं 9 से लगातार विभाजित की जाती है तो शेषफल क्रमशः 3 एवं 5 मिलता है ऐसी सबसे छोटी संख्या ज्ञात कीजिए?**
(a) 101 (b) 102
(c) 14 (d) 115

173. **जब एक निश्चित संख्या 3 एवं 5 से लगातार विभाजित की जाती है तो शेषफल क्रमशः 1 एवं 2 प्राप्त होता है तो शेषफल निम्न में से क्या होगा यदि उसी संख्या को 15 से विभाजित किया जाये?**
(a) 5 (b) 6
(c) 7 (d) 8

174. **यदि 11 से एक संख्या $(10^n - 1)$ के रूप में विभाज्य है तब n होगा–**
(a) विषम संख्या (b) सम संख्या
(c) कोई संख्या (d) 11 का गुणज

175. **निम्नलिखित कथनों में से कौन–सा कथन सही नहीं है?**
(a) प्रत्येक प्राकृतिक संख्या एक पूर्णांक है
(b) प्रत्येक प्राकृतिक संख्या एक वास्तविक संख्या है
(c) प्रत्येक वास्तविक संख्या एक परिमेय है
(d) प्रत्येक पूर्णांक परिमेय संख्या है।

ANSWER

1.	c	36.	d	71.	c	106.	a	141.	a
2.	d	37.	d	72.	b	107.	d	142.	a
3.	b	38.	b	73.	a	108.	b	143.	b
4.	d	39.	a	74.	d	109.	b	144.	b
5.	b	40.	a	75.	c	110.	d	145.	d
6.	b	41.	a	76.	c	111.	d	146.	b
7.	d	42.	c	77.	a	112.	b	147.	d
8.	a	43.	b	78.	d	113.	a	148.	d
9.	a	44.	b	79.	a	114.	b	149.	c
10.	b	45.	a	80.	c	115.	b	150.	d
11.	a	46.	a	81.	c	116.	a	151.	a
12.	a	47.	d	82.	d	117.	b	152.	d
13.	c	48.	b	83.	b	118.	c	153.	b
14.	b	49.	b	84.	d	119.	c	154.	b
15.	d	50.	c	85.	b	120.	b	155.	d
16.	a	51.	a	86.	b	121.	c	156.	a
17.	c	52.	b	87.	b	122.	c	157.	b
18.	c	53.	b	88.	c	123.	a	158.	b
19.	d	54.	a	89.	c	124.	a	159.	a
20.	b	55.	b	90.	b	125.	b	160.	b
21.	b	56.	a	91.	d	126.	b	161.	b
22.	c	57.	d	92.	b	127.	d	162.	d
23.	a	58.	d	93.	b	128.	c	163.	c
24.	c	59.	c	94.	b	129.	d	164.	b
25.	d	60.	b	95.	d	130.	a	165.	a
26.	a	61.	d	96.	b	131.	d	166.	b
27.	a	62.	d	97.	*	132.	b	167.	c
28.	c	63.	c	98.	d	133.	a	168.	d
29.	c	64.	b	99.	d	134.	b	169.	c
30.	b	65.	c	100.	d	135.	b	170.	d
31.	a	66.	d	101.	d	136.	c	171.	b
32.	c	67.	a	102.	a	137.	d	172.	a
33.	c	68.	d	103.	b	138.	a	173.	c
34.	b	69.	c	104.	c	139.	c	174.	b
35.	d	70.	d	105.	b	140.	a	175.	c

Explanatory Notes

1. (c)**Note –:** पूर्णांक + पूर्णांक = पूर्णांक
परिमेय संख्या + परिमेय संख्या = परिमेय संख्या
प्राकृतिक संख्या + प्राकृतिक संख्या = प्राकृतिक संख्या
दृष्टव्य : दो अपरिमेय संख्याओं का योगफल परिमेय संख्या या अपरिमेय संख्या हो सकता है।
जैसे $(2+\sqrt{3}) + (-\sqrt{3}) = 2$ (परिमेय संख्या)
$\sqrt{3} + 4 = 4 + \sqrt{3}$ (अपरिमेय संख्या)

2. d (a)सभी सम संख्या, संयुक्त संख्या (भाज्य संख्या) है यह कथन असत्य है क्योंकि '2' एक सम संख्या के साथ एक अभाज्य संख्या है।
(b) शून्य न तो भाज्य है न ही अभाज्य अतः यह कथन भी असत्य है।
(c) सभी अभाज्य संख्या विषम है यह कथन भी असत्य है क्योंकि '2' एक अभाज्य संख्या के साथ एक सम संख्या है।
(d)अभाज्य संख्या की संख्या असंख्य (अपरिमित) होता है यह कथन सत्य है।

3. (b)**Note :** दो अभाज्य संख्याओं का योग कभी–कभी भाज्य और कभी–कभी अभाज्य होता है जैसे
$3 + 5 = 8$ (भाज्य)
$2 + 3 = 5$ (अभाज्य)
Note : एक भाज्य संख्या सम या विषम हो सकता है।
Example : 4,6,8,910,12,14,15........
Note : '2' एक मात्र सम अभाज्य संख्या होता है।
Note : '1' न तो भाज्य संख्या है न ही अभाज्य संख्या है। अतः केवल कथन (2) और कथन (3) सत्य है

4. (d) **गुणनखण्ड** : कोई संख्या जिस किसी संख्या से विभक्त होता है, वह उस संख्या का गुणनखण्ड होता है जिसमें –
(i)'1' प्रत्येक संख्या का गुणनखण्ड होता है।
(ii)संख्या स्वयं का एक गुणनखण्ड होता है।
(iii)किसी संख्या का गुणनखण्ड,उस संख्या के बराबर या उससे कम होता है।
(iv)किसी भी संख्या में गुणनखण्डों की संख्या निश्चित (परिमित) होता है।
(v)किसी संख्या का प्रत्येक गुणनखण्ड, उस संख्या का पूर्ण भाजक होता है।
अतः कथन (IV) असत्य है, शेष सभी कथन सत्य है।

5. **(b)सह–अभाज्य संख्या (Co-prime Number) :** संख्याओं का ऐसा युग्म जिसका म०स० '1' हो
(17,25) सह–अभाज्य है क्योकि 17 व 25 का म०स० = 1

6. (b)

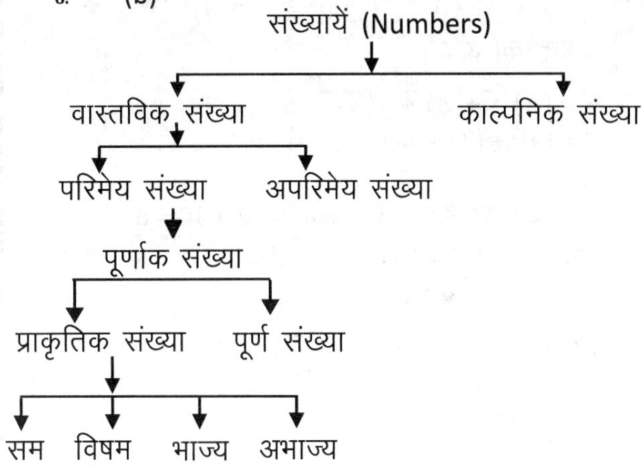

अतः प्रत्येक वास्तविक संख्या एक परिमेय संख्या है यह कथन असत्य है

7. (d)विकल्प (d) से
अभीष्ट संख्या = 462 [4 से विभक्त नही है।]
दृष्टव्यः 462 संख्या 2, 3 व 7 से पूर्णतः विभक्त है तथा पहले और आखिरी अंक का योग, बीच के अंक के बराबर है।

8. (a) $a*b = 2a - 3b + ab$ (दिया है)
उपर्युक्त कूट के अनुसार ,
$3 * 5 = 2 \times 3 - 3 \times 5 + 3 \times 5 = 6$
$5 * 3 = 2 \times 5 - 3 \times 3 + 5 \times 3 = 16$
$3 * 5 + 5 * 3 = 6 + 16 = 22$

9. (a) $a \Delta b = -a + b - (-2)$ (दिया है)
उपर्युक्त कूट के अनुसार
$4 \Delta 3 = -4 + 3 - (-2)$
$= -4 + 3 + 2 = 1$

10. (b) $a * b = a + b + ab$ (दिया है)
उपर्युक्त कूट के अनुसार
$3 * 4 = 3 + 4 + 3 \times 4 = 19$
$2 * 3 = 2 + 3 + 2 \times 3 = 11$
$(3 * 4) - (2 * 3) = 19 - 11 = 8$

11. (a) $x = (433)^{24} - (377)^{38} + (166)^{54}$ तो x में इकाई का अंक
$X = (3)^{\frac{24}{4}} - (7)^{\frac{38}{4}} + 6$
$X = (3)^4 - (7)^2 + 6$
$X = 1 - 9 + 6$
$X = -2$
अतः अभीष्ट इकाई का अंक $= -2 + 10 = 8$

12. (a) $x = (633)^{24} - (277)^{38} + (266)^{54}$ में x के इकाई का अंक
$X = (3)^{\frac{24}{4}} - (7)^{\frac{38}{4}} + 6$
$X = (3)^4 - (7)^2 + 6$

$X = 1 - 9 + 6$

$X = -2$

अतः अभीष्ट इकाई का अंक $= -2 + 10 = 8$

13. (c) $x = (164)^{169} + (333)^{337} - (727)^{726}$ में x के इकाई का अंक

$X = (4)^{\frac{169}{4}} + (3)^{\frac{337}{4}} - (7)^{\frac{726}{4}}$

$X = (4)^1 + (3)^1 - (7)^2$

$X = 4 + 3 - 9 = -2$

अतः अभीष्ट इकाई का अंक $= -2 + 10 = 8$

14. (b) 75 + 76 + 77 +............+ 97

योग $= \frac{75+97}{2} \times 23$

[कुल पद = 97 − 75 + 1 = 22 + 1 = 23]

$= \frac{172}{2} \times 23$

$= 86 \times 23$

$= 1978$

15. (d)

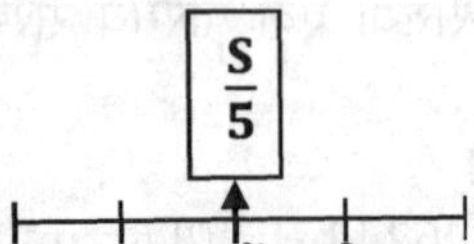

मध्यमान $= \frac{\text{कुल पदों का योग}}{\text{कुल पदों की संख्या}} = \frac{S}{5}$

सबसे बड़ा पूर्णांक $= \frac{S}{5} + 2 = \frac{S+10}{5}$

16. (a) 104 + 117 + 130 +..........+ 390

योग $= \frac{104+390}{2} \times 23$ [कुल पद $= \frac{390+104}{13} + 1$

$= \frac{494}{2} \times 23$ $\quad = \frac{286}{13} + 1$

$= 247 \times 23$ $\quad = 22 + 1$

$= 5681$ $\quad = 23]$

17. (c) $2^3 + 4^3 + 6^3 + ...20^3$

$= 2^3 (1^3 + 2^3 + 3^3 + ... + 10^3)$

$= 8 \times 3025$

$= 24200$

18. (c) $(0.11)^2 + (0.22)^2 + ... + (0.99)^2$

$= (0.11)^2 [1^2 + 2^2 + ...9^2]$

$= 0.0121 \times 285$

$= 3.4485$

19. (d) $11^2+12^2+13^2+..........20^2$

$=(1^2+2^2+3^2+...+20^2) - (1^2+2^2+3^2+...+10^2)$

$= \frac{20\times21\times41}{6} - \frac{10\times11\times21}{6}$

$= 2870 - 385$

$= 2485$

20. (b) 7, 14, 21,......,196

$n = \frac{l-a}{d} + 1$ से

$n = \frac{196-7}{7} + 1$

$= \frac{189}{7} + 1$

$= 27 + 1 = 28$

21. (b) 105,112,119,.........,294

$n = \frac{l-a}{d} + 1$ से

$n = \frac{294-105}{7} + 1$

$n = \frac{189}{7} + 1 = 27 + 1 = 28$

22. (c) 1 से 200 तक में कुल पदों की संख्या जो 3 से विभक्त है

3, 6, 9, 12,.........,198

$n = \frac{198-3}{3} + 1 = \frac{195}{3} + 1 = 65 + 1 = 66$

1 से 200 तक में कुल पदों की संख्या जो 21 से विभक्त है –

21,42,63,.........,189

$n = \frac{189-21}{21} + 1 = \frac{168}{21} + 1 = 8 + 1 = 9$

अतः अभीष्ट पदों की संख्या = 66 − 9 = 57

23. (a) −37,−33,−29,.......,12 पदों का योग

$S_n = \frac{n}{2} [2a + (n-1)d]$ से,

$S_n = \frac{12}{2} [2 \times (-37) + (12-1) \times 4]$

$= 6[-74 + 44]$

$= 6[-30] = -180$

24. (c) **8 से विभाज्यता** : यदि दी गई संख्या के इकाई, दहाई और सैकड़े के अंक से बनी संख्या 8 से विभक्त हो तो पूरी संख्या 8 से विभाजित होगी।

(i) 5240 [यहाँ, 240, 8 से विभक्त है अतः पूरी संख्या 8 से विभक्त होगी।

(iii) 97128 [यहाँ 128, 8 से विभक्त है अतः पूरी संख्या 8 से विभक्त होगी।

अतः (i) और (iii) 8 से विभक्त होगी।

25. (b) 88 से विभाज्य होने के लिये संख्या का 8 तथा 11 से विभक्त होना अनिवार्य है।

8 से विभाज्यता : के लिये अन्तिम का 3 अंक 8 से विभक्त होना चाहिये

$\therefore \frac{91[2]}{8}$ अतः y = 2

11 से विभाज्यता : सम स्थानों के अंकों का योग और विषम स्थानों के अंकों के योग का अन्तर '0' या 11 हो।

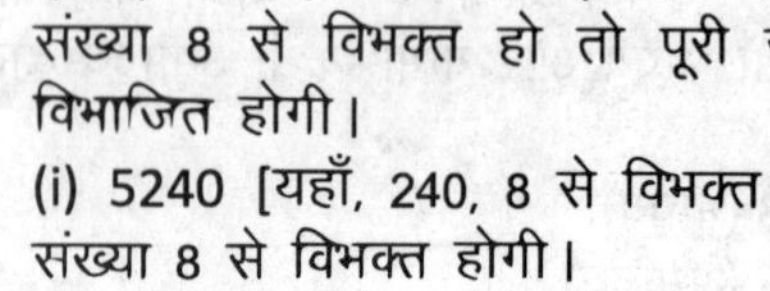

अन्तर = 0 या 11

यहाँ दोनों का अन्तर '0' सम्भव नहीं है अतः दोनो का अन्तर 11 प्राप्त करने के लिये x = 4 होगा।

$\therefore x - y = 4 - 2 = 2$

26. (a) **11 से विभाज्यता** : सम स्थानों के अंकों का योग और विषम स्थानों के अंकों के योग का अन्तर 0 या 11 हो

16
24678X
11 + X
अन्तर = 0 या 11

यहाँ, दोनों का अन्तर '0' प्राप्त करने के लिये X = 5 होगा।

9 से विभाज्यता : के लिये संख्या के समस्त अंकों का योग 9 से विभक्त होना चाहिये

∴ 3671 y = 3 + 6 + 7 + 1 + y = 17 + y

अतः y = 1 रखने पर प्राप्त योग 9 से विभक्त होगा

$\frac{x+y}{x?y} = \frac{5+1}{5?1} = \frac{6}{4} = \frac{3}{2}$

27. (a) **11 से विभाज्यता** : सम स्थानों के अंकों का योग और विषम स्थानों के अंकों के योग का अन्तर '0' या '11' हो।

12
324X342
(6 + X)
अन्तर = 0 या 11

अतः दोनों का अन्तर '0' प्राप्त करनें के लिये x = 6 होगा।

28. (c) 99 से विभाज्यता के लिये संख्या का 9 तथा 11 से विभक्त होना अनिवार्य है

∴ विकल्प (c)से संख्या = 114345

9 से विभाज्यता : 1 + 1 + 4 + 3 + 4 + 5 = 18 (जोकि 9 से विभक्त है,

11 से विभाज्यता :

9
114 3 45
9
अन्तर = 0

29. (c) 55 से विभाज्यता के लिये संख्या का 5 तथा 11 से विभक्त होना अनिवार्य है।

यहाँ संख्या 4ba5. 5 से विभक्त हैक्योंकि संख्या में इकाई का अंक 5 है।

∴ **11 से विभाज्यता** :

4+a
4 ba5
b+5
अन्तर = 0

यहाँ दोनों का अन्तर '0' तभी होगा जब दोनों मान बराबर हो अतः

4+a= b+5

∴ a – b = 5 – 4

a – b = 1

30. (b) अभीष्ट संख्या = 5432X7 (दिया है)

9 से विभाज्यता : 5+4+3+2+ x +7 = 21 + x है

अतः x = 6 रखने पर प्राप्त योगफल 9 से विभक्त होगा।

31. (a) 72 से विभाज्यता के लिये संख्या का 8 तथा 9 से विभक्त होना अनिवार्य है। अभीष्ट संख्या = 43x82y (दिया है)

8 से विभाज्यता : $\frac{82[4]}{8}$ अतः y = 4 रखने पर संख्या 8 से विभक्त होगा

9 से विभाज्यता :

43x824 = 4+3+x+8+2+4 = 21+x अतः x =6 रखने पर प्राप्त योगफल 9 से विभक्त होगा ∴ 2x–y = 2×6–4 = 8

32. (c) 72 से विभाज्यता के लिये संख्या का 8 तथा 9 से विभक्त होना अनिवार्य है। अभीष्ट संख्या = 985×3678y (दिया है)

8 से विभाज्यता: $\frac{78[4]}{8}$ अतः y = 4 रखने पर संख्या 8 से विभक्त होगा

9 से विभाज्यता :

985 x 36784 = 9 + 8 + 5 + x + 3 + 6 + 7 + 8 + 4 = 50 + X

अतः x = 4 रखने पर प्राप्त योगफल 9 से विभक्त होगा।

∴ 3x + 2y
= 3 × 4 + 2 × 4
= 20

33. (c)

भाजक = भागफल × 15-(i)	भाजक = शेष × 3
120 = भागफल × 15	भाजक = 40 × 3
भागफल = $\frac{120}{15}$ = 8	120 यह मान समी.(i) में रखने पर

∴ भाज्य = 120 × 8 + 40 = 960 + 40 = 1000

34. (b)

भाजक = भागफल × 25-(i)	भाजक = शेष × 5 (ii)
भाजक = 16 × 25 = 400	400 = शेषफल × 5
यह मान समी. (ii) में रखने पर	∴ शेषफल= $\frac{400}{5}$ =80

∴ भाज्य = 400 × 16 + 80 = 6400 + 80 = 6480

35. (d)

भागफल = भाजक × 4-(i)
भागफल = 32× 4
भागफल = 128

शेषफल=भाजक$\times\frac{1}{4}$ (ii)
8 = भाजक × $\frac{1}{4}$
∴ भाजक = 8×4= 32
यह मान (i) में रखने पर,

∴ भाज्य = 32×128+8 = 4096 + 8 = 4104

36. (d)

भाजक = भागफल × 10--(i)
230 = भागफल × 10
भागफल = $\frac{230}{10}$ = 23

भाजक=शेषफल ×5(ii)
भाजक = 46×5 = 230
यह मान (i) में रखने पर

भाज्य = 230×23+46 = 5290+46 = 5336

37. (d)

899) संख्या (
63

29) संख्या (
?

अतः दूसरे स्थिति का शेष ज्ञात करने के लिये–

29) 63 (2
58
5

∴ अभीष्ट शेष = 5

38. (b)

52) संख्या (
45

13) संख्या (
?

अतः दूसरे स्थिति का शेष ज्ञात करने के लिये

13) 45 (3
39
6

∴ अभीष्ट शेष = 6

39. (a)

6) n (
4

6) 2n (
?

अतः दूसरे स्थिति का शेष ज्ञात करने के लिये 4×2 = 8

6) 8 (1
6
2

∴ अभीष्ट शेष = 2

40. (a)

14) संख्या (
9

14) (संख्या)^2 (
?

अतः दूसरे स्थिति का शेष ज्ञात करने के लिये

$(9)^2 = 81$

∴ 14) 81 (5
70
11

∴ अभीष्ट शेष = 11

41. (a)

5) संख्या (
3

5) संख्या^{3}+संख्या^{2} (
?

अतः दूसरे स्थिति का शेष ज्ञात करने के लिये
$(3)^3 + (3)^2 = 27 + 9 = 36$

5) 36 (7
35
1

∴ अभीष्ट शेष = 1

42. (c) वैकल्पिक विधि Option (c) से K = 64 लेने पर $\frac{64}{3}$ [शेष = 1] तथा $\frac{64+1}{5}$ [शेष = 0]

43. (b)

29) 1039 (35
87
169
145
24

अतः जोड़ी जाने वाली संख्या = भाजक – शेष
= 29 – 24 = 5

44. (b)

14) 2401 (171
14
100
98
21
14
7

अतः जोड़ी जाने वाली संख्या = भाजक – शेष
= 14 – 7 = 7

45. (a)

84) 99999 (1190
84
159
84
759
756
39
0
39

वह अधिकतम संख्या = 99999 – 39
= 99960

46. (a)

307) 9999 (32
921
789
614
175

∴ जोड़ी जाने वाली संख्या = भाजक – शेष
= 307 – 175
= 132

47. (d) n = 1, 2,3,4,5,.........
∴ n(n + 1), (n + 2)व्यंजक से–
n= 1 लेने पर, 1.(1+1).(1+2) = 1×2×3=6 = 6×1
n=2लेने पर, 2.(2+1).(2+2) = 2×3×4=24 = 6×4
n = 3 लेने पर, 3.(3+1).(3+2) = 3×4×5 = 60
= 6×10
अतः अभीष्ट उत्तर = 6

48. (b) n = 1,2,3,4,..........
व्यंजक, n^3–n से
n = 1 लेने पर, 1^3–1 = 0
n = 2 लेने पर, 2^3–2 = 6 = 6 × 1
n = 3 लेने पर, 3^3–3 = 24 = 6 × 4
n = 4 लेने पर, 4^3–4 = 60 = 6 × 10
अतः वह अधिकतम संख्या 6 है जो उपर्युक्त व्यंजक को पूर्णतः विभक्त करेगी।

49. (b) 3^{2n} + 9n + 5
= (3^{2n} +9n + 3 + 2) को 3 से भाग देने पर
अभीष्ट शेष = 2 [क्योकि प्रथम तीन पद 3 से विभक्त है।]

50. (c)व्यंजक (n^3–n).(n–2)से
n = 3 लेने पर, (3^3–3).(3–2) = 24 × 1 = 24
n = 4 लेने पर, (4^3–4).(4–2) = 60 × 2 = 120
= 24 × 5
अतः वह अधिकतम संख्या 24 है जो उपर्युक्त व्यंजक को पूर्णतः विभक्त करेगी।

51. (a) ($4^{61} + 4^{62} + 4^{63}$)
= 4^{61} (1 + 4^1 + 4^2)
= 4^{61} (1 + 4 + 16)
4^{61} × 21 [ये दोनों उपर्युक्त संख्या के गुणनखण्ड
3 × 7
अतः उपर्युक्त संख्या 3 से पूर्णतः विभक्त है।

52. (d) ($3^{25} + 3^{26} + 3^{27} + 3^{28}$)
= 3^{25} (1+3^1 + 3^2 + 3^3)
= 3^{25} (1 + 3 + 9 + 27)
= 3^{25} × 40
= 3^{24} × 3 × 40
3^{24} × 120 [ये दोनों उपर्युक्त संख्या के गुणनखण्ड
4 × 30
अतः उपर्युक्त संख्या 30 से पूर्णतः विभक्त होगी।

53. (b) ($2^{71}+2^{72}+2^{73}+2^{74}$)
= 2^{71} (1+2^1+2^2+2^3)
= 2^{71}(1+2+4+8)
= 2^{71} × 15
= 2^{70}× 2 × 15
2^{70} × 30 [ये दोनों उपर्युक्त सख्या के गुणनखण्ड
3 × 10
अतः उपर्युक्त संख्या10 से पूर्णतः विभक्त होगी।

54. (a) तीन क्रमागत प्राकृतिक संख्यायें x, (x+1), (x+2) से,
x + (x+1) + (x+2)
= 3x + 3
= 3(x+1)
अतः तीन क्रमागत प्राकृतिक संख्याओं का योग सदैव 3 से विभक्त होगा।

55. (b)तीन क्रमागत सम संख्याओं क्रमशः 2x,(2x+2),(2x+4) से
2x+(2x+2)+(2x+4)
= 6x+6
= 6(x+1)
अतः तीन क्रमागत सम संख्याओं का योग सदैव 6 से विभक्त होगा।

56. (a)तीन क्रमागत विषम संख्याओं क्रमशः x,(x+2), (x+4) से
x+(x+2) + (x+4)
= 3x+6
= 3(x+2)
अतः तीन क्रमागत विषम संख्याओं का योग सदैव 3 से विभक्त होगा।

57. (d)अभीष्ट संख्या ज्ञात करने के लिये–

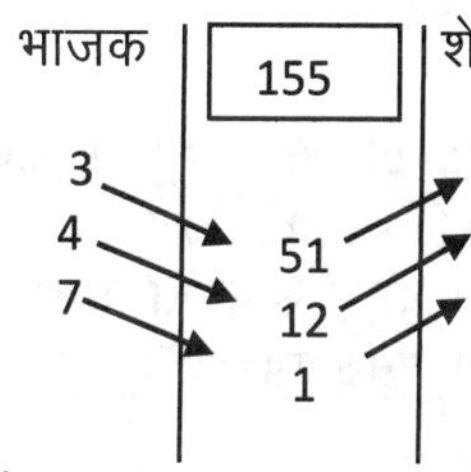

अभीष्ट संख्या = 155

42) 155 (3
126
29

अतः शेष = 29

58. (d)

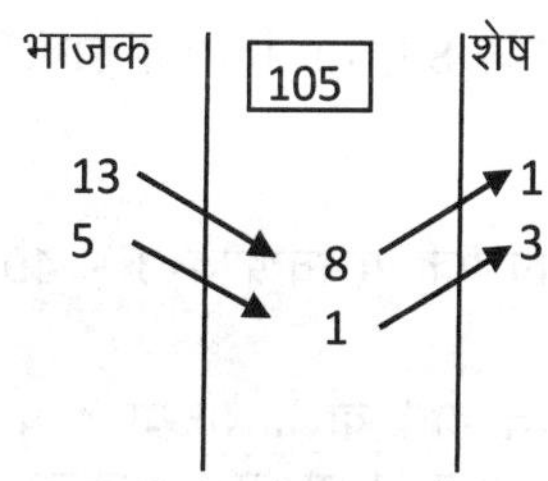

अतः अभीष्ट संख्या = 105

$$65\overline{)\,105\,}(1$$
$$\underline{65}$$
$$\mathbf{40}$$

$\therefore$ शेष = 40

59. (c) अभीष्ट संख्या ज्ञात करने के लिये–

भाजक	2168	शेष
9	240	8
11	21	9
13	1	8

अभीष्ट संख्या = 2168

अब, विभाजक का क्रम उल्टा करके भाग देने पर

भाजक	2168	शेष
13	166	10
11	15	1
9	1	6

अतः अभीष्ट शेष क्रमशः10, 1 व 6 होगा।

60. (b) अभीष्ट संख्या ज्ञात करने के लिये

भाजक	954	शेष
4	238	2
5	47	3
6	7	5

अभीष्ट संख्या = 954

61. (d) 142^2-1^2

a^2-b^2 = (a+b) (a–b) से उपर्युक्त संख्या का गुणनखण्ड = (149+1) × (142–1)

143 × 141 [ये दोनों उपर्युक्त संख्या के गुणनखण्ड है]

↙ ↘

11×13

अतः उपर्युक्त संख्या 13 से विभक्त होगा।

62. (d) $49^{15}-1^{15}$

Note a^n-b^n में यदि n विषम हो तो उसका एक गुणनखण्ड निश्चित रूप से (a–b) होगा। अतः उपर्युक्त संख्या का गुणनखण्ड

49 – 1 = 48 होगा।

$\therefore$ 48 = 8 × 6

अतः उपर्युक्त संख्या 8 पूर्णतः विभक्त होगा

63. $3^{41}+7^{82}$

$= 3^{41}+(7^2)^{41}$

$= 3^{41}+49^{41}$ का एक गुणनखण्ड 3 + 49 = 52 होगा

$\therefore$ 52 से विभक्त होने वाली संख्या 4 व 26 से भी विभक्त होग अतः दिये गये विकल्प में 17 उपर्युक्त संख्या को विभाजित नहीं करेगा।

64. (b) $\frac{4^{96}}{6}=\frac{4\times4^{95}}{6}=\frac{2\times\left(\begin{matrix}1\\\uparrow\\4\end{matrix}\right)^{95}}{3}=2\times(1)^{95}=2$

$\because$ संख्या को सरल करने के लिये 2 से काटा गया था अतः वास्तविक शेष = 2 × 2 = 4

65. (c) $\frac{(7)^{99}}{2400}=\frac{(7^4)^{24}\times7^3}{2400}=\frac{\left(\begin{matrix}1\\\uparrow\\2401\end{matrix}\right)^{24}\times(343)}{2400}$

$=(1)^{24}\times343=343$

66. (d) $\frac{2^{30}}{5}=\frac{(2^2)^{15}}{5}=\frac{\left(\begin{matrix}-1\\\uparrow\\4\end{matrix}\right)^{15}}{5}=(-1)^{15}=-1$

$\because$ शेषफल Negative नहीं रखा जाता

अतः अभीष्ट शेष = – 1+5 = 4

67. (a) $=\frac{\left(\begin{matrix}-1\\\uparrow\\17\end{matrix}\right)^{200}}{18}=(-1)^{200}=1$

$\therefore$ अभीष्ट शेष = 1

68. (d) $\frac{3^{98}}{5}=\frac{(3^2)^{49}}{5}=\frac{\left(\begin{matrix}-1\\\uparrow\\9\end{matrix}\right)^{49}}{5}=(-1)^{49}=-1$

$\therefore$ अतः अभीष्ट शेष = -1 + 5 = 4

69. (c) $\frac{3^{21}}{5}=\frac{3\times(3)^{20}}{5}=\frac{3\times(3^2)^{10}}{5}=\frac{\left(\begin{matrix}3\\\uparrow\\3\end{matrix}\right)\times\left(\begin{matrix}-1\\\uparrow\\9\end{matrix}\right)^{10}}{5}$

$= 3\times(-1)^{10}$

$= 3 \times 1 = 3$

अतः अभीष्ट शेष = 3

70. (d) $\frac{\left(\begin{matrix}0\\\uparrow\\51\end{matrix}\right)^{203}+(2)^{49}}{17}=\frac{0+2^{49}}{17}=\frac{2\times2^{48}}{17}=\frac{2\times(2^4)^{12}}{17}$

$\frac{2\times\left(\begin{matrix}-1\\\uparrow\\16\end{matrix}\right)^{12}}{17}=2\times(-1)^{12}=2\times1=2$

अतः अभीष्ट शेष = 2

71. (c) 10^{100} को 5^{75} से भाग देने पर

अभीष्ट भागफल $=\frac{10^{100}}{5^{75}}=\frac{(2\times5)^{100}}{5^{75}}$

$=\frac{2^{100}\times5^{100}}{5^{75}}=\frac{2^{100}\times5^{25}\times5^{75}}{5^{75}}$

$= 2^{100}\times5^{25}$

$=2^{75}\times2^{25}\times5^{25}$

$= 2^{75}\times10^{25}$

72. (b) $\frac{\left(\begin{matrix}1\\\uparrow\\29\end{matrix}\right)^{75}}{28}=(1)^{75}=1$ (अभीष्ट शेषफल)

73. (a) $\frac{\left(\begin{matrix}-1\\\uparrow\\127\end{matrix}\right)^{97}+\left(\begin{matrix}1\\\uparrow\\97\end{matrix}\right)^{97}}{32}=(-1)^{97}+(1)^{97}$

= 0 (अभीष्ट शेष)

74. (d) $\frac{\left(\begin{matrix}-4\\\uparrow\\29\end{matrix}\right)^{41}+\left(\begin{matrix}4\\\uparrow\\37\end{matrix}\right)^{41}}{33}=(-4)^{41}+(4)^{41}$

= 0 (अभीष्ट शेष)

75. (c) $\frac{(3)^{61284}}{5} = \frac{(3^2)^{30642}}{5} = \frac{\begin{pmatrix}-1\\ \uparrow \\ 9\end{pmatrix}^{30642}}{5}$
$= (-1)^{30642} = 1$
अतः अभीष्ट शेष = x = 1

तथा $\frac{4^{96}}{6} = \frac{4 \times 4^{95}}{6} = \frac{(2)\times\begin{pmatrix}1\\ \uparrow \\ 4\end{pmatrix}^{95}}{3}$
$= 2\times (1)^{95} = 2$
∵ पद को सरल करने क लिये 2 से काटा गया था अतः अभीष्ट शेष, y = 2 × 2 = 4
अतः 2x–y = 2 ×1 – 4 = –2

76. (c) संख्या = $8^{10}\times 9^7\times 7^8$
$= (2^3)^{10} \times (3^2)^7 \times (7)^8$
$= 2^{30}\times 3^{14}\times 7^8$
अतः अभाज्य गुणनखण्ड की संख्या
= 30 + 14 + 8 = 52

77. (a) संख्या = $(30)^5\times(24)^5$
$= (2\times3\times5)^5\times(2^3\times3)^5$
$= 2^5\times3^5\times5^5\times2^{15}\times3^5$
$= 2^{20}\times3^{10}\times5^5$
अतः अभाज्य गुणनखण्ड = 20 + 10 + 5 = 35

78. (d)

```
  A 3              1
+ 8 B      या     [6] 3
 150             + 8 [7]
                  150
```

अतः A = 6 और B = 7
∴ A–B = 6–7 = –1

79. (a)

```
  A B
 × 5
 CAB
```

जहां B अभाज्य संख्या नहीं है।
कुल सम्भावनायें

```
  A B           A B
  2 5           5 0
 × 5    तथा    × 5
  125           250
  CAB           CAB
```

परन्तु 25 में 5(B)एक अभाज्य संख्या है
अतः दूसरी स्थिति से, A = 5 तथा B = 0 तथा C = 2
A + C = 5 + 2 = 7

80. (c) A + B + AB = 65 (दिया है)
A = 10 तथा B = 5 लेने पर व्यंजक संतुष्ट होता है
∴ A – B = 10 –5 = 5

81. (c) माना संख्यायें x तथा y है
x + y = a
xy = b
∴ दोनों संख्याओं के व्युत्क्रमों का योग
$= \frac{1}{x} + \frac{1}{y} = \frac{x+y}{xy} = \frac{a}{b}$

82. (d) माना संख्यायें x तथा y है
x–y = 5 ——(i)
xy = 36——(ii)
∴ दोनों संख्याओं के व्युत्क्रमों का अन्तर
$= \frac{1}{y} - \frac{1}{x}$
$= \frac{x-y}{xy} = \frac{5}{36}$

83. (b) माना, इकाई का अंक = x
∴ दहाई का अंक = (x+4)
तब संख्या = दहाई × 10 + इकाई × 1 से
= (x+4) × 10+ x × 1
= 10x + 40 + x
= 11x + 40
प्रश्नानुसार $x + (x+4) = (11x + 40) \times \frac{1}{7}$
या, $2x+4 = (11x+40)\times \frac{1}{7}$
या, 14x+28 = 11x+40
या, 3x = 12
∴ x = 4
अतः इकाई का अंक = x = 4

84. (d) विकल्प, (d) से
अभीष्ट संख्या = 23
दृष्टव्यः 2×3 = 6 [अंको का गुणनफल]
तथा 23+9= 32 [मूल संख्या का परिवर्तित अंक]

85. (b) विकल्प (b)से
अभीष्ट संख्या = 73

```
           7 3
दृष्टव्यः  +3 7   तथा संख्या में अंकों
           110    अन्तर , 7 – 3 = 4
```

86. (b) विकल्प b से
अभीष्ट संख्या = 47
दृष्टव्यः 7 = 4 × 2

```
 7 4 (मूल संख्या के अंको को बदलने पर
–4 7 (मूल संख्या)
 27 (जोकि मूल संख्या से 20 कम है
```

87. (b) माना, इकाई तथा दहाई का अंक क्रमशः x तथा y है।
तब संख्या = 10y + x
प्रश्नानुसार, 10y + x = (x+y) × 3
10y + x = 3x + 3y
$7y = 2x$ या $y = \frac{2x}{7}$ ——(i)
दूसरी शर्त से 10y+x+45 = 10x + y
9x – 9y = 45
x–y = 5
$x - \frac{2x}{7} = 5$ (समी० (i) से)
$\frac{5x}{7} = 5$

$\therefore \boxed{x = 7}$

$\because x - y = 5$

$7 - y = 5$

$\boxed{y = 2}$

अतः अंकों का योग $x + y = 7 + 2 = 9$

88. (c) विकल्प (c) से

अभीष्ट संख्या = 46

दृष्टव्य : 46 में इकाई का अंक (6), दहाई के अंक (4) से 2 अधिक है।

तथा $46 \times (4 + 6)$

$= 46 \times 10$

$= 460$

89. (c) माना इकाई का अंक = x

$\therefore$ दहाई का अंक $= (x + 5)$

तब संख्या $= (x + 5) \times 10 + x$

$= 10x + 50 + x$

$= 11x + 50$

प्रश्नानुसार,

$(11x + 50) - (x + x + 5) \times 5 = x \times 10 + (x + 5)$

$11x + 50 - 10x - 25 = 11x + 5$

$25 - 10x = 5$

$10x = 20$

$\therefore x = 2$

अतः संख्या के अंको का योग

$= x + x + 5 = 2x + 5 = 2 \times 2 + 5 = 9$

90. (b) माना इकाई तथा दइाई का अंक क्रमशः x तथा y है।

तब सैकड़े का अंक = 2x

$\therefore$ संख्या $= 2x \times 100 + y \times 10 + x = 201x + 10y$

$x + y + 2x = 18$

$3x + y = 18$ ——(I)

प्रश्नानुसार,

$x \times 100 + y \times 10 + 2x = 201x + 10y - 396$

$102x + 10y = 201x + 10y - 396$

$99x = 396 \therefore \boxed{x = 4}$ यह मान (I)में रखने पर

$3 \times 4 + y = 18$

$\therefore \boxed{y =} 6$ अतः सैकड़े व दहाई के अंक का अन्तर, $2x - y$

$= 2 \times 4 - 6$

$= 2$

91. (d) माना, इकाई दहाई का अंक क्रमशः x तथा y है।

प्रश्नानुसार, $10y + x + 10x + y$

$= 11x + 11y$

$= 11(x + y)$

यहां $(11)^2$ बनाने लिये $x + y = 11$ चाहिये

अतः सम्भावित जोड़े, (2,9), (3,8), (4,7), (5,6), (6,5), (7,4), (8,3), (9,2), = 8 जोड़े

$\therefore$ इस प्रकार कुल 8 संख्यायें बनेगी।

92. (b)

सही 200 प्रश्न गलत

x (200–x)

$4x + (200 - x) \times (-1) = 200$

$4x - 200 + x = 200$

$5x = 400$

x = 80 (सही उत्तर)

द्वितीय विधि :

200×4 = 800 अंक मिलते (यदि सभी सही होता) परन्तु उसे 200 अंक मिला

अर्थात उसने अपने 600 अंक का नुकसान किया

$\because$ 1गलत उत्तर देने पर (4+1)अंक नुकसान होता है अतः गलत उत्तर $= \frac{600}{5} = 120$

$\therefore$ सही उत्तर = 200–120 = 80

93. (b)

75×4= 300 अंक मिलते परन्तु उसे 125 अंक मिला (यदि सभी प्रश्नों के सही उत्तर देता)

अर्थात उसने अपने 175 अंका का नुकसान किया

$\because$ 1 गलत उत्तर के लिये (4+1)अंक नुकसान होता है अतः गलत उत्तर $= \frac{175}{5} = 35$

$\therefore$ सही उत्तर = 75–35 = 40

94. 20×1 = 20 अंक मिलते(यदि सभी प्रश्नों के सही उत्तर देता

परन्तु उसे 8 अंक मिले

अर्थात उसने अपने 12 अंको का नुकसान किया

$\because$ 1 गलत उत्तर के लिये (1 + 1) अंक नुकसान होता है

अतः गलत उत्तर $= \frac{12}{2} = 6$

$\therefore$ सही उत्तर = 20–6 = 14

95. (d)

गाय की संख्या $= \frac{\text{पैर} - 2 \times \text{गर्दन}}{2}$

$= \frac{420 - 2 \times 180}{2}$

$= \frac{420 - 360}{2} = \frac{60}{2} = 30$

96. (b) माना गर्दन की संख्या = 12x

तथा पैर की संख्या = 35x

$\because 12x = 48$

$\therefore x = 4$

$\therefore$ गर्दन = 48 तथा पैर = 140

∴

मुर्गी की संख्या = $\frac{\text{गर्दन} \times 4 - \text{पैर}}{2}$

$= \frac{48\times4-140}{2}$

$= \frac{192-140}{2} = \frac{52}{2}$

= 26

97. (*) माना, इकाई तथा दहाई का अंक क्रमशः x तथा y है

∴ संख्या = 10y + x

x + y = 10——(i)

प्रश्नानुसार, (10y + x) – (10x + y) = 36

9y – 9x = 36

y – x = 4——(ii)

$$\because \quad y + x = 10$$
$$y - x = 4$$
$$2y = 14$$
$$y = 7$$
$$\therefore \quad x = 3$$

अतः संख्या = 10y + x = 10 × 7 + 3 = 73

∴ केवल कथन (i) सत्य है

98. (d) कथन (i) से, 72 = $2^3\times3^2$

∴ कुल गुणनखण्डों की संख्या

= (3+1)×(2+1)

= 4×3 = 12

कथन (ii)से 1 + 3 + 5 +........+ 39

योग = $\frac{(1+39)}{2}\times20$

= 40×10= 400

कथन (iii)से,

दो अंकों की सबसे बड़ी अभाज्य संख्या = 97

∴ तीनों कथन सत्य है।

99. (d) कथन (i) से 337 एक अभाज्य संख्या है

कथन (ii) 12 = $2^2\times3^1$

∴ कुल गुणनखण्डों की संख्या = (2+1)×(1+1)

= 3×2 = 6

कथन (iii)

32724 = 3+2+7+2+4 = 18(जोकि 9 से विभक्त है

सभी कथन सत्य है

100. (d) 99 को बाइनरी में बदलने पर,

2	99	1
2	49	1
2	24	0
2	12	0
2	6	0
2	3	1
	1	

∴ $(1100011)_2$

101. (d)

$$11\,)\,210\,(\,19$$
$$\underline{11}$$
$$100$$
$$\underline{99}$$
$$1$$

∴ घटायी जाने वाली संख्या = 1

102. (a)बाइनरी को दाशमिक में बदलने पर

1	1	0	1	1	1	1	सीधा गुणा
2^6	2^5	2^4	2^3	2^2	2^1	2^0	↓

$1\times2^6+1\times2^5+0\times2^4+1\times2^3+1\times2^2+1\times2^1+1\times2^0$

= 64 + 32 + 0 + 8 + 4 + 2 + 1

= 111

103. (b) 257 को बाइनरी में बदलने पर

2	257	1
2	128	0
2	64	0
2	32	0
2	16	0
2	8	0
2	4	0
2	2	0
	1	

∴ $(100000001)_2$

∴कुल द्विआधारी अंक = 9

104. (c) 7 + 14 + 21 + 28 + 42 + 84

= 196

105. (b) 96 = $2^5 \times 3^1$

सभी गुणनखण्डों का योग =

$(2^0+2^1+2^2+2^3+2^4+2^5) \times (3^0+3^1)$

= 63×4 = 252

106. (a) 105 = $3^1\times5^1\times7^1$

= कुल गुणनखण्डों की संख्या =

= (1+1) × (1+1) × (1+1)

= 2 × 2 × 2

= 8

107. (d) 210 = $2^1\times3^1\times5^1\times7^1$

सभी गुणनखण्डों का योग =

= $(2^0+2^1) \times (3^0+3^1) \times (5^0\times5^1) \times (7^0+7^1)$

= 3 × 4 × 6 × 8

= 576

108. (b) 100 = $2^2 \times 5^2$

सभी गुणनखण्डों का योग

= $(2^0+2^1+2^2) \times (5^0+5^1+5^2)$

= 7×31

= 217

109. (b)

$$\frac{(1433143\overset{\uparrow 3}{3}) \times (142\overset{\uparrow 2}{2}) \times (142\overset{\uparrow 5}{5})}{10}$$

$= \frac{3\times2\times5}{10}$

$= \frac{30}{10}$ [शेष = 0]

110. (d)माना छोटी संख्या = x

∴ बड़ी संख्या = (x + 1280)

x) x+1280 (7
[50]

भाज्य = भाजक × भागफल + शेष
x+1280 = x ×7+50
1230 = 7x−x
6x = 1230
x = 205

बड़ी संख्या = 205 + 1280 = 1485

111. (d)माना, संख्यायें क्रमशः 3x व 5x है।
3x+5x = 80
8x = 80
∴x = 10
अतः संख्यायें क्रमशः 30 व 50 है।

112. (b)माना, संख्यायें क्रमशः x व y है।
प्रश्नानुसार, x+y = (x−y)×3
या, x+y = 3x−3y
या, 2x = 4y
या, x = 2y
या, $\frac{x}{y} = \frac{2}{1}$ ∴ $x : y = 2 : 1$

113. (a)माना संख्यायें क्रमशः 3x व 4x है।
प्रश्नानुसार, $(3x)^2 + (4x)^2 = 400$
$9x^2+16x^2 = 400$
$25x^2 = 400$
$X^2 = 16$
∴x = 4
अतः संख्याओं का योग = 3x + 4x = 7x
= 28

114. (b)माना संख्यायें क्रमशः x, 2x व 3x है।
प्रश्नानुसार, $(x)^3+(2x)^3+(3x)^3 = 4500$
$x^2+8x^3+27x^3= 4500$
$36x^3 = 4500$
$X^3 = \frac{4500}{36} = 125$
∴x= 5
अतः सबसे छोटी संख्या = x = 5

115. **(b)** वास्तविक संख्या a व b के लिए जब $ab = 0$ हो तभी सम्भव होगा जब $a = 0$ अथवा $b = 0$ दोनों में से प्रत्येक 0 हो।

116- **(a)** $a^b = 125$
$a^b = 5^3$
अतः $a = 5$ व $b = 3$
तब $(a-b)^{a+b-4} = (5-3)^{5+3-4}$
$= 2^4 = 16$ *Ans.*

117. **(d)** $49^{15} - 1^{15}$ का एक गुणनखण्ड $49 - 1 = 48$ होगा अतः संख्या 48 से पूर्णतः विभक्त होगा।

118. **(c)** $\frac{\left(\overset{-1}{\underset{67}{\uparrow}}\right)^{67} + \overset{-1}{\underset{67}{\uparrow}}}{68} = (-1)^{67} + (-1) = -2$
अतः अभीष्ट शेष $= 68 - 2 = 66$ *Ans.*

119. **(c)** $n = 1, 2, 3, 4$ ………….
तब व्यंजक
$1(1+1)(1+2) = 6 = 6\times1$
$2(2+1)(2+2) = 24 = 6\times4$
$3(3+1)(3+2) = 60 = 6\times10$
अतः व्यंजक सदैव 6 से विभाज्य होगा।

120. **(b)** सही 30 प्रश्न गलत
x $(30 - x)$
$3x + (30 - x) \times -2 = 40$
$3x - 60 + 2x = 40$
$5x = 100$
$x = 20$

121. **(c)** माना, वह संख्या x है।
$x \times \frac{75}{100} + 75 = x$
$75 = x - \frac{3x}{4}$
$75 = \frac{x}{4}$
$x = 300$ *Ans.*

122. **(c)** 1 से 9 तक की संख्या लिखने में आवश्यक अंक = $9 \times 1 = 9$
1 से 50 तक की संख्या लिखने में आवश्यक अंक = $41 \times 2 = 82$
∴ कुल आवश्यक अंक $= 9 + 82 = 91$ *Ans.*

123. **(a)** 3 ट्रंक + 8 सूटकेस = 7200 ………*(i)*
3 सूटकेस = 1800
∴8 सूटकेस = $\frac{1800}{3} \times 8 = 4800$ यह मान (i) में रखने पर
3 ट्रंक + 4800 = 7200
3 ट्रंक = 2400
1 ट्रंक = 800 Ans.

124. **(a)**

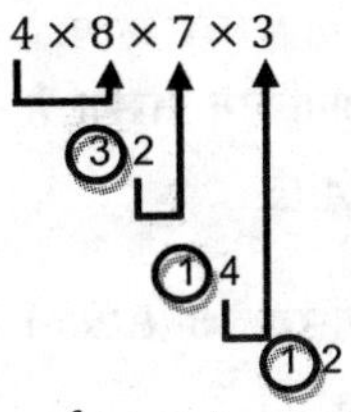

अतः इकाई का अंक = 2

125. **(b)** $(7)^{\frac{95}{4}}$ का शेष $-(3)^{\frac{58}{4}}$ का शेष

$= 7^3 - 3^2$

$= 343 - 9$

$= 334$

∴ इकाई का अंक = 4

126. **(b)** $(7)^{\frac{105}{4}}$ का शेष

$= (7)^1$ अतः इकाई का अंक = 7 Ans.

127 **(d)**

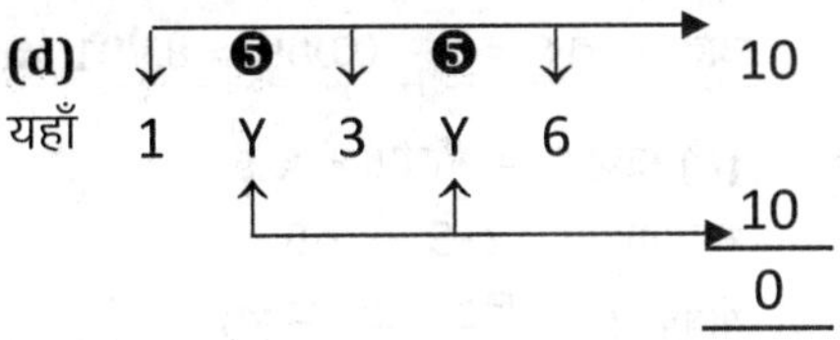

अतः Y = 5 Ans.

128. **(c)** $6735 * 1$

$6 + 7 + 3 + 5 + ❺ + 1 = 27$

जो कि 9 से पूर्णतः विभक्त होगा।

अतः $* = 5$ *Ans.*

129. **(d)** $\frac{\begin{pmatrix}-1\\ \uparrow \\ 25\end{pmatrix}^{25}}{26} = (-1)^{25} = -1$

अतः अभीष्ट शेष $= 26 - 1 = 25$ *Ans.*

130. **(a)** माना, वह संख्या x है।

$\frac{(x+7)\times 5}{9} - 3 = 12$

$\frac{(x+7)\times 5}{9} = 15$

$(x+7)\times 5 = 135$

$(x+7) = 27$

$x = 20$ *Ans.*

131. **(d)** 2 तथा 3 का ल0स0 = 6

```
6)200(33
  18
  20
  18
  02
```

अतः कुल पूर्णांक = 33 *Ans.*

132. **(b)** 3, 4 एवं 5 का ल0स = 60

```
60)200(3        भागफल = 3
   180
    20

60)400(3        भागफल = 6
   360
    40
```

अतः कुल पद $= 6 - 3 = 3$ *Ans.*

133. **(a)**

```
57)3000(52      जोड़ी जाने वाले संख्या
   285             = भाजक–शेष
   150             = 57 – 36
   114             = 21 Ans.
    36
```

134. **(b)**

```
97)84159(867
   776
    655
    582
     739
     679
      60
```

∵ शेष, भाजक के आधे से अधिक है अतः यहाँ संख्या में हमें कुछ जोड़ना होगा।

और जोड़ी जाने वाली संख्या

$= 97 - 60$

$= 37$ *Ans.*

अतः अभीष्ट संख्या $= 84159 + 37$

$= 84196$ *Ans.*

135. **(b)**

```
463)99999(215
    926
     739
     463
     2769
     2315
      454
```

∵ अतः वह अधिकतम संख्या

$= 99999 - 454$

$= 99545$ *Ans.*

136. **(c)** चार अंकों की कुल संख्या $= 9 \times 10^{4-1}$

$= 9 \times 10^3$

$= 9 \times 1000$

$= 9000$ *Ans.*

137. **(d)** 69)संख्या(→ $\boxed{35}$ 23)संख्या(→ $\boxed{}$

अतः अभीष्ट शेष =

```
23)35(1
   23
   12 शेष
```

138. **(a)** $72)n($ → $\boxed{7}$ $18)n^2($ → $\boxed{}$

अतः $n^2 = 7^2 = 49$

```
18)49(2
   36
   13 शेष
```

139. **(c)** $\frac{\begin{pmatrix}2\\ \uparrow \\ 8\end{pmatrix}^{36}}{6} = (2)^{36}$ (∵ यह भाजक से अधिक है।)

अतः $\frac{(2)^{36}}{6} = \frac{(2^3)^{12}}{6} = \frac{\begin{pmatrix}2\\ \uparrow\\ 8\end{pmatrix}^{12}}{6} = (2)^{12}$

($\because$ यह भाजक से अधिक है।)

अतः $\frac{(2)^{12}}{6} = \frac{(2^3)^4}{6} = \frac{\begin{pmatrix}2\\ \uparrow\\ 8\end{pmatrix}^{4}}{6} = (2)^4 = 16$

($\because$ यह भाजक से अधिक है।)

अतः 6)16(2

12

अतः अभीष्ट शेष = 4

140. **(a)** माना छोटी संख्या $= x$

तब बड़ी संख्या $= (x + 1365)$

$x)x + 1365(7$

s

$\boxed{15}$

अतः सूत्र से $x + 1365 = 7x + 15$

$1350 = 6x$

$x = 225\ Ans.$

141. **(a)** भाजक = भागफल × 4 ....(i)

भाजक = भागफल × 3

भाजक = 24 × 3 = 72 यह मान समीकरण (i) में

72 = भागफल × 4

$\therefore$ भागफल $= \frac{72}{4} = 18$

भाज्य $= 72 \times 18 + 24 = 1320\ Ans.$

142. **(a)** माना, वह संख्या $= x$

$\frac{(x+9)\times 8}{12} - 5 = 15$

$\frac{(x+9)\times 8}{12} = 20$

$(x+9) \times 8 = 240$

$(x+9) = \frac{240}{8} = 30$

$x = 30 - 9 = 21\ Ans.$

143. **(b)** माना छोटी संख्या $= x$

तब बड़ी संख्या $= (x + 1080)$

$x)x + 1080(3$

s

$\boxed{240}$

अतः सूत्र से, $x + 1080 = 3x + 240$

$840 = 2x$

$x = \frac{840}{2} = 420\ Ans.$

144. **(b)** $4^{81}(1 + 4^1 + 4^2 + 4^3)$

$= 4^{81}(1 + 4 + 16 + 64)$

$= 4^{81} \times 85$

$= 4^{80} \times 4 \times 85$

$= 4^{80} \times 340$

$\because$ उपर्युक्त संख्या के गुणनखण्ड 4^{80} और 340 है।

अतः संख्या 10 से पूर्णतः विभक्त होगी।

145. **(d)** 16, 25 का म0स0 = 1

अतः (16, 25) सह–अभाज्य है।

146. **(b)** अभाज्य संख्या = 997

147. **(d)** सबसे छोटी पूर्णांक संख्या ज्ञात नहीं किया जा सकता।

148. **(d)** $\sqrt{5}$, $\sqrt{7}$ व π ये सभी अपरिमेय संख्या है

अतः अपरिमेय संख्या $= \frac{22}{7}\ Ans.$

149. **(c)** $\pi, \frac{22}{7}$ और $\sqrt{5}$ ये सभी वास्तविक संख्यायें है।

यहाँ $\sqrt{-5}$ काल्पनिक संख्या है।

150. **(d)** संख्या '1' न तो भाज्य, न ही अभाज्य और न ही सम संख्या है। अतः 1 विषम संख्या है।

151. **(a)** 95759

→ 5 x 10 = 500

→ 5 x 1000 = 5000

अतः स्थानीय मानों में अन्तर $= 5000 - 50 = 4950$

152. **(d)** 17.4295 में 9 का स्थानीय मान $= \frac{9}{1000} = .009$

तथा 9 का जातीय मान = 9

अतः अन्तर $= 9 - 0.009 = 8.991\ Ans.$

153. **(b)** भाजक = भागफल x 5

भाजक $= 12x5 = 60$

शेषफल $= \frac{\text{भाजक}}{2} = \frac{60}{2} = 30$

भाज्य$= 60 \times 12 + 30 = 720 + 30 = 750\ Ans.$

154. **(b)** $45 = 5 \times 9$ (अतः संख्या 5 व 9 दोनों से विभक्त होना चाहिए)

यहाँ संख्या 262935, 5 और 9 दोनों से पूर्णतः विभक्त है। अतः संख्या 45 से पूर्णतः विभाजित होगी।

155. **(d)** $78x55x59$

$7 + 8 + x + 5 + 5 + x + 5 + 9 = 39 + 2x$ (9 से विभक्त होगा)

यदि $39 + 2x = 45$

$2x = 6$

$2x = 3\ Ans.$

156. **(a)** $1^2 + 2^2 + 3^2 + \cdots \ldots\ldots\ldots + 25^2$

योगफल $= \frac{n(n+1)(2n+1)}{6}$

$= \frac{25(25+1)(2\times 25+1)}{6}$

$= \frac{25\times 26\times 51}{6}$

$= 5525\ Ans.$

157. **(b)** $1^3 + 2^3 + 3^3 + \cdots \ldots\ldots\ldots + 20^3$

योगफल $= \left[\frac{n(n+1)}{2}\right]^2$

$= \left[\frac{20(20+1)}{2}\right]^2$

$= 100 \times 441$

$= 44100\ Ans.$

158. **(b)** $4 + 32 + 108 + \cdots \ldots .. + 4000$

$= 4(1 + 8 + 27 + \cdots \ldots .. + 1000)$

$= 4(1^3 + 2^3 + 3^3 + \cdots \ldots \ldots . + 10^3)$

$= 4 \times 3025 = 12100$

159. **(a)** $(0.11)^2 + (0.22)^2 + (0.33)^2 + \cdots + (0.99)^2$

$= \left(\frac{11}{100}\right)^2 + \left(\frac{22}{100}\right)^2 + \left(\frac{33}{100}\right)^2 + \cdots + \left(\frac{99}{100}\right)^2$

$= \left(\frac{11}{100}\right)^2 [1^2 + 2^2 + 3^2 + \cdots \ldots \ldots . + 9^2]$

$= \frac{121}{10000} \times 285$

$= \frac{34485}{10000} \quad = 3.4485\ Ans.$

160. **(b)** $n = 1, 2, 3, 4, \ldots \ldots \ldots$

$(n^3 - n) = 1^3 - 1 = 0$

$= 2^3 - 2 = 6 = 6 \times 1$

$= 3^3 - 3 = 24 = 6 \times 4$

$= 4^3 - 4 = 60 = 6 \times 10$

अतः वह महत्तम संख्या = 6 Ans.

161 **(b)**

2	1440
2	720
2	360
2	180
2	90
3	45
3	15
5	5
	1

$1440 = 2^5 \times 3^2 \times 5^1$

∴ कुल गुणनखण्डों की संख्या

$= (5 + 1) \times (2 + 1) \times (1 + 1)$

$= (6) \times (3) \times (2)$

$= 36\ Ans.$

162. **(d)**

2	180
2	90
3	45
3	15
5	5
	1

$180 = 2^2 \times 3^2 \times 5^1$

∴ कुल गुणनखण्डों की योगफल

$= (2^0 + 2^1 + 2^2) \times (3^0 + 3^1 + 3^2) \times (5^0 + 5^1)$

$= (1 + 2 + 4) \times (1 + 3 + 9) \times (1 + 5)$

$= 7 \times 13 \times 6$

$= 546\ Ans.$

163'. **(c)** $14112 = 2^5 \times 3^2 \times 7^2$

∴ कुल अभाज्य गुणनखण्डों की संख्या

$= 5 + 2 + 2$

$= 7\ Ans.$

164. **(b)** $(15)^2 \times (12)^3 \times 35$

$= (3 \times 5)^2 \times (2 \times 2 \times 3)^3 \times (5 \times 7)$

$= 3^2 \times 5^2 \times 2^3 \times 2^3 \times 3^3 \times 5 \times 7$

$= 2^6 \times 3^5 \times 5^3 \times 7^1$

∴ कुल अभाज्य गुणनखण्डों की संख्या $= 6 + 5 + 3 + 1$

$= 15\ Ans.$

165. **(a)** $\frac{a^2+b^2+ab}{a^3-b^3} = \frac{(a^2+b^2+ab)}{(a-b)(a^2+b^2+ab)} = \frac{1}{a-b}$

$= \frac{1}{11 - 9} \quad = \frac{1}{2}\ Ans.$

166. **(b)** $a * b = (a^2 + b^2 - ab)$

तब $9 * 10 = (9)^2 + (10)^2 - (9 \times 10)$

$= 81 + 100 - 90$

$= 91\ Ans.$

167. **(c)** $a * b = 2(a + b)$

$5 * 2 = 2(5 + 2) = 14\ Ans.$

168. **(d)** मुर्गियाँ $= \frac{4 \times 240 - 640}{2} \quad = \frac{960 - 640}{2}$

$= \frac{320}{2} = 160\ Ans.$

169. **(c)**

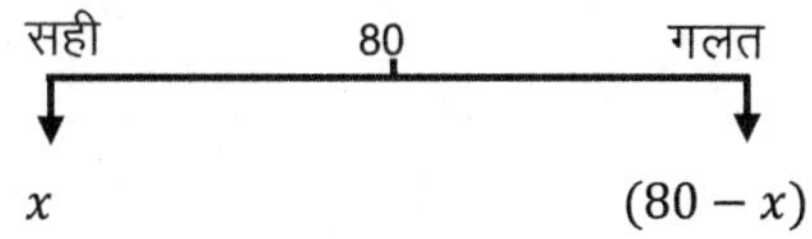

$x \times 1 + (80 - x) \times -0.25 = 60$

$x - 20 + 0.25x = 60$

$1.25x = 60 + 20 = 80$

$x = \frac{80}{1.25} = 64$

170. **(d)** कुल मैचों की संख्या $= \frac{n(n-1)}{2}$

$= \frac{10(10-1)}{2}$

$= 5 \times 9 \quad = 45\ Ans.$

171. **(b)** माना, प्रारम्भ में पिकनिक पर जाने वाले दोस्तों की संख्या $= x$

$$\frac{108}{x-3} - \frac{108}{x} = 3$$

Option का प्रयोग करें $x = 12$

$\frac{108}{9} - \frac{108}{12} = 12 - 9 = 3$

यह समीकरण को संतुष्ट करता है।

172 **(a)**

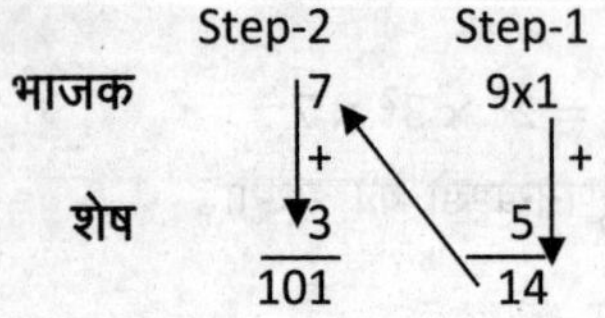

अतः वह छोटी संख्या = 101 Ans.

173. **(c)**

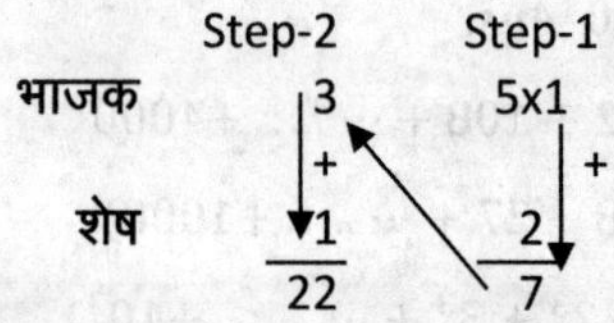

वह संख्या = 22

15)22(1
  15
  ——
$\therefore$ अभीष्ट शेष = 07

174. **(b)** $10^n - 1$, सदैव 11 से विभाज्य होगा जब n कोई सम संख्या हो।

175. **(c) प्रत्येक वास्तविक संख्या एक परिमेय है।**

2

सरलीकरण एवं शाब्दिक समस्यायें (Simplification and Word Problems)

वैसे पूरी अंकगणित, सरलीकरण की ही प्रक्रिया है। इस Topic से TET व STET में बराबर 1–2 प्रश्न पूछे जाते रहे है। सरलीकरण की प्रक्रिया है "BODMAS"

B : Bracket
- Bar Bracket —
- Circular Bracket ( )
- Curly Bracket { }
- Square Bracket [ ]

O : Of
D : Division
M : Multiplication
A : Addition
S : Substraction

- इस Topic के अन्तर्गत बीजगणितीय सर्वसमिका से भी प्रश्न पूछे जाते है जिसे हम Type-wise अध्ययन करेंगे।
- इस Topic में शाब्दिक समस्याओं के प्रश्न Mental ability के तार्किक प्रश्न होते है। इसका अध्ययन भी हम Type-wise करेंगे।

Pattern - 1

$$a\frac{b}{c} = a + \frac{b}{c}$$

प्रश्न : $1\frac{1}{2} + 11\frac{1}{2} + 111\frac{1}{2} + 1111\frac{1}{2}$ **का मान बताइए?**

हल : $1 + \frac{1}{2} + 11 + \frac{1}{2} + 111 + \frac{1}{2} + 1111 + \frac{1}{2}$

$= 1 + 11 + 111 + 1111 + \frac{1}{2} \times 4$

$= 1234 + 2$

$= 1236$

Pattern - 2

जब हर के गुणनखण्ड का अन्तर अंश के समान हो :–

जैसे – $\frac{1}{20} = \frac{1}{4\times5} = \frac{1}{4} - \frac{1}{5}$ के रूप में व्यक्त कर सकते हैं।

प्रश्न : $\frac{1}{20} + \frac{1}{30} + \frac{1}{42} + \frac{1}{56} + \frac{1}{72} + \frac{1}{90} + \frac{1}{110} + \frac{1}{132}$ **का मान क्या है?**

हल– $= \frac{1}{4} - \frac{1}{5} + \frac{1}{5} - \frac{1}{6} + \frac{1}{6} - \frac{1}{7} + \frac{1}{7} - \frac{1}{8} + \frac{1}{8} - \frac{1}{9} + \frac{1}{9} - \frac{1}{10} + \frac{1}{10} - \frac{1}{11} + \frac{1}{11} - \frac{1}{12}$

$= \frac{1}{4} - \frac{1}{12}$

$= \frac{3-1}{12}$

$= \frac{2}{12}$

$= \frac{1}{6}$

Pattern - 3

जब प्रत्येक पद में अंश '1' हो तथा प्रत्येक पद के हर के गुणनखण्ड का अन्तर समान हो :–

प्रश्न : $\frac{1}{2.5} + \frac{1}{5.8} + \frac{1}{8.11} + \frac{1}{11.14} + \frac{1}{14.17} + \frac{1}{17.20}$ **का मान है?**

हल यहाँ हर के प्रत्येक पद में गुणनखण्ड का अन्तर '3' है।

$= \frac{1}{3}\left[\frac{1}{2} - \frac{1}{5} + \frac{1}{5} - \frac{1}{8} + \frac{1}{8} - \frac{1}{11} + \frac{1}{11} - \frac{1}{14} + \frac{1}{14} - \frac{1}{17} + \frac{1}{17} - \frac{1}{20}\right]$

$= \frac{1}{3}\left[\frac{1}{2} - \frac{1}{20}\right]$

$= \frac{1}{3}\left[\frac{10-1}{20}\right]$

$= \frac{1}{3} \times \frac{9}{20}$

$= \frac{3}{20}$

Concept : $\frac{1}{\text{अन्तर}}$[प्रथम पद–अन्तिम पद]

हल : प्रथम पद $= \frac{1}{2}$, अन्तिम पद $= \frac{1}{20}$

$= \frac{1}{3}\left[\frac{1}{2} - \frac{1}{20}\right]$

$= \frac{1}{3}\left[\frac{10-1}{20}\right]$

$= \frac{1}{3} \times \frac{9}{20}$

$= \frac{3}{20}$

Pattern - 4

जब हर के गुणनखण्ड का अन्तर 'अंश' के समान हो :–

प्रश्न : $\frac{3}{1.4} + \frac{5}{4.9} + \frac{7}{9.16} + \cdots + \frac{19}{81.100}$ **का मान बताइये?**

हल– संकेत, यहाँ $\frac{3}{1.4} = \left(\frac{1}{1} - \frac{1}{4}\right)$ के रूप में व्यक्त कर सकते हैं

इसी प्रकार, $\frac{1}{1} - \frac{1}{4} + \frac{1}{4} - \frac{1}{9} + \frac{1}{9} - \frac{1}{16} + \cdots + \frac{1}{81} - \frac{1}{100}$

$= 1 - \frac{1}{100}$

$= \frac{99}{100}$

Concept : $\frac{1}{\text{प्रथम पद}} - \frac{1}{\text{अन्तिम पद}}$

हल : यहाँ, प्रथम पद = 1, अन्तिम पद = 100

$= \frac{1}{1} - \frac{1}{100} = \frac{99}{100}$

Pattern - 5

जब तीन या अधिक व्यंजक आपस में बराबर हो–

नोट : ऐसे प्रश्नों को हल करने के लिए Constant का प्रयोग करते हैं।

प्रश्न : यदि $\frac{a}{3} = \frac{b}{4} = \frac{c}{7}$ हो तो $\frac{a+b+c}{c}$ का मान बताइये?

हल– माना $\frac{a}{3} = \frac{b}{4} = \frac{c}{7} = k$

तब, $a = 3k, b = 4k$ व $c = 7k$

अतः $\frac{a+b+c}{c} = \frac{3k+4k+7k}{7k} = \frac{14k}{7k} = 2$

Pattern - 6

अनुपाती व्यंजक पर प्रश्न :

प्रश्न : यदि $\frac{x}{y} = \frac{4}{5}$ हो तो $\left[\frac{4}{7} + \frac{2y-x}{2y+x}\right]$ का मान क्या होगा?

हल : यहाँ $x = 4$ तथा $y = 5$ व्यंजक में रखने पर–

$\frac{4}{7} + \frac{2\times5-4}{2\times5+4}$

$= \frac{4}{7} + \frac{6}{14}$

$= \frac{4}{7} + \frac{3}{7}$

$= \frac{7}{7}$

$= 1$

प्रश्न : यदि $\frac{2a+b}{a+4b} = 3$ हो, तो $\frac{a+b}{a+2b}$ का मान बताइये?

हल $\frac{2a+b}{a+4b} = \frac{3}{1}$

$2a + b = 3a + 12b$

$-a = 11b$

अतः a = -11b मान व्यंजक में रखने पर –

$\frac{a+b}{a+2b} = \frac{-11b+b}{-11b+2b} = \frac{-10b}{-9b} = \frac{10}{9}$

Pattern - 7

$\frac{(a+b)^2+(a-b)^2}{a^2+b^2} = \frac{a^2+b^2+2ab+a^2+b^2-2ab}{a^2+b^2}$

$= \frac{2(a^2+b^2)}{a^2+b^2}$

$= 2$

अतः $\boxed{\frac{(a+b)^2+(a-b)^2}{a^2+b^2} = 2}$ याद रखें

इसी प्रकार,

$\boxed{\frac{(a+b)^2-(a-b)^2}{ab} = 4}$ याद रखें

प्रश्न : $\frac{(178+65)^2+(178-65)^2}{178\times178+65\times65}$ का मान बताइये?

हल– $a = 178$ तथा $b = 65$ (माना)

तब, $\frac{(a+b)^2+(a-b)^2}{a^2+b^2} = 2$

प्रश्न : $\frac{(937+546)^2-(937-546)^2}{937\times546}$ का मान बताइये?

हल– $a = 937$ तथा $b = 546$ (माना)

तब, $\frac{(a+b)^2-(a-b)^2}{ab} = 4$

Pattern - 8

(i) $a^3 + b^3 = (a+b)(a^2+b^2-ab)$

या $\boxed{(a+b) = \frac{a^3+b^3}{a^2+b^2-ab}}$

(ii) $a^3 - b^3 = (a-b)(a^2+b^2+ab)$

या $\boxed{(a-b) = \frac{a^3-b^3}{a^2+b^2+ab}}$

प्रश्न : $\frac{(458\times458\times458-239\times239\times239)}{(458\times458+239\times239+458\times239)} = ?$

हल– $a = 458$ तथा $b = 239$ माना

तब, $(a-b) = \frac{a^3-b^3}{a^2+b^2+ab}$

$(a-b) = 458 - 239 = 219$

प्रश्न : यदि $a = 11$ तथा $b = 9$ हो तो $\frac{a^2+b^2+ab}{a^3-b^3} = ?$

हल $\frac{a^2+b^2+ab}{a^3-b^3} = \frac{(a^2+b^2+ab)}{(a-b)(a^2+b^2+ab)}$

$= \frac{1}{a-b} = \frac{1}{11-9} = \frac{1}{2}$

Pattern - 9

दशमलव संख्याओं का समायोजन

1. दिया है 0.1111– – – – – $= \frac{1}{9}$, 0.4444 – – – – किसके बराबर होगा–

(a) $\frac{1}{90}$ (b) $\frac{2}{45}$

(c) $\frac{1}{99}$ (d) $\frac{4}{9}$

हल : 0.1111------- $= \frac{1}{9}$ ---------(i)

0.4444 -------- = 4 × 0.1111----------

$= 4 \times \frac{1}{9}$ समीकरण (i) से

$= \frac{4}{9}$

2. यदि $\frac{1}{25.25} = 0.0396$ है तो $\frac{1}{0.0002525}$ का मान क्या होगा ?

(a) 3960 (b) 39600
(c) 0.0000396 (d) 0.000396

हल : $\frac{1}{25.25} = 0.0396$

$\frac{1}{0.00002525}$

$= \frac{1000000}{25.25}$

$= 1000000 \times \frac{1}{25.25}$

$= 1000000 \times 0.0396$

$= 39600$

3. यदि $3.718 = \frac{1}{0.2689}$ हो, तो $\frac{1}{0.0003718}$ किसके बराबर होगा –

(a) 2689 (b) 2.689
(c) 26890 (d) 0.2689

हल : $3.718 = \frac{1}{0.2689}$

या $\frac{1}{3.718} = 0.2689$ ----------(i)

$\frac{1}{0.0003718} = \frac{10000}{3.718}$

$= 10000 \times \frac{1}{3.718}$

$= 10000 \times 0.2689$ समीकरण (i) से

$= 2689$

Pattern - 10

Note i : यदि दो संख्याओं का योगफल x तथा दोनों संख्याओं का गुणनफल y हो, तो उनके व्युत्क्रमों का योग $\frac{x}{y}$ होगा

स्पष्टीकरण : माना, संख्यायें a और b हैं

a+b $= x$ ––––––(i)

ab = y ––––––(ii)

व्युत्क्रमों का योग $= \frac{1}{a} + \frac{1}{b}$

$= \frac{b+a}{ab} = \frac{x}{y}$ समीकरण (i) एवं (ii) से

ii : यदि दो संख्याओं का अन्तर x तथा दोनों संख्याओं का गुणनफल y हो, तो उनके व्युत्क्रमों का अन्तर $\frac{x}{y}$ होगा

स्पष्टीकरण : माना, संख्यायें a और b हैं

a-b $= x$ ––––––(i)

ab = y ––––––(ii) +

व्युत्क्रमों का अन्तर $= \frac{1}{b} - \frac{1}{a} = \frac{a-b}{ab} = \frac{x}{y}$ समीकरण (i) एवं (ii) से

4. दो संख्याओं का योगफल तथा गुणनफल क्रमशः 12 और 35 है। इन संख्याओं के व्युत्क्रमों का योग कितना होगा ।

(a) $\frac{1}{3}$ (b) $\frac{1}{5}$
(c) $\frac{12}{35}$ (d) $\frac{35}{12}$

हल : संख्याओं के व्युत्क्रमों का योगफल = $\frac{\text{दोनो संख्याओं का योगफल}}{\text{दोनों संख्याओं का गुणनफल}}$

$= \frac{12}{35}$Ans

Pattern - 11

यदि $x + \frac{1}{x} = a$

तब

(i) $x^2 + \frac{1}{x^2} = a^2 - 2$

(ii) $x^3 + \frac{1}{x^3} = a^3 - 3a$

(iii) $x^4 + \frac{1}{x^4} = a^4 - 4a^2 + 2$ उपर्युक्त परिणाम याद रखें–

नोट : इसका विस्तृत अध्ययन सामान्य बीजगणित में करेंगे।

प्रश्न : यदि $x + \frac{1}{x} = 5$ तो $x^3 + \frac{1}{x^3}$ का मान बताइये?

हल : $x^3 + \frac{1}{x^3} = (5)^3 - 3 \times 5$

$= 125 - 15$

$= 110$ *Ans.*

प्रश्न : यदि $a + \frac{1}{a} = 6$ तो $a^4 + \frac{1}{a^4}$ का मान बताइये?

हल : $a^4 + \frac{1}{a^4} = (6)^4 - 4(6)^2 + 2$

$= 1296 - 144 + 2$

$= 1298 - 144$

$= 1154$ *Ans.*

Pattern - 12

BODMAS पर प्रश्न :–

प्रश्न : $1 \div [1 + 1 \div (1 + 1 \div 2)]$ का मान है–

हल– $1 \div \left[1 + 1 \div \left(1 + \frac{1}{2}\right)\right]$

$= 1 \div \left[1 + 1 \div \frac{3}{2}\right]$

$= 1 \div \left[1 + 1 \times \frac{2}{3}\right]$

$= 1 \div \left[1 + \frac{2}{3}\right]$

$= 1 \div \frac{5}{3}$

$= 1 \times \frac{3}{5}$

$= \frac{3}{5}$ *Ans.*

प्रश्न : $\left[3\frac{1}{4} \div \left\{1\frac{1}{4} - \frac{1}{2}\left(2\frac{1}{2} - \frac{1}{4} - \frac{1}{6}\right)\right\}\right] \div \left(4\frac{1}{3} \text{ का } \frac{1}{2}\right)$

हल– $\left[\frac{13}{4} \div \left\{\frac{5}{4} - \frac{1}{2}\left(\frac{5}{2} - \frac{1}{4} - \frac{1}{6}\right)\right\}\right] \div \left(\frac{13}{3} \times \frac{1}{2}\right)$

$= \left[\frac{13}{4} \div \left\{\frac{5}{4} - \frac{1}{2}\left(\frac{30-3-2}{12}\right)\right\}\right] \div \left(\frac{13}{6}\right)$

$= \left[\frac{13}{4} \div \left\{\frac{5}{4} - \frac{1}{2} \times \frac{25}{12}\right\}\right] \div \frac{13}{6}$

$= \left[\frac{13}{4} \div \left\{\frac{30-25}{24}\right\}\right] \div \frac{13}{6}$

$= \left[\frac{13}{4} \div \frac{5}{24}\right] \div \frac{13}{6}$

$= \left[\frac{13}{4} \times \frac{24}{5}\right] \div \frac{13}{6}$

$= \frac{78}{5} \times \frac{6}{13}$

$= \frac{36}{5}$ *Ans.*

Pattern - 13

बेंच और विद्यार्थी से प्रश्न

प्रश्न : एक स्कूल में कुछ बेंच है। जब प्रत्येक बेंच पर 2 विद्यार्थी बैठाया जाता है तो 3 बेंच की आवश्यकता होती है और जब प्रत्येक बेंच पर 3 विद्यार्थी बैठाया जाता है तो 4 बेंच खाली रह जाते है तो स्कूल में कितने बेंच और कितने विद्यार्थी है?

हल– माना, बेंच की संख्या x है।

$(x + 3) \times 2 = (x - 4) \times 3$

$2x + 6 = 3x - 12$

$x = 18$ बेंच

कुल विद्यार्थी $(18 + 3) \times 2 = 42$

जब सीटें खाली हों या सीटों की आवश्यकता हो–

प्रश्न : एक स्कूल में कुछ बेंच है। जब प्रत्येक बेंच पर 3 विद्यार्थी बैठाया जाता है तो 20 सीटों की आवश्यकता होती है और जब प्रत्येक बेंच पर 5 विद्यार्थी बैठाया जाता है तो 18 सीट खाली रह जाते है तो स्कूल में कितने बेंच और कितने विद्यार्थी है?

हल– माना, बेंच की संख्या x है।

$3x \times 20 = 5x - 18$

$2x = 38$

$x = 19$ बेंच

कुल विद्यार्थी $= 3 \times 19 + 20 = 77$

Pattern - 14

प्रश्न : 12 प्लेटों तथा 9 चम्मचों का कुल मूल्य ₹ 339 हो, तो 4 प्लेटों तथा 3 चम्मचों का कुल मूल्य क्या होगा?

हल– 12 प्लेट + 9 चम्मच = ₹ 339

दोनों पक्षों में 3 से भाग देने पर

4 प्लेट + 3 चम्मच = ₹ 113

प्रश्न : 4 पेन, 8 पेन्सिल और 12 इरेजर का कुल मूल्य ₹ 160 है तथा 2 पेन्सिल और 3 इरेजर का कुल मूल्य ₹ 30 है तो ऐसे 7 पेन का मूल्य बताइये?

हल– 7 पेन + 8 पेन्सिल + 12 इरेजर = 160

दोनों पक्षों में 4 से भाग देने पर

1 पेन + 2 पेन्सिल + 3 इरेजर = 40

1 पेन + 30 = 40

∴ 1 पेन = ₹ 10

अतः 7 पेन का मूल्य = 7 x 10 = ₹ 70

Pattern - 15

विविध प्रश्न

प्रश्न : एक विद्यालय में खेल दिवस पर प्रत्येक कतार में 30 को खड़ा करने पर 16 कतारें बनती है। यदि प्रत्येक कतार में 24 को खड़ा करे तो कितनी कतारे बनेंगी?

हल– कुल छात्रों की संख्या $= 16x30 = 480$

यदि प्रत्येक कतार में 24 छात्र हो तो

कुल कतारो की संख्या $= \frac{480}{24} = 20$ *Ans.*

प्रश्न : 4 संख्याओं का योग 64 है। यदि आप प्रथम में 3 जोड़ते है, दूसरे में से 3 घटाते है, तीसरे में 3 से गुणा करते हैं और चौथे में 3 से भाग देते हैं तो प्रत्येक आपस में बराबर हो जाते है तो बड़ी संख्या बताओ?

हल– माना संख्याएँ a, b, c व d है

तब $(a + 3) = (b - 3) = 3c = \frac{d}{3} = k$ (माना)

अतः $a = (k - 3)$, $b(k + 3)$, $c = \frac{k}{3}$ व $d = 3$

$(k - 3) + (k + 3) + \frac{k}{3} + 3k = 64$

$5k + \frac{k}{3} = 64$

$\frac{16k}{3} = 64$

$k = 12$

∴ सबसे बड़ी संख्या $= 3k = 3 \times 12 = 36$ *Ans.*

TYPE -01

1. $\frac{006\times0.06\times0.06-0.05\times0.05\times0.05}{006\times0.06+0.06\times0.05+0.05\times0.05}$ को सरलीकरण करने पर परिणाम प्राप्त होता है:

(a) 0.01 (b)0.001
(c) 0.1 (d) 0.02

(SSC संयुक्त स्नातक स्तरीय प्रारम्भिक परीक्षा – 04.07.1999 द्वितीय पाली)

2. सरल कीजिए
$\frac{0.41\times0.41\times0.41+0.69\times0.69\times0.69}{0.41\times0.41-041\times0.69+0.69\times0.69}$

(a) 0.28 (b) 1.1
(c) 11 (d) 2.8

(SSC संयुक्त स्नातक स्तरीय प्रारम्भिक परीक्षा – 24.02.2002 द्वितीय पाली)

3. $\frac{(2.697-0.498)^2+(2.697+0.498)^2}{2.697\times2.69+0.498\times0.498}$ का मान है:

(a) 4 (b) 2
(c) 2.199 (d) 3.195

(SSC संयुक्त स्नातक स्तरीय प्रारम्भिक परीक्षा – 27.07.2008 द्वितीय पाली)

4. $\frac{137\times137+133\times133+18221}{137\times137\times137-133\times133\times133}$

(a) 4 (b) 270
(c) $\frac{1}{4}$ (d) $\frac{1}{270}$

(SSC संयुक्त स्नातक स्तरीय प्रारम्भिक परीक्षा – 4.02.2007 द्वितीय पाली)

5. $\frac{10.3\times10.3\times10.3+1}{10.3\times10.3-10.3+1}$ बराबर है:

(a) 9.3 (b) 10.3
(c) 11.3 (d) 12.3

(SSC संयुक्त स्नातक स्तरीय प्रारम्भिक परीक्षा – 8.02.2004 द्वितीय पाली)

6. $\frac{1.49\times14.9-0.51\times5.1}{14.9-5.1}$ बराबर है:

(a) 0.20 (b) 20.00
(c) 2.00 (d) 22.00

(SSCसंयुक्त स्नातक स्तरीय प्रारम्भिक परीक्षा– 8.02.2004 द्वितीय पाली)

7. $\frac{(0.7)^3+(0.3)^3}{(0.7)^2-0.7\times0.3+(0.3)^2}$? का मान क्या है?

(a) 1.2 (b) 0.8
(c) 1 (d) 1.4

TYPE - 02

8. $\left(\frac{1}{1.4}+\frac{1}{4.7}+\frac{1}{7.10}+\frac{1}{10.13}+\frac{1}{13.16}\right)$ बराबर है:

(a) $\frac{1}{3}$ (b) $\frac{5}{16}$
(c) $\frac{3}{8}$ (d) $\frac{41}{7280}$

9. $\frac{1}{3.5}+\frac{1}{5.7}+\frac{1}{7.9}+\frac{1}{9.11}+\frac{1}{11.13}+\frac{1}{13.15}$ बराबर है

(a) $\frac{2}{45}$ (b) $\frac{4}{25}$
(c) $\frac{7}{45}$ (d) $\frac{2}{15}$

(SSC संयुक्त स्नातक स्तरीय प्रारम्भिक परीक्षा – 4.02.2007 द्वित पाली)

10. $\frac{1}{3\times7}+\frac{1}{7\times11}+\frac{1}{11\times15}+\ldots\ldots+\frac{1}{899\times90}$ का मान क्या है?

(a) 21/509 (b) 18/403
(c) 25/301 (d) 29/31

(SSC CHSL,2019)

11. निम्नलिखित में से कौन सत्य है?

I. $\frac{1}{1\times3}+\frac{1}{3\times5}+\frac{1}{5\times7}+\cdots\ldots++\frac{1}{11\times13}=\frac{12}{13}$

II. $\frac{1}{1\times2}+\frac{1}{2\times3}+\frac{1}{3\times4}+\ldots\ldots+\frac{1}{12\times13}=\frac{12}{13}$

(a) केवल I (b) केवल II
(c) I और II दोनों (d) न तो I न ही II

(SSC CHSL,2019)

TYPE - 03

12. $999\frac{1}{7}+999\frac{2}{7}+999\frac{3}{7}+999\frac{4}{7}+999\frac{5}{7}+999$ का सरलतम रूप है

(a) 5997 (b) 5970
(c) 5994 (d) 2997

(SSC संयुक्त स्नातक स्तरीय प्रारम्भिक परीक्षा – 8.02.2004 प्र पाली)

13. $999\frac{98}{99}\times99$ बराबर है:

(a) 98999 (b) 99899
(c) 99989 (d) 99998

(SSC डाटा एन्ट्री ऑपरेटर एवं एलडीसी परीक्षा – 28.11.2010)

14. $\frac{1}{7}+\left(999\frac{692}{693}\right)\times99$ किसके बराबर है?

(a) 1 (b) 99000
(c) 99800 (d) 99900

(SSC 10+2 डाटा एंट्री ऑपरेटर एवं एलडी परीक्षा–10.11.2013 द्वितीय पाली)

15. $999\frac{995}{999}\times999$ का मान है

(a) 990809 (b) 998996
(c) 999824 (d) 998999

(SSC संयुक्त स्नातक प्रारंभिक परीक्षा–11.5.2013 प्रथम पाली)

16. $\frac{1}{5}+999\frac{494}{495}\times99$ का मान ज्ञात कीजिए।

(a) 90000 (b) 99000
(c) 90900 (d) 99990

(SSC संयुक्त स्नातक प्रारंभिक परीक्षा–11.5.2003 द्वितीय पाली)

TYPE -04

17. $\frac{999}{2}+999\frac{1}{6}+999\frac{1}{12}+999\frac{1}{20}+999\frac{1}{30}$ व मान क्या होगा?

(a) $999\frac{1}{6}$ (b) $999\frac{5}{6}$
(c) $4995\frac{1}{6}$ (d) $4995\frac{5}{6}$
(SSC CHSL 2019)

18. $11\frac{1}{2}+111\frac{1}{6}+111\frac{1}{12}+111\frac{1}{20}+111\frac{1}{30}$ का मान क्या होगा?
(a) $111\frac{1}{6}$ (b) $111\frac{5}{6}$
(c) $555\frac{5}{6}$ (d) $555\frac{1}{6}$
(SSC CHSL 2019)

TYPE - 05

19. सरल करने पर गुणनफल $\left(2-\frac{1}{3}\right)\left(2-\frac{3}{5}\right)\left(2-\frac{5}{7}\right)\ldots\left(2-\frac{997}{999}\right)$ किसके बराबर होगा?
(a) $\frac{5}{999}$ (b) $\frac{5}{3}$
(c) $\frac{1001}{999}$ (d) $\frac{1001}{3}$
(SSC CAPFs SI, CISF ASI एवं दिल्ली पुलिस SI परीक्षा 21.6.2015)

20. $\left(1+\frac{1}{2}\right)\left(1+\frac{1}{3}\right)\left(1+\frac{1}{4}\right)\ldots\left(1+\frac{1}{120}\right)$ का मान है।
(a) 30 (b) 40.5
(c) 60.5 (d) 121
(SSC CHSL 2018)

21. $\frac{3}{4}\left(1+\frac{1}{3}\right)\left(1+\frac{2}{3}\right)\left(1-\frac{2}{5}\right)\left(1+\frac{6}{7}\right)\left(1-\frac{12}{13}\right)$ बराबर है:
(a) $\frac{2}{13}$ (b) $\frac{1}{7}$
(c) $\frac{1}{6}$ (d) $\frac{1}{5}$
(SSC स्नातक स्तरीय Tier-II परीक्षा 1.8.2013)

TYPE - 06

22. यदि $\frac{547.527}{0.0082}=x$ है, तो $\frac{547527}{82}$ का मान क्या होगा?
(a) 10x (b) 100x
(c) $\frac{x}{100}$ (d) $\frac{x}{10}$

23. यदि $\frac{1}{4.263}=0.2346$ है, तो $\frac{1}{0.0004263}$ का मान ज्ञात कीजिए।
(a) 2346 (b) 4.263
(c) 2.346 (d) 4263
(CGL Mains)2020)

TYPE - 07

24. [7+7(7+7 ÷7)]+7÷7. का मूल्यांकन करें?
(a) 10 (b) 5
(c) 63 (d) 64
(CHSL-2020)

25. 4 + [3{35+42+10÷2×3–40}7] का मान ज्ञात करें?
(a) 157 (b) 167
(c) 185 (d) 163

26. (72+34)÷2+[{(75÷15)+6}×2] का मान ज्ञात कीजिए?
(a) 74 (b) 75
(c) 86 (d) 78
(CHSL)-2020)

27. $1\frac{3}{4}\left[3\frac{1}{8}\div\left\{6-\left(2\frac{3}{4}-\frac{11}{12}\right)\right\}\right]$ का मान ज्ञात करें?
(a) 1 (b) 2
(c) 3 (d) 0
(CHSL-2020)

28. $3\frac{1}{3}-\left[\frac{9}{4}+\left\{\frac{5}{4}-\frac{1}{13}\times\left(\frac{5}{2}-\frac{1}{3}\right)\right\}\right]$ का मान है–
(a) 10 (b) 0
(c) 5 (d) 1
(CHSL- 2020)

29. $\frac{33}{40}+\frac{1}{5}\left[\frac{4}{5}-\frac{1}{5}\times\left(\frac{7}{8}-\frac{5}{4}\right)\right]$ का मान है–
(a) 5 (b) 0
(c) 10 (d) 1
(CHSL -2020)

TYPE - 08

30. यदि $\frac{a}{3}=\frac{b}{4}=\frac{c}{7}$ हो, तो $\frac{a+b+c}{c}$ का मान होगा
(a) 2 (b) 7
(c) $\sqrt{2}$ (d) $\frac{1}{\sqrt{7}}$
UP TET (I-V)23-01-2022(Reexam)

31. यदि $\frac{a}{3}=\frac{b}{2}=\frac{c}{1}$ हो तो $\frac{a+b+2c}{b}$ है?
(a) 3.5 (b) 3.8
(c) 4 (d) 5

32. यदि $\frac{a+b}{c}=\frac{b+c}{a}=\frac{c+a}{b}=$ K, हो तो K का मान है–
(a) 2 (b) $\frac{1}{2}$
(c) $\frac{3}{2}$ (d) 1
UPTET (Class I-V)8Jan 2020

33. तीन अशून्य वास्तविक संख्याओं a, b, c के लिए यदि $\frac{a}{2}=\frac{b}{3}=\frac{c}{4}=\frac{2a-3b+5c}{K}$ हो, तो K का मान है
(a) 15 (b) 10
(c) 20 (d) 25
UPTET (VI-VIII) 23-1-2022
UPTET (Class VI-VIII)15 Oct 2017

TYPE - 09

34. दो धनात्मक पूर्णांक इस प्रकार है कि पहली संख्या और दूसरी की दुगुनी संख्या का योग 8 है और उनका अंतर 2 है। संख्याएं कौन–कौन सी है?

(a) 7,5 (b) 3,5
(c) 6,4 (d) 4,2
(SSC CGL Pre. 2020)

35. किसी संख्या के वर्ग के तीन गुने से उस संख्या के 4 गुने को घटाने पर संख्या से 50 अधिक प्राप्त होता है, संख्या ज्ञात करें।
(a) 4 (b) 5
(c) 10 (d) 6
(SSC CGL Pre.2017)

36. दो संख्याओं का गुणनफल 9375 है। जब बड़ी संख्या को छोटी संख्या से विभाजित किया जाता है तो भागफल 15 आता है। संख्याओं का योग ज्ञात करें ।
(a) 395 (b) 380
(c) 400 (d) 425
(SSC CGL Pre- 2017)

37. किसी धनात्मक पूर्णांक का 5 गुणा, इस संख्या के वर्ग के दोगुने से 3 कम है, तो संख्या ज्ञात करें।
(a) 3 (b) 13
(c) 23 (d) 33
(SSC CGL Pre. 2018)

38. एक व्यक्ति 5 दिनों में 100 अंगूर खाता है। प्रत्येक दिन वह पहले दिन की तुलना में 6 अंगूर अधिक खाता है। उसने पहले दिन कितने अंगूर खाये थें?
(a) 8 (b) 12
(c) 54 (d) 76
(SSC CGL Pre. 2018)

39. एक कमरे में कुछ लड़के तथा लड़कियाँ है। लड़कियो की संख्या का वर्ग लड़कों की संख्या के वर्ग से 28 कम है। यदि दो लड़कियाँ और आ जाए तो लड़के तथा लड़कियों की संख्या बराबर हो जाती है, तो कमरे में लड़के तथा लड़कियों की कुल संख्या क्या है?
(a) 56 (b) 14
(c) 10 (d) 7

40. एक कक्षा में कुछ बेंच हैं। यदि प्रत्येक बेंच पर 4 छात्र बैठते हैं, तो 3 बेंच खाली रह जाती हैं। और यदि 3 छात्र प्रत्येक बेंच पर बैठते हैं, तो 3 छात्र खड़े रह जाते हैं। कक्षा में कितने छात्र हैं?
(a) 36 (b) 48
(c) 56 (d) 64

41. एक कक्षा में निश्चित संख्या में बेंच हैं। यदि एक बेंच पर 6 विद्यार्थियों को बैठाया जायें, तो सभी विद्यार्थियों की सुविधा हेतु एक अतिरिक्त बेंच की आवश्यकता होगी। हालाँकि, यदि बेंच पर 7 विद्यार्थियों को बैठाया जायें? तो उन सभी विद्यार्थियों को बैठाने के बाद 5 अतिरिक्त विद्यार्थियों को बैठाने की जगह शेष रह जाती है। कक्षा में छात्रों की कुल संख्या ज्ञात कीजिए।
(a) 30 (b) 42
(c) 72 (d) इनमें से कोई भी नहीं

Revision Series

42. $999\frac{995}{999} \times 999$ **का मान है?**
(a) 980809 (b) 998996
(c) 999824 (d) 998999

43. $999\frac{1}{7} + 999\frac{2}{7} + 999\frac{3}{7} + 999\frac{4}{7} + 999\frac{5}{7} + 999\frac{6}{7}$ **का सरलतम रूप है?**
(a) 5997 (b) 5979
(c) 5994 (d) 2997

44. $\left(\frac{1}{1.4} + \frac{1}{4.7} + \frac{1}{7.10} + \frac{1}{10.13} + \frac{1}{13.16}\right)$ **बराबर है?**
(a) $\frac{1}{3}$ **(b)** $\frac{5}{16}$
(c) $\frac{3}{8}$ **(d)** $\frac{41}{7280}$

45. $\left(\frac{1}{3.5} + \frac{1}{5.7} + \frac{1}{7.9} + \frac{1}{9.11} + \frac{1}{11.13} + \frac{1}{13.15}\right)$**बराबर है?**
(a) $\frac{4}{25}$ **(b)** $\frac{2}{25}$
(c) $\frac{7}{45}$ **(d)** $\frac{2}{15}$

46. $\frac{(2{\cdot}697-0{\cdot}498)^2+(2{\cdot}697+0{\cdot}498)^2}{2{\cdot}697\times2{\cdot}697+0{\cdot}498\times0{\cdot}498}$ **का मान है?**
(a) 4 (b) 2
(c) 2.1999 (d) 3.195

47. $\frac{2{\cdot}75\times2{\cdot}75\times2{\cdot}75-2{\cdot}25\times2{\cdot}25\times2{\cdot}25}{2{\cdot}75\times2{\cdot}75+2{\cdot}75\times2{\cdot}25+2{\cdot}25\times2{\cdot}25}$ **का मान है?**
(a) 3 (b) $\frac{3}{2}$
(c) 1 (d) $\frac{1}{2}$

48. $8{\cdot}7-[7{\cdot}6-\{6{\cdot}5-(5{\cdot}4-\overline{4{\cdot}3-2})\}]$ **का सरलीकृत मान है?**
(a) 2·5 (b) 3·5
(c) 4·5 (d) 5·5

49. $3 \div \left[(8-5) \div \left\{(4-2) + \left(2+\frac{8}{13}\right)\right\}\right]$**का मान है?**
(a) $\frac{60}{13}$ **(b)** $\frac{13}{17}$
(c) $\frac{15}{19}$ **(d)** $\frac{13}{19}$

50. $1-[(5-\{2+(-5+6-2)2\})]$ **बराबर है?**
(a) -4 **(b)** 2
(c) 0 **(d)** -2

51. **सरल करने पर गुणनफल**

$\left(2-\frac{1}{3}\right)\left(2-\frac{3}{5}\right)\left(2-\frac{5}{7}\right)\ldots\ldots\left(2-\frac{997}{999}\right)$ किसके बराबर है?

(a) $\frac{5}{999}$ (b) $\frac{5}{3}$
(c) $\frac{1001}{999}$ (d) $\frac{1001}{3}$

52. किसी संख्या के $\frac{3}{4}$ तथा $\frac{4}{7}$ का अन्तर 100 है। वह संख्या क्या होगी?

(a) 520 (b) 540
(c) 500 (d) 560

53. $\left(1-\frac{1}{5}\right)\left(1-\frac{1}{6}\right)\left(1-\frac{1}{7}\right)\ldots\ldots\left(1-\frac{1}{100}\right)$ का मान है?

(a) 0 (b) $\frac{1}{25}$
(c) $\frac{1}{50}$ (d) $\frac{1}{100}$

54. $\frac{3}{4}+\frac{5}{36}+\frac{7}{144}+\cdots\ldots\ldots\ldots+\frac{19}{8100}$ का मान बराबर है?

(a) 0.9 (b) 0.95
(c) 0.99 (d) 1.91

55. कुछ टॉफियाँ बच्चों के एक समूह में इस प्रकार बाँटी गयी कि प्रत्येक को 7 टॉफियाँ मिली तथा 14 शेष बची। यदि इस समूह में 2 बच्चे अधिक होते तो कोई टॉफी नहीं बचती। इस समूह में कितने बच्चे थे?

(a) 70 (b) 56
(c) 63 (d) ज्ञात नहीं किया जा सकता

56. किसी विद्यार्थी को एक संख्या को 12 से गुणा करने को कहा गया त्रुटिवश उसने उस संख्या को 21 से गुणा कर दिया। इस प्रकार उसका उत्तर सही उत्तर से 63 अधिक था तो वह संख्या बताइए?

(a) 7 (b) 8
(c) 9 (d) 12

57. A, B, C, D व E निरन्तर 5 विषम संख्यायें है। A तथा C का योग 146 है। E का मूल्य कितना है?

(a) 75 (b) 81
(c) 71 (d) 79

58. एक कक्षा के कमरे में कुछ बेंच है। यदि प्रत्येक बेंच पर 4 विद्यार्थी बैठे तो 3 बेंच खाली रह जाते है। परन्तु यदि प्रत्येक बेंच पर 3 विद्यार्थी बैठे तो 3 विद्यार्थियों को जगह नहीं मिलती है। कक्षा में कुल विद्यार्थी है–

(a) 36 (b) 24
(c) 54 (d) 48

59. ₹ 234 को तीन ऐसे भागों में बाँटा गया कि पहले भाग का आधा, दूसरे भाग का तिहाई तथा तीसरे भाग का चौथाई एक बराबर हो तो दूसरे भाग का मूल्य होगा–

(a) 54 (b) 78
(c) 81 (d) 108

60. एक व्यक्ति ने एक पुस्तक के $\frac{1}{3}$ हिस्से से 100 पृष्ठ अधिक पढ़ने के बाद पाया कि पढ़े गये पृष्ठों से 40 पृष्ठ अधिक और अभी पढ़ना बाकी है। पुस्तक में कुल कितने पृष्ठ है?

(a) 640 (b) 680
(c) 720 (d) 210

61. 5 मेजें और 4 कुर्सियों का कुल मूल्य ₹ 2000 है जबकि 3 मेजे और 7 कुर्सियों का मूल्य ₹ 2350 है। एक मेज तथा 1 कुर्सी का कुल मूल्य होगा–

(a) ₹ 400 (b) ₹ 500
(c) ₹ 450 (d) ₹ 425

62. 2^{60}, 3^{48}, 4^{36} तथा 5^{24} में से बड़ी संख्या कौन–सी है?

(a) 2^{60} (b) 3^{48}
(c) 4^{36} (d) 5^{24}

63. $\frac{1}{2}+\frac{1}{6}+\frac{1}{12}+\frac{1}{20}+\ldots\ldots\ldots+\frac{1}{n(n+1)}=?$

(a) $\frac{1}{n}$ (b) $\frac{1}{(n+1)}$
(c) $\frac{2(n-1)}{n}$ (d) $\frac{n}{n+1}$

64. यदि $\left(x+\frac{1}{x}\right)^2=3$ हो, तो $x^3+\frac{1}{x^3}$ का मान है–

(a) $\frac{10\sqrt{3}}{3}$ (b) 0
(c) $3\sqrt{3}$ (d) $6\sqrt{3}$

65. $\frac{1}{9}+\frac{1}{6}+\frac{1}{12}+\frac{1}{20}+\frac{1}{30}+\frac{1}{42}+\frac{1}{56}+\frac{1}{72}$ का मान है–

(a) 0 (b) $\frac{1}{2}$
(c) $\frac{1}{9}$ (d) $\frac{1}{2520}$

66. यदि $8-\left[7-\left\{x-\left(4-\frac{7}{2}\right)\right\}\right]=5$ हो, तो x मान है–

(a) 2·5 (b) 3·2
(c) 4·5 (d) 5

ANSWER

1.	a	2.	b	3.	b	4.	c	5.	c
6.	c	7.	c	8.	b	9.	d	10.	c
11.	b	12.	a	13.	a	14.	b	15.	b
16.	b	17.	d	18.	c	19.	d	20.	c
21.	b	22.	d	23.	a	24.	d	25.	b
26.	b	27.	a	28.	b	29.	d	30.	a
31.	a	32.	a	33.	a	34.	d	35.	b
36.	c	37.	a	38.	a	39.	b	40.	b
41.	d	42.	b	43.	a	44.	b	45.	d
46.	b	47.	d	48.	c	49.	a	50.	a
51.	d	52.	d	53.	b	54.	c	55.	d
56.	a	57.	d	58.	d	59.	b	60.	d
61.	c	62.	b	63.	d	64.	b	65.	b
66.	c								

Explanaory Notes

1. (a) $\frac{0.06\times0.06\times0.06-0.05\times0.05\times0.05}{0.06\times0.6+0.06\times0.05+0.05\times0.05}$

माना, 0.06 = a तथा 0.05 = b

तब $\frac{a^3-b^3}{a^2+ab+a^2}$

= a – b

= 0.06 – 0.05 (a तथा b का मान प्रतिस्थापित करने पर)

= 0.01

2. (b) $\frac{0.41\times0.41\times0.41+0.69\times0.69\times0.69}{0.41\times0.41-0.41\times0.69+0.69\times0.69}$

मना, 0.41 = a तथा 0.69 = b

तब $\frac{a^3+b^3}{a^2-ab+b^2}$

= a+b

= 0.41+0.69 (a तथा b का मान प्रतिस्थापित करने पर)

= 1.1

3. (b) $\frac{(2.697-0.498)^2+(2.697+0.498)^2}{2.697\times2.69+0.498\times0.498}$

मना 2.697 = a तथा 0.498 = b

तब $\frac{(a-b)^2+(a+b)^2}{a^2+b^2}$

$=\frac{a^2+b^2-2ab+a^2+b^2+2ab}{a^2+b^2}$

$=\frac{2(a^2+b^2)}{a^2+b^2}$

= 2

4. (c) $\frac{137\times137+133\times133+18221}{137\times137\times137-133\times133\times133}$

माना, 137 = a तथा 133 = b

तब, $\frac{a^2+b^2+ab}{a^3-b^3}$

$=\frac{1}{a-b}$

$=\frac{1}{137-133}$

$=\frac{1}{4}$

5. (c) $\frac{10.3\times10.3\times10.3+1}{10.3\times10.3-10.3+1}$

माना, 10.3 = a तथा 1 = b

तब $\frac{a^3+b^3}{a^2-ab+b^3}$

= a + b

= 10.3 + 1

= 11.3

6. (c) $1.49=\frac{14.9}{10}$ तथा $0.51=\frac{5.1}{10}$

माना, 14.9 = a तथा 5.1 = b

तब, $\frac{\frac{a}{10}\times a-\frac{b}{10}\times b}{a-b}$

$=\frac{\frac{1}{10}[a^2-b^2]}{(a-b)}$

$=\frac{1}{10}\times\frac{(a+b)(a-b)}{(a-b)}$

$=\frac{1}{10}\times(14.9+5.1)=\frac{1}{10}\times20=2$

7. (c) माना, 0.7 = a तथा 0.3 = b

तब $\frac{a^3+b^3}{a^2-ab+b^2}$

= a + b

= 0.7 + 0.3

=1

8. (b) $\frac{1}{1.4}+\frac{1}{4.7}+\frac{1}{7.10}+\frac{1}{10.13}+\frac{1}{13.16}$

$=\frac{1}{3}\left[\frac{1}{1}-\frac{1}{4}+\frac{1}{4}-\frac{1}{7}+\frac{1}{7}-\frac{1}{10}+\frac{1}{10}-\frac{1}{13}+\frac{1}{13}-\frac{1}{16}\right]$

$=\frac{1}{3}\left[1-\frac{1}{16}\right]$

$=\frac{1}{3}\times\frac{15}{16}=\frac{5}{16}$

9. (d) $\frac{1}{3.5}+\frac{1}{5.7}+\frac{1}{7.9}+\frac{1}{9.11}+\frac{1}{11.13}+\frac{1}{13.15}$

$=\frac{1}{2}\left[\frac{1}{3}-\frac{1}{5}+\frac{1}{5}-\frac{1}{7}+\frac{1}{7}-\frac{1}{9}+\frac{1}{9}-\frac{1}{11}+\frac{1}{11}-\frac{1}{13}+\frac{1}{13}-\frac{1}{15}\right]$

$=\frac{1}{2}\left[\frac{1}{3}-\frac{1}{15}\right]$

$=\frac{1}{2}\left[\frac{5-1}{15}\right]$

$=\frac{1}{2}\times\frac{4}{15}=\frac{2}{15}$

10. (c) $\frac{1}{3\times7}+\frac{1}{7\times11}+\frac{1}{11\times15}+........+\frac{1}{899\times903}$

$=\frac{1}{4}\left[\frac{1}{3}-\frac{1}{7}+\frac{1}{7}-\frac{1}{11}+\frac{1}{11}-\frac{1}{15}.....+\frac{1}{899}-\frac{1}{903}\right]$

$=\frac{1}{4}\left[\frac{1}{3}-\frac{1}{903}\right]$

$=\frac{1}{4}\left[\frac{301-1}{903}\right]$

$=\frac{1}{4}\times\frac{300}{903}=\frac{75}{903}=\frac{25}{301}$

11. (b) (i) $\frac{1}{2}\left[\frac{1}{1}-\frac{1}{3}+\frac{1}{3}-\frac{1}{5}+\frac{1}{5}-\frac{1}{7}+\cdots\frac{1}{11}-\frac{1}{13}\right]$

$=\frac{1}{2}\left[1-\frac{1}{13}\right]=\frac{1}{2}\times\frac{12}{13}=\frac{6}{13}$ [असत्य]

(ii) $\frac{1}{1}\left[\frac{1}{1}-\frac{1}{2}+\frac{1}{2}-\frac{1}{3}+\cdots+\frac{1}{12}-\frac{1}{13}\right]$

$=1-\frac{1}{13}=\frac{12}{13}$ [सत्य]

अतः केवल (ii) सत्य है।

12. (a) $999+\frac{1}{7}+999+\frac{2}{7}+999+\frac{3}{7}+999+\frac{4}{7}+999+\frac{5}{7}+999+\frac{6}{7}$

$=6\times999+\frac{1}{7}+\frac{2}{7}+\frac{3}{7}+\frac{4}{7}+\frac{5}{7}+\frac{6}{7}$

$=5994+\frac{21}{7}$

= 5997

13. (a) $\left(999+\frac{98}{99}\right)\times99$

= 999 × 99 + 98

= (1000–1) × 99 + 98

= 99000–99+98
= 99000–1
= 98999

14. (b) $\frac{1}{7}+\left(999+\frac{692}{693}\right)\times 99$
$=\frac{1}{7}+\left(999\times 99+\frac{692}{7}\right)$
$=\frac{693}{7}+(1000-1)\times 99$
= 99+99000 – 99
= 99000

15. (b) $\left(999+\frac{995}{999}\right)\times 999$
= 999 × 999 + 995
= (1000–1) × 999 + 995
= 999000 – 999 + 995
= 999000 – 4
= 998996

16. (b) $\frac{1}{5}+\left(999+\frac{494}{495}\right)\times 99$
$=\frac{1}{5}+999\times 99+\frac{494}{5}$
$=\frac{495}{5}+(1000-1)\times 99$
= 99 + 99000 – 99
= 99000

17. (d) $999\times 5+\frac{1}{2}+\frac{1}{6}+\frac{1}{12}+\frac{1}{20}+\frac{1}{30}$
$=4995+\frac{1}{2}+\frac{1}{2}-\frac{1}{3}+\frac{1}{3}-\frac{1}{4}+\frac{1}{4}-\frac{1}{5}+\frac{1}{5}-\frac{1}{6}$
$=4995+\frac{1}{2}+\frac{1}{2}-\frac{1}{6}$
$=4995+\frac{3+3-1}{6}$
$=4995+\frac{5}{6}$

18. (c) $111\times 5+\frac{1}{2}+\frac{1}{6}+\frac{1}{12}+\frac{1}{20}+\frac{1}{30}$
$=555+\frac{1}{2}+\frac{1}{2}-\frac{1}{3}+\frac{1}{3}-\frac{1}{4}+\frac{1}{4}-\frac{1}{5}+\frac{1}{5}-\frac{1}{6}$
$=555+\frac{1}{2}+\frac{1}{2}-\frac{1}{6}$
$=555+\frac{5}{6}=555\frac{5}{6}$

19. (d) $\left(2-\frac{1}{3}\right)\left(2-\frac{3}{5}\right)\left(2-\frac{5}{7}\right)......\left(2-\frac{997}{999}\right)$
$=\frac{5}{3}\times\frac{7}{5}\times\frac{9}{7}\times ....\times\frac{1001}{999}$
$=\frac{1001}{3}$

20. (c) $\left(1+\frac{1}{2}\right)\left(1+\frac{1}{3}\right)\left(1+\frac{1}{4}\right).......\left(1+\frac{1}{120}\right)$
$=\frac{3}{2}\times\frac{4}{3}\times\frac{5}{4}\times......\times\frac{121}{120}$
$=\frac{121}{2}=60.5$

21. (b) $\frac{3}{4}\times\left(1+\frac{1}{3}\right)\left(1+\frac{2}{3}\right)\times\left(1-\frac{2}{5}\right)\left(1+\frac{6}{7}\right)\left(1-\frac{12}{13}\right)$
$=\frac{3}{4}\times\frac{4}{3}\times\frac{5}{3}\times\frac{3}{5}\times\frac{13}{7}\times\frac{1}{13}$
$=\frac{1}{7}$

22. (d) $\frac{547.527}{0.0082}=x$
$\frac{547527\times 10}{82}=x$
$\frac{547527}{82}=\frac{x}{10}$

23. (a) $\frac{1}{4.263}=0.2346$
या, $\frac{1}{0.0004263}=0.2346\times 10000$
या, $\frac{1}{0.0004263}=2346$

24. (d) [7+7(7+7÷7)]+7÷7]
= [7+7(7+1)]+1
= [7+56]+1
= 64

25. (b) 4+[3{35+(42+10÷2×3–40)}+7]
= 4+[3{35+42+15–40)}+7]
= 4+[3(35+17}+7)]
= 4+[3×52+7]
= 167

26. (b) (72+34) ÷ 2+ [{(75÷15)+6}×2]
= 106 ÷ 2+[{5+6}×2]
= 53+22 = 75

27. (a) $1\frac{3}{4}\left[3\frac{1}{8}\div\left\{6-\left(2\frac{3}{4}-\frac{11}{12}\right)\right\}\right]$
$=\frac{7}{4}-\left[\frac{25}{8}\div\left\{6-\left(\frac{11}{4}-\frac{11}{12}\right)\right\}\right]$
$=\frac{7}{4}-\left[\frac{25}{8}\div\left\{6-\frac{11}{6}\right\}\right]$
$=\frac{7}{4}-\left[\frac{25}{8}\times\frac{6}{25}\right]$
$=\frac{7}{4}-\frac{3}{4}=\frac{4}{4}=1$

28. (b) $3\frac{1}{3}-\left[\frac{9}{4}+\left\{\frac{5}{4}-\frac{1}{13}\times\left(\frac{5}{2}-\frac{1}{3}\right)\right\}\right]$
$=\frac{10}{3}-\left[\frac{9}{4}+\left\{\frac{5}{4}-\frac{1}{13}\times\left(\frac{5}{2}-\frac{1}{3}\right)\right\}\right]$
$=\frac{10}{3}-\left[\frac{9}{4}+\left\{\frac{5}{4}-\frac{1}{13}\times\frac{13}{6}\right\}\right]$
$=\frac{10}{3}-\left[\frac{9}{4}+\left\{\frac{5}{4}-\frac{1}{6}\right\}\right]$
$=\frac{10}{3}-\left[\frac{9}{4}+\frac{13}{12}\right]$
$=\frac{10}{3}-\frac{40}{12}$
$=\frac{40-40}{12}=0$

29. (d) $\frac{33}{40}+\frac{1}{5}\left[\frac{4}{5}-\frac{1}{5}\left(\frac{7}{8}-\frac{5}{4}\right)\right]$
$=\frac{33}{40}+\frac{1}{5}\left[\frac{4}{5}-\frac{1}{5}\left(\frac{7-10}{8}\right)\right]$
$=\frac{33}{40}+\frac{1}{5}\left[\frac{4}{5}+\frac{1}{5}\times\frac{3}{8}\right]$
$=\frac{33}{40}+\frac{1}{5}\left[\frac{4}{5}+\frac{3}{40}\right]$
$=\frac{33}{40}+\frac{1}{5}\left[\frac{32+3}{40}\right]$
$=\frac{33}{40}+\frac{7}{40}$
$=\frac{40}{40}=1$

30. (a) माना, $\frac{a}{3}=\frac{b}{4}=\frac{c}{7}=K$
तब a = 3K, b= 4K, c = 7K

$\therefore \frac{a+b+c}{3} = \frac{3K+4K+7K}{7K} = \frac{14K}{7K} = 2$

31. (a) माना, $\frac{a}{3} = \frac{b}{2} = \frac{c}{1} = K$

तब a = 3K, b = 2K, c = K

$\therefore \frac{a+b+2c}{b} = \frac{3K+2K+2K}{2K} = \frac{7K}{2K} = 3.5$

32. (a) $\frac{a+b}{c} = \frac{b+c}{a} = \frac{c+a}{b} = K$

a + b = ck----(i)

b + c = ak----(ii)

जोड़ने पर c + a = bk----(iii)

2(a+b+c)= K(a+b+c)

$\therefore$ K = 2

33. (a) माना, $\frac{a}{2} = \frac{b}{3} = \frac{c}{4} = \frac{2a-3b+5c}{K} = x$

a = $2x$, b = $3x$, c = $4x$ ....(i)

तथा 2a–3b+5c = Kx

$2\times2x-3\times3x+5\times4x = Kx$ समी० (i) से

$4x-9x+20x = Kx$

$x(4-9+20) = Kx$

K = 15

34. (d) माना, संख्याये x व y है।

$x + 2y = 8$ ....(i)

घटाने पर $x - y = 2$ ....(ii)

$3y = 6$

y = 2 यह मान समी० (i)में रखने पर

$x + 4 = 8$

$x = 4$

अतः संख्याये क्रमशः 4 और 2 है।

35. (b)माना, संख्या x है।

$3x^2-4x = 50+x$

या, $3x^2-5x = 50$

विकल्प (b) से

$x = 5$ समी० को संतुष्ट करता है अतः संख्या 5 होगी।

36. (c)माना, बड़ी संख्या = x

तथा छोटी संख्या = y

प्रश्नानुसार, $xy = 9375$ .....(i)

तथा $\frac{x}{y} = 15$.......(ii)

या $x = 15y$ यह मान (i) में रखने पर

$15y\times y = 9375$

$y^2 = \frac{9375}{15} = 625$

$\therefore y = 25$

$\frac{x}{25} = 15$ [समी० (i)से]

$x = 375$

$\therefore$ संख्याओं का योग, $x+y = 375 + 25 = 400$

37. (a) माना, धनात्मक पूर्णांक = x

$5x = 2x^2 - 3$

या, $2x^2 - 5Ax = 3$

विकल्प a से $x = 3$ समी० को संतुष्ट करता है अतः संख्या 3 होगी।

38. (a) माना, उसने पहले दिन x अंगूर खाये तब –

$x+(x+6)+(x+12)+(x+18)+(x+24) = 100$

$5x+60 = 100$

$5x = 40$

$\therefore x = 8$

39. (b)माना, लड़के x तथा लड़कियाँ y है तब–

$y^2 = x^2-28$

या, $x^2-y^2 = 28$ या, $(x+y)(x-y) = 28$..(i)

तथा $x = y + 2$

$\therefore x - y = 2$....(ii)

$(x+y)\times2 = 28 \therefore \boxed{(x+y) = 14}$

40. (b) माना कुल बेंच x है तब–

$(x-3)\times4 = 3x+3$

$4x - 12 = 3x+3$

$x = 15$

$\therefore$कुल विद्यार्थी = (15–3)×4 = 48

41. (d) माना, कुल बेंच x है तब–

$(x+1)\times6 = 7x+5$

$6x+6 = 7x+5$

$x = 1$

$\therefore$कुल विद्यार्थी = (1+1)×6 = 12

42. **(b)** $\frac{999\times999+995}{999}\times999$

$= (1000-1)\times999+995$

$= 999000 - 999 + 995$

$= 999000 - 4$

$= 998996$

43. **(a)** $999\frac{1}{7} + 999\frac{2}{7} + 999\frac{3}{7} + 999\frac{4}{7} + 999\frac{5}{7} + 999\frac{6}{7} + 999\frac{6}{7}$

$= 999\times6 + \frac{1}{7} + \frac{2}{7} + \frac{3}{7} + \frac{4}{7} + \frac{5}{7} + \frac{6}{7} + \frac{6}{7}$

$= 5994 + \frac{21}{7}$

$= 5997$

44. **(b)** $\frac{1}{1.4} + \frac{1}{4.7} + \frac{1}{7.10} + \frac{1}{10.13} + \frac{1}{13.16}$

$= \frac{1}{3}\left[\frac{1}{1} - \frac{1}{4} + \frac{1}{4} - \frac{1}{7} + \frac{1}{7} - \frac{1}{10} + \frac{1}{10} - \frac{1}{13} + \frac{1}{13} - \frac{1}{16}\right]$

$= \frac{1}{3}\left[1 - \frac{1}{16}\right]$

$= \frac{1}{3}\times\frac{15}{16}$

$= \frac{5}{16}$

(आप सीधे तौर पर सूत्र का भी प्रयोग कर सकते हैं)

45. **(d)** $\frac{1}{3.5}+\frac{1}{5.7}+\frac{1}{7.9}+\frac{1}{9.11}+\frac{1}{11.13}+\frac{1}{13.15}$

सूत्र से,

$=\frac{1}{2}\left[\frac{1}{3}-\frac{1}{15}\right]$

$=\frac{1}{2}\left[\frac{5-1}{15}\right]$

$=\frac{1}{2}\times\frac{4}{15}$

$=\frac{2}{15}$

46. **(b)** $2{\cdot}697=a$ तथा $0{\cdot}498=b$ (माना)

$\frac{(a-b)^2+(a+b)^2}{a^2+b^2}$

$=2$

47. **(d)** $2{\cdot}75=a$ व $2{\cdot}25=b$ (माना)

$\frac{a^3-b^3}{a^2+ab+b^2}=a-b$

$a-b=2{\cdot}75-2{\cdot}25$

$=0{\cdot}5$

$=\frac{1}{2}$ *Ans.*

48. **(c)** $8{\cdot}7-[7{\cdot}6-\{6{\cdot}5-(5{\cdot}4-\overline{4{\cdot}3-2})\}]$

$=8{\cdot}7-[7{\cdot}6-\{6{\cdot}5-(5{\cdot}4-2{\cdot}3)\}]$

$=8{\cdot}7-[7{\cdot}6-\{6{\cdot}5-3{\cdot}1\}]$

$=8{\cdot}7-[7{\cdot}6-3{\cdot}4]$

$=8{\cdot}7-4{\cdot}2$

$=4{\cdot}5$ *Ans.*

49. **(a)** $3\div\left[(8-5)\div\left\{(4-2)+\left(2+\frac{8}{13}\right)\right\}\right]$

$=3\div\left[3\div\left\{2+\frac{34}{13}\right\}\right]$

$=3\div\left[3\div\frac{60}{13}\right]$

$=3\div\left[3\times\frac{13}{60}\right]$

$=3\times\frac{20}{13}$

$=\frac{60}{13}$ *Ans.*

50. **(a)** $1-[(5-\{2+(-5+6-2)2\})]$

$=1-[(5-\{2+(-7+6)2\})]$

$=1-[(5-\{2-2\})]$

$=1-[(5-0)]$

$=-4$ *Ans.*

51. **(d)** $\left(2-\frac{1}{3}\right)\left(2-\frac{3}{5}\right)\left(2-\frac{5}{7}\right)\ldots\ldots\left(2-\frac{997}{999}\right)$

$=\frac{3}{5}\times\frac{7}{5}\times\frac{9}{7}\times\ldots\ldots\ldots\times\frac{1001}{999}$

$=\frac{1001}{3}$ *Ans.*

52. **(d)** माना वह संख्या x है

$\frac{3x}{4}-\frac{4x}{7}=100$

$\frac{21x-16x}{28}=100$

$5x=100\times 28$

$x=\frac{100\times 28}{5}$

$x=560$ *Ans.*

53. **(b)** $\left(1-\frac{1}{5}\right)\left(1-\frac{1}{6}\right)\left(1-\frac{1}{7}\right)\ldots\left(1-\frac{1}{100}\right)$

$=\frac{4}{5}\times\frac{5}{6}\times\frac{6}{7}\times\ldots\ldots\ldots\times\frac{99}{100}$

$=\frac{4}{100}$

$=\frac{1}{25}$ *Ans.*

54. **(c)** $\frac{3}{4}+\frac{5}{36}+\frac{7}{144}+\cdots\ldots\ldots+\frac{19}{8100}$

$=\frac{3}{1.4}+\frac{5}{4.9}+\frac{7}{9.16}+\cdots\ldots\ldots+\frac{19}{81.100}$

$=\frac{1}{1}-\frac{1}{4}+\frac{1}{4}-\frac{1}{9}+\frac{1}{9}-\frac{1}{16}+\cdots+\frac{1}{81}-\frac{1}{100}$

$=1-\frac{1}{100}$

$=\frac{99}{100}$

$=0.99$ *Ans.*

55 **(d)** माना, कुल बच्चों की संख्या $=x$

∴ कुल टॉफियों की संख्या $=7x+14$

अतः $7x+14=(x+2)\times 7$

अर्थात् बच्चों की संख्या ज्ञात नहीं किया जा सकता।

56. **(a)** माना, वह संख्या $=x$

सही उत्तर$=12x$

गलत उत्तर $=21x$

प्रश्नानुसार,

$21x - 12x = 63$

$9x = 63$

$x = 7$

57. **(d)** माना, पाँच क्रमागत विषम संख्यायें क्रमशः

A	B	C	D	E
x	$(x+2)$	$(x+4)$	$(x+6)$	$(x+8)$

$A + C = 146$

$x + x + 4 = 146$

$2x = 146 - 4$

$2x = 142$

$x = 71$

अतः $E = x + 8$

$= 71 + 8$

$= 79$ *Ans.*

58 **(d)** माना, कुल बेंच $= x$

$(x-3) \times 4 = 3x + 3$

$4x - 12 = 3x + 3$

$x = 15$

∴ कुल विद्यार्थी $= (15 - 3) \times 4 = 48$ *Ans.*

59. **(b)** $\frac{I}{2} = \frac{II}{3} = \frac{III}{4} = k$ (माना)

$I = 2k$, $II = 3k$ और $III = 4k$

$2k + 3k + 4k = 234$

$9k = 234$

$k = 26$

अतः II भाग $= 3k = 26 \times 3 =$ ₹78 *Ans.*

60. **(d)** माना, कुल पृष्ठों की संख्या $= x$

पढ़े गये पृष्ठों की संख्या $\left(\frac{x}{3} + 100\right)$

प्रश्नानुसार,

$\left(\frac{x}{3} + 100\right) + 40 = x$

$140 = x - \frac{x}{3}$

$140 = \frac{2x}{3}$

$x = 210$ *Ans.*

61. **(c)** माना, 1 मेज का मूल्य x तथा 1 कुर्सी का मूल्य y है।

$5x + 4y = 2000 \ldots\ldots\ldots\ldots (i)$

$3x + 7y = 2350 \ldots\ldots\ldots\ldots (ii)$

समीकरण (i) में 3 से तथा समीकरण (ii) में 5 से गुणा करने पर

$15x + 12y = 6000$

$15x + 35y = 11750$ घटाने पर

$- \quad - \quad -$

$-23y = -5750$

$y = \frac{5760}{23} = 250$

y का मान समीकरण (i) में रखने पर

$5x + 4 \times 250 = 2000$

$5x = 2000 - 1000$

$5x = 1000$

$x = 200$

$\therefore x + y = 200 + 250 =$ ₹ 450 *Ans.*

62. **(b)** 2^{60}, 3^{48}, 4^{36} व 5^{24}

घातों को बराबर करने के लिए, घातों का म0स0 = 12

अतः $(2^5)^{12}, (3^4)^{12}, (4^3)^{12}$ व $(5^2)^{12}$

$(32)^{12}, (81)^{12}, (64)^{12}$ व $(25)^{12}$

अतः सबसे बड़ी संख्या $= (81)^{12} = 3^{48}$ *Ans.*

63. **(d)** $\frac{1}{2} + \frac{1}{6} + \frac{1}{12} + \frac{1}{20} + \cdots \ldots\ldots\ldots + \frac{1}{n(n+1)}$

$= \frac{1}{1} - \frac{1}{2} + \frac{1}{2} - \frac{1}{3} + \frac{1}{3} - \frac{1}{4} + \frac{1}{4} - \frac{1}{5} + \cdots \ldots \frac{1}{n} - \frac{1}{(n+1)}$

$= 1 - \frac{1}{(n+1)}$

$= \frac{n+1-1}{n+1}$

$= \frac{n}{n+1}$ *Ans.*

64. **(b)** $\left(x + \frac{1}{x}\right)^2 = 3$

$x + \frac{1}{x} = \sqrt{3}$

अतः $x^3 + \frac{1}{x^3} = (\sqrt{3})^3 - 3 \times \sqrt{3}$

$= 3\sqrt{3} - 3\sqrt{3} = 0$ *Ans.*

65. **(b)** $\frac{1}{9} + \frac{1}{6} + \frac{1}{12} + \frac{1}{20} + \frac{1}{30} + \frac{1}{42} + \frac{1}{56} + \frac{1}{72}$

$= \frac{1}{9} + \frac{1}{2} - \frac{1}{3} + \frac{1}{3} - \frac{1}{4} + \frac{1}{4} - \frac{1}{5} + \frac{1}{5} - \frac{1}{6} + \frac{1}{6} - \frac{1}{7} + \frac{1}{7} - \frac{1}{8} + \frac{1}{8} - \frac{1}{9}$

$= \frac{1}{2}$ *Ans.*

66. **(c)** $8 - \left[7 - \left\{x - \left(4 - \frac{7}{2}\right)\right\}\right] = 5$

$8 - \left[7 - \left\{x - \frac{1}{2}\right\}\right] = 5$

$8 - \left[7 - \left\{\frac{2x-1}{}\right\}\right] = 5$

2

$8 - \left[\frac{14-2x+1}{2}\right] = 5$

$\frac{16-15+2x}{2} = 5$

$1 + 2x = 10$

$2x = 9$

$x = 4{\cdot}5$ *Ans.*

3 वर्गमूल एवं घनमूल (Square Root & Cube Root)

किसी संख्या का वर्गमूल ज्ञात करने की दो विधियाँ निम्न है–

1. **प्रथम विधि (गुणनखण्ड विधि)** – सर्वप्रथम संख्या को कैनोनिकल रूप में लिखें और दो–दो जोड़े के गुणनखण्ड बनाकर अभीष्ट वर्गमूल प्राप्त कर लेते हैं जैसे

प्रश्न : $\sqrt{1024}$ का मान या 1024 का वर्गमूल

2	1024
2	512
2	256
2	128
2	64
2	32
2	16
2	8
2	4
2	2
	1

1024 = 210 (कैनॉनिकल रूप)

= (22)5

अतः $\sqrt{1024} = 2^5 = 32\ Ans.$

2. **द्वितीय विधि (भाग विधि)** – यह विधि बड़ी संख्या या अभाज्य संख्या या दशमलव संख्या का वर्ग मूल ज्ञात करने के लिए महत्वपूर्ण है।

जैसे– 1855044 का वर्गमूल भाग विधि से

	1362
1	$\overline{01}\,\overline{85}\,\overline{50}\,\overline{44}$
+1	01
23	××85
+3	69
266	1650
+6	1596
2722	××5444
	5444
	××××

अतः $\sqrt{1855044} = 1362\ Ans.$

किसी संख्या का घनमूल ज्ञात करने के लिए संख्या को कैनॉनिकल रूप में लिखें और तीन–तीन जोड़े के गुणनखण्ड बनाकर अभीष्ट घनमूल प्राप्त करें।

प्रश्न : $\sqrt[3]{74088}$ का मान

2	74088
2	37044
2	18522
3	9261
3	3087
3	1029
7	343
7	49
7	7
	1

$74088 = 2^3 \times 3^3 \times 7^3$

अतः अभीष्ट घनमूल = 2 x 3 x 7

= 42 *Ans.*

Type - 01

प्रश्न : यदि 841 का वर्गमूल 29 है, तो $\sqrt{0{\cdot}00000841}$ बराबर है–

हल– $\sqrt{\frac{841}{10^8}} = \frac{29}{10^4} = 0{\cdot}0029\ Ans.$

प्रश्न : यदि $\sqrt{10404} = 102$ तो $\sqrt{104{\cdot}04} + \sqrt{1{\cdot}0404} + \sqrt{0{\cdot}010404}$ का मान है

हल– $10{\cdot}2 + 1{\cdot}02 + 0{\cdot}102$

$= 11{\cdot}322\ Ans.$

प्रश्न : यदि $\sqrt[3]{175616} = 56$ तो $\sqrt[3]{175{\cdot}616} + \sqrt[3]{0{\cdot}175616} + \sqrt[3]{0{\cdot}000175616}$ का मान है

हल– $5{\cdot}6 + 0{\cdot}56 + 0{\cdot}056$

$= 6{\cdot}216\ Ans.$

प्रश्न : $\sqrt[3]{4\frac{12}{125}}$ का सरलीकृत मान होगा–

हल– $\sqrt[3]{\frac{512}{125}}$

$= \sqrt[3]{\left(\frac{8}{5}\right)^3}$

$= \frac{8}{5}$

$= 1\frac{3}{5}\ Ans.$

Type - 02

गुणा और भाग पर प्रश्न

- ऐसे प्रश्नों को गुणनखण्ड विधि से हल करते है।

- गुणा के लिए : प्राप्त अभाज्य गुणखण्ड में समूह बनाने के बाद जिस गुणनखण्ड की "कमी हो", से गुणा करते हैं।
- भाग के लिए : प्राप्त अभाज्य गुणनखण्ड में समूह बनाने के बाद जो गुणखण्ड "अतिरिक्त हो" से भाग देते हैं।

प्रश्न : 648 में कौन सी छोटी संख्या से गुणा कर दिया जाए कि प्राप्त गुणनफल पूर्ण वर्ग हो जाये?

हल–

2	648
2	324
2	162
3	81
3	27
3	9
3	3
	1

$648 = \underline{2 \times 2} \times 2 \times \underline{3 \times 3} \times \underline{3 \times 3}$

∵ समूह बनाने के बाद हम देख पा रहे है कि गुणनखण्ड 2 की कमी है। अतः 2 से गुणा करने पर गुणनफल पूर्ण वर्ग हो जायेगा।

प्रश्न : 40500 में कौन सी छोटी संख्या से भाग दे दिया जाये कि प्राप्त भागफल पूर्ण घन हो जाये?

हल–

2	40500
2	20250
3	10125
3	3375
3	1125
3	375
5	125
5	25
5	5
	1

$40500 = 2 \times 2 \times \underline{3 \times 3 \times 3} \times 3 \times \underline{5 \times 5 \times 5}$

∵ समूह बनाने के बाद हम देख पा रहे है कि $2 \times 2 \times 3 = 12$ अतिरिक्त है। अतः 12 से भाग देने पर प्राप्त भागफल पूर्ण घन हो जायेगा।

नोट : उपर्युक्त प्रश्न यदि गुणा से बना होता तो 2 की एक बार तथा 3 की 2 बार कमी होती अतः तब हम $2 \times 3 \times 3 = 18$ से गुणा करते।

Type - 03

योग–अन्तर से प्रश्न

- ऐसे प्रश्नों को भाग विधि से हल करते हैं।
- घटायी जाने वाली संख्या = शेषफल
- जोड़ी जाने वाली संख्या = अन्तिम बार के भागफल को सामान्य से '1' बार अतिरिक्त रखते है फिर जिस संख्या की कमी हो (ऋणात्मक संख्या) को जोड़ देते हैं।

प्रश्न : 4750 में से किस सबसे छोटी संख्या को घटाने पर एक पूर्ण वर्ग संख्या प्राप्त होगी?

हल–

	68
6	$\overline{47}\,\overline{50}$
+6	36
128	1150
	1024
	×126

∴ घटायी जाने वाली संख्या = शेषफल

= 126 *Ans.*

प्रश्न : पूर्ण वर्ग बनाने के लिए 1728 में जोड़ी जाने वाली अनिवार्य न्यूनतम संख्या बताइये?

हल–

	42
4	$\overline{17}\,\overline{28}$
+4	16
82	×128
	164
	- 36

यहाँ अन्तिम बार का भागफल '1' होना चाहिए था ∵ यहाँ न्यूनतम संख्या जोड़ने पर हमें $(42)^2$ ही प्राप्त होगा। ∵ $(42)^2$ बनाने के लिए 36 की कमी है, अतः 36 जोड़ने पर प्राप्त योगफल पूर्ण वर्ग होगा। = 36 *Ans.*

प्रश्न : 5 अंकों की सबसे बड़ी पूर्ण संख्या बताइये?

हल–

	316
3	$\overline{09}\,\overline{99}\,\overline{99}$
+3	09
61	×× 99
+1	61
626	3899
	3756
	× 143

अतः वह पूर्ण वर्ग संख्या = 99999 – 143

= 99856 *Ans.*

Type - 04

"उतना ही जितना" के समस्या पर आधारित प्रश्न

- जब प्रत्येक पंक्ति में उतने ही पौधे हो जितने कि पंक्तियों की संख्या तब–

कुल पौधे $= x^2$	$x \longrightarrow$ पंक्तियों की संख्या तथा प्रत्येक पंक्ति में पौधों की संख्या है।

- जब प्रत्येक विद्यार्थी 50 पैसे के उतने ही सिक्के जमा करें जितने कि विद्यार्थी की संख्या हो तो–

कुल रूपये $= \frac{x^2}{2}$	$x \longrightarrow$ विद्यार्थी की संख्या तथा प्रत्येक विद्यार्थी द्वारा जमा सिक्कों की संख्या है।

- जब प्रत्येक विद्यार्थी 25 पैसे के उतने ही सिक्के जमा करें जितने कि विद्यार्थी की संख्या हो तो–

कुल रूपये $= \frac{x^2}{4}$	$x \longrightarrow$ विद्यार्थी की संख्या तथा प्रत्येक विद्यार्थी द्वारा जमा सिक्कों की संख्या है।

प्रश्न : एक माली 17956 पौधे इस प्रकार लगाता है कि प्रत्येक पंक्ति में उतने ही पोधे है जितनी पंक्तियाँ है तो प्रत्येक पंक्ति में कितने पौधे है?

हल– कुल पौधे $= x^2$

$17956 = x^2$

अतः $x = \sqrt{17956} = 134$ (प्रत्येक पंक्ति में पौधे)

प्रश्न : किसी विद्यालय के प्रत्येक विद्यार्थी किसी राहत फंड में 25–25 पैसे के उतने ही सिक्के जमा करते हैं जितने कि विद्यालय में विद्यार्थियों की संख्या है। यदि राहत फंड में कुल ₹ 400 जमा हुये हो तो विद्यालय में विद्यार्थियों की संख्या बताइए?

हल– कुल जमा रूपये $= \frac{x^2}{4}$

$400 = \frac{x^2}{4}$

$x^2 = 1600$

$x = 40$ (विद्यार्थियों की संख्या)

Type - 05

वर्गों के योग–अन्तर पर प्रश्न

$(a+b)^2 = a^2 + b^2 + 2ab$

$(a-b)^2 = a^2 + b^2 - 2ab$

$(a^2 - b^2) = (a+b)(a-b)$

- क्रमागत प्राकृत संख्या के लिए श्रृंखला $x, (x+1), (x+2), \ldots\ldots\ldots$ होगी।
- क्रमागत सम/विषम प्राकृत संख्याओं के लिए श्रृंखला $x, (x+2), (x+4), (x+6), \ldots\ldots\ldots\ldots$ होगी।

प्रश्न : दो धनात्मक संख्याओं के वर्गों का योग 100 तथा उनके वर्गों का अन्तर 28 है। उन संख्याओं का योग होगा?

हल– माना संख्याएँ a व b है।

$a^2 + b^2 = 100 \ldots\ldots\ldots\ldots (i)$

$a^2 - b^2 = 28 \ldots\ldots\ldots\ldots (ii)$

$2a^2 = 128$

$a^2 = 64$

अतः $a = 8$

a का मान समीकरण (i) में रखने पर

$64 + b^2 = 100$

$b^2 = 100 - 64$

$b^2 = 36$

अतः $b = 6$

$\therefore$ अभीष्ट योग $= a + b = 8 + 6 = 14$ *Ans.*

प्रश्न : दो संख्याओं के वर्गों का अन्तर 145 है। यदि दोनों संख्याओं का योगफल 29 हो तो दोनों संख्यायें बताइये?

हल– माना संख्याएँ a व b है।

$a^2 - b^2 = 145 \ldots\ldots\ldots\ldots (i)$

$a + b = 29 \ldots\ldots\ldots\ldots (ii)$

$a^2 - b^2 = 145$

$(a+b)(a-b) = 145$

$29(a-b) = 145$

$(a-b) = 5 \ldots\ldots\ldots\ldots (iii)$

समीकरण $(ii) + (iii)$ से,

$2a = 34$

$a = 17$

समीकरण (ii) से,

$17 + b = 29$

$b = 29 - 17$

$b = 12$

अतः दोनों संख्याएँ क्रमशः 17, 12 है।

प्रश्न : दो संख्याओं का गुणनफल 120 है तथा उनके वर्गो का योग 289 है। दोनों संख्याओं का योगफल बताइये।

हल– माना, संख्याएँ a व b है।

$ab = 120 \ldots\ldots\ldots\ldots (i)$

$a^2 + b^2 = 289 \ldots\ldots\ldots (ii)$

$(a+b)^2 = a^2 + b^2 + 2ab$

$= 289 + 2 \times 120$

$= 289 + 240$

$(a+b)^2 = 529$

$(a+b) = \sqrt{529}$

$(a+b) = 23\ Ans.$

प्रश्न : दो क्रमागत धन प्राकृतिक सम संख्याओं के वर्गो का अन्तर 84 है। दोनों संख्यायें बताइये।

हल– माना, क्रमागत सम संख्याएँ क्रमशः x व $(x+2)$ है।

$(x+2)^2 - x^2 = 84$

$x^2 + 4 + 4x - x^2 = 84$

$4 + 4x = 84$

$4x = 80$

$x = 20$

$\therefore$ संख्याएँ क्रमशः 20 व 22 है।

Type - 06

मिश्रित प्रश्न

प्रश्न : किसी संख्या के वर्ग में से $(20)^3$ घटाने पर 4321 प्राप्त होता है तो वह संख्या बताइये?

हल– माना, वह संख्या x है।

$x^2 - (20)^3 = 4321$

$x^2 = 4321 + 8000$

$x^2 = 12321$

$\therefore\ x = 111\ Ans.$

प्रश्न : $16a^2 - 12a$ व्यंजक में कितनी संख्यायें जोड़ी जाये ताकि यह एक पूर्ण वर्ग बन जाये?

हल– $16a^2 - 12a$

$a^2 - 2a + b^2$ (यही जोड़ी जाने वाली संख्या होगी)

$(4a)^2 - 2 \times 4a \times \frac{3}{2} + \left(\frac{3}{2}\right)^2$

अतः जोड़ी जाने वाली संख्या $= \left(\frac{3}{2}\right)^2 = \frac{9}{4}\ Ans.$

प्रश्न : यदि $P = 999$ हो तो $\sqrt[3]{P(P^2+3P+3)+1}$ का मान बताइये?

हल– $\sqrt[3]{P^3 + 3P^2 + 3P + 1}$

$\sqrt[3]{P^3 + (1)^3 + 3 \times P \times 1(P+1)}$

$\sqrt[3]{(P+1)^3}$

$= P + 1$

$= 999 + 1$

$= 1000\ Ans.$

प्रश्नावली

TYPE - 01

1. $\sqrt[3]{4\frac{12}{125}}$ के बराबर है?
(a)1.4 (b) 1.6
(c)1.8 (d) 2.4
(SSC MTS Exam 17-3-2013)

2. $\sqrt[2]{1-\frac{127}{343}}$ के बराबर है?
(a) $\frac{5}{9}$ (b) $1-\frac{1}{7}$
(c) $\frac{4}{7}$ (d) $1-\frac{2}{7}$
(SSC CGL Exam 2018)

3. $\frac{1}{\sqrt[3]{\frac{8}{1000}}}+\sqrt[3]{\frac{192}{3}}$ का क्या मान है?
(a) 9 (b) 3
(c) 27 (d) 5
(REET (VI-VIII)2017)

4. $\sqrt{625}+\sqrt{484}$ का मान क्या होगा?
(a) 47 (b) 56
(c) 52 (d) 35

5. $\sqrt{\frac{0.49}{0.25}}+\sqrt{\frac{0.81}{0.36}}$ के बराबर है?
(a) $7\frac{9}{10}$ (b) $2\frac{9}{10}$
(c) $\frac{9}{10}$ (d) $9\frac{9}{10}$

6. $\frac{\sqrt[3]{8}}{\sqrt{16}} \div \sqrt{\frac{100}{49}} \times \sqrt[3]{125}$ बराबर है–
(a) 7 (b) $\frac{7}{4}$
(c) $\frac{4}{7}$ (d) $\frac{1}{7}$
REET (VI-VIII)24-7-2020 shift -IV

7. सबसे छोटी वर्ग संख्या ज्ञात कीजिए जो प्रत्येक संख्या 6, 9 और 15 से विभाजित हो जाए–
(a) 225 (b) 900
(c) 450 (d) 36
Haryana TET (I-V)2016

8. निम्नलिखित में से कौन सा/से कथन सत्य है/हैं?
I. $\sqrt{121}+\sqrt{12321}+\sqrt{1234321}=1233$
II. $\sqrt{0.64}+\sqrt{64}+\sqrt{36}+\sqrt{0.36}>15$
(a) केवल I (b) केवल II
(c) न तो I न ही II (d) I तथा II दोनों
(SSC CGL Pre.2021)

9. निम्नलिखित में से कौन–सा कथन सत्य है?
I. $\sqrt{(64)}+\sqrt{(0.0064)}+\sqrt{(0.81)}+\sqrt{(0.0081)}=9.07$
II. $\sqrt{(0.0010201)}+\sqrt{(98.01)}+\sqrt{(0.25)}=11.51$
(a) केवल I (b) केवल II
(c) I और II दोनों (d) न तो I न ही II
(SSC CHSL 2021)

10. यदि $\sqrt{1225}=35$ हो, तो $\sqrt{12.25}+\sqrt{0.1225}+\sqrt{0.001225}$ का मान ज्ञात कीजिए।
(a) 38.85 (b) 3.885
(c) 388.5 (d) 0.3885
Hariyana TET (Class VI-VIII)2013

11. यदि $\sqrt{2916}=54$ हो, तब $\sqrt{29.16}+\sqrt{0.2916}+\sqrt{0.002916}+\sqrt{0.00002916}$ का मान क्या है?
(a) 5.9994 (b) 5.4554
(c) 5.4545 (d) 5.9449
SUPER TET,2019

12. यदि $\sqrt{18225}=135$ तो, $(\sqrt{182.25}+\sqrt{1.8225}+\sqrt{0.018225}+\sqrt{0.00018225})$ का मान क्या है?
(a) 14.9985 (b) 1.49985
(c) 149.985 (d) उपरोक्त में से कोई नहीं

13. यदि $(1101)^2=1212201$ है , तो $\sqrt{121.2201}$ का मान ज्ञात करें।
(a) 110.1 (b) 11.01
(c) 1.101 (d) 11.001
(SSC CPO 2019)

14. $\sqrt{121}+\sqrt{12321}+\sqrt{1234321}+\sqrt{123454321}$ का मान क्या हैं?
(a) 12345 (b) 123456
(c) 12344 (d) 123454
(SSC CHSL, 2021)

TYPE - 02

15. उस न्यूनतम संख्या, जिससे 1440 को गुणा करने पर एक पूर्ण घन प्राप्त हो, के अंकों का योग है:
(a) 4 (b) 6
(c) 7 (d) 8
(SSC संयुक्त स्नातक स्तरीय प्रारम्भिक परीक्षा 11.5.2003 द्वितीय पाली)

16. उस न्यूनतम संख्या, जिससे 1800 को गुणा करने पर एक पूर्ण घन संख्या प्राप्त हो, के अंको का योग होगा:
(a) 2 (b) 3
(c) 6 (d) 8
(SSC संयुक्त स्नातक स्तरीय प्रारम्भिक परीक्षा 8..2.2004 प्रथम पाली)

17. एक पूर्ण घन संख्या प्राप्त करने के लिए 68600 को किस सबसे छोटी संख्या से गुणा किया जाना चाहिए?

(a) 10 (b) 8
(c) 12 (d) 5
C TET (Class VI-VIII)26 June 2011

18. वह लघुत्तम संख्या ज्ञात कीजिए जिसके द्वारा 625 में भाग दिए जाने पर भागफल पूर्ण घनफल हो।
(a) 25 (b) 5
(c) 2 (d) 3
(SSC CGL Tier –II परीक्षा 21–9–2014)

19. 243000 को किस लघुत्तम संख्या से विभाजित किया जाए कि भजनफल एक पूर्ण घन संख्या आए?
(a) 3 (b) 27
(c) 9 (d) 1
(SSC कांस्टेबल (GD)परीक्षा 4-10-2015) प्रथम पाली

20. किस लघुत्तम पूर्ण संख्या को 59535 से गुणा करने पर पूर्ण वर्ग संख्या बनती है वह संख्या x है। x के अंको का योग क्या है?
(a) 9 (b) 5
(c) 7 (d) 6
(SSC CAPFs SI, CISF ASI and Delhi police SI exam 21-6-2015 First meating)

21. उस सबसे छोटी संख्या, जिससे 900 को गुणा करने पर प्राप्त गुणनफल एक पूर्ण घन संख्या हो, के अको का योग क्या होगा?
(a) 2 (b) 3
(c) 6 (d) 9
(SSC CPO. SUB Inspector Exame 9-11-2008)

TYPE - 03

22. 6072 को पूर्ण वर्ग बनाने के लिये उसमें कौन–सी न्यूनतम संख्या जोड़ी जायें?
(a) 6 (b) 10
(c) 12 (d) 16
CGTET(I-V)9-1-2022

23. 1510 में कौन–सी न्यूनतम संख्या जोड़ी जाए कि वह एक पूर्ण वर्ग बन जाए?
(a) 6 (b) 9
(c) 14 (d) 11

24. 3850 में से किस न्यूनतम संख्या को घटाया जाए कि वह एक पूर्ण वर्ग बन जाए?
(a) 1 (b) 4
(c) 6 (d) 9
CTET (VI-VIII)11-1-2022

25. 9222 में से किस न्यूनतम संख्या को घटाया जाए कि वह एक पूर्ण वर्ग बन जाए?
(a) 2 (b) 5
(c) 6 (d) 7
CTET (VI-VIII) 7-1-2022

26. यदि 5607 + x एक पूर्ण वर्ग है तो x का न्यूनतम मान निम्न संख्याओं के बीच में है–
(a) 10 और 13 (b) 13 और 16
(c) 16 और 19 (d) 19 और 22
CTET (VI-VIII)24-12-2021

27. यदि 16393–k एक पूर्ण वर्ग है, तो k का न्यूनतम मान निम्न के बीच होगा–
(a) 1 और 5 (b) 5 और 10
(c) 10 और 15 (d) 15 और 20
CTET (VI-VIII)27-12-2021

28. पाँच अंको वाली सबसे बड़ी पूर्ण वर्ग संख्या है–
(a) 99999 (b) 99976
(c) 99856 (d) 99764
Uttarakhand TET (I-V)2021

29. चार अंको की वह सबसे बड़ी संख्या कौन सी है, जो पूर्ण वर्ग भी है?
(a) 9999 (b) 9909
(c) 9801 (d) 9081
(SSC स्नातक स्तरीय Tier-I परीक्षा, 19-5-2013 द्वितीय पाली)

TYPE - 04

30. कई लड़कों ने अकाल निधि के लिए 12,544 रूपए जुटाए। प्रत्येक लड़कें ने उतने रूपए दिए जितने लड़के थे। लड़कों की संख्या कितनी थी?
(a) 102 (b) 112
(c) 122 (d) 132
(SSC CHSL (10+2)LDC, DEO and PA/SA Exame 6-12-2015)

31. एक पर्यटक प्रतिदिन उतने रूपए खर्च करता है जितने दिन का उसका कुल दौरा है। यदि उसका कुल खर्च ₹361 है, तो उसका दौरा कितने दिन का है?
(a) 17 दिन (b) 19 दिन
(c) 21 दिन (d) 31 दिन
(SSC CAPFS SI, CISF ASI and Delhi Police SI Exame 22-6-2014)

32. एक अध्यापक अपने विद्यार्थियों को एक बराबर संख्या में पंक्तियों और स्तम्भों (कॉलम) में रखना चाहता है। यदि विद्यार्थियों की कुल संख्या 1369 है, तो अंतिम पंक्ति में कितने विद्यार्थी होंगे?
(a) 37 (b) 33
(c) 63 (d) 47
(SSC CHSL (10+2)DEO & LDC Exame 9-11-2014)

33. सेना का जनरल 36562 सैनिकों का वर्ग बनाना चाहता है। विन्यास के बाद उसने देखा कि कुछ सैनिक बच गए। कुल कितने सैनिक बचे?
(a) 81 (b) 36
(c) 97 (d) 65
(SSC (CGL)Tier-II Exame 12-4-2015)

TYPE - 05

34. दो संख्याओं का योग 37 है और उनके वर्गो का अंतर 185 है। दोनों संख्याओं का अंतर क्या होगा?
(a) 10 (b) 4
(c) 5 (d) 3
(SSC CHSL (10+2)LDC, DEO एवं PA/SA Exame 15-11-2015)

35. दो संख्याओं का गुणनफल 36 है और उनका योग 13 है। तदनुसार उन दोनों संख्याओं के बीच का धनात्मक अंतर कितना होगा?
(a) 1 (b) 3
(c) 5 (d) 9
(SSC FCI Assistant Grade III- Exame 5-2-2012 Second Meating)

36. दो संख्याओं के वर्गो का योग 386 है। यदि एक संख्या 5 है, तो दूसरी होगी:
(a) 18 (b) 19
(c) 15 (d) 20
(SSC संयुक्त स्नातक स्तरीय प्रारम्भिक परीक्षा– 8-2-2004 प्रथम पाली)

37. यदि दो संख्याओं के योग तथा अन्तर क्रमशः 20 तथा 8 हों, तो उन संख्याओं के वर्गों का अन्तर होगाः
(a) 12 (b) 28
(c) 80 (d) 160
(SSC संयुक्त स्नातक स्तरीय प्रारम्भिक परीक्षा 13–11–2005 प्रथम पाली)

38. दो धनात्मक संख्याओं के वर्गो का योग 100 तथा उनके वर्गो का अंतर 28 है। उन संख्याओं का योग होगाः
(a) 12 (b) 13
(c) 14 (d) 15
(SSC संयुक्त स्नातक स्तरीय प्रारम्भिक परीक्षा – 24.02.2002)

39. दो धनात्मक संख्याओं का अन्तर 3 है। यदि उनके वर्गो का योग 369 हो, तो उन संख्याओं का योग है:
(a) 81 (b) 33
(c) 27 (d) 25
(SSC संयुक्त स्नातक स्तरीय प्रारम्भिक परीक्षा– 11.05.2003 प्रथम पाली)

40. तीन क्रमागत धनात्मक संख्याओं के वर्गो का योग 365 है। तदनुसार उन संख्याओं का योग कितना है?
(a) 30 (b) 33
(c) 36 (d) 45
(SSC मल्टी टास्किंग नन–टेक्निकल स्टाफ परीक्षा 20.02.2011)

41. दो संख्याओं का गुणनफल 120 है तथा उनके वर्गो का योग 289 है। दोनों संख्याओं का योग होगाः
(a) 23 (b) 7
(c) 13 (d) 169
(SSC डाटा एन्ट्री ऑपरेटर परीक्षा, 31.8.2008)

TYPE - 06

42. $0.\bar{4}$ का वर्गमूल है।
(a) $0.\bar{8}$ (b) $0.\bar{6}$
(c) $0.\bar{7}$ (d) $0.\bar{9}$
(SSC संयुक्त स्नातक स्तरीय प्रारम्भिक परीक्षा 08.02.2004 द्वितीय पाली)

43. $\frac{9.5\times0.0085\times18.9}{0.0017\times1.9\times2.1}$ का वर्गमूल है:
(a) 15 (b) 45
(c) 75 (d) 225
(SSC स्नातक स्तरीय Tier-II परीक्षा, 01.08.2010)

44. सबसे छोटी पूर्ण वर्ग संख्या जो, 16,20 तथा 24 में से प्रत्येक द्वारा विभाजित होती है,है:
(a) 1600 (b) 3600
(c) 6400 (d) 14400
(SSC डाटा एन्ट्री ऑपरेटर एवं एलडीसी परीक्षा 28.11.2010)

45. $\sqrt[3]{\sqrt{0.000729}}+\sqrt[3]{0.008}$ का मान होगा
(a) 0.1 (b) 0.5
(c) 0.06 (d) 0.8
(REET (VI-VIII)2015)

46. (272^2-128^2) का वर्गमूल है–
(a) 400 (b) 240
(c) 225 (d) 144
(Uttarakhand TET (Class-I-V)

47. इस तरह के प्राकृत संख्याओं के जोड़ों की संख्या कितनी है जिनके वर्गो का अंतर 45 है?
(a) 2 (b) 3
(c) 6 (d) 5
(SSC CPO 2019)

48. यदि $\sqrt{1+\frac{25}{144}}=1+\frac{x}{12}$ तो x का मान है?
(*a*) 1 (*b*) 2
(*c*) 3 (*d*) 0

49. $\sqrt{0.000441}$ का मान क्या है?
(*a*) 0.21 (*b*) 0.00021
(*c*) 0.0021 (*d*) 0.021

50. यदि $\sqrt{4096}=64$ है तो $\sqrt{40.96}+\sqrt{0.4096}+\sqrt{0.004096}+\sqrt{0.00004096}$ का दो दशमलव स्थानों तक मान है–
(*a*) 7.09 (*b*) 7.10
(*c*) 7.11 (*d*) 7.12

51. यदि 79507 घनमूल 43 है, तो $\sqrt[3]{79.507}+\sqrt[3]{0.079507}+\sqrt[3]{0.000079507}$ का मान है–
(a) 0.4773 (b) 477.3
(c) 47.73 (d) 7.773

52. वह छोटी से छोटी संख्या जिसमें 20184 को गुणा करने पर गुणनफल एक पूर्ण वर्ग प्राप्त हो, निम्नलिखित है–
(a) 2 (b) 3
(c) 5 (d) 7

53. वह सबसे छोटा धन पूर्णांक जिसे 392 से गुणा करने पर गुणनफल एक पूर्ण वर्ग संख्या प्राप्त हो?
(a) 6 (b) 5
(c) 3 (d) 2

54. 1470 को किस छोटी से छोटी संख्या से भाग दे कि भागफल एक पूर्ण घन हो?

(a) 30 (b) 6
(c) 15 (d) 25

55. 3600 को किस छोटी से छोटी संख्या से भाग दे कि भागफल एक पूर्ण घन हो?
(a) 9 (b) 50
(c) 450 (d) 300

56. 1029 को किस छोटी से छोटी संख्या से गुणा करने पर प्राप्त संख्या पूर्ण घन होगी?
(a) 4 (b) 7
(c) 9 (d) 25

57. वह छोटी से छोटी संख्या जिसे 63520 में से घटाने पर एक पूर्ण वर्ग प्राप्त हो, निम्न है–
(a) 16 (b) 20
(c) 24 (d) 30

58. 2203 में सबसे छोटी कौन सी संख्या जोड़ी जाये ताकि हमें योगफल एक पूर्ण वर्ग संख्या प्राप्त हो?
(a) 1 (b) 3
(c) 6 (d) 8

59. चार अंकों की वह सबसे बड़ी संख्या कौन सी है, जो पूर्ण वर्ग भी है?
(a) 9999 (b) 9801
(c) 9909 (d) 9081

60. 6 अंकों की वह छोटी से छोटी संख्या कौन सी है जो पूर्ण वर्ग हो?
(a) 100036 (b) 100049
(c) 100489 (d) 100169

61. सेना का जनरल 36562 सैनिकों का वर्ग बनाना चाहता है। विन्यास के बाद उसने देखा कि कुछ सैनिक बच गये। कुल कितने सैनिक बचे?
(a) 81 (b) 36
(c) 97 (d) 65

62. एक पर्यटक प्रतिदिन उतने ₹ खर्च करता है जितने दिन का उसका कुल दौरा है। यदि उसका कुल खर्च ₹ 361 है, तो उस दौरा कितने दिन का है?
(a) 17 दिन (b) 19 दिन
(c) 21 दिन (d) 31 दिन

63. कई लड़कों ने अकाल निधि के लिये ₹ 12,544 जुटाये। प्रत्येक लड़के ने उतने ₹ दिये जितने लड़के थे। लड़कों की संख्या कितनी थी?
(a) 102 (b) 112
(c) 122 (d) 132

64. यदि दो संख्याओं के योग तथा अन्तर क्रमशः 20 तथा 8 हो तो उन संख्याओं के वर्गो का अन्तर होगा?
(a) 12 (b) 28
(c) 80 (d) 160

65. दो संख्याओं के वर्गों का योग 386 है। यदि एक संख्या 5 है, तो दूसरी होगी?
(a) 18 (b) 19
(c) 15 (d) 20

66. दो धनात्मक संख्याओं का अन्तर 3 है। यदि उनके वर्गो का योग 369 हो, तो उन संख्याओं का योग है–
(a) 81 (b) 33
(c) 27 (d) 25

67. तीन क्रमागत धनात्मक संख्याओं के वर्गों का योग 365 है। तद्नुसार उन संख्याओं का योग कितना है?
(a) 30 (b) 33
(c) 36 (d) 45

68. दो संख्याओं के घनों का योग 793 है। संख्याओं का योग 13 है, तो दोनों संख्याओं का अन्तर बताइये?
(a) 7 (b) 6
(c) 5 (d) 8

69. यदि $\frac{\sqrt{0.0196}}{K} = 0.2$ हो, तो $K = ?$
(a) 4.9 (b) 0.7
(c) 0.49 (d) 7

70. यदि $\sqrt{4^n} = 1024$ हो, तो $n = ?$
(a) 5 (b) 8
(c) 10 (d) 12

71. यदि $\frac{\sqrt{7}-2}{\sqrt{7}+2} = a\sqrt{7} + b$ हो, तो $a = ?$
(a) $\frac{11}{3}$ (b) $\frac{-4}{3}$
(c) $\frac{4}{3}$ (d) $\frac{-4\sqrt{7}}{3}$

72. 10, 16 तथा 24 तीनों से विभाजित होने वाली सबसे छोटी वर्ग संख्या क्या हे?
(a) 900 (b) 1600
(c) 2500 (d) 3600

73. $(272^2 - 128^2)$ का वर्गमूल ज्ञात कीजिए?
(a) 256 (b) 200
(c) 240 (d) 144

ANSWER

1.	b	2.	b	3.	a	4.	a	5.	b
6.	b	7.	b	8.	d	9.	a	10.	b
11.	a	12.	a	13.	b	14.	c	15.	b
16.	c	17.	d	18.	b	19.	c	20.	d
21.	b	22.	c	23.	d	24.	c	25.	c
26.	c	27.	b	28.	c	29.	c	30.	b
31.	b	32.	a	33.	a	34.	c	35.	c
36.	b	37.	d	38.	c	39.	c	40.	b
41.	a	42.	b	43.	a	44.	b	45.	b
46.	b	47.	b	48.	a	49.	d	50.	c
51.	d	52.	d	53.	d	54.	a	55.	c
56.	c	57.	a	58.	c	59.	b	60.	a
61.	b	62.	b	63.	d	64.	b	65.	b
66.	b	67.	b	68.	c	69.	b	70.	c
71.	b	72.	d	73.	c				

Explanatory Notes

1. (b) $\sqrt[3]{4\frac{12}{125}} = \sqrt[3]{\frac{512}{125}} = \frac{8}{5} = 1.6$

2. (b) $\sqrt[3]{1-\frac{127}{343}} = \sqrt[3]{\frac{216}{343}} = \frac{6}{7} = 1-\frac{1}{7}$

3. (a) $\frac{1}{\sqrt[3]{\frac{8}{1000}}} + \sqrt[3]{\frac{192}{3}}$

$= \frac{1}{\frac{2}{10}} + \sqrt[3]{64}$

$= \frac{10}{2} + 4$

$= 9$

4. (a) $\sqrt{625}+\sqrt{484}$

$= 25+22 = 47$

5. (b) $\sqrt{\frac{0.49}{0.25}} + \sqrt{\frac{0.81}{0.86}}$

$= \frac{0.7}{0.5} + \frac{0.9}{0.6}$

$= \frac{7}{5} + \frac{9}{6} = \frac{42+45}{30} = \frac{87}{30} = \frac{29}{10} = 2\frac{9}{10}$

6. (b) $\frac{\sqrt[3]{8}}{\sqrt{16}} \div \sqrt{\frac{100}{49}} \times \sqrt[3]{125}$

$= \frac{2}{4} \div \frac{10}{7} \times 5$

$= \frac{1}{2} \times \frac{7}{10} \times 5$

$= \frac{7}{4}$

7. (b)

2	6 ,9,15
3	3 ,9,15
3	1 ,3,5
5,	1,1,5
	1.1.1

∴ वह पूण सख्या = 2×2×3×3×5×5= 900

8. (d) (i) $\sqrt{121}+\sqrt{12321}+\sqrt{1234321}$

= 11+111+1111 = 1233 (सत्य)

(ii) $\sqrt{0.64}+\sqrt{64}+\sqrt{36}+\sqrt{0.36} > 15$

= 0.8+8+6+0.6>15

= 15.4 > 15 (सत्य)

अतः दोनों कथन सत्य है।

9. (a) (i) $\sqrt{64}+\sqrt{0.0064}+\sqrt{0.81}+\sqrt{0.0081}$

= 9.07

8 + 0.08 + 0.9 + 0.09 = 9.07

9.07 = 9.07 (सत्य)

(ii) $\sqrt{0.0010201}+\sqrt{98.01}+\sqrt{0.25}$

= 11.51

0.031+9.9+0.5 = 11.51

10.431 = 11.51 (असत्य)

अतः कथन (i) सत्य है।

10. (b) $\sqrt{12.25}+\sqrt{0.1225}+\sqrt{0.001225}$

= 3.5+0.35+0.035

= 3.885

11. (a) $\sqrt{29.16}+\sqrt{0.2916}+\sqrt{0.002916}+\sqrt{0.00002916}$

= 5.4+0.54+0.054+0.0054

= 5.9994

12. (a) $\sqrt{182.25}+\sqrt{1.8225}+\sqrt{0.018225}+\sqrt{0.00018225}$

= 13.5+1.35+0.135+0.0135

= 14.9985

13. (b) $(1101)^2$= 1212201 (दिया है)

या, $\sqrt{1212201}$ = 1101

अतः $\sqrt{121.2201}$

= 11.01

14. (c) $\sqrt{121}+\sqrt{12321}+\sqrt{1234321}+\sqrt{123454321}$

= 11+111+1111+11111

= 12344

15. (b)

2	1440
2	720
2	360
2	180
2	90
3	45
3	15
5	5
	1

∴ समूह (त्रिक) बनाने के बाद गुणनखण्ड 2×3×5×5 की कमी है अतः 150 से गुणा करने पर गुणनफल पूर्ण घन होगा।
तब 150 = 1+5+0= 6 होगा।

16. (c)

2	1800
2	900
2	450
3	225
3	75
5	25
5	5
	1

1800= $2^3 \times 3^2 \times 5^2$
यहाँ पूर्ण घन बनाने के लिये गुणनखण्ड 3×5 की कमी है अतः 15 से गुणा करने पर पूर्ण घन संख्या प्राप्त होगा
∴ अंकों का योग = 5 = 1+5 = 6

17. (d)

2	68600
2	34300
2	17150
5	8575
5	1715
7	343
7	49
7	7
	1

68600 = $2^3 5^2 7^3$
यहाँ पूर्ण घन बनाने के लिये 5 से गुणा करना होगा।

18. (b)

5	625
5	125
5	25
5	5
	1

625 = $5^3 \times 5$
यहाँ गुणनखण्ड 5 अतिरिक्त है अतः 625 को पूर्ण घन बनाने के लिये 5 से भाग देना होगा।

19. (c)

2	243000
2	121500
2	60750
3	30375
3	10125
3	3375
3	1125
3	375
5	125
5	25
5	5
	1

$243000 = 2^3 \times 3^3 \times 3^2 \times 5^3$
यहाँ गुणनखण्ड 3^2 अतिरिक्त है अतः 243000 को पूर्ण घन बनाने के लिये 9 से भाग देना होगा

20. (d)

3	59535
3	19845
3	6615
3	2205
3	735
5	245
7	49
7	7
	1

$59535 = 3^2 \times 3^2 \times 5^1 \times 7^2$
यहाँ पूर्ण वर्ग बनाने के लिये 3×5 की कमी है। अत 15 से गुणा करना होगा तब x = 15 = 1 + 5 = 6

21. (b)

2	900
2	450
3	225
3	75
5	25
5	5
	1

$900 = 2^2 \times 3^2 \times 5^2$
यहाँ पूर्ण घन बनाने के लिये गुणनखण्ड 2×3×5 की कमी है। अत 30 से गुणा करना होगा तब 30 अंकों का योग 3+ 0 = 3

22. (c)

```
      | 77
    7 | 6072
  + 7 | 49
  147 | 1172
      | 1029
      |  143
```

यहाँ 6072 में न्यूनतम संख्या जोड़ने पर यह $(78)^2$ बनेगा
∴78)^2 = 6084
∴ जोड़ी जाने वाली संख्या
= 6084–6072 = 12

23. (d)

```
      | 38
    3 | 1510
  + 3 | 9
   68 | 610
      | 544
      |  66
```

यहाँ, 1510 में न्यूनतम संख्या जोड़ने पर यह $(39)^2$ बनेगा
∴ $(39)^2$ = 1521
∴ जोड़ी जाने वाली संख्या =
1521–1510 = 11

24. (c)

```
      | 62
    6 | 3850
  + 6 | 36
  122 | 250
      | 244
      |   6
```

∴घटायी जाने वाली संख्या = शेषफल
= 6

25. (c)

```
      | 96
    9 | 9222
  + 9 | 81
  186 | 1122
      | 1116
      |    6
```

∴घटायी जाने वाली संख्या = शेषफल
= 6

26. (c)

```
      | 74
    7 | 5607
  + 7 | 49
  144 | 707
      | 576
      | 131
```

यहाँ, 5607 में x जोड़ने पर यह $(75)^2$ बनेगा।
∴ $(75)^2$ = 5625
∴ जोड़ी जाने वाली संख्या, x
= 5625 –5607 = 18
अतः x, 16 और 19 के बीच होगा।

27. (b)

```
      | 128
    1 | 016393
  + 1 | 1
   22 | ×63
   +2 | 44
  248 | 1993
      | 1984
      |    9
```

अतः घटायी जाने वाली संख्या, =
K = शेषफल = 9
∴ K, 5 और 10 के बीच होगा।

28. (c) पाँच अंकों की सबसे बड़ी संख्या 99999 है क्योंकि यह पूर्ण वर्ग संख्या नहीं है अतः इसे पूर्ण वर्ग बनाने के लिये न्यूनतम मान घटाना होगा।

```
      | 316
    3 | 099999
  + 3 | 09
   61 | ×99
   +1 | 61
  626 | 3899
      | 3756
      |  143
```

∴ वह पूर्ण वर्ग संख्या
= 99999 – 143 = 99856

29. (c) चार अंकों की सबसे बड़ी संख्या 9999 है क्योंकि यह पूर्ण वर्ग संख्या नहीं है अतः उसे पूर्ण वर्ग बनाने के लिये न्यूनतम मान घटाना होगा

```
       |99
     9 |99 99
   + 9 |81
   189 |1899
       |1701
       |198
```

∴ वह पूर्ण की संख्या
= 9999 – 198 = 9801

30. (b) माना, लड़कों की संख्या $= x$
∴ प्रत्येक लड़कों द्वारा दी गई राशि $= x$
∴ कुल राशि $= x \times x$
$12544 = x^2$
$x^2 = (112)^2$
∴ $x = 112$

31. (b) माना, कुल दौरा $= x$ दिन
∴ प्रत्येक दिन खर्च रूपये $= x$
∴ कुल खर्च $= x \times x$
$361 = x^2$
$x^2\ 19^2$
∴ $x = 19$ दिन

32. (a) माना, पंक्ति और स्तम्भों की संख्या x है
तब कुल विद्यार्थी $x \times x$
$1369 = x^2$
$x^2 = 37^2$
∴ $x = 37$

33. (a)

```
        |191
      1 |036562
    + 1 |01
     29 |265
     +9 |261
    381 |462
        |381
        | 81
```

∴ पूर्ण वर्ग बनाने कें बाद बचे सैनिकों की संख्या
= शेषफल = 81

34. (c) माना, संख्यायें a व b है
a+b = 37 ......(i)
$a^2 - b^2 = 185$......(ii)
(a+b)(a–b) = 185
37(a–b) = 185
a – b = 5

35. (c) माना, संख्याये a व b है
ab = 36.....(i)   a + b = 13 .....(ii)
$(a - b)^2 = (a + b)^2 - 4ab$
$= (13)^2 - 4 \times 36$
= 169 – 144
$(a-b)^2 = 25$
∴ **a – b = 5**

36. (b) माना, दूसरी संख्या x है।
$5^2 + x^2 = 386$
$x^2 = 386 - 25 = 361$
∴ $x = 19$

37. (d) माना संख्यायें a व b है
a+b = 20.....(i) a – b = 8 .....(ii)
∴ $a^2 - b^2 = (a+b)(a-b)$
= 20×8
= 160

38. (c)माना, संख्यायें a व b है।
$a^2+b^2 = 100$......(i)
$a^2-b^2 = 28$...... (ii
$2a^2 = 128$
$a^2 = 64$
∴ a = 8 यह मान समी० (i) में रखने पर
b = 6
∴ a+b = 8+6 = 14

39. (c) माना, संख्यायें a व b है।
a – b = 3.....(i) $a^2+b^2 = 369$ .....(ii)
समी० (i) का वर्ग करने पर
$a^2+b^2-2ab = 9$
369 – 2ab = 9
2ab = 360
ab = 180
∴ $(a+b)^2 = a^2+b^2+2ab$
$= 369 + 2 \times 180 = 729$
∴ a + b = 27

40. (b) माना, संख्याये क्रमशः $(x-1)$, x व $(x+1)$ है
$(x-1)^2 + x^2 + (x+1)^2 = 365$
$x^2 + 1 - 2x + x^2 + x^2 + 1 + 2x = 365$
$3x^2 = 363$
$x^2 = 121$
$x = 11$
∴ संख्याओं का योग
$= x - 1 + x + x + 1$
$= 3x = 3 \times 11 = 33$

41. (a) माना, संख्यायें a व b है
ab = 120......(i)
$a^2+b^2 = 289$....(ii)
$(a+b)^2 = a^2+b^2+2ab$

= 289+2×120

= 529

a+b = 23

42. (b) $\sqrt{0.\bar{4}} = \sqrt{\frac{4}{9}} = \frac{2}{3} = 0.6666......$

$= 0.\bar{6}$

43. (a) $\sqrt{\frac{9.5\times0.0085\times18.9}{0.0017\times1.9\times2.1}}$

$= \sqrt{\frac{95\times85\times189}{17\times19\times21}}$

$= \sqrt{5\times5\times9}$

= 5×3 = 15

44. (b)

2	16,24,20
2	8,12, 10
2	4,6,5
2	2,3,5
3	1,3,5
5	1,1,5
	1,1,1

∴ वह पूर्ण वर्ग संख्या = $2^2\times2^2\times3^2\times5^2$

= 3600

45. (b) $\sqrt[3]{\sqrt{0.000729}} + \sqrt[3]{0.008}$

$= \sqrt[3]{0.027} + 0.2$

= 0.3 + 0.2

= 0.5

46. (b) $\sqrt{(272)^2-(198)^2}$

$= \sqrt{(272+128)(272-128)}$

$= \sqrt{400\times144}$

= 20×12

= 240

47. (b) $a^2-b^2 = 45$

(a+b) (a–b) = 45

∴ कुल जोड़े = 15×3 , 9×5, 45×1

48. **(a)** $\sqrt{1+\frac{25}{144}} = 1+\frac{x}{12}$

$\sqrt{\frac{169}{144}} = \frac{12+x}{12}$

$\frac{13}{12} = \frac{12+x}{12}$

$x = 13-12$

$x = 1\ Ans.$

49. **(d)** $\sqrt{0.000441}$

$= 0.021\ Ans.$

50. **(c)** $\sqrt{40.96}+\sqrt{0.4096}+\sqrt{0.004096}+\sqrt{0.00004096}$

$= 6.4+0.64+0.064+0.0064$

$= 7.11\ Ans.$

51. **(d)** $\sqrt[3]{79.507}+\sqrt[3]{0.079507}+\sqrt[3]{0.000079507}$

$= 4.3+0.43+0.043$

$= 4.773\ Ans.$

52. **(d)**

2	20184
2	10092
2	5046
3	2523
29	841
29	29
	1

∵ समूह बनाने के बाद हम देख पा रहे है कि गुणनखण्ड 2×3 = 6 की कमी है। अतः 6 से गुणा करने पर गुणनफल पूर्ण वर्ग होगा।

53. **(d)**

2	392
2	196
2	98
7	49
7	7
	1

∵ समूह बनाने के बाद 2 की कमी है। अतः 2 से गुणा करने पर गुणनफल पूर्ण वर्ग हो जायेगा।

54. **(a)**

2	1470
3	735
5	245
7	49
7	7
	1

∵ समूह बनाने के बाद 2 x 3 x 5 = 30 अतिरिक्त है अतः 30 से भाग देने पर भागफल पूर्ण वर्ग होगा।

55. **(c)**

2	3600
2	1800
2	900
2	450
3	225
3	75
5	25
5	5

	1

∵ समूह बनाने के बाद 2 x 3 x 3 x 5 x 5 = 450 अतिरिक्त है अतः 450 से भाग देने पर भागफल पूर्ण घन होगा।

56.**(c)**

3	1029
7	343
7	49
7	7
	1

∵ समूह बनाने के बाद गुणनखण्ड 3 की कमी दो बार है अतः 3 x 3 = 9 से गुणा करने पर प्राप्त गुणनफल पूर्ण घन होगा।

57. **(a)**

	252
2	$\overline{06}\,\overline{35}\,\overline{20}$
+2	04
45	×235
+5	225
502	1020
	1004
	16

अतः घटायी जाने वाली संख्या = शेषफल = 16 *Ans.*

58. **(c)**

	47
4	$\overline{22}\,\overline{03}$
+4	16
87	603
	609
	-6

∵ 2203 में न्यूनतम संख्या जोड़ने पर यह $(47)^2$ बनेगा।

∵ $(47)^2$ बनाने के लिए 6 की कमी है, अतः 6 जोड़ने पर प्राप्त योगफल पूर्ण वर्ग होगा।

59.**(b)**

	99
9	$\overline{99}\,\overline{99}$
+9	81
189	1899
	1701
	198

घटायी जाने वाली संख्या = शेषफल = 198

अतः वह अधिकतम संख्या = 9999 − 198 = 9801 *Ans.*

60.**(c)**

	317
3	$\overline{10}\,\overline{00}\,\overline{00}$
+3	09
61	100
+1	61
627	3900
	4389
	-489

अतः जोड़ी जाने वाली संख्या = 489

अतः वह न्यूनतम संख्या $= 100000 + 489 = 100489$ *Ans.*

61.**(a)**

	191
1	$\overline{03}\,\overline{65}\,\overline{62}$
+1	01
29	265
+9	261
381	462
	381
	81

अतः बचे सैनिकों की संख्या = शेषफल = 81

62.**(b)** माना, दौरा $= x$ दिन

अतः $x^2 = 361$

तब $x = 19$

63.**(b)** माना, लड़कों की संख्या $= x$

∴ कुल जमा रूपये, $x^2 = 12544$

$x = \sqrt{12544}$

$x = 112$

64.**(d)** माना, संख्यायें a व b है।

$a + b = 20$ ……………(i)

$a - b = 8$ ……………(ii)

अतः $a^2 - b^2 = (a+b)(a-b)$

$= 20 \times 8 = 160$ *Ans.*

65.**(b)** माना, दूसरी संख्या x है।

$(5)^2 + x^2 = 386$

$x^2 = 386 - 25 = 361$

$x = 19$ *Ans.*

66.**(c)** माना, संख्यायें x व y है।

$x - y = 3$

अतः $(x-y)^2 = 9$

$x^2 + y^2 - 2xy = 9$

$369 - 2xy = 9$

$2xy = 360$

$\therefore xy = 180$

$(x+y)^2 = x^2 + y^2 + 2xy$

$= 369 + 360 = 729$

$\therefore x + y = 27$ *Ans.*

67.**(b)** माना, संख्यायें क्रमशः $x, (x+1)$ व $(x+2)$ है।

$x^2 + (x+1)^2 + (x+2)^2 = 365$

$x^2 + x^2 + 1 + 2x + x^2 + 4 + 4x = 365$

$3x^2 + 6x + 5 - 365 = 0$

या $x^2 + 2x - 120 = 0$

$x^2 + 12x - 10x - 120 = 0$

$x(x+12) - 10(x+12) = 0$

$(x+12)(x-10) = 0$

$\therefore x = 10$

अतः संख्याओं का योग $= 10 + 11 + 12$

$= 33$ *Ans.*

68.**(c)** माना, संख्यायें a व b है जहाँ $a > b$

$a^3 + b^3 = 793 \ldots\ldots\ldots (i)$

$a + b = 13 \ldots\ldots\ldots (ii)$

समीकरण (ii) का घन करने पर,

$a^3 + b^3 + 3ab\,(a+b) = 2197$

$793 + 3ab \times 13 = 2197$

$39ab = 2197 - 793$

$39ab = 1404$

$ab = \frac{1404}{39} = 36$

$(a-b)^2 = (a+b)^2 - 4ab$

$(a-b)^2 = 169 - 4 \times 36$

$(a-b) = \sqrt{25} = 5$ *Ans.*

69.**(b)** $\frac{\sqrt{0.0196}}{K} = 0.2$

$K = \frac{0.14}{0.2}$

$= \frac{14}{20}$

$= 0.7$ *Ans.*

70.**(c)** $\sqrt{4^n} = 1024$

या $4^n = 1024 \times 1024$

$4^n = (4^5)^2$

$4^n = 4^{10}$

$\therefore n = 10$

71.**(b)** $\frac{\sqrt{7}-2}{\sqrt{7}+2} = a\sqrt{7} + b$

$\frac{\sqrt{7}-2}{\sqrt{7}+2} \times \frac{\sqrt{7}-2}{\sqrt{7}-2} = a\sqrt{7} + b$

$\frac{7+4-4\sqrt{7}}{7-4} = a\sqrt{7} + b$

$\frac{11-4\sqrt{7}}{3} = a\sqrt{7} + b$

या $\frac{11}{3} - \frac{4\sqrt{7}}{3} = a\sqrt{7} + b$

तुलना करने पर

$a = \frac{-4}{3}$ व $b = \frac{11}{3}$

72.**(d)** 10, 16 व 24 का ल0स0

$= 2^2 \times 2^2 \times 3 \times 5$

$\therefore$ अभीष्ट वर्ग संख्या $= 2^2 \times 2^2 \times 3^2 \times 2$

$= 3600$ Ans.

73.**(c)** $(272^2 - 128^2)$

$= (272 + 128)(272 - 128)$

$= 400 \times 144$

$\therefore$ अभीष्ट वर्गमूल $= \sqrt{400 \times 144}$

$= 20 \times 12 = 240$ Ans.

4 भिन्न (Fraction)

भिन्न की अवधारणा :–

यदि किसी संख्या को $\frac{p}{q}$ के रूप में व्यक्त किया जाये तथा q का मान शून्य न हो, तो ऐसी संख्या सरल भिन्न कहलाती है। यहाँ, P को अंश $(Numerator)$ तथा q को हर $(Denominator)$ कहते है।

जैसे $\frac{3}{4}$ का अर्थ है, 4 बराबर भागों में से कोई 3 भाग।

भिन्नों के प्रकार :–

1. **उचित भिन्न** : यदि भिन्न का अंश, हर से कम हो तो यह उचित भिन्न कहलाता है। जैसे– $\frac{2}{3}, \frac{5}{7}, \frac{4}{11}, \ldots\ldots\ldots$ आदि।
2. **अनुचित भिन्न** : यदि भिन्न का अंश, हर से अधिक हो तो यह अनुचित भिन्न कहलाता है। जैसे– $\frac{7}{2}, \frac{11}{5}, \frac{17}{10}, \ldots\ldots\ldots$ आदि।
3. **मिश्र भिन्न/संयुक्त भिन्न** : यदि कोई भिन्न पूर्णांक तथा भिन्न से मिलकर बना हो, तो यह मिश्र भिन्न या संयुक्त भिन्न कहलाता है। जैसे– $2\frac{1}{2}, 3\frac{1}{4}, 5\frac{7}{11}, \ldots\ldots$ आदि।
4. **व्युत्क्रम भिन्न** : यदि $\frac{p}{q}$ एक भिन्न हो, तो $\frac{q}{p}$ इस भिन्न का व्युत्क्रम भिन्न कहलायेगा। जैसे– $\frac{3}{5}$ का व्युत्क्रम भिन्न $\frac{5}{3}$ होगा।
5. **वितत् भिन्न** : ऐसा भिन्न जिसमें अंश व हर की निश्चित परिभाषा न दिया जा सके वितत् भिन्न कहलाता है।

   जैसे– $1 + \frac{2}{1+\frac{3}{4}}$

Type - 01

भिन्नों की तुलना करना :–

Rule - 1 : यदि दी गई प्रत्येक भिन्न के अंश समान हो तो जिस भिन्न का हर सबसे छोटी होगी वह सबसे बड़ी भिन्न तथा जिस भिन्न का हर सबसे बड़ी होगी वह सबसे छोटी भिन्न होगी।

जैसे– $\frac{5}{3}, \frac{5}{9}, \frac{5}{11}, \frac{5}{2}$

यहाँ सबसे बड़ी भिन्न $\frac{5}{2}$ तथा सबसे छोटी भिन्न $\frac{5}{11}$ है।

Rule - 2 : यदि दी गई प्रत्येक भिन्न के हर समान हो तो जिस भिन्न का अंश सबसे बड़ा होगा वह सबसे बड़ी भिन्न तथा जिस भिन्न का अंश सबसे छोटा होगा वह सबसे छोटी भिन्न होगी।

जैसे– $\frac{2}{7}, \frac{8}{7}, \frac{5}{7}, \frac{11}{7}$

यहाँ सबसे बड़ी भिन्न $\frac{11}{7}$ तथा सबसे छोटी भिन्न $\frac{2}{7}$ है।

Rule - 3 : यदि दी गई प्रत्येक भिन्नों में अंश व हर का अन्तर समान हो जिसमें (अंश $<$ हर) तो सबसे बड़े अंश वाली भिन्न सबसे बड़ी होगी परन्तु यदि (अंश $<$ हर) तो सबसे कम अंश वाली भिन्न सबसे बड़ी होगी।

जैसे– $\frac{3}{4}, \frac{5}{6}, \frac{7}{8}, \frac{11}{12}$ यहाँ $[4-3=6-5=8-7=12-11=1]$

अतः सबसे बड़ी भिन्न $\frac{11}{12}$ व सबसे छोटी भिन्न $\frac{3}{4}$ होगी।

जैसे– $\frac{5}{4}, \frac{9}{8}, \frac{11}{10}, \frac{25}{24}$ यहाँ $[5-4=9-8=11-10=25-24=1]$

अतः सबसे बड़ी भिन्न $\frac{5}{4}$ तथा सबसे छोटी भिन्न $\frac{25}{24}$ होगी।

Rule-4 यदि दी गई प्रत्येक भिन्नों में अंश व हर अलग–अलग हो तो इसे दशमलव में बदलकर बड़ी या छोटी भिन्न ज्ञात कर लेते है।

जैसे– $\frac{2}{7}, \frac{3}{8}, \frac{5}{11}, \frac{9}{16}$ में बड़ी और छोटी भिन्न

$\frac{2}{7} = 0{\cdot}28$ $\quad$ $\frac{3}{8} = 0{\cdot}37$

$\frac{5}{11} = 0{\cdot}37$ $\quad$ $\frac{9}{16} = 0{\cdot}56$

अतः सबसे बड़ी भिन्न $\frac{9}{16}$ तथा छोटी भिन्न $\frac{2}{7}$

Type - 02

$$a\frac{b}{c} = a + \frac{b}{c}$$

प्रश्न : $999\frac{1}{7} + 999\frac{2}{7} + 999\frac{3}{7} + 999\frac{4}{7} + 999\frac{5}{7} + 999\frac{6}{7}$ का मान है–

हल $999 + \frac{1}{7} + 999 + \frac{2}{7} + 999 + \frac{3}{7} + 999 + \frac{4}{7} + 999 + \frac{5}{7} + 999 + \frac{6}{7}$

$= 6 \times 999 + \frac{1}{7} + \frac{2}{7} + \frac{3}{7} + \frac{4}{7} + \frac{5}{7} + \frac{6}{7}$

$= 5994 + \frac{21}{7}$

$= 5994 + 3$

$= 5997$ *Ans.*

प्रश्न : $1\frac{1}{2} + 11\frac{1}{2} + 111\frac{1}{2} + 1111\frac{1}{2}$ का सरलतम रूप है–

हल $1 + \frac{1}{2} + 11 + \frac{1}{2} + 111 + \frac{1}{2} + 1111 + \frac{1}{2}$

$= 1234 + \frac{1}{2} \times 4$

$= 1236$ *Ans.*

Type - 03

जब तीन या तीन से अधिक व्यंजक आपस में बराबर हो–

नोट : ऐसे प्रश्नों को हल करने के लिए हम Constant का प्रयोग करते हैं।

प्रश्न : यदि $\frac{a+b}{c} = \frac{b+c}{a} = \frac{c+a}{b} = k$ तो K का मान बताइये?

हल $a + b = ck \ldots\ldots\ldots(i)$

$b + c = ak \ldots\ldots\ldots(ii)$

$c + a = bk \ldots\ldots\ldots\ldots(iii)$

$2a + 2b + 2c = ck + ak + bk$

$2(a + b + c) = k\,(a + b + c)$

$\therefore k = 2$

Note : ऐसे प्रश्नों को हम अनुपात नियम से भी हल कर सकते है।

> यदि $\frac{a}{b} = \frac{c}{d} = \frac{e}{f}$ तो अनुपात नियम से, $\frac{a+c+e}{b+d+f}$

उपर्युक्त प्रश्न का हल अनुपात नियम से,

$\frac{a+b+b+c+c+a}{c+a+b} = \frac{2(a+b+c)}{(a+b+c)} = 2$ *Ans*

प्रश्न : यदि $\frac{2a+b+c}{a} = \frac{a+2b+c}{b} = \frac{a+b+2c}{c}$ का प्रत्येक पद किसके बराबर होगा?

हल अनुपात नियम से, $\frac{2a+b+c+a+2b+c+a+b+2c}{a+b+c}$

$= \frac{4a+4b+4c}{a+b+c}$

$= \frac{4(a+b+c)}{(a+b+c)} = 4$ *Ans.*

Type - 04

आवर्त दशमलव भिन्न

- **सरल/शुद्ध आवर्त दशमलव भिन्न**
- **मिश्रित आवर्त दशमलव भिन्न**

(i) **सरल/शुद्ध आवर्त दशमलव भिन्न :** ऐसा भिन्न जिसमें दशमलव बिन्दु के बाद के सभी अंकों की पुनरावृत्ति हो, शुद्ध आवर्त दशमलव भिन्न कहलाता है।

नियम : शुद्ध आवर्त दशमलव भिन्न को साधारण भिन्न में बदलने के लिए हर में उतना ही 9 लिखते हैं जितने अंक पर बार (‾) होता है और अंश में ठीक वही संख्या रखते है जिस अंक पर बार होता है।

प्रश्न : निम्नलिखित दशमलव भिन्न को साधारण भिन्न में बदलिये?

(i) 0·555555...............

(ii) 0·37373737...............

(iii) 5·473473473473...............

हल– (i) 0·555555...............

$0\bar{5} = \frac{5}{9}$ *Ans.*

(ii) 0·37373737...............

$0{\cdot}\overline{37} = \frac{37}{99}$ *Ans.*

(iii) 5·473473473473...............

$5{\cdot}\overline{473} = 5 + 0{\cdot}\overline{473}$

$= 5 + \frac{473}{999} = 5\frac{473}{999}$ *Ans.*

(ii) **मिश्रित आवर्त दशमलव भिन्न :** ऐसा भिन्न जिसमें दशमलव बिन्दु के बाद कुछ अंकों की पुनरावृत्ति न होकर उसके बाद के ही कुछ अंकों की पुनरावृत्ति हो, मिश्रित आवर्त दशमलव भिन्न कहलाता है।

नियम : **अंश** : बिना दशमलव लगाये संख्या को अंश में रखकर उसमें से उस संख्या को घटा देते हैं जिसकी पुनरावृत्ति नहीं होती।

हर : हर में उतना ही 9 लिखते हैं जितने अंक पर बार (‾) होता है और जितने अंक पर बार नहीं लगा होता उतना ही शून्य 9 के बाद लगा देते है।

प्रश्न : निम्नलिखित दशमलव भिन्न को साधारण भिन्न में बदलिये–

$(i)\ 0{\cdot}1\bar{8}\ (ii)\ 0{\cdot}37\overline{54}\ (iii)\ 3{\cdot}\overline{5164}$

हल $(i)\ 0{\cdot}1\bar{8} = \frac{18-1}{90} = \frac{17}{90}$ *Ans.*

$(ii)\ 0{\cdot}37\overline{54} = \frac{3754-37}{9900} = \frac{3717}{9900} = \frac{413}{1100}$ *Ans.*

$(iii)\ 3{\cdot}5\overline{164} = 3 + 0{\cdot}5\overline{164} = 3 + \frac{5164-5}{9990}$

$= 3 + \frac{5159}{9990} = 3\frac{5159}{9990}$ *Ans.*

Type - 05

वितत् भिन्न पर प्रश्न

प्रश्न : $\frac{1}{3+\frac{1}{2-\frac{1}{\frac{7}{9}}}}+\frac{17}{22}$ का मान बताइये?

हल : $\frac{1}{3+\frac{1}{2-\frac{9}{7}}}+\frac{17}{22}$

$=\frac{1}{3+\frac{1}{\frac{5}{7}}}+\frac{17}{22}$

$=\frac{1}{3+\frac{7}{5}}+\frac{17}{22}$

$=\frac{1}{\frac{22}{5}}+\frac{17}{22}$

$=\frac{5}{22}+\frac{17}{22}$

$=\frac{22}{22} \quad = 1\ Ans.$

प्रश्न : यदि $2 = x+\frac{1}{1+\frac{1}{3+\frac{1}{4}}}$ तब x का मान बताइये?

हल : $2 = x+\frac{1}{1+\frac{1}{\frac{13}{4}}}$

$2 = x+\frac{1}{1+\frac{4}{13}}$

$2 = x+\frac{13}{17}$

$x = 2-\frac{13}{17}$

$=\frac{21}{17}\ Ans.$

Type - 06

अंश व हर के परिवर्तन पर प्रश्न :–

प्रश्न : यदि एक भिन्न के हर में 1 जोड़ा जाए तो यह $\frac{1}{2}$ हो जाता है और यदि अंश में 1 जोड़ा जाये तो भिन्न 1 हो जाता है। भिन्न क्या है?

हल– माना, भिन्न $\frac{x}{y}$ है।

$\frac{x}{y+1}=\frac{1}{2}$ या $2x = y+1$

या $2x-y=1 \quad ....(i)$

तथा $\frac{x+1}{y}=1$ या $x+1=y$ (यह मान समी0 (i) में रखने पर)

$2x-(x+1)=1$

$x-1=1$

$x=2$

समीकरण (i) से $2\times2-y=1$

$y=3$

अतः भिन्न $=\frac{x}{y}=\frac{2}{3}$

नोट : ऐसे प्रश्नों को सीधे तौर पर Option से हल कर लेना चाहिए।

प्रश्न : यदि एक भिन्न के अंश व हर में 1 जोड़ दिया जाये तो वह भिन्न 2 हो जाता है और यदि अंश व हर में से 1 घटा दिया जाये तो वह भिन्न 4 हो जाता है तो मूल भिन्न बताइये?

(a) $\frac{7}{3}$ (b) $\frac{5}{2}$

(c) $\frac{9}{4}$ (d) $\frac{8}{3}$

हल : Option (b) से

समीकरण (i) $\frac{5+1}{2+1}=\frac{6}{3}=2$

समीकरण (ii) $\frac{5-1}{2-1}=\frac{4}{1}=4$

प्रश्न : एक भिन्न के अंश तथा हर का योग 11 है। यदि अंश में 1 जोड़ दे तो तथा हर में से 2 घटा दे तो भिन्न $\frac{2}{3}$ बन जाती है यह भिन्न होगा ?

(a) $\frac{3}{8}$ (b) $\frac{5}{6}$

(c) $\frac{1}{10}$ (d) $\frac{4}{7}$

Note : इस प्रकार के प्रश्न में जो दो कथनों पर आधारित हो, को विकल्प से हल कर लेने में ज्यादा सुविधाजनक होता है।

प्रथम विधि : वैकल्पिक विधि : विकल्प a. से,

मूल भिन्न $=\frac{3}{8}$ (यहां अंश और हर का योग 11 हैं)

तथा $\frac{3+1}{8-2}=\frac{4}{6}=\frac{2}{3}$ (दूसरा वाक्य भी संतुष्ट हैं)

अतः विकल्प a. सही उत्तर होगा।

द्वितीय विधि : Detail Method :

माना भिन्न $=\frac{x}{y}$

$x+y=11$ ------ (i)

प्रश्नानुसार, $\frac{x+1}{y-2}=\frac{2}{3}$

या, $3x+3=2y-4$

या $3x-2y=-7 \quad ....(ii)$

$3x + 3y = 33$ ……….(iii) [समीकरण (i) में 3 गुणा करने पर]

समीकरण (ii) में से समीकरण (iii) घटाने पर

$-5y = 40$

$\therefore y = 8$ ......यह मान समीकरण (i) में रखने पर

$x + 8 = 11$

$\therefore x = 11 - 8 = 3$

$\therefore$भिन्न $= \frac{x}{y} = \frac{3}{8}$

प्रश्न : किसी परिमेय संख्या का हर, उसके अंश से 8 अधिक है। यदि अंश को 17 तथा हर को 1 बढ़ा दिया जाये तो संख्या का मान $\frac{3}{2}$ हो जाता है, तो परिमेय संख्या क्या हैं?

(a) $\frac{7}{15}$ (b) $\frac{5}{13}$

(c) $\frac{3}{11}$ (d) $\frac{9}{11}$

हल : प्रथम विधि : वैकल्पिक विधि से

मूलभिन्न $= \frac{7}{15}$ (यहाँ हर, अंश से 8 अधिक हैं)

तथा, $= \frac{7+17}{15+1} = \frac{24}{16} = \frac{3}{2}$ (दूसरा वाक्य भी संतुष्ट हैं)

अतः विकल्प a. सही उत्तर होगा।

द्वितीय विधि (Detail Mathod) -

माना, भिन्न का अंश $= x$

तब हर $= (x + 8)$

प्रश्नानुसार, $\frac{x+17}{(x+8)+1} = \frac{3}{2}$

या, $2(x + 17) = 3(x + 9)$

या, $2x + 34 = 3x + 27$

$\therefore x = 7$ (अंश)

$\therefore$ हर $= x + 8 = 7 + 8 = 15$

भिन्न $= \frac{\text{अंश}}{\text{हर}} = \frac{7}{15}$

प्रश्न : किसी भिन्न के अंश तथा हर दोनों में 1 जोड़ने से वह भिन्न 2 हो जाती है तथा अंश व हर दोनों में से 1 घटाने पर वह भिन्न 4 हो जाती है, तो मूल भिन्न क्या हैं?

(a) $\frac{7}{3}$ (b) $\frac{9}{4}$

(c) $\frac{5}{2}$ (d) $\frac{11}{5}$

हल : प्रथम विधि : वैकल्पिक विधि option (c) से

मूल भिन्न $= \frac{5}{2}$

पहला वाक्य $= \frac{5+1}{2+1} = \frac{6}{3} = 2$

दूसरा वाक्य $= \frac{5-1}{2-1} = \frac{4}{1} = 4$

$\therefore$ दोनों वाक्य विकल्प (c) से संतुष्ट होता है अतः विकल्प (c) सही उत्तर होगा।

द्वितीय विधि :

माना, मूल भिन्न $= \frac{x}{y}$

प्रश्नानुसार, $\frac{x+1}{y+1} = 2$

या, $x + 1 = 2y + 2$

$\therefore \quad x - 2y = 1$ ———————— (i)

तथा, $\frac{x-1}{y-1} = 4$

$x - 1 = 4y - 4$

$x - 4y = -3$ ———————— (ii)

समीकरण (i) – समीकरण (ii) से,

$2y = 4$

$\therefore y = 2$ यह मान समीकरण (i) में रखने पर

$x - 2 \times 2 = 1$

$\therefore x = 1 + 4 = 5$

$\therefore$ भिन्न $= \frac{x}{y} = \frac{5}{2}$

Type - 07

गलत पाठ्यांक पर प्रश्न :

1. एक छात्र को एक भिन्न का $\frac{3}{5}$ ज्ञात करने को कहा गया लेकिन भूलवश उसने भिन्न को $\frac{3}{5}$ से भाग दे दिया और इस तरह प्राप्त परिणाम सही परिणाम से $\frac{32}{75}$ अधिक है, तो सही परिणाम क्या हैं?

(a) $\frac{3}{25}$ (b) $\frac{6}{25}$

(c) $\frac{2}{25}$ (d) $\frac{2}{15}$

हल : माना, भिन्न $'x'$ हैं

सही उत्तर $= \frac{3x}{5}$

गलत उत्तर $= \frac{x}{\frac{3}{5}} = \frac{5x}{3}$

प्रश्नानुसार, $\frac{5x}{3} - \frac{3x}{5} = \frac{32}{75}$

$\frac{25x-9x}{15} = \frac{32}{75}$

$\frac{16x}{15} = \frac{32}{75}$

$x = \frac{32}{75} \times \frac{15}{16} = \frac{2}{5}$

$\therefore$ सही उत्तर $= \frac{3x}{5} = \frac{3}{5} \times \frac{2}{5} = \frac{6}{25}$

2. किसी छात्र को एक संख्या का $\frac{3}{14}$ ज्ञात करने को कहा गया किन्तु उसने गलती से $\frac{3}{4}$ संख्या का ज्ञात कर दिया जिस कारण उसका उत्तर सही उत्तर से 150 अधिक मिला, तो वह संख्या बताइये?

(a) 216 (b) 254

(c) 280 (d) 560

हल : माना, वह संख्या $'x'$ है।

सही उत्तर $= \frac{3x}{14}$

तथा गलत उत्तर $= \frac{3x}{4}$

प्रश्नानुसार, $\frac{3x}{4} - \frac{3x}{14} = 150$

$$\frac{21x-6x}{28} = 150$$

$$\frac{15x}{28} = 150$$

$$x = \frac{150 \times 28}{15}$$

$$x = 280$$

Type - 08

मिश्रित प्रश्न

प्रश्न : दो भिन्नों का गुणनफल $\frac{14}{15}$ है तथा उनका भागफल $\frac{35}{24}$ है। इनमें से बड़ा भिन्न क्या है?

हल माना, भिन्न x तथा y है।

$xy = \frac{14}{15}$ तथा $\frac{x}{y} = \frac{35}{24}$

गुणा करने पर, $xy \times \frac{x}{y} = \frac{14}{15} \times \frac{35}{24}$

$x^2 = \frac{49}{36}$

अतः $x = \frac{7}{6}$

समीकरण (i) से $\frac{7}{6} \times y = \frac{14}{15}$

$\therefore y = \frac{6}{7}$

स्पष्टतः $\frac{6}{7} > \frac{4}{5}$

Note : यदि कोई व्यक्ति अपनी आय का $\frac{a}{b}$ भाग भोजन पर, $\frac{x}{y}$ भाग मनोरंजन पर और $\frac{m}{n}$ भाग कपड़े पर खर्च करके B रू0 बचा ले तो उसकी कुल आय बताइये?

व्याख्या : कुल खर्च $= \left(\frac{a}{b} + \frac{x}{y} + \frac{m}{n}\right) \times$ कुल आय

तब बचत $= \left[1 - \left(\frac{a}{b} + \frac{x}{y} + \frac{m}{n}\right)\right] \times$ कुल आय

$$\text{कुल आय} = \frac{\text{बचत } (B)}{\left[1-\left(\frac{a}{b}+\frac{x}{y}+\frac{m}{n}\right)\right]}$$

Note : खम्भे से सम्बन्धित बनने वाले प्रश्न को भी इस सूत्र से हल कर सकते हैं।

प्रश्न : किसी खम्भे का $\frac{1}{2}$ भाग लाल रंग से, $\frac{1}{3}$ भाग हरे रंग से रंगा गया है। यदि खम्भे के बचे भाग की लम्बाई 4 मी0 हो तो खम्भे की कुल लम्बाई बताइये?

हल कुल लम्बाई $= \frac{4}{\left[1-\left(\frac{1}{2}+\frac{1}{3}\right)\right]}$

$$= \frac{4}{\left[1-\frac{5}{6}\right]}$$

$$= \frac{4}{\frac{1}{6}} = 24 \text{ मी0}$$

Note : यदि कोई व्यक्ति अपनी कुल आय का $\frac{a}{b}$ भाग शिक्षा पर शेष का $\frac{x}{y}$ भाग भोजन पर और शेष का $\frac{m}{n}$ भाग अन्य पर खर्च करके B रू0 बचा लेता हो तो उसकी

$$\text{कुल आय} = \frac{B}{\left(1-\frac{a}{b}\right)\left(1-\frac{x}{y}\right)\left(1-\frac{m}{n}\right)}$$

प्रश्न : एक व्यक्ति अपनी कुल सम्पत्ति का $\frac{1}{3}$ भाग अपनी पत्नी को शेष का $\frac{1}{4}$ भाग अपनी पुत्री को व शेष का $\frac{1}{5}$ भाग अपने पुत्र को देता है। यदि अन्त में उसके पास ₹ 36000 बचा हो तो उसकी कुल सम्पत्ति बताइये?

हल : कुल सम्पत्ति $= \frac{36000}{\left(1-\frac{1}{3}\right)\left(1-\frac{1}{4}\right)\left(1-\frac{1}{5}\right)}$

$$= \frac{36000}{\frac{2}{3} \times \frac{3}{4} \times \frac{4}{5}}$$

$$= 36000 \times \frac{5}{2}$$

$x = 90{,}000\ Ans.$

$'x'$ में कितना $'y'$ हैं–

Note : x में कितना y है यह जानने के लिये x में y से भाग देते हैं।

1. $\frac{18}{2}$ में कितना $\frac{1}{6}$ हैं–

(a) 18 (b) 36

(c) 54 (d) 72

हल – **c.** $\frac{18}{2}$ में कितना $\frac{1}{6}$ हैं–?

$$\frac{\frac{18}{2}}{\frac{1}{6}} = \frac{18}{2} \times \frac{6}{1} = 18 \times 3 = 54$$

2. 20 किग्रा0 चीनी से $\frac{1}{8}$ किग्रा0 के कुल कितने पैकेट बनेंगे?

हल – $\frac{20}{\frac{1}{8}} = 20 \times \frac{8}{1} = 160$

प्रश्नावली

TYPE - 01

1. निम्नलिखित में से कौन–सा कथन सही नहीं है/हैं?
(a) दो उचित भिन्नों का गुणनफल इन भिन्नों में से प्रत्येक से बड़ा होता है।
(b) दो विषम भिन्नो का गुणनफल इन भिन्नों में से प्रत्येक से बड़ा होता है।
(c) भिन्न $\frac{4}{7}$ और $\frac{7}{4}$ एक–दूसरे के व्यूत्क्रम हैं।
(d) यदि राधिका किसी पुस्तक का $\frac{1}{3}$ भाग 1 घंटे में पढ़ती है, तो वह पुस्तक $\frac{5}{6}$ भाग $2\frac{1}{2}$ घंटे में पढ़ लेगी।
(CTET(VI-VIII)28-12-2021)

2. एक विषम भिन्न को निरूपित करने वाली स्थिति की पहचान कीजिए:
(a) पाँच केकों की 7 सदस्यों में समान रूप से विभाजित करना।
(b) किन्हीं दो एकक (इकाई) भिन्नों का योग।
(c) 7 केकों को 5 सदस्यों में समान रूप से विभाजित करना।
(d) एक आयत को समान दूरी पर स्थित 7 क्षैतिज रेखाओं द्वारा विभाजित करना तथा उनमें से 3 पट्टियों को छायांकित करना।
(CTET-(VI-VIII)30.12.2021)

3. विषम भिन्नों के समूह को चुनिए–
(a) $\frac{1}{5}, \frac{2}{5}$ (b) $\frac{1}{3}, \frac{1}{5}$
(c) $\frac{7}{5}, \frac{4}{3}$ (d) $4, \frac{1}{8}$
(CTET(I-V)24.12.2021)

4. इनमे से कौन–से भिन्नों को जोड़ने पर परिणाम 1 मिलेगा?
(a) $\frac{3}{8}, \frac{4}{16}, \frac{1}{4}, \frac{1}{8},$ (b) $\frac{1}{4}, \frac{1}{2}, \frac{1}{2},$
(c) $\frac{1}{8}, \frac{5}{8}, \frac{3}{8},$ (d) $\frac{4}{16}, \frac{2}{5}, \frac{3}{8},$
(CTET (I-V)31.12.2021)

5. एक परिमेय संख्या $\frac{5}{19}$ व इसके योज्य प्रतिलोम के गुणनफल का गुणात्मक प्रतिलोम होगा–
(a) $-\frac{361}{25}$ (b) $\frac{361}{25}$
(c) $\frac{381}{25}$ (d) $-\frac{381}{25}$
(UPTET(Class I-V)23 Feb 2014)

TYPE - 02

6. किसी संख्या का $\frac{1}{5}$, उसी संख्या के $\frac{1}{7}$ से 10 अधिक है। वह संख्या है
(a) 125 (b) 150
(c) 175 (d) 200
(SSC CGL प्रारम्भिक परीक्षा– 4.7.1999 प्रथम पाली)

7. यदि किसी संख्या का तिगुना, इस संख्या के $\frac{3}{5}$ से 60 अधिक हो, तो वह संख्या है–
(a) 25 (b) 35
(c) 45 (d) 60
(SSC CGL प्रारम्भिक परीक्षा 4.7.1999 प्रथम पाली)

8. भिन्न $\frac{4}{7}$ का कौन–सा भाग उसी में जोड़ा जाए कि योग $1\frac{1}{14}$ प्राप्त हो?
(a) $\frac{7}{8}$ (b) $\frac{1}{2}$
(c) $\frac{4}{7}$ (d) $\frac{15}{14}$
(SSC CGL प्रारम्भिक परीक्षा 24.02.2002 प्रथम पाली)

9. यदि किसी संख्या के एक–चौथाई का एक–तिहाई भाग 15 है तो उस संख्या का $\frac{3}{10}$ वाँ भाग होगा–
(a) 35 (b) 36
(c) 45 (d) 54
(SSC CGL प्रारम्भिक परीक्षा 24.02.2002 द्वितीय पाली)

10. यदि किसी सम्पत्ति के $\frac{7}{8}$ भाग व $\frac{3}{8}$ भाग में अन्तर 112 है, तो कुल सम्पत्ति बताइए–
(a) 242 (b) 224
(c) 422 (d) 244
(HP TET (I-V)2020)

11. यदि एक संख्या से $\frac{1}{2}$ घटाया जाता है और तत्पश्चात् $\frac{1}{2}$ से गुणा किया जाता है, संख्या $\frac{1}{8}$ में बदल जाती है। वह संख्या है
(a) $\frac{3}{4}$ (b) $\frac{1}{4}$
(c) $\frac{4}{5}$ (d) $\frac{3}{5}$
(UP TET (Class I-V)27 June 2013)

12. एक स्कूल के सभागार में 2/7 लड़कियां है। यदि लड़कों की संख्या, लड़कियों की संख्या से 111 अधिक है, तो विद्यालय के सभागार में कुल कितने लड़के हैं?
(a) 400 (b) 315
(c) 259 (d) 185
(CTET (I-V)27-12-2021)

13. यदि किसी फुटबाल मैच को देखने वाले दर्शकों का $\frac{1}{6}$ भाग छाया मे और 4000 खुले में बैठे हों तो कुल कितने दर्शक थे?
(a) 4500 (b) 4400
(c)4800 (d) 4200
(Haryana TET (I-V)2012-13)

TYPE - 03

14. एक विद्यार्थी से किसी संख्या का $\frac{5}{16}$ ज्ञात करने के लिए कहा गया। गलती से उसने उस संख्या का $\frac{5}{6}$ ज्ञात कर लिया। उसका उत्तर सही उत्तर से 250 अधिक था। दी हुई संख्या ज्ञात कीजिए–

(a) 300 (b) 480
(c) 450 (d) 500

(SSC CGL प्रारम्भिक परीक्षा 24.02.2002)

15. एक परीक्षा में एक विद्यार्थी से किसी संख्या का $\frac{3}{14}$ ज्ञात करने को कहा गया। गलती से उस विद्यार्थी ने उस संख्या का $\frac{3}{4}$ ज्ञात कर दिया जो ठीक उत्तर से 150 अधिक था। दी हुई संख्या थी–

(a) 500 (b) 280
(c) 240 (d) 180

(SSC CGL प्रारम्भिक परीक्षा 13.11.2005 प्रथम पाली)

16. एक विद्यार्थी से किसी संख्या को $\frac{3}{2}$ से गुणा करने के लिए कहा गया, परन्तु उस संख्या को $\frac{3}{2}$ से भाग दे दिया। उसका परिणाम सही उत्तर से 10 कम था। वह संख्या थी।

(a) 10 (b) 12
(c) 15 (d) 20

(SSC CGL प्रारम्भिक परीक्षा 24.2.2022 द्वितीय पाली)

17. एक छात्र से किसी संख्या को $\frac{8}{17}$ से गुणा करने का कहा गया। उस छात्र ने उस संख्या को $\frac{8}{17}$ से विभाजित कर दिया, अतः उसका उत्तर, सही उत्तर से 225 अधिक आ गया। तदनुसार वह संख्या क्या थी?

(a) 64 (b) 289
(c) 136 (d) 225

(SSC (10+2) स्तर डाटा एन्ट्री ऑपरेटर एवं LDC परीक्षा 11.12.2011 प्रथम पाली)

18. जब किसी लड़के से किसी भिन्न का $\frac{6}{7}$ बॉटने को कहा गया, तो उसने गलती से उस भिन्न को $\frac{6}{7}$ से भाग दे दिया और सही उत्तर से $\frac{13}{70}$ अधिक उत्तर प्राप्त किया। वह भिन्न ज्ञात कीजिए।

(a) $\frac{2}{3}$ (b) $\frac{3}{5}$
(c) $\frac{4}{5}$ (d) $\frac{7}{9}$

(SSC CGL प्रारम्भिक परीक्षा 24.2.2002 प्रथम पाली)

TYPE - 04

19. यदि किसी भिन्न के हर में 1 जोड दिया जाएं, तो वह $\frac{1}{2}$ हो जाती है। यदि उसके अंश में 1 जोड़ा जाए तो वह 1 हो जाती है। भिन्न के अंश तथा हर का गुणनफल है–

(a) 6 (b) 10
(c) 12 (d) 14

(SSC CGL प्रारम्भिक परीक्षा 24.2.2022)

20. एक भिन्न का हर, उसके अंश से 3 अधिक है। यदि अंश में 7 की वृद्धि कर दी जाए और हर में 2 की कमी कर दी जाए, तो परिणाम में 2 प्राप्त हो जाती है। तदनुसार उस भिन्न के अंश तथा हर दोनों का योग कितना है?

(a) 5 (b) 13
(c) 17 (d) 19

(SSC (10+2) स्तर डाटा एन्ट्री ऑपरेटर एवं LDC परीक्षा 04.12.2011 पूर्व क्षेत्र प्रथम पाली)

21. एक भिन्न 1/3 हो जाती है, जब उसके अंश तथा हर दोनों में से 1 घटा दिया जाता है। वही भिन्न 1/2 हो जाती है, जब अंश तथा हर में 1 जोड़ दिया जाता है, तो भिन्न के अंश तथा हर का योग ज्ञात करें।

(a) 10 (b) 18
(c) 7 (d) 16

(SSC CHSL 2019)

22. एक धनात्मक भिन्न के अंश तथा हर का योग 11 है। यदि अंश तथा हर दोनों में 2 जोड़ दिया जाए, तो भिन्न में $\frac{1}{24}$ की वृद्धि हो जाती है, तो भिन्न के अंश तथा हर का अंतर ज्ञात करें।

(a) 5 (b) 3
(c) 1 (d) 9

(SSC CHSL 2019)

23. एक भिन्न का अंश उसके हर से 4 कम है। यदि अंश मे से 2 घटा दिया जाये और हर में 1 बढ़ा दिया जाये तो हर अंश का 8 गुणा हो जाता है। भिन्न ज्ञात कीजिये।

(a) $\frac{3}{8}$ (b) $\frac{3}{7}$
(c) $\frac{4}{8}$ (d) $\frac{2}{7}$

(SSC CGL Mains 2019)

TYPE - 05

24. एक स्कूल में 96 शिक्षिकाओं में से $\frac{3}{8}$ शिक्षिकाएँ उच्च स्कूली कक्षाओं में पढ़ाती हैं। यदि उच्च स्कूली शिक्षिकाओं का $\frac{2}{9}$ वाँ भाग गणित शिक्षिकाएँ हैं, तो वह उच्च स्कूली शिक्षिकाएँ जो गणित नहीं पढ़ाती, उनकी संख्या है–

(a) 36 (b) 30
(c) 28 (d) 60

(CTET (I-V)01-01-2022)

25. 60 विद्यार्थियों की एक कक्षा में, कुल विद्यार्थियों की संख्या का $\frac{1}{5}$ हिन्दी पढ़ना पसंद करते हैं, शेष

विद्यार्थियों की संख्या $\frac{3}{8}$ गणित पढ़ना पसंद करते हैं और शेष विद्यार्थी विज्ञान पढ़ना पसंद करते हैं। विज्ञान पढ़ना पसंद करने वाले विद्यार्थियों की संख्या है:

(a) 24 (b) 18
(c) 20 (d) 30

(CTET (VI-VIII)8-1-2022)

26. किसी विद्यालय में 660 विद्यार्थी हैं। इन विद्यार्थियों का दो–तिहाई लड़के हैं। लड़कों की संख्या का तीन–चौथाई और लड़कियों की संख्या का एक चौथाई खिलाड़ी हैं कुल खिलाड़ियों की संख्या है–

(a) 370 (b) 385
(c) 395 (d) 330

(CTET (Class I-V)20 Sep.2015)

TYPE - 06

27. विमल अपने जन्मदिन पर कैन्डी का एक पैकेट लाया। उसने एक –तिहाई जॉन को, एक –चौथाई राधा को, $\frac{1}{5}$ भाग सुषमिता को और एक $\frac{1}{6}$ भाग मीकू को दिया। बची हुई 6 कैन्डियाँ उसने स्वयं खा लीं। पैकेट में कितनी कैन्डी थी?

(a)100 (b) 120
(c) 128 (d) 142

CTET (I-V)05-01-2022

28. एक सामूहिक गतिविधि कराने के लिए कक्षा 4 की शिक्षिका अंजू ने कुछ कंकड़ों का प्रयोग किया। उसने कंकड़ों का 1/5 भाग समूह 1 को, 1/4 भाग समूह 2 को और 1/3 भाग समूह 3 को दिया। सभी को कंकड़ बांटने बाद यदि उसके पास 26 कंकड़ बाकी बचे हैं तो वह कक्षा में कितने कंकड़ लायी थी?

(a) 60 (b) 120
(c) 73 (d) 146

29. मर्लिन की माँ ने उसे जन्मदिन पर टॉफियों का पैकेट अपने साथियों के साथ बाँटने के लिए दिया। मर्लिन ने टॉफियों का $\frac{2}{7}$ भाग अदिती को, $\frac{1}{6}$ भाग अमल को, $\frac{2}{5}$ भाग फरान को और $\frac{1}{7}$ भाग जैरी को दिया। यदि उसके पास सिर्फ 2 टॉफियाँ बची हों तो उसके पैकेट में शुरूआत में कितनी टॉफियाँ थीं?

(a) 105 (b) 210
(c) 315 (d) 420

CTET (I-V) 04-01-2022

30. एक स्कूल में, आधे छात्र बैडमिंटन खेलते हैं, 1/4 छात्र वॉलीबॉल खेलते हैं, 1/8 टेनिस खेलते हैं, 1/16 छात्र शतरंज खेलते हैं और बाकी तैराकी के लिए जाते हैं। यदि वॉलीबॉल खेलने वाले छात्रों की संख्या 160 है, तो कितने छात्र शतरंज खेलते हैं?

(a) 120 (b) 80
(c) 20 (d) 40

CTET (Class I-V)7 July 2019

TYPE - 07

31. यदि दो भिन्नों का गुणनफल $\frac{14}{15}$ तथा उनका भागफल $\frac{35}{24}$ हो, तो इनमें से बड़ी भिन्न है–

(a) $\frac{7}{4}$ (b) $\frac{7}{6}$
(c) $\frac{6}{7}$ (d) $\frac{7}{8}$

UPTET(Class-I-V)19 Dec.2016

32. दो भिन्नों का गुणनफल $\frac{14}{15}$ है और उनका अनुपात $\frac{35}{24}$ हो, तो बड़ी भिन्न ज्ञात कीजिए।

(a) $\frac{4}{5}$ (b) $\frac{7}{6}$
(c) $\frac{7}{4}$ (d) $\frac{7}{3}$

Punjab TET(Class VI-VIII)2011

TYPE - 08

33. $\frac{2}{3}, \frac{3}{5}, \frac{5}{8}$ में सबसे बड़ी तथा सबसे छोटी भिन्न का अन्तर है

(a) $\frac{1}{15}$ (b) $\frac{1}{24}$
(c) $\frac{1}{40}$ (d) $\frac{1}{5}$

Uttarakhand TET (Class I-V) 12 Nov 2013

34. निम्नलिखित भिन्नों में से सबसे बड़ी और सबसे छोटी भिन्न क्रमशः है

$\frac{1}{2}, \frac{1}{3}, \frac{4}{5}, \frac{5}{6}, \frac{3}{4}$

(a) $\frac{5}{6}$ और $\frac{1}{3}$ (b) $\frac{1}{2}$ और $\frac{5}{6}$
(c) $\frac{5}{6}$ और $\frac{3}{4}$ (d) $\frac{1}{2}$ और $\frac{4}{5}$

CTET (I-V)20-12-2021

35. निम्न संख्याओं $\frac{2}{7}, \frac{3}{13}, \frac{5}{6}$ का सही अवरोही क्रम है

(a) $\frac{5}{6}, \frac{2}{7}, \frac{3}{13}$ (b) $\frac{3}{13}, \frac{2}{7}, \frac{5}{6}$
(c) $\frac{5}{6}, \frac{3}{13}, \frac{2}{7}$ (d) $\frac{2}{7}, \frac{5}{6}, \frac{3}{13}$

REET(I-V)2021

36. निम्न भिन्नों $\frac{3}{8}, \frac{4}{5}, \frac{31}{40}, \frac{9}{20}, \frac{7}{10}$ में से कौन–सी भिन्न $\frac{1}{2}$ से बड़ी तथा $\frac{3}{4}$ से छोटी है?

(a) $\frac{4}{5}$ (b) $\frac{7}{10}$
(c) $\frac{31}{40}$ (d) $\frac{9}{20}$

CTET (Class VI-VIII)18 Nov 2012

37. भिन्नों $\frac{2}{9}, \frac{5}{8}, \frac{1}{3}, \frac{3}{4}$ का आरोही क्रम है–

(a) $\frac{2}{9}, \frac{1}{3}, \frac{5}{8}, \frac{3}{4}$ (b) $\frac{3}{4}, \frac{5}{8}, \frac{1}{3}, \frac{2}{9}$

(c) $\frac{1}{3}, \frac{3}{4}, \frac{5}{8}, \frac{2}{9}$ (d) $\frac{2}{9}, \frac{1}{3}, \frac{3}{4}, \frac{5}{8}$

Rajasthan TET (Class I-V)31 July. 2011

TYPE - 09

38. यदि 0.232323.........को साधारण भिन्न में बदला जाये तो उसका मान होगाः

(a) $\frac{23}{90}$ (b) $\frac{23}{100}$

(c) $\frac{23}{99}$ (d)उपरोक्त में से कोई नहीं

CG TET (I-V)2019

39. अनवसानी आवर्ती संख्या $0.12\overline{3}$ के बराबर भिन्न है।

(a) $\frac{23}{1000}$ (b) $\frac{41}{333}$

(c) $\frac{37}{300}$ (d) $\frac{41}{330}$

REET (I-V)2022

40. $3.\overline{36} - 2.\overline{05} + 1.\overline{33}$ को सरल करने पर प्राप्त है

(a) 2.60 (b) $2.\overline{61}$

(c) 2.64 (d) $2.\overline{64}$

(SSC संयुक्त स्नातक स्तरीय प्रारम्भिक परीक्षा 11.5.2003 प्रथम पाली)

41. $(0.\overline{63} + 0.\overline{37} + 0.\overline{80})$ को सरल करने पर परिणाम आता हैः

(a) $1.\overline{80}$ (b) $0.\overline{81}$

(c) $1.\overline{79}$ (d) $1.\overline{80}$

(SSC संयुक्त स्नातक स्तरीय प्रारम्भिक परीक्षा 08.02.2004 प्रथम पाली)

42. $0.5\overline{6} - 0.7\overline{23} + 0.3\overline{9} \times 0.\overline{7}$ का मान हैः

(a) $0.\overline{154}$ (b) $0.1\overline{54}$

(c) $0.\overline{158}$ (d) $0.1\overline{58}$

(SSC CGL Mains 2021)

TYPE - 10

43. सरल करें– $1 + \cfrac{1}{1+\cfrac{2}{2+\cfrac{3}{1+\frac{4}{5}}}}$

(a) $1\frac{11}{17}$ (b) $1\frac{5}{17}$

(c) $1\frac{6}{17}$ (d) $1\frac{21}{17}$

UT TET (IV)06-11-2019

44. सरल करें– $\frac{19}{43} + \cfrac{1}{2+\cfrac{1}{3+\cfrac{1}{1+\frac{1}{4}}}}$

(a) 1 (b) $\frac{19}{43}$

(c) $\frac{43}{19}$ (d) $\frac{38}{43}$

(SSC संयुक्त स्नातक स्तरीय प्रारम्भिक परीक्षा 24.2.2002 (मध्य क्षेत्र)

45. यदि $2 = x + \cfrac{1}{1+\cfrac{1}{3+\frac{1}{4}}}$ तब x का मान है–

(a) $\frac{18}{17}$ (b) $\frac{21}{17}$

(c) $\frac{13}{17}$ (d) $\frac{12}{17}$

46. सरल कीजिए : $1 + \cfrac{1}{1+\cfrac{2}{2+\cfrac{3}{1+\frac{4}{5}}}}$

(a) $1\frac{11}{17}$ (b) $1\frac{6}{11}$

(c) $1\frac{5}{17}$ (d) $2\frac{11}{17}$

(SSC संयुक्त स्नातक स्तरीय प्रारम्भिक परीक्षा 4.7.1999 द्वितीय पाली)

47. $\cfrac{1}{3+\cfrac{1}{2-\cfrac{1}{\frac{7}{9}}}} + \frac{17}{22}$ का मान है–

(a) $\frac{12}{22}$ (b) $\frac{22}{5}$

(c) $\frac{5}{22}$ (d) 1

(SSC संयुक्त स्नातक स्तरीय प्रारम्भिक परीक्षा 24.2.2002 प्रथम पाली)

48. यदि तो $x = 1 + \cfrac{1}{1+\cfrac{1}{1+\cfrac{1}{1+\frac{1}{2}}}}$ तो $2x + \frac{7}{4} = ?$

(a) 3 (b)4

(c) 5 (d) 6

TYPE - 11

49. यदि एक भिन्न के अंश को 20% और उसके हर को 25% बढ़ा दिया जाए, तो भिन्न $\frac{3}{5}$ हो जाता है, तो मूल भिन्न है–

(a) $\frac{5}{8}$ (b) $\frac{8}{5}$

(c) $\frac{8}{3}$ (d) $\frac{3}{8}$

50. एक भिन्न $\frac{5}{8}$ के तुल्य है। इसके हर और अंश का योग 91 है। इस भिन्न के हर और अंश में क्या अंतर है?

(a) 19 (b) 21

(c) 3 (d) 13

(C TET (Class VI-VIII)16 /Feb 2014)

51. यदि किसी भिन्न के अंश और हर का योग 55 है, तथा भिन्न का मान $\frac{3}{8}$ है, तो भिन्न है–

(a) $\frac{20}{35}$ (b) $\frac{10}{15}$

(c) $\frac{5}{50}$ (d) इनमे से कोई नहीं

REET (VI-VIII) 23-7-2022-23 Shift II

Revision Series

52. निम्नलिखित भिन्नों में कौन सी भिन्न सबसे बड़ी है?
(a) $\frac{5}{6}$ (b) $\frac{7}{8}$
(c) $\frac{11}{12}$ (d) $\frac{3}{10}$

53. निम्नलिखित भिन्नों में कौन सी भिन्न सबसे छोटी है?
(a) $\frac{3}{5}$ (b) $\frac{7}{8}$
(c) $\frac{11}{11}$ (d) $\frac{15}{14}$

54. भिन्नों $\frac{15}{16}, \frac{19}{20}, \frac{24}{25}$ व $\frac{34}{35}$ में सबसे छोटा भिन्न है–
(a) $\frac{34}{35}$ (b) $\frac{15}{16}$
(c) $\frac{19}{20}$ (d) $\frac{24}{25}$

55. एक भिन्न जिसका हर 30 है तथा जो $\frac{5}{8}$ और $\frac{7}{11}$ के बीच स्थित है, है–
(a) $\frac{18}{30}$ (b) $\frac{19}{30}$
(c) $\frac{20}{30}$ (d) $\frac{21}{30}$

56. $\frac{p}{q}$ के रूप में $1{\cdot}\overline{27}$ बराबर होगा–
(a) $\frac{127}{100}$ (b) $\frac{73}{100}$
(c) $\frac{14}{11}$ (d) $\frac{11}{14}$

57. $\frac{p}{q}$ के रूप में 0·121212 …… बराबर होगा–
(a) $\frac{4}{11}$ (b) $\frac{2}{11}$
(c) $\frac{4}{33}$ (d) $\frac{2}{33}$

58. $0{\cdot}\overline{7} + 0{\cdot}01\overline{7}$ का मान कितना होगा–
(a) $\frac{179}{250}$ (b) $\frac{179}{225}$
(c) $\frac{189}{250}$ (d) $\frac{189}{225}$

59. $2{\cdot}\overline{13} + 4{\cdot}\overline{24} + 5{\cdot}\overline{37} + 6{\cdot}\overline{68}$ के मान होंगे?
(a) $17\frac{43}{99}$ (b) $18\frac{43}{90}$
(c) $17\frac{43}{99}$ (d) $18\frac{43}{99}$

60. भिन्न $37\frac{1}{2}$ में $\frac{1}{8}$ कितनी बार आया है?
(a) 200 (b) 400
(c) 300 (d) 500

61. यदि किसी भिन्न के अंश में 10% तथा हर में 20% की वृद्धि एक साथ होती है तो भिन्न $\frac{22}{45}$ बदलकर हो जाती है तो भिन्न क्या थी?
(a) $\frac{18}{15}$ (b) $\frac{11}{15}$
(c) $\frac{8}{15}$ (d) ज्ञात नहीं किया जा सकता

62. किसी परिमेय संख्या का हर उसके अंश से 8 अधिक है। यदि अंश को 17 तथा हर को 1 बढ़ा दिया जाए तो संख्या का मान $\frac{3}{2}$ हो जाता है, तो परिमेय संख्या क्या है?
(a) $\frac{7}{15}$ (b) $\frac{5}{13}$
(c) $\frac{3}{11}$ (d) $\frac{9}{11}$

63. एक परीक्षा में एक विद्यार्थी को किसी संख्या का $\frac{3}{14}$ ज्ञात करने को कहा गया परन्तु उसने संख्या का $\frac{3}{4}$ ज्ञात कर दिया जिस कारण उसका उत्तर सही उत्तर से 150 अधिक था। वह संख्या है–
(a) 140 (b) 70
(c) 210 (d) 280

64. एक विद्यार्थी को किसी संख्या में $\frac{3}{2}$ से गुणा करने को कहा गया। उसने उस संख्या को $\frac{3}{2}$ से भाग कर दिया। इससे उसका परिणाम सही उत्तर से 10 कम था वह संख्या कितनी है?
(a) 10 (b) 12
(c) 15 (d) 18

65. भिन्न $\frac{4}{7}$ का कौन–सा भाग उसी में जोड़ा जाये कि योग $1\frac{1}{14}$ प्राप्त हो?
(a) $\frac{7}{8}$ (b) $\frac{1}{2}$
(c) $\frac{4}{7}$ (d) $\frac{15}{14}$

66. किसी संख्या का $\frac{3}{5}$ भाग उस संख्या के $\frac{2}{7}$ भाग से 33 अधिक है तो वह संख्या क्या है?
(a) 65 (b) 70
(c) 125 (d) 105

67. किसी संख्या के $\frac{2}{7}$ और $\frac{3}{4}$ भाग का अन्तर 39 हो तो वह संख्या क्या है?
(a) 56 (b) 84
(c) 98 (d) 140

68. $\frac{5}{14}$ में से क्या घटाया जाये कि $\frac{1}{6}$ प्राप्त हो?

(a) $\frac{5}{21}$ (b) $\frac{3}{35}$
(c) $\frac{11}{21}$ (d) $\frac{4}{21}$

69. किसी संख्या के $\frac{1}{3}$ से उसका $\frac{1}{5}$ वियोग किया जाये तो वियोगफल उस संख्या के $\frac{1}{7}$ से 4 कम होगा। वह संख्या क्या है?

(a) 210 (b) 350
(c) 400 (d) 420

70. यदि किसी संख्या का दो–तिहाई भाग 96 है तो उस संख्या का तीन–चौथाई कितना होगा?

(a) 36 (b) 72
(c) 108 (d) 144

71. किसी खम्भे का $\frac{1}{4}$ भाग कीचड़ में, $\frac{1}{3}$ भाग पानी में और शेष 10 फीट पानी के ऊपर है, तो खम्भे की लम्बाई कितनी है?

(a) 16 फीट (b) 18 फीट
(c) 14 फीट (d) 24 फीट

72. एक पुस्तकालय में $\frac{1}{5}$ भाग किताबें हिन्दी की तथा शेष का $\frac{1}{2}$ भाग अंग्रेजी की है और शेष 9000 किताबें अन्य भाषाओं की है, तो पुस्तकालय में कुल कितनी किताबें है?

(a) 22500 (b) 20500
(c) 18000 (d) 36000

73. एक विद्यालय में $\frac{1}{4}$ भाग लड़कियाँ तथा $\frac{1}{6}$ भाग लड़के एक शिविर में भाग लेते है। कुल विद्यार्थियों का कितना भाग शिविर में भाग नहीं लेता है?

(a) $\frac{5}{12}$ (b) $\frac{7}{12}$
(c) $\frac{7}{24}$ (d) $\frac{13}{24}$

74. $\frac{3}{5}$ और $\frac{7}{3}$ के व्युत्क्रमों के योग का व्युत्क्रम क्या होगा?

(a) $\frac{15}{44}$ (b) $\frac{21}{44}$
(c) $\frac{44}{21}$ (d) $\frac{44}{15}$

75. सरल कीजिए–

$$1+\frac{2}{1+\frac{3}{1+\frac{4}{5}}}$$

(a) $\frac{7}{4}$ (b) $\frac{4}{7}$
(c) $\frac{7}{5}$ (d) $\frac{3}{7}$

76. $1-\frac{a}{1-\frac{1}{1+\frac{a}{1-a}}}$ का मान क्या है?

(a) a (b) $1-a$
(c) 1 (d) 0

77. एक महाविद्यालय के एक तिहाई लड़के तथा आधी लड़कियाँ एक शिविर में भाग लेती है। यदि इस शिविर में कुल 500 विद्यार्थी भाग लें जिनमें से 300 लड़के हो तो विद्यालय में कुल कितने विद्यार्थी है?

(a) 1300 (b) 700
(c) 900 (d) 1100

ANSWER

1.	a	2.	c	3.	c	4.	a	5.	a
6.	c	7.	a	8.	a	9.	d	10.	b
11.	a	12.	d	13.	c	14.	b	15.	b
16.	b	17.	c	18.	b	19.	a	20.	b
21.	a	22.	c	23.	b	24.	c	25.	d
26.	b	27.	b	28.	b	29.	d	30.	d
31.	b	32.	b	33.	a	34.	a	35.	a
36.	b	37.	a	38.	c	39.	c	40.	d
41.	b	42.	b	43.	a	44.	d	45.	b
46.	a	47.	d	48.	c	49.	a	50.	b
51.	d	52.	c	53.	a	54.	b	55.	b
56.	c	57.	c	58.	b	59.	d	60.	c
61.	c	62.	a	63.	b	64.	b	65.	a
66.	d	67.	b	68.	d	69.	d	70.	c
71.	d	72.	a	73.	b	74.	b	75.	a
76.	d	77.	a						

Explanatory Notes

1. (a) दो उचित भिन्नो का गुणनफल इन भिन्नों में से प्रत्येक से बड़ा होता है यह कथन असत्य है।
क्योंकि कोई भी दो उचित भिन्नों का गुणा करने पर गुणनफल इनमें से प्रत्येक भिन्न से छोटा होगा।
Example : $\frac{1}{2} \times \frac{1}{3} = \frac{1}{6}$
यहाँ $\frac{1}{6}$, $\frac{1}{2}$ और $\frac{1}{3}$ में से प्रत्येक से छोटा है।
Note : दो विषम /अनुचित भिन्नों का गुणनफल इन भिन्नों मे से प्रत्येक से बड़ा होगा।

2. (c) **विषम भिन्न/अनुचित भिन्न :** वह भिन्न, जिसका अंश बड़ा तथा हर छोटा हो अनुचित भिन्न कहलाता है।
7 केकों को 5 सदस्यों में समान रूप से विभाजित करना $= \frac{7}{5}$

3. (c) **विषम/अनुचित भिन्न** : $\frac{a}{b}$ जहाँ,
a > b अतः दिये गये विकल्प में (c) सही है।

4. (a) $\frac{3}{8} + \frac{4}{16} + \frac{1}{4} + \frac{1}{8}$
$= \frac{6+4+4+2}{16}$
$= \frac{16}{16} = 1$

5. (a) $\frac{5}{19}$ का योज्य प्रतिलोम $= \left(\frac{-5}{19}\right)$
$\frac{5}{19} \times \left(\frac{-5}{19}\right)$ का गुणात्मक प्रतिलोम
$= -\frac{361}{25}$

6. (c) माना, संख्या x है।
$\frac{x}{5} = \frac{x}{7} + 10$
$\frac{x}{5} - \frac{x}{7} = 10$
$\frac{7x-5x}{35} = 10$
तब $2x = 10 \times 35$
$x = 5 \times 35 = 175$

7. (a) माना, वह संख्या x है।
$3x = \frac{3x}{5} + 60$
$3x - \frac{3x}{5} = 60$
$\frac{12x}{5} = 60$
$x = \frac{60\times5}{12} = 25$

8. (a)माना, $\frac{4}{7}$ का x वाँ भाग उसी में जोड़ा जाये
$\frac{4}{7} + \frac{4x}{7} = 1\frac{1}{14}$
$\frac{4+4x}{7} = \frac{15}{14}$
$4+ 4x = \frac{15}{14} \times 7$
$4+ 4x = \frac{15}{2}$
$4x = \frac{15}{2} - 4 = \frac{7}{2}$
$x = \frac{7}{8}$

9. (d) माना, वह संख्या x है।
$\frac{x}{4} \times \frac{1}{3} = 15$
$x = 15 \times 12 = 180$
∴ संख्या का $\frac{3}{10}$ वाँ भाग $= 180 \times \frac{3}{10} = 54$

10. (b) माना, कुल सम्पत्ति $= x$
$\frac{7x}{8} - \frac{3x}{8} = 112$
$\frac{4x}{8} = 112$
$x = 112 \times 2 = 224$

11. (a) माना, संख्या x है।
$\left(x - \frac{1}{2}\right) \times \frac{1}{2} = \frac{1}{8}$
$\left(x - \frac{1}{2}\right) = \frac{1}{8} \times 2 = \frac{1}{4}$
$x = \frac{1}{4} + \frac{1}{2} = \frac{3}{4}$

12. (d) माना, सभागार में कुल x व्यक्ति है।
प्रश्नानुसार, $\frac{5x}{7} - \frac{2x}{7} = 111$
$\frac{3x}{7} = 111$
$x = \frac{111\times7}{3} = 37\times7 = 259$
∴ लड़कों की संख्या $= \frac{5x}{7} = \frac{5\times259}{7}$
$= 5 \times 37 = 185$

13. (c) माना, कुल दर्शकों की x है
$\frac{x}{6} + 4000 = x$
$x - \frac{x}{6} = 4000$
$\frac{5x}{6} = 4000$
$x = \frac{4000\times6}{5} = 4800$

14. (b) माना, संख्या x है।
सही उत्तर $= \frac{5x}{16}$
गलत उत्तर $= \frac{5x}{6}$
$\frac{5x}{6} - \frac{5x}{16} = 250$
$\frac{40x-15x}{48} = 250$
$25x = 250 \times 48$
$x = 480$

15. (b) माना, संख्या x है
सही उत्तर $= \frac{3x}{14}$
गलत उत्तर $= \frac{3x}{4}$
$\frac{3x}{4} - \frac{3x}{14} = 150$
$\frac{21x-6x}{28} = 150$

$15x = 150×28$
$x = 280$

16. (b) माना, संख्या x है
सही उत्तर = $\frac{3x}{2}$
गलत उत्तर = $\frac{x}{\frac{3}{2}} = \frac{2x}{3}$
$\frac{3x}{2} - \frac{2x}{3} = 10$
$\frac{9x-4x}{6} = 10$
$5x = 10 × 6$
$x = 12$

17. (c) माना, संख्या x है
सही उत्तर = $\frac{8x}{17}$
गलत उत्तर = $\frac{x}{\frac{8}{17}} = \frac{17x}{8}$
$\frac{17x}{8} - \frac{8x}{17} = 225$
$\frac{289x-64x}{136} = 225$
$225x = 225×136$
$\therefore x = 136$

18. (b) माना, वह भिन्न x है
सही उत्तर = $\frac{6x}{7}$
गलत उत्तर = $\frac{7x}{6}$
$\frac{7x}{6} - \frac{6x}{7} = \frac{13}{70}$
$\frac{49x-36x}{42} = \frac{13}{70}$
$13\,x = \frac{13}{70} × 42$
$x = \frac{3}{5}$

19. (a) माना, भिन्न $\frac{x}{y}$ है।
$\frac{x}{y+1} = \frac{1}{2}$
या $2x = y + 1$
या, $2x - y = 1$.....(i)
$\frac{x+1}{y} = 1$
या, $x + 1 = y$
या, $x - y = -1$.....(ii)
समी० (i) में से समी० (ii) घटाने पर –
$x = 2$ यह मान (i) में रखने पर
$4 - y = 1$
$\therefore y = 3$
$\therefore xy = 2 × 3 = 6$

20. (b) माना, अंश = x
तब हर = $(x+3)$
$\frac{x+7}{x+3-2} = 2$
$x+7 = 2(x+1)$
$x+7 = 2x+2$
$\therefore x = 5$
अतः $x+x+3 = 2x+3= 13$

21. (a) माना, भिन्न $\frac{x}{y}$ है।
$\frac{x-1}{y-1} = \frac{1}{3}$
या, $3x-3 = y-1$
या, $3x-y = 2$.....(i)
तथा $\frac{x+1}{y+1} = \frac{1}{2}$
या, $2x + 2 = y + 1$
या, $2x - y = -1$....(ii)
समी० (i) में से समी० (ii) घटाने पर
$x = 3$ यह मान (i) में रखने पर
$9 - y = 2$
$y = 7$
अतः $x + y = 3+7 = 10$

22. (c) माना, अंश = x
तब हर = $(11-x)$
$\frac{x+2}{11-x+2} = \frac{x}{11-x} + \frac{1}{24}$
$\frac{x+2}{13-x} - \frac{x}{11-x} = \frac{1}{24}$
$\frac{11x+22-x^2-2x-13x+x^2}{(13-x)(11-x)} = \frac{1}{24}$
$\frac{22-4x}{143-24x+x^2} = \frac{1}{24}$
$528 - 96x = 143 - 24x + x^2$
$x^2 + 72x - 385 = 0$
$(x + 77)(x-5) = 0$
$x=5$(अंश)
तब हर $11-5 = 6$
$\therefore$ अंश व हर का अन्तर $= 6 - 5 = 1$

23. (b) माना, हर = x
तब, अंश = $(x-4)$
$x+1 = 8(x-4-2)$
$x+1 = 8x-48$
$49 = 7x$
$x = 7$ (हर)
$\therefore$ अंश $= 7 - 4 = 3$
$\therefore$ भिन्न $= \frac{3}{7}$

24. (c) उच्च स्कूली कक्षाओं में शिक्षिका $= 96×\frac{3}{8} = 36$
उच्च स्कूली कक्षा में गणित शिक्षिका $= 36×\frac{2}{9} = 8$
$\therefore$ उच्च स्कूली कक्षा में गणित न पढाने वाली शिक्षिका $= 36 - 8 = 28$

25. (d)

विषय	पसन्द करने वाले विद्यार्थी	शेष विद्यार्थी
हिन्दी	$60× \frac{1}{5} = 12$	48
गणित	$48× \frac{3}{8} = 18$	30

∴विज्ञान पसन्द करने वाले विद्यार्थी
= 30

26. (b)

विद्यार्थी	लड़के	लड़कियाँ
660	$660\times\frac{2}{3} = 440$	220
खिलाड़ी	$440\times\frac{3}{4} = 330$	$220\times\frac{1}{4} = 55$

∴कुल खिलाड़ी = 330+55 = 385

27. (b) माना कुल कैण्डी = 3, 4, 5 व 6 का ल०स० = 60 unit

जॉन = $60\times\frac{1}{3}$ = 20 unit

राधा = $60\times\frac{1}{4}$ = 15 unit

सुस्मिता = $60\times\frac{1}{5}$ = 12 unit

मीकू = $60\times\frac{1}{6}$ = 10 unit

Total = 57 unit

∵ 3 unit = 6 कैण्डी

∴ 1 unit = 2 कैण्डी

Total = 60 unit = 120 कैण्डी

28. (b) माना, कुल कंकड़ = 5,4 व 3 का ल०स० = 60 unit

I समूह = $60\times\frac{1}{5}$ = 12 unit

II समूह = $60\times\frac{1}{4}$ = 15 unit

III समूह = $60\times\frac{1}{3}$ = 20 unit

Total = 47 unit

∵ 13 unit = 26 कंकड़

∴ 1 unit = 2 कंकड़

∴ Total = 60 unit = 120 कंकड़

29. (d) माना, कुल टॉफी = 7, 6, व 5 का ल० स० = 420 unit

अदिति = $420\times\frac{2}{7}$ = 120 unit

अमल = $420\times\frac{1}{6}$ = 70 unit

फरमान = $420\times\frac{2}{5}$ = 168 unit

जैरी = $420\times\frac{1}{7}$ = 60 unit

Total = 418 unit

∵ 2 unit = 2 टॉफी

∴ 1 unit = 1 टॉफी

∴ Total = 420 Unit = 420 टॉफी

30. (d) माना, कुल छात्र = x

बॉलीबॉल खेलने वाले छात्र = 160

$\frac{x}{4} = 160$

$x = 640$

∴ शतरंज खेलने वाले छात्र

$= 640 \times \frac{1}{16} = 40$

31. (b) माना दोनों भिन्न क्रमशः $\frac{x}{y}$ तथा $\frac{a}{b}$ है

$\frac{x}{y}\times\frac{a}{b} = \frac{14}{15}$ ......(i)

$\frac{x}{y}\times\frac{b}{a} = \frac{35}{24}$

या, $\frac{x}{y} = \frac{35}{24}\times\frac{a}{b}$ यह मान (i) में रखने पर

$\frac{35}{24}\times\frac{a}{b}\times\frac{a}{b} = \frac{14}{15}$

$\left(\frac{a}{b}\right)^2 = \frac{14}{15}\times\frac{24}{35} = \frac{16}{25} = \left(\frac{4}{5}\right)^2$

∴$\frac{a}{b} = \frac{4}{5}$ यह मान (i) में रखने पर

$\frac{x}{y}\times\frac{4}{5} = \frac{14}{15}$

$\frac{x}{y} = \frac{14}{15}\times\frac{5}{4} = \frac{7}{6}$

अतः बड़ी भिन्न = $\frac{7}{6}$

32. (b) प्रश्न संख्या 31 का हल देखें।

बड़ी भिन्न = $\frac{7}{6}$

33. (a) $\frac{2}{3} = 0.66$

$\frac{3}{5} = 0.60$

$\frac{5}{8} = 0.62$

बड़ी भिन्न = $\frac{2}{3}$ छोटी भिन्न = $\frac{3}{5}$

अन्तर = $\frac{2}{3}-\frac{3}{5} = \frac{10-9}{15} = \frac{1}{15}$

34. (a) $\frac{1}{2} = 0.50$ $\frac{1}{3} = 0.33$

$\frac{4}{5} = 0.80$ $\frac{5}{6} = 0.83$

$\frac{3}{4} = 0.75$

∴ बड़ी भिन्न = $\frac{5}{6}$ छोटी भिन्न = $\frac{1}{3}$

35. (a) $\frac{2}{7} = 0.28$ $\frac{3}{13} = 0.23$

$\frac{5}{6} = 0.83$

अवरोही क्रम में रखने पर , $\frac{5}{6}, \frac{2}{7}, \frac{3}{13}$

36. (b) $\frac{3}{8} = 0.37$ $\frac{4}{5} = 0.80$

$\frac{31}{40} = 0.77$ $\frac{9}{20} = 0.45$

$\frac{7}{10} = 0.70$

अतः $\frac{1}{2}$ से बड़ी तथा $\frac{3}{4}$ से छोटी भिन्न = $\frac{7}{10}$

दृष्टव्यः [0.50 < 0.70 < 0.75]

37. (a) $\frac{2}{9} = 0.22$ $\frac{5}{8} = 0.62$

$\frac{1}{3} = 0.33$ $\frac{3}{4} = 0.75$

आरोही क्रमः $\frac{2}{9}, \frac{1}{3}, \frac{5}{8}, \frac{3}{4}$

38. (c) 0.232323........

$= 0.\overline{23}$

$= \frac{23}{99}$

39. (c) $0.12\overline{3} = \frac{123-12}{900} = \frac{111}{900} = \frac{37}{300}$

40. (d) $3+0.\overline{36} - 2 - 0.\overline{05} + 1 + 0.\overline{33}$

$= 2+\frac{36}{99}-\frac{5}{99}+\frac{33}{99}$

$= 2+\frac{36-5+33}{99}$

$= 2+\frac{64}{99}$

$= 2+0.\overline{64} = 2.\overline{64}$

41. (b) $\frac{63}{99}+\frac{37}{99}+\frac{80}{99} = \frac{63+37+80}{99} = \frac{180}{99}$

$= 1\frac{81}{99}$

$= 1.\overline{81}$

42. (b) $0.5\overline{6} - 0.7\overline{23} + 0.3\overline{9} \times 0.\overline{7}$

$= \frac{56-5}{90} - \frac{723-7}{990} + \frac{39-3}{90} \times \frac{7}{9}$

$= \frac{51}{90} - \frac{716}{990} + \frac{36}{90} \times \frac{7}{9}$

$= \frac{51}{90} - \frac{716}{990} + \frac{28}{90}$

$= \frac{561-716+308}{990}$

$= \frac{153}{990}$

$= 0.1\overline{54}$

43. (a) $1+\cfrac{1}{1+\cfrac{2}{2+\cfrac{3}{1+\frac{4}{5}}}} = 1+\cfrac{1}{1+\cfrac{2}{2+\frac{3\times5}{9}}}$

$= 1+\cfrac{1}{1+\cfrac{2}{\frac{33}{9}}} = 1+\cfrac{1}{1+\frac{18}{33}}$

$= 1+\frac{1\times33}{51} = \frac{84}{51} = \frac{28}{17} = 1\frac{11}{17}$

44. (d) $\frac{19}{43}+\cfrac{1}{2+\cfrac{1}{3+\cfrac{1}{\frac{5}{4}}}}$

$= \frac{19}{43}+\cfrac{1}{2+\cfrac{1}{3+\frac{4}{5}}} = \frac{19}{43}+\cfrac{1}{2+\cfrac{1}{\frac{19}{5}}}$

$= \frac{19}{43}+\cfrac{1}{2+\frac{5}{19}} = \frac{19}{43}+\cfrac{1}{\frac{43}{19}}$

$= \frac{19}{43}+\frac{19}{43} = \frac{38}{43}$

45. (b) $2 = x+\cfrac{1}{1+\cfrac{1}{\frac{13}{4}}}$

$2 = x+\cfrac{1}{1+\frac{4}{13}}$

$2 = x+\frac{13}{17}$

$x = 2-\frac{13}{17} = \frac{21}{17}$

46. (a) $1+\cfrac{1}{1+\cfrac{2}{2+\cfrac{3}{\frac{9}{5}}}} = 1+\cfrac{1}{1+\cfrac{2}{2+\frac{15}{9}}}$

$1+\cfrac{1}{1+\cfrac{2}{\frac{33}{9}}} = 1+\cfrac{1}{1+\frac{18}{33}}$

$= 1+\cfrac{1}{\frac{51}{33}} = 1+\frac{33}{51} = 1+\frac{11}{17}$

$= 1\frac{11}{17}$

47. (d) $\cfrac{1}{3+\cfrac{1}{2-\cfrac{1}{\frac{7}{9}}}}+\frac{17}{22}$

$= \cfrac{1}{3+\cfrac{1}{2-\frac{9}{7}}}+\frac{17}{22}$

$= \cfrac{1}{3+\cfrac{1}{\frac{5}{7}}}+\frac{17}{22}$

$= \cfrac{1}{3+\frac{7}{5}}+\frac{17}{22}$

$= \cfrac{1}{\frac{22}{5}}+\frac{17}{22}$

$= \frac{5}{22}+\frac{17}{22}$

$= \frac{22}{22} = 1$

48. (c) $x = 1+\cfrac{1}{1+\cfrac{1}{1+\cfrac{1}{1+\frac{1}{2}}}}$

$x = 1+\cfrac{1}{1+\cfrac{1}{1+\frac{2}{3}}}$

$x = 1+\cfrac{1}{1+\frac{3}{5}}$

$x = 1+\frac{5}{8} = \frac{13}{8}$

$\therefore 2x+\frac{7}{4} = 2\times\frac{13}{8}+\frac{7}{4}$

$= \frac{26+14}{8} = \frac{40}{8} = 5$

49. (a) माना, भिन्न $\frac{x}{y}$ है

$\frac{x\times120\%}{y\times125\%} = \frac{3}{5}$

$\frac{x}{y} = \frac{3}{5}\times\frac{125}{120}$

$\frac{x}{y} = \frac{5}{8}$

50. (b) अंश : हर = 5 : 8

प्रश्नानुसार, 13 Unit = 91

1 Unit = 7

अंश = 5 Unit = 35

हर = 8 Unit = 56

∴ अन्तर = 56 – 35 = 21

51. (d) माना, भिन्न $\frac{x}{y}$ है।

$x+y = 55$.....(i)

$\frac{x}{y} = \frac{3}{5}$ या $x = \frac{3}{8}y$ यह मान (i) में रखने पर

$\frac{3y}{8}+y = 55$

$\frac{11y}{8} = 55$

$y = 40$ यह मान (i) में रखने पर

$x = 15$

∴ भिन्न $= \frac{15}{40}$

52. **(c)** $\frac{5}{6} = 0{\cdot}83$ $\qquad \frac{11}{12} = 0{\cdot}91$

$\frac{7}{8} = 0{\cdot}87$ $\frac{3}{10} = 0{\cdot}30$

अतः सबसे बड़ी भिन्न $= \frac{11}{12}$ *Ans.*

53. **(a)** $\frac{3}{5} = 0{\cdot}60$ $\frac{7}{8} = 0{\cdot}87$

$\frac{11}{11} = 1$ $\frac{15}{14} = 1{\cdot}07$

अतः सबसे छोटी भिन्न $= \frac{3}{5}$ *Ans.*

54. **(b)** $16 - 15 = 20 - 19 = 25 - 24 = 35 - 24 = 1$

अतः सबसे छोटा भिन्न $= \frac{15}{16}$ *Ans.*

55. **(b)** $\frac{5}{8} = 0{\cdot}625$ व $\frac{7}{11} = 0{\cdot}636$

$\frac{19}{30} = 0{\cdot}633$

अतः भिन्न $\frac{19}{30}, \frac{5}{8}$ और $\frac{7}{11}$ के बीच है।

56. **(c)** $1{\cdot}\overline{27} = 1 + 0{\cdot}\overline{27}$

$= 1 + \frac{27}{99}$

$= 1 + \frac{3}{11}$

$= \frac{14}{11}$ *Ans.*

57. **(c)** $0{\cdot}121212 \ldots\ldots$

$= 0{\cdot}\overline{12}$

$= \frac{12}{99}$

$= \frac{4}{33}$ *Ans*

58. **(b)** $0{\cdot}\bar{7} + 0{\cdot}01\bar{7}$

$= \frac{7}{9} + \frac{(17-1)}{900}$

$= \frac{7}{9} + \frac{16}{900}$

$= \frac{700+16}{900}$

$= \frac{716}{900}$

$= \frac{179}{225}$ *Ans.*

59. **(d)** $2{\cdot}\overline{13} + 4{\cdot}\overline{24} + 5{\cdot}\overline{37} + 6{\cdot}\overline{68}$

$= 2 + 0{\cdot}\overline{13} + 4 + 0{\cdot}\overline{24} + 5 + 0{\cdot}\overline{37} + 6 + 0{\cdot}\overline{68}$

$= 17 + \frac{13}{99} + \frac{24}{99} + \frac{37}{99} + \frac{68}{99}$

$= 17 + \frac{142}{99}$

$= 17 + 1\frac{43}{99}$

$= 17 + 1 + \frac{43}{99}$

$= 18\frac{43}{99}$ *Ans.*

60. **(c)** $\frac{37\frac{1}{2}}{\frac{1}{8}}$

$= \frac{75}{2} \times \frac{8}{1}$

$= 75 \times 4$

$= 300$ *Ans.*

61. **(c)** माना, भिन्न $\frac{x}{y}$ है।

$\frac{x \times 110\%}{y \times 120\%} = \frac{22}{45}$

$\frac{x}{y} = \frac{22}{45} \times \frac{12}{11}$

$\frac{x}{y} = \frac{8}{15}$ *Ans.*

62. **(a)** माना, अंश $= x$

तब हर $= (x + 8)$

प्रश्नानुसार, $\frac{x+17}{(x+8)+1} = \frac{3}{2}$

$\frac{x + 17}{x + 9} = \frac{3}{2}$

$2x + 34 = 3x + 27$

$x = 7$

अतः परिमेय संख्या $= \frac{\text{अंश}}{\text{हर}} = \frac{x}{x+8} = \frac{7}{7+8}$

$= \frac{7}{15}$ *Ans.*

63. **(b)** माना, वह संख्या x है।

प्रश्नानुसार, $\frac{3x}{4} - \frac{3x}{14} = 150$

$\frac{21x - 6x}{28} = 150$

$15x = 150 \times 28$

$x = \frac{150 \times 28}{15} = 280$ *Ans.*

64. **(b)** माना, वह संख्या x है।

सही उत्तर $= \frac{3x}{2}$, गलत उत्तर $= \frac{2x}{3}$

प्रश्नानुसार, $\frac{3x}{2} - \frac{2x}{3} = 10$

$\frac{9x - 4x}{6} = 10$

$5x = 10 \times 6$

$x = \frac{10 \times 6}{5} = 12$ *Ans.*

65. **(a)** माना, $\frac{4}{7}$ का x भाग, उसी में जोड़ा जाये

तब, $\frac{4x}{7} + \frac{4}{7} = \frac{15}{14}$

$\frac{4x + 4}{7} = \frac{15}{14}$

$$4x + 4 = \frac{15}{14} \times 7$$
$$4x = \frac{15}{2} - 4 = \frac{7}{2}$$
$$\therefore x = \frac{7}{8} \ Ans.$$

66. **(d)** माना, वह संख्या x है।
$$\frac{3x}{5} = \frac{2x}{7} + 33$$
$$\frac{3x}{5} - \frac{2x}{7} = 33$$
$$\frac{21x - 10x}{35} = 33$$
$$11x = 35 \times 33$$
$$x = \frac{33 \times 35}{11} = 105 \ Ans.$$

67. **(b)** माना, वह संख्या x है।
$$\frac{3x}{4} - \frac{2x}{7} = 39$$
$$\frac{21x - 8x}{28} = 39$$
$$13x = 39 \times 28$$
$$x = \frac{39 \times 28}{13} = 84 \ Ans.$$

68. **(d)** माना, x घटाया जाये
$$\frac{5}{14} - x = \frac{1}{6}$$
$$x = \frac{5}{14} - \frac{1}{6}$$
$$x = \frac{15 - 7}{42}$$
$$x = \frac{8}{42}$$
$$x = \frac{4}{21} \ Ans.$$

69. **(d)** माना, वह संख्या x है।
$$\frac{x}{3} - \frac{x}{5} = \frac{x}{7} - 4$$
या $\frac{x}{7} - \frac{x}{3} + \frac{x}{5} = 4$
$$\frac{15x - 35x + 21x}{105} = 4$$
$$x = 105 \times 4$$
$$x = 420 \ Ans.$$

70. **(c)** माना, वह संख्या x है।
$$\frac{2x}{3} = 96$$
$$x = 96 \times \frac{3}{2} = 144$$
अतः संख्या का $\frac{3}{4} = 144 \times \frac{3}{4}$
$$= 108 \ Ans.$$

71. **(d)** खम्भे की लम्बाई $= \frac{10}{1-\left(\frac{1}{4}+\frac{1}{3}\right)}$
$$= \frac{10}{1-\left(\frac{3+4}{12}\right)}$$
$$= \frac{10}{\frac{5}{12}}$$
$$= 10 \times \frac{12}{5}$$
$= 24$ फीट $Ans.$

72. **(a)** कुल किताबों की संख्या $= \frac{9000}{\left(1-\frac{1}{5}\right)\left(1-\frac{1}{2}\right)}$
$$= \frac{9000}{\frac{4}{5}\times\frac{1}{2}}$$
$$= 9000 \times \frac{5}{2}$$
$$= 22500 \ Ans.$$

73. **(b)** भाग न लेने वाले विद्यार्थी $= 1 - \left(\frac{1}{4} + \frac{1}{6}\right)$
$$= 1 - \left(\frac{3+2}{12}\right)$$
$$= \frac{7}{12} \ Ans.$$

74. **(b)** $\frac{3}{5}$ का व्युत्क्रम $= \frac{5}{3}$ तथा $\frac{7}{3}$ का व्युत्क्रम $= \frac{3}{7}$

अतः $= \frac{5}{3} + \frac{3}{7} = \frac{35+9}{21} = \frac{44}{21}$

$\therefore \frac{44}{21}$ का व्युत्क्रम $= \frac{21}{44}$ $Ans.$

75. **(a)** $1 + \frac{2}{1+\frac{3}{1+\frac{4}{5}}}$
$$= 1 + \frac{2}{1+\frac{3}{\frac{9}{5}}}$$
$$= 1 + \frac{2}{1+\frac{15}{9}}$$
$$= 1 + \frac{2}{\frac{8}{3}}$$
$$= 1 + \frac{6}{8}$$
$$= 1 + \frac{3}{4}$$
$$= \frac{7}{4} \ Ans.$$

76. **(d)** $1 - \frac{a}{1-\frac{1}{1+\frac{a}{1-a}}}$

$$= 1 - \frac{a}{1 - \frac{1}{\frac{1-a+a}{1-a}}}$$

$$= 1 - \frac{a}{1 - \frac{(1-a)}{1}}$$

$$= 1 - \frac{a}{1-1+a}$$

$$= 1 - \frac{a}{a}$$

$$= 0 \ Ans.$$

77. **(a)** माना, लड़के $= x$ तथा लड़कियाँ $= y$

$\frac{x}{3} = 300 \qquad \therefore \ x = 900$

$\frac{y}{2} = 200 \qquad \therefore \ y = 400$

$\therefore$ कुल विद्यार्थी $= 900 + 400 = 1300 \ Ans.$

5 घातांक तथा करणी (Indices and Surds)

घातांक के सामान्य नियम :–

1. **गुणा का नियम** : $a^m.a^n = a^{m+n}$
2. **भाग का नियम** : $a^m \div a^n = a^{m-n}$
3. **घातों पर घात नियम** : $(a^m)^n = a^{mn}$

   परन्तु , $a^{m^n} \neq a^{mn}$
4. **घातों का शून्य होना** : $a^0 = a^{m-m} = \frac{a^m}{a^m} = 1$
5. **घातों का द्विपक्षीय नियम** :

   (i) यदि $a^m = a^n$ तब $m = n$

   (ii) यदि $a^m = b^m$ तब $a = b$
6. **घातों का व्युत्क्रम नियम** :

   (i) यदि $a^m = b$ तब $a = b^{\frac{1}{m}}$

   (ii) यदि $a^{\frac{1}{n}} = b$ तब $a = b^n$
7. **अन्य नियम** :

   (i) $a^{-m} = \frac{1}{a^m}$

   (ii) $\frac{1}{a^{-n}} = a^n$

   (iii) $(a \times b \times c)^n = a^n \times b^n \times c^n$ तब $a = b$

घातांक से प्रश्नों के प्रकार

Type - 01

प्रश्न : $8^{\frac{2}{3}}$ का मान बताइये?

हल : $(2^3)^{\frac{2}{3}} \quad = 2^2 \quad = 4\, Ans$

प्रश्न : $(256)^{0.16} \times (16)^{0.18}$ का मान बताइये?

हल : $(16^2)^{0.16} \times (16)^{0.18}$

$(16)^{0.32} \times (16)^{0.18}$

$(16)^{0.5} = (2^4)^{0.5} = (2)^2 = 4\, Ans.$

Type - 02

प्रश्न : $(xy)^{a-b}.(xy)^{b-c}.(xy)^{c-a}$ का मान बताइये?

हल : $(xy)^{a-b+b-c+c-a}$

$(xy)^0 = 1\, Ans.$

प्रश्न : $x^{\frac{a-b}{ab}}.x^{\frac{b-c}{bc}}.x^{\frac{c-a}{ca}}$ का मान बताइये?

हल : $x^{\frac{a-b}{ab}}.x^{\frac{b-c}{bc}}.x^{\frac{c-a}{ca}}$

$= x^{\frac{a}{ab}-\frac{b}{ab}}.x^{\frac{b}{bc}-\frac{c}{bc}}.x^{\frac{c}{ca}-\frac{a}{ca}}$

$= x^{\frac{1}{b}-\frac{1}{a}+\frac{1}{c}-\frac{1}{b}+\frac{1}{a}-\frac{1}{c}}$

$= x^0 = 1\, Ans.$

Type - 03

घातांक वाली संख्याओं की तुलना :–

Step-(i) सर्वप्रथम घात को बराबर करने के लिए घातों का म0स0 ज्ञात करें।

Step-(ii) अब म0स0 को ही प्रत्येक आधार की मुख्य घात बनायें।

Step-(iii) सरलतम पद में व्यक्त करके संख्याओं की तुलना कर लेते हैं।

प्रश्न : 3^{50}, 4^{40}, 5^{30} व 6^{20} में सबसे बड़ी संख्या बताइये?

हल : घातों का म0स0 = 10

$(3^5)^{10}, (4^4)^{10}, (5^3)^{10}\ o\, (6^2)^{10}$

$= (343)^{10}, (256)^{10}, (125)^{10}$ व $(36)^{10}$

अतः सबसे बड़ी संख्या = $(256)^{10} = 4^{40}\, Ans.$

Type - 04

प्रश्न : यदि $5^{2x-1} - 3125 = 0$ तो x का मान बताइये?

हल : $5^{2x-1} = 3125$

$5^{2x-1} = 5^5$

$\therefore 2x - 1 = 5$

$2x = 6$

अतः $x = 3\, Ans.$

प्रश्न : $8^{x+1} = 64$ तो 3^{2x+1} का मान बताइये?

हल : $(2^3)^{x+1} = 2^6$

$2^{3x+3} = 2^6$

अतः $3x + 3 = 6$

$3x = 3$

$\therefore x = 1$

अतः $3^{2x+1} = 3^{2\times1+1} = 3^3 = 27\, Ans.$

Type - 05

जब तीन या तीन से अधिक व्यंजक आपस में बराबर हो

प्रश्न : यदि $2^x = 3^y = 6^{-z}$ हो, तो $\left(\frac{1}{x}+\frac{1}{y}+\frac{1}{z}\right)$ का मान बताइये?

हल : माना, $2^x = 3^y = 6^{-z} = k$

तब $2 = k^{\frac{1}{x}}, 3 = k^{\frac{1}{y}}$ व $6 = k^{-\frac{1}{z}}$

$\because 2 \times 3 = 6$

$k^{\frac{1}{x}} \times k^{\frac{1}{y}} = k^{-\frac{1}{z}}$

$k^{\frac{1}{x}+\frac{1}{y}} = k^{-\frac{1}{z}}$

अतः $\frac{1}{x}+\frac{1}{y} = -\frac{1}{z}$

$\therefore \frac{1}{x}+\frac{1}{y}+\frac{1}{z} = 0$ *Ans.*

प्रश्न : यदि $2^x = 4^y = 8^z$ तथा $xyz = 288$ हो, तो z का मान हैं–

(a) 2 (b) 4
(c) 12 (d) 6

हल – $2^x = 4^y = 8^z$

$2^x = 2^{9y} = 2^{3z}$

$x = 2y = 3z$ ....(i)

$\therefore x = 3z$

तथा $2y = 3z$

$\therefore y = \frac{3z}{2}$

$\because xyz = 288$

$3z.\frac{3z}{2}.z = 288$

$z^3 = 288 \times \frac{2}{9} = 64$

$\therefore z = 4$

Type - 06

दोनों पक्षों की तुलना पर प्रश्न :

प्रश्न : यदि $a^b = 125$ हो तो $(a-b)^{a+b-4}$ का मान हैं–

(a) 2 (b) 4
(c) 16 (d) 32

हल – $\mathbf{a^b = 5^3}$

दोनों पक्षों की तुलना करने पर

a=5 तथा b=3

$(a - b)^{a+b-4}$

$= (5 - 3)^{5+3-4}$

$= (2)^4 = 16$

प्रश्न : यदि $2^a.3^b.5^c = 1080$ हो, तो a+b+c का मान हैं–

(a) 2 (b) 3
(c) 5 (d) 7

हल – $\mathbf{2^a.3^b.5^c = 2^3.3^3.5^1}$

दोनों पक्षों की तुलना करने पर

a=3, b=3, c=1

a+b+c = 3+3+1=7

प्रश्न : $5^{2x-1}-3125=0$ हो, तो x का मान हैं–

(a) 3 (b) 2
(c) 6 (d) 1

हल – $5^{2x-1} - 5^5 = 0$

$5^{2x-1} = 5^5$

$\therefore 2x - 1 = 5$

या, $2x = 6$

$\therefore x = 3$

Type - 07

संगत पदों का गुणा करके बनने वाले प्रश्न :

प्रश्न : यदि $a^x = (x+y+z)^y, a^y = (x+y+z)^z$ तथा $a^z = (x+y+z)^x$ हो तो $x+y+z$ बराबर हैं–

(a) 1 (b) a
(c) 0 (d) ax + y + z

हल – संगत पदों का गुणा करने पर

$\boldsymbol{a^x a^y a^z = (x+y+z)^y.(x+y+z)^z.(x+y+z)^x}$

$a^{x+y+z} = (x+y+z)^{x+y+z}$

दोनों पक्षों की तुलना करने पर

$a = x+y+z$

प्रश्न : यदि $a^x = b$, $b^y = c$ तथा $c^z = a$ हो तो $x.y.z$ का मान हैं–

(a) 1 (b) 0
(c) abc (d) a

हल – संगत पदों का गुणा करने पर

$\mathbf{a^x.b^y.c^z = b.c.a}$

या, $a^x.b^y.c^z = a^1.b^1.c^1$

दोनों पक्षों की तुलना करने पर

$x = 1, \quad y = 1, \quad z = 1$

$\therefore xyz = 1 \times 1 \times 1 = 1$

Type - 08

Pattern – $[a^{m+n} = a^m . a^n]$

प्रश्न : यदि $2^{x-1} + 2^{x+1} = 320$ हो तो x का मान हैं–

(a) 6 (b) 8
(c) 5 (d) 7

हल – $2^{x-1} + 2^{x+1} = 320$

$2^x.2^{-1} + 2^x.2^1 = 320$

$$2^x\left(\frac{1}{2}+2\right)=320$$

$$2^x=320\times\frac{2}{5}=128$$

$$2^x=2^7$$

$$\therefore x=7$$

प्रश्न : यदि $3^{x+8}=27^{2x+1}$ हो, तो x का मान हैं–

(a) 7 (b) 3

(c) 2 (d) 1

हल – $3^{x+8}=(3^3)^{2x+1}$

$$3^x.3^8=3^{6x+3}$$

$$3^x.3^8=3^{6x}.3^3$$

$$\frac{3^8}{3^3}=\frac{3^{6x}}{3^x}$$

$$3^{6x-x}=3^{8-3}$$

$$3^{5x}=3^5$$

$$\therefore 5x=5$$

तब $x=1$

करणी (SURDS)

सामान्यतः जब हम किसी संख्या का वर्गमूल, घनमूल, ... आदि नहीं निकाल पाते है, तो इसे हम करणी की संज्ञा देते हैं।

जैसे $\sqrt{4}=2$ (अतः यह करणी नही है)

नोट : करणी; अनावर्त दशमलव संख्या होता है अर्थात् करणी एक अपरिमेय संख्या होता है।

जैसे : $\sqrt{3}=1.732$ ...... (यह करणी का उदाहरण है)

प्रश्नों के प्रकार

Type - 01

जब करणी अनन्त बार हो :

प्रश्न : यदि $\sqrt{20+\sqrt{20+\sqrt{20+\cdots}}}$ का मान बताइये?

हल : माना, $\sqrt{20+\sqrt{20+\sqrt{20+\cdots}}}=x$ ...... (i)

दोनों पक्षों का वर्ग करने पर

$$20+\sqrt{20+\sqrt{20+\sqrt{20+\cdots}}}=x^2$$

$20+x=x^2$ (समीकरण (i) से)

या $x^2-x-20=0$

$x^2-5x+4x-20=0$

$x(x-5)+4(x-5)=0$

$(x+4)(x-5)=0$

अतः $x=5$ या -4

नोट : जब योग के रूप में करणी अनन्त बार हो तो ऐसे प्रश्नों को हल करने के लिए करणी के अन्दर की संख्या का ऐसा गुणनखण्ड करते है गुणनखण्डों का अन्तर '1' हो। इस स्थिति में बड़ा गुणनखण्ड धनात्मक तथा छोटा गुणनखण्ड ऋणात्मक होता है।

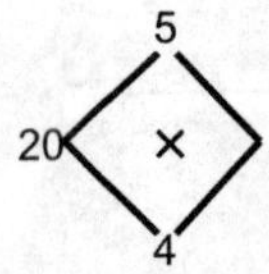

अन्तर = 1

उत्तर : (+5) या (–4)

नोट : अन्तर वाले प्रश्नों में छोटा गुणनखण्ड धनात्मक एवं बड़ा गुणनखण्ड ऋणात्मक होगा।

प्रश्न : $\sqrt{42-\sqrt{42-\sqrt{42-}}}$ ...... ∞ का मान है–

हल :

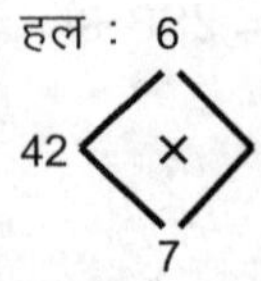

अन्तर = 1

Ans. (+6) या (–7)

नोट : यदि गुणा के रूप में करणी अनन्त बार हो तो ऐसे प्रश्नों का उत्तर वही संख्या होता है जो करणी के अन्दर की राशि होती है–

प्रश्न : $\sqrt{5.\sqrt{5.\sqrt{5.\dots\dots\dots}}}$ का मान है–

हल : माना, $\sqrt{5.\sqrt{5.\sqrt{5.\dots\dots\dots}}}=x$ ...... (i)

दोनों पक्षों को वर्ग करने पर

$$5.\sqrt{5.\sqrt{5.\sqrt{5.\dots\dots}}}=x^2$$

$5\times x=x^2$

या $x^2-5x=0$

$x^2-5x+4x-20=0$

$x(x-5)=0$

अतः $x=0$ or 5

Type - 02

जब करणी अनन्त बार न हो :

प्रश्न : यदि $\sqrt{248+\sqrt{52+\sqrt{144}}}$ का मान है–.

हल : $\sqrt{248+\sqrt{52+\sqrt{144}}}$

$=\sqrt{248+\sqrt{52+12}}$

$=\sqrt{248+8}$

$=\sqrt{256}$

$=16\ Ans.$

Note

> यदि $\sqrt{x.\sqrt{x.\sqrt{x.\ldots\ldots n}}}$ बार हो तो
> $R=(x)^{1-\frac{1}{2^n}}$

प्रश्न : यदि $\sqrt{2.\sqrt{2.\sqrt{2.\sqrt{2.\sqrt{2}}}}}$ का मान बताइये?

हल : $n=5$

$=(2)^{1-\frac{1}{2^n}}$

$=(2)^{1-\frac{1}{2^5}}$

$=(2)^{1-\frac{1}{32}}$

$=(2)^{\frac{31}{32}}\ Ans.$

Type - 03

बड़ी या छोटी करणी ज्ञात करना–

Step -1 : सर्वप्रथम करणियों को हटाये

Step-2 : अब, भिन्नात्मक घात को सरल घात में बदलें।

Step-3 : सरल घात में बदलने के लिए घातों के हर का ल0स0 ज्ञात करके सभी घातों में ल0स0 से गुणा करें।

Step-4 : अब, सरल करने के बाद बड़ी या छोटी करणी ज्ञात कर लें।

प्रश्न : $\sqrt{2}, \sqrt[6]{3}, \sqrt[3]{4}$ और $\sqrt[4]{5}$ में से बड़ी संख्या बताइये?

हल : $2^{\frac{1}{2}}, 3^{\frac{1}{6}}, 4^{\frac{1}{3}}\ o\ 5^{\frac{1}{4}}$

घातों के हर का ल0स0 = 12

$=2^{\frac{1}{2}\times12}, 3^{\frac{1}{6}\times12}, 4^{\frac{1}{3}\times12}$ व $5^{\frac{1}{4}\times12}$

$=2^6, 3^2, 4^4$ व 5^3

$=64, 9, 256, 125$

अतः बड़ी संख्या $=256=\sqrt[3]{4}\ Ans.$

प्रश्न : $\left(\frac{1}{2}\right)^{\frac{1}{2}}$ व $\left(\frac{1}{3}\right)^{\frac{1}{3}}$ में बड़ी संख्या बताइये।

हल : घातों के हर का ल0स0 = 6

$=\left(\frac{1}{2}\right)^{\frac{1}{2}\times6}$ व $\left(\frac{1}{3}\right)^{\frac{1}{3}\times6}$

$=\left(\frac{1}{2}\right)^{3}$ व $\left(\frac{1}{3}\right)^{2}$

$=\frac{1}{8}$ व $\frac{1}{9}$

अतः बड़ी संख्या $=\frac{1}{8}\quad=\left(\frac{1}{2}\right)^{\frac{1}{2}}\ Ans.$

Type - 04

करणियों का परिमेय करण/संयुग्मी करना

प्रश्न : यदि $x=\sqrt{3}-\sqrt{2}$ तो $\frac{1}{x}$ का मान बताइये?

हल : $\frac{1}{x}=\frac{1}{\sqrt{3}-\sqrt{2}}$

हर का परिमेयकरण करने पर

$=\frac{1}{\sqrt{3}-\sqrt{2}}\times\frac{\sqrt{3}+\sqrt{2}}{\sqrt{3}+\sqrt{2}}$

$=\frac{\sqrt{3}+\sqrt{2}}{3-2}\quad=\sqrt{3}+\sqrt{2}$

नोट : यदि दोनों पदों के वर्गों का अन्तर '1' हो तो परिमेयकरण व्युत्क्रम और चिन्ह का विपरीत होता है।

$[+\rightarrow-]$

$[-\rightarrow+]$

उपर्युक्त हल में $(\sqrt{3})^2-(\sqrt{2})^2=3-2=1$

अतः $\frac{1}{\sqrt{3}-\sqrt{2}}=\sqrt{3}+\sqrt{2}$

प्रश्न : $\frac{1}{3-\sqrt{8}}-\frac{1}{\sqrt{8}-\sqrt{7}}+\frac{1}{\sqrt{7}-\sqrt{6}}-\frac{1}{\sqrt{6}-\sqrt{5}}+\frac{1}{\sqrt{5}-\sqrt{4}}$ का मान बताइये?

हल : यहाँ हर के प्रत्येक पदों में दोनों संख्याओं के वर्गों का अन्तर '1' है अतः

$=3+\sqrt{8}-(\sqrt{8}+\sqrt{7})+(\sqrt{7}+\sqrt{6})-(\sqrt{6}+\sqrt{5})+(\sqrt{5}+\sqrt{4})$

$=3+\sqrt{8}-\sqrt{8}-\sqrt{7}+\sqrt{7}+\sqrt{6}-\sqrt{6}-\sqrt{5}+\sqrt{5}+\sqrt{4}$

$=3+\sqrt{4}\quad=5\ Ans.$

Type - 05

अपरिमेय संख्याओं का वर्गमूल ज्ञात करना :

यहाँ $(\sqrt{3}+\sqrt{2})^2 = (\sqrt{2})^2 + (\sqrt{3})^2 + 2\sqrt{2}.\sqrt{3}$

$$= 5 + 2\sqrt{2}.\sqrt{3}$$

यहाँ हम '5' को $a^2 + b^2$ से तथा $\sqrt{2}$ व $\sqrt{3}$ को क्रमशः a व b पढ़ सकते है।

अब इस प्रश्न पर विचार करें, $\sqrt{5+2\sqrt{6}}$ का मान क्या होगा–

उपर्युक्त निष्कर्ष देखें, $\sqrt{5+2.\sqrt{2}.\sqrt{3}}$

$$a^2 + b^2 + 2.a.b$$

$$= \sqrt{(\sqrt{2}+\sqrt{3})^2} = \sqrt{2}+\sqrt{3}$$

प्रश्न : $\sqrt{7-4\sqrt{3}}$ का मान बताइये या $7-4\sqrt{3}$ का वर्गमूल ज्ञात कीजिए?

हल : $\sqrt{7-4\sqrt{3}}$

$$= \sqrt{7-2.\ 2.\sqrt{3}}$$

$$a^2 + b^2 - 2.a.b$$

$$= \sqrt{(2-\sqrt{3})^2} = 2-\sqrt{3}$$

प्रश्न : $\sqrt{12+\sqrt{140}}$ का मान बताइये–

हल : $\sqrt{12+2\sqrt{35}}$

$$= \sqrt{12+2.\sqrt{7}.\sqrt{5}}$$

$$a^2 + b^2 + 2.a.b$$

अतः $\sqrt{(\sqrt{7}+\sqrt{5})^2} = (\sqrt{7}+\sqrt{5})Ans.$

Type - 06

कर्णियों के मिश्रित प्रश्न :

प्रश्न : यदि $\frac{2+\sqrt{3}}{7-4\sqrt{3}} = a + b\sqrt{3}$ हो, तो a =?

(a) 15 (b) 26

(c) $15\sqrt{3}$ (d) 1

हल – $\frac{2+\sqrt{3}}{7-4\sqrt{3}} = a + b\sqrt{3}$

$$\frac{(2+\sqrt{3})(7+4\sqrt{3})}{(7-4\sqrt{3})(7+4\sqrt{3})} = a + b\sqrt{3}$$

$$\frac{14+8\sqrt{3}+7\sqrt{3}+12}{(7)^2 - (4\sqrt{3})^2} = a + b\sqrt{3}$$

$$\frac{26+15\sqrt{3}}{49-48} = a + b\sqrt{3}$$

$$26+15\sqrt{3} = a + b\sqrt{3}$$

दोनों पक्षों की तुलना करने पर

a = 26 तथा b = 15

प्रश्न : यदि $\frac{\sqrt{3}+1}{\sqrt{3}-1} = a + b\sqrt{3}$ हो तो b का मान हैं–

(a) 0 (b) 1

(c) 2 (d) 3

हल – $\frac{\sqrt{3}+1}{\sqrt{3}-1} = a + b\sqrt{3}$

$$\frac{(\sqrt{3}+1).(\sqrt{3}+1)}{(\sqrt{3}-1)(\sqrt{3}+1)} = a + b\sqrt{3}$$

$$\frac{3+1+2\sqrt{3}}{3-1} = a + b\sqrt{3}$$

$$\frac{2(2+\sqrt{3})}{2} = a + b\sqrt{3}$$

$$2+\sqrt{3} = a + b\sqrt{3}$$

दोनों पक्षों की तुलना करने पर

a=2 तथा b=1

प्रश्न : $\left(3+\frac{1}{\sqrt{3}}+\frac{1}{3+\sqrt{3}}+\frac{1}{\sqrt{3}-3}\right)$ बराबर हैं–

(a) 1 (b) 3

(c) $3+\sqrt{3}$ (d) $3-\sqrt{3}$

हल – $\left(3+\frac{1}{\sqrt{3}}+\frac{1}{3+\sqrt{3}}-\frac{1}{\sqrt{3}-3}\right)$

$$\left(3+\frac{1}{\sqrt{3}}+\frac{3-\sqrt{3}-3-\sqrt{3}}{(3+\sqrt{3})(3-\sqrt{3})}\right)$$

$$= \left(3+\frac{1}{\sqrt{3}}+\frac{-2\sqrt{3}}{9-3}\right)$$

$$= \left(3+\frac{1}{\sqrt{3}}+\frac{-2\sqrt{3}}{6}\right) = \left(3+\frac{1}{\sqrt{3}}-\frac{1}{\sqrt{3}}\right) = 3$$

TYPE - 01

1. यदि $27^{(2x-1)} = (243)^3$ हो, तो x का मान है:

(a) 3 (b) 4

(c) 2 (d) 5

REET (VI-VIII24-7-2022Shift III)

2. यदि $3^{(x+8)} = 27^{(2x+1)}$ हो, तो x का मान है:

(a) 0 (b) 1

(c) 2 (d) 3

REET –(VI-VIII)24-7-2022 Shift IV

3. x का मान ज्ञात कीजिए,,
यदि $5^{x-3}.3^{2x-8} = 225$:

(a) 3 (b) 5

(c) 6 (d) 7

Haryana TET (I-V)6-1-2019

4. यदि $2^{x+3} = 32$, तो 3^{x+1} का मान है–

(a) 27 (b) 81

(c) 72 (d) 9

(SSC CHSL DEO and LDC Exam,2011)

5. यदि $(2^x)(2^y) = 8$ तथा $(9^x)(3^y) = 81$ हो, तो (x, y)क्या होगा?

(a) (1,2) (b) (2,1)

(c) (1,1) (d) (2,2)

(SSC CHSL DEO and LDC Exam 2011)

6. यदि $\left(\frac{3}{4}\right)^3\left(\frac{4}{3}\right)^{-7} = \left(\frac{3}{4}\right)^{2x}$ हो, तो x कितना होगा?

(a)–2 (b) 2

(c) 5 (d) $2\frac{1}{2}$

(SSC स्नातक स्तरीय Tire I परीक्षा 21.4.2013)

7. यदि $3^{x+y} = 81$ तथा $81^{x-y} = 3$ हो, तो x का मान होगा–

(a) 42 (b) $\frac{15}{8}$

(c) $\frac{17}{8}$ (d) 39

(SSC Data entry Operator)

TYPE - 02

8. यदि $504 = 2^p \times 3^q \times 7^r$ तो (2p + q – r) का मान है–

(a) 5 (b) 6

(c) 7 (d) 8

CTET (VI-VIII)20-12-2021

9. यदि $21168 = 2^a \times 3^b \times 7^c$ है, जहाँ a, b तथा c प्राकृत संख्याएँ हैं, तो (4a – 5b + c)का मान क्या है?

(a) 1 (b) 2

(c) 3 (d) 0

CTET (Class VI-VIII)8 Dec 2019

10. यदि $2160 = 2^a \times 3^b \times 5^c$, तो $3^a \times 2^{-b} \times 5^{-c}$ का मान होगा–

(a) 81/40 (b) 37/39

(c) 1/2 (d) 0

Uttarakhand TET (I-V)2021

11. यदि $52272 = p^2 \times q^3 \times r^4$,यहाँ p ,q और r अभाज्य संख्याएं हैं तो (2p+q–r)का मान हैं–

(a) 22 (b) 23

(c) 29 (d) 21

CTET (Class VI-VIII)7 july 2019

TYPE - 03

12. मना m और n पूर्ण संख्याएं है। $m^n = 121$हो, तो n^m का मान होगा

(a) 512 (b) 1024

(c) 2048 (d) 4096

Punjab TET (Class VI-VIII)2011

13. यदि किन्ही दो प्राकृतिक संख्याओं a और b के लिए $a^b = 125$ हो, तो b^a है–

(a) 241 (b) 242

(c) 243 (d) 247

UP TET (Class I-V 18 Nov 2018)

TYPE - 04

14. यदि n कोई प्राकृतिक संख्या हो तब $\frac{(2^n+2^{n-1})}{(2^{n+1}-2^n)}$ का मान है–

(a) $\frac{1}{2}$ (b) 1

(c) $\frac{3}{2}$ (d) 2

Uttrakhand TET (VI-VIII)2020

15. $\frac{5^{n+3}-6\times5^{n+1}}{9\times5^n-2^2\times5^n}$

(a) 91 (b) 19

(c) 10 (d) 1

UP TET (Class VI-VIII)19 Dec 2018

16. $\frac{(243)^{\frac{x}{5}}.3^{2x+1}}{9^x.3^{x-1}}$ का मान है।

(a) 1 (b) 9

(c) 3 (d) 3^n

(SSC CGL 8-2-2004)

TYPE - 05

17. इनमें से सबसे बड़ी संख्या कौन–सी है: $2^{60}, 3^{48}, 4^{36}$, और 5^{24}

(a) 2^{60} (b) 3^{48}

(c) 4^{36} (d) 2^{24}

(SSC CGL Pre 2019)

18. 3^{200}, 2^{300} तथा 7^{100} में सबसे बड़ी संख्या कौन सी है?

(a) 3^{200} (b) 2^{300}

(c) 7^{100} (d) सभी बराबर है

(SSC CGL Pre. 2020)

19. 2^{250}, 3^{150}, 5^{100} तथा 4^{200} संख्याओं में सबसे छोटी संख्या कौन सी है?

(a) 4^{200} (b) 5^{100}
(c) 3^{150} (d) 2^{250}
(SSC 10+2 Data entry Operator)

TYPE - 06

20. यदि $a^x = (x+y+z)^y$, $a^y = (x+y+z)^z$ तथा $a^z = (x+y+z)^x$ हो, तो $x+y+z (a \neq 0$ दिए होने पर) का मान कितना होगा?
(a) 0 (b) a^3
(c) 1 (d) a
SSC Graduate Level

21. यदि $2^x = 3^y = 6^{-z}$ तो $\left(\frac{1}{x}+\frac{1}{y}+\frac{1}{z}\right)$ किसके बराबर है?
(a) 0 (b) 1
(c) $\frac{3}{2}$ (d) $-\frac{1}{2}$
(SSC (10+2) स्तर डाटा एन्ट्री ऑपरेटर)

22. यदि $a^x = b$, $b^y = c$ और $c^z = a$ हो, तब (xyz) का शून्येत्तर मान होगा
(a) 1 (b) 2
(c) 3 (d) –1
(UP TET (Class VI-VIII)23 feb 2014)

23. यदि $3^{2x-y} = 3^{x+y} = \sqrt{27}$,तो 3^{x-y} का मान क्या होगा?
(a) 3 (b) $\frac{1}{\sqrt{3}}$
(c) $\sqrt{3}$ (d) $\frac{1}{\sqrt{27}}$
(SSC CAPFs SI, CISF ASI)

TYPE - 07

24. यदि $2^{x-1} + 2^{x+1} = 320$ तो x का मान है–
(a) 6 (b) 8
(c) 5 (d) 7
(SSC CGL Tier-I)

25. यदि $(13^2-5^2)^{3/2} = 6^3 \times A$ है तो A का मान है:
(a) 2^3 (b) 2^4
(c) 2 (d) 2^2
C TET (Class VI-VIII)21 Feb 2016

26. यदि $2^{2x-3} = \frac{1}{8^{x-4}}$, हो, तो x का मान है–
(a) –1 (b) 1
(c) 0 (d) 3
HTET (I-V)19-12-2021

27. यदि $\left(\frac{-3}{2}\right)^{-3} \div x = \left(\frac{9}{4}\right)^{-2}$ है तो $(2x+5)^{-1}$ का मान है
(a) 2 (b) $\frac{1}{2}$
(c) $\frac{3}{2}$ (d) $\frac{2}{3}$
CTET (VI-VIII)24-12-2021

TYPE - 08

28. $\sqrt{2+\sqrt{2+\sqrt{2+\ldots\ldots}}}$ का मान है–
(a) 2 (b) $\sqrt{2}$
(c) $2\sqrt{2}$ (d) $2+\sqrt{2}$
(SSC CGL Exame 24-2-2002 प्रथम पाली)

29. $\sqrt{3\sqrt{3\sqrt{3\ldots}}}$ बराबर है:
(a) $\sqrt{3}$ (b) 3
(c) $2\sqrt{3}$ (d) $3\sqrt{3}$
(SSC डाटा एन्ट्री ऑपरेटर एवं एलडीसी परीक्षा 28.11.2010 द्वितीय पाली)

30. $\sqrt{6+\sqrt{6+\sqrt{+\cdots}}}$ बराबर है:
(a) 2 (b) 5
(c) 4 (d) 3
(SSC स्नातक स्तरीय Tier II Exame 4-9-2011)

31. $\sqrt{12+\sqrt{12+\sqrt{12+\cdots}}}$ बराबर है
(a) 2 (b) 3
(c) 4 (d) 6
(SSC लेखा प्रशिक्षु (SAS) परीक्षा 27.6.2010)

32. यदि $m = \sqrt{5+\sqrt{5+\sqrt{5\ldots.}}}$ और $n = \sqrt{5-\sqrt{5-\sqrt{5-\ldots.}}}$ हो तो m और n होल्ड के बीच निम्नलिखित में से क्या संबंध है?
(a) m–n+1= 0 (b) m+n+1= 0
(c) m+n–1= 0 (d) m–n–1= 0
(SSC CHSL 2020)

33. यदि $m = \sqrt{a\sqrt[3]{ab\sqrt{a\sqrt[3]{ab}}}}\ldots\ldots\infty$, है तो m का मान होगा?
(a) $\sqrt[5]{a^2b}$ (b) $\sqrt[5]{a^4b^4}$
(c) $\sqrt[6]{a^5b}$ (d) $\sqrt[5]{a^4b}$
(SSC CHSL 2020)

34. $\sqrt{2\sqrt[3]{4\sqrt{2\sqrt[3]{4}}}}$ .... का मान क्या है?
(a) 2 (b) 2^2
(c) 2^3 (d) 2^5
(SSC CGL Pre.2020)

TYPE - 09

35. $\sqrt{248+\sqrt{52+\sqrt{144}}}$ का मान है–
(a) 14 (b) 16
(c) 16.6 (d) 18.8
(SSC CGL Exame प्रथम पाली)

36. $\sqrt[3]{15612+\sqrt{154+\sqrt{225}}}$ बराबर है–

(a) 15 (b) 25
(c) 75 (d) 125

(SSC (South Zone) सांख्यिकीय अन्वेषक (इन्वेस्टिगेटर) गेड IVपरीक्षा 12.9.2010)

37. $\sqrt{40+\sqrt{9\sqrt{81}}}$ का मान है

(a) $\sqrt{111}$ (b) 9
(c) 7 (d) 11

(SSC (10+2) डाटा इंट्री ऑपरेटर एवं एलडीसी परीक्षा 20. 10.2013)

38. $\sqrt{4+\sqrt{44+\sqrt{10000}}}$ का मान है–

(a) 12 (b) 8
(c) 4 (d) –4

(SSC CGL प्रारम्भिक परीक्षा 4.7.1999 प्रथम पाली)

TYPE - 10

39. संख्याओं $\sqrt[3]{9}$, $\sqrt{3}$, $\sqrt[4]{16}$, $\sqrt[6]{80}$ में सबसे बड़ी संख्या है–

(a) $\sqrt[3]{9}$ (b) $\sqrt{3}$
(c) $\sqrt[4]{16}$ (d) $\sqrt[6]{80}$

(SSC CGL प्रारम्भिक परीक्षा 4.2.2007 द्वितीय पाली)

40. निम्नलिखित संख्याओं में से कौन–सी संख्या सबसे बड़ी है?

$\sqrt{2}$, $\sqrt[3]{3}$, $\sqrt[4]{4}$, $\sqrt[6]{6}$

(a) $\sqrt{2}$ (b) $\sqrt[3]{3}$
(c) $\sqrt[4]{4}$ (d) $\sqrt[6]{6}$

(SSC CGL प्रारम्भिक परीक्षा 27.7.2008 प्रथम पाली)

41. संख्याओं 0.9, $(0.9)^2$, $\sqrt{0.9}$, $0.\overline{9}$ में सबसे बड़ी संख्या है:

(a) 0.9 (b) $(0.9)^2$
(c) $\sqrt{0.9}$ (d) $0.\overline{9}$

(SSC DATA Entry Operator and LDC Exame 27-11-2010)

42. कौन–सा बड़ा है $\sqrt[3]{2}$ या $\sqrt{3}$?

(a) तुलना नही की जा सकती
(b) $\sqrt[3]{2}$
(c) $\sqrt{3}$ (d) समान

(SSC (10+2)Data Entry Operator and LDC Exame 20-10-2013)

43. निम्नलिखित में से कौन सा सत्य है?

I. $\sqrt[3]{11}>\sqrt{7}>\sqrt[4]{45}$
II. $\sqrt{7}>\sqrt[3]{11}>\sqrt[4]{45}$
III. $\sqrt{7}>\sqrt[4]{45}>\sqrt[3]{11}$
IV. $\sqrt[4]{45}>\sqrt{7}>\sqrt[3]{11}$

(a) केवल I (b) केवल II
(c) केवल III (d) केवल IV

44. यदि $x^{\frac{1}{6}}=y^{\frac{2}{3}}$ है, तो x तथा y के बीच का संबंध है:

(a) $x=y^2$ (b) $x=y^4$
(c) $x^4=y$ (d) $x^3=y^3$

45. निम्नलिखित में से कौन–सा सही संबंध हैं?

I. $(27)^{1/3}>(13)^{1/2}<(47)^{1/6}$
II. $(23)^{1/3}<(49)^{1/2}<(52)^{1/6}$
III. $(53)^{1/6}<(41)^{1/3}<(37)^{1/2}$

(a) केवल III (b) I तथा II दोनों
(c) II तथा III केवल (d) सभी संबंध गलत हैं

TYPE - 11

46. $\frac{1}{\sqrt{3}+\sqrt{4}}+\frac{1}{\sqrt{4}+\sqrt{5}}+\frac{1}{\sqrt{5}+\sqrt{6}}+\frac{1}{\sqrt{6}+\sqrt{7}}+\frac{1}{\sqrt{7}+\sqrt{8}}+\frac{1}{\sqrt{8}+\sqrt{9}}$ का मान होगा –

(a) $\sqrt{3}$ (b) $3\sqrt{3}$
(c) $3-\sqrt{3}$ (d) $5-\sqrt{3}$

(SSC CPO 2019)

47. $\frac{1}{\sqrt{7}-\sqrt{6}}-\frac{1}{\sqrt{6}-\sqrt{5}}+\frac{1}{\sqrt{5}-2}-\frac{1}{\sqrt{8}-\sqrt{7}}+\frac{1}{3-\sqrt{8}}$ का मान ज्ञात करें?

(a) 0 (b) 1
(c) 5 (d) 7

(SSC CHSL 2020)

48. $\frac{2}{\sqrt{7}+\sqrt{5}}+\frac{7}{\sqrt{12}-\sqrt{5}}-\frac{5}{\sqrt{12}-\sqrt{7}}$ का सरलीकरण क्या होगा?

(a) 5 (b) 2
(c) 1 (d) 0

(SSC CPO 2019)

49. यदि $\frac{4+3\sqrt{3}}{\sqrt{7+4\sqrt{3}}}=A+\sqrt{B}$ है, तो B – A का मान ज्ञात करें–

(a) –13 (b) $2\sqrt{13}$
(c) 13 (d) $3\sqrt{3}-\sqrt{7}$

(SSC CGL Pre 2020)

50. यदि $\frac{3+\sqrt{7}}{3-4\sqrt{7}}=c+d\sqrt{7}$ है, तो c + d का मान है–

(a) $\frac{52}{103}$ (b) $\frac{-52}{103}$
(c) $\frac{51}{103}$ (d) $\frac{-51}{103}$

UPTET (Class I-V 27 June 2013)

51. यदि $\frac{8+2\sqrt{3}}{3\sqrt{3}+5}=a\sqrt{3}-b$ तो a + b का मान है–

(a) 18 (b) 15
(c) 24 (d) 16

(SSC CPO 2017)

TYPE - 12

52. $(7+2\sqrt{10})$ का वर्गमूल है–
(a) $(\sqrt{2}+\sqrt{5})$ (b) $(\sqrt{3}+2)$
(c) $(\sqrt{6}+1)$ (d) $(2+\sqrt{5})$
UP TET (I-V)23-01-2022(Reexam)

53. यदि $x\sqrt{-\sqrt{3}+\sqrt{3+8\sqrt{7+4\sqrt{3}}}}$ तो x का मान ज्ञात कीजिए–
(a) 3 (b) 4
(c) 1 (d) 2

54. $\frac{1}{\sqrt{(12-\sqrt{140})}}-\frac{1}{\sqrt{(8-\sqrt{60})}}-\frac{2}{\sqrt{(10+\sqrt{84})}}$ का मान ज्ञात करें।
(a) 0 (b) 1
(c) 2 (d) 3
SSC CGL Mains 2018

55. $\frac{1}{\sqrt{11-2\sqrt{30}}}-\frac{3}{\sqrt{7-2\sqrt{10}}}-\frac{4}{\sqrt{8+4\sqrt{3}}}$ सरलीकृत मान बताइयें।
(a) 0 (b) 1
(c) $\sqrt{2}$ (d) $\sqrt{3}$
(SSC CGL Pre 2020)

TYPE - 13

56. $\left(\frac{2+\sqrt{3}}{2-\sqrt{3}}+\frac{2-\sqrt{3}}{2+\sqrt{3}}+\frac{\sqrt{3}-1}{\sqrt{3}+1}\right)$ का सरली–करण है?
(a) 2–$\sqrt{3}$ (b) 2+$\sqrt{3}$
(c) 16–$\sqrt{3}$ (d) 40–$\sqrt{3}$
(SSC CGL Pre 2017)

57. $\left(\frac{\sqrt{5}+\sqrt{3}}{\sqrt{5}-\sqrt{3}}\right)^2+\left(\frac{\sqrt{5}-\sqrt{3}}{\sqrt{5}+\sqrt{3}}\right)^2$ के बराबर है?
(a) 64 (b) 62
(c) 66 (d) 68
SSC CGL Pre 2017

58. यदि $a=\frac{\sqrt{5}+1}{\sqrt{5}-1}$, $b=\frac{\sqrt{5}-1}{\sqrt{5}+1}$ तो $\left(\frac{a^2+ab+b^2}{a^2-ab+b^2}\right)$ का मान ज्ञात करें।
(a) $\frac{3}{4}$ (b) $\frac{4}{3}$
(c) $\frac{3}{5}$ (d) $\frac{5}{3}$

59. $\left(3+\frac{1}{\sqrt{3}}+\frac{1}{3+\sqrt{3}}+\frac{1}{\sqrt{3}-3}\right)$ बराबर है।
(a) 1 (b) 3
(c) 3+$\sqrt{3}$ (d) 3–$\sqrt{3}$

60. $\left(\frac{1+\sqrt{2}}{\sqrt{5}+\sqrt{3}}+\frac{1-\sqrt{2}}{\sqrt{5}-\sqrt{3}}\right)$ (का सरलीकरण है)
(a) $\sqrt{5}+\sqrt{6}$ (b) $2\sqrt{5}+\sqrt{6}$
(c) $\sqrt{5}-\sqrt{6}$ (d) $2\sqrt{5}-3\sqrt{6}$
(SSC CGL Mains 2019)

61. $\left[\frac{\sqrt{3}+1}{\sqrt{3}-1}+\frac{\sqrt{2}+1}{\sqrt{2}-1}+\frac{\sqrt{3}-1}{\sqrt{3}+1}+\frac{\sqrt{2}-1}{\sqrt{2}+1}\right]$ का सरलीकृत मान है–
(a) 10 (b) 12
(c) 14 (d) 18
(SSC(SouthZone)सांख्यिकीय अन्वेषक (इन्वेस्टिगेटर) ग्रेड IV परीक्षा 12.9.2010)

Revision Series

62. $16^{\frac{3}{4}}$ **का मान बताइये?**
(a) $4\sqrt{2}$ (b) 8
(c) $2\sqrt{2}$ (d) 16

63. $(243)^{0.16}\times(243)^{0.04}$ **का मान बराबर है–**
(a) 0.16 (b) 3
(c) $\frac{1}{3}$ (d) 0.04

64. $\left(\frac{x^a}{x^b}\right)^{a+b}\left(\frac{x^b}{x^c}\right)^{b+c}\left(\frac{x^c}{x^a}\right)^{c+a}$ **का मान बराबर है–**
(a) 1 (b) $x^{a^2-b^2}$
(c) x (d) x^2

65. यदि $2^{x+1}+2^{x-1}=320$ हो, तो x का मान है–
(a) 5 (b) 6
(c) 7 (d) 8

66. $\frac{(243)^{\frac{n}{5}}.3^{2n+1}}{9^n.3^{n-1}}$ **का मान बताइए**
(a) 3^{2n} (b) 3^n
(c) 9^n (d) 9

67. यदि $2^a+3^b=17\,r$ तथा $2^{a+2}-3^{b+1}=5$ हो, तो a व b का मान है–
(a) 2, 3 (b) −2, −3
(c) 3, 2 (d) −3, −2

68. यदि $2^{2x-1}=\frac{1}{8^{x-3}}$ हो, तो x =?
(a) −2 (b) −1
(c) 0 (d) 2

69- यदि $2^{x+4}-2^{x+2}=3$ हो, तो x =?
(a) −2 (b) −1
(c) 0 (d) 2

70. यदि $\left(\frac{9}{4}\right)^x.\left(\frac{8}{27}\right)^{x-1}=\frac{2}{3}$ हो तो का x मान बताइये
(a) 1 (b) 2
(c) 3 (d) 4

71. यदि $3^{x+y}=81$ तथा $(81)^{x-y}=3$ तो x =?
(a) 42 (b) $\frac{15}{8}$
(c) $\frac{17}{18}$ (d) 39

72. यदि $2^x=4^y=8^z$ हो तथा $xyz=288$ तो z =?
(a) 4 (b) 5

(c) 12 (d) 6

73. यदि $2^x = 4^y = 8^z$ हो तथा $\frac{1}{2x}+\frac{1}{4y}+\frac{1}{6z}=\frac{24}{7}$ हो, तो $z=?$

(a) $\frac{7}{16}$ (b) $\frac{7}{32}$
(c) $\frac{7}{48}$ (d) $\frac{7}{64}$

74. यदि $a^x = b^y = c^z$ तथा $b^2 = ac$ हो, तो $y=?$

(a) $\frac{xz}{x+y}$ (b) $\frac{xz}{2(x-z)}$
(c) $\frac{xz}{2(z-x)}$ (d) $\frac{2xz}{(z+x)}$

75. $\sqrt{6+\sqrt{6+\sqrt{6+\cdots}}}$ बराबर है–

(a) 2 (b) 5
(c) 4 (d) 3

76. $\sqrt{30-\sqrt{30-\sqrt{30-\cdots}}}$ का मान ज्ञात कीजिए–

(a) 5 (b) $3\sqrt{10}$
(c) 6 (d) 7

77. $\sqrt{3.\sqrt{3.\sqrt{3.\ \ldots\ldots}}}$ बराबर है–

(a) $\sqrt{3}$ (b) 3
(c) $2\sqrt{3}$ (d) $3\sqrt{3}$

78. $\frac{\sqrt{10+\sqrt{25+\sqrt{108+\sqrt{154+\sqrt{225}}}}}}{\sqrt[3]{8}}$ का मान है–

(a) 4 (b) 2
(c) 8 (d) $\frac{1}{2}$

79. $\sqrt{7.\sqrt{7.\sqrt{7.\sqrt{7}}}}$ का मान बराबर है–

(a) $7^{\frac{31}{32}}$ (b) 7
(c) $7^{\frac{15}{16}}$ (d) $7^{\frac{7}{8}}$

80. यदि $\sqrt{7.\sqrt{7.\sqrt{7.\ \ldots\ldots}}} = (343)^{y-1}$ है, तो y बराबर होगा?

(a) $\frac{2}{3}$ (b) 1
(c) $\frac{4}{3}$ (d) $\frac{3}{4}$

81. $2^{250}, 3^{150}, 5^{100}$ तथा 4^{200} संख्याओ में सबसे छोटी संख्या है?

(a) 4^{200} (b) 5^{100}
(c) 3^{150} (d) 2^{250}

82. निम्न संख्याओं– $\sqrt[6]{12}, \sqrt[3]{4}, \sqrt[4]{5}$ व $\sqrt{3}$ में न्यूनतम है–

(a) $\sqrt[6]{12}$ (b) $\sqrt[3]{4}$
(c) $\sqrt[4]{5}$ (d) $\sqrt{3}$

83. निम्न में से सबसे बड़ी संख्या है– $3^{\frac{1}{3}}, 2^{\frac{1}{2}}, 1, 6^{\frac{1}{6}}$

(a) $2^{\frac{1}{2}}$ (b) 1
(c) $6^{\frac{1}{6}}$ (d) $3^{\frac{1}{3}}$

84. $\frac{1}{\sqrt{2}+1}+\frac{1}{\sqrt{3}+\sqrt{2}}+\frac{1}{\sqrt{4}+\sqrt{3}}+\cdots\ldots\ldots+\frac{1}{\sqrt{100}+\sqrt{99}}$ का मान है–

(a) 1 (b) 9
(c) $\sqrt{99}$ (d) $\sqrt{99}-1$

85. $(7+3\sqrt{5})\,(7-3\sqrt{5})$ का वर्गमूल है–

(a) 4 (b) $\sqrt{5}$
(c) $3\sqrt{5}$ (d) 2

86. $3+\frac{1}{\sqrt{3}}+\frac{1}{3+\sqrt{3}}+\frac{1}{\sqrt{3}-3}$ बराबर है–

(a) 1 (b) 3
(c) $3+\sqrt{3}$ (d) $3-\sqrt{3}$

87. $\sqrt{-\sqrt{3}+\sqrt{3+8\sqrt{7+4\sqrt{3}}}}$ का मान है–

(a) 1 (b) 2
(c) 3 (d) 8

88. $\{(-2)^{(-2)}\}^{(-2)}$ बराबर है–

(a) 16 (b) 8
(c) −8 (d) −16

89. $\sqrt{5+2\sqrt{6}}-\frac{1}{\sqrt{5+2\sqrt{6}}}$ बराबर है–

(a) $2\sqrt{2}$ (b) $2\sqrt{3}$
(c) $1+\sqrt{5}$ (d) $\sqrt{5}-1$

90. $\frac{1}{\sqrt{12-\sqrt{140}}}-\frac{1}{\sqrt{8-\sqrt{60}}}-\frac{2}{\sqrt{10+\sqrt{84}}}$ का मान है–

(a) 0 (b) 1
(c) 2 (d) 3

91. $\frac{\sqrt{7}-\sqrt{5}}{\sqrt{7}+\sqrt{5}}+\frac{\sqrt{7}+\sqrt{5}}{\sqrt{7}-\sqrt{5}}$ बराबर है–

(a) 12 (b) $6\sqrt{35}$
(c) 6 (d) $2\sqrt{35}$

92. $\left(\sqrt{2}+\sqrt{7-2\sqrt{10}}\right)$ का मान है–

(a) $\sqrt{2}$ (b) $\sqrt{7}$
(c) $\sqrt{5}$ (d) $2\sqrt{5}$

93. यदि $a=\frac{\sqrt{5}+1}{\sqrt{5}-1}$ तथा $b=\frac{\sqrt{5}-1}{\sqrt{5}+1}$ हो, तो $\frac{a^2+ab+b^2}{a^2-ab+b^2}=?$

(a) $\frac{3}{4}$ (b) $\frac{4}{3}$

(c) $\frac{3}{5}$ (d) $\frac{5}{3}$

94. यदि $x = y^a$, $y = z^b$ तथा $z = x^c$ हो, तो $abc = ?$

(a) 1 (b) 2
(c) 3 (d) 4

95. यदि $a^b = 125$ तो $(a-b)^{a+b-4}$ का मान है–

(a) 2 (b) 4
(c) 8 (d) 16

$= a + b\sqrt{3}$ हो तो b बराबर होगा–

(b) 6

96. यदि $\frac{5+2\sqrt{3}}{7+4\sqrt{3}}$ –

(a) −6
(c) −11 (d) 11

97. $(\sqrt{19}-\sqrt{17}), (\sqrt{13}-\sqrt{11}), (\sqrt{7}-\sqrt{5})$ तथा $(\sqrt{5}-\sqrt{3})$ में सबसे बड़ा व्यंजक कौन–सा है?

(a) $(\sqrt{19}-\sqrt{17})$ (b) $(\sqrt{13}-\sqrt{11})$
(c) $(\sqrt{7}-\sqrt{5})$ (d) $(\sqrt{5}-\sqrt{3})$

ANSWER

1.	a	2.	b	3.	b	4.	a	5.	a
6.	c	7.	c	8.	c	9.	c	10.	a
11.	b	12.	c	13.	c	14.	c	15.	b
16.	b	17.	b	18.	a	19.	b	20.	d
21.	a	22.	a	23.	c	24.	d	25.	a
26.	d	27.	b	28.	a	29.	b	30.	d
31.	c	32.	d	33.	d	34.	a	35.	b
36.	b	37.	c	38.	c	39.	a	40.	b
41.	d	42.	c	43.	c	44.	b	45.	a
46.	c	47.	c	48.	d	49.	c	50.	b
51.	a	52.	a	53.	d	54.	a	55.	a
56.	c	57.	b	58.	b	59.	b	60.	c
61.	a	62.	b	63.	b	64.	a	65.	c
66.	d	67.	c	68.	c	69.	a	70.	d
71.	c	72.	a	73.	c	74.	d	75.	d
76.	a	77.	b	78.	b	79.	c	80.	c
81.	c	82.	c	83.	d	84.	b	85.	d
86.	b	87.	b	88.	a	89.	a	90.	a
91.	a	92.	c	93	b	94.	a	95.	d
96.	a	97.	a						

EXPLANATORY NOTES

1. (a) $27^{(2x-1)} = (243)^3$

$3^{3(2x-1)} = (3^5)^3$

$3^{6x-3} = 3^{15}$

$\therefore 6x - 3 = 15$

$6x = 18$

$x = 3$

2. (b) $3^{x+8} = 27^{(2x+1)}$

$3^{x+8} = 3^{3(2x+1)}$

$3^{x+8} = 3^{6x+3}$

$\therefore x + 8 = 6x + 3$

या, $5x = 5$

$\therefore x = 1$

3. (b) $5^{x-3} . 3^{2x-8} = 225$

$5^{x-3} . 3^{2x-8} = 5^2 . 3^2$

दोनों पक्षों तुलना करने पर

$x - 3 = 2$ या $2x - 8 = 2$

$\therefore x = 5$ $2x = 10$

$x = 5$

4. (a) $2^{x-3} = 32$

$2^{x+3} = 2^5$

$\therefore x + 3 = 5$

$\boxed{x = 2}$

$\therefore 3^{x+1} = 3^3 = 27$

5. (a) $2^x . 2^y = 8$

या, $2^{x+y} = 2^3$

$\therefore x + y = 3$...(i)

तथा, $9^x . 3^y = 81$

या, $3^{2x} . 3^y = 3^4$

$\therefore 2x + y = 4$...(ii)

समी० (ii) – समी० (i) से,

$x = 1$ यह मान समी० (i) में रखने पर

$y = 2$

6. (c) $\left(\frac{3}{4}\right)^3 . \left(\frac{4}{3}\right)^{-7} = \left(\frac{3}{4}\right)^{2x}$

$\left(\frac{3}{4}\right)^3 . \left(\frac{3}{4}\right)^7 = \left(\frac{3}{4}\right)^{2x}$

$\left(\frac{3}{4}\right)^{10} = \left(\frac{3}{4}\right)^{2x}$

$\therefore 2x = 10$

$x = 5$

7. (c) $3^{x+y} = 3^4$

$x + y = 4$....(i)

$3^{4(x-y)} = 3^1$

$\therefore 4x - 4y = 1$....(ii)

$4x + 4y = 16$....(iii) समी० (i)में 4 से गुणा करने पर

$4x = 17$

$x = \frac{17}{8}$

8. (c)

2	504
2	252
2	126
3	63
3	21
7	7
	1

$2^3 \times 3^2 \times 7^1 = 2^P \times 3^q \times 7^r$

दोनो पक्षों की तुलना करने पर

$P = 3, q = 2, r = 1$

$\therefore 2P + q - r = 2\times3 + 2 - 1 = 7$

9. (c)

$2^4 \times 3^3 \times 7^2 = 2^a \times 3^b \times 7^c$

दोनो पक्षों की तुलना करने पर

$a = 4, b = 3, c = 2$

$\therefore 4a - 5b + c = 4\times4 - 5\times3 + 2$

$= 3$

2	21168
2	10584
2	5292
2	2646
3	1323
3	441
3	147
7	49
7	7
	1

10. (a)

$2^4 \times 3^3 \times 5^1 = 2^a \times 3^b \times 5^c$

$a = 4, b = 3, c = 1$

$\therefore 3^a \times 2^{-b} \times 5^{-c} = 3^4 \times 2^{-3} \times 5^{-1}$

$= 81 \times \frac{1}{2^3} \times \frac{1}{5}$

$= \frac{81}{40}$

2	2160
2	1080
2	540
2	270
3	135
3	45
3	15
5	5
	1

11. (b)

$11^2 \times 3^3 \times 2^4 = p^2 \times q^3 \times r^4$

$\therefore p = 11, q = 3, r = 2$

$\therefore 2p + q - r = 2\times11 + 3 - 2$

$= 23$

2	52272
2	26136
2	13068
2	6534
3	3267
3	1089
3	363
11	121
11	11
	1

12. (c) $m^n = 121$

$m^n = 11^2$

$\therefore m = 11$ तथा $n = 2$

तब $n^m = 2^{11} = 2048$

13. (c) $a^b = 125$

$a^b = 5^3$

$\therefore a = 5$ तथा $b = 3$

तब $b^a = 3^5 = 243$

14. (c) $\frac{(2^n + 2^{n-1})}{(2^{n+1} - 2^n)} = \frac{2^n + 2^n . 2^{-1}}{(2^n . 2^1 - 2^n)}$

$= \frac{2^n\left(1 + \frac{1}{2}\right)}{2^n(2-1)} = \frac{3}{2}$

15. (b)$\frac{5^{n+3}-6\times5^{n+1}}{9\times5^n-2^2\times5^n}$

$=\frac{5^n.5^3-6\times5^n.5^1}{5^n(9-4)}$

$=\frac{5^n(125-30)}{5^n\times5}$

$=\frac{95}{5}=19$

16. (b)$\frac{(243)^{\frac{x}{5}}.3^{2x+1}}{9^x.3^{x-1}}$

$=\frac{(3^5)^{\frac{x}{5}}.3^{2x+1}}{3^{2x}.3^{x-1}}$

$=\frac{3^{3x+1}}{3^{3x-1}}=3^{3x+1-3x+1}$

$=3^2=9$

17. (b) $2^{60}, 3^{48}, 4^{36}$ और 5^{24}

घातें (60,48,36 व 24) का म०स० = 12

$= 2^5, 3^4, 4^3,$ और 5^2

(सभी घातों में म०स० से भाग देने पर)

= 32, 81, 64 और 25

अतः सबसे बड़ी संख्या = दूसरा पद = 3^{48}

18. (b) $3^{200}, 2^{300}, 7^{100}$

घातें (200,300 व 100) का म०स० = 100

$\therefore 3^2, 2^3, 7^1$

(घातों में म०स० से भाग देने पर)

= 9,8,7

∴ सबसे बड़ी संख्या = पहला पद = 3^{200}

19. (b) $2^{250}, 3^{150}, 5^{100}$ तथा 4^{200}

घातें (250,150, 100 व 200)का

म०स० = 50

$\therefore 2^5, 3^3, 5^2,$ तथा 4^4

(सभी घातों में म०स० से भाग देने पर)

= 32, 27, 25, 256

∴सबसे छोटी संख्या = तीसरा पद = 5^{100}

20. (d)संगत पदों का गुणा करने पर

$a^x.a^y.a^z=(x+y+z)^y.(x+y+z)^z.(x+y+z)^x$

$a^{x+y+z}=(x+y+z)^{x+y+z}$

$\therefore a=(x+y+z)$

21. माना, $2^x=3^y=6^{-z}=K$

तब $2=K^{\frac{1}{x}}, 3=K^{\frac{1}{y}}$ तथा $6=K^{-\frac{1}{z}}$

$\because 2\times3=6$

$K^{\frac{1}{x}}.K^{\frac{1}{y}}=K^{-\frac{1}{z}}$

$K^{\frac{1}{x}+\frac{1}{y}}=K^{-\frac{1}{z}}$

तब $\frac{1}{z}+\frac{1}{y}=-\frac{1}{z}$

$\therefore \frac{1}{x}+\frac{1}{y}+\frac{1}{z}=0$

22. (a)संगत पदों का गुणा करने पर

$a^x.b^y.c^z=b.c.a$

या, $a^x.b^y.c^z=a.b.c$

दोनों पक्षों की तुलना करने पर–

$x=1, y=1, z=1,$

$\therefore xyz=1\times1\times1=1$

23. (c) $3^{2x-y}=3^{x+y}=3^{\frac{3}{2}}$

$\therefore 2x-y=x+y=\frac{3}{2}$

$2x-y=\frac{3}{2}$ .....(i)

$x+y=\frac{3}{2}$......(ii)

$3x=3$

$x=1$ यह मान समी० (i) मे रखने पर

$y=\frac{1}{2}$

$\therefore 3^{x-y}=3^{1-\frac{1}{2}}=3^{\frac{1}{2}}=\sqrt{3}$

24. (d)$2^{x-1}+2^{x+1}=320$

$2^x.2^{-1}+2^x.2^1=320$

$2^x\left(\frac{1}{2}+2\right)=320$

$2^x=320\times\frac{2}{5}=128$

$2^x=2^7$

$\therefore x=7$

25. (a) $(13^2-5^2)^{\frac{3}{2}}=6^3\times A$

$(144)^{\frac{3}{2}}=6^3\times A$

$(12^2)^{\frac{3}{2}}=6^3\times A$

$12^3=6^3\times A$

$(2\times6)^3=6^3\times A$

$6^3\times2^3=6^3\times A$

$\therefore A=2^3$

26. (d) $2^{2x-3}=\frac{1}{2^{3(x-4)}}$

या, $2^{2x-3}=\frac{1}{2^{3x-12}}$

$2^{2x-3}.2^{3x-12}=1$

या, $2^{5x-15}=2^0$

$\therefore 5x-15=0$

$5x=15$

$x=3$

27. (b)$\left(\frac{-3}{2}\right)^{-3}\div x=\left(\frac{9}{4}\right)^{-2}$

$\left(-\frac{2}{3}\right)^3\div x=\left(\frac{4}{9}\right)^2$

$-\frac{8}{27}\times\frac{1}{x}=\frac{16}{81}$

$\therefore x=-\frac{8}{27}\times\frac{81}{16}=\frac{-3}{2}$

अतः $(2x+5)^{-1}$

$=\left[2.\left(\frac{-3}{2}\right)+5\right]^{-1}$

$=[-3+5]^{-1}$

$= [2]^{-1} = \frac{1}{2}$

28. (a) $\sqrt{2+\sqrt{2+\sqrt{2+\cdots}}}$

2= 1×2

अतः अभीष्ट उत्तर = बड़ा गुणनखण्ड = 2

29. (b) $\sqrt{3.\sqrt{3.\sqrt{3.\,..}}} = \infty$

Note:- जब गुणा के रूप में करणी अनन्त बार हो तो ऐसे प्रश्नों का उत्तर ठीक वहीं संख्या होता है जो करणी के अन्दर की राशि होती है।

∴ अभीष्ट उत्तर = 3

30. (d) $\sqrt{6+\sqrt{6+\sqrt{6+\ldots}}}$

$$6 = 2 \times 3$$

अतः अभीष्ट उत्तर = बड़ा गुणनखण्ड = 3

31. (c) $\sqrt{12+\sqrt{12+\sqrt{12+\ldots}}}$

$$12 = 3 \times 4$$

12 = 3×4

अतः अभीष्ट उत्तर = बड़ा गुणनखण्ड = 4

32. (d) $m = \sqrt{5+\sqrt{5+\sqrt{5+\cdots}}}$

या, $m^2 = 5+\sqrt{5+\sqrt{5+\cdots}}$

या, $m^2 = 5+m$

या, $m^2 - m = 5$ ....(i)

इसी प्रकार $n^2+n = 5$.....(ii)

∴ $m^2 - m = n^2+n$

$m^2 - n^2 = (m+n)$

$(m+n)(m-n) = (m+n)$

∴ $m - n = 1$

या, $m - n - 1 = 0$

33. (d) $m = \sqrt{a.\sqrt[3]{ab..\sqrt{a.\sqrt[3]{ab\ldots..\infty}}}}$

दोनों पक्षों का वर्ग करने पर–

$m^2 = a.\sqrt[3]{ab.\sqrt{a.\sqrt[3]{ab.}}}\ldots\ldots..\infty$

दोनों पक्षों का घन करने पर

$m^6 = a^3.ab..\sqrt{a.\sqrt{ab.\sqrt{a.\ldots..}}}\infty$

या, $m^6 = a^4b.m$

या, $m^5 = a^4b$

∴ $m = \sqrt[5]{a^4.b}$

34. (a) $\sqrt{2.\sqrt[3]{4.\sqrt{2.\sqrt[3]{4\ldots\ldots..}}}} = x$(माना)

दोनों पक्षों का वर्ग करने पर

$x^2 = 2.\sqrt[3]{4.\sqrt{2.\sqrt[3]{4.\ldots\ldots}}}$

दोनो पक्षों का घन करने पर

$x^6 = 8 \times 4\sqrt{2.\sqrt[3]{4.\sqrt{2.\ldots}}}$

$x^6 = 32x$

$x^5 = 2^5$

∴ $x = 2$

35. (b) $\sqrt{248+\sqrt{52+\sqrt{144}}}$

$= \sqrt{248+\sqrt{52+12}}$

$= \sqrt{248+8}$

$= \sqrt{256} = 16$

36. (b) $\sqrt[3]{15612+\sqrt{154+\sqrt{225}}}$

$= \sqrt[3]{15612+\sqrt{154+15}}$

$= \sqrt[3]{15612+13}$

$= \sqrt[3]{15625}$

= 25

37. (c) $\sqrt{40+\sqrt{9.\sqrt{81}}}$

$= \sqrt{40+\sqrt{9\times 9}}$

$= \sqrt{40+9}$

= 7

38. (c) $\sqrt{4+\sqrt{44+\sqrt{10000}}}$

$= \sqrt{4+\sqrt{44+100}}$

$= \sqrt{4+\sqrt{144}}$

$= \sqrt{4+12}$

= 4

39. (a) $\sqrt[3]{9}, \sqrt{3}, \sqrt[4]{16}, \sqrt[6]{80}$

$= 9^{\frac{1}{3}}, 3^{\frac{1}{2}}, 16^{\frac{1}{4}}, 80^{\frac{1}{6}}$

घातों के हर (3,2,4,6)का ल०स० = 12

= 9^4, 3^6, 16^3, 80^2(सभी घातों में ल०स० से गुणा करने पर)

= 6561, 729, 4096, 6400

∴ बड़ी संख्या =पहला पद = $\sqrt[3]{9}$

40. (b) $\sqrt{2}, \sqrt[3]{3}, \sqrt[4]{4}, \sqrt[6]{6}$

$= 2^{\frac{1}{2}}, 3^{\frac{1}{3}}, 4^{\frac{1}{4}}, 6^{\frac{1}{6}}$

घातों के हर (2, 3, 4 व 6) का ल०स० = 12

= 2^6, 3^4, 4^3, 6^2 (सभी घातो में ल०स० से गुणा करने पर

= 64, 81, 64, 36

∴ बड़ी संख्या =दूसरा पद = $\sqrt[3]{3}$

41. (d) 0.9, $(0.9)^2$, $\sqrt{0.09}$, $0.\bar{9}$

= 0.9, 0.81, 0.3, $\frac{9}{9}$

∴ बड़ी संख्या = $0.\bar{9}$

42. (c) $\sqrt[3]{2}, \sqrt{3}$

$= 2^{\frac{1}{3}}, 3^{\frac{1}{3}}$

घातों हर (3 व 2)ल०स० = 6

$= 2^2, 3^3$(सभी घातों में ल०स० से गुणा करने पर

= 4,27

∴ बड़ी संख्या = दूसरा पद $= \sqrt{3}$

43. (c) $\sqrt[3]{11}, \sqrt{7}, \sqrt[4]{45}$

$= 11^{\frac{1}{3}}, 7^{\frac{1}{2}}, 45^{\frac{1}{4}}$

घातो के हर (3, 2, 4) का ल० स० = 12

$= 11^4, 7^6, 45^3$ (सभी घातों में ल०स० से गुणा करने पर)

= 14641, 117649, 91125

$\therefore \sqrt{7} > \sqrt[4]{45} > \sqrt[3]{11}$

अतः कथन (III) सत्य है

44. (b) $x^{\frac{1}{6}} = y^{\frac{3}{2}}$

घातों के हर (6 व 3) का ल०स० = 06

$x^{\frac{1}{6}\times 6} = y^{\frac{2}{3}\times 6}$

$x = y^4$

45. (a) (I) $27^{\frac{1}{3}} > (13)^{\frac{1}{2}} < (47)^{\frac{1}{6}}$

घातों के हर का ल०स० = 06

$27^2 > 13^2 < 47^1$

729 > 2197 < 47 (असत्य)

(II) $13^{\frac{1}{3}} < (49)^{\frac{1}{2}} < (52)^{\frac{1}{6}}$

घातों के हर का ल०स० = 6

$(13)^2 < (49)^3 < (52)^1$(असत्य)

(III) $(53)^{\frac{1}{6}} < (41)^{\frac{1}{3}} < (37)^{\frac{1}{2}}$

घातों के हर का ल०स० = 6

$(13)^1 < (41)^2 < (37)^3$ (सत्य)

46. (c) $\frac{1}{\sqrt{3}+\sqrt{4}} + \frac{1}{\sqrt{4}+\sqrt{5}} + \frac{1}{\sqrt{5}+\sqrt{6}} + \frac{1}{\sqrt{6}+\sqrt{7}} + \frac{1}{\sqrt{7}+\sqrt{8}} + \frac{1}{\sqrt{8}+\sqrt{9}}$

या, $\frac{1}{\sqrt{4}+\sqrt{3}} + \frac{1}{\sqrt{5}+\sqrt{4}} + \frac{1}{\sqrt{6}+\sqrt{5}} + \frac{1}{\sqrt{7}+\sqrt{6}} + \frac{1}{\sqrt{8}+\sqrt{7}} + \frac{1}{\sqrt{9}+\sqrt{8}}$

परिमेयकरण करने पर

$\sqrt{4}-\sqrt{3} + \sqrt{5}-\sqrt{4} + \sqrt{6}-\sqrt{5} + \sqrt{7}-\sqrt{6} + \sqrt{8}-\sqrt{7} + \sqrt{9}-\sqrt{8}$

$= \sqrt{9}-\sqrt{3}$

$= 3-\sqrt{3}$

47. (c) $\frac{1}{\sqrt{7}-\sqrt{6}} - \frac{1}{\sqrt{6}-\sqrt{5}} + \frac{1}{\sqrt{5}-2} - \frac{1}{\sqrt{8}-\sqrt{7}} + \frac{1}{3-\sqrt{8}}$

परिमेयकरण करने पर

$= \sqrt{7} + \sqrt{6} - (\sqrt{6} + \sqrt{5}) + (\sqrt{5} + 2) - (\sqrt{8} + \sqrt{7}) + (3 + \sqrt{8})$

$\sqrt{7} + \sqrt{6} - \sqrt{6} - \sqrt{5} + \sqrt{5} + 2 - \sqrt{8} - \sqrt{7} + 3 + \sqrt{8}$

= 2+3 = 5

48. (d) $\frac{2}{\sqrt{7}+\sqrt{5}} + \frac{7}{\sqrt{12}-\sqrt{5}} - \frac{5}{\sqrt{12}-\sqrt{7}}$

$= \frac{2.(\sqrt{7}-\sqrt{5})}{(\sqrt{7}+\sqrt{5})(\sqrt{7}-\sqrt{5})} + \frac{7.(\sqrt{12}+\sqrt{5})}{(\sqrt{12}-\sqrt{5})(\sqrt{12}+\sqrt{5})} - \frac{5.(\sqrt{12}+\sqrt{7})}{(\sqrt{12}-\sqrt{7})(\sqrt{12}+\sqrt{7})}$

$= \frac{2(\sqrt{7}-\sqrt{5})}{\sqrt{7}-\sqrt{5}} + \frac{7.(\sqrt{12}+\sqrt{5})}{12-5} - \frac{5.(\sqrt{12}+\sqrt{7})}{12-7}$

$= \frac{2(\sqrt{7}-\sqrt{5})}{2} + \frac{7.(\sqrt{12}+\sqrt{5})}{7} - \frac{5(\sqrt{12}+\sqrt{7})}{5}$

$= \sqrt{7} - \sqrt{5} + \sqrt{12} + \sqrt{5} - \sqrt{12} - \sqrt{7}$

= 0

49. (c) $\frac{4+3\sqrt{3}}{\sqrt{7+4\sqrt{3}}} = A + \sqrt{B}$

$\frac{4+3\sqrt{3}}{(2+\sqrt{3})} = A + \sqrt{B}$

$[\because \sqrt{7 + 2.2\sqrt{3}} = \sqrt{(2+\sqrt{3})^2} = 2 + \sqrt{3}\,]$

$\frac{(4+3\sqrt{3})(2-\sqrt{3})}{(2+\sqrt{3})(2-\sqrt{3})} = A + \sqrt{B}$

$\frac{8-4\sqrt{3}+6\sqrt{3}-9}{4-3} = A + \sqrt{B}$

$-1 + 2\sqrt{3} = A + \sqrt{B}$

$-1 + \sqrt{12} = A + \sqrt{B}$

∴ A= –1तथा B = 12

तब B – A = 12 – (–1) = 13

50. (b) $\frac{3+\sqrt{7}}{3-4\sqrt{7}} = C + d\sqrt{7}$

$\frac{(3+\sqrt{7})(3+4\sqrt{7})}{(3-4\sqrt{7})(3+4\sqrt{7})} = C + d\sqrt{7}$

$\frac{9+12\sqrt{7}+3\sqrt{7}+28}{9-112} = C + d\sqrt{7}$

$\frac{37+15\sqrt{7}}{-103} = C + d\sqrt{7}$

$-\frac{37}{103} - \frac{15\sqrt{7}}{103} = C + d\sqrt{7}$

$C = \frac{-37}{103}, d = -\frac{15}{103}$

$C+d = -\frac{37}{103} - \frac{15}{103} = -\frac{52}{103}$

51. (a) $\frac{8+2\sqrt{3}}{3\sqrt{3}+5} = a\sqrt{3} - b$

$\frac{(8+2\sqrt{3})(3\sqrt{3}-5)}{(3\sqrt{3}+5)(3\sqrt{3}-5)} = a\sqrt{3} - b$

$\frac{24\sqrt{3} - 40 + 18 - 10\sqrt{3}}{27-25} = a\sqrt{3} - b$

$\frac{14\sqrt{3}-22}{2} = a\sqrt{3} - b$

$\frac{2(7\sqrt{3}-11)}{2} = a\sqrt{3} - b$

$7\sqrt{3} - 11 = a\sqrt{3} - b$

$a = 7, b = 11$

$\therefore$ a+b = 7+11= 18

52. (a) $\sqrt{7+2\sqrt{10}}$

$=\sqrt{7+2.\sqrt{2}\sqrt{5}}$

$=\sqrt{(\sqrt{2}+\sqrt{5})^2}$

$=(\sqrt{2}+\sqrt{5})$

53. (d) $x=\sqrt{-\sqrt{3}+\sqrt{3+8\sqrt{7+2.2\sqrt{3}}}}$

$x=\sqrt{-\sqrt{3}+\sqrt{3+8\sqrt{(2+\sqrt{3})^2}}}$

$x=\sqrt{-\sqrt{3}+\sqrt{3+8.(2+\sqrt{3})}}$

$x=\sqrt{-\sqrt{3}+\sqrt{3+16+2.4.\sqrt{3}}}$

$x=\sqrt{-\sqrt{3}+\sqrt{(4+\sqrt{3})^2}}$

$x=\sqrt{-\sqrt{3}+4+\sqrt{3}}$

$x=\sqrt{4}$

$x=2$

54. (a) $\frac{1}{\sqrt{12-\sqrt{2\times2\times5\times7}}}-\frac{1}{\sqrt{8-\sqrt{2\times2\times3\times5}}}-\frac{2}{\sqrt{10+\sqrt{2\times2\times3\times7}}}$

$=\frac{1}{\sqrt{12-2.\sqrt{7}.\sqrt{7.}}}-\frac{1}{\sqrt{8-2.\sqrt{5}.\sqrt{3.}}}-\frac{2}{\sqrt{10+2.\sqrt{7}.\sqrt{3}}}$

$=\frac{1}{\sqrt{(\sqrt{7}-\sqrt{5})^2}}-\frac{1}{\sqrt{(\sqrt{5}-\sqrt{3})^2}}-\frac{2}{\sqrt{(\sqrt{7}+\sqrt{3})^2}}$

$=\frac{1}{\sqrt{7}-\sqrt{5}}-\frac{1}{\sqrt{5}-\sqrt{3}}-\frac{2}{\sqrt{7}+\sqrt{3}}$

$=\frac{\sqrt{7}+\sqrt{5}}{7-5}-\frac{(\sqrt{5}+\sqrt{3})}{5-3}-\frac{2(\sqrt{7}-\sqrt{3})}{7-3}$

$=\frac{\sqrt{7}+\sqrt{5}}{2}-\frac{(\sqrt{5}+\sqrt{3})}{2}-\frac{\cancel{2}(\sqrt{7}-\sqrt{3})}{\cancel{4}\ 2}$

$=\frac{\sqrt{7}+\sqrt{5}-\sqrt{5}-\sqrt{3}-\sqrt{7}+\sqrt{3}}{2}$

$=\frac{0}{2}=0$

55. (a) $\frac{1}{\sqrt{11-2.\sqrt{6}\sqrt{5}}}-\frac{3}{\sqrt{7-2.\sqrt{5}.\sqrt{2}}}-\frac{1}{\sqrt{8+2.\sqrt{6}.\sqrt{2}}}$

$=\frac{1}{\sqrt{(\sqrt{6}-\sqrt{5})^2}}-\frac{3}{\sqrt{(\sqrt{5}-\sqrt{2})^2}}\ \frac{4}{\sqrt{(\sqrt{6}+\sqrt{2})^2}}$

$=\frac{1}{\sqrt{6}-\sqrt{5}}-\frac{3}{\sqrt{5}-\sqrt{2}}-\frac{4}{\sqrt{6}+\sqrt{2}}$

परिमेयकरण करने पर –

$=\frac{1.(\sqrt{6}+\sqrt{5})}{6-5}-\frac{3.(\sqrt{5}+\sqrt{2})}{5-2}-\frac{4.(\sqrt{6}-\sqrt{2})}{6-2}$

$=\sqrt{6}+\sqrt{5}-\sqrt{5}-\sqrt{2}-\sqrt{6}+\sqrt{2}$

$=0$

56. (c) $\frac{(2+\sqrt{3})^2+(2-\sqrt{3})^2}{(2-\sqrt{3})(2+\sqrt{3})}+\frac{(\sqrt{3}-1)}{\sqrt{3}+1}\times\frac{(\sqrt{3}-1)}{(\sqrt{3}-1)}$

$=\frac{4+3+4\sqrt{3}+4+3-4\sqrt{3}}{4-3}+\frac{3+1-2\sqrt{3}}{3-1}$

$=\frac{14}{1}+\frac{2(2-\sqrt{3})}{2}$

$=14+2-\sqrt{3}$

$=16-\sqrt{3}$

57. (b) $\frac{5+3+2\sqrt{15}}{5+3-2\sqrt{15}}+\frac{5+3-2\sqrt{15}}{5+3+2\sqrt{15}}$

$=\frac{2(4+\sqrt{15})}{2(4-\sqrt{15})}+\frac{2(4-\sqrt{15})}{2(4+\sqrt{15})}$

$=\frac{(4+\sqrt{15})(4+\sqrt{15})}{(4-\sqrt{15})(4+\sqrt{15})}+\frac{(4-\sqrt{15})(4-\sqrt{15})}{(4+\sqrt{15})(4-\sqrt{15})}$

$=\frac{16+15+8\sqrt{15})}{1}+\frac{16+15-8\sqrt{15})}{1}$

$=31+8\sqrt{15}+31-8\sqrt{15})$

$=62$

58. (b) $\frac{a^2+ab+b^2}{a^2-ab+b^2}=\frac{(a+b)^2-ab}{(a+b)^2-3ab}$ ....(I)

$\therefore$ a+b $=\frac{\sqrt{5}+1}{\sqrt{5}-1}+\frac{\sqrt{5}-1}{\sqrt{5}+1}$

$=\frac{(\sqrt{5}+1)^2(\sqrt{5}-1)^2}{(\sqrt{5}-1)(\sqrt{5}+1)}$

$=\frac{5+1+2\sqrt{5}+5+1-2\sqrt{5}}{5-1}$

a+b $=\frac{12}{4}=3$

ab $=\frac{\sqrt{5}+1}{\sqrt{5}-1}\times\frac{\sqrt{5}-1}{\sqrt{5}+1}=1$

(a+b) और ab का मान समी० (I)में रखने पर

$\frac{(3)^2-1}{(3)^2-3\times1}=\frac{9-1}{9-3}=\frac{8}{6}=\frac{4}{3}$

59. (b) $3+\frac{1}{\sqrt{3}}+\frac{1}{3+\sqrt{3}}+\frac{1}{\sqrt{3}-3}$

$=3+\frac{1}{\sqrt{3}}+\frac{1}{3+\sqrt{3}}-\frac{1}{3-\sqrt{3}}$

$=3+\frac{1}{\sqrt{3}}+\frac{3-\sqrt{3}-3-\sqrt{3}}{(3+\sqrt{3})(3-\sqrt{3})}$

$=3+\frac{1}{\sqrt{3}}-\frac{2\sqrt{3}}{9-\sqrt{3}}$

$=3+\frac{1}{\sqrt{3}}-\frac{2\sqrt{3}}{6}$

$=3+\frac{1}{\sqrt{3}}-\frac{1}{\sqrt{3}}$

$=3$

60. (c) $\frac{1+\sqrt{2}}{\sqrt{5}+\sqrt{3}}+\frac{1-\sqrt{2}}{\sqrt{5}-\sqrt{3}}$

$=\frac{(1+\sqrt{2})(\sqrt{5}-\sqrt{3})+(1-\sqrt{2})(\sqrt{5}+\sqrt{3})}{(\sqrt{5}+\sqrt{3})(\sqrt{5}-\sqrt{3})}$

$=\frac{\sqrt{5}-\sqrt{3}+\sqrt{10}-\sqrt{6}+\sqrt{5}+\sqrt{3}-\sqrt{10}-\sqrt{6}}{5-3}$

$=\frac{2\sqrt{5}-2\sqrt{6}}{2}$

$=\frac{2(\sqrt{5}-\sqrt{6})}{2}$

$=\sqrt{5}-\sqrt{6}$

61. (a) $\frac{\sqrt{3}+1}{\sqrt{3}-1}+\frac{\sqrt{3}-1}{\sqrt{3}+1}+\frac{\sqrt{2}+1}{\sqrt{2}-1}+\frac{\sqrt{2}-1}{\sqrt{2}+1}$

$=\frac{(\sqrt{3}+1)^2+(\sqrt{3}-1)^2}{(\sqrt{3}-1)(\sqrt{3}+1)}+\frac{(\sqrt{2}+1)^2+(\sqrt{2}-1)^2}{(\sqrt{2}-1)(\sqrt{2}+1)}$

$\frac{3+1+2\sqrt{3}+3+1-2\sqrt{3}}{3-1}+\frac{2+1+2\sqrt{2}+2+1-2\sqrt{2}}{2-1}$

$=\frac{8}{2}+\frac{6}{1}$

$= 4+6 = 10$

62. **(b)** $16^{\frac{3}{4}} = (2^4)^{\frac{3}{4}} = 2^3 = 8$ *Ans.*

63. **(b)** $(3^5)^{0.16} \times (3^5)^{0.04}$

$= 3^{0.8} \times 3^{0.2} = 3^1 = 3$ *Ans.*

64. **(a)** $\left(\frac{x^a}{x^b}\right)^{a+b} \left(\frac{x^b}{x^c}\right)^{b+c} \left(\frac{x^c}{x^a}\right)^{c+a}$

$= \left(x^{a-b}\right)^{a+b}.\left(x^{b-c}\right)^{b+c}(x^{c-a})^{c+a}$

$= x^{a^2-b^2}.x^{b^2-c^2}.x^{c^2-a^2}$

$= x^{a^2-b^2+b^2-c^2+c^2-a^2}$

$= x^0 = 1$ *Ans.*

65. **(c)** $2^{x+1} + 2^{x-1} = 320$

$2^x.2^1 + \frac{2^x}{2^1} = 320$

$2^x\left(2+\frac{1}{2}\right) = 320$

$2^x = 320 \times \frac{2}{5}$

$2^x = 128$

$2^x = 2^7$

अतः $x = 7$ *Ans.*

नोट : ऐसे प्रश्नों को Option से हल कर लेना चाहिए।

$2^{7+1} + 2^{7-1}$

$= 256 + 64$

$= 320$ (जो समीकरण संतुष्ट करता है)

66. **(d)** $\frac{(243)^{\frac{n}{5}}.3^{2n+1}}{9^n.3^{n-1}}$

$= \frac{(3^5)^{\frac{n}{5}}.\ 3^{2n+1}}{3^{2n}.3^{n-1}}$

$= \frac{3^{3n+1}}{3^{3n-1}}$

$= 3^{3n+1-3n+1}$

$= 3^2$

$= 9$ *Ans.*

67. **(c)** $2^a = x$ तथा $3^b = y$ (माना)

$x + y = 17$ ……………….. (i)

$2^a.2^2 - 3^b.3^1 = 5$

$4x - 3y = 5$ ………………(ii)

समीकरण (i) व (ii) को हल करने पर–

$x = 8$ या $2^a = 2^3$ अतः $a = 3$

तथा $y = 9$ या $3^b = 3^2$ अतः $b = 2$

68. **(c)** $2^{2x-1} = \frac{1}{8^{x-3}}$

$2^{2x-1} = \frac{1}{8^{x-3}}$

$2^{2x-1} = \frac{1}{2^{3x-9}}$

$2^{2x-1} = 2^{-3x+9}$

अतः $2x - 1 = -3x + 9$

$5x = 10 \qquad \therefore x = 2$ *Ans.*

69. **(a)** $2^{x+4} - 2^{x+2} = 3$

$2^x.2^4 - 2^x.2^2 = 3$

$2^x(16-4) = 3$

$2^x = \frac{3}{12}$

$2^x = \frac{1}{4}$

$2^x = \frac{1}{2^2}$

$2^x = 2^{-2}$

अतः $x = -2$ *Ans.*

70. **(d)** $\left(\frac{4}{9}\right)^{-x}.\left(\frac{8}{27}\right)^{x-1} = \frac{2}{3} \quad \left[\because \left(\frac{9}{4}\right)^x = \left(\frac{4}{9}\right)^{-x}\right]$

$\left(\frac{2}{3}\right)^{-2x}.\left(\frac{2}{3}\right)^{3x-3} = \frac{2}{3}$

$\left(\frac{2}{3}\right)^{x-3} = \left(\frac{2}{3}\right)^1$

अतः $x - 3 = 1$ या $x = 1 + 3 = 4$ *Ans.*

71. **(c)** $3^{x+y} = 3^4$ अतः $x + y = 4$ ………(i)

$3^{4(x-y)} = 3$ अतः $4x - 4y = 3$ ……..(ii)

$4x + 4y = 16$

$4x - 4y = 1$

$8x = 17$

अतः $x = \frac{17}{8}$ *Ans.*

72. **(a)** $2^x = 4^y = 8^z$

$2^x = 2^{2y} = 2^{3z}$

अतः $x = 2y = 3z$

तथा $xyz = 288$

$3z \times \frac{3z}{2} \times z = 288$

$z^3 = 288 \times \frac{2}{9}$

$z^3 = 64$

$z^3 = 4^3$

$z = 4\ Ans.$

73. **(c)** $2^x = 4^y = 8^z$

$2^x = 2^{2y} = 2^{3z}$

अतः $x = 2y = 3z$

तथा $\frac{1}{2x} + \frac{1}{4y} + \frac{1}{6z} = \frac{24}{7}$

$\frac{1}{6z} + \frac{1}{6z} + \frac{1}{6z} = \frac{24}{7}$

$\frac{3}{6z} = \frac{24}{7}$

$z = \frac{7}{48}\ Ans.$

74. **(d)** $a^x = b^y = c^z = k$ (माना)

$a = k^{\frac{1}{x}},\ b = k^{\frac{1}{y}}$ व $c = k^{\frac{1}{z}}$

तथा $b^2 = ac$

$k^{\frac{2}{y}} = k^{\frac{1}{x}} \times k^{\frac{1}{z}}$

$k^{\frac{2}{y}} = k^{\frac{1}{x}+\frac{1}{z}}$

$k^{\frac{2}{y}} = k^{\frac{x+z}{xz}}$

$\frac{2}{y} = \frac{x+z}{xz}$

अतः $y(x+z) = 2xz$

$y = \frac{2xz}{x+z}\ Ans.$

75. **(d)** $\sqrt{6+\sqrt{6+\sqrt{6+\cdots}}}$

$\because 6 = 3 \times 2$

अतः बड़ा गुणनखण्ड $= 3\ Ans.$ [+3 अभीष्ट उत्तर है]

76. **(a)** $\sqrt{30-\sqrt{30-\sqrt{30-\cdots}}}$

$\because 30 = 6 \times 5$

अतः छोटा गुणनखण्ड धनात्मक होगा [अतः अभीष्ट उत्तर = 5]

77. **(b)** $\sqrt{3.\sqrt{3.\sqrt{3.\ \ldots\ldots}}}$

अतः अभीष्ट उत्तर $= 3\ Ans.$

78. **(b)** $\frac{\sqrt{10+\sqrt{25+\sqrt{108+\sqrt{154+\sqrt{225}}}}}}{\sqrt[3]{8}}$

$= \frac{\sqrt{10+\sqrt{25+\sqrt{108+\sqrt{154+15}}}}}{2}$

$= \frac{\sqrt{10+\sqrt{25+\sqrt{108+\sqrt{169}}}}}{2}$

$= \frac{\sqrt{10+\sqrt{25+\sqrt{108+13}}}}{2}$

$= \frac{\sqrt{10+\sqrt{25+11}}}{2}$

$= \frac{\sqrt{10+6}}{2}$

$= \frac{4}{2}$

$= 2\ Ans.$

79. **(c)** $\sqrt{7.\sqrt{7.\sqrt{7.\sqrt{7}}}}$

$= 7^{1-\frac{1}{2^4}}$

$= 7^{1-\frac{1}{16}}$

$= 7^{\frac{15}{16}}\ Ans.$

80. **(c)** $\sqrt{7.\sqrt{7.\sqrt{7.\ \ldots..}}} = (343)^{y-1}$

$\sqrt{7.\sqrt{7.\sqrt{7.\ \ldots..}}} = (7^3)^{y-1}$

$7 = 7^{3y-3}$

अतः $3y - 3 = 1$

$3y = 4$

$y = \frac{4}{3}\ Ans.$

81. **(c)** $2^{250}, 3^{150}, 5^{100}$ तथा 4^{200}

घातों का म0स0 $= 50$

$(2^5)^{50}, (3^3)^{50}, (5^2)^{50}$ तथा $(4^4)^{50}$

$(32)^{50}, (27)^{50}, (25)^{50}$ तथा $(256)^{50}$

अतः सबसे छोटी संख्या $= (27)^{50} = 3^{150}$

82. **(c)** $\sqrt[6]{12}, \sqrt[3]{4}, \sqrt[4]{5}$ व $\sqrt{3}$

$(12)^{\frac{1}{6}}, (4)^{\frac{1}{3}}, (5)^{\frac{1}{4}}$ व $(3)^{\frac{1}{2}}$

घातों के हर का ल0स0 $= 12$

$(12)^{\frac{1}{6}\times 12}, (4)^{\frac{1}{3}\times 12}, (5)^{\frac{1}{4}\times 12}$ व $(3)^{\frac{1}{2}\times 12}$

$(12)^2, (4)^4, (5)^3$ व $(3)^6$

$144, 256, 125$ व 729

अतः न्यूनतम संख्या $= 125 = \sqrt[4]{5}$ *Ans.*

83. **(d)** घातों के हर का ल0स0 = 6

$= 3^{\frac{1}{3}\times 6}, 2^{\frac{1}{2}\times 6}, 1^{1\times 6}, 6^{\frac{1}{6}\times 6}$

$= 3^2, 2^3, 1^6, 6^1$

$= 9, 8, 1, 6$

अतः सबसे बड़ी संख्या $= 9 = 3^{\frac{1}{3}}$ *Ans.*

84. **(b)** $\frac{1}{\sqrt{2}+1} + \frac{1}{\sqrt{3}+\sqrt{2}} + \frac{1}{\sqrt{4}+\sqrt{3}} + \cdots \ldots \ldots + \frac{1}{\sqrt{100}+\sqrt{99}}$

यहाँ हर के दोनों पदों के वर्गों का अन्तर 1 है अतः

$\sqrt{2} - 1 + \sqrt{3} - \sqrt{2} + \sqrt{4} - \sqrt{3} + \cdots \sqrt{100} - \sqrt{99}$

$= -1 + \sqrt{100}$

$= -1 + 10$

$= 9$ *Ans.*

85. **(d)** $(7 + 3\sqrt{5})(7 - 3\sqrt{5})$

$= 49 - 45$

$= 4$

अतः 4 का वर्गमूल 2 *Ans.*

86. **(b)** $3 + \frac{1}{\sqrt{3}} + \frac{1}{3+\sqrt{3}} + \frac{1}{\sqrt{3}-3}$

$$= 3 + \frac{1}{\sqrt{3}} + \frac{1}{3+\sqrt{3}} - \frac{1}{3-\sqrt{3}}$$

$$= 3 + \frac{1}{\sqrt{3}} + \left(\frac{3-\sqrt{3}-3-\sqrt{3}}{(3+\sqrt{3})(3-\sqrt{3})}\right)$$

$$= 3 + \frac{1}{\sqrt{3}} - \frac{2\sqrt{3}}{9-3}$$

$$= 3 + \frac{1}{\sqrt{3}} - \frac{\sqrt{3}}{3}$$

$$= 3 + \frac{1}{\sqrt{3}} - \frac{1}{\sqrt{3}}$$

$= 3$ *Ans.*

87. **(b)** $\sqrt{-\sqrt{3} + \sqrt{3 + 8\sqrt{7 + 4\sqrt{3}}}}$

$$= \sqrt{-\sqrt{3} + \sqrt{3 + 8\sqrt{7 + 2.2.\sqrt{3}}}}$$

$$= \sqrt{-\sqrt{3} + \sqrt{3 + 8\sqrt{(2+\sqrt{3})^2}}}$$

$$= \sqrt{-\sqrt{3} + \sqrt{3 + 8(2+\sqrt{3})}}$$

$$= \sqrt{-\sqrt{3} + \sqrt{3 + 16 + 2.4.\sqrt{3}}}$$

$$= \sqrt{-\sqrt{3} + \sqrt{(4+\sqrt{3})^2}}$$

$$= \sqrt{-\sqrt{3} + 4 + \sqrt{3}}$$

$= \sqrt{4}$

$= 2$ *Ans.*

88. **(a)** $\{(-2)^{(-2)}\}^{(-2)}$

$$= \left\{\frac{1}{(-2)^2}\right\}^{-2}$$

$$= \left\{\frac{1}{4}\right\}^{-2}$$

$= \{4\}^2$

$= 16$ *Ans.*

89. **(a)** $\sqrt{5 + 2\sqrt{6}} - \frac{1}{\sqrt{5+2\sqrt{6}}}$

$$\sqrt{5 + 2.\sqrt{3}.\sqrt{2}} - \frac{1}{\sqrt{5 + 2.\sqrt{3}.\sqrt{2}}}$$

$$= \sqrt{(\sqrt{3}+\sqrt{2})^2} - \frac{1}{\sqrt{(\sqrt{3}+\sqrt{2})^2}}$$

$$= (\sqrt{3}+\sqrt{2}) - \frac{1}{(\sqrt{3}+\sqrt{2})} \times \frac{(\sqrt{3}-\sqrt{2})}{(\sqrt{3}-\sqrt{2})}$$

$= \sqrt{3} + \sqrt{2} - (\sqrt{3} - \sqrt{2})$

$= \sqrt{3} + \sqrt{2} - \sqrt{3} + \sqrt{2}$

$= 2\sqrt{2}$ *Ans.*

90. **(a)** $\frac{1}{\sqrt{(\sqrt{7}-\sqrt{5})^2}} - \frac{1}{\sqrt{(\sqrt{5}-\sqrt{3})^2}} - \frac{2}{\sqrt{(\sqrt{7}+\sqrt{3})^2}}$

$$= \frac{1}{\sqrt{7}-\sqrt{5}} - \frac{1}{\sqrt{5}-\sqrt{3}} - \frac{2}{\sqrt{7}+\sqrt{3}}$$

परिमेयकरण करने पर

$$= \frac{\sqrt{7}+\sqrt{5}}{2} - \frac{\sqrt{5}+\sqrt{3}}{2} - \frac{2(\sqrt{7}-\sqrt{3})}{4}$$

$$= \frac{2\sqrt{7} + 2\sqrt{5} - 2\sqrt{5} - 2\sqrt{3} - 2\sqrt{7} + 2\sqrt{3}}{4}$$

$$= \frac{0}{4}$$

$= 0$ *Ans.*

91. **(a)** $\frac{\sqrt{7}-\sqrt{5}}{\sqrt{7}+\sqrt{5}} + \frac{\sqrt{7}+\sqrt{5}}{\sqrt{7}-\sqrt{5}}$

$$= \frac{(\sqrt{7}-\sqrt{5})^2 + (\sqrt{7}+\sqrt{5})^2}{(\sqrt{7}+\sqrt{5})(\sqrt{7}-\sqrt{5})}$$

$$= \frac{7 + 5 - 2\sqrt{35} + 7 + 5 + 2\sqrt{35}}{7-5}$$

$$= \frac{24}{2} = 12 \; Ans.$$

92. **(c)** $\left(\sqrt{2} + \sqrt{7 - 2\sqrt{10}}\right)$

$$= \left(\sqrt{2} + \sqrt{7 - 2.\sqrt{5}.\sqrt{2}}\right)$$

$$= \sqrt{2} + \sqrt{(\sqrt{5}-\sqrt{2})^2}$$

$$= \sqrt{2} + \sqrt{5} - \sqrt{2}$$

$= \sqrt{5}$ *Ans.*

93. **(b)** $(a+b) = \frac{\sqrt{5}+1}{\sqrt{5}-1} + \frac{\sqrt{5}-1}{\sqrt{5}+1}$

$$= \frac{(\sqrt{5}+1)^2 + (\sqrt{5}-1)^2}{5-1}$$

$$= \frac{2(5+1)}{4}$$

$$= 3$$

$$(a-b) = \frac{\sqrt{5}+1}{\sqrt{5}-1} - \frac{\sqrt{5}-1}{\sqrt{5}+1}$$

$$= \frac{(\sqrt{5}+1)^2 - (\sqrt{5}-1)^2}{5-1}$$

$$= \frac{4 \times \sqrt{5} \times 1}{4}$$

$$= \sqrt{5}$$

$$ab = 1$$

$$\frac{a^2+ab+b^2}{a^2-ab+b^2} = \frac{(a+b)^2-ab}{(a+b)^2-3ab}$$

$$= \frac{9-1}{9-3}$$

$$= \frac{8}{6}$$

$$= \frac{4}{3} \; Ans.$$

94. **(a)** $x = y^a$

$x = (z^b)^a$

$x = \{(x^c)^b\}^a$

$x = x^{abc}$

अतः $abc = 1$ *Ans.*

95. **(d)** $a^b = 5^3$

$\therefore \; a = 5, \; b = 3$

अतः $(a-b)^{a+b-4}$

$= (5-3)^{5+3-4}$

$= 2^4$

$= 16$ *Ans.*

96. **(a)** $\frac{5+2\sqrt{3}}{7+4\sqrt{3}} \times \frac{7-4\sqrt{3}}{7-4\sqrt{3}} = a + b\sqrt{3}$

$$\frac{35 - 20\sqrt{3} + 14\sqrt{3} - 24}{49-48} = a + b\sqrt{3}$$

$= 11 - 6\sqrt{3} = a + b\sqrt{3}$

$\therefore a = 11, \; b = -6$ (तुलना करने पर)

97. **(d)** $(\sqrt{19}-\sqrt{17}), (\sqrt{13}-\sqrt{11}), (\sqrt{7}-\sqrt{5})$ तथा $(\sqrt{5}-\sqrt{3})$

नोट :- $\sqrt{a} - \sqrt{b} = \sqrt{c} - \sqrt{d} = \sqrt{e} - \sqrt{f} =$

अन्तर समान हो, तो छोटी संख्या सदैव बड़ी होगी।

अतः सबसे बड़ा व्यंजक $= (\sqrt{5}-\sqrt{3})$ *Ans.*

6 महत्तम समापवर्तक तथा लघुत्तम समापवर्त्य (HCF and LCM)

समापवर्त्य : ऐसी संख्यायें जो दी गई दो या दो से अधिक संख्याओं में से प्रत्येक से पूर्णतया विभाजित हो, उन दी गई संख्याओं के समापवर्त्य या सार्वगुणज कहलाती है।जैसे – 5 व 6 के समापवर्त्य 30, 60, 90, ...है।

समापवर्तक : वह संख्या जो दी गई दो या दो से अधिक संख्याओं को अलग–अलग विभाजित कर दे, दी गई संख्याओं का समापवर्तक कहलाता है। जैसे– 12, 15 व 18 को 3 पूर्णतः अलग–अलग विभाजित करता है, तो 3 उक्त संख्याओं का समापवर्तक है।

लघुत्तम समापवर्त्य (ल0स0) : वह छोटी से छोटी संख्या जो दी गई प्रत्येक संख्या से पूर्णतया विभाजित हो जाये, वह उन संख्याओं का लघुत्तम समापवर्त्य कहलाता है। जैसे – 12, 15, 18 का ल0स0 = 90 है।

∵ 90 दी हुई प्रत्येक संख्या से पूर्णतः विभक्त है।

महत्तम समापवर्तक (म0स0) : दो या दो से अधिक संख्याओं का म0स0, वह बड़ी से बड़ी संख्या होती है जो दी गई प्रत्येक संख्या को पूर्णतः विभाजित कर दें। जैसे – 12, 15, 18 का म0स0 = 3

∵ 3, दी हुई प्रत्येक संख्य्म्रों को पूर्णतः विभाजित कर देती है।

Type - 01

साधारण प्रश्न :

(i) साधारण ल0स0 और म0स0 ज्ञात करना
(ii) घातों का ल0स0 और म0स0 ज्ञात करना
(iii) भिन्नों का ल0स0 और म0स0 ज्ञात करना
(iv) दशमलव का ल0स0 और म0स0 ज्ञात करना

(i) साधारण ल0स0 और म0स0 ज्ञात करना :–

प्रश्न :तीन चौराहों की ट्रैफिक लाइट क्रमशः प्रत्येक 1 मिनट, 75 सेकेण्ड और 90 सेकण्ड बाद बदलती है। यदि वे एक साथ अपराह्न 7 : 50 पर बदलें तो वे पुनः एक साथ बदलेंगी–

हल :

2	60, 75, 90
2	30, 75, 45
3	15, 75, 45
3	5, 25, 15
5	5, 25, 5
5	1, 5, 1
	1, 1, 1

अभीष्ट ल0स0 $= 2 \cdot 2 \cdot 3 \cdot 3 \cdot 5 \cdot 5 = 900$ सेकेण्ड $= \frac{900}{60} = 15$ मिनट बाद पुनः बदलेगी।

अतः अभीष्ट समय =7: 50 +0: 15 =8: 05 अपराह्न

प्रश्न :तीन टैंकरों में क्रमशः 403 ली0, 434 ली0 और 465 ली0 डीजल है। ऐसे पात्र की अधिकतम क्षमता क्या होगी जिससे तीनों पात्रों के डीजल को पूर्ण संख्या में मापा जा सके।

हल : पात्र की अधिकतम क्षमता = 403, 434 व 465 ली0 का म0स0 = 31 ली0

403 और 434 का म0स0

```
403)434(1
    403
     31)403(13
        31
        93
        93
        ×
```

अब 31 व 465 का म0स0

```
31)465(15
   31
   155
   155
    ×
```

अतः अभीष्ट म0स0 = 31 ली0

(ii) घातों का ल0स0 : दिये गये घातांकों में प्रत्येक आधार की अधिकतम घात ही अभीष्ट ल0स0 होता है।

प्रश्न :$(2^2 \times 3 \times 7^2 \times 9)$, $(2^3 \times 3^2 \times 7 \times 11^2)$ तथा $(2 \times 3^3 \times 7 \times 13)$ का ल0स0 क्या होगा?

हल :

$$2^2 \times 3 \times 7^2 \times 9$$
$$2^3 \times 3^2 \times 7 \times 11^2$$
$$2 \times 3^3 \times 7 \times 13$$
$$\text{ल0स0} = 2^3 \times 3^3 \times 7^2 \times 11^2 \times 13$$

घातों का म0स0: दिये गये घातांकों में प्रत्येक Common आधार की न्यूनतम घात ही अभीष्ट म0स0 होता है।

प्रश्न :$(2^5 \times 3^3 \times 5)$, $(2^4 \times 3^2 \times 5^2)$ तथा $(2^2 \times 3 \times 5^3 \times 7)$ का म0स0 क्या होगा?

हल :

$$2^5 \times 3^3 \times 5$$
$$2^4 \times 3^2 \times 5^2$$
$$2^5 \times 3 \times 5^3 \times 7$$
$$\text{म0स0} = 2^2 \times 3 \times 5$$

(iii) भिन्नों का ल0स0 और म0स0 ज्ञात करना : यदि संख्यायें भिन्नों के रूप में है, तो इनका ल0स0 अथवा म0स0 इन सूत्रों से ज्ञात करते हैं।

$$\text{भिन्नों का ल0स0} = \frac{\text{अंशों का ल0स0}}{\text{हरों का म0स0}}$$

$$\text{भिन्नों का म0स0} = \frac{\text{अंशों का म0स0}}{\text{हरों का ल0स0}}$$

नोट : भिन्नों का ल0स0 या म0स0 ज्ञात करने के लिए पहले उनको न्यूनतम पदों में लिख लेते हैं।

प्रश्न :$\frac{1}{3}, \frac{2}{9}, \frac{5}{6}$ तथा $\frac{4}{27}$ का लघुत्तम समापवर्त्य क्या है?

हल : $\frac{1}{3},\frac{2}{9},\frac{5}{6}$ तथा $\frac{4}{27}$ का ल0स0 $= \frac{\text{1, 2, 5 तथा 4 का ल0स0}}{\text{3, 9, 6 तथा 27 का म0स0}}$

$= \frac{20}{3}$

प्रश्न : $\frac{5}{6},\frac{10}{27},\frac{8}{15}$ तथा $\frac{3}{4}$ का म0स0 ज्ञात कीजिए?

हल : अभीष्ट म0स0 $= \frac{\text{5, 10, 8 तथा 3 का म0स0}}{\text{6, 27, 15 तथा 4 का ल0स0}}$

$= \frac{1}{540}$

(iv) दशमलव का ल0स0 और म0स0 ज्ञात करना

Step A : सर्वप्रथम दशमलव के बाद अंकों की संख्या समान करें।

Step B : अब, दशमलव हटाकर पूर्णांकों का ल0स0 या म0स0 ज्ञात कर लें।

Step C : अब दशमलव को Step A के अनुसार प्रतिस्थापित करें।

प्रश्न : 3, 0.09 तथा 2.7 का ल0स0 क्या होगा?

हल : Step A : 3.00, 0.09 तथा 2.70

Step B : 300, 9 तथा 270 का ल0स0 = 2700

Step C : अभीष्ट ल0स0 = 27

प्रश्न : 1.8, 0.24 व 36 का म0स0 ज्ञात कीजिए।

हल : Step A : 1.80, 0.24 तथा 36.00

Step B : 180, 24 व 36 का म0स0 = 12

Step C : अभीष्ट म0स0 = 0.12

Type - 02

ल0स0 के शेष पर प्रश्न

(i) जब प्रत्येक दशा में x शेष बचे

नियम : सर्वप्रथम दी गई संख्या (भाजक) का ल0स0 ज्ञात करके शेष x को जोड़ देते है।

(ii) जब क्रमशः x, y व z शेष बचे

नियम : सर्वप्रथम भाजक व शेष का अन्तर ज्ञात करते हैं तत्पश्चात् भाजक का ल0स0 ज्ञात करके अन्तर को घटा देते है।

प्रश्न : वह सबसे छोटी संख्या ज्ञात कीजिए जिसमें 12, 18 व 30 से भाग दिया जाये तो प्रत्येक दशा में 9 शेषफल बचे?

हल : 12, 18 व 30 का ल0स0 = 180

अतः वह न्यूनतम संख्या = 180+9 = 189

प्रश्न : वह छोटी से छोटी संख्या कौन सी है जिसे क्रमशः 12, 15 व 16 से भाग देने पर शेषफल क्रमशः 7, 10 तथा 11 बचे?

हल : यहाँ (12-7) = (15-10) = (16-11) = 5

अतः अभीष्ट संख्या = (12, 15 व 16 का ल0स0)–5

= 240–5

= 235 Ans.

Type - 03

म0स0 के शेष पर प्रश्न

(i) जब प्रत्येक दशा में x शेष बचे–

(ii) जब क्रमशः x, y व z शेष बचे–

(iii) जब प्रत्येक दशा में समान शेष बचे–

(i) जब प्रत्येक दशा में x शेष बचे–

नियम : दी गई संख्या में से शेष x को घटाकर प्राप्त मान का म0स0 ज्ञात कर लेते है।

(ii) जब क्रमशः x, y व z शेष बचे–

नियम : दी गई संख्या से शेष क्रमशः x, y व z करे घटाकर प्राप्त मान का म0स0 ज्ञात कर लेते है।

(iii) जब प्रत्येक दशा में समान शेष बचे–

नियम : $T_1 < T_2 < T_3$

$T_2 - T_1 =$?

$T_3 - T_2 =$?

$T_3 - T_1 =$? म0स0

प्रश्न : वह बड़ी से बड़ी संख्या कौन सी है जिससे 1356, 1868 व 2764 को भाग देने पर प्रत्येक दशा में 12 शेष बचे?

हल : $1356 - 12 = 1344$

$1868 - 12 = 1856$

$2764 - 12 = 2752$

अतः वह अधिकतम संख्या $= 1344, 1856$ व 2752 का म0स0 = 64

द्रष्टव्य : 1344)1856(1

```
1344)1856(1
     1344
      512)1344(2
          1024
           320)512(1
               320
               192)320(1
                   192
                   128)192(1
                       128
                        64)128(2
                           128
                            ×
```

अब 64 व 2752 का म0स0

```
64)2752(43
   256
   192
   192
    ×
```

अतः अभीष्ट म0स0 = 64 *Ans.*

प्रश्न : वह कौन सी सबसे बड़ी संख्या है जिससे 307 और 330 को भाग देने पर शेष क्रमशः 3 और 7 बचे?

हल : $307 - 3 = 304$

$330 - 7 = 323$

अतः वह अधिकतम संख्या = 304 व 323 का म0स0 = 19

द्रष्टव्य : 304)323(1
304
19)304(16
19
114
114
×
अतः अभीष्ट म०स० $= 19\ Ans.$

प्रश्न : वह सबसे बड़ी संख्या जिसके द्वारा 25, 73 तथा 97 को भाग देने पर प्रत्येक दशा में समान शेषफल रहे?

हल : $T_1 = 25,\ T_2 = 73$ व $T_3 = 97$
$T_2 - T_1 = 73 - 25 = 48$
$T_3 - T_2 = 97 - 73 = 24$
$T_3 - T_1 = 97 - 25 = 72$
अतः वह अधिकतम संख्या $= 48, 24$ व 72 का म०स० $= 24$

Type - 04

ल०स० × म०स० = पहली संख्या × दूसरी संख्या

प्रश्न : दो संख्याओं का म०स० 15 है तथा उनका ल०स० 225 है। यदि उनमें से एक संख्या 75 है तो दूसरी संख्या बताइये?

हल ल०स० × म०स० = पहली संख्या × दूसरी संख्या
$225 \times 15 = 75 \times$ दूसरी संख्या
दूसरी संख्या $= \frac{225 \times 15}{75}$
दूसरी संख्या $= 45\ Ans.$

प्रश्न : दो संख्याओं का ल०स० उसके म०स० का 12 गुना है। म०स० तथा ल०स० का योग 403 है। यदि उनमें से एक संख्या 93 है तो दूसरी संख्या क्या होगी?

हल माना म०स० $= x$
तब ल० स० $= 12x$
प्रश्नानुसार,
$x + 12x = 403$
$13x = 403$
$x = 31$
अतः म०स० $= x = 31$
व ल०स०$= 12x = 12 \times 31 = 372$
सूत्र से, ल०स० × म०स० = पहली संख्या × दूसरी संख्या
$31 \times 372 = 93 \times$ दूसरी संख्या
दूसरी संख्या $= \frac{31 \times 372}{93}$
दूसरी संख्या $= 124\ Ans.$

Type - 05

अनुपाती संख्या पर प्रश्न

नोट : यदि संख्याओं के म०स० से संख्याओं के अनुपात में गुणा किया जाये तो संख्यायें प्राप्त हो जाती है।

जैसे :
45 60 75
↑ ↑ ↑
$I : II : III = 3 : 4 : 5$
↑
म०स० $= 15$

प्रश्न : तीन संख्यायें 2 : 3 : 4 के अनुपात में है तथा उनका म०स० 12 है तो उनमें से बड़ी संख्या क्या होगी?

हल : माना, संख्यायें क्रमशः $2x, 3x$ व $4x$ है
तथा म०स० $(x) = 12$
$\therefore$ बड़ी संख्या $4x = 4 \times 12 = 48$

IInd Method : –

जैसे :
24 36 48
↑ ↑ ↑
$I : II : III = 2 : 3 : 4$
↑
म०स० $= 12$

प्रश्न : दो संख्याएं 5 : 6 के अनुपात में है यदि उनका म०स० 4 है तो उन संख्याओं का ल०स० क्या होगा?

हल $I : II = 5 : 6$
म० स० = 4
अतः संख्यायें क्रमशः 20 व 24 है।
सूत्र से,
ल०स० × म०स० = पहली संख्या × दूसरी संख्या
ल०स० $\times 4 = 20 \times 24$
$\therefore$ ल०स० $= \frac{20 \times 24}{4}$
ल० स० $= 120\ Ans.$

Type - 06

समापवर्त्य वाली संख्या ज्ञात करना

नोट : भाग के लम्बी विधि वाली क्रिया में–

- घटायी जाने वाली संख्या = शेषफल
- जोड़ी जाने वाली संख्या = भाजक–शेष

प्रश्न : 4 अंकों को वह सबसे बड़ी संख्या कौन सी है जो 12, 15, 18 और 27 से पूर्णतः विभक्त है?

हल यहाँ, भाजक $(12, 15, 18$ व $27)$ का ल०स०$= 540$
चार अंकों की अधिकतम संख्या $= 9999$
540)9999(18
540
4599
4320
279
[∵ 9999 में हम कुछ जोड़ नहीं सकते]
अतः वह अधिकतम संख्या $= 9999 - 279 = 2720\ Ans.$

प्रश्न : 5 अंकों को वह लघुत्तम संख्या बताइये जो 12, 18 व 21 से पूर्णतः विभाज्य हो?

हल भाजक (12, 18 व 21) का ल०स०$= 252$
5 अंकों की न्यूनतम संख्या $= 10000$
252)10000(39
756
2440
2268

172

यहाँ, जोड़ी जाने वाली संख्या = 252 − 172 = 80

∴ वह न्यूनतम संख्या = 10000 + 80 = 10080 $Ans.$

Type - 07

दो शर्त वाले कथन पर प्रश्न :

प्रश्न : वह सबसे छोटी संख्या कौन सी है जिसे 5, 10, 12, तथा 15 से भाग देने पर प्रत्येक दशा में 2 शेष रहे, किन्तु 7 से भाग देने पर कुछ भी शेष न रहे?

(a)189 (b)182

(c)175 (d)91

हल : भाजक (5, 10, 12 व 15) का ल0स0 =60

पहली शर्त

60) संख्या (x

2

∴ संख्या = 60x + 2

दूसरी शर्त :

संख्या (60x+2) में 7 से भाग देने पर

7) $60x+2$ ($8x$

$56x$

$4x + 2$

यहाँ x का ऐसा न्यूनतम मान रखें ताकि बनी संख्या 7 से विभक्त हो

∴ $x = 3$

अतः वह संख्या = 60x+2=60×3+2=182

प्रश्न. 13 का वह न्यूनतम गुणक क्या है जिसमें 4,5,6,7 तथा 8 से भाग देने पर प्रत्येक स्थिति में 2 शेष बचता हो?

(a)2520 (b)842

(c)2522 (d)840

हल : भाजक (4, 5, 6, 7 व 8) का ल0 स0 = 840

पहली शर्त :

) संख्या (x

2

∴संख्या = 840x+2

दूसरी शर्त :

संख्या ($840x + 2$) में 13 से भाग देने पर

13) $840x + 2$ ($64x$

$832x$

$8x + 2$

यहाँ x का ऐसा न्यूनतम मान रखें ताकि बनी संख्या 13 से विभक्त हो

$x = 3$

∴वह सेख्या = 840x + 2

= 840×3+2 = 2520+2 = 2522

Type - 08

मिश्रित प्रश्न

प्रश्न : वह सबसे छोटी संख्या कौन सी है जिसे 5, 10, 12 तथा 15 से भाग देने पर प्रत्येक दशा में 2 शेष रहे, किन्तु 7 से भाग देने पर कुछ भी शेष न रहे?

हल : भाजक (5, 10, 12 व 15) का ल0स0 = 60

∴ संख्या = $60K + 2$

अब, अभीष्ट संख्या वह होगी जो 7 से पूर्णतः विभक्त हो

यहाँ, $60K + 2 = 7 \times 8K + (4K + 2)$

∵ $4K + 2$ में $K = 3$ लेने पर प्राप्त मान 7 से विभक्त होगा

अतः वह संख्या = $60K + 2 = 60 \times 3 + 2 = 182$ $Ans.$

प्रश्न : दो संख्याओं का योग 320 व उनका म0स0 1584 है। वे संख्यायें क्या है?

हल : माना संख्यायें ax व bx है।

(यहाँ x संख्याओं का म0स0 तथा a व b सह–अभाज्य संख्यायें है)

प्रश्नानुसार,

$ax + bx = 320$

या $x(a + b) = 320$ ………….(i)

$abx = 1584$ ……….(ii)

म0स0 (x) = 16 (∵ 320 व 1584 का म0स0 =16)

यह मान समीकरण (i) व (ii) में क्रमशः रखने पर

$$a + b = \frac{320}{x} = \frac{320}{16} = 20 \ldots\ldots\ldots(iii)$$

$$ab = \frac{1584}{x} = \frac{1584}{16} = 99 \ldots\ldots\ldots(iv)$$

समीकरण (iii) व (iv) को हल करने पर

$a = 11, b = 9$

अतः संख्यायें क्रमशः = $16 \times 11 = 176$ व $16 \times 9 = 144$ हैं।

प्रश्न : दो संख्याओं का म0 स0 15 तथा योगफल 120 है। तो ऐसी संख्याओं के कुल कितने जोड़े बनेंगें?

(a)4 (b)2

(c)1 (d)3

हल : माना, संख्याओं का अनुपात = (x : y)

म0 स0 =15

∴ पहली संख्या = 15x

तथा दूसरी संख्या = 15y

प्रश्नानुसार, 15X + 15y = 120

∴ $x + y = 8$

कुल जोड़े =(1, 7), (2, 6), (3,5), (4,4)

∴ अभीष्ट जोड़ा = अभाज्य जोड़ा = (1,7) व (3,5)

∴ संख्याओं के कुल 2 जोड़े बिनेंगे।

प्रश्न. दो संख्याओं का म0 स0 16 तथा गुणनफल 7168 है तो ऐसी संख्याओं के कुल कितने जोड़े बनेंगे?

(a)1 (b)3

(c)2 (d)4

हल. माना संख्याओं का अनुपात = (x : y)

म0 स0= 16

∴ पहली संख्या =16x

तथा दूसरी संख्या = 16y

प्रश्नानुसार, 16x × 16y = 7168

xy = $\frac{7168}{16\times16} = 28$

∴ कुल जोड़े =(1,28), (2,14), (4,7)

∴ अभीष्ट जोड़ा = अभाज्य जोड़ा = (1,28), (4,7)

अतः संख्याओं के कुल दो जोड़े बनेंगें।

प्रश्न : 29 से बड़ी दो संख्याओं का म0 स0 29 तथा ल0 स0 4147 है। तो उन संख्याओं का योग ज्ञात करें।

(a)966 (b)696

(c)669 (d)666

हल. माना, संख्याओं का अनुपात =(x : y)

म0स0 =29

∴ पहली संख्या = 29x

दूसरी संख्या = 29y

सूत्र से 4147 × 29=29x29y

∴ xy= $\frac{4147\times29}{29\times29} = 143$

∴ कुल जोड़े = (1,143), (11,13)

अतः 29 से बड़ी दोनों संख्यायें (11,13) के युग्म से प्राप्त होगी

∴ संख्याओं का योग = 29x + 29y

=29x11+29×13

=319+377

=696

प्रश्न : दो संख्याओं का म0स0 8 है, तो इनमें से कौन एक उनका ल0 स0 नहीं हो सकता है?

(a)24 (b)48

(c)56 (d)60

हल. Note दो संख्याओं का म0स0 उसके ल0स0 का एक गुणनखण्ड होना चाहिये।

∴ दिये गये विकल्पों में केवल 60 ऐसा है जिसका गुणनखण्ड 8 नहीं है अतः 60 उन संख्याओं का ल0स0 नहीं हो सकता।

प्रश्नावली

TYPE - 01

1. पाँच घंटे एक साथ बजना शुरू करते हैं और क्रमशः 6,7,8,9,12 सेंकड के अंतराल पर बजते हैं। कितने सेकंड बाद वे फिर एक साथ बजेंगे?

(a) 72 (b) 612

(c) 504 (d) 318

(SSC Constable (GD)12-5-2013)

2. तीन मित्र क्रमशः 20 मिनट, 30 मिनट और 45 मिनट के अंतराल पर अपने मोबाइल फोन पर संदेश प्राप्त करते हैं। उन्हें संदेश एक निर्धारित समय पर एक साथ प्राप्त होना शुरू हुआ। वे कितने समय के बाद पुनः एक साथ संदेश प्राप्त करेंगे?

(a) 1.5 hours (b) 2 hours

(c) 2.5 hours (d) 3 hours

CTET (I-V3-1-2022)

3. छः घण्टियाँ एक साथ बजना शुरू होती हैं, फिर 2,4,6,8,10,12 सेकंड के अन्तराल में बजती है। 30 मिनट में वे कितनी बार एक साथ बजेंगी?

(a) 4 (b) 10

(c) 15 (d) 16

(बिहार SSC द्वितीय स्नातक स्तर प्रारंभिक परीक्षा 23.2.2015)

4. A, B, C एक ही समय एक वृत्ताकार स्टेडियम में एक ही बिन्दु से एक ही दिशा में भागना शुरू करते हैं। A एक चक्कर 252 सेकण्ड में पूरा कर लेता है, B 308 सेकण्ड में और C 198 सेकण्ड में। वे आरंभिक बिन्दु पर कितने समय बाद फिर मिलेंगे?

(a) 26 मिनट 18 सेकण्ड

(b) 42 मिनट 36 सेकण्ड

(c) 45 मिनट

(d) 46 मिनट 12 सेकण्ड

(SSC Constable GD Exame 22-4-2012)

5. एक चौराहें पर लगी चार ट्रैफिक बत्तियाँ क्रमशः हर 30 सैकण्ड, 45 सैकण्ड, 1 मिनट और 75 सैकण्ड बाद बदल जाती हैं यदि सभी बत्तियाँ एक साथ दोपहर 1:35 pm पर बदलती है तो अगली बार जब वे एक साथ साथ बदलेंगी, वह समय है:–

(a) 2: 05 pm (b) 1: 50 pm

(c) 2: 10 pm (d) 1: 55 pm

CTET (I-V)4-1-2022

6. तीन ब्रांड A, B तथा C के पेन क्रमशः 10, 12 और 24 के पैकेटों में उपलब्ध है। यदि एक दुकानदार को तीनों प्रकार के पेन समान संख्या में खरीदनें हैं, तो उसके द्वारा खरीदे जाने वाले पैकेटों की न्यूनतम संख्या क्या होगी?

(a) A = 10, B = 5, C = 12

(b) A = 12, B = 10, C = 5

(c) A = 10, B = 12, C = 5

(d) A = 5, B = 12, C = 10

(CTET (Class I-V)8 Dec 2019)

7. चार रंग नीला, पीला, काला और सफेद की कमीजें क्रमशः 5,10,12 और 15 के पैकेटों में उपलब्ध हैं। यदि एक दुकानदार का चारों रंगों की कमीजें समान संख्या में खरीदनी हैं, तो उसके द्वारा विभिन्न रंगों के खरीदे जाने वाले पैकेटों की न्यूनतम संख्या क्या होगी?

(a) नीला = 4, पीला = 5, काला = 6, सफेद = 12

(b) नीला = 6 पीला = 12, काला = 5, सफेद = 4

(c) नीला = 12, पीला = 6, काला = 5, सफेद = 4

(d) नीला = 5, पीला = 4, काला = 12, सफेद = 6

(CTET (I-V)05-1-2022)

8. तीन टैंकरों में क्रमशः 403 लीटर, 434 लीटर और 465 लीटर डीजल है। ऐसे पात्र की अधिकत्तम क्षमता कितनी होगी जिससे तीनों पात्रों के डीजल को सही मात्रा में मापा जा सकें?

(a) 31 litres (b) 62 litres

(c) 41 litres (d) 84 litres

(SSC CPO 2019)

9. 24 आडू 36 खुबानी और 60 केले है, जिन्हें कुछ पक्तियों में इस प्रकार व्यवस्थित किया गया है, कि प्रत्येक पंक्ति में केवल एक प्रकार के समान फल हो, तो इस प्रकार सभी फलों को व्यवस्थित करने के लिए कितने पंक्तियों की आवश्यकता होगी?

(a) 12 (b) 9

(c) 10 (d) 6

(SSC CPO 2019)

10. एक दुग्ध विक्रेता के पास 21 लीटर गाय का दूध है, 42 लीटर टोन्ड दूध है और 63 लीटर डबल टोन्ड दूध है। यदि वह उन्हें टिन के डिब्बों में इस प्रकार पैक करना चाहें कि हर डिब्बे में उतने ही लीटर दूध हो और किसी भी दो तरह के दूध को एक डिब्बे में मिलाना न चाहे, तो डिब्बों कि अपेक्षित न्यूनतम संख्या है

(a) 3 (b) 6

(c) 9 (d) 12

(SSC कांस्टेबल (GD)एवं राइफलमैन (GD)परीक्षा 22.4.2022

11. विद्यार्थियों की अधिकतम संख्या ज्ञात कीजिए जिसमें 1001 पेन और 910 पेंसिलें इस प्रकार बाँटे जाएँ कि प्रत्येक को मिले पेनों की संख्या बराबर हो एवं प्रत्येक को मिले पेंसिलों की संख्या बराबर हो।

(a) 91 (b) 910

(c) 1001 (d) 1911

(SSC CGL प्रारंभिक परीक्षा 4.7.1999)

TYPE - 02

12. $\frac{14}{33}, \frac{42}{55}, \frac{21}{22}$, का महत्तम समापवर्तक है–

(a) $\frac{330}{7}$ (b) $\frac{17}{330}$

(c) $\frac{7}{330}$ (d) $\frac{330}{17}$

UP TET (I-V)23-1-2022(Reexam)

13. $\frac{1}{3}, \frac{5}{6}, \frac{2}{9}, \frac{4}{27}$,का लघुत्तम समापवर्त्य है–

(a) $\frac{27}{4}$, (b) $\frac{10}{27}$,

(c) $\frac{1}{27}$, (d) $\frac{20}{3}$,

UP Aided J.H.S Assistant Teacher 2021

14. $\frac{1}{2}, \frac{2}{3}, \frac{3}{4}, \frac{4}{5}$ का महत्तम समापवर्तक है–

(a) 1 (b) 12

(c) $\frac{4}{5}$ (d) $\frac{1}{60}$

HPTET (I-V)2018

15. $\frac{2}{3}, \frac{3}{5}, \frac{4}{7}, \frac{9}{13}$,का लघुत्तम समापवर्त्य है–

(a) $\frac{20}{3}$ (b) $\frac{18}{7}$

(c) 42 (d) 36

HTET (I-V)2020

16. $\frac{\text{40,50 और 60 का LCM}}{\text{40,50 और 60 का HCF}}$ बराबर है:

(a) 60 (b) 80

(c) 50 (d) 40

(CTET (VI-VIII)10.01.2022)

17. यदि a = 360 और b = 900 है, तो (a और b का LCM)÷ (a और b का HCF) बराबर है:

(a) $\frac{5}{2}$ (b) 5

(c) 15 (d) 10

(CTET (VI-VIII)17.1.2022)

TYPE - 03

18. यदि $x = 2^5 \times 3^2 \times 5^3$,
$y = 2^4 \times 3^3 \times 5^2$, और
$z = 2^3 \times 3^3 \times 5^2$, है तो
(x, y और z का LCM)÷ (x, y और z का HCF)=

(a) 30 (b) 45

(c) 60 (d) 120

(CTET(VI-VIII)4.1.2022)

19. यदि $x = 3^{127} \times 5^{121} \times 7^{16}$,
$y = 3^{128} \times 5^{119} \times 7^{21}$, और
$z = 3^{126} \times 5^{120} \times 7^{19}$, है, तो
x, y और z का HCF (म.स.) है।

(a) $3^{127} \times 5^{119} \times 7^{19}$ (b) $3^{128} \times 5^{120} \times 7^{16}$

(c) $3^{126} \times 5^{119} \times 7^{16}$ (d) $3^{126} \times 5^{120} \times 7^{16}$

CTET(VI-VIII)10.1.2022

TYPE - 04

20. मान लीजिए दो संख्या के लघुत्तम समापवर्त्य (LCM) और महत्तम समापवर्त्य (HCF) क्रम से 276 और 3 है। यदि उसके एक संख्या का एक–तिहाई 23 है, तब दूसरी संख्या होगी–

(a) 10 (b) 23

(c) 12 (d) 92

AssamTET (I-V)10.11.2019)

21. दो संख्याओ का LCM (ल.स.) और HCF (म.स.) क्रमशः 1485 और 33 हैं। यदि उनमें से एक संख्या को 31 से भाग दिया जाए, तो भागफल 9 और शेषफल 18 है। दूसरी संख्या क्या है?

(a) 165 (b) 198

(c) 231 (d) 264

(CTET (VI-VIII)20.12.2021)

22. दो संख्याओं के महत्तम समापवर्त्य और लघुत्तम समापवर्त्य का योग 504 है तथा लघुत्तम समापवर्त्य, महत्तम समापवर्त्य का 55 गुणा है। यदि एक संख्या 99 है, तो दूसरी संख्या है–

(a) 45 (b) 81

(c) 56 (d) ज्ञात नहीं कर सकते

23. दो संख्याओ का ल०स० उनके म०स० का 4 गुना है, उनके ल० स० व म०स० का योग 125 है, यदि एक संख्या 100 है, तो दूसरी संख्या ज्ञात करें?

(a) 5 (b)25

(c) 100 (d) 125

(SSC CGL Pre. 2018)

24. दो संख्याओं का ल०स० उनके म०स० का 44 गुना है, उनके ल० स० तथा म० स० का योग 1125 है, यदि एक संख्या 25 है तो दूसरी संख्या ज्ञात करें?

(a)1100 (b) 975

(c) 900 (d) 800

(SSC CGL Pre. 2018)

25. दो संख्याओं के ल०स० तथा म०स० का गुणनफल 24 है। उन संख्याओं के बीच का अंतर 2 है, तो संख्याएँ ज्ञात करें।

(a) 8 and 6 (b) 8 and 10

(c) 2 and 4 (d) 6 and 4

(SSC CGL Pre. 2017)

26. दो संख्याओं का ल०स० और म०स० का गुणनफल 336 है और उनके बीच का अन्तर 10 है, तो वह संख्याएँ कौन–सी होंगी।

(a) 10,20 (b) 14,24

(c) 24,34 (d) 34,44

(UP TET I-V)28.11.2021(Cancelled)

27. दो प्राकृतिक संख्याओं के योगफल का उनके ल०स० के साथ अनुपात 7 : 12 है। यदि उनका म०स० 4 है, तो छोटी संख्या है।

(a) 20 (b) 16

(c) 12 (d) 8
(SSC CGL Pre.2018)

28. यदि दो संख्याओं का अनुपात 2 : 3 है तथा उनका ल०स० 54 है, तो संख्याओं का योग ज्ञात करें?
(a) 5 (b) 15
(c) 45 (d) 270
(SSC CGL Pre.2020)

29. दो संख्याएँ 3 : 4 के अनुपात में है तथा इनका लघुत्तम समापवर्त्य 84 है, इनमें से बड़ी संख्या कौन–सी होगी?
(a) 21 (b) 24
(c) 28 (d) 84
(Haryana TET (I-V)11.11.2019)
Rajasthan TET (Class I-V)7 Feb 2016

30. यदि म.स. (a,8)= 4 और ल.स. (a, 8) = 24 हो, तो 'a' का मान है–
(a) 14 (b) 8
(c) 10 (d) 12
(Uttarakhand TET (I-V)2021)
UPTET (Class I-V)8 Jan 2020

31. दो संख्याओं का योग 36 है, उनका म.स. तथा ल.स. क्रमशः 3 तथा 105 है, तो उनके व्युत्क्रमों का योग क्या होगा?
(a) $\frac{2}{35}$ (b) $\frac{3}{25}$
(c) $\frac{4}{35}$ (d) $\frac{2}{25}$
(SSC CGL Pre .2018)

32. यदि दो पूर्ण संख्याओं का अनुपात x : y है तथा उनका म०स० z है, तो उनका ल०स० क्या होगा?
(a) yz (b) $\frac{xz}{y}$
(c) $\frac{xy}{z}$ (d) xyz
(SSC CPO 2019)

33. तीन संख्याएँ 3 : 8 : 15 के अनुपात में हैं और उनका लघुत्तम समापवर्त्य 8280 है। उनका महत्तम समापवर्तक क्या होगा?
(a) 60 (b) 69
(c) 76 (d) 57
(SSC CGL Pre.2022)

TYPE - 05

34. वह लघुतम संख्या जिसको 6,9,12,15 एवं 18 से विभाजित करने पर प्रत्येक स्थिति में शेषफल 2 रहता है:
(a)180 (b) 182
(c) 178 (d) 176
(SSC CGL Tier -I Exame 16.8.2015)

35. ऐसी लघुत्तम संख्या बताएँ जिसे 5,7,11 और 13 से विभाजित करने पर क्रमशः 2,4,8 और 10 शेषफल आता है।
(a) 5005 (b) 5002
(c) 5008 (d) 5019
(SSC मल्टी टास्किंग स्टाफ परीक्षा 16.2.2014)

36. वह न्यूनतम संख्या क्या है जिसे 48,64,90,120 से विभाजित करने पर क्रमशः 38,54,80,110 शेष बचे?
(a) 2870 (b) 2860
(c) 2890 (d) 2880
(बिहार SSC द्वितीय स्नातक प्रारंभिक परीक्षा 16.2.2015)

37. वह सबसे छोटी संख्या कौन सी है जिसे यदि 35,45,55 से विभाजित किया जाए तो शेषफल क्रमशः 18,28,38 प्राप्त हो जाए?
(a) 3448 (b) 3482
(c) 2468 (d) 3265
(बिहार SSC द्वितीयक स्नातक स्तर प्रारंभिक परीक्षा 23.2.2015)

38. वह सबसे छोटी संख्या, जिसमें 5 जोड़ने पर प्राप्त संख्या 24,32,36 तथा 54 में से प्रत्येक से विभाजित हो जाती है, है
(a) 869 (b) 859
(c) 432 (d) 427
(SSC सी.पी.ओ. सब–इंस्पेक्टर परीक्षा 9.11.2008)

39. माना कि x एक लघुत्तम संख्या है जिसे जब 2000 में जोड़ा जाए, तो परिणामी संख्या 12,16,18 और 21 से विभाज्य हो जाती है। x के अंकों का योग है।
(a) 6 (b) 5
(c) 7 (d) 5
(SSC CPO 2019)

40. वह सबसे छोटी संख्या कौन–सी है, जिसे 1936 से घटाने पर प्राप्त परिणामी संख्या को 9,10, तथा 15 में से किसी से भी भाग देने पर शेष 7 रहेगा?
(a) 37 (b) 36
(c) 39 (d) 30
(SSC CGL प्रारंभिक परीक्षा 27.72008 द्वितीय पाली)

TYPE - 06

41. वह अधिकतम संख्या क्या है जिससे 110 तथा 128 को भाग देने पर प्रत्येक स्थिति में 2 शेष बचता है?
(a) 8 (b) 18
(c) 28 (d) 38
(SSC CGL Pre.2018)

42. वह अधिकतम संख्या क्या है जिससे 2300 तथा 3500 को भाग देने पर क्रमशः 32 तथा 56 शेष बचता हों?
(a) 168 (b) 42
(c) 48 (d) 136
(SSC CPO 2019)

43. वह बड़ी से बड़ी संख्या, जिससे 122 तथा 243 को भाग देने पर क्रमशः 2 तथा 3 शेष रहते हों, होगी
(a) 12 (b) 24
(c) 30 (d) 120
(SSC CGL प्रारम्भिक परीक्षा 8.2.2004 द्वितीय पाली)

44. वह कौन–सी सबसे बड़ी संख्या है जिससे 307 और 330 को भाग देने पर शेष क्रमशः 3 और 7 रहते हैं?
(a) 19 (b) 16
(c) 17 (d) 23
(SSC CGL प्रारम्भिक परीक्षा 13.11.2005 द्वितीय पाली)

45. वह सबसे बड़ी संख्या कौन सी है, जो 411,684,821 को विभाजित करने के फलस्वरूप क्रमशः 3,4 तथा 5 के शेषफल देती है?
(a) 254 (b) 146
(c) 136 (d) 204
(SSC FCI Assistant grade-III main exame 7-4-2013)

46. वह सबसे बड़ी संख्या, जिसके द्वारा 25,73,तथा 97 को भाग देने पर प्रत्येक दशा में समान शेष रहे है
(a) 24 (b) 23
(c) 21 (d) 6
(SSC CGLप्रारम्भिक परीक्षा 4.2.2007 द्वितीय पाली)

47. मान लीजिए N वह बड़ी से बड़ी संख्या है जिससे 1305,4665,और 6905 में भाग देने पर प्रत्येक दशा में समान शेषफल आता है। N के अंको की संख्या का योग होगा
(a) 4 (b) 5
(c) 6 (d) 8
(SSC CGL प्रारम्भिक परीक्षा 8.2.2004 प्रथम पाली)

TYPE - 07

48. चार अंकों की ऐसी सबसे बड़ी संख्या ज्ञात कीजिए जिसे 15,18,21 और 24 से भाग देने पर क्रमशः 11,14,17 और 20 शेष बचें।
(a) 6557 (b)7556
(c) 5675 (d) 7664
(SSC CGL प्रारम्भिक परीक्षा 24.2.2002 मध्य क्षेत्र)

49. मान लीजिए 6 अंकों की ऐसी न्यूनतम संख्या N है जिसे 4,6,10,15, से भाग देने पर प्रत्येक दशा में शेष 2 आता है। N में अंकों का योग है
(a) 3 (b) 5
(c) 4 (d) 6
(SSC CGL प्रारम्भिक परीक्षा 11.5.2003 प्रथम पाली)

50. पाँच अंकों की वह सबसे बड़ी संख्या ज्ञात कीजिए जिसे 3,5,8,12 से भाग देने पर 2 शेष बचे:
(a) 99999 (b) 99958
(c) 99960 (d) 99962
(SSC CGL)

51. तीन अंकों की वह संख्या बताएं जिसे 2,5,9 एवं 11 से विभाजित करने पर प्रत्येक स्थिति में शेषफल 1 हो।
(a) 991 (b) 997
(c) 981 (d) 983
(SSC मल्टी टास्किंग स्टाफ परीक्षा 16.2.2024)

52. वह चार अंकों वाली सबसे बड़ी संख्या कौन–सी है, जो 12,15,18 एवं 27 से पूर्णतः विभाजित हों?
(a) 9690 (b) 9720
(c) 9930 (d) 9960
(बिहार SSC द्वितीय स्नातक प्रारंभिक परीक्षा 16.2.2015

TYPE - 08

53. 13 का वह सबसे छोटा गुणज जिसे 4,5,6,7 और 8 से भाग देने पर प्रत्येक दशा में 2 शेष बचता है–
(a) 2520 (b) 842
(c) 2522 (d) 840
(SSC CGL प्रारम्भिक परीक्षा 24.2.2002 द्वितीय पाली)

54. वह सबसे छोटी संख्या, जिसे 5,10,12 तथा 15 से भाग देने पर प्रत्येक दशा में 2 शेष रहें: किन्तु 7 से भाग देने पर कोई शेष न रहे, है
(a) 189 (b) 182
(c) 175 (d) 91
(SSC CGL प्रारम्भिक परीक्षा 27.7.2008 प्रथम पाली)

55. 23 का न्यूनतम गुणक ज्ञात करें, जिससे 18,21 तथा 24 से भाग देने पर क्रमशः 7,10, तथा 13 शेष बचें?
(a) 3013 (b) 3024
(c) 3002 (d) 3036
(SSC CGL Pre 2020)

TYPE - 09

56. तीन अलग–अलग संख्याओं का ल०स० 120 है, तो इनमें से कौन उनका म०स० नही हो सकता?
(a) 8 (b) 12
(c) 24 (d) 35
(SSC CGL Pre.2018)

57. दो संख्याओं का महत्तम समापवर्तक 8 है। तब निम्नलिखित में से कौन–सी संख्या उनका लघुत्तम समापवर्त्य नहीं हो सकती?
(a) 32 (b) 56
(c) 64 (d) 76
(CGTET(I-V)2017)

58. निम्नलिखित में से कौन–सा कथन सत्य नहीं है?
(a) दो संख्याओं x तथा y के HCF और LCM क्रमशः 15 और 120 हैं।
(b) दो संख्याओं x और y के HCF और LCM क्रमशः 20 और 250 है।
(c) दो संख्याओं x और y के LCM और HCF क्रमशः 70 और 14 हैं।
(d) दो संख्याओं x और y के LCM और HCF क्रमशः 290 और 58 हैं।
(CTET VI-VIII)6-1-2022

TYPE - 10

59. दो संख्याओं का योग 36 है तथा उनका म.स.4 है। इस प्रकार की संख्याओं के कितने युग्म संभव हैं?
(a) 1 (b)2
(c) 3 (d) 4
(SSC CGL प्रारम्भिक परीक्षा 8.2.2004 प्रथम पाली)

60. दो संख्याओं का योगफल 84 तथा उनका म.स. 12 है। ऐसी संख्याओं के कुल युग्मों की संख्या होगी
(a) 2 (b) 3
(c) 4 (d) 5
(SSC डाटा एन्ट्री ऑपरेटर एवं एलडीसी परीक्षा 28.11.2010)

61. दो संख्याओं का म.स. तथा उनका गुणनफल क्रमशः 15 तथा 6300 है। ऐसी संख्याओं के सम्भव युग्मों की संख्या होगी

(a) 4 (b) 3
(c) 2 (d) 1
(SSC CGL प्रारम्भिक परीक्षा 27.72008 द्वितीय पाली)

TYPE - 11

62. यदि विभाजन विधि द्वारा दो संख्याओं का महत्तम समापवर्तक ज्ञात करने पर, अंतिम भाजक 17 है और भागफल क्रमशः 1,11 और 2 प्राप्त होते हों, तो उन दोनों संख्याओं का योग क्या होगा?
(a) 833 (b) 867
(c) 816 (d) 901
(SSC CGL Mains 2019)

63. 1000 और 2000 के बीच कोई ऐसी संख्या हैं जिसे यदि 30,36,और 80 से विभक्त किया जाए तो प्रत्येक स्थिति में शेष 11 होगा।
(a) 11523 (b) 1451
(c) 1641 (d) 1712
(SSC CHSL 2019)

64. 4000 और 5000 के बीच ऐसी संख्या जो 12, 18, 21 तथा 32 से विभाज्य हो, निम्नलिखित में से क्या होगी
(a) 4203 (b) 4023
(c) 4032 (d) 4302
(SSC CHSL 2019)

65. (200 और 400 के बीच में 30,45 तथा 60 का सबसे छोटा सार्व गुणज)÷ (15,24 तथा 45 का सबसे बड़ा सार्व गुणनखण्ड) बराबर है।
(a) 120 (b)180
(c) 60 (d) 90
(CTET (Class I-V)18 Sep .2016)

66. यदि 65 और 117 का म.स. 65m–117 के रूप मे दर्शाने योग्य हो, तो m का मान है–
(a) 4 (b) 2
(c) 1 (d) 3
(UPTET (Class I-V)23 Feb 2014)

67. तीन संख्याएं 3 : 4 : 5 के अनुपात में हैं और उनका लघुत्तम समापवर्त्य 2400 है। उनका महत्तम समापवर्तक होगा–
(a) 40 (b) 80
(c) 120 (d) 200
(Uttarakhand TET (VI-VIII)2019)

Revision Series

68. **A, B व C एक ही समय एक वृत्ताकार स्टेडियम में एक ही बिन्दु से एक ही दिशा में भागना शुरू करते हैं। A एक चक्कर 252 सेकेण्ड, B 308 सेकेण्ड में और C 108 सेकेण्ड में। वे आरम्भिक बिन्दु पर कितने समय बाद फिर मिलेंगे?**
(a) $26\,Min.\,18\,Sec$ (b) $42\,Min.\,36\,Sec.$
(c) $45\,Min.$ (d) $46\,Min.\,12\,Sec.$

69. **गणित की 84 पुस्तकों, भौतिकी की 90 पुस्तकों और अंग्रेजी की 120 पुस्तकों की विषयवार ढेरियाँ लगायी जाती है। प्रत्येक ढेरी में कितनी पुस्तकों को रखा जाय, जिससे प्रत्येक ढेरी की ऊँचाई एक समान हो–**
(a) 12 (b) 18
(c) 6 (d) 21

70. **पाँच घण्टे एक साथ बजना शुरू करते है और क्रमशः 6, 7, 8, 9 व 12 सेकेण्ड के अन्तराल पर बजते है। कितने सेकेण्ड बाद वे फिर एक साथ बजेंगे?**
(a) 72 (b) 612
(c) 504 (d) 318

71. **तीन घण्टियाँ क्रमशः 6, 24, 28 सेकण्ड के अन्तराल पर बजती है। यदि 1 बजे वे इकट्ठी बजे तो 1 घण्टे में वे कितनी बार एक साथ बजेंगी?**
(a) 11 (b) 22
(c) 33 (d) 44

72. $2^5 \times 5^3 \times 7^2,\ 2^4 \times 3^2 \times 5,\ 2^3 \times 3^3 \times 5^2 \times 7$ **के म0स0 होंगे–**
(a) 40 (b) 200
(c) 280 (d) इनमें से कोई नहीं

73. $2^5 \times 5^3 \times 7^2,\ 2^4 \times 3^2 \times 5,\ 2^3 \times 3^3 \times 5^2 \times 7$ **के ल0स0 होंगे–**
(a) $(2 \times 3 \times 5 \times 7)^5$ (b) $2^5 \times 5^3 \times 7$
(c) $2^5 \times 3^3 \times 5^3 \times 7^2$ (d) इनमें से कोई नहीं

74. $\frac{1}{3}, \frac{2}{9}, \frac{5}{6}$ व $\frac{4}{27}$ **का ल0स0 कितना होगा?**
(a) $\frac{1}{54}$ (b) $\frac{10}{27}$
(c) $\frac{20}{3}$ (d) इनमें से कोई नहीं

75. $\frac{2}{3}, \frac{4}{5}$ व $\frac{6}{7}$ **का म0स0 कितना है–**
(a) $\frac{48}{105}$ (b) $\frac{2}{105}$
(c) $\frac{1}{105}$ (d) $\frac{24}{105}$

76. **यदि** $P = 2^3.3^{10}.5$ **तथा** $Q = 2^5.3.7$ **हो तो** P **तथा** Q **का म0स0 कितना होगा–**
(a) $2.3.5.7$ (b) 3.2^3
(c) $2^2.3^7$ (d) $2^5.3^{10}.5.7$

77. **1·08, 0·36 तथा 0·9 का ल0स0 कितना है?**
(a) 1·08 (b) 0·9
(c) 10·8 (d) 5·4

78. **2·4, 0·36 तथा 7·2 का महत्तम समापवर्तक कितना है?**
(a) 12 (b) 1·2
(c) 0·12 (d) 120

79. तीन संख्यायें 1 : 2 : 3 के अनुपात में तथा इनका महत्तम समापवर्तक 12 है। ये संख्यायें है–
(a) 6, 12, 18 (b) 12, 24, 30
(c) 12, 24, 36 (d) 5, 12, 15

80. वह न्यूनतम संख्या बताइये जिसे 15, 20, 36 व 48 से भाग देने पर प्रत्येक दशा में 3 शेषफल रहे?
(a) 183 (b) 243
(c) 483 (d) 723

81. वह न्यूनतम संख्या कौन सी है जिसे 15, 25, 35 तथा 45 से भाग देने पर क्रमशः 7, 17, 27 तथा 37 शेष बचे?
(a) 1575 (b) 1567
(c) 1576 (d) 1570

82. वह सबसे छोटी संख्या जिसमें 5 जोड़ने पर प्राप्त संख्या 24, 32, 36 तथा 54 में से प्रत्येक से विभाजित हो जाती है?
(a) 869 (b) 859
(c) 432 (d) 427

83. वह सबसे बड़ी संख्या जिसको 989 और 1327 में भाग देने पर क्रमशः 5 और 7 शेष बचे?
(a) 8 (b) 16
(c) 24 (d) 32

84. वह बड़ी से बड़ी संख्या कौन–सी है जिससे 187, 233 व 279 को भाग देने पर प्रत्येक दशा में समान शेष बचे?
(a) 30 (b) 36
(c) 46 (d) 56

85. दो संख्याओं के ल0स0 तथा म0स0 का गुणनफल 24 है। यदि संख्याओं का अन्तर 2 हो, तो उनमें से बड़ी संख्या कौन–सी है?
(a) 3 (b) 4
(c) 8 (d) 6

86. दो संख्याओं का ल0स0, उसके म0स0 का 4 गुना है। यदि ल0स0 व म0स0 का योगफल 125 है। तदनुसार, यदि एक संख्या 100 हो, तो दूसरी कितनी होगी?
(a) 5 (b) 25
(c) 100 (d) 125

87. दो संख्याओं का योगफल 45 है तथा उनके म0स0 व ल0स0 क्रमशः 3 तथा 168 है। उन संख्याओं के व्युत्क्रमों का योगफल होगा?
(a) $\frac{15}{57}$ (b) $\frac{3}{11}$
(c) $\frac{15}{56}$ (d) $\frac{5}{56}$

88. तीन संख्यायें 2:3:4 के अनुपात में है तथा उनका म0स0 12 है। उनका ल0स0 होगा?
(a) 144 (b) 192
(c) 96 (d) 72

89. दो संख्याओं का अनुपात 2:3 है। यदि उनका ल0स0 48 हो तो उनका योगफल बताइये?
(a) 28 (b) 32
(c) 40 (d) 64

90. दो संख्यायें 5:6 के अनुपात में है। यदि उनका ल0स0 120 हो तो उनका म0स0 होगा?
(a) 12 (b) 10
(c) 8 (d) 4

91. पाँच अंकों की वह न्यूनतम संख्या बताइये जो 12, 18 व 21 से पूर्णतः विभाज्य हो?
(a) 10224 (b) 30256
(c) 10080 (d) 50321

92. 5 अंकों की वह अधिकतम संख्या ज्ञात कीजिऐ जिसे 3, 5, 8, 12 से भाग देने पर 2 शेषफल बचे?
(a) 99999 (b) 99958
(c) 99960 (d) 99962

93. 13 का वह न्यूनतम गुणज जिसे 4, 5, 6, 7 व 8 से भाग देने पर प्रत्येक दशा में 2 शेष बचता है?
(a) 2522 (b) 842
(c) 2520 (d) 840

94. 6 अंकों की वह न्यूनतम संख्या जिसे 4, 6, 10 व 15 से भाग देने पर प्रत्येक दशा में 2 शेष बचे, के अंकों का योगफल बताइए?
(a) 5 (b) 3
(c) 4 (d) 6

95. वह सबसे छोटी संख्या जिसे 5, 10, 12 तथा 15 से भाग देने पर प्रत्येक दशा में 2 शेष बचे किन्तु 7 से भाग देने पर कुछ भी शेष न बचे?
(a) 189 (b) 182
(c) 175 (d) 91

96. दो संख्याओं का योग 36 है तथा उनका म0स0 4 है। इस प्रकार की संख्याओं के कितने युग्म सम्भव है?
(a) 1 (b) 2
(c) 3 (d) 4

97. दो संख्याओं का गुणनफल 7168 है। यदि दोनों संख्याओं का म0स0 16 हो तो ऐसी संख्याओं के कुल कितने युग्म बनेंगे?
(a) 1 (b) 2
(c) 3 (d) 4

ANSWER

1.	c	2.	d	3.	d	4.	d	5.	b
6.	b	7.	c	8.	a	9.	a	10.	b
11.	a	12.	c	13.	d	14.	d	15.	d
16.	a	17.	d	18.	c	19.	c	20.	c
21.	a	22.	a	23.	b	24.	a	25.	d
26.	b	27.	c	28.	c	29.	c	30.	d
31.	c	32.	d	33.	b	34.	b	35.	b
36.	a	37.	a	38.	b	39.	c	40.	c
41.	b	42.	b	43.	d	44.	a	45.	c
46.	a	47.	c	48.	b	49.	b	50.	d
51.	a	52.	b	53.	c	54.	b	55.	a
56.	d	57.	d	58.	b	59.	c	60.	b
61.	c	62.	c	63.	b	64.	c	65.	a
66.	b	67.	a	68.	d	69.	c	70.	c
71.	b	72.	a	73.	c	74.	c	75.	b
76.	b	77.	d	78.	c	79.	c	80.	d
81.	d	82.	b	83.	c	84.	c	85.	d
86.	b	87.	d	88.	a	89.	c	90.	d
91.	c	92.	d	93.	a	94.	a	95.	b
96.	c	97.	b						

EXPLANATORY NOTES

1. (c) पाँचों घण्टे पुनः एक साथ 6,7,8,9,12, sec का ल०स०
= 504 सेकण्ड के अन्तराल पर बजेंगे।

2. (d) तीनों मित्र पुनः एक साथ 20,30, व 45 मिनट का ल०स०
= 180 मिनट या 3 घण्टे बाद सन्देश प्राप्त करेंगे।

3. (d) छः घण्टियाँ एक साथ 2,4,6,8,10,12, सेकण्ड का ल०स०
= 120 सेकण्ड या 2 मिनट के अनतराल पर बजती रहेंगी।

4. (d) तीनों आरम्भिक बिन्दु पर 252, 308 व 198 सेकण्ड का ल०स०
= 2772 सेकण्ड या 46 मिनट 12 सेकण्ड बाद मिलेंगे।

दृष्टव्यः

2	252,308,198
2	126, 154, 99
3	63, 77, 99
3	21, 77, 33
7	7, 77, 11
11	1, 11, 11
	1, 1, 1

∴अभीष्ट ल०स० = 2×2×3×3×7×11
= 2772 सेकण्ड
या

60) 2772 (46
240
372
360
12

46 मिनट 12 सेकण्ड

5. (b) चारों बत्तियाँ पुनः एक साथ 30,45,60 व 75 सेकण्ड का
ल०स० = 900 सेकण्ड या 15 मिनट बाद बदलेगी
अतः अभीष्ट समय = 1 : 35 + 0 : 15
= 1 : 50 Pm

6. (b) तीनो प्रकार के पेन की अभीष्ट संख्या
= 10,12 वे 24 का ल०स० = 120
A प्रकार के पेन के पैकेटो की संख्या = $\frac{120}{10}$ = 12
B प्रकार के पेन के पैकेटो की संख्या = $\frac{120}{12}$ = 10
C प्रकार के पेन के पैकेटो की संख्या = $\frac{120}{24}$ = 5

7. (c) चारों रंगो की कमीजों की अभीष्ट संख्या
= 5,10,12 व 15 का ल०स० = 60
नीला = $\frac{60}{5}$ = 12 पैकेट
पीला = $\frac{60}{10}$ = 6 पैकेट
काला = $\frac{60}{12}$ = 5 पैकेट
सफेद = $\frac{60}{15}$ = 4 पैकेट

8. (a) पात्र की अधिकतम क्षमता
= 403, 434, 465 का म०स०
= 31 लीटर
दृष्टव्यः 403, 434, 465
31 31
∵अभीष्ट अन्तर (31)उपर्युक्त तीनों संख्याओं को विभक्त कर देगी अतः म०स० = 31

9. (a) पंक्तियों की अभीष्ट संख्या
= 24, 36 व 60 का म०स०
= 12
दृष्टव्यः 24, 36, 60
12 24
12

[∵ 12 उपर्युक्त तीनों संख्याओं को विभक्त कर देगी
∴ म०स० = 12

10. (b) प्रत्येक डिब्बे में दूध की मात्रा
= 21,42,63 का म०स० = 21लीटर
∴कुल डिब्बो की संख्या = $\frac{21}{21}+\frac{42}{21}+\frac{63}{21}$
= 1+2+3
= 6

11. (a) विद्यार्थियों की अधिकतम संख्या
= 1001 व 910 का म०स०
= 91
दृष्टव्यः 1001, 910
91

[∵ 91 उपर्युक्त दोनो संख्याओं को विभक्त कर देगा ∴म०स० = 91]

12. (c) $\frac{14}{33}, \frac{42}{55}, \frac{21}{22}$ का म०स०
$= \frac{14,42,21 \text{ का म0स0}}{33,55,22 \text{ का ल0 स0}}$
$= \frac{7}{330}$

13. (d) अभीष्ट ल०स० = $\frac{1,5,2,4 \text{ का ल0 स0}}{3,6,9,27 \text{ का म0स0}} = \frac{20}{3}$

14. (d) अभीष्ट म०स० = $\frac{1,2,3,4 \text{ का म0 स0}}{2,3,4,5 \text{ का ल0स0}} = \frac{1}{60}$

15. (d)अभीष्ट ल०स० = $\frac{2,3,4,9 \text{ का ल0 स0}}{3,5,7,13 \text{ का म0स0}} = \frac{36}{1} = 36$

16. (a) $\frac{40,50 \text{ और } 60 \text{ का ल0 स0}}{40,50 \text{ और } 60 \text{ का म0स0}} = \frac{600}{10} = 60$

17. (d) $\frac{a \text{ व } b \text{ का LCM}}{a \text{ व } b \text{ का HCF}} = \frac{360 \text{ व } 900 \text{ का LCM}}{360 \text{ व } 900 \text{ का HCF}}$
$= \frac{1800}{180} = 10$

18. (c)

$x = 2^5×3^2×5^3$
$y = 2^4×3^3×5^2$
$z = 2^3×3^3×5^2$

x,y व z का LCM = $2^5×3^3×5^3$
x,y व z का HCF = $2^3×3^2×5^2$
$\therefore \frac{x,y \text{ व } z \text{ का LCM}}{x,y \text{ व } z \text{ का HCF}} = \frac{2^5×3^3×5^3}{2^3×3^2×5^2}$
$= 2^2×3×5$
$= 60$

19. (c) $x = 3^{127}×5^{121}×7^{16}$
$y = 3^{128}×5^{119}×7^{21}$
$z = 3^{126}×5^{120}×7^{19}$

x,y व z का HCF = $3^{126}×5^{119}×7^{16}$

20. (c) पहली संख्या $× \frac{1}{3} = 23$
∴पहली संख्या = 69
ल०स० × म०स० = पहली संख्या × दूसरी संख्या से,
276 × 3 = 69 × दूसरी संख्या
∴ दूसरी संख्या = $\frac{276×3}{69} = 12$

21. (a) माना, पहली संख्या = x

31) x (9
[18]

∴ x = 31×9+18 = 297
सूत्र से, 1485×33 = 297 ×दूसरी संख्या
∴ दूसरी संख्या = $\frac{1485×33}{297}$
= 165

22. (a) माना, म०स० = x
ल०स० = $55x$
$x + 55x = 504$
$56x = 504$
∴ $x = 9$ (म०स०)
तब ल०स० = 55 x = 55×9= 495
सूत्र से, 495×9 = 99×दूसरी संख्या
∴दूसरी संख्या = $\frac{495×9}{99} = 45$

23. (b)माना, म०स०= x
∴ल०स० = $4x$
$4x+x = 125$
$5x = 125$
$5x = 125$
$x = 25$ (म०स०)
∴ल०स० = $4x$ = 4×25= 100
सूत्र से, 100×25 = 100×दूसरी संख्या
∴दूसरी संख्या = 25

24. (a) माना, म०स० = x
∴ल०स० = $44x$
$44x+ x = 1125$
$45x = 1125$
$x = 25$ (म०स०)
∴ल०स० = $44x$ = 44×25 = 1100
सूत्र से, 1100×25 = 25×दूसरी संख्या
∴दूसरी संख्या = 1100

25. (d) ल०स० ×म०स० = पहली संख्या × दूसरी संख्या
$24 = x × (x - 2)$
∴ $x = 6$ समीकरण को संतुष्ट करता है
∴संख्यायें क्रमशः 6 तथा 4 है।

26. (b) ल०स० × म०स० = पहली संख्या × दूसरी संख्या
$336 = x×(x - 10)$
∴ $x = 24$ समीकरण को संतुष्ट करता है
∴संख्यायें क्रमशः 24 व 14 है।

27. (c) माना, (I : II) = a : b म०स० = 4(दिया है)
∴दोनों संख्यायें क्रमशः 4a तथा ab है।
तब दोनों संख्याओं का ल०स० = 4ab
$\therefore \frac{\text{संख्याओं का योग}}{\text{ल0 स0}} = \frac{7}{12}$
$\frac{4a+4b}{4ab} = \frac{7}{12}$
$\frac{a+b}{ab} = \frac{7}{12}$ ....(i)
a= 3 तथा b= 4 लेने पर समी० (i)संतुष्ट होता है
तब पहली संख्या = 4a = 4×3 = 12
तथा दूसरी संख्या = 4b = 4×4= 16
∴छोटी संख्या 12 होगी।

28. (c) I : II = 2 : 3(दिया है)
माना, म०स० = x
तब पहली और दूसरी संख्या क्रमशः $2x$ तथा $3x$होगी।
ल०स० × म०स० = पहली संख्या × दूसरी संख्या
$54 × x = 2x × 3x$
$6x = 54$
$x = 9$
∴संख्याओं का योग = $2x+3x= 5x$= 5×9 = 45

29. (c) I : II = 3 : 4(दिया है)
माना, म०स० = x
तब पहली और दूसरी संख्या क्रमशः $3x$ तथा $4x$ होगी
सूत्र से, $84 × x = 3x× 4x$
$12x= 84$
$x= 7$
∴बड़ी संख्या = $4x$= 4×7 = 28

30. (d) पहली संख्या = a, ल०स० = 24
दूसरी संख्या = 8, म०स० = 4
सूत्र से, 24×4 = a×8

a = 12

31. (c) माना संख्यायें x तथा y है।
$x+y = 36$
पहली संख्या × दूसरी संख्या = ल०स० × म०स०
$xy = 105×3 = 315$
∴दोनों संख्याओ के व्युत्क्रमो का योग = $\frac{1}{x}+\frac{1}{y}$
$= \frac{x+y}{xy} = \frac{36}{315} = \frac{4}{35}$

32. (d) I : II = $x : y$
म०स० = z दिया है।
तब पहली संख्या = xz
तथा दूसरी संख्या = yz
ल०स० × म०स० = पहली संख्या × दूसरी संख्या
ल०स० × $z = xz × yz$
∴ल०स० = xyz

33. (b) माना, म०स० = x
तब, तीनों संख्यायें क्रमशः $3x, 8x,$ व $15x$ होंगी
$3x, 8x,$ व $15x$ का ल०स० = 8280
$120x = 8280$
$x = \frac{8280}{120} = 69$

34. (b) 6,9,12,15, व 18 का ल०स० = 180
∴वह न्यूनतम संख्या = ल०स० + 2
= 180+2 = 182

35. (b)(5–2)= (7–4) = (11–8) = (13–10) = 3
5,7,11 और 13 का ल०स० = 5005
वह न्यनूतम संख्या = 5005 – 3 = 5002

36. (a) (48–38) = (64–54) = (90–80)
= (120–110) = 10
48,64,90 और 120 का ल०स० = 2880
∴वह न्यूनतम संख्या = 2880 – 10
= 2870

37. (a) (35–18) = (45–28) = (55–38) = 17
35,45 और 55 का ल०स० = 3465
∴वह न्यूनतम संख्या = 3465 – 17
= 3448

38. (b) 24,32,36 और 54 का ल०स० = 864
∴वह न्यूनतम संख्या = 864–5
= 859

39. (c) 12,16,18 और 21 का ल०स० = 1008

1008) 2000 (1
  1008
  992

∴जोड़ी जाने वाली संख्या = भाजक – शेष
x = 1008 – 992
x = 16
अतः x के अंकों का योग = 1+6 = 7

40. (c) 9,10 तथा 15 का ल०स० = 90

90) 1936 (21
  180
  136
  90
  46

∴अभीष्ट संख्या = 1936 – (90×21)–7
= 1936–1890–7
= 39

41. (b) $\left.\begin{array}{l}110-2 = 108\\128-2 = 126\end{array}\right\}$ का म०स० 18
अतः वह अधिकतम संख्या = 18

42. (b)
$\left.\begin{array}{l}2300-32 = 2268\\3500-56 = 3444\end{array}\right\}$ का म०स० = 42
दृष्टव्यः

2268) 3444 (1
  2268
  1176) 2268 (1
    1176
    1092) 1176 (1
      1092
      84) 1092 (13
        1092
        ×

∴अभीष्ट म०स० = 42
∴विकल्प में 84 नहीं है अतः 84 = 2 × 42
अधिकतम संख्या = 42

43. (d)
$\left.\begin{array}{l}122-2 = 120\\243-3 = 240\end{array}\right\}$ का म०स० = 120
अतः वह अधिकतम संख्या = 120

44. (a)
$\left.\begin{array}{l}307-3 = 304\\330-7 = 323\end{array}\right\}$ का म०स० = 19
अतः वह अधिकतम संख्या = 19

45. (c)
$\left.\begin{array}{l}411-3 = 408\\684-4 = 680\\821-5 = 816\end{array}\right\}$ का म०स० = 136

408,680,816
272, 136
136

[∵ 136 उपर्युक्त संख्याओं को विभक्त कर देगा]
अतः वह अधिकतम संख्या = 136

46. (a)

प्रथम विधि :

25(T_1), 73(T_2), 97(T_3)

$$\left.\begin{array}{l}T_2-T_1 = 73-25 = 48\\ T_3-T_2 = 97-73 = 24\\ T_3-T_1 = 97-25 = 72\end{array}\right\}\text{ का म०स० } = 24$$

∴ वह अधिकतम संख्या = 24

द्वितीय विधि :

दी गई संख्याओं 25, 73 और 97 है अतः प्रत्येक स्थिति में बराबर शेष दे उसके लिये सीधे तौर पर संख्याओं का अन्तर ज्ञात करें

25,73,97
48, 24
24

अतः वह अधिकतम संख्या = 24

47. (c)

1305,4665,6905
3360, 2240
1120

अतः वह अधिकतम संख्या N = 1120

∴ N में अंकों का योग = 1+1+2+0= 4

48. (b) (15–11) = (18–14) = (21–17) = (24–20) = 4

अब, 15, 18, 21 और 24 का ल०स० = 2520

2520) 9999 (3
7560
2439

∴ अभीष्ट संख्या = 9999–2439–4 = 7556

49. (b) 4,6,10 और 15 का ल०स० = 60

60) 100000 (1666
60
400
360
400
360
400
360
40

जोड़ी जाने वाली संख्या = भाजक – शेष

= 60 – 40 = 20

∴ छः अंकों की न्यूनतम संख्या जो 60 से विभक्त है

= 100000 + 20 = 100020

∵ प्रत्येक दशा में 2 शेष बचे –

अतः अभीष्ट संख्या = 100020 + 2= 100022

∴ अंको का योग = 1+0+0+0+2+2= 5

50. (d) 3,5,8,12 का ल०स० = 120

120) 99999 (833
960
399
360
399
360
39

∴ 5 अंको की अधिकतम संख्या जो 120 से विभक्त है

= 99999–39

= 99960

अतः अभीष्ट संख्या = 99960+2= 99962

51. (a) 2,5,9 और 11 का ल०स० = 990

∴ वह संख्या = 990+1 = 991

52. (b) 12,15,18,27 का ल०स० = 540

540) 9999 (18
540
4599
4320
279

∴ वह अधिकतम संख्या 9999–279

= 9720

53. (c) 4,5,6,7,8 का ल०स० = 840

840) संख्या (x(माना)
2

∴ वह संख्या = 840x+2

द्वितीय शर्त :

13) 840x+2 (64x
832x
8x+2

यहाँ x का ऐसा न्यूनतम मान रखे कि बनी संख्या 13 से विभक्त हो

तब x = 3

∴ वह संख्या = 840x+2

= 840×3+2

= 2522

54. (b) 5,10,12 तथा 15 का ल०स० = 60

60) संख्या (x(माना)
2

∴ वह संख्या = 60x+2

द्वितीय शर्त :

7) $60x+2$ ($8x$
$56x$
$4x+2$

यहाँ, x का ऐसा न्यूनतम मान रखे कि बनी संख्या 7 से विभक्त हो

$x = 3$

∴वह संख्या = $60x+2 = 60\times3+2 = 182$

55. (a) 18,21, तथा 24 का ल०स० = 504
(18–7) = (21–10) = (24–13) = 11
अतः संख्या = $504x-11$

23) $504x-11$ ($21x$
$483x$
$21x-11$

यहाँ x का ऐसा न्यूनतम मान रखे कि बनी संख्या 23से विभक्त हो
तब $x = 6$
∴वह संख्या = $504x - 11$
= 504×6 – 11
= 3013

56. (d) **Note -** दो या दो से अधिक संख्याओं का ल०स०, उनके म०स० से सदैव विभक्त होता है।
अतः उन संख्याओं का म०स० 35 नहीं हो सकता।

57. (d) **Note -** दो संख्याओं का ल०स०, म०स० से सदैव विभक्त होना चाहिए।
अतः दोनों संख्याओं का ल०स० 76 नही हो सकता क्योंकि 76 , इनके म०स० (8) से विभक्त नहीं है।

58. (b) दो संख्याओं x तथा y के म०स० और ल०स० क्रमशः 20 और 250 नहीं हो सकता क्योंकि दोनों संख्याओं का ल०स० (250),इनके म०स० (20)से पूर्णतः विभक्त नहीं है।

59. (c) माना, I : II = ($x : y$), म०स० = 4(दिया है)
अतः दोनों संख्या क्रमशः $4x$ तथा $4y$ है
$4x + 4y = 36$
$x + y = 9$
∴कुल सम्भव युग्मों की संख्या = (1,8),(2,7),(4,5)

60. (b) माना I : II = ($x : y$), म०स० = 12 (दिया है)
अतः दोनों संख्याये क्रमशः $12x$ तथा $12y$ है
$12x + 12y = 84$
$x + y = 7$
∴कुल युग्मों की संख्या = (1,6),(2,5),(3,4)

61. (c) माना, I : II = ($x : y$), म०स० = 15 (दिया है)
अतः दोनों संख्यायें क्रमशः $15x$ तथा $15y$ है
$15x \times 15y = 6300$
$xy = \frac{6300}{15\times15} = 28$
∴कुल युग्मों की संख्या = (1,28), (4,7)

62. (c) माना, संख्यायें a व b है।

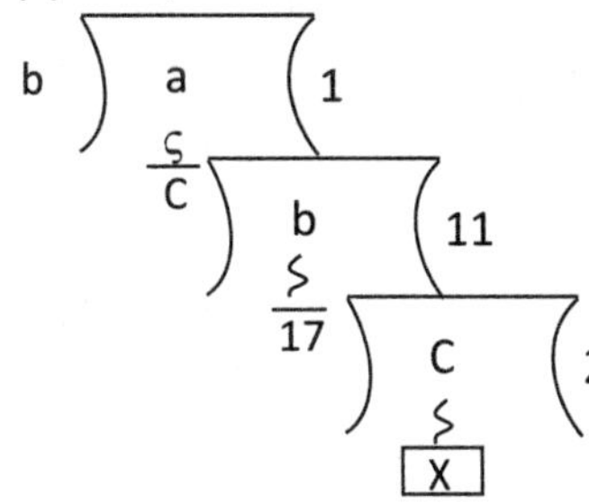

C = 17×2= 34
b = C×11+17= 34×11+17= 391
a = b×1+C= 391×1+34= 425
∴दोनों संख्याओं का योग a+b = 425+391
= 816

63. (b) 30, 36 और 80 का ल०स० = 720
माना, संख्या = $720x+11$है
जहां $x = 2$ लेने पर
संख्या = 720×2+11
= 1451(यह 1000 और 2000 के बीच मे है।

64. (c) 12,18,21और 32 ल०स० = 2016
माना, संख्या = $2016x$ है
$x = 2$ रखने पर
संख्या = 2016 × 2 = 4032 है जोकि 4000 और 5000 के बीच में है।

65. (a) 30,45 और 60 का LCM = 180
180×2 = 360 (200 और 400 के बीच)
15,24 तथा 45 का HCF = 3
अतः अभीष्ट उत्तर = $\frac{360}{3} = 120$

66. (b) 65 और 117 का म०स० = 65m – 117
13 = 65m–117
65m = 130
∴m= 2

67. (a) I : II : III = 3 : 4 : 5
माना, म०स० = x
∴संख्यायें क्रमशः $3x$, $4x$ और $5x$ है
$3x$, $4x$ और $5x$ का ल०स० = 2400
$60x = 2400$
$x = 40$

68. (d) अभीष्ट समय = 252, 308 व 198 सेकेण्ड का ल0स0

2	252, 308, 198
2	126, 154, 99
7	63, 77, 99
9	9, 11, 99
11	1, 11, 11
	1, 1, 1

अभीष्ट ल0स0 = $2 \times 2 \times 7 \times 9 \times 11 = 2772$ सेकेण्ड = 46 मिनट 42 सेकण्ड

69. **(c)** प्रत्येक ढेरी में पुस्तकों की संख्या = 84, 90 व 120 का म0स0

84 और 90 का म0स0

84)90(1
84
06)84(14
84
×

अब 06 व 120 का म0स0

6)120(20
120
×

अतः अभीष्ट संख्या = 6 Ans.

70. **(c)** वह अभीष्ट समयय = 6, 7, 8, 9 व 12 सेकण्ड का ल0स0 = 504 Sec. Ans.

71. **(b)** तीन घण्टियाँ पुनः इकट्ठी 6, 24, 28 सेकण्ड के ल0स0 = 168 Sec. बाद बजेंगी।

∵ 1 घण्टा = 3600 सेकण्ड

अतः $= \frac{3600}{168} = 21\frac{3}{7}$

अतः 1 घण्टे में 21 + 1 = 22 बार एक साथ बजेगी।

72. **(a)** $2^5 \times 5^3 \times 7^2$

$2^4 \times 3^2 \times 5$

$\underline{2^3 \times 3^3 \times 5^2 \times 7}$

म0स0 $= 2^3 \times 5 = 40\,Ans.$

73. **(c)** $2^5 \times 5^3 \times 7^2$

$2^4 \times 3^2 \times 5$

$\underline{2^3 \times 3^3 \times 5^2 \times 7}$

ल0स0 $2^5 \times 3^3 \times 5^3 \times 7^2\,Ans.$

74. **(c)** $\frac{1}{3}, \frac{2}{9}, \frac{5}{6}$ व $\frac{4}{27}$ का ल0स0

$$\text{ल0स0} = \frac{\text{1, 2, 5 तथा 4 का ल0स0}}{\text{3, 9, 6 तथा 27 का म0स0}} = \frac{20}{3}\,Ans.$$

75. **(b)** $\frac{2}{3}, \frac{4}{5}$ व $\frac{6}{7}$ का

$$\text{म0स0} = \frac{\text{2, 4 तथा 6 का म0स0}}{\text{3, 5 तथा 7 का ल0स0}} = \frac{2}{105}\,Ans.$$

76. **(b)** $P = 2^3.3^{10}.5$

$\underline{Q = 2^5.3.7}$

P तथा Q का म0स0 $= 2^3.3\,Ans.$

77. **(d)** 1·08, 0·36 तथा 0·9 का ल0स0

Step A : 1·08, 0·36 तथा 0·90

Step B : 108, 36 तथा 90 का ल0स0 = 540

Step C : अभीष्ट ल0स0 = 5.4 उत्तर

78. **(c)** 2·4, 0·36 तथा 7·2 का महत्तम समापवर्तक

Step A : 2·40, 0·36 तथा 7·20

Step B : 240, 36 तथा 720 का म0स0 = 12

Step C : अभीष्ट म0स0 = 0·12 उत्तर

79. **(c)** तीन संख्यायें क्रमशः, $x, 2x, 3x$ है

म0स0 $(x) = 12$

अतः संख्यायें क्रमशः 12, 24 व 36 है।

80. **(d)** भाजक (15, 20, 36 व 48) का ल0स0 = 720

∴ वह न्यूनतम संख्या $= 720 + 3 = 723\,Ans.$

81. **(b)** यहाँ, $(15 - 7) = (25 - 17) = (35 - 27) = (45 - 27) = 8$

भाजक (15, 25, 35 तथा 45) का ल0स0 = 1575

∴ वह न्यूनतम संख्या $= 1575 - 8 = 1567\,Ans.$

82. **(b)** भाजक (24, 32, 36 तथा 54) का ल0स0 = 864

अतः अभीष्ट संख्या = ल0स0 − 5

= 864−5 = 859 उत्तर

83. **(c)** $989 - 5 = 984$

$1327 - 7 = 1320$

अतः 984 व 1320 का म0स0 = 24

984)1320(1
984
336)984(2
672
312)336(1
312
24)312(24
312
×

अतः म0स0 = 24 उत्तर

84. **(c)** 187, 233, 279

$233 - 187 = 46$

$279 - 233 = 46$

$279 - 187 = 92$

अतः अभीष्ट संख्या 46, 46 व 92 मा म0स0 = 46 Ans.

85. **(d)** ल0स0 × म0स0 = पहली संख्या × दूसरी संख्या

$24 = x(x - 2)$

Option से $x = 6$ अभीष्ट उत्तर होगा।

86. **(b)** माना, म0स0 $= x$

तब ल0स0 $= 4x$

$x + 4x = 125$

$5x = 125$

$\therefore x = 25$

अतः म0स0 $(x) = 12$ तथा ल0स0= $4x = 100$

सूत्र से,

$100 \times 25 = 100 \times \text{II}$ संख्या

अतः II संख्या = 25 Ans.

87. **(d)** माना संख्यायें $3x$ व $3y$ है, जहाँ x व y परस्पर अभाज्य है।

प्रश्नानुसार, $3x+3y=45$

$$x+y=15 \ldots\ldots\ldots(i)$$

$\therefore$ ल0स0 $=3xy=168 \ldots\ldots\ldots.(ii)$

समीकरण (i) ÷ समीकरण (ii) से

$$\frac{x+y}{3xy}=\frac{1}{3y}+\frac{1}{3x}=\frac{x+y}{3xy}=\frac{15}{168}=\frac{5}{56}$$

88. **(a)** माना, संख्यायें $2x, 3x$ व $4x$ है।

म0स0 (x) = 12

$\therefore$ संख्यायें क्रमशः 24, 36 व 48 है।

अतः 24, 36 व 48 का ल0स0 = 144 उत्तर

89. **(c)** माना म0स0 $=x$

तब संख्यायें क्रमशः $2x$ व $3x$ है

सूत्र से,

$48\times x=2x\times 3x$

$48=6x$

$x=8$

अतः संख्या का योगफल $=2x+3x=5x=40$

90. **(d)** माना म0स0 $=x$

तब संख्यायें क्रमशः $5x$ व $6x$ है

सूत्र से,

$120\times x=5x\times 6x$

$30x=120$

$\therefore\ x=4$

91. **(c)** भाजक 12, 18 व 21 का ल0स0

2	12, 18, 21
2	6, 9, 21
3	3, 9, 21
	1, 3, 7

$=2\times 2\times 3\times 3\times 7$

$=252$

पाँच अंकों की न्यूनतम संख्या = 1000

```
252)1000(39
    756
    2440
    2268
    172
```

$\therefore$ जोड़ी जाने वाली संख्या = भाजक − शेष

$=252-172$

$=80$

अतः अभीष्ट संख्या $=10000+80=10080$ *Ans.*

92. **(d)** भाजक 3, 5, 8, 12 का ल0स0 = 120

5 अंकों की अधिकतम संख्या = 99999

```
120)99999(833
    960
    399
    360
    399
    360
    39
```

अतः अभीष्ट संख्या $=99999-39+2$

$=99962$ *Ans.*

93. **(a)** भाजक 4, 5, 6, 7 व 8 का ल0स0 = 840

$\therefore$ अभीष्ट संख्या $=840x+2$, जो 13 से पूर्णतः विभक्त है

$\therefore x=3$ के लिए

प्राप्त संख्या $=840\times 3+2=2522$ *Ans.*

94. **(a)** 4, 6, 10 व 15 का ल0स0 60

```
60)100000(1666
    60
    400
    360
    400
    360
    400
    360
     40
```

जोड़ी जाने वाली संख्या $=60-40=20$

अतः अभीष्ट संख्या $=100000+20+2$

$=100022$

अतः कुल योग $=1+0+0+0+2+2=5$

95. **(b)** 5, 10, 12 व 15 का ल0स0 = 60

$\therefore$ अभीष्ट संख्या $=60x+2$, जो 7 से पूर्णतः विभक्त है।

अतः $x=3$ के लिए

वह संख्या $=60\times 3+2=182$ *Ans.*

96. **(c)** माना, संख्यायें $4x$ तथा $4y$ है

$\therefore 4x+4y=36$

$x+y=9$

कुल जोड़ा $=(1,8),(2,7),\ (3,6)$ व $(4,5)$

अतः अभीष्ट जोड़ा = अभाज्य जोड़ा $=(1,8),(2,7),(4,5)$

97. **(b)** माना, संख्यायें $16x$ तथा $16y$ है

$16x\times 16y=7168$

$$xy=\frac{7168}{16\times 16}$$

$xy=28$

कुल जोड़ा $=(1,28),(2,14),(4,7)$

अतः अभीष्ट जोड़ा = अभाज्य जोड़ा $=(1,28)$ व $(4,7)$*Ans.*

7 औसत (Average)

औसत : दिये गये सजातीय राशियों के योग को पदों की संख्या से भाग देने पर जो भागफल प्राप्त होता है औसत कहलाता है।

$$\text{औसत} = \frac{\text{कुल पदों का योग}}{\text{कुल पदों की संख्या}}$$

अतः **कुल पदों का योग = औसत × कुल पदों की संख्या**

Type - 01

सामान्य औसत व्यवहार के प्रश्न :

1. 7,11,15, x, 14,21,25 का औसत 15 है तो, x का मान ज्ञात करे–:

(a) 3 (b) 145
(c) 12 (d) 13·3

हल : $15 = \frac{7+11+15+x+14+21+25}{7}$

$15 \times 7 = 93 + x$

$105 - 93 = x$

$x = 12$

2. पाँच प्रेक्षणों $x, (x+2, (x+4), (x+6)$ व $(x+8)$ का माध्य 11 तो प्रथम तीन प्रेक्षण का माध्य बताइयें।

(a) 3 (b) 5
(c) 7 (d) 9

हल : $11 = \frac{x+(x+2)+(x+4)+(x+6)+(x+8)}{5}$

$11 \times 5 = 5x + 20$

$55 - 20 = 5x$

$x = \frac{35}{5} = 7$

$\therefore$ प्रथम तीन प्रेक्षण का माध्य $= \frac{x+(x+2)+(x+4)}{3}$

$\frac{3x+6}{3} = \frac{3(x+2)}{3}$

$= x + 2$

$= 7 + 2 = 9$

3. A, B व C का औसत 25 है तथा A व B का औसत 22 है तो C का मान है

(a) 22 (b) 25
(c) 21 (d) 31

हल : A, B व C का योग = 25 × 3 = 75

A व B का योग = 22 × 2 = 44

∴ C = (A + B + C) – (A+B)

C = 75 – 44 = 31

4. A और B की औसत मासिक आय 15,050 है B और C की औसत मासिक आय ₹15350 है और A और C की औसत मासिक आय 15,200 है तो A की मासिक आयत कितनी है?

(a) ₹15,200 (b) ₹14,900
(c) ₹15,500 (d) ₹15,900

हल :

$A + B = 15050 \times 2 = 30100$

$B + C = 15350 \times 2 = 30700$

$C + A = 15200 \times 2 = 30400$

जोड़ने पर

$2A + 2B + 2C = 91200$

$2(A + B + C) = 91200$

$\therefore A + B + C = \frac{91200}{2} = 45600$

$\therefore$ A की आय = (A + B + C) की आय – $(B + C)$ की आय = 45600 – 30700 = 14900 रू०

Type - 02

जब किसी विशेष संख्या वाली समूह में कोई एक संख्या मिला दी जाये। निकाल लिया जाये–

प्रश्न : 30 विद्यार्थियों की औसत उम्र 9 वर्ष है। यदि उनके शिक्षक की आयु सम्मिलित कर ली जाये तो औसत उम्र 10 वर्ष हो जाती है। शिक्षक की उम्र (वर्षों) में बताइये?

हल 30 विद्यार्थियों के उम्रों का योग $= 9 \times 30 = 270$ वर्ष

(30 विद्यार्थी+शिक्षक) के उम्रों का योग $= 10 \times 31 = 310$ वर्ष

अतः शिक्षक का उम्र $= 310 - 270 = 40$ वर्ष

प्रश्न : पाँच संख्याओं का औसत 27 है। यदि उनमें से एक संख्या निकाल ली जाये तो औसत 2 कम हो जाता है। निकाली गई संख्या बताइये?

हल 5 संख्याओं का योग $= 5 \times 27 = 135$

(5–1) संख्याओं का योग $= 4 \times 25 = 100$

∴ निकाली गई संख्या = 5 संख्याओं का योग–4 संख्याओं का योग

$= 135 - 100 = 35$

Type - 03

विशेष संख्या वाली दो समूहों के योग या अन्तर से बनी संख्या का औसत ज्ञात करना–

प्रश्न : एक कक्षा के 15 लड़कों का औसत उम्र 11 वर्ष है तथा 5 लड़कियों का औसत उम्र 9 वर्ष है तो सभी विद्यार्थियों के उम्रों का औसत बताइये?

हल 15 लड़कों के उम्रों का योग $= 11 \times 15 = 165$ वर्ष

5 लड़कियों के उम्रों का योग $= 9 \times 5 = 45$ वर्ष

∴ सभी विद्यार्थियों (15+5) के उम्रों का योग = 210 वर्ष

अतः सभी विद्यार्थियों के उम्रों का औसत $= \frac{210}{20} =$ 10.5 वर्ष

प्रश्न : 8 मजदूरों की औसत दैनिक मजदूरी ₹ 150 थी। इस समूह से 6 मजदूर जिनकी औसत दैनिक मजदूरी ₹ 130 थी, समूह छोड़कर चले गये तो बचे मजदूरों की औसत दैनिक मजदूरी बताइये?

हल 8 मजदूरों के मजदूरी का योग $= 150 \times 8 = ₹1200$

जाने वाले 6 मजदूरों के मजदूरी का योग $= 130 \times 6 = ₹780$

∴ बचे (8–6) मजदूरों के मजदूरी का योग $= ₹420$

अतः इनकी औसत मजदूरी $= \frac{420}{2} = ₹210$

Type - 04

तापमान से बनने वाला प्रश्न

प्रश्न : किसी सप्ताह में सोमवार से बुधवार का औसत तापमान $36^0\,C$ तथा मंगलवार से वृहस्पतिवार का औसत तापमान 38^0C है। यदि वृहस्पतिवार का तापमान 39^0C हो तो सोमवार का तापमान बताइये?

हल (सोम0+मंगल+बुध) के तापमान $= 36 \times 3 = 108^0C$

(मंगल+बुध+वृह0) के तापमान $= 38 \times 3 = 114^0C$

(सोम–वृह0) $= -6^0C$

सोम$-39^0C = -6^0C$

सोमवार का ताप $= -6^0C + 39^0C = 33^0C$ *Ans.*

प्रश्न : सोमवार से बुधवार का औसत तापमान 37^0C और मंगलवार से वृहस्पतिवार का औसत तापमान 34^0C है। यदि वृहस्पतिवार का तापमान सोमवार के तापमान का $\frac{4}{5}$ हो तो वृहस्पतिवार का तापमान बताइये?

हल (सोम0+मंगल+बुध) का तापमान $= 37 \times 3 = 111^0C$

(मंगल+बुध+वृह0) का तापमान $= 34 \times 3 = 102^0C$

(सोम–वृह0) का तापमान $= 9^0C$

$x - \frac{4x}{5} = 9^0C$

$\frac{x}{5} = 9^0C$

$x = 45^0C$

∴वृहस्पतिवार का ताप $= \frac{4\times45}{5} = 36^0C$ *Ans.*

Type - 05

जब समूह से किसी विशेष पद का मान निकालना हो

प्रश्न : 9 संख्याओं का औसत 30 है। प्रथम 5 संख्याओं का औसत 25 और अन्तिम 3 संख्याओं का औसत 35 हो, तो छठी संख्या कौन–सी है?

हल 9 संख्याओं का योग $= 30 \times 9 = 270$

प्रथम 5 संख्याओं का योग $= 25 \times 5 = 125$

अन्तिम 3 संख्याओं का योग$= 35 \times 3 = 105$

∴ 6 वीं संख्या = 9 संख्याओं का योग – (5 . 3) संख्याओं का योग

$= 270 - (125 + 105)$

$= 40$ *Ans.*

प्रश्न : 13 संख्याओं का औसत 68 है। इनमें से प्रथम 7 संख्याओं का औसत 63 है जबकि अन्तिम 7 संख्याओं का औसत 70 है, तो 7वीं संख्या बताइये?

हल 13 संख्याओं का योग $= 68 \times 13 = 884$

प्रथम 7 संख्याओं का योग $= 63 \times 7 = 441$

अन्तिम 7 संख्याओं का योग$= 70 \times 7 = 490$

∴ 7वीं संख्या = (7+7) संख्याओं का योग–13 संख्याओं का योग

$= (441 + 490) - 884$

$= 47$ *Ans.*

Type - 06

औसत उम्र पर प्रश्न

प्रश्न : A, B तथा C का औसत उम्र 25 वर्ष है। यदि इनके उम्रों का अनुपात 4 : 5 : 6 हो, तो सबसे बड़े व्यक्ति का उम्र बताइये?

हल A, B व C के उम्रों का योग $= 25 \times 3 = 75$

माना, तीनों के उम्र क्रमशः $4x, 5x$ व $6x$ है।

∴ $4x + 5x + 6x = 75$

$15x = 75$

$x = 15$

अतः सबसे बड़े व्यक्ति का उम्र $= 6x = 6 \times 5$

$= 30$ वर्ष *Ans.*

प्रश्न : एक परिवार में 6 पुत्रों का औसत उम्र 8 वर्ष है। इन लड़कों तथा इनके माता–पिता की औसत उम्र 22 वर्ष है। यदि पिता की उम्र, माता की उम्र से 8 वर्ष अधिक हो तो माता की उम्र बताइये?

हल 6 पुत्रों के उम्रों का योग $= 8 \times 6 = 48$ वर्ष

(6 पुत्र + माता + पिता) के उम्र $= 22 \times 8 = 176$ वर्ष

48 + (माता + पिता) के उम्र = 176

$x + (x + 8) = 176 - 48 = 128$

$2x = 120$

$x = 60$ वर्ष *Ans.*

प्रश्न : A, B व C की औसत आयु 20 वर्ष है। यदि A तथा B की औसत आयु 19 वर्ष हो तो C की आयु कितनी है?

हल C की आयु = A, B व C के आयु का योग – A व B के आयु का योग

$= 20 \times 3 - 19 \times 2$

$= 60 - 38 = 22$ वर्ष

Type - 07

व्यक्तियों के स्थानान्तरण से प्रश्न–

प्रश्न : 50 व्यक्तियों के एक समूह में से 50 किग्रा0 के एक व्यक्ति के चले जाने और उसके स्थान पर एक नये व्यक्ति के शामिल हो जाने से समूह के औसत भार में $\frac{1}{2}$ की वृद्धि हो जाती है, तो नये व्यक्ति का भार बताइये?

हल : नये व्यक्ति के आने से,

भार में वृद्धि $= \frac{1}{2} \times 50 = 25\,Kg$

$\therefore$ नये व्यक्ति का भार $= 50 + 25 = 75\,Kg$

प्रश्न : 8 पुरूषों में से दो पुरूषों की आयु क्रमशः 21 वर्ष और 23 वर्ष है। इनके स्थान पर दो नये पुरूषों को लेने पर इनकी औसत आयु में 2 वर्ष को वृद्धि हो जाती है। दोनों नये पुरूषों की औसत आयु कितनी है?

हल : कुल आयु में वृद्धि $= 2 \times 8 = 16$ वर्ष

$\therefore$ दोनों नये पुरूषों के आयु का योग $= 21 + 23 + 16)$ वर्ष $= 60$ वर्ष

अतः दोनों नये पुरूषों की औसत आयु $= \frac{60}{2}$ वर्ष $=$ 30 वर्ष

Type - 08

क्रिकेट से सम्बन्धित प्रश्न

(A) बल्लेबाजी से प्रश्न

1. एक बल्लेबाज का 10 पारियों का औसत 60 रन है। 11वीं पारी में व्यक्ति को कितने रन बनाना चाहियें कि उसका औसत 62 हो जायें?

(a) 83 (b) 82

(c) 80 (d) 81

हल : 10 पारियों का रन योग = 60 × 10 = 600

(10+1) पारियों का रन योग = 62 × 11 = 682

$\therefore$ 11वीं पारी का रन = 11 पारी तक कुल रन – 10 पारी तक कुल रन

= 682–600 = 82

2. किसी बल्लेबाज के 40 पारियों का औसत 50 रन है । उसके अधिकतम और न्यूनतम पारी के रनों का अन्तर 172 है। यदि इन दोनों पारियों को निकाल दिया जाये तो शेष 38 पारियों का औसत 48 रन हो जाता है। बल्लेबाज का अधिकतम स्कोर बताइयें?

(a) 165 रन (b) 170 रन

(c) 172 रन (d) 174 रन

हल :40 पारियों का रन योग = 50×40 = 2000

38 पारियों का रन योग = 48×38 = 1824

घटाने पर

2 पारियों के रनों का योग = 176

$x + y = 176$

$x - y = 172$

$2x = 348$

$\therefore x = \frac{348}{2} = 174$

(अधिकतम स्कोर)

प्रश्न : एक बल्लेबाज के 8 पारियों के रनों का औसत कुछ था। 9वीं पारी में वह 100 रन बनाता है जिससे उसके रन औसत में 9 की वृद्धि हो जाती है। उसके रनों का पुराना औसत बताइये?

हल : माना, उसके 8 पारियों के रनों का औसत $= x$

प्रश्नानुसार,

$\frac{8x+100}{9} = x + 9$

$8x + 100 = 9x + 81$

$x = 19$

Note : **n वीं पारी का औसत = (n+1) वीं पारी का रन ± औसत × (n+1) वीं पारी**

यहाँ, वृद्धि के लिए '–' तथा कमी के लिए '+' चिन्ह का प्रयोग करें।

उपर्युक्त प्रश्न का हल–

8वीं पारी का औसत $= 100 - 9 \times 9 = 19$

प्रश्न : एक बल्लेबाज के 19वीं पारी तक रनों का औसत x था। अगली पारी में वह 100 रन बनाता है जिससे उसके कुल रन औसत में 2 रन की वृद्धि हो जाती है तो (i) उसके 19वीं पारी तक रन औसत बताइये

(ii) 20वीं पारी तक वह कुल कितने रन बना चुका होगा?

हल : (i) 19वीं पारी तक रन औसत $= 100 - 2 \times 20 = 60$

(ii) 20वीं पारी तक कुल रन $= (60 + 2) \times 20 = 1240$

(B) गेंदबाजी से प्रश्न

प्रश्न : एक गेंदबाज के गेंदबाजी का औसत 12.4 रन प्रति विकेट है अगले मैच में वह 26 रन देकर 5 विकेट लेता है जिससे उसका औसत 0.4 से घट जाता है। पिछले मैच तक उसके द्वारा लिये गये विकटों की संख्या बताइये?

हल : माना, अभीष्ट विकेटों की संख्या $= x$

तब, $12{\cdot}4x + 26 = (x + 5) \times (12{\cdot}4 - 0{\cdot}4)$

$12{\cdot}4x + 26 = 12x + 60$

$0{\cdot}4x = 34$

$\therefore x = \frac{34}{0{\cdot}4} = \frac{340}{4} = 85\ Ans.$

IInd Method : (Alligation Rule)

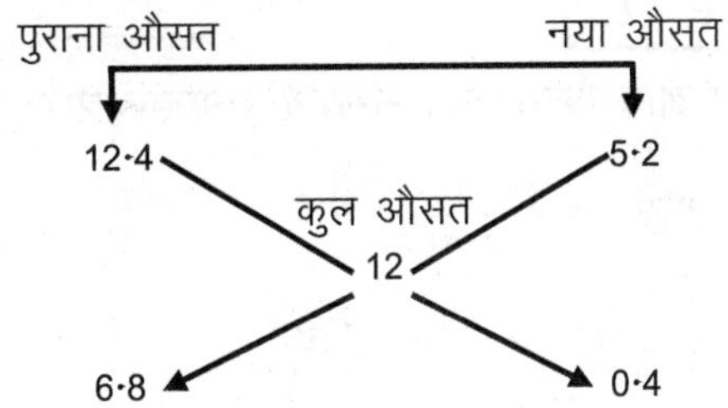

पुराना : नया = 6·8 : 0·4 = 17:1

∵ यहाँ, नया (अन्तिम बैच में विकेट) 1 → 5

अतः पुराना (पिछले मैच तक विकेट) 17 → 5 × 17

= 85 विकेट

Type - 09

गलत पाठ्यांक से प्रश्न

प्रश्न : 36 विद्यार्थियों को औसतन 52 अंक प्राप्त हुये। किन्तु बाद में पता चला कि पद 64 को गलती से 46 पढ़ा गया। अंकों का सही माध्य बताइये?

हल : सही पाठ्यांक–गलत पाठ्यांक $= 64 - 46 = 18$

अतः सही माध्य $= 52 + \frac{18}{36} = 52 + 0.5 = 52.05$

प्रश्न : 9 पूर्णांकों का औसत 11 आता है, परन्तु गणना करने के बाद यह देखा गया कि भूलवश गणना करते समय मूलांक 23 को 32 लिखा गया। उचित संशोधन करने के बाद सही औसत बताइये?

हल : सही पाठ्यांक–गलत पाठ्यांक $= 23 - 32 = -9$

अतः सही औसत $= 11 - \frac{9}{9} = 11 - 1 = 10\ Ans.$

Type - 10

चर राशियों का औसत ज्ञात करना :–

प्रश्न : x संख्याओं का औसत y है, और y संख्याओं का औसत x है। तद्नुसार सभी संख्याओं का कुल औसत क्या होगा?

हल : x संख्याओं का योग $= xy$

y संख्याओं का योग $= xy$

$\therefore$ $(x+y)$ संख्याओं का औसत $= \frac{xy+xy}{x+y} = \frac{2xy}{x+y}$

प्रश्न : x संख्याओं का औसत y^2 और y संख्याओं का औसत x^2 है। तद्नुसार उन सभी संख्याओं का कुल औसत बताइये?

हल : x संख्याओं का योग $= xy^2$

y संख्याओं का योग $= yx^2$

$\therefore$ $(x+y)$ संख्याओं का औसत $= \frac{xy^2+yx^2}{x+y} = \frac{xy\,(y+x)}{x+y} = xy$

प्रश्न : x संख्याओं का औसत y तथा y संख्याओं का औसत x है तो सभी संख्याओं का औसत ज्ञात करें ?

(a) $\frac{x+y}{2xy}$ (b) $\frac{2xy}{x+y}$

(c) $\frac{x^2+y^2}{x+y}$ (d) $\frac{xy}{x+y}$

हलः सभी $(x+y)$ संख्याओं का औसत

$$= \frac{x \text{ संख्याओं का योग} + y \text{ संख्याओं का योग}}{(x+y)}$$

$= \frac{xy+xy}{x+y} = \frac{2xy}{x+y}$

प्रश्न : a, b व c का औसत m है। यदि $ab + bc + ca = 0$ हो तो, a^2, b^2, c^2 का औसत होगा–

(a) 3m (b) $9m^2$

(c) 9m (d) $3m^2$

हल :

$\frac{a+b+c}{3} = m$

$a + b + c = 3m$

दोनो पक्षों का वर्ग करनें पर

$a^2 + b^2 + c^2 + 2(ab + bc + ca) = 9m^2$

$\because ab + bc + ca = 0$

$\therefore a^2 + b^2 + c^2 = 9m^2$

$\therefore a^2, b^2, c^2$ का औसत $= \frac{a^2+b^2+c^2}{3}$

$= \frac{9m^2}{3} = 3m^2$

प्रश्न : यदि x तथा $\frac{1}{x} (x \neq 0)$ का औसत m है। तब x^2 व $\frac{1}{x^2}$ औसत ज्ञात करें?

(a) $1-m^2$ (b) $1-2m^2$

(c) $2m^2-1$ (d) $2m^2+1$

हल : $\frac{x+\frac{1}{x}}{2} = m$

$\therefore x + \frac{1}{x} = 2m$

दोनों पक्षों क वर्ग करने पर

$x^2 + \frac{1}{x^2} + 2 = 4m^2$

या, $x^2 + \frac{1}{x^2} = 4m^2 - 2$

$\therefore x^2$ व $\frac{1}{x^2}$ का औसत

$= \frac{x^2+\frac{1}{x^2}}{2} = \frac{4m^2-2}{2}$

$= \frac{2(2m^2-1)}{2} = 2m^2 - 1$

Type - 11

मिश्रण नियम पर बनने वाला प्रश्न :

प्रश्न : एक परीक्षा में छात्र तथा छात्राओं के औसत प्राप्तांक क्रमशः 71 तथा 73 है। समस्त विद्यार्थियों के औसत प्राप्तांक 71.8 है। छात्र तथा छात्राओं का अनुपात बताइये?

हल :

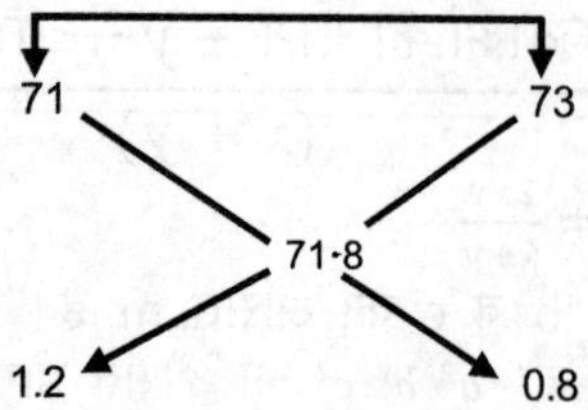

अतः छात्र : छात्रायें : 1.2 : 0.8 = 3:2

प्रश्न : एक कक्षा में 100 विद्यार्थियों का औसत वजन 46 किग्रा0 है। लड़कों का औसत वजन 50 किग्रा0 है तथा लड़कियों का 40 किग्रा0 है। लड़कों की संख्या बताइये?

हल :

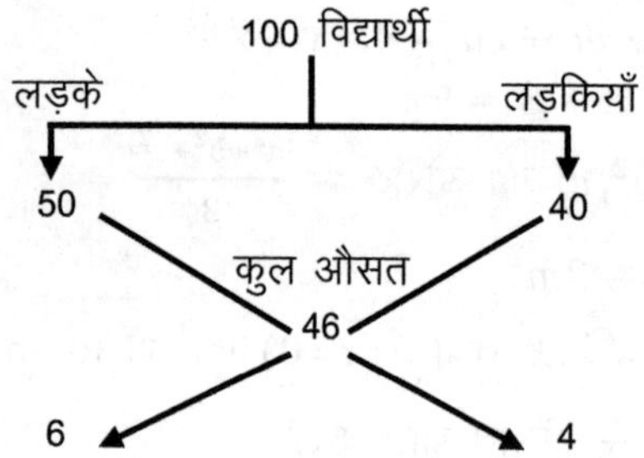

अतः लड़के : लड़कियाँ $= 3:2$

अनुपाती योग $= 5$

$\therefore$ लड़कों की संख्या $= \frac{3}{5} \times 100 = 60\ Ans.$

Type - 12

औसत ज्ञात करना जब संख्यायें समान्तर श्रेणी में हो–

$$\text{औसत} = \frac{\frac{n}{2}[2a+(n-1)d]}{n}$$

$$= \frac{1}{2}[a + a + (n-1)d]$$

$$= \frac{1}{2}[a + l]$$

$$\boxed{\text{औसत} = \frac{\text{(प्रथम पद+अन्तिम पद)}}{2}}$$

प्रश्न : प्रथम 100 धन पूर्णांकों का औसत कितना है?

हल : अभीष्ट औसत $= \frac{(1+100)}{2} = 50{\cdot}5$

प्रश्न : 100 से कम सभी विषम संख्याओं का औसत कितना है?

हल : अभीष्ट औसत $= \frac{(1+99)}{2} = 50$

***Note* : यदि m संख्याओं का औसत $'n'$ हो तो**

(i) प्रत्येक संख्याओं में a जोड़ देने से नया औसत $= (n + a)$

(ii) प्रत्येक संख्याओं में से a घटा देने से नया औसत $= (n - a)$

(iii) प्रत्येक संख्याओं में a से गुणा कर देने से नया औसत $= na$

उपर्युक्त परिणाम याद रखें

प्रश्न : 15 संख्याओं का औसत 20 हो एवं प्रत्येक संख्या में 5 से गुणा कर दिया जाये तो नया औसत क्या होगा?

हल : नया औसत$= 20 \times 5 = 100\ Ans.$

प्रश्नावली

TYPE - 01

1. 30 विद्यार्थियों की औसत आयु 9 वर्ष है। यदि उनके शिक्षक के आयु सम्मिलित कर ली जाए, तो औसत आयु 10 वर्ष हो जाती है। शिक्षक की आयु (वर्ष में) होगी–

(a)27 (b) 31
(c) 35 (d) 40

(SSC CGL प्रारंभिक परीक्षा 4.2.2007 द्वितीय पाली)

2. किसी टीम के 12 खिलाड़ियों की औसत आयु 25 वर्ष है। यदि कप्तान की आयु भी सम्मिलित कर ली जाए तो औसत आयु 1 वर्ष बढ़ जाती है। कप्तान की आयु है–

(a) 25 वर्ष (b) 38 वर्ष
(c) 36 वर्ष (d) 26 वर्ष

(SSC CGL प्रारम्भिक परीक्षा 4.7.1999 प्रथम पाली)

3. 24 छात्रों तथा अध्यापक की औसत आयु 15 वर्ष है। जब अध्यापक की आयु निकाल दी जाती है, तो औसत आयु 1 वर्ष कम हो जाती है। आध्यापक की उम्र ज्ञात करें?

(a) 38 वर्ष (b) 39 वर्ष
(c) 40 वर्ष (d) 41 वर्ष

(SSC CHSL 2017)

4. 11 क्रिकेट खिलाड़ियों की औसत आयु 20 वर्ष है। यदि कोच की आयु भी सम्मिलित कर ली जायें तो, औसत आयु 10% बढ़ जाती है। कोच की आयु ज्ञात कीजिये?

(a) 48 वर्ष (b) 44 वर्ष
(c) 40 वर्ष (d) 36 वर्ष

(SSC CHSL 2017)

5. 6 प्रेक्षणों का औसत 45.5 है। यदि उनमें एक अन्य प्रेक्षण सम्मिलित कर लिया जाए तो नया औसत 47 हो जाता है। नया प्रेक्षण है

(a) 58 (b) 56
(c) 50 (d) 46

(SSC CGL प्रारम्भिक परीक्षा 4.2.2007 प्रथम पाली)

6. 7 संख्याओं का औसत 8 है। यदि उनमे एक संख्या को जोड़ दिया जाए तो औसत 9 हो जाता है। तदनुसार वह जोड़ी गई संख्या कितनी है?

(a) 12 (b)11
(c) 16 (d) 14

(बिहार SSC द्वितीय स्नातक प्रारंभिक परीक्षा 16.2.2015)

7. 6 संख्याओं का औसत 20 है। यदि एक संख्या हटा दी जाए तो औसत 15 हो जाता है। कौन सी संख्या हटाई गई है?

(a) 5 (b) 35
(c) 112 (d) 45

(SSC CGL Tier-II परीक्षा–21.9.2014)

TYPE - 02

8. 20 संख्याओं का औसत 55 है। यदि 2 संख्याओं 45 एवं 30 को हटा दिया जाये, तो नया औसत ज्ञात करें।

(a) 65.1 (b) 65.3
(c) 56.9 (d) 56

(SSC CGL Pre 2018)

9. 25 व्यक्तियों के समूह की औसत आयु 28 वर्ष है। 25 वर्ष औसत आयु वाले 5 नए व्यक्ति इस समूह में शामिल हो गए। अब सभी व्यक्तियों की औसत आयु ज्ञात करें।

(a) 29.5 वर्ष (b) 26.5 वर्ष
(c) 27.5 वर्ष (d) 28.5 वर्ष

(SSC MTS 2017)

10. किसी विद्यालय में विद्यार्थियों की औसत आयु 6 वर्ष तथा 12 अध्यापकों की औसत आयु 40 वर्ष है। यदि अध्यापकों तथा विद्यार्थियों की औसत आयु 7 वर्ष हो, तो विद्यार्थियों की संख्या ज्ञात करें?

(a)396 (b) 400
(c) 408 (d) 416

(SSC CHSL 2017)

11. 28 छात्रों का गणित में प्राप्त अंकों का औसत 50 है। 8 छात्र स्कूल छोड़कर चले जाते है, जिससे औसत में 5 अंकों की वृद्धि हो जाती है, तो स्कूल छोड़कर जाने वाले छात्रों द्वारा प्राप्त औसत अंक क्या है?

(a) 50.5 (b) 37.5
(c) 42.5 (d) 45

(SSC CHSL 2017)

12. यदि एक परीक्षा के 10 चयनित छात्रों में से 3 की आयु 20 वर्ष, 4 की 21 वर्ष तथा 3 की 22 वर्ष है, तो समूह की औसत आयु है।

(a) 22 वर्ष (b) 21 वर्ष
(c) 21.5 वर्ष (d) 20 वर्ष

(SSC CGL Pre 2018)

TYPE - 03

13. यदि x और y की औसत मासिक आय ₹ 5050 है। Y और Z की औसत मासिक आय ₹6250 है तथा X और Z की औसत आय ₹5200 है। X की मासिक आय होगी–

(a) ₹4050 (b) ₹3500
(c) ₹4000 (d) ₹5000

(SSC CGL प्रारम्भिक परीक्षा 8.2.2004 प्रथम पाली)

14. A, B तथा C की औसत दैनिक आय ₹450 है।यदि A तथा B की औसत दैनिक आय ₹400 एवं B तथा C की औसत दैनिक आय ₹430 है, तो B की दैनिक आय होगी–

(a) ₹300 (b) ₹310
(c) ₹415 (d) ₹425

(SSC डाटा एन्ट्री ऑपरेटर परीक्षा 31.8.2008)

15. P, Q तथा R की औसत आयु R की आयु से 5 वर्ष अधिक है। यदि P एवं Q की कुल आयु 39 वर्ष हो, तो R की आयु ज्ञात करें?

(a) 12 वर्ष (b) 24 वर्ष
(c) 16 वर्ष (d) 14 वर्ष

(SSC CGL Mains 2018)

16. A, B और C का औसत 65 किग्रा. है। यदि C और B का औसत वजन 61.5 किग्रा. और A और C का औसत वजन 68.5 किग्रा. है, तो C का वजन (किग्रा. में) ज्ञात करें।

(a) 65 (b) 67
(c) 60 (d) 68

(SSC CPO 2020)

TYPE - 04

17. दी हुई 7 संख्याओं में से पहली चार संख्याओं का औसत 4 है तथा अन्तिम चार संख्याओं का औसत भी 4 है। यदि सभी सात संख्याओं का औसत 3 हो, तो चौथी संख्या होगी–

(a) 3 (b) 4
(c) 7 (d) 11

(SSC CGL प्रारम्भिक परीक्षा 4.2.2007 प्रथम पाली)

18. 15 संख्याओं का औसत 7 है। यदि पहली 8 संख्याओं का औसत 6.5 है तथा अंतिम 8 संख्याओं का औसत 9.5 है, तो बीच की संख्या है–

(a) 20 (b) 21
(c) 23 (d) 18

(SSC CGL प्रारम्भिक परीक्षा 11.5.2003 द्वितीय पाली)

19. 20 संख्याओं का औसत 12 है। पहली 12 संख्याओं का औसत 11 है तथा अगली 7 संख्याओं का औसत 10 है। अंतिम संख्या होगी–

(a) 40 (b) 38
(c) 48 (d) 50

(SSC CGL प्रारम्भिक परीक्षा 8.2.2004 प्रथम पाली)

20. आठ संख्याओं का औसत 20 है। पहली दो संख्याओं का औसत $15\frac{1}{2}$ और अगली तीन का $21\frac{1}{3}$ है। यदि छठवी संख्या सातवी से 4 कम तथा आठवी से 7 कम हो, तो आठवी संख्या होगी।

(a) 18 (b) 22
(c) 25 (d) 27

(SSC CGL प्रारम्भिक परीक्षा 8.2.2004 द्वितीय पाली)

21. 12 व्यक्तियो में से पहले 11व्यक्तियों का औसत वजन 95 कि.ग्रा. है। 12वें व्यक्ति का वजन 12 व्यक्तियों के औसत वजन से 33 किग्रा अधिक है, तो 12 वें व्यक्ति का वजन कितना है?

(a) 128.75 किग्रा. (b) 128 किग्रा.
(c) 131 किग्रा. (d) 97.45 किग्रा.

(SSC CGL Tier II परीक्षा 12.4.2015)

TYPE - 05

22. x सँख्याओं का औसत y एवं y सँख्याओं का औसत x है। सभी संख्याओं का औसत ज्ञात करें?

(a) $\frac{x+y}{2xy}$ (b) $\frac{2xy}{x+y}$
(c) $\frac{x^2+y^2}{x+y}$ (d) $\frac{xy}{x+y}$

(SSC CHSL 2017)

23. x संख्याओं का औसत y है और y संख्याओं का औसत x है। तदनुसार सभी संख्याओं का कुल औसत कितना होगा?

(a) $\frac{x+y}{2xy}$ (b) $\frac{2xy}{x+y}$
(c) $\frac{x^2+y^2}{x+y}$ (d) $\frac{xy}{x+y}$

(SSC (10+2) स्तर डाटा एन्ट्री ऑपरेटर एवं LDC परीक्षा 4.12.2011 प्रथम पाली)

24. 5 प्राकृतिक संख्याओं का औसत M है। यदि अगले तीन प्राकृतिक संख्याओं को सम्मिलित किया जाये, तो नया औसत M से कितना अधिक है?

(a) 2 (b) 1
(c) 1.4 (d) 1.5

(SSC CHSL 2017)

25. 5 क्रमागत सँख्याओं का औसत जो m से प्रारम्भ होती है, n है। 6 क्रमागत सँख्याए का, जो (m+2)से प्रारंभ होती है तो इसका औसत क्या है?

(a) $\frac{2n+5}{2}$ (b) (n+2)
(c) (n+3) (d) $\frac{2n+9}{2}$

(SSC CGL Mains 2017)

26. a, b, c, d, e, f, g, क्रमागत सम सँख्या हैं। j, k, l, m, n, क्रमागत विषम सँख्या हैं। सभी सँख्या का औसत ज्ञात करें?

(a) $3\left(\frac{a+n}{2}\right)$ (b) $\left(\frac{l+d}{2}\right)$
(c) $\frac{a+b+m+n}{4}$ (d) $\frac{j+c+n+g}{4}$

(SSC CGL Pre 2017)

27. पाँच क्रमागत धनात्मक पूर्णांकों का औसत n है। यदि अगले दो पूर्णांक भी शामिल कर दिए जाएँ, तो इन सभी पूर्णांकों का औसत क्या होगी?

(a) 1.5 बढ़ जाएगा (b) 1 बढ़ जाएगा
(c) उतना ही रहेगा (d) 2 बढ़ जाएगा

(SSC CGL Tier-II परीक्षा 25.10.2015)

28. 6 लगातार प्राकृत संख्याओं का औसत K है। यदि अगली दो प्राकृत संख्याएँ और शामिल कर दी जाएँ, तो इन 8 संख्याओं का औसत K से कितना अधिक होगा?

(a) 1.3 (b) 1
(c) 2 (d) 1.8

(SSC CGL Tier-I पुनर्परीक्षा 30.8.2015)

TYPE - 06

29. 10 मदों का औसत 80 है, जब एक मद को 50 की जगह 60 गिन लिया गया। तो सही औसत होता है

(a) 69 (b)79.25

(c) 79 (d) 79.5

(SSC मल्टी टास्किंग स्टाफ परीक्षा 10.3.2013)

30. अंग्रेजी की परीक्षा में 40 छात्रों के औसत अंक 72 है। बाद में यह पता चला कि तीन अंक 64,62 और 84 गलती से 68,65 और 73 लिख दिए गए थे। गलतियां सुधारने के बाद औसत है–

(a) 70 (b) 72

(c) 71.9 (d) 72.1

(SSC स्नातक स्तरीय Tier-II परीक्षा 4.9.2011)

31. 100 चीजो का औसत 46 है। बाद में यह पता चला कि उसमें 16 को गलती से 61 पढ़ लिया था और 43 को 34 पढ़ लिया था। यह भी पता चला कि चीजों की संख्या 100 नहीं, बल्कि मात्र 90 थी। तदनुसार सही औसत कितना था?

(a) 50 (b) 50.7

(c) 52 (d) 52.7

(SSC संयुक्त स्नातक स्तर Tier- II परीक्षा 16.9.2012)

32. दस दी हुई संख्याओं का औसत ज्ञात करते समय एक विद्यार्थी ने गलत से एक संख्या 46 के स्थान पर 64 लिख लिया तथा तथा अपना सही औसत 50 निकाल दिया। दी हुई संख्याओं का सही औसत है:

(a) 48.2 (b) 48.3

(c) 49.1 (d) 49.3

(SSC डाटा एन्ट्री ऑपरेटर एवं एलडीसी परीक्षा 27.11.2010)

33. 10 संख्याओं का औसत 15 परिकलित किया गया है। बाद में पता लगता है कि औसत परिकलित करते समय एक संख्या 36 को गलती से 26 पढ़ लिया गया था। सही औसत है–

(a) 20 (b) 18

(c) 16 (d) 14

(SSC डाटा एन्ट्री ऑपरेटर एवं एलडीसी परीक्षा 28.11.2010)

34. 14 छात्रों के प्राप्तांकों का औसत 71 था। लेकिन बाद में पता चला कि एक छात्र के प्राप्तांक 56 की बजाय 42 और दूसरे के 32 की बजाय 74 चढ़ा दिए गए थे। अतः सही औसत बताइए

(a) 67 (b) 68

(c) 69 (d) 71

(SSC CGL प्रारम्भिक परीक्षा – 27.2.2000 द्वितीय पाली)

TYPE - 07

35. 8 व्यक्तियों का औसत वजन उस समय 2.5 किग्रा. बढ़ जाता है जब उनमें से 65 किग्रा. वजन के एक व्यक्ति के स्थान पर एक नया व्यक्ति आ जाता है। नए व्यक्ति का वजन कितना है?

(a) 84 किग्रा. (b) 85 किग्रा.

(c) 76 किग्रा. (d) 76.5 किग्रा

(SSC कांस्टेबल (जीडी) परीक्षा 4.10.2015 द्वितीय पाली)

36. 12 नाविकों का औसत वजन $\frac{1}{3}$ kg बढ़ जाता है, जब 1 नाविक जिसका वजन 55 kg है, तो अन्य व्यक्ति प्रतिस्थापित करता है। नये व्यक्ति का वजन क्या होगा?

(a) 58 kg (b) 60 kg

(c) 57 kg (d) 59 kg

(SSC CPO 2018)

37. किसी क्रिकेट टी के 11 खिलाड़ियों की औसत आयु 2 माह बढ़ जाती है, जब टीम के दो खिलाड़ी जिनकी आयु 18 वर्ष तथा 20 वर्ष है, को दो अन्य खिलाड़ियों द्वारा प्रतिस्थापित किया जाता है। नये खिलाड़ियों की औसत आयु ज्ञात करें?

(a) 19 वर्ष 1 महिना (b) 19 वर्ष 6 महिना

(c) 19 वर्ष 11 महिना (d) 19 वर्ष 5 महिना

38. एक स्कूल के 10 अध्यापकों में से एक सेवानिवृत्त हो जाते है और उनके स्थान पर एक 25 वर्ष के अध्यापक आ जाते है, परिणामतः अध्यापकों की औसत आयु 3 वर्ष घट जाती है। सेवानिवृत्त अध्यापक की आयु है।

(a) 60 वर्ष (b) 58 वर्ष

(c) 56 वर्ष (d) 55 वर्ष

(SSC CHSL 2018)

TYPE - 08

39. किसी क्रिकेटर का 40 पारियों के लिए बल्लेबाजी का औसत 50 रन है। उसके अधिकतम रन उसके न्यूनतम रनों से 172 रन अधिक है। यदि इन दो पारियों को निकाल दिया जाए तो शेष 38 पारियों का औसत 48 रन है। खिलाड़ी के अधिकतम रन हैं–

(a) 165 (b)170

(c) 172 (d) 174

(SSC स्नातक स्तरीय Tier-II परीक्षा 4.9.2011)

40. एक क्रिकेट खिलाड़ी की 30 पारियों का औसत 40 रन है। उसका अधिकतम स्कोर, न्यूनतम स्कोर से 100 रन ज्यादा है। यदि उक्त दोनों पारियों को शामिल न किया जाए, तो शेष 28 पारियों का औसत 38 रनों का है। तदनुसार, उस खिलाड़ी का न्यूनतम स्कोर कितना है?

(a) 15 (b) 18

(c) 20 (d) 12

(SSC CAPF SI & CISF ASI EXAME 23-6-2013)

41. एक खिलाड़ी के 10 पारियों में औसत रन 32 हैं। अगली पारी में उसे और कितने रन बनाने होंगे कि उसका रन औसत 6 बढ़ जाए?

(a) 38 (b) 40

(c) 6 (d) 98

(SSC CAPFs SI, CISF ASI 21-6-2015)

42. एक क्रिकेट खिलाड़ी के 20 पारियों के रनों का औसत 32 था। वह अपने अगले पारी में कितने रन बनाए जिससे उसका औसत 4 रन बढ़ जाए?

(a) 116 (b) 114
(c) 170 (d) 76
(SSC CGL Pre. 2019)

43. एक क्रिकेट खिलाड़ी का उसके द्वारा खेली गई 64 पारियों के रनों का कोई औसत था। उसकी 65वीं पारी में उसे शून्य के स्कोर पर आउट कर दिया जाता है। इससे उसकी औसत रन संख्या 2 रन कम हो जाता है। उसकी नयी औसत रन संख्या है–
(a) 130 (b) 128
(c) 70 (d) 68
(SSC CGL प्रारम्भिक परीक्षा 27.72008 द्वितीय पाली)

44. क्रिकेट के किसी खिलाड़ी का उसके द्वारा खेली गयी 8 पारियों में बनाए गये रनों का कोई औसत है। नौवी पारी में वह 100 रन बनाता है जिससे उसके रनों के औसत में 9 की वृद्धि हो जाती है। उसके रनों का नया औसत है–
(a) 20 (b) 24
(c) 28 (d) 32
(SSC CPO SI- 9-11-2008)

45. सचिन तेंदुलकर को 11 पारियों का एक निश्चित औसत है। उसने अपनी 12वीं पारी में 120 रन बनाकर अपने औसत में 5 रन की वृद्धि कर दी है। तदनुसार, उसका नया औसत कितना है?
(a) 60 (b) 62
(c) 65 (d) 66
(SSC स्नातक स्तर Tier II परीक्षा 29.9.2013 द्वितीय पाली)

46. एक क्रिकेट खिलाड़ी 10 टेस्ट खेलने के बाद 11वें टेस्ट में 100 रन बनाता है। परिणामस्वरूप, उसके रनों का औसत 5 बढ़ जाता है। रनों का वर्तमान औसत कितना है?
(a) 45 (b) 40
(c) 50 (d) 55
(SSC स्नातक स्तरीय Tier -I परीक्षा 21.4.2013 द्वितीय पाली)

47. किसी क्रिकेट बल्लेबाज का उसके द्वारा खेली गयी 11 पारियों के रनों का कोई औसत था। 12वीं पारी में उसने 90 रन बनाए तथा इससे उसके रनों का औसत 5 कम हो गया। बारहवीं पारी के बाद उसके रनों का औसत है:
(a) 155 (b) 150
(c) 145 (d) 140
(SSC डाटा एन्ट्री ऑपरेटर एवं एलडीसी परीक्षा,28.11.2010)

48. एक क्रिकेट खिलाड़ी जिसका गेंदबाजी औसत 12.4 रन प्रति विकेट है, 5 विकेट प्रति 26 रन लेता हैं, जिसके कारण उसका औसत 0.4 रन कम हो जाता है। अंतिम मैच तक उसके द्वारा लिये गये विकेटों की संख्या ज्ञात करें।
(a) 64 (b) 72
(c) 90 (d) 85
(SSC CPO 2021)

TYPE - 09

49. सोमवार, बुधवार और शुक्रवार का औसत तापमान 41°C था। बुधवार, बृहस्पतिवार और शुक्रवार का औसत तापमान 40°C था। यदि बृहस्पतिवार का तापमान 43°C था, तो सोमवार का तापमान ज्ञात कीजिए।
(a) 43°C (b) 41°C
(c) 42°C (d) 46°C
(SSC CPO 2020)

50. सोमवार, मंगलवार, बुधवार और बृहस्पतिवार का औसत तापमान 60° है। मंगलवार, बुधवार, बृहस्पतिवार और शुक्रवार का औसत तापमान 63° है। यदि सोमवार और शुक्रवार के तापमान का अनुपात 21 : 25 है तो शुक्रवार का तापमान क्या है?
(a) 70° (b) 73°
(c) 75° (d) 78°
(SSC CHSL 2019)

51. मंगलवार, बुधवार और बृहस्पतिवार का औसत तापमान 41 डिग्री और बुधवार, गुरूवार और शुक्रवार का औसत तापमान 40 डिग्री था। यदि शुक्रवार को वास्तव में 39 डिग्री तापमान था, तो मंगलवार का तापमान क्या था?
(a) 42 डिग्री (b) 46 डिग्री
(c) 23 डिग्री (d) 26 डिग्री
(SSC CPO (RE) 6-6-2016)

52. एक सप्ताह के पहले चार दिनो का औसत उच्च तापमान 25°C है जबकि अंतिम चार दिनों को औसत 25.5°C है। यदि पूरे सप्ताह का औसत तापमान 25.2°C है तो चौथे दिन का तापमान है
(a) 25°C (b) 25.2°C
(c) 25.6°C (d) 25.5°C
(SSC LDC 01-11-2015 Evening)

TYPE - 10

53. किसी परिवार में 6 पुत्रों की औसत आयु 8 वर्ष है। पुत्रों तथा माता–पिता की आयु का औसत 22 वर्ष है। यदि पिता की आयु माता की आयु से 8 वर्ष अधिक है। माता की आयु ज्ञात करें:
(a) 44 (b) 52
(c) 60 (d) 68

54. पति, पत्नि और उनके बच्चें की औसत आयु 3 वर्ष पूर्व 27 वर्ष थी और पत्नि एवं बच्चे की औसत आयु 5 वर्ष पूर्व 20 वर्ष थी पति की वर्तमान आयु क्या है?
(a) 40 वर्ष (b) 35 वर्ष
(c) इनमें से कोई नहीं (d) 50 वर्ष
(SSC CPO 20-3-2016 Evening)

55. किसी परिवार के 4 सदस्यों की औसत आयु 36 वर्ष है। यदि परिवार के सबसे छोटे सदस्य की आयु 12 वर्ष है, तो परिवार की औसत आयु, छोटे सदस्य के जन्म के समय क्या थी?
(a) 48 वर्ष (b)40 वर्ष

(c) 32 वर्ष (d) 24 वर्ष

56. 10 व्यक्तियों वाले परिवार की औसत आयु 20 वर्ष है। यदि परिवार के सबसे छोटे सदस्य की आयु 10 वर्ष है, तब परिवार की औसत आयु सबसे छोटे सदस्य के जन्म के समय ज्ञात करें?

(a) 27.14 वर्ष (b) 12.5 वर्ष

(c) 14.28 वर्ष (d) $11\frac{1}{9}$ वर्ष

(SSC LDC 21-10-2012)

57. तीन वर्ष पहले, 5 सदस्यों वाले एक परिवार की औसत आयु 17 वर्ष थी। एक बच्चे का जन्म होने के बाद भी उस परिवार की औसत आयु समान है। बच्चे की वर्तमान आयु (वर्षो में) क्या है?

(a) 2 (b) 2.4

(c) 3 (d) 1.5

(SSC CAPFs SI, CISF ASI Delhi police 22-6-2024)

58. एक पति तथा पत्नी की 4 वर्ष पूर्व उनकी शादी के समय औसत आयु 27 वर्ष थी। अब पति, पत्नी तथा एक नए पैदा होने वाले बच्चे की औसत आयु 21 वर्ष है। बच्चे की वर्तमान आयु है–

(a) 4 वर्ष (b) 3 वर्ष

(c) 2 वर्ष (d) 1 वर्ष

(SSC डाटा एन्ट्री ऑपरेटर परीक्षा 2.8.200.)

59. 5 वर्ष पहले P, Q तथा R की औसत आयु 25 वर्ष थी एवं सात वर्ष पहले Q तथा R की औसत आयु 20 वर्ष थी। P की वर्तमान आयु है–

(a) 36 वर्ष (b) 29 वर्ष

(c) 24 वर्ष (d) 21 वर्ष

(SSC डाटा एन्ट्री ऑपरेटर परीक्षा 31.8.2008)

60. पांच वर्ष पहले, चार लड़कों की औसत आयु 9 वर्ष थी। उसमें एक नए लड़के के शामिल हो जाने के कारण उन पाँचों की वर्तमान औसत आयु 15 वर्ष हो गई। तदनुसार नए लड़के के वर्तमान आयु कितनी है?

(a) 14 वर्ष (b) 6 वर्ष

(c) 15 वर्ष (d) 19 वर्ष

(बिहार SSC द्वितीय स्नातक स्तर प्रारंभिक परीक्षा 23.2.2015)

61. किसी कक्षा में 30 लड़कों की औसत आयु 15 वर्ष है। एक लड़के, जिसकी आयु 20 वर्ष है, ने कक्षा छोड़ दी और उसके स्थान पर दो और लड़के कक्षा में आए जिनकी आयु में 5 वर्ष का अन्तर है। यदि कक्षा के सभी लड़कों की औसत आयु अब भी 15 वर्ष रहती है, तो नये आने वाले लड़कों में से छोटे वाले की आयु है–

(a) 20 वर्ष (b) 15 वर्ष

(c) 10 वर्ष (d) 8 वर्ष

(SSC CGL Pre Exame 13-11-2005)

62. किसी कक्षा में 24 विद्यार्थी थे। उनमें से एक, जिसकी आयु 18 वर्ष थी, कक्षा छोड़ कर चला गया तथा उसके स्थान पर एक नया विद्यार्थी आ गया। यदि उससे कक्षा के विद्यार्थियों के औसत में एक माह की कमी आ गयी हो,, तो नये आने वाले विद्यार्थी की आयु है–

(a) 14 वर्ष (b) 15 वर्ष

(c) 16 वर्ष (d) 17 वर्ष

(SSC CGL Pre Exame 4-2-2007 प्रथम पाली)

63. एक क्रिकेटर जिसका गेंदबाजी औसत 24.85 रन प्रति विकेट है। अगली पारी में वह प्रत्येक 52 रन पर 5 विकेट लेता है। जिसके कारण उसका औसत 0.85 कम हो जाता है। उसके द्वारा अंतिम मैच तक लिये गये विकेटों की संख्या ज्ञात करें:

(a)75 (b) 85

(c) 80 (d) 96

64. प्रथम 100 धनात्मक संख्याओं का औसत ज्ञात करें?

(a) 100 (b) 51

(c) 50.5 (d) 49.5

65. 100 तक की सभी विषम संख्याओं का औसत ज्ञात करें?

(a) 50.5 (b) 50

(c) 49.5 (d) 49

66. प्रथम 10 संख्याओं के वर्ग का औसत ज्ञात करें?

(a) 35.5 (b) 36

(c) 37.5 (d) 38.5

67. प्रथम 10 पूर्ण संख्याओं का औसत ज्ञात करें?

(a) 5 (b) 4

(c) 5.5 (d) 4.5

68. सात लगातार संख्याओं का औसत 26 है। सबसे छोटी संख्या ज्ञात करें?

(a) 21 (b) 23

(c) 25 (d) 26

69. छः सँख्याओं का औसत 32 है। यदि प्रथम 3 सँख्याओं को 2 बढ़ा दिया जाये और बची हुई प्रत्येक सँख्याओं में 4 घटा दिया जाये तो नया औसत ज्ञात करें?

(a) 35 (b) 34

(c) 31 (d) 30

70. 6 से 50 के बीच सभी सँख्याओं का औसत ज्ञात करें, जो 5 से विभाजित होती हैं?

(a) 27.5 (b) 30

(c) 28.5 (d) 22

71. a, b, c, d, e पाँच क्रमागत विषम सँख्याऐं हैं, उनका औसत ज्ञात करें?

(a) 5(a+4) (b) $\frac{abcde}{5}$

(c) 5(a+b+c+d+e) (d) a+4

(SSC CGL TIER (2013)27-4-2014

Revision Series

72. 36 छात्रों के समूह की औसत आयु 14 वर्ष है। शिक्षक की आयु इनमें सम्मिलित किये जाने पर औसत आयु में 1 वर्ष की वृद्धि हो जाती है। शिक्षक की आयु कितनी है?

(a) 36 वर्ष (b) 51 वर्ष

(c) 31 वर्ष (d) ज्ञात नहीं किया जा सकता

73. 14 छात्राओं और उनकी एक शिक्षिका का औसत आयु 15 वर्ष है। यदि शिक्षिका की आयु हटा दिया जाये तो औसत में 1 वर्ष की कमी हो जाती है। शिक्षिका की आयु क्या है?

(a) 35 वर्ष (b) 32 वर्ष
(c) 30 वर्ष (d) 29 वर्ष

74. 30 परिणामों का औसत 20 है तथा अन्य 20 परिणामों का औसत 30 है। सभी परिणामों का औसत क्या है?

(a) 24 (b) 48
(c) 25 (d) 50

75. 30 संख्याओं का औसत 15 है इनमें से प्रथम 18 संख्याओं का औसत 10 तथा अगली 11 संख्याआं का औसत 20 है अन्तिम संख्या क्या है?

(a) 56 (b) 52
(c) 60 (d) 50

76. 15 संख्याओं का औसत 7 है। यदि पहली 8 संख्याओं का औसत 6·5 है तथा अन्तिम 8 संख्याओं का औसत 9·5 है तो बीच की संख्या है–

(a) 20 (b) 21
(c) 23 (d) 18

77. चार संख्याओं में से पहली तीन का औसत 18 तथा अन्तिम तीन का 16 है। यदि अन्तिम संख्या 19 है तो प्रथम संख्या है–

(a) 19 (b) 18
(c) 20 (d) 25

78. एक विद्यालय के 10 अध्यापकों में एक के सेवानिवृत्त होने पर 25 वर्ष का नया अध्यापक उसके स्थान पर आ जाता है जिससे उन अध्यापकों की औसत आयु 3 वर्ष कम हो जाती है, तो सेवानिवृत्त की आयु बताइए?

(a) 58 (b) 60
(c) 55 (d) 50

79. यदि 30 और 34 वर्ष के दो व्यक्तियों के स्थान पर 2 नये व्यक्ति एक समूह में शामिल कर दिये जाये तो 8 व्यक्तियों के उस समूह की औसत आयु में 3 वर्ष की वृद्धि हो जाती है, तो नये व्यक्तियों की औसत उम्र बताइये?

(a) 44 वर्ष (b) 32 वर्ष
(c) 24 वर्ष (d) 48 वर्ष

80. एक क्रिकेट खिलाड़ी की 10 पारियों के रनों का औसत 32 था। खिलाड़ी अगली पारी कितने रन बनाये ताकि उसके रनों का औसत 4 अधिक हो जाये?

(a) 76 (b) 70
(c) 4 (d) 2

81. एक बल्लेबाज का 11 इनिंग का एक निश्चित औसत है। उस बल्लेबाज ने 12वीं इनिंग में 90 रन बनाये जिससे उसका औसत 5 रन कम हो गया तो 12वीं इनिंग के बाद उस बल्लेबाज का औसत कितना हो गया है?

(a) 127 (b) 145
(c) 150 (d) 170

82. एक बल्लेबाज के 30 पारियों के रनों का औसत 40 है। उसके अधिकतम व न्यूनतम पारी का अन्तर 100 है। यदि इन दोनों पारियों को हटा दिया जाये तो शेष 28 पारियों का औसत 38 रन है तो उसका न्यूनतम स्कोर बताइये?

(a) 15 (b) 18
(c) 20 (d) 12

83. एक गेंदबाज के गेंदबाजी का औसत 12·4 था। अन्तिम मैच में 26 रन देकर 5 विकेट लेता है, तो उसके गेंदबाजी औसत में 0·2 का सुधार हो जाता है, तो अन्तिम मैच से पहले उसके द्वारा लिये गये विकेटों की संख्या बताइये?

(a) 125 (b) 150
(c) 175 (d) 200

84. सोमवार से गुरुवार का औसत तापमान 48^0 है और मंगलवार से शुक्रवार तक का तापमान 52^0 है। यदि सोमवार का तापमान 42^0 है तो शुक्रवार का तापमान बताइये?

(a) 51^0C (b) 52^0C
(c) 55^0C (d) 58^0C

85. किसी सप्ताह में सोमवार से बुधवार का औसत तापमान 35^0C तथा मंगलवार से वृहस्पतिवार का औसत तापमान 32^0C है। यदि वृहस्पतिवार का तापमान, सोमवार के तापमान का $\frac{2}{3}$ हो, तो सोमवार का तापमान बताइये?

(a) 27^0C (b) 18^0C
(c) 36^0C (d) इनमें से कोई नहीं

86. यदि $25a + 25b = 125$ हो, तो a तथा b का औसत कितना है?

(a) 4·6 (b) 2·5
(c) 4·5 (d) इनमें से कोई नहीं

87. यदि a, b, c का औसत m हो तथा $(ab + bc + ca) = 0$ हो तो a^2, b^2, c^2 का औसत कितना होगा?

(a) m^2 (b) $3m^2$
(c) $6m^2$ (d) $9m^2$

88. यदि m संख्याओं का औसत n^2 तथा n संख्याओं का औसत m^2 हो, तो $(m+n)$ संख्याओं का औसत बताइये?

(a) $\frac{m}{n}$ (b) $(m+n)$
(c) $(m-n)$ (d) mn

89. A तथा B का औसत 20, B तथा C का औसत 19 तथा C तथा A का औसत 21 है। A का मान बताइये?

(a) 24 (b) 22
(c) 20 (d) 18

90. यदि x और y की औसत मासिक आय ₹5050 है। y और z की औसत मासिक आय ₹6250 है तथा x और z की औसत आय ₹5200 है। x की मासिक आय होगी?

(a) ₹ 4050 (b) ₹ 3500
(c) ₹ 4000 (d) ₹ 5000

91. 5 वर्ष पहले P, Q व R की औसत आयु 25 वर्ष थी। 7 वर्ष पहले Q तथा R की औसत आयु 20 वर्ष थी। P की वर्तमान आयु बताइये।

(a) 36 वर्ष (b) 29 वर्ष
(c) 24 वर्ष (d) 21 वर्ष

92. पति व पत्नी की 4 वर्ष पूर्व औसत आयु 27 वर्ष थी। अब पति, पत्नी तथा एक नये पैदा होने वाले बच्चों की औसत आयु 21 वर्ष है। बच्चे की वर्तमान उम्र बताइये?

(a) 4 वर्ष (b) 3 वर्ष
(c) 2 वर्ष (d) 1 वर्ष

93. एक लड़के ने देखा कि सख्या 16 के स्थान पर 61 लिखने पर 20 संख्याओं का औसत 35 है। 20 संख्याओं का सही औसत क्या है?

(a) 32·75 (b) 37·25
(c) 34·75 (d) 34·25

94. 3 वर्ष पूर्व, 5 सदस्यों के एक परिवार की औसत आयु 17 वर्ष थी। एक बच्चे के पैदा होने से आज परिवार की औसत आयु वही है। बच्चे की वर्तमान आयु है?

(a) 1 वर्ष (b) $1\frac{1}{2}$ वर्ष
(c) 2 वर्ष (d) 3 वर्ष

95. 10 संख्याओं का औसत 15 परिकलित किया गया है। बाद में पता लगता है कि औसत परिकलित करते समय एक संख्या 36 को गलती से 26 पढ़ लिया गया था। सही औसत है–

(a) 20 (b) 18
(c) 16 (d) 14

96. A, B, C तथा D चार क्रमागत विषम संख्यायें जिनका औसत 42 है। B तथा D का गुणनफल कितना होगा?

(a) 1860 (b) 1845
(c) 1890 (d) 1677

97. पाँच क्रमागत सम संख्याओं A, B, C, D तथा E का औसत 66 है B तथा E का गुणनफल कितना होगा?

(a) 4480 (b) 4340
(c) 4620 (d) 4224

98. यदि 20 प्रेक्षणों $x_1, x_2, x_3 \ldots\ldots\ldots, x_{20}$ का औसत y है। प्रत्येक प्रेक्षणों में से 101 घटा देने से समस्त प्रेक्षणों का नया औसत बताये?

(a) $y-20$ (b) $y-101$
(c) $20y$ (d) $101y$

99. 8 संख्याओं का औसत 21 है। यदि प्रत्येक संख्या को 8 से गुणा किया जाये तो संख्या के नये समूह का औसत क्या होगा?

(a) 21 (b) 29
(c) 8 (d) 168

100. संख्याओं 7, 11, 15, x, 14, 21 एवं 25 का औसत 15 है तो x का मान है–

(a) 13·3 (b) 12
(c) 3 (d) 14·5

101. 3 के प्रथम 5 गुणजों का औसत कितना है?

(a) 3 (b) 9
(c) 15 (d) 12

102. किसी परीक्षार्थी ने हिन्दी, गणित, अंग्रेजी, विज्ञान तथा सामाजिक विषय में 65 औसत प्राप्तांक किये। यदि विज्ञान को छोड़कर अन्य सभी विषयों के प्राप्तांकों का योग 270 हो तो विज्ञान में प्राप्तांक थे?

(a) 55 (b) 65
(c) 75 (d) 45

103. एक व्यक्ति एक स्थान से दूसरे स्थान तक 5 किमी0 /घंटा की चाले से जाता है और 3 किमी0/घंटा की चाल से वापस आता है, तो बताइये कि पूरी यात्रा की औसत चाल क्या होगी?

(a) $3\frac{3}{4}$ (b) 3
(c) 5 (d) 6

104. तीन संख्याअें में से, दूसरी संख्या पहली की दुगुनी है तथा तीसरी संख्या की तिगुनी है। यदि तीनों संख्याओं का औसत 44 है तो पहली और तीसरी संख्याओं का अन्तर है–

(a) 24 (b) 18
(c) 12 (d) 6

105. तीन संख्याओं में पहली संख्या दूसरी की दुगुनी और दूसरी संख्या, तीसरी की तीन गुनी है। यदि उनका औसत 100 हो तो उनमें सबसे बड़ी संख्या होगी?

(a) 120 (b) 150

(c) 180 (d) 300

106. तीन संख्यायें क्रमशः 4 : 5 : 6 के अनुपात में है और उनका औसत 25 है। सबसे बड़ी संख्या ज्ञात कीजिए?
(a) 42 (b) 36
(c) 32 (d) 30

107. 35 के प्रथम 40 गुणजों का औसत बताइये?
(a) 717.5 (b) 700
(c) 727.5 (d) इनमें से कोई नहीं

108. 51 से 137 तक की समस्त विषम संख्याओं का औसत बताइये?
(a) 90 (b) 91
(d) 94

ANSWER

1.	d	2.	b	3.	b	4.	b	5.	b
6.	c	7.	d	8.	c	9.	c	10.	a
11.	b	12.	b	13.	c	14.	b	15.	a
16.	a	17.	d	18.	c	19.	b	20.	c
21.	c	22.	b	23.	b	24.	d	25.	a
26.	b	27.	b	28.	b	29.	c	30.	d
31.	b	32.	a	33.	c	34.	c	35.	b
36.	d	37.	c	38.	d	39.	d	40.	b
41.	d	42.	a	43.	b	44.	c	45.	c
46.	c	47.	c	48.	c	49.	d	50.	c
51.	a	52.	c	53.	c	54.	a	55.	c
56.	d	57.	a	58.	d	59.	a	60.	d
61.	b	62.	c	63.	b	64.	c	65.	b
66.	d	67.	d	68.	b	69.	c	70.	a
71.	d	72.	b	73.	d	74.	a	75.	d
76.	c	77.	d	78.	c	79.	a	80.	a
81.	b	82.	b	83.	c	84.	d	85.	a
86.	b	87.	b	88.	d	89.	b	90.	c
91.	a	92.	d	93.	a	94.	c	95.	c
96.	b	97.	a	98.	b	99.	d	100.	b
101.	b	102.	a	103.	a	104.	c	105.	c
106.	d	107.	a	108.	d				

EXPLANATORY NOTES

1. (d) 30 विद्यार्थियों के आयु का योग
= 30×9= 270 वर्ष
(30 विद्यार्थी + शिक्षक) के आयु का योग = 31×10 = 310 वर्ष
∴ शिक्षक की आयु = 310 −270 = 40वर्ष

2. (b) 12 खिलाड़ियों के आयु का योग = 12×25 = 300 वर्ष
(12 खिलाड़ी + कप्तान)के आयु का योग = 13×(25+1)
= 13×26= 338
∴कप्तान की आयु = 338–300
= 38वर्ष

3. (b) (24छात्र+अध्यापक)के आयु का योग = 25×15 = 375वर्ष
24 छात्रों के आयु का योग
= 24×(15–1)
= 336 वर्ष
∴अध्यापक की उम्र = 375–336
= 39वर्ष

4. (b) 11 खिलाड़ियों के आयु का योग = 11×20 = 220 वर्ष
(11 खिलाड़ी + कोच) के आयु का योग
= 12×$\left(20 \times \frac{110}{100}\right)$
= 264वर्ष
∴कोच की आयु = 264–220
= 44वर्ष

5. (b) 6 प्रेक्षणों का योग = 6 × 45·5= 273
(6+1)प्रेक्षणों का योग = 7 × 47 = 329
∴ नया प्रेक्षण = 329 – 273 = 56

6. (c) 7 संख्याओं का योग = 7 × 8 = 56
(7+1)संख्याओं का योग = 8 × 9 = 72
∴ नयी (जोड़ी गई) संख्या = 72 – 56 = 16

7. (d) 6 संख्याओं का योग = 20 × 6 = 120
(6–1)संख्याओं का योग = 5 × 15 = 75
∴हटाई गयी संख्या = 120 – 75 = 45

8. (c) 20 संख्याओं का योग = 20 × 55= 1100
(20–2)संख्याओं का योग
= 1100–(45+30) = 1025
∴18 संख्याओं का नया औसत = $\frac{1025}{18}$ = 56·94

9. (c) 25 व्यक्तियों के आयु का योग = 700 वर्ष
5 नये व्यक्तियों के आयु का योग = 5 × 25
= 125 वर्ष
∴सभी (25+5)व्यक्तियों की औसत आयु = $\frac{(700+125)}{30} = \frac{825}{30}$ = 27·5 वर्ष

10. (a) माना, विद्यार्थियों की संख्या = x
xविद्यार्थी +12 अध्यापक की औसत आयु = 7
$\frac{6x+12\times40}{(x+12)} = 7$
$6x + 480 = 7x + 84$
$7x - 6x = 480 - 84$
$x = 396$

11. 28 छात्रों के प्राप्तांकों का योग = 28 × 50
= 1400 अंक
शेष (28–8) छात्रों के प्राप्तांकों का योग
= 20 × 55 = 1100 अंक
∴स्कूल छोड़कर जाने वाले छात्रों के प्राप्तांकों का योग
= 1400–1100 = 300
∴इनका औसत प्राप्तांक = $\frac{300}{8}$ = 37·5

12. (b) समूह की औसत आयु
= $\frac{\text{10 छात्रों के उम्र का योग}}{10}$
= $\frac{(3\times20+4\times21+3\times22)}{10}$
= $\frac{60+84+66}{10}$
= $\frac{210}{10}$ = 21

13. (c) $x + y$ के मासिक आय = 2×5050 = ₹10100
$y + z$ के मासिक आय = 2×6250 = ₹12500
$x + z$ के मासिक आय = 2×5200 = ₹10400
जोड़ने पर
$2(x + y + z)$के मासिक आय = ₹33000
∴$x + y + z$ के मासिक आय = ₹16500
xकी मासिक आय = ₹16500 – ₹12500
= ₹4000

14. (b)
A+B+C = 450×3 = ₹1350.......(i)
A+B = 400×2 = ₹800.......(ii)
B+C = 430×2 = ₹860.......(iii)
समी० (ii) + समी० (iii) से,
A+B+C+B = 1660
1350+B = 1660
B = 1660–1350 = ₹310

15. (a) $\frac{P+Q+R}{3}$ = R + 5
$\frac{39+R}{3}$ = R + 5
39+R = 3R+15
2R = 24
R = 12वर्ष

16. (a)
A+B+C = 65×3= 195Kg.....(i)
C+B = 61·5×2= 123Kg.....(ii)
A+C = 68·5×2= 137Kg.....(ii)
समी० (ii) + समी० (iii) से
A+B+C+C = 260Kg
195+C = 260
C = 65Kg

17. (d) 7 संख्याओं का योग = 7×3 = 21
प्रथम 4 संख्याओं का योग = 4×4 = 16
अन्तिम 4 संख्याओं का योग = 4×4
= 16
∴चौथी संख्या = (4 + 4) संख्याओं का योग – 7 संख्याओं का योग
= (16 + 16) – 21
= 11

18. (c) 15 संख्याओं का योग = 15×7 = 105
प्रथम 8 संख्याओं का योग
= 8×6·5 = 52
अन्तिम 8 संख्याओं का योग
= 8×9·5 = 76
∴बीच वाली संख्या = (8+8)संख्याओं का योग – 15 संख्याओं का योग
= (52+76) –105
= 128–105
= 23

19. (b) 20 संख्याओं का योग = 20×12= 240
प्रथम 12 संख्याओं का योग = 12×11
= 132
अगली 7 संख्याओं का योग = 7×10
= 70
∴अन्तिम संख्या = 20 संख्याओं का योग – (12+7)संख्याओं का योग
= 240 – (132+70)
= 240–202
= 38

20. (c) 8 संख्याओ का योग = 20 × 8 = 160
प्रथम 2 संख्याओं का योग = $\frac{31}{2}$×2 = 31
अगली 3 संख्याओं का योग = $\frac{64}{3}$×3 = 64
31+64+ 6वीं संख्या + 7वीं संख्या + 8वीं संख्या = 160
95+(x – 7) + (x –3) + x = 160
85+ 3x = 160 अतः 3x = 75
x = 25

21. (c) माना, 12 व्यक्तियों का औसत वजन = x Kg
∴12 व्यक्तियों के वजन का योग = 12x Kg
11 व्यक्तियों का कुल वजन + (x +33) = 12 x
11×95+(x +33) = 12x
1045+ x + 33 = 12x
11x = 1078
x = 98
∴12वें व्यक्ति का वजन = (x +33)Kg
98+33 = 131kg

22. (b) सभी ($x + y$)संख्याओं का औसत
= $\frac{(x\text{संख्याओं का योग}+y\text{संख्याओं का योग})}{(x+y)}$
= $\frac{xy+xy}{x+y}$ = $\frac{2xy}{x+y}$

23. (b) 22वें प्रश्न का पुनरावृत्ति प्रश्न है

24. (d) माना, पाँच लगातार प्राकृतिक संख्यायें = 1,2,3,4,5
अतः m = $\frac{1+2+3+4+5}{5}$ = $\frac{15}{5}$ = 3
अगली 3 लगातार संख्या लेने पर
औसत = $\frac{1+2+3+4+5+6+7+8}{8}$ = 4·5
∴ 3+x = 4·5
x = 1·5 (अतः m में 1·5 की वृद्धि होगी)

25. (a) माना, m = 1
∴ पाँचों संख्याये क्रमशः 1,2,3,4,5
तब n = $\frac{1+2+3+4+5}{5}$ = 3
∴(m+2) से प्रारम्भ होने वाली 6 क्रमागत संख्यायें = 3,4,5,6,7,8 है
∴इनका औसत = $\frac{3+4+5+6+7+8}{6}$
= $\frac{33}{6}$ = $\frac{11}{2}$
विकल्प (a) से n= 3 रखने पर नया औसत संतुष्ट होता है
n = 3 से,
$\frac{2n+5}{2}$ = $\frac{2\times3+5}{2}$ = $\frac{11}{2}$

26. (b) सात क्रमागत सम संख्यायें a, b, c, d, e, f, g है
अतः उपर्युक्त का औसत = मध्य पद
= d
पाँच क्रमागत विषम संख्यायें j, k, l, m, n है
अतः उपर्युक्त का औसत = मध्य पद = l
∴ सभी संख्याओं का औसत = $\frac{l+d}{2}$

27. (b) माना, पाँचों क्रमागत संख्यायें 1,2,3,4,5, है
∴पाँचों का औसत, n = मध्य पद = 3
अगले दो पूर्णांक शामिल करने पर संख्यायें – 1,2,3,4,5,6,7 होगी
अतः उपर्युक्त का औसत = मध्य पद = 4
∴ 3+x = 4
x = 1
(∴सभी पूर्णांकों के औसत में 1 की वृद्धि होगी।)

28. (b) माना, छः क्रमागत प्राकृत संख्यायें 1,2,[3,4],5,6 है
∴सभी का औसत, K = $\frac{3+4}{2}$ = 3·5
अगली दो संख्यायें शामिल करने पर संख्यायें– 1,2,3,[4,5],6,7,8
अतः उपर्युक्त का औसत = $\frac{4+5}{2}$ = 4·5
∴ 3·5+ x = 4·5

$x = 1$
(∴इन सभी का औसत K से 1 अधिक होगा।)

29. (c) 10 मदों का गलत योग = 10×80
= 800
सही पाठ्यांक – गलत पाठ्यांक
= 50 – 60 = –10
∴10 मदों का सही योग = 800 –10
= 790
∴ सही औसत = $\frac{790}{10}$ = 79

30. (d) 40 छात्रों के प्राप्तांको का गलत योग = 40×72 = 2880
सही पाठ्यांक – गलत पाठ्यांक
= (64+62+84) – (68+65+73)
= 210 – 206 = 4
∴प्राप्तांकों का सही योग = 2880 + 4 = 2884
∴ सही औसत = $\frac{2884}{40}$ = 72·1

31. (b) 100 चीजों का गलत योग
= 100 × 46 = 4600
सही पाठ्यांक – गलत पाठ्यांक
= (16+43) – (61+34)
= 59 – 95 = –36
∴ सही योग = 4600 – 36
= 4564
अतः सही औसत = $\frac{4564}{90}$
[क्योंकि वास्तविक पद = 90]
= 50·7

32. (a) 10 संख्याओं का गलत योग = 10 × 50
= 500
सही पाठ्यांक – गलत पाठ्यांक
= 46 – 64 = –18
∴ सही योग = 500 – 18 = 482
अतः सही औसत = $\frac{482}{10}$ = 48·2

33. (c) 10 संख्याओं का गलत योग = 10 × 15
= 150
सही पाठ्यांक – गलत पाठ्यांक
= 36 – 26 = +10
∴ सही योग = 150 + 10= 160
अतः सही औसत = $\frac{160}{10}$ = 16

34. (c) 14 छात्रों के प्राप्तांकों का गलत योग
= 14×71 = 994
सही पाठ्यांक – गलत पाठ्यांक
= (56+32) – (42+74)
= 88 – 116 = –28
∴ सही योग = 994 – 28 = 966
अतः सही औसत = $\frac{966}{14}$ = 69

35. (b) नये व्यक्ति के आने से,
वजन में कुल वृद्धि = 8×2·5= 20 Kg
∴ नये व्यक्ति का वजन = 65+20
= 85 Kg

36. (d) नये व्यक्ति के आने से,
वजन में कुल वृद्धि = 12× $\frac{1}{3}$ = 4 Kg
∴ नये व्यक्ति का वजन = 55 + 4 = 59Kg

37. (c) दो नये खिलाड़ी आने से,
आयु में कुल वृद्धि = 2×11 = 22 माह
∴ दोनों नये खिलाड़ी के आयु का योग = (18+20) वर्ष + 22 माह
= 38 वर्ष 22 माह
∴ दोनों नये खिलाड़ी की औसत आयु
= $\frac{38\text{वर्ष } 22 \text{ माह}}{2}$ = 19 वर्ष 11 माह

38. (d) नये अध्यापक के आने से उम्र में कुल कमी
= 10×3 = 30 वर्ष
∴ सेवानिवृत्त अध्यापक की आयु
= 25+30 = 55वर्ष

39. (d) 40 पारियों के रनों का योग
= 40×50= 2000 ......(i)
शेष 38 पारियों के रनों का योग = 38×48
= 1824 .....(ii)
समी० (i) – समी० (ii) से,
2 पारियों के रनों का योग = 176
माना, अधिकतम व न्यूनतम पारी के रन क्रमशः x और y है
$x + y = 176$ ......(i)
$x - y = 172$ ......(ii)
$2x = 348$
$x = 174$

40. (b) 30 पारियों के रनों योग =
30 × 40 = 1200 ......(i)
शेष 28 पारियों के रनों का योग
= 28×38 = 1064......(ii)
समी० (i) – समी० (ii) से,
2 पारियों के रनों का योग = 136
माना, अधिकतम व न्यूनतम पारी के रन क्रमशः x और y है
$x + y = 136$
$x - y = 100$
$2x = 236$
$x = 118$
$\therefore y = 18$

41. (d) 10 पारी के रनों का योग = 10 × 32
= 320
माना, 11वीं पारी में वह x रन बना दें–
तब 11वीं पारी के बाद औसत
= (32+6)
∴11वीं पारी तक रनों का योग = 38×11

= 418
अतः $320 + x = 418$
$x = 418 - 320 = 98$

42. (a) 20 पारी तक रनों का योग = 20×32
= 640
माना, 21वीं पारी में वह x रन बना दे
तब, 21वीं पारी के बाद औसत
= (32+4)
∴ 21वीं पारी तक रनों का योग = 36×21
= 756
अतः $640 + x = 756$
$x = 116$

43. (b) माना, 64वीं पारी तक रन औतस = x
∴ 65वीं पारी के बाद रन औसत = $(x - 2)$
$\frac{64x+0}{65} = (x-2)$
$64x = 65x - 130$
$x = 130$
∴ नया औसत = $x-2 = 130 - 2 = 128$

44. (c) माना, 8वीं पारी तक रन औसत = x
∴ 9वीं पारी के बाद रन औसत
= $(x + 9)$
$\frac{8x+100}{9} = x + 9$
$8x + 100 = 9x + 81$
$x = 19$
∴ नया औसत = $x + 9 = 19 + 9 = 28$

45. (c) माना, 11वीं पारी तक रन औसत = x
∴ 12वीं पारी के बाद रन औसत
= $(x + 5)$
$\frac{11x+120}{12} = x + 5$
$11x + 120 = 12x + 60$
$x = 60$
∴ नया औसत = $x + 5 = 60 + 5 = 65$

46. (c) माना, 10 टेस्ट तक रन औसत = x
∴ 11वें टेस्ट के बाद रन औसत
= $(x + 5)$
$\frac{10x+100}{11} = x + 5$
$10x + 100 = 11x + 55$
$x = 45$
∴ रनों का वर्तमान औसत = $x + 5$
= 45+5 = 50

47. (c) माना, 11वीं पारी तक रन औसत = x
∴ 12वीं पारी के बाद रन औसत
= $(x - 5)$
$\frac{11x+90}{12} = x - 5$
$11x + 90 = 12x - 60$
$x = 150$
∴ 12वीं पारी के बाद रन औसत
= $x - 5$
= 150 – 5 = 145

48. (c)

पुराना मैच औसत — अन्तिम मैच औसत

12·4 — कुल मैच औसत 12 — $5{\cdot}2\left[\frac{26}{5} = 5{\cdot}2\right]$

6·8 — 0·4

= 17 : 1

अतः पुराना मैंच विकेट : अन्तिम मैच विकेट
17 : 1
×5 : ×5
85 : 5

∴ अन्तिम मैच तक विकेटों की सख्या 85+5 = 90

49. (d)

(सोम+बुध+शुक्र)का कुल तपमान = 41×3 = 123C... .(i)
(बुध+बृह०+शुक्र)का कुल तपमान = 40×3 = 120C... .(i)

घटाने पर

सोम० – वृह० = 3°C
सोम० – 43 = 3
∴ सोम० = 46°C

50. (c)

(सोम+मंगल०+बुध+बृह०)का कुल तपमान = 60×4 = 240°C....(i)
(मंगल+बुद्ध०+वृह०+शुक्र)का कुल तपमान = 63×4 = 252°C... .(i)

घटाने पर

सोम० – शुक्र = –12C
$21x - 25x = -12$
$-4x = -12$
$x = 3$
∴ शुक्रवार का तापमान = $25x = 25 \times 3 = 75$°C

51. (a)

(मंगल+बुध०+वृह०)का तपमान = 41×3 = 123°C
(बुद्ध०+वृह०+शुक्र)का तपमान = 40×3 = 120°C
– – – –

मंगल – शुक्र = 3
मंगल – 39 = 3
∴ मंगलवार का तापमान = 42°C

52. (c)
प्रथम चार दिनों के तापमान का योग
= 25×4 = 100°C
अन्तिम चार दिनों के तापमान का योग
= 25·5×4 = 102 °C
पूरे सप्ताह (7 दिनों) के तापमान का योग
= 25·2×7= 176·4 °C
∴चौथे दिन का तापमान =
(100+102)°C – 176·4°C
= 202°C – 176·4 °C
= 25·6 °C

53. (c) 6 पुत्रों के उम्रों का योग = 6 × 8 = 48 वर्ष
(6 पुत्र+माता+पिता) के उम्र = 22 × 8 = 176 वर्ष
∴ माता+पिता के उम्र = 176–48 = 128 वर्ष
$x + (x + 8) = 128$
$2x = 120$
$x = 60$वर्ष

54. (a) वर्तमान में,
पति + पत्नी + बच्चे के उम्र का योग
= (27+3)×3= 90 वर्ष
वर्तमान में,
पत्नी+बच्चे के उम्र का योग = (20+5)×2 = 50 वर्ष
∴ पति का वर्तमान उम्र = 90 – 50
= 40 वर्ष

55. (c) चार सदस्यों के उम्रों का योग = 36×4
= 144 वर्ष
स्बसे छोटे सदस्य के जन्म के समय,
परिवार के 3 सदस्यों के उम्रों का योग
= 144–(12×4) = 96 वर्ष
∴ इनमा औसत उम्र = $\frac{96}{3}$ = 32 वर्ष

56. (d) परिवार के 10 सदस्यों के उम्रों का योग
= 20×10 = 200 वर्ष
सबसे छोटे सदस्य के जन्म के समय,
परिवार के 9 सदस्यों के उम्रों का योग
= 200–(10×10) = 100 वर्ष
∴ इनका औसत उम्र = $\frac{100}{9} = 11\frac{1}{9}$ वर्ष

57. (a) वर्तमान में,
5 सदस्यों के उम्रों का योग = (17+3)×5
= 100 वर्ष
(5 सदस्य +1 बच्चे) का उम्र योग = 17×6 = 102 वर्ष
∴ बच्चें का वर्तमान उम्र = 102–100= 2 वर्ष

58. (d) वर्ममान में,
(पति + पत्नी) के उम्र = (27+4) × 2 = 62 वर्ष
(पति + पत्नी + 1 बच्चें) का वर्तमान उम्र = 21×3 = 63 वर्ष
∴ बच्चे का वर्तमान उम्र = 63–62 = 1 वर्ष

59. (a) वर्तमान में,
(P+Q+R) के उम्र = (25+5) × 3 = 90 वर्ष
तथा वर्तमान में,
(Q+R) के उम्र = (20+7) × 2= 54 वर्ष
∴ वर्तमान में P का उम्र = 90 – 54 = 36 वर्ष

60. (d) वर्तमान में,
4 लड़कों क उम्र का योग = (9+5) × 4 = 56 वर्ष
(4 लड़कों + 1 लड़के)का वर्तमान उम्र
= 15 × 5 = 75 वर्ष
∴ नये लड़के का वर्तमान उम्र
= 75 – 56 = 19 वर्ष

61. (b) 30 लड़के के उम्रों का योग = 30×15 = 450 वर्ष
20 वर्ष के 1 लड़के के जाने के बाद,
29 लड़कों के उम्रों का योग = 450 – 20 = 430 वर्ष
दो नये लड़कों के उम्र का योग
= 465 – 430 = 35 वर्ष
$x + (x+5) = 35$
$2x = 30$
$x = 15$ वर्ष (छोटे सदस्य का उम्र)

62. (c) नये विद्यार्थी के आने से,
उम्र में कुल कमी = 1×24 = 24 माह
= 2 वर्ष
∴ नये विद्यार्थी की आयु = 18 – 2
= 16 वर्ष

63. (c)

पुराना मैच औसत — अन्तिम मैच औसत
24·85 — 10·4 $\left[\frac{52}{5} = 10.4\right]$
कुल मैच औसत
24
13·6 — 0·85

16 : 1
×5 : ×5
80 : 5

∴अन्तिम मैच तक विकेटों की सख्या 80+5
= 85

64. (c) 1,2,3,------, 100 का औसत
औसत = $\frac{(1+100)}{2} = \frac{101}{2}$ = 50·5

65. (b) 1,3,5,7------, 99 का औसत
औसत = $\frac{(1+99)}{2} = \frac{100}{2}$ = 50

66. (d) प्रथम n क्रमागत,
प्राकृतिक संख्याओं के वर्गो का औसत =

$$\frac{\frac{(n+1)(2n+1)}{6}}{n} = \frac{(n+1)(2n+1)}{6}$$

= n= 10 से,

औसत = $\frac{11\times21}{6}$ = 38·5

67. (d) प्रथम 10 पूर्ण संख्यायें
0,1,2,3,4,5,6,7,8 और 9 है
अतः इनका औसत= $\frac{0+1+2+3+4+5+6+7+8+9}{10}$
= $\frac{45}{10}$ = 4·5

68. (b) लगातार संख्याओं में यदि पदों की संख्या विषम हो तो औसत = मध्य पद

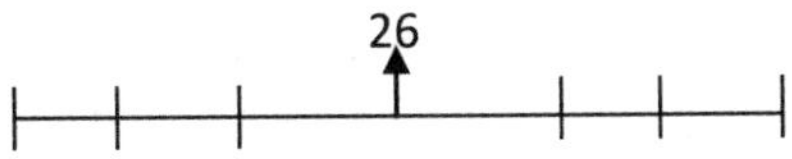

∴ औसत = चौथा पद = 26
∴ सबसे छोटी संख्या = 26 – 3 = 23

69. (c) छः संख्याओ का योग = 32 × 6 = 192
प्रथम तीन संख्याओं में कुल वृद्धि 2 × 3 = 6
अन्तिम तीन संख्याओं में कुल कमी = 4 × 3 = 12
अतः छः संख्याओं का नया योग =
192 + 6 – 12 = 186
अतः नया औसत = $\frac{186}{6}$ = 31

70. (a) 6 से 50 के बीच संख्यायें जो 5 से विभक्त है निम्न है
10,15,20,25,30,35,40,45
∴ इनका औसत = $\frac{10+45}{2} = \frac{55}{2}$ = 27·5

71. (d) माना, a = 1, b = 3, c = 5, d= 7, e = 9 है।
अतः इनका औसत = $\frac{1+3+5+7+9}{5}$
= $\frac{25}{5}$ = 5
विकल्प (d) से,
a + 4 लेने पर उपर्युक्त औसत संतुष्ट होता है
अतः विकल्प (d) सही है।

72. **(b)** 36 छात्रों के उम्रों का योग $= 14 \times 36 = 504$ वर्ष
(36 छात्र + 1 शिक्षक) के उम्रों का योग $= 15 \times 37 = 555$ वर्ष
अतः शिक्षक का उम्र $= 555 - 504 = 51$ वर्ष

73. **(d)** (14 छात्रा + 1 शिक्षिका) के उम्रों का योग $= 15 \times 15 = 225$ वर्ष
14 छात्राओं के उम्रों का योग $= 14 \times 14 = 196$ वर्ष
अतः शिक्षिका की उम्र $= 225 - 196 = 29$ वर्ष

74. **(a)** 30 परिणामों का कुल योग $= 30 \times 20 = 600$
अन्य 20 परिणामों का कुल योग $= 20 \times 30 = 600$
सभी $(30 + 20)$ परिणामों का कुल योग $= 600 + 600 = 1200$
अतः अभीष्ट औसत $= \frac{1200}{50} = 24$

75. **(d)** 30 संख्याओं का योग $= 30 \times 15 = 450$
प्रथम 18 संख्याओं का योग= $18 \times 10 = 180$
अगली 11 संख्याओं का योग= $11 \times 20 = 220$
∴ अन्तिम संख्या = 30 संख्याओं का योग–(18+11) संख्याओं का योग
$= 450 - (180 + 220)$
$= 50\ Ans.$

76. **(c)** 15 संख्याओं का योग $= 7 \times 15 = 105$
प्रथम 8 संख्याओं का योग= $8 \times 6{\cdot}5 = 52$
अन्तिम 8 संख्याओं का योग= $9{\cdot}5 \times 8 = 76$
∴ बीच वाली संख्या = (8+8) संख्याओं का योग–(15) संख्याओं का योग
$= (52 + 76) - 105 = 23\ Ans.$

77. **(d)** $a + b + c = 18 \times 3 = 54$
$b + c + d = 16 \times 3 = 48$
$-\quad -\quad -\qquad\qquad -$

$a - d = 6$
$a - 19 = 6$
अतः $a = 25$

78. **(c)** नये अध्यापक के आने से, उम्र में कमी
$= 10 \times 3 = 30$ वर्ष
अतः सेवानिवृत्त अध्यापक की आयु $= 25 + 30 = 55$ वर्ष

79. **(a)** दो नये व्यक्ति के आने से,
आयु में कुल वृद्धि $= 3 \times 8 = 24$ वर्ष
∴ दोनों नये व्यक्ति के उम्रों का योग $= (30 + 34 + 24) = 88$ वर्ष
अतः दोनों का औसत उम्र $= \frac{88}{2} = 44$ वर्ष

80. **(a)** 10 पारियों के रनों का योग $= 10 \times 32 = 320$
माना, अगली पारी में वह x रन बनाये
$320 + x = 11(32 + 4)$
$320 + x = 352 + 44$
$x = 396 - 320$
$x = 76$ रन
द्वितीय विधि :
अभीष्ट रन $= 32 + 11 \times 4 = 76$ रन

81. **(b)** 11 इनिंग का औसत $= 90 + 5 \times 12 = 150$
12वीं इनिंग के बाद औसत $= 150 - 5 = 145\ Ans.$

82. **(b)** 30 पारियों के रनों का योग $= 40 \times 30 = 1200$
माना, अधिकतम व न्यूनतम पारी का रन क्रमशः x व y है।
इन पारियों को हटाने पर शेष 28 पारियों के रनों का योग= $38 \times 28 = 1064$
अतः $x + y = 1200 - 1064$
$x + y = 136 \quad \ldots\ldots\ldots (i)$
$\underline{x - y = 100 \quad \ldots\ldots\ldots (ii)}$

$2x = 236 \quad \therefore x = 118$
समीकरण (i) से, $118 + y = 136$
$y = 18$ रन

83. **(c)** माना, अभीष्ट विकेटों की संख्या $= x$
$12{\cdot}4x + 26 = (x+5) \times (12{\cdot}4 - 0{\cdot}2)$
$12{\cdot}4x + 26 = 12{\cdot}2x + 61$
$0{\cdot}2x = 61 - 26 = 35$
$x = \frac{35}{0{\cdot}2} = \frac{350}{2} = 175\ Ans.$

84. **(d)** (सोम0+मंगल+बुध+वृह0) का तापमान $= 48 \times 4 = 192^0C$ ………. (i)
(मंगल+बुध+वृह0+शुक्र) का तापमान $= 52 \times 4 = 208^0C$ ………. (ii)
समी0 (i) में से समी0 (ii) को घटाने पर

(सोम − शुक्र0) का तापमान $= -16^0C$
42 − शुक्रवार का तापमान $= -16^0C$
शुक्रवार का तापमान $= 42 + 16 = 58^0C\ Ans.$

85. **(a)** (सोम+मंगल+बुध) का तापमान $= 35 \times 3 = 105^0C$ ………. (i)
(मंगल+बुध+वृह0) का तापमान $= 32 \times 3 = 96^0C$ ………. (ii)
समी0 (i) में से समी0 (ii) को घटाने पर

(सोम − वृह0) का तापमान $= 9^0C$
$x - \frac{2x}{3} = 9^0C$
$\frac{x}{3} = 9^0C$
$\therefore x = 27^0C\ Ans.$

86. **(b)** $25a + 25b = 125$
$a + b = 5$
$\therefore a, b$ का औसत$= \frac{a+b}{2} = \frac{5}{2} = 2{\cdot}5\ Ans.$

87. **(b)** $a + b + c = 3m$ (वर्ग करने पर)
$a^2 + b^2 + c^2 + 2(ab + bc + ca) = 9m^2$
$a^2 + b^2 + c^2 = 9m^2$
a^2, b^2, c^2 का औसत $= \frac{a^2+b^2+c^2}{3}$
$= \frac{9m^2}{3} = 3m^2\ Ans$

88. **(d)** m संख्याओं का योग $= mn^2$
n संख्याओं का योग $= nm^2$
$\therefore (m+n)$ संख्याओं का औसत $= \frac{mn^2+nm^2}{(m+n)}$
$= \frac{mn(m+n)}{(m+n)} = mn\ \ Ans.$

89. **(b)** $A + B = 20 \times 2 = 40$ ………. (i)
$B + C = 19 \times 2 = 38$ ………. (ii)
$C + A = 21 \times 2 = 42$ ………. (iii) जोड़ने पर

$2(A + B + C) = 120$
$\therefore (A + B + C) = 60$
अतः $(A + B + C) - (B + C)$
$A = 60 - 38 = 22\ Ans.$

90. **(c)** $x + y = 5050 \times 2 = 10100$
$y + z = 6250 \times 2 = 12500$
$z + x = 5200 \times 2 = 10400$ जोड़ने पर

$2(x + y + z) = 33000$
$(x + y + z) = 16500$
$\therefore x$ की मासिक आय $= (x + y + z)$ की मासिक आय– $(y + z)$ की आय
$= 16500 - 12500 =$ ₹ $4000\ Ans.$

91. **(a)** $(P + Q + R)$ की वर्तमान आयु $= (25 + 5) \times 3 = 90$ वर्ष
$(Q + R)$ की वर्तमान आयु $= (20 + 7) \times 2 = 54$ वर्ष
$\therefore P$ की वर्तमान आयु$= 90 - 54 = 36$ वर्ष

92. **(d)** पति व पत्नी की वर्तमान आयु का योग $= (27 + 4) \times 2 = 62$ वर्ष
पति, पत्नी व बच्चे की वर्तमान आयु का योग$= 21 \times 3 = 63$ वर्ष
अतः बच्चे की वर्तमान आयु $= 63 - 62 = 1$ वर्ष

93. **(a)** सही पाठ्यांक–गलत पाठ्यांक $= 16 - 61 = -45$
अतः सही औसत $= 35 - \frac{45}{20} = 35 - 2{\cdot}25 = 32{\cdot}75\ Ans$

94. **(c)** वर्तमान में, 5 सदस्यों के उम्रों का योग $= (17 + 3) \times 5 = 100$ वर्ष
वर्तमान में, (5 सदस्य + 1 बच्चे) के उम्रों का योग $= 17 \times 6 = 102$ वर्ष
$\therefore$ बच्चे की वर्तमान उम्र $= 102 - 100 = 2$ वर्ष

95. **(c)** सही पाठ्यांक–गलत पाठ्यांक$= 36 - 26 = 10$
सही औसत $= 15 + \frac{10}{10} = 15 + 1 = 16\ Ans.$

96. **(b)** माना, चार क्रमागत विषम संख्यायें क्रमशः $A = x, B = (x+2),\ C = (x+4)$ व $D = (x+6)$ है।
$x + (x+2) + (x+4) + (x+6) = 42 \times 4$
$4x + 12 = 168$
$4x = 156$
$\therefore x = 39$
$\therefore B \times D = (39 + 2) \times (39 + 6) = 41 \times 45$
$= 1845\ Ans.$

97. **(a)** माना, $A = x,\ B = (x+2),\ C = (x+4), D = (x+6)$ व $E = (x+8)$ है।
$x + (x+2) + (x+4) + (x+6) + (x+8) = 66 \times 5$
$5x + 20 = 330$
$5x = 310$

$\therefore x = \frac{310}{5} = 62$

$\therefore B \times E = 64 \times 70 = 4480\ Ans.$

98. **(b)** नया औसत = पुराना औसत–घटायी जाने वाली संख्या

नया औसत $= y - 101$

99. **(d)** नया औसत = पुराना औसत × गुणा की जाने वाली संख्या $= 21 \times 8 = 168\ Ans.$

100. **(b)** $15 = \frac{7 + 11 + 15 + x + 14 + 21 + 25}{7}$

$15 = 93 + x$

$\therefore x = 105 - 93 = 12\ Ans.$

101. **(b)** 3, 6, 9, 12, 15 का औसत $= \frac{3+15}{2}$

$= \frac{18}{2} = 9\ Ans.$

102. **(a)** पाँच विषय के अंकों का योग $= 65 \times 5 = 325$

270+विज्ञान में प्राप्तांक $= 325$

$\therefore$विज्ञान में प्राप्तांक $= 325 - 270 = 55\ Ans.$

103. **(a)** अभीष्ट औसत चाल $= \frac{2xy}{x+y} = \frac{2 \times 5 \times 3}{5+3}$

$= \frac{30}{8} = \frac{15}{4} = 3\frac{3}{4}\ Ans.$

104. **(c)** तीनों संख्याओं का योग $= 44 \times 3 = 132$

I: II = 1: 2, II : III = 3: 1

$\therefore$ I : II : III

1 2 [2]

[3] 3 1 ↓ गुणा करने पर

3 : 6 : 2

अनुपाती योग = 11

$\therefore$ पहली व तीसरी संख्या में अन्तर

$= \frac{(3-2)}{11} \times 132 = 12\ Ans.$

105. **(c)** तीनों संख्याओं का योग $= 100 \times 3 = 300$

I: II = 1: 2 तथा

II : III = 3: 1

$\therefore$ I : II : III

2 1 [1]

[3] 3 1 ↓ गुणा करने पर

6 : 3 : 1

अनुपाती योग = 10

$\therefore$ बड़ी संख्या $= \frac{6}{10} \times 300 = 180\ Ans.$

106. **(d)** तीनों संख्याओं का योग $= 25 \times 3 = 75$

$I : II : III = 4 : 5 : 6$

अनुपाती योग = 15

$\therefore$ बड़ी संख्या $= \frac{6}{15} \times 75 = 30$ Ans.

107. **(a)** 35, 70, 105......., 1400 का औसत

$\therefore$ अभीष्ट औसत $= \frac{35+1400}{2}$

$= \frac{1435}{2} = 717{\cdot}5$ Ans.

108. **(d)** 51, 52, 53......., 137 का औसत

$\therefore$ अभीष्ट औसत $= \frac{51+137}{2}$

$= \frac{188}{2} = 94$ Ans.

8

अनुपात–समानुपात (Ratio and Proportion)

अनुपात (Ratio) : दो राशियों a तथा b के तुलनात्मक अध्ययन को अनुपात कहते है। उसे $a : b$ या $\frac{a}{b}$ के रूप में प्रदर्शित करते हैं। यहाँ a को प्रथम पद (Antecedent) तथा b को द्वितीय पद (Consequent) कहते है।

Note : (i) दो या दो अधिक राशियों के सरल अनुपात में 'पदों का महत्तम समापवर्तक (HCF) 1 होता है।

(ii) दो या दो अधिक राशियों के अनुपात के प्रत्येक पद में समान राशि से गुणा या भाग किया जा सकता है। इससे मूल अनुपात में कोई प्रभाव नहीं पड़ता।

समानुपात (*Proportion*) : जब दो अनुपाती राशियाँ आपस में बराबर हो तो इसे समानुपात कहते हैं। इसे : : से प्रदर्शित करते हैं जैसे $a:b :: c:d$ समानुपाती पद है।

$$\frac{a}{b} = \frac{c}{d}$$

$$ad = bc$$

अर्थात् समानुपाती पदों में,

वाह्य पदों का गुणनफल = अन्तः पदों का गुणनफल

अनुपात के प्रकार–

1. **व्युत्क्रमानुपात (*Inverse Ratio*)** – दो राशियों के बीच का अनुपात $a:b$ हो, तो व्युत्क्रमानुपात $b:a$ होगा।
2. **मिश्रित अनुपात (Compound Ratio)** : दो या अधिक अनुपात का मिश्रित अनुपात उनके गुणफल के बराबर होता है जैसे– $2:3: 4:5: 7:9$ का मिश्रित अनुपात $= \frac{2}{3} \times \frac{4}{5} \times \frac{7}{9} = \frac{56}{135}$
3. **वर्गानुपात (*Duplicate Ratio*)** : यदि दो राशियों के बीच का अनुपात $a:b$ है तो इनका वर्गानुपात $a^2:b^2$ होगा। जैसे : $3:4$ का वर्गानुपात $= 3^2:4^2 = 9:16$ होगा।
4. **वर्गमूलानुपात (Sub-duplicate Ratio)** : यदि दो राशियों के बीच का अनुपात $a:b$ हो, तो इनके बीच का वर्गमूलानुपात $\sqrt{a}:\sqrt{b}$ होगा।
5. **घनानुपात (Triplicate Ratio)** : यदि दो राशियों के बीच का अनुपात $a:b$ हो, तो इनके बीच का घनानुपात $a^3:b^3$ होगा।
6. **घनमूलानुपात (Sub-Triplicate Ratio)** : यदि दो राशियों के बीच का अनुपात $a:b$ हो, तो इनके बीच का घनमूलानुपात $\sqrt[3]{a}:\sqrt[3]{b}$ होगा।

Rememberable Fact (स्मरणीय तथ्य)

(i) यदि दो राशियाँ $a:b$ हो तो दोनों का मान क्रमशः ax तथा bx माना। यहाँ x, उन राशियों का म०स० होगा।

(ii) यदि तीन राशियाँ $a:b:c$ के अनुपात में हो तो तीनों के मान क्रमशः ax, bx तथा cx मानें।

(iii) यदि $\frac{a}{b} = \frac{c}{d} = \frac{e}{f}$ हो तो $\frac{a+c+e}{b+d+f} = \frac{pa+qc+re}{pb+qc+rf}$ होगा।

Type - 01

वितत समानुपात (Continued Proportion) पर प्रश्न–

प्रश्न : यदि $a:b = 2:3$ तथा $b:c = 5:8$ हो तो $a:b:c$ क्या होगा ?

हल :

a:	b:	c
2	3	
	5	8
10:	15:	24

a:	b:	c
2	3	3
5	5	8
10:	15:	24

सीधा गुणा

प्रश्न : यदि $a:b = 2:5, b:c = 3:4$ तथा $c:d = 7:9$ हो तो $a:b:c:d$ का अनुपात बताइये?

हल

a:	b:	c:	d
2	5	5	5
3	3	4	4
7	7	7	9
42:	105:	140:	180

a:	b:	c:	d
2	5		
	3	4	
		7	7
42 :	105 :	140 :	180

Note | **भिन्नात्मक अनुपात को सरल अनुपात में बदलने के लिये हर के ल०स० से सभी अनुपाती मानों में गुणा करें।**

जैसे– $\frac{1}{5}:\frac{1}{3}:\frac{1}{2}$ का सरल अनुपात

हर (5, 3 व 2) का ल०स० = 30

अतः $\frac{1}{5} \times 30 : \frac{1}{3} \times 30 : \frac{1}{2} \times 30 = 6:10:15$

प्रश्न : यदि $a:b = \frac{1}{3}:\frac{2}{5}$ तथा $b:c = \frac{4}{5}:\frac{3}{10}$ तो $a:b:c$ बताइये?

हल : $a:b = \frac{1}{3} \times 15 : \frac{2}{5} \times 15 = 5:6$

$b:c = \frac{4}{5} \times 10 : \frac{3}{10} \times 10 = 8:3$

अतः a: b: c:

5 6 [6]

[8] 8 3

40: 48: 18:

$\therefore a:b:c = 20:24:9$

Note | **जब तीन या अधिक व्यंजक आपस में बराबर हो तो ऐसे प्रश्नों को हल करने के लिए नियतांक (Constant) का प्रयोग करते हैं।**

प्रश्न : यदि $2A = 4B = 5C$ हो, तो $A:B:C$ ज्ञात कीजिए–

हल : $2A = 4B = 5C = K$ (माना)

अतः $A = \frac{K}{2}$, $B = \frac{K}{4}$ व $c = \frac{K}{5}$

$\therefore A:B:C = \frac{K}{2}:\frac{K}{4}:\frac{K}{5} = \frac{1}{2}:\frac{1}{4}:\frac{1}{5}$

हर (2, 4 व 5) का ल0स0 = 20

$\therefore A:B:C = \frac{1}{2}\times 20:\frac{1}{4}\times 20:\frac{1}{5}\times 20$

$\therefore A:B:C = 10:5:4$

Note | **द्वितीय विधि : ऐसे प्रश्नों में जिसका अनुपात रखना हो, उसके गुणांक को हटाकर, शेष चर के गुणांकों का गुणा करते हैं।**

जैसे– $2A = 4B = 5C$

तब $\therefore A:B:C$

$= 4\times 5:2\times 5:2\times 4$

$= 20:10:8$

$= 10:5:4$

Note | **यदि $\frac{a}{x} = \frac{b}{y} = \frac{c}{z}$ हो तो $a:b:c = x:y:z$**

प्रश्न : यदि $\frac{a}{3} = \frac{b}{4} = \frac{c}{7}$ हो, तो $\frac{a+b+c}{c}$ का मान बताइये।

हल : $a = 3$, $b = 4$ व $c = 7$

$\therefore \frac{a+b+c}{c} = \frac{3+4+7}{7} = \frac{14}{7} = 2$

Type - 02

समानुपाती संख्या ज्ञात करना :

ऐसे प्रश्नों को हल करने के लिए राशियों को समानुपाती पदो में व्यक्त करे।

फिर समानुपात के परिभाषा–

बाह्य पदों का गुणनफल = अन्तः पदों का गुणनफल

के प्रयोग से अभीष्ट अनुपाती मान ज्ञात करें।

प्रश्न : 12 और 3 का मध्यमानुपाती (Mean Proportional) बताइये।

हल : माना, मध्यमानुपाती x है।

$12, x, 3$

समानुपाती, $12:x = x:3$

$x^2 = 36$

अतः $x = 6\ Ans.$

प्रश्न : 0·12, 0·21 व 8 का चतुर्थानुपाती क्या है?

हल : माना, चतुर्थानुपाती x है।

$0{\cdot}12, 0{\cdot}21, 8, x$

समानुपाती पद, $0{\cdot}12 : 0.21 = 8 : x$

$0{\cdot}12x = 0{\cdot}21\times 8$

$x = \frac{0{\cdot}21\times 8}{0{\cdot}12} = \frac{21\times 8}{12} = 14$

अतः $x = 14\ Ans.$

Type - 03

क्या जोड़ा/घटाया जाये कि संख्यायें समानुपाती हो जाये–

प्रश्न : संख्यायें 9, 12, 17 व 12 के प्रत्येक पद में कितना जोड़ा जाये कि संख्यायें समानुपाती हो जाये?

हल : माना, प्रत्येक पद में x जोड़ा जाये

$(9+x):(12+x) = (17+x):(22+x)$

$(9+x)(22+x) = (12+x)(17+x)$

$198 + 9x + 22x + x^2 = 204 + 12x + 17x + x^2$

$31x + 198 = 29x + 204$

$2x = 6$

अतः $x = 3$

नोट– ऐसे प्रश्नों को option से हल कर लेना चाहिए।

9 12 17 22

+3 ↓ +3 ↓ +3 ↓ +3 ↓

12: 15= 20: 25

यहाँ, $12\times 25 = 15\times 20$

प्र0 संख्यायें 29, 19, 14 व 10 के प्रत्येक पद में से कितना घटना दिया जाये कि संख्यायें समानुपाती हो जाये?

हल : Alternate Method

29 19 14 10

-4 ↓ -4 ↓ -4 ↓ -4 ↓

25: 15= 10: 6

यहाँ, $25\times 6 = 15\times 10$

Type - 04

योग–अन्तर से प्रश्न–

प्रश्न : दो संख्यायें 3 : 5 के अनुपात में है। यदि प्रत्येक संख्या में 10 जोड़ दे तो अनुपात 5 : 7 हो जाता है। उनमें छोटी संख्या बताइये?

हल : माना, संख्यायें $3x$ व $5x$ है।

$(3x+10):(5x+10) = 5:7$

$21x + 70 = 25x + 50$

$4x = 20$

$x = 5$

∴ छोटी संख्या $= 3x = 15$

प्रश्न : 15 : 19 के प्रत्येक पद में से कितना घटाया जाये कि अनुपात 3 : 4 हो जाये?

हल : माना, प्रत्येक पद में से x घटाया जाये।

$(15-x):(19-x) = 3:4$

$60 - 4x = 57 - 3x$

$60 - 57 = -3x + 4x$

$x = 3$

Type - 05

योग–अन्तर और गुणा पर प्रश्न :

नोट : यदि दो संख्याओं का अनुपात a : b हो तो संख्यायें ax तथा bx मानें। जहाँ x – संख्याओं का म0स0 होगा।

प्रश्न : दो संख्यायें 2:3 के अनुपात में है। यदि उनका योगफल 125 हो तो संख्यायें बताइये?

हल : माना, संख्यायें $2x$ व $3x$ है।

$2x + 3x = 125$

$5x = 125$

$x = 25$

संख्यायें क्रमशः 50 व 75 है।

प्रश्न : दो संख्याओं का अनुपात 10 : 7 है और उनका अन्तर 105 है उन संख्याओं का योग बताइये।

हल : माना, संख्यायें $10x$ व $7x$ है।

$10x - 7x = 105$

$3x = 105$

∴ $x = 35$

अतः संख्याओं का योग $= 10x + 7x = 17x = 17 \times 35 = 595\,Ans.$

प्रश्न : दो धनात्मक पूर्णांकों का गुणनफल 1575 है तथा उनका गुणनफल 9:7 है। इनमें छोटी पूर्णांक है।

हल : माना, संख्यायें $9x$ व $7x$ है।

$9x \times 7x = 1575$

$63x^2 = 1575$

$x^2 = \frac{1575}{63}$

$x^2 = 25$

∴ $x = 5$

अतः छोटी पूर्णांक$= 7x = 35 Ans.$

Type - 06

जब अनुपाती संख्या दिया हो तथा अनुपाती मान ज्ञात करना हो–

प्रश्न : यदि $x:y = 2:5$ हो, तो $(5x+3y):(5x-3y)$ का मान बताइये।

हल : $x = 2$ व $y = 5$ लेने पर,

$\frac{5x+3y}{5x-3y} = \frac{5\times2+3\times5}{5\times2-3\times5} = \frac{25}{-5} = -5\,Ans.$

प्रश्न : यदि $\frac{a}{b} = \frac{2}{3}$ तथा $\frac{b}{c} = \frac{4}{5}$ तो $(a+b):(b+c) = ?$ ।

हल

a:	b:	c:
2	3	[3]
[4]	4	5
8:	12:	15

अतः $\frac{(a+b)}{(b+c)} = \frac{(8+12)}{(12+15)} = \frac{20}{27}\,Ans.$

Type - 07

जब किसी धनराशि को दो या अधिक व्यक्तियों में बाँटना हो–

प्रश्न : ₹ 750 को A, B तथा C में इस प्रकार बाँटा गया है कि A: B = 5: 2 तथा B: C = 7: 13 इनमें से A का हिस्सा कितना है?

हल

A:	B:	C:
5	2	[2]
[7]	7	13
35:	14:	26

अनुपाती योग= 75

अतः A का भाग $= \frac{35}{75} \times 750 = 350\,Ans.$

प्रश्न : ₹ 624 को A, B तथा C में $\frac{1}{2}:\frac{1}{3}:\frac{1}{4}$ के अनुपात में बाँटने पर C का भाग कितना होगा?

हल : $A:B:C = \frac{1}{2}:\frac{1}{3}:\frac{1}{4}$ (हर का ल0स0 = 12)

$= \frac{1}{2} \times 12 : \frac{1}{3} \times 12 : \frac{1}{4} \times 12$

$= 6:4:3$

अनुपाती योग = 13

∴ C का भाग $= \frac{3}{13} \times 624$

$=$ ₹ $144\,Ans.$

प्रश्न : ₹ 1740 को A, B तथा C में इस प्रकार वितरित किया गया है कि A का 0.5 = B का 0.6 = C का 0.75 है तदनुसार C को कितने ₹ मिले है?

हल : $A \times \frac{5}{10} = B \times \frac{6}{10} = C \times \frac{75}{100} = k$ (माना)

$A = 2K,\ B = \frac{5K}{3}$ & $C = \frac{4K}{3}$

$A:B:C = 2K:\frac{5K}{3}:\frac{4K}{3}$

$= 2\times 3:5:4$

$A:B:C = 6:5:4$

अनुपाती योग $= 15$

$\therefore$ C का भाग $= \frac{4}{15}\times 1470$

$= ₹\,464\ Ans.$

Type - 08

सिक्कों पर प्रश्न :–

प्रश्न : ₹225 की एक राशि ₹1, 50 पैसे और 25 पैसे के रूप में है। इनकी संख्यायें उसी क्रम में 8 : 5 : 3 के अनुपात में है। एक रूपये के सिक्कों की संख्या है?

हल : माना, इन सिक्कों की संख्या $8x, 5x$ व $3x$ है

$8x+\frac{5x}{2}+\frac{3x}{4} = 225$

$\frac{32x+10x+3x}{4} = 225$

$45x = 225\times 4$

$x = \frac{225\times 4}{45} = 20$

अतः ₹1 के सिक्के $= 8x = 160\ Ans.$

द्वितीय विधि :

	₹1	50p	25p
सिक्के→	8	: 5	: 3
कीमत→	8	: 2.5	: 0.75

कुल धनराशि = ₹225

11.25 unit = 225

1 unit = 20

₹1 के सिक्के की संख्या = 8 Unit

= 8 × 20 = ₹160

प्रश्न : एक बक्से में ₹1, 50 पैसे और 20 पैसे वाले कुल 420 सिक्के है उनकी कीमत का अनुपात 13 : 11 : 7 है तद्नुसार उनमें 50 पैसे वाले सिक्कों की संख्या कितनी है?

हल :

	₹1	50 पैसे	20 पैसे
कीमतों का अनुपात =	13	: 11	: 7

$\therefore$सिक्कों का अनुपात, $13 : 11\times 2 : 7\times 5$

$= 13:22:35$

अनुपाती योग $= 70$

$\therefore$ 50 पैसे के सिक्के $= \frac{22}{70}\times 420 = 132\ Ans.$

Type - 09

आय और व्यय पर प्रश्न –

प्रश्न : A और B के आय का अनुपात 3 : 2 है और खर्च का अनुपात 5 : 3 है। प्रत्येक व्यक्ति की बचत ₹4000 हो, तो A की आय बताइये?

हल : माना, इनकी आय क्रमशः $3x$ व $2x$ है

$\frac{A \text{ का खर्च}}{B \text{ का खर्च}} = \frac{5}{3}$

$\frac{3x-4000}{2x-4000} = \frac{5}{3}$

$9x - 12000 = 10x - 20,000$

$x = 8000$

अतः A की आय $= 3x = ₹\,24000$

द्वितीय विधि (Short Method)

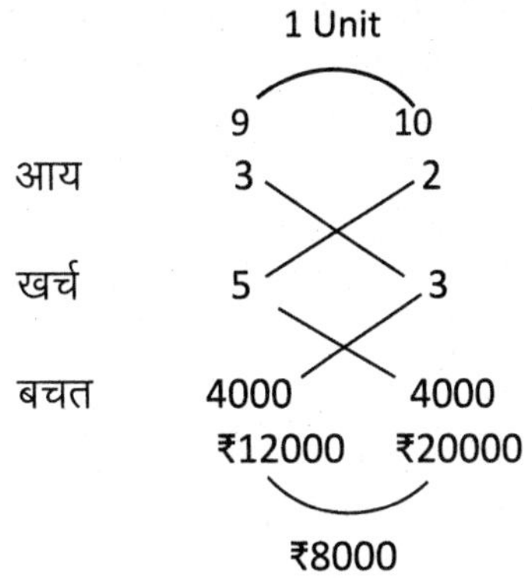

$\therefore$ 1 unit = ₹8000

$\therefore$ A की आय = 3 unit = ₹24000

प्रश्न : A और B की आय का अनुपात 5 : 3 है। इनके खर्च का अनुपात 9 : 5 है यदि इनका बचत क्रमशः ₹2600 व ₹1800 हो तो इनकी आय बताइये?

हल : माना, इनकी आय क्रमशः $5x$ व $3x$ है

$\frac{A \text{ का खर्च}}{B \text{ का खर्च}} = \frac{9}{5}$

$\frac{5x-2600}{3x-1800} = \frac{9}{5}$

$25x - 13000 = 27x - 16200$

$2x = 3200$

$x = 1600$

अतः आय क्रमशः $= ₹\,8000$ व $₹\,4800$ है।

द्वितीय विधि (Short Method)

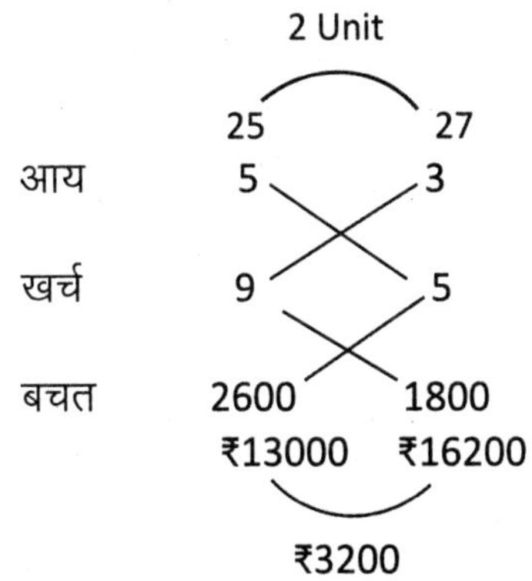

$\therefore$ 2 unit = ₹3200

∴ 1 unit = ₹1600

A की आय = 5 Unit = 8000

B की आय = 3 Unit = 4800

Type - 10

विविध प्रश्न (Miscellaneous Quen)

प्रश्न : 870 किमी0 की दूरी को एक व्यक्ति बस, ट्रेन एवं कार से तय करता है। बस, ट्रेन एवं कार की गतियों का अनुपात 4 : 6 : 5 है और इन साधनों से यात्रा करने में लगे समय का अनुपात 2 : 1 : 3 है। ज्ञात कीजिए वह ट्रेन से कितनी दूरी तय की?

हल : दूरी = चाल x समय से,

इन साधनों द्वारा चली दूरियों का अनुपात

अनुपाती योग $= 4 \times 2 : 6 \times 1 : 5 \times 3$

$= 8 : 6 : 15$

अनुपाती योग $= 29$

∴ ट्रेन द्वारा तय दूरी $= \frac{6}{29} \times 870$ किमी0

$= 180$ किमी0

प्रश्न : व्यक्ति A, B, C व D को प्राप्त होने वाली दैनिक मजदूरी का अनुपात 9 : 3 : 8 : 5 है। व्यक्ति A, B, C व D द्वारा किये गये एक कार्य को करने में लिये गये समय क्रमशः 8 दिन, 20 दिन, 12 दिन तथा 16 दिन है। ₹ 7700 की कुल मजदूरी में D की मजदूरी बताइये?

हल : A, B, C तथा D द्वारा प्राप्त होने वाली मजदूरी का अनुपात

$= 8 \times 9 : 20 \times 3 : 18 \times 8 : 16 \times 5$

$= 72 : 60 : 96 : 80$

$A : B : C : D = 18 : 15 : 24 : 20$

अनुपाती योग $= 77$

∴ D की मजदूरी $= \frac{20}{77} \times 7700$

$= ₹\,2000$

प्रश्न : ₹ 2430 को तीन व्यक्तियों में इस तरह से वितरण किया गया है कि उनके अंशों को ₹5, ₹10 एवं ₹15 क्रमशः निकाल लिया जाये तो अवशेषों का अनुपात 3 : 4 : 5 हो जायेगा तो C का अंश बताइये?

हल : माना प्रारम्भ में तीनों के पास क्रमशः $(3x + 5), (4x + 10)$ व $(5x + 15)$ ₹ थे।

∴ $3x + 5 + 4x + 10 + 5x + 15 = 2430$

$12x = 2400$

$x = 200$

∴C का अंश $= 5x + 15 = ₹\,1015$ *Ans.*

प्रश्नावली

TYPE - 01

1. यदि A : B = 2 : 3, B : C = 4 : 5 हो तो A : C का मान ज्ञात करे।
(a) 8 : 5 (b) 15 : 8
(c) 8 : 15 (d) 8 : 7
(SSC CGL प्रारंभिक परीक्षा 4.7.1999 प्रथम पाली)

2. यदि A : B = 3 : 4, B : C = 5 : 7 और C : D = 8 : 9 है, तो A का D से अनुपात है–
(a) 3 : 7 (b) 7 : 3
(c) 21 : 10 (d) 10 : 21
SSC CGL 24-2-2002)

3. यदि A : B = 1 : 2, B : C = 3 : 4 , C : D = 6 : 9, D : E = 12 : 16 हो, तो A : B : C : D : E किसके बराबर होगा?
(a) 1: 3 : 6 : 12 : 16 (b) 2: 4 : 6 : 9 : 16
(c) 3: 4 : 8 : 12 : 16 (d) 3: 6 : 8 : 12 : 16

4. यदि a : b = $\frac{2}{9}:\frac{1}{3}$, b : c = $\frac{2}{7}:\frac{5}{14}$, और d : c = $\frac{7}{10}:\frac{3}{5}$, है, तो a : b : c : d बराबर है
(a) 4 : 6 : 7 : 9 (b) 16 : 24 : 30 : 35
(c) 8 : 12 : 15 : 7 (d) 30 : 35 : 24 : 16
(SSC CGL Pre Exame 11-5-2003)

5. यदि A = B का $\frac{4}{5}$ तथा B = C का $\frac{5}{2}$ हो, तो A : C का अनुपात होगा–
(a) 1: 2 (b) 2 : 1
(c) 2 : 3 (d) 1 : 3
(SSC Data Entry Operator Exame 2-8-2009)

6. यदि A = $\frac{1}{4}$ B तथा B= $\frac{1}{2}$ C हो, तो A : B : C बराबर होगा:
(a) 8 : 4 : 1 (b) 4 : 2 : 1
(c) 1 : 4 : 8 (d) 1 : 2 : 4
(SSC डाटा एन्ट्री ऑपरेटर एवं एलडीसी परीक्षा 27.11.2010)

7. यदि 2A = 3B = 4C हो, तो A : B : C होगा:
(a) 2 : 3 : 4 (b) 4 : 3 : 2
(c) 6 : 4 : 3 (d) 3 : 4 : 6
(SSC डाटा एन्ट्री ऑपरेटर एवं एलडीसी परीक्षा 28.11.2010)

8. यदि a : b : c = $\frac{1}{4}:\frac{1}{3}:\frac{1}{2}$ है, तो $\frac{a}{b}:\frac{b}{c}:\frac{c}{a}$ = ?
(a) 12 : 9 : 8 (b) 9 : 8 : 24
(c) 8 : 9 : 24 (d) 9 : 12 : 8
(CGL Mains 2020)

9. यदि a : b = 2 : 3 और b : c = 4 : 5 है, तो $a^2 : b^2$: bc ज्ञात कीजिए–
(a) 4 : 9 : 45 (b) 16 : 36 : 45
(c) 16 : 36 : 20 (d) 4 : 36 : 20
(SSC CGL प्रारम्भिक परीक्षा 24.2.2002)

10. यदि $\frac{2}{3}$ A = 75% B = 0.6C तब A : B : C ज्ञात करें?
(a) 2 : 3 : 3 (b) 3 : 4 : 5
(c) 4 : 5 : 6 (d) 9 : 8 : 10
(SSC CGL Pre 2016 SSC CPO 2016)

TYPE - 02

11. यदि a : b = 3 : 4 है, तो (7a – 4b) : (8a+4b)का मान ज्ञात करें।
(a) 1: 8 (b) 2 : 5
(c) 3 : 5 (d) 2 : 3
(CHSL 2020)

12. यदि (a+3b) : (2a +4b) = 3 : 5 हो, तो (a–b) : (a+b)के बराबर है।
(a) 1 : 2 (b) 2 : 1
(c) 3 : 2 (d) 2 : 3
(CHSL 2020)

13. यदि a : b : c = 7 : 3 : 5 हो, तो (a+b+c) : (2a+b–c)किसके बराबर है?
(a) 1 : 2 (b) 2 : 3
(c) 3 : 4 (d) 5 : 4
(SSC CGL Pre 2016)

14. यदि $\frac{2a-5b}{3a+6b}=\frac{4}{7}$ हो, तो a : b का मान बराबर है–
(a) 21 : 36 (b) 2 : 59
(c) 59 : 2 (d) 36 : 21
(SSC CGL Pre Exame 24-2-2002)

15. यदि a : b = c : d तो $\frac{ma+nc}{mb+nd}$ किसके बराबर है?
(a) $\frac{a}{b}$ (b) $\frac{c}{d}$
(c) $\frac{a+c}{b+d}$ (d) $\frac{c-a}{b-d}$
(SSC CGL Pre 2016)

16. यदि A : B : C = 2 : 3 : 4 हो, तो अनुपात $\frac{A}{B}:\frac{B}{C}:\frac{C}{A}$: बराबर होगा–
(a) 8 : 9 : 16 (b) 8 : 9 : 12
(c) 8 : 9 : 24 (d) 4 : 9 : 16
(SSC CGL Pre Exame 13-11-2005)

17. यदि a : b = c : d = e : f = 1 : 2 हो, तो (3a+5c+7e) : (3b+5d+7f) बराबर होगा–
(a) 8 : 7 (b) 2 : 1
(c) 1 : 4 (d) 1 : 2
(SSC CGL Pre Exame 13-11-2005)

18. यदि a : b : c = 2 : 3 : 4 हो तथा 2a–3b+4c = 33 हो, तो c का मान होगा –
(a) 6 (b) 9
(c) 12 (d) $\frac{66}{7}$
(SSC CGL Pre 4-2-2007)

19. यदि a : b = c : d हो, तो $\frac{ma+nc}{mb+nd}$ निम्नलिखित में से किसके बराबर नहीं होगा?
(a) $\frac{a}{b}$ (b) $\frac{c}{d}$
(c) $\frac{a+c}{b+d}$ (d) $\frac{c-a}{b-d}$
(SSC CGL Pre 4-2-2007)

20. यदि $\frac{a}{b}=\frac{2}{3}$ तथा $\frac{b}{c}=\frac{4}{5}$, तो (a+b) : (b+c) = ?
(a) 3 : 4 (b) 4 : 5

(c) 5 : 9 (d) 20 : 27

(SSC MTS Non Technical 27-2-2011)

TYPE - 03

21. 0.8 तथा 0.2 का तीसरा समानुपाती कौन–सा है?

(a) 0.05 (b)0.8

(c) 0.4 (d)0.032

(SSC (10+2) स्तर डाटा एन्ट्री ऑपरेटर एवं LDC 21-10-2012)

22. 10,12,15,का चतुर्थानुपाती क्या है?

(a)24 (b)22

(c) 18 (d) 20

(CHSL 2020)

23. संख्याओ 12,16, एवं 18 का चौथा समानुपातिकता क्या है?

(a)20 (b) 24

(c) 28 (d) 30

(SSC MTS 16-2-2014)

24. यदि (x–2) और (x–3)के बीच मध्यानुपात x है, तो x का मान है–

(a)6 (b)5

(c) $\frac{6}{5}$ (d) $\frac{5}{6}$

(SSC MTS 23-2-2014)

25. ऐसी दो संख्याएँ पता करें, जिनका माध्य अनुपात 12 है और तृतीय अनुपात 768 है?

(a)3 और 24 (b)3 और 48

(c) 6 और 48 (d) 6 और 24

26. x और y ऐसी दो संख्याएँ हैं जिनका माध्य अनुपात 9 है और तृतीय अनुपात 243 है। x और y का मान क्या है?

(a)3 और 9 (b) 3 और 27

(c) 6 और 27 (d) 6 और 81

(Pre CGL Pre 2018)

TYPE - 04

27. यदि (a+b) : (b+c) : (c+a) = 6 : 7 : 8 हो और (a+b+c) = 14 हो, तो c का मान ज्ञात करें?

(a)6 (b)7

(c) 8 (d)14

(SSC CGL Pre 2017)

28. यदि (a+b) : (b+c) : (c+a) = 7 : 6 : 5 और a+b+c = 27 तो $\frac{1}{a}:\frac{1}{b}:\frac{1}{c}$?

(a) 3 : 6: 4 (b) 3 : 2 : 4

(c) 4 : 3 : 6 (d) 3 : 4 : 2

(SSC CGL Pre 2021)

TYPE - 05

29. 6,14,18 तथा 38 में से प्रत्येक में कौन सी संख्या जोड़ने पर परिणामी संख्याएँ एक समानुपात बनाएँगी?

(a)1 (b)2

(c) 3 (d) 4

SSC डाटा एन्ट्री आपरेटर एवं LDC 27-11-2010)

30. संख्याओं 6,7,15,17 में से प्रत्येक में कौन सी संख्या जोड़ने पर परिणामी संख्याएं समानुपाती हो जाएंगी?

(a)6 (b) 5

(c) 4 (d) 3

(SSC डाटा एन्ट्री ऑपरेटर परीक्षा 2.8.2009)

31. यदि 26,24,56, और 49 में से प्रत्येक में से x घटाने पर, इस क्रम में प्राप्त संख्याएं समानुपाती हैं, तो $\frac{2x-6}{2}$ का मान क्या है?

(a)10 (b) 11

(c) 12 (d) 15

(CTET (VI-VIII)20-12-2021)

32. यदि प्रत्येक संख्या 5,11,3 तथा 8 में x जोड़ा जाए, तो इस प्रकार इसी क्रम में प्राप्त संख्याएँ समानुपात में हैं। $\sqrt{(x+2)(4x-3)}$ का मान क्या है?

(a)12 (b) 15

(c) 20 (d) 30

(CTET (VI-VIII)21-1-2022)

33. अनुपात 16 : 19 के प्रत्येक पद में से कितना घटाया जाए, कि यह अनुपात 7 : 6 हो जाए?

(a)37 (b) 36

(c) 35 (d) 34

(CHSL 2020)

34. दो संख्याओं का अनुपात 3 : 5 है, यदि प्रत्येक में से 9 घटाया जाए तो नई संख्याओं का अनुपात 12 : 23 हो जाता है। छोटी संख्या है–

(a) 27 (b) 33

(c) 49 (d) 55

(Punjab TET (Class VI-VIII)2011)

35. एक पार्टी में महिलाओं और पुरूषों का अनुपात 3 : 2 है। यदि 20 और पुरूष आ जाते हैं तो अनुपात 2 : 3 हो जाता है। तो महिलाओं की संख्या ज्ञात करें?

(a)36 (b) 32

(c) 24 (d) 16

(SSC CGL Pre 2016)

36. दूध व पानी का अनुपात 7 : 5 है। यदि 15 लीटर पानी और मिलाया जाए तो अनुपात 7 : 8 हो जाता है, तो नए मिश्रण में पानी की कुल मात्रा ज्ञात करें?

(a)35 लीटर (b) 40 लीटर

(c) 60 लीटर (d) 96 लीटर

TYPE - 06

37. तीन धनात्मक संख्याओं में, पहली तथा दूसरी का अनुपात 8 : 9 है, तथा दूसरी एवं तीसरी का 3 : 4 है। उनमें पहली तथा तीसरी का गुणनफल 2400 है। तदनुसार, उन तीनों संख्याओं का योग कितना है?

(a) 145 (b) 185

(c) 295 (d) 155

(SSC मल्टी टास्किंग स्टाफ परीक्षा 10.3.2013)

38. x, y थैलो में गोलियों की संख्या का अनुपात 2 : 3 है। y थैले से 5 गोलियाँ निकाल कर x थैले में

डाल दी गई। अब हर थैले में गोलियों की संख्या बराबर हो गई। अब हर थैले में गोलियों की संख्या है?

(a) 45 (b) 20
(c) 30 (d) 25

(SSC स्नातक स्तरीय परीक्षा 19.5.2013)

39. दो संख्याएँ 2 : 3 के अनुपात में है। यदि पहली संख्या मे से 2 घटाया जाए तथा दूसरी संख्या में 2 जोड़ दिया जाए, तो उनमें 1 : 2 का अनुपात हो जाता है। संख्याओं का योग होगा–

(a) 30 (b) 28
(c) 24 (d) 10

(SSC CGL प्रारम्भिक परीक्षा 13.11.2005प्रथम पाली)

40. एक महाविद्यालय में लड़कों तथा लड़कियों का अनुपात 5 : 3 है। उनमें से यदि 50 लड़कें महाविद्यालय छोड़ दें और 50 लड़कियाँ महाविद्यालय में आ जाएँ, तो उनका अनुपात 9 : 7 हो जाता है। तदनुसार, उस महाविद्यालय में लड़कों की संख्या कितनी है?

(a) 300 (b) 400
(c) 500 (d) 600

(SSC (10+2 Aडाटा एंट्री ऑपरेटर एवं LDC परीक्षा 10.11.2013)

41. तीन संख्याओं का योग 68 है। यदि पहली संख्या का दूसरी से अनुपात 2 : 3 तथा दूसरी का तीसरी से अनुपात 5 : 3 हो, तो पहली संख्या होगी–

(a) 30 (b) 58
(c) 20 (d) 48

(SSC CGL प्रारम्भिक परीक्षा 4.2.2007 द्वितीय पाली)

42. दो संख्याएं ऐसी है कि उनका अन्तर, उनका योग तथा उनका गुणनफल 1 : 7 : 24 के अनुपात में है। यदि छोटी संख्या 6 हो तो संख्याओं का गुणनफल है:

(a) 24 (b) 36
(c) 48 (d) 60

(SSC स्नातक स्तरीय Tier IIपरीक्षा 1.8.2010)

43. दो संख्याओं के योगफल और उनके अंतर का अनुपात 5 : 1 है। बड़ी संख्या और छोटी संख्या के बीच अनुपात है–

(a) 2 : 3 (b) 3 : 2
(c) 5 : 1 (d) 1 : 5

(SSC स्नातक स्तरीय परीक्षा 4.9.2011)

TYPE - 07

44. 1240 रूपये की एक धनराशि A, B और C में इस प्रकार बाँटी जाती हैं कि A का भाग : B का भाग = 6 : 5 तथा B का भाग : C का भाग = 10 : 9 है। C का भाग ज्ञात कीजिए।

(a) ₹480 (b) ₹360
(c) ₹400 (d) ₹630

(SSC CGL प्रारम्भिक परीक्षा 24.2.2002)

45. 3400 रूपये को A, B, C, D में इस प्रकार विभाजित किया जाता है कि A और B के भागों, B और C के भागों, C और D के भागों के क्रमशः 2: 3 : 4 : 3 तथा 2 : 3 के अनुपात रहें। B और D के भागों का योग है–

(a) ₹2040 (b) ₹1680
(c) ₹2000 (d) ₹1720

(SSC CGL Pre Exame 11-5-2013 द्वितीय पाली)

46. A, B तथा C के वेतन का अनुपात 3 : 2 : 9 है, यदि C को B से ₹2100 ज्यादा मिलता है, तो Aका वेतन बताएँ।

(a) ₹900 (b) ₹1050
(c) ₹780 (d) ₹1320

(SSC CGL प्रारम्भिक परीक्षा 13.11.2005 प्रथम पाली)

47. 6,400 रू. तीन कारीगरो में $\frac{3}{5} : 2 : \frac{5}{3}$ के अनुपात में बाँटे जाते है। द्वितीय कारीगर का भाग (रू में) कितना है?

(a) 3,200 (b) 3,840
(c) 2,560 (d) 3,000

(SSC CGL Pre Exame 13-11-2005 द्वितीय पाली)

48. 117 रू. को P, Q, R में $\frac{1}{2} : \frac{1}{3} : \frac{1}{4}$ के अनुपात में बाँटने के स्थान पर गलती से 2 : 3 : 4 के अनुपात में बाँट दिया गया। इसमें कौन लाभ में रहा ?

(a) केवल P (b) केवल Q
(c) केवल R (d) Q और R दोनों

(SSC CGL Pre Exame 13-11-2005 द्वितीय पाली)

49. A का B से अनुपात 4 : 5 है तथा B का C से अनुपात 2 : 3 है। यदि A 800 के बराबर है, तो C कितने के बराबर होगा?

(a) 1000 (b) 1200
(c) 1500 (d) 2000

(SSC CGL Pre Exame 4-2-2007 द्वितीय पाली)

50. ₹ 68000 को A, B और C में $\frac{1}{2} : \frac{1}{4} : \frac{5}{16}$ के अनुपात में बाँटा जाता है। सबसे बड़े और सबसे छोटे भागों का अंतर होगा–

(a) ₹ 6000 (b) ₹ 14440
(c) ₹ 9200 (d) ₹ 16000

(SSC CGL Pre Exame 13-11-2005)

51. यदि ₹ 126.50 को A, B तथा C में 2 : 5 : 4 के अनुपात मे बाँटा जाए, तो B का भाग A की अपेक्षा कितना अधिक होगा?

(a) ₹ 36.50 (b) ₹ 35.50
(c) ₹ 34.50 (d) ₹ 33.50

(SSC स्नातक स्तर Tier II 29-9-2013)

52. ₹ 2,600 को A, B, C में $\frac{1}{2} : \frac{1}{3} : \frac{1}{4}$ के अनुपात में बाँटे। प्रत्येक का हिस्सा ज्ञात करें।

(a) ₹1,200, ₹ 600, ₹ 800

(b) ₹1,200, ₹ 800, ₹ 600
(c) ₹600, ₹ 800, ₹ 1200
(d) ₹800, ₹ 600, ₹ 1200
(SSC स्नातक स्तरीय परीक्षा 19.5.2013)

53. ₹ 900 को A , B, C में बांटा जाए और उनमें बँटवारा इस प्रकार हो क A की राशि का $\frac{1}{2}$ = B की राशि का $\frac{1}{3}$ = C की राशि का $\frac{1}{4}$,तो A, B, C द्वारा प्राप्त की गई राशि (₹में) कितनी होगी?
(a) 300,400,200 (b) 350,450,100
(c) 200,300,400 (d) 400,150,350

54. ₹ 1740 को A, B तथा C में इस प्रकार वितरित किया गया हैं कि Aका 0.5 = B का 0.6 = C का 0.75 है। तदनुसार C को कितने ₹ मिले हैं?
(a) ₹ 580 (b) ₹ 696
(c) ₹ 348 (d) ₹ 464
(SSC MTS EXAME प्रथम पाली)

TYPE - 08

55. एक मनीबैग में ₹ 1, ₹ 2 और ₹ 5 के सिक्के हैं। यदि सिक्कों की संख्या का अनुपात 4 : 3 : 2 है और बैग में कुल धनराशि ₹ 500 है, तो उसमें ₹ 2 के सिक्के में कितनी राशि है?
(a) ₹ 250 (b) ₹ 200
(c) ₹ 150 (d) ₹ 100
(SSC MTS Exame 16-2-2014 द्वितीय पाली)

56. एक बॉक्स में एक–रूपए, 50 पैसे और 25 पैसे के 280 सिक्के हैं। प्रत्येक प्रकार के सिक्के के मूल्य 8 : 4 : 3 के अनुपात में है। तो 50 पैसे के सिक्को की संख्या बताइए।
(a) 70 (b) 60
(c) 80 (d) 90
(SSC CHSL (10+2)DEO & LDC Exame 16-11-2014)

57. एक लड़के के पास 50 पैसे, 25 पैसे तथा 10 पैसे मूल्य वर्ग के कुछ सिक्के 1 : 2 : 3 के अनुपात में हैं। यदि सिक्कों की कुल राशि 6.50 रूपए है तो 10 पैसे वाले सिक्को की संख्या होगी–
(a) 5 (b) 10
(c) 15 (d) 20
(SSC CGL प्रारम्भिक परीक्षा 27-7-2008 द्वितीय पाली)

58. 50 पैसे, 25 पैसे और 10 पैसे के कुल 480 सिक्के हैं। उनका मूल्य 5 : 3 : 1 के अनुपात में है। तदनुसार उन सिक्कों की संख्या है–
(a) 100, 200, 180 (b) 50, 30, 400
(c) 150, 180, 150 (d) 300, 90, 90
(SSC MTS Exame 17-3-2013)

59. एक बॉक्स में ₹ 1,50 पैसे तथा 25 पैसे वाले सिक्के 8 : 5 : 3 के अनुपात में है। यदि बॉक्स में कुछ धन राशि ₹ 112.50 हो, तो 50 पैसे वाले सिक्को की संख्या है–
(a) 80 (b) 50
(c) 30 (d) 42
(SSC CGL Pre Exame 4-2-2007)

60. यदि 378 सिक्के एक रूपये, 50 पैसे तथा 25 पैसे के सिक्को के रूप में है तथा इनके मान 13 : 11 : 7, के अनुपात में है, तो 50 पैसे के सिक्को की संख्या होगी–
(a) 132 (b) 128
(c) 136 (d) 133
(SSC CGL Pre Exame 11-5-2003)

61. एक बक्सें में एक रूपया, 50 पैसे और 20 पैसे वाले कुल 420 सिक्के हैं, उनकी कीमत का अनुपात 13 : 11 : 7 है। तदनुसार, उनमे 50 पैसे वाले सिक्कों की संख्या कितनी है?
(a) 42 (b) 78
(c) 66 (d) 132
(SSC MTS Exam 24-3-2013)

TYPE - 09

62. दो व्यक्तियों की मासिक आय 2 : 3 के अनुपात में है। यदि उनका खर्च का अनुपात 5 : 9 है। यदि प्रत्यक ₹ 600 की बचत करता है, तो उनकी आय ज्ञात करें?
(a) ₹ 1,500 : ₹ 2,2250
(b) ₹ 1,200 : ₹ 1,800
(c) ₹ 1,600 : ₹ 2,400
(d) ₹ 1,400 : ₹ 2,100
(SSC CGL Pre 2016)

63. एक व्यक्ति के पास ₹640 एक रूपए, पांच रूपए और ₹10 के नोटों के रूप में है। जबकि सभी प्रकार के नोट समान संख्या में है, तो कुल नोटों की संख्या ज्ञात करे?
(a) 150 (b) 120
(c) 100 (d) 90
(SSC CGL Pre 2016)

64. दो व्यक्तियों की आय का अनुपात 5 : 3 है तथा उनके व्यय का अनुपात 9 : 5 है। यदि वे क्रमशः ₹2600 और ₹1800 की बचत करते हैं, तो उनकी आय है–
(a) ₹8000 ; ₹4800 (b) ₹6000 ; ₹6000
(c) ₹10000 ; ₹6000 (d) ₹9000 ; ₹5400
(SSC CGL Pre Exame 13-11-2005)

65. A तथा B की वार्षिक आय 4 : 3 के अनुपात में तथा उनके वार्षिक व्यय 3 : 2 के अनुपात मे है। यदि वर्ष के अंत में से प्रत्येक ₹60,000 की बचत करें, तो A की वार्षिक आय है–
(a) ₹1,20,000 (b) ₹1,50,000
(c) ₹2,40,000 (d) ₹3,60,000
(SSC डाटा इन्ट्री ऑपरेटर परीक्षा 2.8.2009)

66. A , B तथा C के मासिक वेतन 2 : 3 : 5 के अनुपात में हैं। यदि C का मासिक वेतन A के मासिक

वेतन से ₹12,000 अधिक हो, तो B का वार्षिक वेतन होगा–

(a) ₹1,20,000 (b) ₹1,44,000
(c) ₹1,80,000 (d) ₹2,40,000

(SSC Data Entry Operator LDC Exame 28-11-2010)

67. x और y की आय 4 : 3 के अनुपात में है। उनका व्यय 12 : 7 के अनुपात मे है। दोनों ही महीने के अंत में 3200 रूपए की बचत करते हैं, तो x की आय कितनी है?

(a) 8000रूपए (b) 6000रूपए
(c) 2000रूपए (d) 4000रूपए

(SSC CAPRs SI, CISF ASI and Delhi police 21-5-2015)

TYPE - 10

68. 20 लीटर मिश्रण मे दूध और पानी 3 : 1 के अनुपात में है। इस मिश्रण में दूध की मात्रा कितनी मिलाइ जाए कि दूध और पानी का अनुपात 4 : 1 हो जाए?

(a) 7 लीटर (b) 4 लीटर
(c) 5 लीटर (d) 6 लीटर

(SSC CHSL (10+2)LDC ,DEO and PA/SA Exame 15-11-2015)

69. एक मिश्रण में दूध और पानी का अनुपात क्रमशः 5 : 1 है। 5 लीटर पानी मिलाने पर दूध और पानी का अनुपात 5 : 2 हो जाता है। मिश्रण में दूध की मात्रा कितनी है?

(a) 25 लीटर (b) 32.5 लीटर
(c) 16 लीटर (d) 22.75 लीटर

(SSC CHSL (10+2)LDC DEO and PA/SA Exame 6-12-2015)

70. 729 मिली मिश्रण में क्रमशः 7 : 2 के अनुपात मे दूध और पानी हैं। उसमें कितना पानी और मिलाया जाए जिससे नए मिश्रण मे दूध और पानी का अनुपात क्रमशः 7 : 3 हो जाए?

(a) 81 मिली (b) 60मिली
(c) 71 मिली (d) 52 मिली

(SSC CGL Tier-I Exame 9-8-2015)

71. 55 किग्रा के एक मिश्रण में दूध एवं जल का अनुपात 7 : 4 है। अनुपात को 7 : 6 करने के लिए मिलाए जाने वाले जल की मात्रा क्या होगी?

(a) 15किग्रा (b) 10किग्रा
(c) 5किग्रा (d) 12किग्रा

(Bihar SSC 23-2-2015

72. 20 लीटर और 36 लीटर के दो मिश्रणों में स्पिरिट और जल का अनुपात क्रमशः 3 : 7 और 7 : 5 है। दोनों मिश्रणों को इकट्ठा मिला दिया गया। नए मिश्रण में स्पिरिट और जल का अनुपात है

(a) 25 : 29 (b) 9 : 10
(c) 27 : 29 (d) 27 : 31

(SSC 10+2 Data entry Operator 11-12-2011)

73. दो बरतनों में दूध तथा पानी का अनुपात 3 : 2 तथा 7 : 3 है। तदनुसार, उस अनुपात को ज्ञात कीजिए, जिसके अनुसार दोनों बरतनों के मिश्रणों को मिलाकर दूध और पानी का अनुपात 2 : 1 का नया मिश्रण तैयार किया जा सके।

(a) 2 : 1 (b) 1 : 2
(c) 4 : 1 (d) 1 : 4

(SSC Graduate Level Tier II Exame 16-9-2012)

74. A और B पात्रों में दूध और पानी क्रमशः 4 : 3 और 2 : 3 के अनुपात में है। पात्र C में आधा दूध और आधा पानी वाला नया मिश्रण प्राप्त करने के लिए दोनों पात्रों Aऔर B में से द्रव किस अनुपात में मिलाया जाएगा?

(a) 7 : 5 (b) 5 : 2
(c) 3 : 11 (d) 1 : 2

(SSC CGL Tier-I Exame 19-10-2014)

75. दो प्रकार की मिश्र धातुओं में सोना तथा चांदी 7 : 22 तथा 21 : 37 के अनुपात में है। इन मिश्र धातुओं को किस अनुपात में मिलाया जाए, ताकि नयी मिश्र– धातु में सोना तथा चांदी 25 : 62 के अनुपात में विद्यमान हों?

(a) 13 : 8 (b) 8 : 13
(c) 13 : 12 (d) 6 : 9

(SSC Data Entry Operator Exame 31-8-2008)

TYPE - 11

76. तीन कार की गति का अनुपात 2 : 3 : 4 है। तदनुसार उन तीनों कारों द्वारा समान दूरी तय करने में समय का अनुपात कितना होगा

(a) 2 : 3 : 4 (b) 4 : 3 : 2
(c) 4 : 3 : 6 (d) 6 : 4 : 3

(Bihar SSC द्वितीय स्नातक प्रारंभिक परीक्षा 16.2.2015)

77. तीन कक्षाओं के विद्यार्थियों की संख्याओं का अनुपात 2 : 3 : 5 है। प्रत्येक कक्षा में 40 विद्यार्थी बढ़ा दिए जाने पर यह अनुपात 4 : 5 : 7 हो जाता है प्रारम्भ में कुल विद्यार्थियों की संख्या थी–

(a) 100 (b) 180
(c) 200 (d) 400

(SSC CGL Pre Exame 24-2-2002)

78. तीन कक्षाओं के विद्यार्थियों का अनुपात 4 : 6 : 9 है। उन कक्षाओं में प्रत्येक में 12 विद्यार्थियों की वृद्धि से अनुपात 7 : 9 : 12 हो जाता है। तदनुसार, उन तीनों कक्षाओं में वृद्धि से पहले विद्यार्थियों की कुल संख्या कितनी है?

(a) 95 (b) 76
(c) 100 (d) 114

(SSC Graduate Level Tier exame 16-9-2012)

79. एक सिपाही चोर का पीछा करना शुरू करता है। जब चोर 10 कदम चलता है तो सिपाही 8 कदम चलता है। सिपाही के 5 कदम चोर के 7 कदमों के बराबर है। सिपाही और चोर की गति का अनुपात क्या है?

(a) 25 : 28 (b) 25 : 56
(c) 28 : 25 (d) 56 : 25
(SSC CGL Tier-I Exame 19-10-2014)

Revision Series

80. यदि $A : B = 2 : 3$, $B : C = 4 : 5$ हो, तो $A : C$ का मान बताइए?
(a) 8: 5 (b) 15: 8
(c) 8: 15 (d) 8: 7

81. यदि $A:B = 3:4$, $B:C = 5:7$ और $C:D = 8:9$ हो, तो $A:D$ का अनुपात है–
(a) 3:7 (b) 7:3
(c) 21:10 (d) 10:21

82. यदि $A:B = \frac{1}{2}:\frac{3}{8}$, $B:C = \frac{1}{3}:\frac{5}{9}$, $C:D = \frac{5}{6}:\frac{3}{4}$ है, तो $A:B:C:D$ होगा–
(a) 6: 4: 8: 10 (b) 6: 8: 9: 10
(c) 8: 6: 10: 9 (d) 4: 6: 8: 10

83. यदि $2A = 3B = 4C$ हो तो $A:B:C$ होगा–
(a) 2: 3: 4 (b) 4: 3: 2
(c) 6: 4: 3 (d) 3: 4: 6

84. यदि $A = B$ का $\frac{4}{5}$ तथा $B = C$ का $\frac{5}{2}$ हो तो $A:C$ का अनुपात होगा?
(a) 1: 2 (b) 2: 1
(c) 2: 3 (d) 1: 3

85. यदि $a:b = c:d = e:f = 1:2$ हो तो $(3a + 5c + 7e):(3b + 5d + 7f)$ बराबर होगा–
(a) 8: 7 (b) 2: 1
(c) 1: 4 (d) 1: 2

86. यदि $a:b:c = 7:3:5$ तो $(a + b + c):(2a + b - c)$ बराबर होगा–
(a) 1: 2 (b) 2: 3
(c) 3: 4 (d) 5: 4

87. यदि $\frac{a}{2}:\frac{b}{3} = \frac{c}{5}$ हो, तो $\frac{a+b+c}{c}$ बराबर होगा–
(a) 2 (b) 4
(c) 5 (d) 6

88. यदि $\frac{a}{b}:\frac{2}{3}$ तथा $\frac{b}{c} = \frac{4}{5}$ तो $(a + b):(b + c) =$?
(a) 3: 4 (b) 4: 5
(c) 5: 9 (d) 20: 27

89. यदि $x:y = 3:4$ तथा $y:z = 3:4$ हो तो $\frac{x+y+z}{3z}$ किसके बराबर होगा?
(a) $\frac{13}{27}$ (b) $\frac{1}{2}$
(c) $\frac{73}{84}$ (d) $\frac{37}{48}$

90. यदि $x:y = 3:4$ हो तो $\frac{5x-2y}{7x+2y}$ का मान कितना होगा?
(a) $\frac{7}{25}$ (b) $\frac{7}{23}$
(c) $\frac{7}{29}$ (d) $\frac{7}{17}$

91. यदि $\frac{2a-5b}{3a+6b} = \frac{4}{7}$ हो तो $a:b$ का मान बराबर होगा?
(a) 21: 36 (b) 2: 59
(c) 59: 2 (d) 36: 21

92. संख्याओं 6, 7, 15, 17 में से प्रत्येक में कौन सी संख्या जोड़ने पर परिणामी संख्यायें समानुपाती हो जायेगी?
(a) 6 (b) 5
(c) 4 (d) 3

93. 21, 38, 55, 106 प्रत्येक में से क्या घटाया जाये कि नई संख्याये समानुपाती हो जाये?
(a) 2 (b) 4
(c) 6 (d) 8

94. 0·02 तथा 0·32 के बीच मध्यमानुपाती क्या है?
(a) 0·34 (b) 0·3
(c) 0·16 (d) 0·08

95. 12, 14, 24 का चतुर्थ अनुपात क्या है?
(a) 30 (b) 28
(c) 32 (d) 36

96. यदि $(4x^2 - 3y^2):(2x^2 + 5y^2) = 12:19$ हो तो $x:y =$?
(a) 3: 2 (b) 1: 2
(c) 2: 3 (d) 2: 1

97. यदि $a:b = b:c$ हो तो $a^4:b^4$ बराबर होगा?
(a) $ac:b^2$ (b) $a^2:c^2$
(c) $c^2:a^2$ (d) $b^2:ac$

98. दो संख्याओं का अनुपात 2: 3 है और दोनों संख्याओं में 8 जोड़ने पर अनुपात 3 : 4 हो जाता है तो उन दोनों संख्याओं का योग है?
(a) 10 (b) 80
(c) 40 (d) 100

99. दो संख्यायें 3 : 5 के अनुपात में है यदि दोनों में से 9 घटा दिया जाये तो उनका अनुपात 12 : 23 हो जाता है तदनुसार वे संख्यायें है?
(a) 15 व 28 (b) 36 व 115
(c) 33 व 55 (d) 60 व 69

100. तीन कक्षाओं के विद्यार्थियों की संख्या का अनुपात 2 : 3 : 5 है यदि प्रत्येक कक्षा में 20 विद्यार्थी बढ़ा दिये जाते तो यह अनुपात 4 : 5 : 7 हो जाता है। बढ़ोत्तरी से पहले विद्यार्थियों की कुल संख्या थी–

(a) 100 (b) 90
(c) 10 (d) 110

101. अनुपात 2 : 5 के प्रत्येक पद में क्या जोड़ा जाना चाहिए जिससे वह 5 : 6 के बराबर हो जाये?
(a) 65 (b) 78
(c) 12 (d) 13

102. यदि A व B का अनुपात 4 : 5 है और उनके वर्गो का अन्तर 81 हो तो A का मान कितना है?
(a) 45 (b) 12
(c) 36 (d) 15

103. दो संख्यायें 2 : 3 के अनुपात में है यदि पहली संख्या में 2 घटाया जाये तथा दूसरी संख्या में 2 जोड़ दिया जाये तो उनमें 1 : 2 का अनुपात हो जाता है। संख्याओं का योग होगा–
(a) 30 (b) 28
(c) 24 (d) 10

104. दो संख्याओं का अनुपात 10 : 7 है और उनका अन्तर 105 है। उन संख्याओं का योग है–
(a) 595 (b) 805
(c) 1190 (d) 1610

105. दो धनात्मक पूर्णांकों का गुणनफल 1575 है तथा उनका अनुपात 9:7 है इनमें छोटी पूर्णांक है–
(a) 25 (b) 35
(c) 45 (d) 70

106. ₹ 1240 की एक धनराशि A, B व C में इस प्रकार बाँटी जाती है कि A : B = 6 : 5 तथा B : C = 10 : 9 है। C का भाग ज्ञात कीजिए?
(a) ₹ 480 (b) ₹ 360
(c) ₹ 400 (d) ₹ 360

107. ₹ 68000 को A, B व C में $\frac{1}{2}:\frac{1}{4}:\frac{5}{16}$ के अनुपात में बाँटा जाता है। सबसे बड़े व सबसे छोटे भागों में अन्तर होगा–
(a) ₹ 6000 (b) ₹ 14440
(c) ₹ 9200 (d) ₹ 16000

108. ₹ 117 को A, B व C में $\frac{1}{2}:\frac{1}{4}:\frac{1}{4}$ के अनुपात में बाँटा जाना था पर गलती से इसको 2 : 3 : 4 के अनुपात में बाँटा गया। इस प्रकार उनमें से किसको सबसे अधिक लाभ हुआ और कितना?
(a) A, ₹ 28 (b) B, ₹ 3
(c) C, ₹ 20 (d) C, ₹ 25

109. A का B से अनुपात 4 : 5 है तथा B का C से अनुपात 2 : 3 है। यदि A, 800 के बराबर है तो C कितने के बराबर होगा?
(a) 1000 (b) 1200
(c) 1500 (d) 2000

110. ₹ 1470 को A, B तथा C में इस प्रकार वितरित किया गया है कि प्रत्येक के भाग में से ₹ 50 कम करने पर इनके भागों का अनुपात 1 : 3 : 2 है। C द्वारा प्राप्त धन कितना है?
(a) ₹ 560 (b) ₹ 520
(c) ₹ 490 (d) ₹ 440

111. ₹ 8000 को P, Q व R में इस प्रकार बाँटा गया कि P को Q का दो गुना तथा Q को R का आधा मिला तो Q को कितने ₹ मिले?
(a) ₹ 3200 (b) ₹ 1600
(c) ₹ 4800 (d) इनमें से कोई नहीं

112. ₹ 180 के एक बक्से में ₹ 1, 50 पैसे व 25 पैसे के सिक्के 2 : 3 : 4 के अनुपात में है। 50 पैसे वाले सिक्कों की संख्या क्या है?
(a) 60 (b) 120
(c) 150 (d) 180

113. एक बक्से में ₹ 1, 50 पैसे व 25 पैसे के 280 सिक्के हैं। प्रत्येक प्रकार के सिक्के के मूल्य 8 : 4 : 3 के अनुपात में है, तो 50 पैसे के सिक्कों की संख्या बताइये?
(a) 70 (b) 60
(c) 80 (d) 90

114. किस थैली में ₹ 90 की राशि 50 पैसे, 25 पैसे व 10 पैसे के सिक्कों के रूप में है जिनका अनुपात 2 : 3 : 5 है तो थैली में 25 पैसे के कितने सिक्के है?
(a) 80 (b) 135
(c) 100 (d) 120

115. यदि 378 सिक्के ₹ 1, 50 पैसे तथा 25 पैसे के सिक्कों के रूप में है तथा इनके मान 13 : 11 : 7 के अनुपात में है तो 50 पैसे के सिक्कों की संख्या क्या होगी?
(a) 132 (b) 128
(c) 136 (d) 133

116. A व B के आय का अनुपात 5:3 है। तथा उनके व्यय का अनुपात 9 : 5 है। यदि वे क्रमशः ₹ 1300 व ₹ 900 की बचत करते हैं तो प्रत्येक की आय ज्ञात कीजिए?
(a) ₹4000, ₹ 2400 (b) ₹3000, ₹ 1800
(c) ₹ 5000, ₹ 3000 (d) ₹4500, ₹2700

117. P व Q की आय का अनुपात 3 : 4 है तथा उनके व्यय का अनुपात 2:3 है। यदि इनमें से प्रत्येक को ₹ 6000 की बचत करता हैं तो P की आय है?
(a) ₹20,000 (b) ₹12000
(c) ₹18000 (d) ₹ 24000

118. एक व्यक्ति के व्यय व बचत का अनुपात 26 : 3 है। यदि उसकी मासिक आय ₹ 7250 है तो उसकी मासिक बचत क्या है?

(a) ₹ 350 (b) ₹ 290
(c) ₹ 750 (d) ₹ 780

119. A और B के वेतन का योग ₹ 2100 है। A व B अपने वेतन का क्रमशः 80% व 70% खर्च करते है। यदि इनकी बचत का अनुपात क्रमशः 4 : 3 है तो A का वेतन क्या है?

(a) ₹ 700 (b) ₹ 1400
(c) ₹ 900 (d) ₹ 1200

120. एक विद्यालय में लड़के तथा लड़कियों का अनुपात 5 : 3 है। उसमें से यदि 50 लड़के विद्यालय छोड़ दे और 50 लड़कियाँ विद्यालय में आ जाये तो उनका अनुपात 9 : 7 हो जाता है। तद्नुसार विद्यालय में लड़कों की संख्या कितनी है?

(a) 300 (b) 400
(c) 500 (d) 600

121. 36 विद्यार्थियों की कक्षा में लड़के तथा लड़कियों का अनुपात 3:1 है। कक्षा में कितनी लड़कियाँ और शामिल हो जाये कि इनका अनुपात 9:5 हो जाये?

(a) 6 (b) 9
(c) 12 (d) इनमें से कोई नहीं

122. किसी कक्षा में लड़कियों की संख्या, लड़कों की संख्या से 20% अधिक है। इस कक्षा में 66 विद्यार्थी है। यदि कक्षा में 4 और लड़कियाँ भर्ती क रली जाये तो लड़कों और लड़कियों की संख्या का अनुपात होगा?

(a) 1 : 2 (b) 3 : 4
(c) 1 : 4 (d) 3 : 5

123. एक सिपाही चोर का पीछा करता है जब चोर 10 कदम चलता है तो सिपाही 8 कदम चलता है। सिपाही के 5 कदम चोर के 7 कदमों के बराबर है। सिपाही और चोर की गति का अनुपात क्या है?

(a) 25 : 28 (b) 25 : 56
(c) 28 : 25 (d) 56 : 25

124. 286 विद्यार्थियों वाले एक विद्यालय में लड़कों तथा लड़कियों की संख्यायें 8 : 5 के अनुपात में है। यदि 22 अन्य लड़कियाँ विद्यालय में दाखिला ले लें तो लड़के व लड़कियों की संख्या का अनुपात क्या होगा?

(a) 12 : 7 (b) 10 : 7
(c) 8 : 7 (d) 4 : 3

ANSWER

1.	c	2.	d	3.	c	4.	b	5.	b
6.	c	7.	c	8.	b	9.	b	10.	d
11.	a	12.	a	13.	d	14.	c	15.	b
16.	c	17.	d	18.	c	19.	d	20.	d
21.	a	22.	c	23.	b	24.	c	25.	b
26.	b	27.	a	28.	c	29.	b	30.	d
31.	b	32.	b	33.	a	34.	b	35.	c
36.	b	37.	a	38.	d	39.	a	40.	c
41.	c	42.	c	43.	b	44.	b	45.	a
46.	a	47.	d	48.	d	49.	c	50.	d
51.	c	52.	b	53.	c	54.	d	55.	c
56.	c	57.	c	58.	c	59.	b	60.	a
61.	d	62.	c	63.	b	64.	a	65.	c
66.	b	67.	a	68.	c	69.	a	70.	a
71.	b	72.	c	73.	b	74.	a	75.	a
76.	d	77.	c	78.	b	79.	c	80.	c
81.	d	82.	c	83.	c	84.	b	85.	d
86.	d	87.	a	88.	d	89.	d	90.	c
91.	c	92.	d	93.	b	94.	d	95.	b
96.	a	97.	b	98.	c	99.	c	100.	a
101.	d	102.	b	103.	a	104.	a	105.	b
106.	b	107.	d	108.	d	109.	c	110.	c
111.	b	112.	b	113.	c	114.	d	115.	a
116.	a	117.	c	118.	c	119.	b	120.	c
121.	a	122.	b	123.	c	124.	d		

EXPLANATORY NOTES

1. (c)

A	B	C	
2	3	$\boxed{3}$	सीधा गुणा ↓
$\boxed{4}$	4	5	
8:	12:	15	

$\therefore$ A : C = 8 : 15

2. (d)

A	B	C	D	
3	4	$\boxed{4}$	$\boxed{4}$	सीधा गुणा ↓
$\boxed{5}$	5	7	$\boxed{7}$	
$\boxed{8}$	$\boxed{8}$	8	9	
120:	160:	224:	252	

अत: A : D = 120 : 252
= 10 : 21

3. (c)

A	B	C	D	E	
1	2	$\boxed{2}$	$\boxed{2}$	$\boxed{2}$	सीधा गुणा ↓
$\boxed{3}$	3	4	$\boxed{4}$	$\boxed{4}$	
$\boxed{6}$	$\boxed{6}$	6	9	$\boxed{9}$	
$\boxed{12}$	$\boxed{12}$	$\boxed{12}$	12	16	
~~216~~	~~432~~	~~576~~	~~864~~	~~1152~~	
या, 3	4	8	12	16	

4. (b)

a : b = $\frac{2}{9}\times 9 : \frac{1}{3}\times 9 = 2 : 3$

b : c = $\frac{2}{7}\times 14 : \frac{5}{14}\times 14 = 4 : 5$

d : c = $\frac{7}{10}\times 10 : \frac{3}{5}\times 10 = 7 : 6$

a	b	c	d
2	3	$\boxed{3}$	$\boxed{3}$
$\boxed{4}$	4	5	$\boxed{5}$
$\boxed{6}$	$\boxed{6}$	6	7
48	72	90	105
16	24	30	35

5. (b)

$\frac{A}{B} = \frac{4}{5}$ तथा $\frac{B}{C} = \frac{5}{2}$

A:	B:	C
4	5	$\boxed{5}$
$\boxed{5}$	5	2
20:	25:	10

$\therefore$ A : C = 20 : 10
= 2 : 1

6. (c)

$\frac{A}{B} = \frac{1}{4}$ तथा $\frac{B}{C} = \frac{1}{2}$

A:	B:	C
1	4	$\boxed{4}$
$\boxed{1}$	1	2
1:	4:	8

7. (c) प्रथम विधि

2A = 3B = 4C = K (माना)

A = $\frac{K}{2}$, B = $\frac{K}{3}$, C = $\frac{K}{4}$

A : B : C = $\frac{K}{2} : \frac{K}{3} : \frac{K}{4}$

हर का ल०स० = 12

= $\frac{1}{2}\times 12 : \frac{1}{3}\times 12 : \frac{1}{4}\times 12$

= 6 : 4 : 3

द्वितीय विधि, 2A = 3B = 4C

$\therefore$ A : B : C = 3×4: 2×4: 2×3
= 12 : 8 : 6
= 6 : 4 : 3

8. (b) a : b : c = $\frac{1}{4}\times 12 : \frac{1}{3}\times 12 : \frac{1}{2}\times 12$
= 3 : 4 : 6

$\therefore \frac{a}{b} : \frac{b}{c} : \frac{c}{a} = \frac{3}{4} : \frac{4}{6} : \frac{6}{3}$

= $\frac{3}{4}\times 12 : \frac{4}{6}\times 12 : 2\times 12$

= 9 : 8 : 24

9. (b)

a:	b:	c
2	3	$\boxed{3}$
$\boxed{4}$	4	5
8:	12:	15

$\therefore a^2 : b^2 : bc = 8^2 : 12^2 : 12\times 15$
= 64 : 144 : 180
= 16 : 36 : 45

10. (d) $\frac{2}{3}A = B\times\frac{75}{100} = \frac{6}{10}C$

या, $\frac{2}{3}A = \frac{3}{4}B = \frac{3}{5}C = K$ (माना)

A = $\frac{3}{2}$K, B = $\frac{4}{3}$K, C = $\frac{5}{3}$K

A : B : C = $\frac{3}{2}K\times 6 : \frac{4}{3}K\times 6 : \frac{5}{3}K\times 6$

= 9 : 8 : 10

11. (a) a : b = 3 : 4

$\therefore$ (7a – 4b) : (8a + 4b)
= (7×3 – 4×4) : (8×3 + 4×4)
= 5 : 40
= 1 : 8

12. (a) $\frac{(a+3b)}{2a+4b} = \frac{3}{5}$

5a+15b = 6a+12b

3b = a

$\therefore \frac{a}{b} = \frac{3}{1}$

$\therefore$(a–b) : (a+b) = (3–1) : (3+1)
= 2 : 4 = 1 : 2

13. (d) a : b : c = 7 : 3 : 5

$\therefore \frac{(a+b+c)}{(2a+b-c)} = \frac{7+3+5}{(2\times 7+3-5)}$

$= \frac{15}{12} = \frac{5}{4}$

14. (c) $\frac{2a-5b}{3a+6b} = \frac{4}{7}$

14a – 35b = 12a +24b

2a = 59b

$\frac{a}{b} = \frac{59}{2}$

15. (b) a : b = c : d

अतः a = c तथा b = d मान व्यंजक में रखने पर

$\frac{ma+nc}{mb+nd} = \frac{mc+nc}{md+nd}$

$= \frac{C(m+n)}{d(m+n)}$

$= \frac{c}{b}$

16. (c) A : B : C = 2 : 3 : 4

$\therefore \frac{A}{B} : \frac{B}{C} : \frac{C}{A} = \frac{2}{3} : \frac{3}{4} : \frac{4}{2}$

$= \frac{2}{3} \times 12 : \frac{3}{4} \times 12 : 2\times12$

= 8 : 9 : 24

17. (d) a : b = c : d = e : f = 1 : 2

$\left.\begin{matrix} a = c = e = 1 \\ b = d = f = 2 \end{matrix}\right\}$ यह मान व्यंजक में रखने पर–

(3×1+5×1+7×1) : (3×2+5×2+7×2)

= 15 : 30

= 1 : 2

18. (c) a : b : c = 2 : 3 : 4

माना, a = 2K, b = 3K तथा c = 4K

2a –3b+4c = 33

2×2K–3×3K+4×4K = 33

11K = 33

K= 3

∴ c = 4K = 4×3 = 12

19. (d) a : b = c : d

$\frac{a}{b} = \frac{c}{d} = \frac{a+c}{b+d}$ (अनुपात नियम से)

या, $\frac{ma}{mb} = \frac{nc}{nd} = \frac{ma+nc}{mb+nd}$

20. (d) $\frac{a}{b} = \frac{2}{3}$ तथा $\frac{b}{c} = \frac{4}{5}$

a:	b:	c
2	3	[3]
[4]	4	5
8:	12:	15

∴ (a+b) : (b+c) = (8+12) : (12+15)

= 20 : 27

21. (a) माना 0·8 तथा 0·2 का तृतीयानुपाती x है

0·8, 0·2, x

0·8: 0·2 = 0·2 : x

0·8x = 0·2 × 0·2

$x = \frac{0{\cdot}04}{0{\cdot}8} = 0{\cdot}05$

22. (c) माना, 10,12,15 का चतुर्थानुपात x है

10,12,15, x

10 : 12 = 15 : x

10x = 12×15

$x = \frac{180}{10} = 18$

23. (b) माना, 12,16,18 का चतुर्थानुपात x है

12,16,18, x

12 : 16 = 18 : x

12x = 16×18

$x = \frac{288}{12} = 24$

24. (c) $(x-2), x, (x-3)$

$(x-2) : x = x : (x-3)$

$(x-2)(x-3) = x \times x$

$x^2 - 3x - 2x + 6 = x^2$

$-5x + 6 = 0$

$5x = 6$

$x = \frac{6}{5}$

25. (b) माना, दोनों संख्यायें x और y है।

$\sqrt{xy} = 12$

या, $xy = 144$ .....(i)

तथा, $\frac{y^2}{x} = 768$ .....(i)

दोनों समीकरण का गुणा करने पर

$xy \times \frac{y^2}{x} = 144\times768$

$y^3 = 144\times768$

$y = 48$ वह मान समी० (i) में रखने पर

$x \times 48 = 144$

$x = 3$

26. (b) माना, दोनों संख्यायें x और y है

$\sqrt{xy} = 9$

या, $xy = 81$ .....(i)

तथा $\frac{y^2}{x} = 243$ ......(ii)

दोनों समीकरण का गुणा करने पर

$xy \times \frac{y^2}{x} = 81\times243$

$y^3 = 81\times243$

$y = 27$ यह मान समी० (i) में रखने पर

$x = 3$

27. (a) (a+b) : (b+c) : (c+a) = 6 : 7 : 8

माना,

a + b = 6K

जोड़ने पर b + c =7K

c + a= 8K

2(a+b+c) = 21K

2×14 = 21K

$K = \frac{28}{21} = \frac{4}{3}$

तब, a+b = 6K = $6\times\frac{4}{3}$ = 8

∴ c = (a+b+c)– (a+b)

c = 14 – 8 = 6

28. (c) (a+b) : (b+c) : (c+a) = 7 : 6 : 5

माना,

a + b = 7K

जोड़ने पर b + c = 6K

c + a = 5K

2(a+b+c) = 18K

2×27 = 18K

$K = \frac{54}{18} = 3$

तब, a+b+c = 7K = 21

b+c = 6K = 18

c+a = 5K = 15

∴ a = 27–18 = 9

b = 27–15 = 12

c = 27–21 = 6

$\therefore \frac{1}{a} : \frac{1}{b} : \frac{1}{c} = \frac{1}{9} : \frac{1}{12} : \frac{1}{6}$

= 4 : 3 : 6

29. (b) माना, प्रत्येक में x जोड़ा जाये

∴ $(6+x) : (14+x) = (18+x) : (38+x)$

$(6+x)\ (38+x) = (14+x)\ (18+x)$

$228+6x+38x+x^2$

$= 252+14x+18x+x^2$

$44x–32x = 252 – 228$

$12x = 24$

$x = 2$

30. (d) माना, प्रत्येक में x जोड़ा जाये

$(6+x) : (7+x) = (15+x) : (17+x)$

$(6+x) . (17+x) = (7+x) . (15+x)$

$102+6x+17x+x^2 = 105+7x+15x+x^2$

$23x – 22x = 105 – 102$

$x = 3$

31. (b) माना, प्रत्येक में से x हटा दिया जाये

$(26 – x) : (24– x) = (56 – x) : (49–x)$

$(26 – x)\ (49 – x) = (24 – x)\ (56–x)$

$1274–26x – 49x+ x^2 =$

$1344–24x – 56x+ x^2$

$–75x+ 80x = 1344 –1274$

$5x = 70$

$x = 14$

$\therefore \frac{2x-6}{2} = \frac{2\times14-6}{2} = \frac{22}{2} = 11$

32. (b) माना, प्रत्येक में x जोड़ा जाये

$(5+x) : (11+x) = (3+x) : (8+x)$

$(5+x)\ (8+x) = (11+x)\ (3+x)$

$40+5x+8x+x^2= 33+11x+3x+x^2$

$13x – 14x = 33 – 40$

$x = 7$

अतः $\sqrt{(x+2)(4x-3)}$

$= \sqrt{(7+2),(4\times7-3)}$

$= \sqrt{9\times25} = 3\times5 = 15$

33. (a) माना, प्रत्येक पद में से x हटाया जाये

$\frac{16-x}{19-x} = \frac{7}{6}$

$96 – 6x = 133 – 7x$

$7x – 6x = 133 – 96$

$x = 37$

34. (b) माना, दोनों संख्यायें क्रमशः $3x$ व $5x$ है

$\frac{3x-9}{5x-9} = \frac{12}{23}$

$69x – 207 = 60x – 108$

$9x = 99$

$x = 11$

∴ छोटी संख्या = $3x$= 3×11 = 33

35. (c) माना, महिला = $3x$

पुरूष = $2x$

प्रश्नानुसार,

$3x : (2x+20) = 2 : 3$

$9x = 4x + 40$

$5x = 40$

$x = 8$

∴महिला = $3x$ = 24

36. (b) माना, दूध = $7x$ ली०

पानी = $5x$ ली०

प्रश्नानुसार,

$7x : (5x+15) = 7 : 8$

$56x = 35x + 105$

$21x = 105$

$x = 5$

∴ नये मिश्रण में पानी

= $5x$ + 15

= 5×5+15

= 40 ली०

37. (a)

I	: II	: III
8	9	[9]
[3]	3	4
24	: 27	: 36

या, 8 : 9 : 12

∴ माना, तीनों संख्यायें क्रमशः

$8x$, $9x$ व $12x$ है

∴ $8x \times 12x = 2400$

या, $x^2 = \frac{2400}{8\times12} = 25$

∴ $x = 5$

अतः तीनों संख्याओं का योग =

$8x+9x+12x = 29x = 29\times5 = 145$

38. माना, x व y थैले में गोलियों की संख्या क्रमशः $2x$ व $3x$ है।
$(2x+5) = (3x-5)$
$5+5 = 3x-2x$
$\therefore x = 10$
$\therefore$ अब, प्रत्येक थैले में गोलिया की संख्या = $2x + 5 = 25$

39. (a) माना, दोनों संख्यायें क्रमशः $2x$ व $3x$ है
$(2x-2) : (3x+2) = 1 : 2$
$4x-4 = 3x+2$
$x = 6$
$\therefore$ संख्याओं का योग = $2x+3x = 5x$
$= 5\times6 = 30$

40. (c) माना, लड़के तथा लड़कियाँ क्रमशः $5x$ व $3x$ है
$(5x-50) : (3x+50) = 9 : 7$
$35x - 350 = 27x + 450$
$8x = 800$
$x = 100$
$\therefore$ लड़कों की संख्या = $5x$
$= 5\times100 = 500$

41. (c)

I	: II	: III
2	3	[3]
[5]	5	3
10	: 15	: 9

अनुपाती योग = 34
$\therefore$ पहली संख्या = $\frac{10}{34} \times 68 = 20$

42. (c) माना, बड़ी संख्या = x तथा छोटी संख्या = 6 (दिया है)
दोनों संख्याओं के,
अन्तर : योग : गुणनफल = 1 : 7 : 24
प्रथम दो अनुपात से,
$(x-6) : (x+6) = 1 : 7$
$7x - 42 = x+6$
$6x = 48$
$x = 8$
$\therefore$ संख्याओं का गुणनफल = $8\times6 = 48$

43. (b) माना, बड़ी और छोटी संख्याये क्रमशः x और y है
$\frac{x+y}{x-y} = \frac{5}{1}$
या, $x + y = 5x - 5y$
या, $-4x = -6y$
या, $\frac{x}{y} = \frac{6}{4} = \frac{3}{2}$

44. (b)

A	: B	: C
6	5	[5]
[10]	10	9
60 :	50 :	45

या, 12 : 10 : 9
अनुपातीयोग = 31
$\therefore$ c का भाग $\frac{9}{31} \times 1240 = ₹360$

45. (a)

A	: B	: C	: D
2	3	[3]	[3]
[4]	4	3	[3]
[2]	[2]	2	3
16	: 24	: 18	: 27

अनुपाती योग = 31
$\therefore$ (B+D) का भाग = $\frac{(24+47)}{85} \times 3400$
$= 51 \times 40$
$= ₹2040$

46. (a) माना, A, B और C के वेतन क्रमशः $3x$, $2x$ और $9x$ है।
C = B + 2100
या, C – B = 2100
या, $9x - 2x = 2100$
या, $7x = 2100$
$\therefore x = 300$
$\therefore$ A का वेतन = $3x$ = ₹900

47. (d) I : II : III = $\frac{3}{5} : 2 : \frac{5}{3}$
$= \frac{3}{5} \times 15 : 2 \times 15 : \frac{5}{3} \times 15$
= 9 : 30 : 25
अनुपाती योग = 64
$\therefore$ II का भाग = $\frac{30}{64} \times 6400 = ₹3000$

48. (d)

सही वितरण	गलत वितरण
P : Q: R = $\frac{1}{2} : \frac{1}{3} : \frac{1}{4}$ = 6 : 4 : 3 अनुपाती योग = 13 P = $\frac{6}{13} \times 117$ = ₹54 Q = $\frac{4}{13} \times 117$ = ₹36 R = $\frac{3}{13} \times 117$ = ₹27	P : Q: R = 2 : 3 : 4 अनुपाती योग = 9 P = $\frac{2}{9} \times 117$ = ₹26 Q = $\frac{3}{9} \times 117$ = ₹39 R = $\frac{4}{9} \times 117$ = ₹52

अतः Q और R दोनों को लाभ हुआ

49. (c)

A	: B	: C
4	5	[5]
[2]	2	3
8	: 10	: 15

A = 800
8 Unit = 800
$\therefore$ 1 Unit = 100

∴ c = 15 Unit = 15 ×100 = 1500

50. (d) $A : B : C = \frac{1}{2} : \frac{1}{4} : \frac{5}{16}$

$= \frac{1}{2} \times 16 : \frac{1}{4} \times 16 : \frac{5}{16} \times 16$

= 8 : 4 : 5

अनुपाती योग = 17

∴ बड़ा भाग – छोटा भाग $= \frac{(8-4)}{17} \times 68000$

= 4×4000 = ₹16000

51. (c) A : B : C = 2 : 5 : 4

अनुपाती योग = 11

$B - A = \frac{(5-2)}{11} \times 126{\cdot}5$

= 3×11·5

= ₹34·5

52. (b) $A : B : C = \frac{1}{2} : \frac{1}{3} : \frac{1}{4}$

$= \frac{1}{2} \times 12 : \frac{1}{3} \times 12 : \frac{1}{4} \times 12$

= 6 : 4 : 3

अनुपाती योग = 13

$A = \frac{6}{13} \times 2600$ = ₹1200

$B = \frac{4}{13} \times 2600$ = ₹800

$C = \frac{3}{13} \times 2600$ = ₹600

53. (c) $A \times \frac{1}{2} = B \times \frac{1}{3} = C \times \frac{1}{4} = K$ (माना)

A= 2K, B = 3K, C= 4K

A : B: C = 2K : 3K: 4K

= 2 : 3 : 4

अनुपाती योग = 9

$A = \frac{2}{9} \times 900$ = ₹200

$A = \frac{2}{9} \times 900$ = ₹200

$B = \frac{3}{9} \times 900$ = ₹300

$C = \frac{4}{9} \times 900$ = ₹400

54. (d) A × 0·5 = B × 0·6 = C × 0·75

या, $A \times \frac{5}{10} = B \times \frac{6}{10} = C \times \frac{75}{100}$

या, $A \times \frac{1}{2} = B \times \frac{3}{5} = C \times \frac{3}{4} = K$ (माना)

$A = 2K, B = \frac{5}{3}K, C = \frac{4}{3}K$

$A : B : C = 2K : \frac{5}{3}K : \frac{4}{3}K$

= 6 : 5 : 4

अनुपाती योग = 15

$\therefore C = \frac{4}{15} \times 1740$

= 4×116 = ₹464

55. (c)

	₹1	₹2	₹5
सिक्के→	4 :	3 :	2
कीमत→	4 :	6 :	10

कुल धनराशि = ₹500

20 unit = 500

1 unit = 25

₹2 के सिक्के की कुल कीमत = 6 Unit

= 6 × 25 = ₹150

56. (c)

	₹1	50P.	25P.
कीमत→	8 :	4 :	3
	×1↓	× 2↓	↓× 4
सिक्के→	8 :	8 :	12
या,	2 :	2 :	3

कुल सिक्के = 280

7 unit = 280

1 unit = 40

∴ 50 P के सिक्के = 2 unti = 2×40

= 80

57. (c)

	50P.	25P.	10P.
सिक्के	1	2	3
कीमत	50	50	30

कुल कीमत = 6·50 × 100 पैसे

130 unit = 650

∴1 unit = 5

∴ 10 पैसे के सिक्के = 3unit

= 3 × 5 = 15

58. (c)

	50P	25P.	10P.
कीमत→	5 :	3 :	1
	×2↓	× 4↓	↓× 10
सिक्के→	10 :	12 :	10

कुल सिक्के = 480

32 Unit = 480

1 Unit = 15

∴ 50 पैसे के सिक्के = 10 Unit = 150

25 पैसे के सिक्के = 12 Unit = 180

10 पैसे के सिक्के = 10 Unit = 150

59. (b)

	₹1.	50P.	25P.
सिकके →	8	5	3
कीमत →	8	2·50	0·75

कुल कीमत = 112·50

11·25 Unit = 112·50

$1 \text{ Unit} = \frac{112{\cdot}50}{11{\cdot}25} = 10$

∴ 50 पैसे के सिक्के = 5 Unit = 50

60. (a)

	₹1	50P.	25P.
कीमत→	13	11	7
	×1↓	× 2↓	↓×4
सिक्के→	13	22	28

कुल सिक्के = 378

63 unit = 378

∴ 1 Unit = 6

अतः 50 पैसे के सिक्के = 22 unit = 132

61. (d)

	₹1	50P.	25P.
कीमत→	13	11	7
	×1↓	× 2↓	↓×5
सिक्के→	13	22	35

कुल सिक्के = 420

70 Unit = 420

∴1 Unit = 6

50 पैसे के सिक्के = 22 unit = 132

62. (c) **प्रथम विधि :**

माना, दोनों की आय क्रमशः $2x$ और $3x$ है।

$\frac{\text{पहले का खर्च}}{\text{दूसरे का खर्च}} = \frac{5}{9}$

$\frac{2x-600}{3x-600} = \frac{5}{9}$

$18x - 5400 = 15x - 3000$

$3x = 2400$

$x = 800$

∴ दोनों की आय,

$2x = 2×800 =$ ₹1600

$3x = 3×800 =$ ₹2400

द्वितीय विधि (Short Method)

3 Unit

	18	15
आय	2	3
खर्च	5	9
बचत	600	600
	₹5400	₹3000

₹2400

∴ 3 unit = 2400

∴ 1 unit = ₹2400

∴ पहले की आय = 2 unit = ₹1600

दूसरे की आय = 3 unit = ₹2400

63. (b)

	₹1	₹5	₹10
नोट	1	1	1
कीमत	1	5	10

कुल कीमत = ₹640

16 Unit = 640

∴1 unit = 40

∴ कुल नोट = (1+1+1) unit

= 3 unit = 120

64. (a)

2 Unit

	25	27
आय	5	3
खर्च	9	5
बचत	₹2600	₹1800
	₹13000	₹16200

₹3200

2 unit = ₹3200

∴1 unit = ₹1600

∴ पहले की आय = 5 unit = 5×1600 = ₹8000

दूसरे की आय = 3 unit = 3×1600 = ₹4800

65. (c)

1 Unit

	8	9
आय	4	3
खर्च	3	2
बचत	60000	60000
	₹120000	₹180000

₹60000

∴1Unit = ₹60000

∴ A की वार्षिक आय = 4 Unit

₹240000

66. (b)

	A	**B**	**C**
वेतन →	$2x$	$3x$	$5x$

C = A + 12000

C – A = 12000

$5x - 2x = 12000$

$3x = 12000$

$x = 4000$

∴ B का मासिक वेतन = $3x$ = ₹12000

अतः B का वार्षिक वेतन = = ₹12000 ×12

= ₹144000

67. (a)

8 Unit

	28	36
आय	4	3
खर्च	12	7
बचत	₹3200	₹3200
	₹22400	₹38400

₹16000

8 unit = ₹16000

1 unit = ₹2000

∴ x की आय = 4 unit

= 4×2000= ₹8000

68. (c)

दूध — 20 लीटर — पानी

$\frac{3}{4}$×20= 15ली० $\frac{1}{4}$×20= 5ली०

माना, मिश्रण में x ली० दूध मिलाया जाये

$(15+ x) : 5 = 4 : 1$

$15+ x= 20$

x= 5ली०

69. माना, मिश्रण मे दूध और पानी क्रमशः $5x$ और x ली० है।

$5x: (x+5) = 5 : 2$

$10x= 5x+ 25$

$5x = 25$

$x = 5$

∴मिश्रण में दधू = $5x$ ली०

= 25 लीटर

70. (a)

दूध — 729 मिली — पानी

$\frac{7}{9}$×729= 567ml $\frac{2}{9}$×729= 162 ml

माना, x मिली पानी और मिलायी जाये

$567 : (162+ x)= 7 : 3$

$567×3 = 162×7+7x$

$1701= 1134+ 7x$

$7x = 1701 – 1134$

$7x = 567$

x = 81 मिली

71. (b)

दूध — 55 किग्रा — जल

$\frac{7}{11}$×55= 35kg $\frac{4}{11}$×55= 20 kg

माना, x kg जल और मिलाया जाये

$35 : (20+x)= 7 : 6$

$35×6= 7(20+x)$

$210 = 140+7x$

$70 = 7x$

x = 10 किग्रा

72. (c) दोनों मिश्रणों को मिलाने पर –

$$\frac{\text{स्पिरिट}}{\text{जल}} = \frac{\frac{3}{10}\times20+\frac{7}{12}\times36}{\frac{7}{10}\times20+\frac{5}{12}\times36}$$

$$= \frac{6+21}{14+15} = \frac{27}{29}$$

73. (b)

दूध (I) — दूध (II)

$\frac{3}{5}$ $\frac{7}{10}$

दूध (मिश्रण में)

$\frac{2}{3}$

$\left(\frac{7}{10}-\frac{2}{3}\right) : \left(\frac{2}{3}-\frac{3}{5}\right)$

$= \frac{21-20}{30} : \frac{10-9}{15}$

$= \frac{1}{30} : \frac{1}{15}$

= 1 : 2

74. (a)

दूध (A) — दूध (B)

$\frac{4}{7}$ $\frac{2}{5}$

दूध (मिश्रण में)

$\frac{1}{2}$

$\left(\frac{1}{2}-\frac{2}{5}\right) : \left(\frac{4}{7}-\frac{1}{2}\right)$

$= \frac{5-4}{10} : \frac{8-7}{14}$

$= \frac{1}{10} : \frac{1}{14}$

= 14 : 10 = 7 : 5

75. (a)

सोना (I) सोना (II)

$\frac{7}{29}$ $\frac{21}{58}$

$\frac{25}{87}$

$\left(\frac{21}{58}-\frac{25}{87}\right)$: $\left(\frac{25}{87}-\frac{7}{29}\right)$

$= \frac{63-54}{174} : \frac{25-21}{87}$

$= \frac{13}{174} : \frac{4}{87}$

$= 13 : 8$

76. (d) ∵ चाल और समय में विलोमानुपात सम्बन्ध होता है अतः समय का अनुपात $= \frac{1}{2} : \frac{1}{3} : \frac{1}{4}$

$= 6 : 4 : 3$

77. (c) माना, तीनों कक्षाओं में विद्यार्थियों की संख्या क्रमशः $2x$, $3x$ व $5x$ है

$(2x + 40) : (3x + 40) : (5x + 40) = 4 : 5 : 7$

या, $(2x + 40) : (3x + 40) = 4 : 5$

या, $10x+200 = 12x+160$

या, $2x = 40$

या, $x = 20$

∴ प्रारम्भ में कुल विद्यार्थी $= 2x + 3x + 5x$

$= 10x = 200$

78. (b) माना, तीनों कक्षाओं में विद्यार्थियों की संख्या क्रमशः $4x$, $6x$, $9x$, है

$(4x+12) : (6x+12) : (9x+12) = 7 : 9 : 12$

या, $(4x+12) : (6x+12) = 7 : 9$

या, $36x+108 = 42x+84$

या, $6x = 24$

या, $x = 4$

∴

कुल विद्यार्थी $= 4x+6x+9x$

$= 19x = 19 \times 4 = 76$

79. (c) पुलिस और चोर द्वारा तय की गई दूरी,

5P = 7T

P : T = 7 : 8

	P	T
कदम →	8	10
दूरी →	7	5
चाल →	56 :	50

= 28 : 25

80(c)

A:	B:	C
2	3	[3]
[4]	4	5
8:	12:	15

अतः $A : C = 8 : 15$ *Ans.*

81. (d)

A:	B:	C:	D
2	4	[4]	[4]
[5]	5	[7]	7
[8]	[8]	8	9
120:	160:	224:	252

$A : B : C : D = 30 : 40 : 56 : 63$

अतः $A : D = 30 : 63 = 10 : 21$ *Ans.*

82. (c) $A : B = \frac{1}{2} \times 8 : \frac{3}{8} \times 8 = 4 : 3$

$B : C = \frac{1}{3} \times 9 : \frac{5}{9} \times 9 = 3 : 5$

$C : D = \frac{5}{6} \times 12 : \frac{3}{4} \times 12 = 10 : 9$

A:	B:	C:	D
4	3	[3]	[3]
[3]	3	5	[5]
[10]	[10]	10	9
120:	90:	150:	135

$A : B : C : D = 8 : 6 : 10 : 9$ *Ans*

83. (c) माना, $2A = 3B = 4C = k$

$A = \frac{k}{2},\ B = \frac{k}{3}, C = \frac{k}{4}$

$\therefore A : B . C = \frac{k}{2} : \frac{k}{3} : \frac{k}{4}$ (हर का ल0स0 =12)

$= \frac{1}{2} \times 12 : \frac{1}{3} \times 12 : \frac{1}{4} \times 12$

$A : B : C = 6 : 4 : 3$ *Ans.*

84. (b) $A = B \times \frac{4}{5}$ अतः $\frac{A}{B} = \frac{4}{5}$

$B = C \times \frac{5}{2}$ अतः $\frac{B}{C} = \frac{5}{2}$

A:	B:	C:
4	5	[5]
[5]	5	2
20:	25:	10

$A : B : C = 4 : 5 : 2$

$\therefore A : C = 4 : 2 = 2 : 1$ *Ans.*

85. (d) $a : b = c : d = e : f = 1 : 2$

अतः $\begin{cases} a = c = e = 1 \\ b = d = f = 2 \end{cases}$

$\therefore (3a + 5c + 7e) : (3b + 5d + 7f)$

$(3 \times 1 + 5 \times 1 + 7 \times 1) : (3 \times 2 + 5 \times 2 + 7 \times 2)$

$= 15 : 30 = 1 : 2$ *Ans.*

86. (d) $a = 7,\ b = 3$ व $c = 5$ मान रखने पर

$(a+b+c):(2a+b-c)$
$= (7+3+5):(2\times 7+3-5)$
$= 15:12$
$= 5:4$ *Ans.*

87. **(a)** माना, $\frac{a}{2}=\frac{b}{3}=\frac{c}{5}=k$
$\therefore a=2k,\ b=3k$ व $c=5k$
अतः $\frac{a+b+c}{c}=\frac{2k+3k+5k}{5k}=\frac{10k}{5k}=2$ *Ans.*

88. **(d)**

A :	B :	C
2	3	3
4	4	5
8	12:	15

$\therefore (a+b):(b+c)=(8+12):(12+15)$
$=20:27$ *Ans*

89. **(d)**

x :	y :	z
3	4	4
3	3	4
9:	12:	16

अतः $\frac{x+y+z}{3z}=\frac{9+12+16}{3\times 16}=\frac{37}{48}$ *Ans.*

90. **(c)** $x=3,\ y=4$ रखने पर
$\frac{5x-2y}{7x+2y}=\frac{5\times 3-2\times 4}{7\times 3+2\times 4}=\frac{7}{29}$ *Ans.*

91. **(c)** $\frac{2a-5b}{3a+6b}=\frac{4}{7}$
$14a-35b=12a+24b$
$2a=59b$
$\frac{a}{b}=\frac{59}{2}$
अतः $a:b=59:2$ *Ans.*

92. **(d)** माना, प्रत्येक पद में x जोड़ दिया जाये
$(6+x):(7+x)=(15+x):(17+x)$
$(6+x)(17+x)=(7+x)(15+x)$
$102+6x+17x+x^2=105+7x+15x+x^2$
$23x-22x=105-102$
$x=3$

93. **(b)** माना, प्रत्येक पद में से x घटा दिया जाये
$(21-x):(38-x)=(55-x):(106-x)$
$(21-x)(106-x)=(38-x)(55-x)$
$2226-21x-106x+x^2=2090-38x-55x+x^2$
$2226-2029=-93x+27x$
$34x=136$
$x=4$ *Ans.*

94. **(d)** माना, मध्यमानुपाती x है।
$0{\cdot}02,\ x,\ 0{\cdot}32$
$0{\cdot}02:x=x:0{\cdot}32$
$x^2=0{\cdot}02\times 0{\cdot}32$
$x^2=0{\cdot}0064$
$x=0.08$ *Ans.*

95. **(b)** माना, चतुर्थानुपाती x है।
$12, 14, 24, x$
$12:14=24:x$
$12x=14\times 24$
$x=28$ *Ans.*

96. **(a)** $\frac{(4x^2-3y^2)}{(2x^2+5y^2)}=\frac{12}{19}$
$76x^2-57y^2=24x^2+60y^2$
$52x^2=117y^2$
$\frac{x^2}{y^2}=\frac{117}{52}=\frac{9}{4}$
$\frac{x}{y}=\sqrt{\frac{9}{4}}=\frac{3}{2}$ *Ans.*

97. **(b)** $a:b=b:c$
$\therefore b^2=ac$
अतः $a^4:b^4=a^4:(ac)^2$
$=a^4:a^2c^2$
$=a^2:c^2$ *Ans.*

98. **(c)** माना, संख्याएँ क्रमशः $2x$ व $3x$ है
$(2x+8):(3x+8)=3:4$
$8x+32=9x+24$
$x=8$
$\therefore$ संख्याओं का योग $=2x+3x=5x$
$=5\times 8=40$ *Ans.*

99. **(c)** माना, संख्याएँ क्रमशः $3x$ व $5x$ है
$(3x-9):(5x-9)=12:23$
$69x-207=60x-108$
$9x=99$
$x=11$
$\therefore$ संख्याएं क्रमशः 33 व 55 है।

100. **(a)** माना, तीनों कक्षाओं में विद्यार्थियों की संख्या क्रमशः $2x, 3x$ व $5x$ है।
$(2x+20):(3x+20):(5x+20)=4:5:7$
अतः $(2x+20):(3x+20)=4:5$
$10x+100=12x+80$
$2x=20$
$x=10$
$\therefore$ कुल विद्यार्थी $=2x+3x+5x=10x$
$=10\times 10=100$ *Ans.*

101. **(d)** माना, प्रत्येक पद में x जोड़ दें।
$(2+x):(5+x)=5:6$
$12+6x=25+5x$
$x=13$ *Ans.*

102. **(b)** माना, A व B के मान क्रमश : $4x$ व $5x$ है
$(5x)^2-(4x)^2=81$
$25x^2-16x^2=81$
$9x^2=81$
$x^2=9$
$x=3$
अतः $A=4x=4\times 3=12$ *Ans.*

103. **(a)** माना, संख्याएँ क्रमशः $2x$ व $3x$ है
$(2x-2):(3x+2)=1:2$

$4x - 4 = 3x + 2$
$x = 6$
$\therefore$ संख्याओं का योग $= 2x + 3x = 5x$
$= 5 \times 6 = 30\ Ans.$

104. **(a)** माना, संख्याएँ क्रमशः $10x$ व $7x$ है
$10x - 7x = 105$
$3x = 105$
$\therefore x = 35$
$\therefore$ संख्याओं का योग $= 10x + 7x = 17x$
$= 17 \times 35 = 595\ Ans.$

105. **(b)** माना, संख्याएँ क्रमशः $9x$ व $7x$ है
$9x \times 7x = 1575$
$63x^2 = 1575$
$x^2 = \frac{1575}{63}$
$x^2 = 25$
$x = 5$
$\therefore$ छोटी पूर्णांक $= 7x$
$= 7 \times 5 = 35\ Ans.$

106. **(b)**

A	B	C
6	5	[5]
[10]	10	9
60:	50:	45

$A : B : C = 12 : 10 : 9$
अनुपाती योग = 31
$\therefore$ C का भाग $= \frac{9}{31} \times 1240 = 360\ \ Ans.$

107. **(d)** हर (2, 4 व 16) का ल०स० = 16
$A : B : C = \frac{1}{2} \times 16 : \frac{1}{4} \times 16 : \frac{5}{16} \times 16$
$A : B : C = 8 : 4 : 5$
अनुपाती योग $= 16$
$\therefore A - B = \frac{(8-4)}{17} \times 68000$
₹ 16000

108. **(d)** सही वितरण
$A : B : C = \frac{1}{2} \times 12 : \frac{1}{3} \times 12 : \frac{1}{4} \times 12$
$A : B : C = 6 : 4 : 3$
अनुपाती योग $= 13$
$A = \frac{6}{13} \times 117 = ₹\,54$
$B = \frac{4}{13} \times 117 = ₹\,36$
$C = \frac{6}{13} \times 117 = ₹\,27$
गलत विवरण
$A : B : C = 2 : 3 : 4$
अनुपाती योग $= 9$
$A = \frac{2}{9} \times 117 = ₹\,26$
$B = \frac{3}{9} \times 117 = ₹\,39$
$C = \frac{4}{9} \times 117 = ₹\,52$
C को सर्वाधिक ₹ 25 का लाभ हुआ।

109. **(c)**

A	B	C
4	5	[5]
[2]	2	3
8:	10:	15

$A : B : C = 8 : 10 : 15$
(A) 8 → 800
$\therefore$ 1 → 100
अतः C → $15 \times 100 = ₹\,1500\ \ Ans.$

110. **(c)** माना प्रारम्भ में तीनों के पास क्रमशः $(x + 50), (3x + 50)$ व $(2x + 50)$ ₹ थे
अतः $(x + 50) + (3x + 50) + (2x + 50) = 1470$
$6x = 1470 - 150$
$6x = 1320$
$x = 220$
$\therefore c = 2x + 50 = 2 \times 220 + 50 = ₹\,490$

111. **(b)** $P : Q : R$
$2 : 1 : 2$
अनुपाती योग $= 5$
$Q = \frac{1}{5} \times 8000 = 1600\ \ Ans.$

112. **(b)** माना, ₹ 1, 50पैसे व 25 पैसे के सिक्के क्रमशः $2x, 3x$ व $4x$ है
$2x + \frac{3x}{2} + \frac{4x}{4} = 180$
$2x + 1.5x + x = 180$
$4.5x = 180$
$x = 40$
$\therefore$ 50 पैसे के सिक्के $= 3x = 3 \times 40 = 120\ Ans.$

113. **(c)** ₹ 1 : 50 पैसे : 25 पैसे
मूल्यों का अनुपात = 8 : 4 : 3
सिक्कों का अनुपात $= 8 \times 1 : 4 \times 2 : 3 \times 4$
$= 8 : 8 : 12$
$= 2 : 2 : 3$
अनुपाती योग = 7
$\therefore$50 पैसे के सिक्के $= \frac{2}{7} \times 280 = 80\ Ans.$

114. **(d)** माना 50 पैसे, 25 पैसे व 10 पैसे के सिक्के क्रमशः $2x, 3x$ व $5x$ है
$\frac{2x}{2} + \frac{3x}{4} + \frac{5x}{10} = 90$
$\frac{20x + 15x + 10x}{20} = 90$
$45x = 90 \times 20$
$x = 40$
$\therefore$25 पैसे के सिक्के $= 3x = 3 \times 40 = 120$

115. **(a)** ₹ 1 : 50 पैसे : 25 पैसे

मूल्यों का अनुपात = 13 : 11 : 7

$\therefore$ सिक्कों का अनुपात $= 13 \times 1 : 11 \times 2 : 7 \times 4$

$= 13 : 22 : 28$

अनुपाती योग $= 63$

$\therefore$ 50 पैसे के सिक्के $= \frac{22}{63} \times 378 = 132\ Ans.$

116. **(a)** माना, A व B के आय क्रमशः $5x$ व $3x$ है

$\frac{5x - 1300}{3x - 900} = \frac{9}{5}$

$25x - 6500 = 27x - 8100$

$2x = 1600$

$x = 800$

$\therefore$ A व B के आय क्रमशः ₹ 4000 व ₹ 2400 है।

117. **(c)** माना P व Q के आय क्रमशः $3x$ व $4x$ है

$\frac{3x - 6000}{4x - 6000} = \frac{2}{3}$

$9x - 18000 = 8x - 12000$

$x = 6000$

$\therefore$ P की आय $3x = 3 \times 6000 = 18000\ Ans.$

118. **(c)** माना, व्यय व बचत क्रमशः $26x$ व $3x$ है

$26x + 3x = 7250$

$29x = 7250$

$x = \frac{7250}{29} = 250$

मासिक बचत $3x = 3 \times 250 =$ ₹ 750 $Ans.$

119. **(b)** A + B = ₹ 2100

$\frac{A \text{ का बचत}}{B \text{ का बचत}} = \frac{4}{3}$

$\frac{A \times 20\%}{B \times 30\%} = \frac{4}{3}$

$\frac{A}{B} = \frac{4}{3} \times \frac{3}{2} = \frac{2}{1}$

$A : B = 2 : 1$

अनुपाती योग $= 3$

$\therefore A = \frac{2}{3} \times 2100 =$ ₹ 1400 $Ans.$

120 **(c)** माना, लड़के व लड़कियाँ क्रमशः $5x$ व $3x$ है

$(5x - 50) : (3x + 50) = 9 : 7$

$35x - 350 = 27x + 450$

$8x = 800$

$x = 100$

$\therefore$ लड़के $= 5x = 5 \times 100 = 500\ Ans.$

121. **(a)** $B : G = 3 : 1$

अनुपाती योग $= 4$

$B = \frac{3}{4} \times 36 = 27$

$G = \frac{1}{4} \times 36 = 9$

माना x लड़कियाँ और शामिल हो जाये

$27 : (9 + x) = 9 : 5$

$135 = 81 + 9x$

$9x = 54$

$x = 6\ Ans.$

122. **(b)** माना, लड़के $= x$

$\therefore$ लड़कियाँ $= x \times \frac{120}{100} = \frac{6x}{5}$

$x + \frac{6x}{5} = 66$

$\frac{11x}{5} = 66$

$\therefore x = 30$

अब, लड़के : लड़कियाँ $= x : \left(\frac{6x}{5} + 4\right)$

$= x : \left(\frac{6 \times 30}{5} + 4\right)$

$= 30 : 40$

$= 3 : 4\ Ans.$

123. **(c)** सिपाही के 5 कदम = चोर के 7 कदम

सिपाही के 8 कदम = चोर के $\frac{7}{5} \times 8 = \frac{56}{5}$ कदम

$\therefore$ अभीष्ट अनुपात $= \frac{56}{5}$

25 $Ans.$

124. **(d)** $B : G = 8 : 5$

अनुपाती योग $= 13$

$B = \frac{8}{13} \times 286 = 176$

$G = \frac{5}{13} \times 286 = 110$

अतः अब लड़के : लड़कियाँ

$176 : (110 + 22)$

$176 : 132 \quad : 10 = 56 : 50 = 28 :$

$4 : 3\ Ans.$

9 आयु–सम्बन्धी प्रश्न
(Age Relation based Question)

Type - 01

साधारण प्रश्न –

प्रश्न : A और B के आयु का योग 48 वर्ष है। A, B से 4 वर्ष बड़ा है तो B की उम्र बताइये–

हल : माना, B की उम्र = x वर्ष

$\therefore$ A की उम्र = $(x + 4)$ वर्ष

$x + (x + 4) = 48$

$2x = 44$

$x = 22$ वर्ष

प्रश्न : प्रतीक और प्रकाश के उम्रों का योग 16 वर्ष है। यदि प्रकाश, प्रतीक से 4 वर्ष छोटा हो तो प्रतीक का उम्र बताइये ?

हल : माना, प्रतीक का उम्र = x वर्ष

$\therefore$ प्रकाश का उम्र = $(x - 4)$ वर्ष

अतः $x + x - 4 = 16$

$2x = 20$

$\therefore$ $x = 10$ वर्ष

नोट :– दो व्यक्तियों के उम्रों का अन्तर सदैव समान रहता है।

जैसे :– यदि A व B के वर्तमान उम्रों का अन्तर x वर्ष हो तो कुछ वर्ष पहले भी इनके उम्रों का अन्तर x वर्ष ही रहा होगा तथा कुछ वर्ष बाद भी इनके उम्रों का अन्तर x वर्ष ही होगा।

प्रश्न : पवन और आसू के उम्रों का योग 58 वर्ष है। 5 वर्ष पहले दोनों की आयु में अन्तर 4 वर्ष था। तो आसू का वर्तमान उम्र बताइये। (जहाँ, आसू < पवन)

हल :– माना, पवन का उम्र = x वर्ष

तथा आसू का उम्र = y वर्ष

$x + y = 58$..................i

$x - y = 4$......................ii

$2x = 62$

$x = 31$ वर्ष

अतः $y = 58 - 31 = 27$ वर्ष

प्रश्न : तीन वर्ष पूर्व दो व्यक्तियों के उम्रों का योग 30 वर्ष था। जबकि 3 वर्ष बाद दोनों के उम्रों का अन्तर 3 वर्ष होगा। तो बड़े व्यक्ति का उम्र बताइये ?

हल :– माना, दोनों व्यक्तियों का वर्तमान उम्र क्रमशः x वर्ष तथा y वर्ष है।

नोट : यहाँ वर्तमान में भी दोनों के उम्रों का अन्तर 3 वर्ष ही होगा।

अतः वर्तमान में दोनों व्यक्तियों के उम्रों का योग

$x - 3 + y - 3 = 30$

$\therefore$ $x + y = 36$.................i

$x - y = 3$...................ii

$2x = 39$

$x = \frac{39}{2} = 19.5$ वर्ष

$\therefore$ $y = 36 - 19.5 = 16.5$ वर्ष

अतः बड़े व्यक्ति का उम्र = 19.5 वर्ष

Type - 02

औसत उम्र पर प्रश्न :–

औसत = $\frac{\text{कुल पदों का योग}}{\text{कुल पदों की संख्या}}$

अतः कुल पदों का योग = औसत × कुल पदों की संख्या

प्रश्न :– तीन व्यक्तियों के उम्रों का औसत 20 वर्ष है। यदि इनके उम्रों का अनुपात 3 : 4 : 5 हो तो सबसे बड़े व्यक्ति की उम्र बताइये ?

हल : तीनों के उम्रों का योग = 20 × 3 = 60 वर्ष

I : II : III = 3 : 4 : 5

अनुपाती योग = 12

$\therefore$ बड़े व्यक्ति की उम्र = $\frac{5}{12} \times 60 = 25$ वर्ष

प्रश्न : वर्तमान में A और B का औसत उम्र 20 वर्ष, B और C का औसत उम्र 22 वर्ष तथा A और C का औसत उम्र 23 वर्ष है, तो C का वर्तमान उम्र बताइये–

हल : $A + B = 20 \times 2 = 40$...................i

$B + C = 22 \times 2 = 44$..................ii

$C + A = 23 \times 2 = 46$..................iii

$2A + 2B + 2C = 130$

$2(A + B + C) = 130$

$\therefore A + B + C = 65$

अतः C का वर्तमान उम्र = (A + B + C) का वर्तमान उम्र – (A + B) का वर्तमान उम्र

= 65 – 40 = 25 वर्ष

प्रश्न :– किसी परिवार में 6 पुत्रों की औसत आयु 8 वर्ष है। पुत्रों और उनके माता–पिता को मिलाकर उनकी औसत आयु 22 वर्ष है। यदि पिता उनकी माता से 8 वर्ष बड़ा हो, तो माता की आयु (वर्षो में) बताइये–

हल : 6 पुत्रों के उम्रों का योग = $8 \times 6 = 48$ वर्ष

(6 पुत्र + माता + पिता) के उम्रों का योग = $22 \times 8 = 176$ वर्ष

48 + माता + पिता के उम्र = 176

$x + (x + 8) = 176 - 48 = 128$

$2x = 120$

$x = 60$ वर्ष (माता की उम्र)

अनुपात या गुना पर प्रश्न :–

Case - 1st :

प्रश्न : A की आयु B के आयु का तीन गुना है। 10 वर्ष बाद A की आयु, B के आयु का दो गुना होगा। तो B की आयु बताइये?

हल : माना, B का वर्तमान आयु = x वर्ष

$\therefore$ A का वर्तमान आयु = $3x$ वर्ष

10 वर्ष बाद, A की आयु = 2 × B की आयु

$3x + 10 = 2 \times (x + 10)$

$3x + 10 = 2x + 20$

$x = 10$ वर्ष (B की आयु)

Tricky Approach

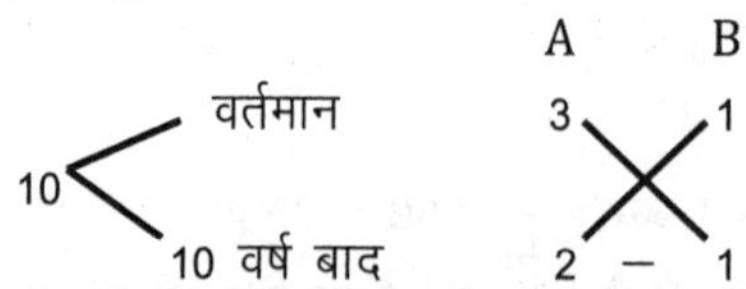

(2 × 1 ~ 3 × 1) Unit → (2 ~ 1) × 10

1 Unit → 10 वर्ष

$\therefore$ B की वर्तमान आयु (1) → 1 × 10 = 10 वर्ष

प्रश्न : यदि पिता की वर्तमान उम्र, पुत्र के वर्तमान उम्र की 5 गुना है। 3 वर्ष पूर्व पिता की उम्र, पुत्र के उम्र की 7 गुना थी तो पिता एवं पुत्र की वर्तमान उम्र बताइये –

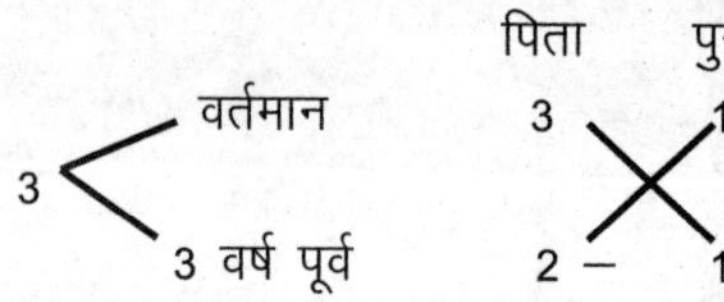

(7 × 1 ~ 5 × 1) Unit → (7 ~ 1) × 3

2 Unit → 18 वर्ष

1 Unit → 9 वर्ष

अतः वर्तमान में पिता की उम्र = 5 इकाई = $5 \times 9 = 45$ वर्ष

पुत्र की उम्र = 1 इकाई = $1 \times 9 = 9$ वर्ष

प्रश्न : A और B के वर्तमान उम्र का अनुपात 3 : 4 है। तथा 10 वर्ष पूर्व A की उम्र, B की उम्र की आधी थी । तो वर्तमान में दोनों के उम्रों का योग बताइये –

हल :

Tricky Approach

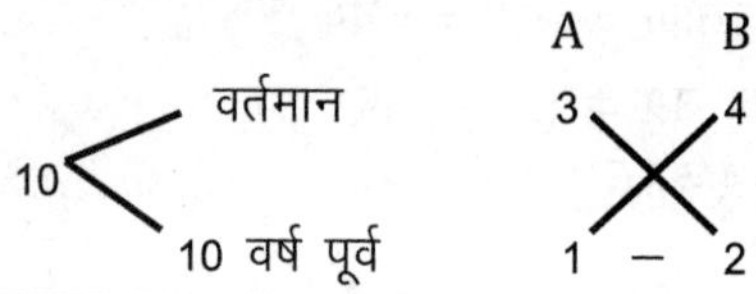

(1 × 4 ~ 3 × 2) Unit → (2 ~ 1) × 10

2 Unit → 10 वर्ष

$\therefore$ 1 Unit → 5 वर्ष

$\therefore$ वर्तमान में उम्रों का योग = (3 + 4) इकाई = $7 \times 5 = 35$ वर्ष

Case - 2nd :

प्रश्न : तीन वर्ष पूर्व पिता की उम्र, पिता के उम्र की 4 गुना थी। जबकि 5 वर्ष बाद पिता अपने पुत्र के उम्र का 3 गुना हो जायेगा। तो पिता और पुत्र की वर्तमान उम्र बताइये–

हल : माना, 3 वर्ष पूर्व, पुत्र की उम्र = x वर्ष

$\therefore$ पिता की उम्र = $4x$ वर्ष

अतः वर्तमान में, पुत्र की उम्र = $(x+3)$ वर्ष

$\therefore$ पिता की उम्र = $(4x + 3)$ वर्ष

5 वर्ष बाद पिता की उम्र = पुत्र का उम्र × 3

$4x + 3 + 5 = (x + 3 + 5) \times 3$

$$4x + 8 = 3x + 24$$

$$x = 16$$

अतः वर्तमान में, पुत्र का उम्र $= 16 + 3 = 19$ वर्ष

तथा पिता की उम्र $= 4 \times 16 + 3 = 67$ वर्ष

Tricky Approach

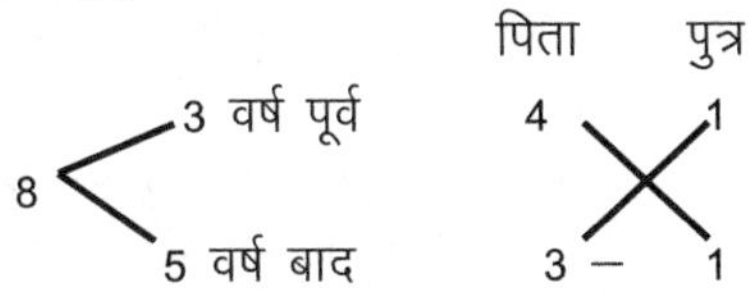

(3 × 1 ~ 4 × 1) Unit ⟶ (3 ~ 1) × 8

1 Unit ⟶ 16 वर्ष

3 वर्ष पूर्व,

पिता की उम्र $= 4$ इकाई $= 4 \times 16 = 64$ वर्ष

पुत्र की उम्र $= 1$ इकाई $= 16$ वर्ष

∴ वर्तमान में दोनों की उम्र क्रमशः 67 वर्ष और 19 वर्ष होगा।

प्रश्न : 1 वर्ष पूर्व A और B के उम्रों का अनुपात 4 : 3 था। 1 वर्ष बाद इनके उम्रों का अनुपात 5 : 4 होगा। तो वर्तमान में इनके उम्रों का योग बताइये ?

हल :

Tricky Approach

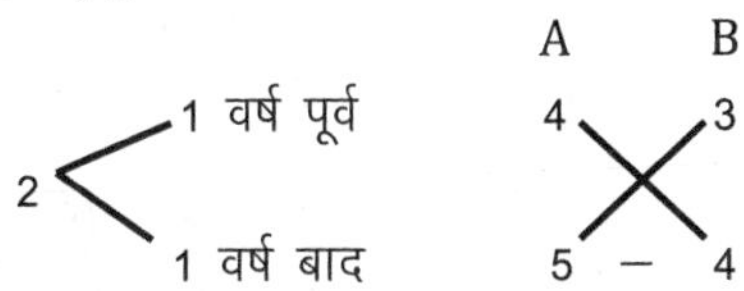

(5 × 3 ~ 4 × 4) Unit ⟶ (5 ~ 4) × 2

1 Unit ⟶ 2 वर्ष

1 वर्ष पूर्व : A की उम्र $= 4$ इकाई $= 4 \times 2 = 8$ वर्ष

B की उम्र $= 3$ इकाई $= 3 \times 2 = 6$ वर्ष

∴ वर्तमान उम्रों का योग $= (8 + 6 + 2)$वर्ष $= 16$ वर्ष

पहेली (Puzzle) पर प्रश्न :–

प्रश्न : एक पिता अपने पुत्र से कहता है, "जब तुम पैदा हुये थे उस समय मेरी उम्र तुम्हारी वर्तमान उम्र की दो गुनी थी। आज मेरी उम्र व तुम्हारी मां के उम्र का योग 58 वर्ष है। यदि पुत्र की वर्तमान उम्र 10 वर्ष हो, तो माँ की वर्तमान उम्र क्या है?

पहेली (Puzzle) पर प्रश्न :–

प्रश्न : एक पिता अपने पुत्र से कहता है, "जब तुम पैदा हुये थे उस समय मेरी उम्र तुम्हारी वर्तमान उम्र की दो गुनी थी। आज मेरी उम्र व तुम्हारी मां के उम्र का योग 58 वर्ष है। यदि पुत्र की वर्तमान उम्र 10 वर्ष हो, तो माँ की वर्तमान उम्र क्या है?

हल : पुत्र के जन्म के समय पिता की उम्र $= 10 \times 2 = 20$ वर्ष

∴ पिता की वर्तमान उम्र $= 20 + 10 = 30$ वर्ष

प्रश्नानुसार, वर्तमान में (माता + पिता) की उम्र $= 58$

माता $+ 30 = 58$

∴ वर्तमान में माता की उम्र $= 58 - 30 = 28$ वर्ष

प्रश्न :–एक पति तथा पत्नी की 4 वर्ष पूर्व उनकी शादी के समय औसत आयु 27 वर्ष थी। अब पति, पत्नी तथा एक नये पैदा होने वाले बच्चे की औसत आयु 21 वर्ष है। बच्चे की वर्तमान आयु क्या है?

हल : पति एवं पत्नी के वर्तमान आयु का योग $= 2 \times 27 + 8 = 62$ वर्ष

पति, पत्नी एवं बच्चे के वर्तमान आयु का योग $= 21 \times 3 = 63$ वर्ष

∴ बच्चे की वर्तमान आयु $= 63 - 62 = 1$ वर्ष

प्रश्न : जयेश, अनिल से उतना छोटा है जितना वह प्रशान्त से बड़ा है। यदि अनिल तथा प्रशान्त की आयु का योग 48 वर्ष हो, तो जयेश की आयु बताइये–

हल : माना, जयेश की आयु $= x$ वर्ष

तब, अनिल की आयु $= (x + a)$ वर्ष

तथा प्रशान्त की आयु $= (x - a)$ वर्ष

$$\therefore (x + a) + (x - a) = 48$$

$$2x = 48$$

$$\therefore x = 24 \text{ वर्ष}$$

IInd Method

$A - J = J - P$

$A + P = 2J$

$\therefore J = \frac{A+P}{2} = \frac{48}{2} = 24$ वर्ष

प्रश्नावली

TYPE - 01

1. राधा और मुरारी की आयु का अंतर 12 वर्ष है। पांच वर्ष पूर्व उनकी आयु का योग 28 वर्ष था। यदि राधा की आयु मुरारी की आयु से अधिक है, तो मुरारी की वर्तमान आयु (वर्षो में) ज्ञात कीजिए।
(a) 17 (b) 13
(c) 15 (d) 25
(RRB GROUP D 18-9-2022)

2. श्रीनिवास ने अभी हाल ही में अपने से 4 वर्ष छोटी लड़की से शादी की है। 5 वर्ष के बाद उनकी औसत आयु 33 वर्ष होगी। लड़की की वर्तमान आयु ज्ञात कीजिए।
(a) 3 वर्ष (b) 31वर्ष
(c) 26वर्ष (d) 35वर्ष
(RRB GROUP D 17-8-2022)

3. A और B की वर्तमान आयु का योगफल 30 वर्ष है। 5 वर्ष बाद, उनकी आयु का अनुपात 3 : 2 होगा A की वर्तमान आयु ज्ञात कीजिए।
(a) 11 वर्ष (b) 19 वर्ष
(c) 39 वर्ष (d) 29 वर्ष
(RRB Group D 9-9-2022)

4. कमल और किरण की आयु का अनुपात 4 : 5 है। 6 वर्ष बाद कमल की आयु 30 वर्ष होगी। किरण की वर्तमान आयु कितनी है?
(a) 30 वर्ष (b) 40 वर्ष
(c) 24 वर्ष (d) 28 वर्ष
(RRB Group D- 13-9-2022)

5. अरूण, किरण की बड़ा भाई है। उनकी आयु का अंतर 20 वर्ष हैं। यदि 5 वर्ष पूर्व, अरूण की आयु, किरण की तत्कालीन आयु की 5 गुनी थी, तो अरूण की वर्तमान आयु (वर्ष में) ज्ञात कीजिए।
(a) 20 (b) 10
(c) 30 (d) 40
RRB Group D- 30-9-2022

6. नरेश और सुरेश की आयु का अनुपात 6 : 5 है, और उनकी आयु का योग 44 वर्ष है। 15 वर्ष बाद उनकी आयु का क्रमशः अनुपात का क्या होगा?
(a) 34 : 39 (b) 39 : 34
(c) 39 : 35 (d) 30 : 35
RRB NTPC 5-3-2021

7. सात वर्ष पहले, अजीत और गणेश की आयु का अनुपात 5 : 7 था। यदि उनकी वर्तमान आयु का गुणनफल 616 है, तो उनकी वर्तमान आयु का अनुपात ज्ञात करें।
(a) 15 : 17 (b) 17 : 15
(c) 12 : 13 (d) 11 : 14
RRB JE – 25-5-2019

8. जय और जोग की आयु का अनुपात 5 : 2 है। उनकी आयु का योग 63 है। 9 वर्ष बाद उनकी आयु का अनुपात कितना होगा?
(a) 5 : 2 (b) 2 : 1
(c) 3 : 2 (d) 4 : 3
RRB NTPC 3-4-2016

9. वर्तमान मे सीमा और रीमा की आयु का अनुपात 2 : 3 है। सीमा रीमा से 6 वर्ष छोटी है, 6 वर्ष बाद सीमा और रीमा की आयु का अनुपात हो जाएगा।
(a) 2 : 3 (b) 2 : 7
(c) 3 : 4 (d) 7 : 8
RRB NTPC 22-4-2016

TYPE - 02

10. राम और श्याम की वर्तमान आयु का अनुपात क्रमशः 7 : 8 है। नौ वर्ष बाद, यह अनुपात 8 : 9 हो जाएगा राम और श्याम की वर्तमान आयु (वर्ष में) क्रमशः कितनी है?
(a) 64, 73 (b) 63, 72
(c) 72, 63 (d) 73, 64
RRB NTPC 5-4-2021

11. नरेंद्र की मां की आयु नरेन्द्र की आयु की चार गुनी है। चार साल पहले, उसकी मां की आयु, उसकी तत्कालीन आयु के छह गुनी थी। उन दोनों की वर्तमान आयु ज्ञात कीजिए।
(a) 7 वर्ष, 28 वर्ष (b) 10 वर्ष, 40 वर्ष
(c) 5 वर्ष, 20 वर्ष (d) 20 वर्ष, 80 वर्ष
(RRB NTPC 1-2-2021)

12. पिता की आयु पुत्र की आयु की चार गुनी है। 20 वर्षो में उसकी आयु उसके पुत्र की आयु की केवल दोगुनी होगी। उनकी आयु ज्ञात कीजिए।
(a) 36 वर्ष, 9 वर्ष (b) 44 वर्ष, 11वर्ष
(c) 40 वर्ष, 10 वर्ष (d) 60 वर्ष, 15 वर्ष
(RRB Group D 18-9-2018)

13. एक माँ और पुत्री की आयु का अनुपात 12 : 5 है। दस वर्ष बाद, माँ की आयु, बेटी से दोगुनी होगी। वर्तमान में उनकी आयु का योग क्या है?
(a) 60 (b) 75
(c) 65 (d) 85
(RRB JE 27-5-2019)

TYPE - 03

14. पांच वर्ष बाद, जैकब की आयु, उसके पुत्र की आयु की चार गुनी होगी। तीन वर्ष पहले, जैकब की आयु, उसके पुत्र की आयु की सात गुनी थी। उनकी वर्तमान आयु ज्ञात कीजिए।
(a) 50 और 21 (b) 59 और 11
(c) 49 और 21 (d) 69 और 11
(RRB Group D 18-9-2022)

15. 5 साल पहले एक आदमी अपने बेटे से 7 गुना बड़ा था। अब 5 साल में यह अपने बेटे से 3 गुना बड़ा रह जाएगा। दो साल पहले उनकी आयु क्या थी?
(a) 26 वर्ष और 10 वर्ष
(b) 36 वर्ष और 12 वर्ष
(c) 38 वर्ष और 8 वर्ष
(d) 30 वर्ष और 6 वर्ष
(RRB Paramedical Exam 21-7-2018)

16. छः साल पहले दो व्यक्तियों P और Q की आयु का अनुपात 3 : 2 था। चार वर्ष बाद उनकी आयु का अनुपात 8 : 7 हो जाएगा। P की आयु कितनी है?
(a) 10 वर्ष (b) 12 वर्ष
(c) 14 वर्ष (d) 8 वर्ष
(RRB RPF Constable 19-1-2019)

17. छह वर्ष बाद, सुनील की आयु कमल से दोगुनी हो जाएगी। दो वर्ष पहले, उसकी आयु कमल से चार गुनी थी। कमल की वर्तमान आयु ज्ञात कीजिए।
(a) 6वर्ष (b) 4वर्ष
(c) 18वर्ष (d) 14वर्ष
(RRB NTPC 3-3-2021)

18. चार वर्ष पहले, राम और श्याम की आयु का अनुपात 13 : 9 था। अब से आठ वर्ष बाद, उनकी आयु का अनुपात 4 : 3 होगा। उनकी वर्तमान आयु का अंतर (वर्ष में) ज्ञात कीजिए।
(a) 18 (b) 17
(c) 19 (d) 16
(RRB NTPC 8-4-2021)

TYPE - 04

19. किसी परिवार में पिता तथा माता की औसत आयु 35 वर्ष है। पिता, माता तथा पुत्र की औसत आयु 27 वर्ष है। पुत्र की आयु ज्ञात करें?
(a) 12 वर्ष (b) 11 वर्ष
(c) 10.5 वर्ष (d) 10 वर्ष
(SSC CHSL 2017)

20. पति एवं पत्नी की औसत आयु, जिनका 4 वर्ष पूर्व विवाह हुआ था, विवाह के समय औसत आयु 25 वर्ष थी। पति, पत्नि एवं पुत्र की औसत आयु 20 वर्ष है। पुत्र की वर्तमान आयु ज्ञात करें?
(a) 1 वर्ष (b) 2 वर्ष
(c) 2.5 वर्ष (d) 3 वर्ष
(SSC CHSL 2017)

21. 3 वर्ष पहले, 5 सदस्यों वाले परिवार की औसत आयु 17 वर्ष थी। एक बच्चें का जन्म हुआ तथा परिवार की वर्तमान औसत आयु समान है। बच्चे की वर्तमान आयु ज्ञात करे।
(a) 1वर्ष (b) $1\frac{1}{2}$वर्ष
(c) 2वर्ष (d) 3वर्ष
(SSC CGL Pre 2018)

22. एक क्रिकेट टीम के 11 खिलाड़ियों की औसत आयु 27 वर्ष है। यदि दो और खिलाड़ी भी टीम में शामिल हो जाए तो औसत 26 वर्ष हो जाता है तब दो नये आये हुए खिलाड़ियों की औसत आयु है (वर्षो में)।
(a) 14.5 (b) 20.5
(c) 26 (d) 27
(SSC CGL Pre 2021)

23. एक परिवार के 7 सदस्यों की औसत आयु 40 वर्ष है। परिवार में तीन पुरूष, तीन महिलाएँ और एक लड़का है। यदि तीन पुरूषों की औसत आयु 48 वर्ष और तीन महिलाओं की औसत आयु 44 वर्ष है तो लड़के की आयु है।
(a) 6 वर्ष (b) 2 वर्ष
(c) 4 वर्ष (d) 8 वर्ष
(SSC CHSL 2021)

24. 5 वर्ष पूर्व एक परिवार जिसमे माता, पिता तथा एक पुत्र हैं, उसकी औसत आयु 35 वर्ष थी। 3 वर्ष पूर्व माता तथा पिता की औसत आयु 46 वर्ष थी। पुत्र की वर्तमान आयु (वर्षो में) कितनी है?
(a) 20 (b) 24
(c) 26 (d) 22
(SSC CHSL 2019)

25. परिवार के पाँच सदस्यों की वर्तमान औसत आयु 33 वर्ष है। सबसे छोटा सदस्य 9 वर्ष का है, सबसे छोटे सदस्य के पैदा होने से पहले परिवार की औसत आयु थी।
(a) 30 वर्ष (b) 29 वर्ष
(c) 25 वर्ष (d) 24 वर्ष
(SSC CGL Pre 2018)

TYPE - 05

26. एक पिता ने अपने पुत्र से कहा, "तुम्हारे जन्म के समय मेरी आयु उतनी ही थी, जितनी तुम्हारी वर्तमान आयु है।" यदि पिता की वर्तमान आयु 40 वर्ष है, तो 5 वर्ष पूर्व पुत्र की आयु कितनी थी?
(a) 14 वर्ष (b) 16 वर्ष
(c) 18 वर्ष (d) 15 वर्ष
(RRB Group D 6-9-2022)

27. मेरी वर्तमान आयु का तीन – पांचवां उतना ही है जितना कि मेरे चचेरी भाईयों में से एक की आयु का पांचवां –छठा हिस्सा मेरी दस साल पहले आयु, उनकी आज से चार साल बाद की आयु होगी। मेरी वर्तमान आयु .....वर्ष है।
(a) 55 (b) 45
(c) 60 (d) 50
(RRB ALP & Tec 9-8-2018)

28. मेरी आयु का दो–तिहाई मेरे चचेरे भाई की आयु का तीन –चौथाई है। मेरी आयु 3 वर्ष पहले ठीक

वही थी जो मेरे भाई की अब से एक वर्ष बाद होगी, मेरी वर्तमान आयु (वर्षो में) क्या है?

(a) 36 (b) 18
(c) 45 (d) 27

RRB Group D 5-11-2018

29. एक पिता की आयु उसके पुत्र की आयु की तीन गुनी है और पुत्र की आयु अपनी माँ की आयु की $\frac{3}{8}$ है। यदि पिता और माँ की आयु का अंतर 4 वर्ष है, तो पुत्र की आयु ज्ञात करें।

(a) 10 वर्ष (b) 9 वर्ष
(c) 11 वर्ष (d) 12 वर्ष

(RRB RPF Constable 24-1-2019)

TYPE - 06

30. 4 वर्ष पहले पूजा की आयु और 4 वर्ष बाद दीपा की आयु बराबर हैं। पूजा की 4 वर्ष बाद की आयु और दीपा की 4 वर्ष पहले की आयु का अनुपात 3 : 1 है। उनके वर्तमान आयु का अनुपात क्या है?

(a) 5 : 7 (b) 5 : 2
(c) 4 : 7 (d) 5 : 3

RRB JE 31-5-2019

31. यदि किसी व्यक्ति की आयु से 4 वर्ष घटाए जाते है और 5 से विभाजित किया जाता है, तो परिणाम उसके पोते की आयु को दर्शाता है। पोते की एक बहन है, जिसकी आयु 5 वर्ष है, पोते से छह वर्ष छोटी है। दादा की आयु क्या है?

(a) 58 (b) 57
(c) 60 (d) 59

RRB JE 31-5-2019

32. A और B की कुल आयु, B और C की कुल आयु में 12 वर्ष अधिक है। A और C में से कौन छोटा है और कितने वर्ष छोटा है?

(a) A 6 वर्ष (b) A 12 वर्ष
(c) C 12 वर्ष (d) C 6 वर्ष

(RRB JE- 28-6-2019)

Revision Series

33. A तथा B की वर्तमान आयु 4 : 5 के अनुपात में है तथा 5 वर्ष बाद वे 5 : 6 के अनुपात में होंगे। A की वर्तमान उम्र है–

(a) 10 वर्ष (b) 20 वर्ष
(c) 25 वर्ष (d) 40 वर्ष

34. वर्तमान में A व B की आयु का अनुपात 3 : 1 है। चार वर्ष पूर्व अनुपात 4 : 1 था। A की वर्तमान आयु कितनी है–

(a) 48 वर्ष (b) 40 वर्ष
(c) 36 वर्ष (d) 32 वर्ष

35. 7 वर्ष पूर्व A तथा B की आयु 4 : 5 के अनुपात में थी। तथा 7 वर्ष बाद वे 5 : 6 के अनुपात में होंगे। B की वर्तमान आयु है–

(a) 56 वर्ष (b) 63 वर्ष
(c) 70 वर्ष (d) 77 वर्ष

36. दीपक की वर्तमान आयु उसके पुत्र के आयु से 3 गुनी है। 5 वर्ष बाद इनकी आयु का अनुपात 34 : 13 हो जायेगा। दीपक की वर्तमान आयु कितनी है?

(a) 63 वर्ष (b) 68 वर्ष
(c) 58 वर्ष (d) 60 वर्ष

37. 10 वर्ष पहले पिता की आयु, पुत्र के आयु से 3 गुनी थी। 10 वर्ष बाद पिता की आयु पुत्र की आयु से दुगुनी होगी। इनकी वर्तमान आयु किस अनुपात में है?

(a) 5 : 2 (b) 9 : 2
(c) 7 : 3 (d) 13 : 4

38. राम और उसके दो बच्चों की औसत आयु 17 वर्ष है। जबकि राम की पत्नी और उन्हीं दो बच्चों की औसत आयु 16 वर्ष है। यदि राम की आयु 33 वर्ष है तो उसकी पत्नी की आयु है–

(a) 31 वर्ष (b) 32 वर्ष
(c) 35 वर्ष (d) 30 वर्ष

39. 5 वर्ष पहले P, Q, R की औसत आयु 25 वर्ष थी। एवं 7 वर्ष पहले Q तथा R की औसत आयु 20 वर्ष थी। P की वर्तमान आयु है –

(a) 36 वर्ष (b) 29 वर्ष
(c) 24 वर्ष (d) 21 वर्ष

40. A तथा B की औसत आयु 30 वर्ष और B तथा C की औसत आयु 26 वर्ष है। A तथा C की आयु का अन्तर है–

(a) 2 वर्ष (b) 4 वर्ष
(c) 6 वर्ष (d) 8 वर्ष

41. एक पति और पत्नी जिनकी 4 वर्ष पूर्व शादी हुई थी, की शादी के समय औसत आयु 25 वर्ष थी। आज परिवार जिसमें पति, पत्नी तथा बीच की अवधि में पैदा होने वाला एक बच्चा सम्मिलित है, की औसत आयु 20 वर्ष है। बच्चे की आयु है–

(a) 1 वर्ष (b) 2 वर्ष
(c) 2·5 वर्ष (d) 3 वर्ष

42. A तथा B की औसत आयु 20 वर्ष है। यदि A को C से बदल दिया जाये तो औसत 19 वर्ष हो जायेगा। इसमें C तथा A की औसत आयु 21 वर्ष है। तद्नुसार A, B व C की आयु (वर्षो में) क्रमशः कितनी होगी –

(a)18, 22, 20 (b)18, 20, 22

(c) 22, 18, 20 (d) 22, 20, 18

43. 3 वर्ष पहले, 5 सदस्यों वाले एक परिवार की औसत आयु 17 वर्ष थी। एक बच्चे का जन्म होने के बाद भी उस परिवार की औसत आयु समान है। बच्चे की वर्तमान आयु (वर्षो में) क्या है–

(a) 2 (b) 2·4

(c) 3 (d) 1·5

44. दो व्यक्तियों के आयु का अनुपात 5 : 9 है। और उनमें से एक की आयु दूसरे से 40 वर्ष अधिक है। उनकी आयु का योग कितने वर्ष होगा–

(a) 180 (b) 140

(c) 150 (d) 160

45. पिता की वर्तमान आयु अपने पुत्र की आयु के 3 गुने से 3 वर्ष अधिक है। 3 वर्ष के बाद, पिता की आयु पुत्र की आयु के दुगुने से 10 वर्ष अधिक होगी। पिता की वर्तमान आयु है–

(a) 33 वर्ष (b) 39 वर्ष

(c) 45 वर्ष (d) 40 वर्ष

46. चार वर्ष पूर्व राम अपने बेटे से 3 गुना बड़ा था। यदि 4 वर्ष बाद दोनों की आयु का योग 56 वर्ष हो तो राम के बेटे की वर्तमान आयु क्या है–

(a) 14 वर्ष (b) 13 वर्ष

(c) 8 वर्ष (d) 22 वर्ष

47. पुत्र, माता एवं पिता की आयु का योग 108 वर्ष है तथा 3 वर्ष पूर्व उनकी आयु का अनुपात 2 : 3 : 4 था। सात वर्ष बाद माता की आयु क्या होगी–

(a) 46 वर्ष (b) 43 वर्ष

(c) 42 वर्ष (d) 44 वर्ष

48. पिता की आयु माँ की आयु से 5 वर्ष अधिक है और माँ की आयु, पुत्री की आयु की तिगुनी है। इस समय पुत्री की आयु 10 वर्ष है। पुत्री के जन्म के समय पिता की आयु क्या थी–

(a) 20 वर्ष (b) 25 वर्ष

(c) 30 वर्ष (d) 35 वर्ष

49. पुष्पा का विवाह 6 वर्ष पहले हुआ। उसकी वर्तमान आयु उसके विवाह के आयु की $\frac{5}{4}$ गुना है। उसका बेटा उसकी वर्तमान आयु का $\frac{1}{10}$ है। उसके बेटे की आयु कितनी है–

(a) 2 वर्ष (b) 3 वर्ष

(c) 4 वर्ष (d) 5 वर्ष

50. एक पिता ने अपने पुत्र से कहा – तुम्हारे जन्म के समय मेरी आयु, तुम्हारी वर्तमान आयु के बराबर थी। यदि पिता की वर्तमान आयु 38 वर्ष है तो 5 वर्ष पूर्व पुत्र की आयु क्या थी–

(a)14 वर्ष (b) 13 वर्ष

(c) 15 वर्ष (d) 16 वर्ष

51. यदि A और B की आयु का योग एवं अन्तर क्रमशः 65 वर्ष एवं 15 वर्ष है तो उनकी आयु का गुणनफल क्या होगा–

(a)800 वर्ष (b)950 वर्ष

(c)875 वर्ष (d) इनमें से कोई नहीं

52. किसी व्यक्ति से उसकी आयु बताने को कहा गया। उसका उत्तर था "3 वर्ष के बाद की मेरी आयु लीजिये, उसे 3 से गुणा कीजिये, गुणनफल में से 3 वर्ष पहले की मेरी आयु के 3 गुने घटाइये और फिर आपको उत्तर प्राप्त हो जायेगा कि मेरी वर्तमान आयु क्या है"। उस व्यक्ति की वर्तमान आयु क्या थी–

(a)24 वर्ष (b)20 वर्ष

(c)32 वर्ष (d)18 वर्ष

53. एक पिता की उम्र, मां की उम्र से 7 वर्ष अधिक है और मां इस समय अपनी पुत्री की उम्र की 3 गुनी है। इस समय पुत्री की उम्र 10 वर्ष है। तद्नुसार पुत्री के जन्म के समय, पिता की उम्र कितनी थी–

(a)27 वर्ष (b)37 वर्ष

(c)15 वर्ष (d) 40 वर्ष

54. P, Q और R की औसत आयु R की आयु से 5 वर्ष अधिक है। यदि P और R की आयु मिलाकर 39 वर्ष है तो R की आयु कितनी है–

(a)12 वर्ष (b)24 वर्ष

(c)16 वर्ष (d) 14 वर्ष

ANSWER

1.	b	2.	c	3.	b	4.	a	5.	c
6.	c	7.	d	8.	a	9.	c	10.	b
11.	b	12.	c	13.	d	14.	b	15.	c
16.	b	17.	a	18.	d	19.	b	20.	b
21.	b	22.	d	23.	c	24.	d	25.	a
26.	d	27.	d	28.	a	29.	d	30.	d
31.	d	32.	c	33.	b	34.	c	35.	b
36.	a	37.	c	38.	d	39.	a	40.	d
41.	b	42.	c	43.	a	44.	b	45.	a
46.	a	47.	b	48.	b	49.	b	50.	a
51.	d	52.	d	53.	a	54.	a		

Explanatory Notes

1. (b) R – M = 12 ......(i)
(R–5)+(M–5) = 28
R+M = 38 ....(ii)
समी० (i) + समी० (ii) से
2R = 50
R = 25 यह मान (ii) में रखने पर
M = 13 वर्ष

2. (c) 5 वर्ष बाद,
(लड़के + लड़की) का उम्र = 33 × 2 = 66 वर्ष
∴ **वर्तमान में**
(लड़के + लड़की) का उम्र = 66 – 5 – 5 = 56 वर्ष
माना, लड़के का उम्र = x वर्ष
तब लड़की का उम्र = (x – 4) वर्ष
x+(x –4) = 56
2x = 60
x = 30 वर्ष (लड़के का उम्र)
∴ लड़की का उम्र = 30 – 4 = 26 वर्ष

3. (b) माना, 5 वर्ष बाद, A = 3x वर्ष
B = 2x वर्ष
वर्तमान में, A + B = 30 वर्ष
(3x – 5) + (2x – 5) = 30
5x = 40
x = 8
∴ A का वर्तमान उम्र = 3x – 5
= 3 × 8 – 5 = 19 वर्ष

4. (a) माना, वर्तमान में
कमल = 4x वर्ष
किरण = 5x वर्ष
6 वर्ष बाद, कमल = 30 वर्ष
4x + 6 = 30
4x = 24
x = 6
∴ किरण की वर्तमान उम्र = 5xवर्ष
= 30 वर्ष

5. (c) 5 वर्ष पूर्व, A = K × 5
या, $\frac{A}{K} = \frac{5}{1}$
माना 5 वर्ष पूर्व, A = 5x वर्ष
K= x वर्ष
वर्तमान में,
A – K = 20 वर्ष
(5x+5)–(x+5) = 20
5x+5–x–5 = 20
4x= 20
x= 5
∴ अरूण की वर्तमान उम्र = 5x+5
= 5×5+5 = 30 वर्ष

6. माना वर्तमान में,
नरेश = 6xवर्ष
सुरेश = 5xवर्ष
∴ नरेश+सुरेश = 44 वर्ष
6x + 5x = 44
11 + x = 44
x = 4
15 वर्ष बाद, नरेश : सुरेश
= (6x +15) : (5x +15) = 39 : 35

7. (d) माना वर्तमान में,
अजीत = (5x +7) वर्ष
गणेश = (7x +7) वर्ष
∴ (5x +7)(7x +7) = 616
या, 35x^2+35x+49x+99 = 616
या, 35x^2+84x–567= 0
या, 5x^2+12x–81= 0
या, 5x^2+27x–15x–81= 0
या, x(5x+27)–3(5x+27)= 0
या, (5x+27) (x–3)= 0
∴ x = 3
अतः वर्तमान में, अजीत : गणेश
= (5x +17): (7x +7)
= 22 : 28
=11 : 14

8. (a) जय : जोग = 5 : 2
अनुपाती योग = 7
∴जय का वर्तमान उम्र = $\frac{5}{7}$ × 63 = 45वर्ष
जोग का वर्तमान उम्र = $\frac{2}{7}$ × 63 = 18वर्ष
∴45 : 18 = 5 : 2

9. (c) माना वर्तमान मे,
सीमा = 2x वर्ष
रीमा= 3x वर्ष
3x–2x= 6
x= 6
∴ 6वर्ष बाद, सीमा : रीमा
= (2x+6): (3x+6)
= (2×6+6): (3×6+6)
= 18 : 24
= 3 : 4

10. (b) माना, राम और श्याम की वर्तमान उम्र क्रमशः 7x वर्ष और 8x वर्ष ,
9 वर्ष बाद
$\frac{\text{राम}}{\text{श्याम}} = \frac{8}{9}$
$\frac{7x+9}{8x+9} = \frac{8}{9}$
63x+81 = 64x+ 72
64x–63x = 81–72

$x = 9$

∴ वर्तमान में ,

राम = $7x$ = 63 वर्ष

श्याम = $8x$ = 72 वर्ष

द्वितीय विधि:

राम श्याम

वर्तमान 7 8

9

9वर्ष बाद 8 – 9

(64–63)unit = (9-8)×9 वर्ष

1 unit = 9 वर्ष

∴ वर्तमान में,

राम = 7 unit = 7 × 9 = 63 वर्ष

श्याम = 8 unit = 8×9 = 72 वर्ष

11. (b)

माँ नरेन्द्र

वर्तमान 4 1

4

4वर्ष पूर्व 6 – 1

(6–4)unit = (6–1)×4 वर्ष

2 unit = 20 वर्ष

1 unit = 10 वर्ष

∴ वर्तमान में,

माँ = 4 unit = 4 × 10 = 40 वर्ष

नरेन्द्र = 1 unit = 1×10 = 10 वर्ष

12. (c)

पिता पुत्र

वर्तमान 4 1

20

20 वर्ष बाद 2 – 1

(4–2)unit = (2–1)×20 वर्ष

2 unit = 20 वर्ष

1 unit = 10 वर्ष

∴ वर्तमान में,

पिता = 4 unit = = 40 वर्ष

पुत्र = 1 unit = = 10 वर्ष

13. (d)

माँ पुत्री

वर्तमान 12 5

10

10 वर्ष बाद 2 – 1

(12–10)unit = (2–1)×10 वर्ष

2 unit = 10 वर्ष

∴1 unit = 5 वर्ष

∴ वर्तमान में,

माँ + पुत्री = 12+5 = 17 unit

= 17×5 = 85 वर्ष

14. (b) माना, 5 वर्ष बाद ,

पुत्र = x वर्ष

जैकब = $4x$ वर्ष

∴ वर्तमान में पुत्र = $(x–5)$ वर्ष

जैकब = $(4x–5)$ वर्ष

तीन वर्ष पहले, जैकब = पुत्र × 7

$(4x–5–3) = (x–5–3) \times 7$

$4x–8 = 7x–56$

$7x–4x= –8 + 56$

$3x= 48$

$x = 16$

∴ वर्तमान में, जैकब = $4x–5$ = 4×16–5 = 59 वर्ष

पुत्र = $x–5$ = 16–5 = 11 वर्ष

द्वितीय विधि :

जैकब पुत्र

5 वर्ष बाद 4 1

8

3 वर्ष बाद 7 1

(7–4)unit = (7–1)×8 वर्ष

3 unit = 48 वर्ष

∴ 1 unit = 16 वर्ष

5 वर्ष बाद,

जैकब = 4 unit = 64 वर्ष

पुत्र = 1 unit = 16 वर्ष

∴ वर्तमान में,

जैकब = 64–5 = 59 वर्ष

पुत्र = 64–5 = 59 वर्ष

15. (c)

पिता पुत्र

5वर्ष पहले 7 1

10

5 वर्ष बाद 3 – 1

(7–3)unit = (3–1)×10 वर्ष

4 unit = 20 वर्ष

∴ 1 unit = 5 वर्ष

∴ 2 वर्ष पहले,

पिता की उम्र = 7 unit + 3 वर्ष

= 35 + 3 = 38 वर्ष

पुत्र की उम्र = 1 unit + 3 वर्ष

= 5 + 3 = 38 वर्ष

16. (b)

P Q

6वर्ष पूर्व 3 2

10

4 वर्ष बाद 8 – 7

(21–16)unit = (8–7)×10 वर्ष

5 unit = 10 वर्ष

∴1 unit = 2 वर्ष

अतः 6 वर्ष पूर्व, P = 3 unit = 6 वर्ष
∴ वर्तमान मे, P= (6 + 6) वर्ष = 12 वर्ष

17. (a)

सुनील कमल
8 ⟨ 6वर्ष बाद 2 — 1
2 वर्ष पूर्व 4 — 1

(4–2)unit = (4–1)×8 वर्ष
2 unit = 24 वर्ष
∴1 unit = 12 वर्ष

अतः 6 वर्ष बाद, कमल = 1 unit = 12 वर्ष
∴ वर्तमान मे, कमल = (12–6) वर्ष = 6 वर्ष

18. (d)

राम श्याम
12 ⟨ 4वर्ष पूर्व 13 — 9
8 वर्ष बाद 4 — 3

(39–36)unit = (4–3)×12 वर्ष
3 unit = 12 वर्ष
∴1 unit = 4 वर्ष

4 वर्ष पूर्व, राम = 13 unit = 52 वर्ष
श्याम = 9 unit = 36 वर्ष
∴ वर्तमान मे, राम = 52+4 = 56 वर्ष
श्याम = 36+4 = 40 वर्ष
अतः अभीष्ट अन्तर = 16 वर्ष

19. (b) (माता+पिता) का कुल उम्र = 35×2 = 70 वर्ष
(माता+पिता+पुत्र) का कुल उम्र = 27×3 = 81 वर्ष
∴ पुत्र का उम्र = 81–70 = 11 वर्ष

20. (b) वर्तमान में, (पति + पत्नी) का कुल उम्र = (25+4)×2 = 58 वर्ष
(पति + पत्नी + पुत्र) का कुल उम्र = 20 × 3 = 60 वर्ष
∴ वर्तमान में, पुत्र = 60 – 58 = 2 वर्ष

21. (b) वर्तमान में, 5 सदस्यों के उम्र का योग = (17+3)×5 = 100 वर्ष
(5 सदस्य + 1 बच्चे) का कुल उम्र = 17×6 = 102 वर्ष
∴ बच्चे का वर्तमान उम्र = 102–100= 2 वर्ष

22. (b) 11 खिलाड़ियों के उम्र का योग = 27 × 11 = 297 वर्ष
(11 + 2) खिलाड़ियों के उम्र का योग = 26 × 13 = 338 वर्ष
∴ दोनों नये खिलाड़ी के उम्र का योग = 338 – 297 = 41 वर्ष
अतः दोनों का औसत उम्र = $\frac{41}{2}$ = 20·5 वर्ष

23. (c) (3 पुरूष + 3 महिला + 1 लड़के) का कुल उम्र = 7 × 40 = 280 वर्ष
(3×48+3×44+1 लड़के) का कुल उम्र = 280 वर्ष
(144+132+1 लड़के) का कुल उम्र = 280 वर्ष
∴ लड़के का उम्र = 280 – 276 = 4 वर्ष

24. (d) वर्तमान में,
(माता + पिता + पुत्र) का कुल उम्र = (35 + 5) × 3 = 120 वर्ष
(माता + पिता) का कुल उम्र = (46 + 3) × 2 = 98 वर्ष
∴ वर्तमान में पुत्र = 120 – 98 = 22 वर्ष

25. (a) 5 सदस्यों के उम्र का योग = 33 × 5 = 165 वर्ष
छोटा सदस्य = 9 वर्ष
∴ छोटे सदस्य के जन्म के समय पाँचों सदस्य का उम्र 9 – 9 वर्ष कम होगा अतः छोटे सदस्य के जन्म से पहले 4 सदस्यों के उम्र का योग = 165 – (5×9)
= 120 वर्ष
∴ इनका औसत उम्र = $\frac{120}{4}$ = 30 वर्ष

26. (d) माना, पुत्र की वर्तमान उम्र = x वर्ष
∴ पुत्र के जन्म के समय,
पिता की उम्र = x वर्ष
∴ पिता की वर्तमान उम्र = $(x + x)$ वर्ष = $2x$ वर्ष
∴ $2x$ = 40 वर्ष
∴ $2x$ = 40 वर्ष
∴ 5 वर्ष पूर्व, पुत्र की उम्र = (20–5) वर्ष = 15 वर्ष

27. (d) माना, मेरी उम्र = x वर्ष
तथा, कजिन की उम्र = y वर्ष
$\frac{3x}{5} = \frac{5x}{6}$
$18x = 25y$
या, $x = \frac{25}{18}y$.....(i)
तथा $x - 10 = y + 4$
$\frac{25}{18}y - 10 = y + 4$ समी० (i) से
$\frac{25y}{18} - y = 4 + 10$
$\frac{7y}{18} = 14$
$y = \frac{14\times18}{7}$ = 36 वर्ष
∴ $x = \frac{25}{18}y = \frac{25}{18}\times36 = 50$ वर्ष

28. (a) माना, मेरी उम्र = x वर्ष
तथा कजिन की उम्र = y वर्ष
$\frac{2x}{3} = \frac{3y}{4}$
$8x = 9y$

$\therefore y = \frac{8x}{9}$ ....(i)

तथा $x - 3 = y + 1$

$x - 3 = \frac{8x}{9} + 1$

$x - \frac{8x}{9} = 1 + 3$

$\frac{x}{9} = 4$

$x = 36$ वर्ष

29. (d)

पिता	पुत्र	माँ
$\frac{9x}{8}$	$\frac{3x}{8}$	xवर्ष (माना)

$\frac{9x}{8} - x$

$\frac{x}{8} = 4$

$\therefore x = 32$ वर्ष

$\therefore$ पुत्र का उम्र $= \frac{3x}{8} = \frac{3 \times 32}{8}$ 12 वर्ष

30. (d) माना वर्तमान में,

पूजा $= x$ वर्ष

दीपा $= y$ वर्ष

$(x-4) = (y+4)$

$x - y = 8$.....(i)

$\frac{(x+4)}{(y-4)} = \frac{3}{1}$

$x + 4 = 3y - 12$

$x - 3y - 16$ ......(ii)

समी० (i) – समी० (ii) से

$2y = 24 \therefore y = 12$

यह मान समी० (i) में रखने पर

$x - 12 = 8$

$\therefore x = 20$

अतः $x : y = 20 : 12$

$= 5 : 3$

31. (d) माना दादा की उम्र x वर्ष है।

$\frac{x-4}{5}$ = पोते की उम्र .....(i)

दिया है, पोते की बहन की उम्र = 5 वर्ष

$\therefore$ पोते की उम्र = 5+6 = 11 वर्ष यह मान समी० (i) में रखने पर

$\frac{x-4}{5} = 11$

$x - 4 = 55$

$x = 59$ वर्ष

32. (c) A + B = B + C + 12

A – C = 12

अतः C, A से 12 वर्ष छोटा है।

33. Sol[n]: (b)

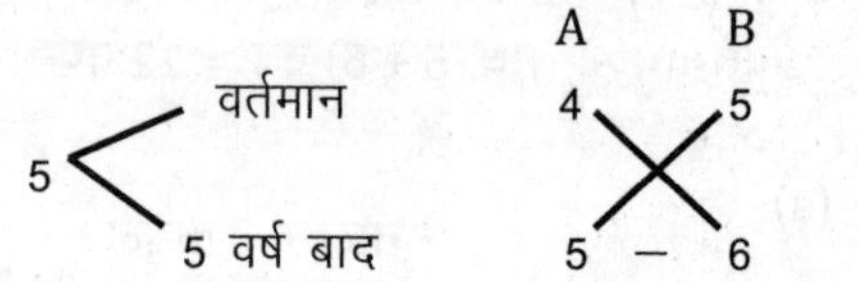

(5 × 5 ~ 4 × 6) Unit ⟶ (5 ~ 6) × 5

1 Unit ⟶ 5 वर्ष

$\therefore$A की वर्तमान उम्र = 4 इकाई = 4 × 5 = 20 वर्ष

34. Sol[n]: (c)

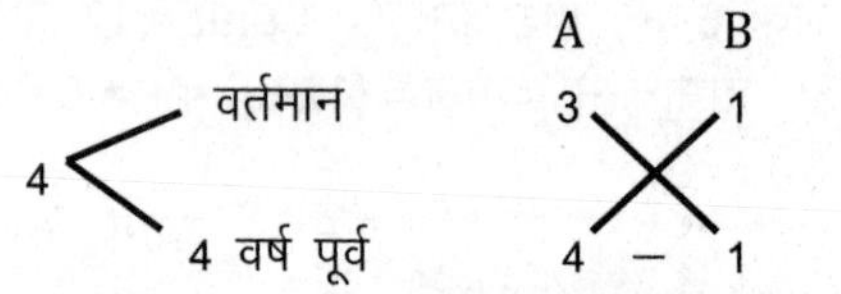

(4 × 1 ~ 3 × 1) Unit ⟶ (4 – 1) × 4

1 Unit ⟶ 12 वर्ष

$\therefore$A की वर्तमान आयु = 3 इकाई = 3 × 12 = 36 वर्ष

35. Sol[n]: (d)

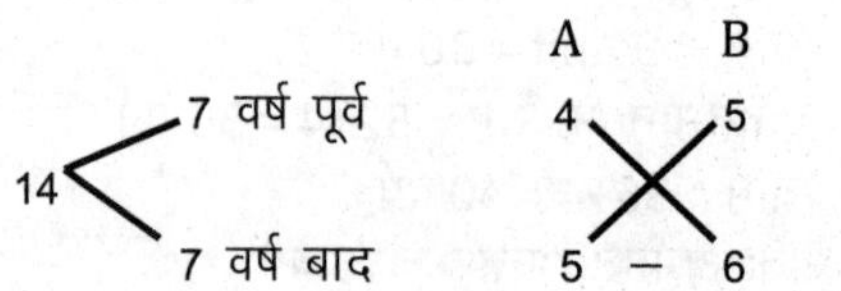

(5 × 5 ~ 4 × 6) Unit ⟶ (5 ~ 6) × 14

1 Unit ⟶ 14 वर्ष

7 वर्ष पूर्व, B की उम्र = 5 इकाई = 5 × 14 = 70 वर्ष

$\therefore$ B की वर्तमान उम्र = 70 + 7 = 77 वर्ष

36. Sol[n]: (a)

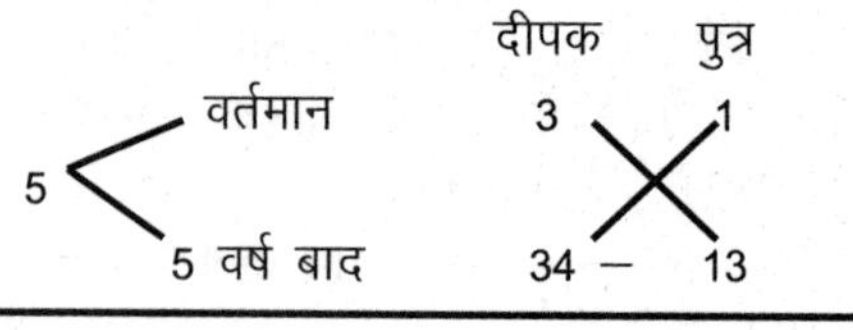

(34 × 1 ~ 3 × 13) Unit ⟶ (34 ~ 13) × 5

5 Unit ⟶ 21 × 5 वर्ष

1 Unit ⟶ 21 वर्ष

$\therefore$दीपक की वर्तमान उम्र = 3 इकाई = 3 × 21 = 63 वर्ष

37. Sol^n: (c)

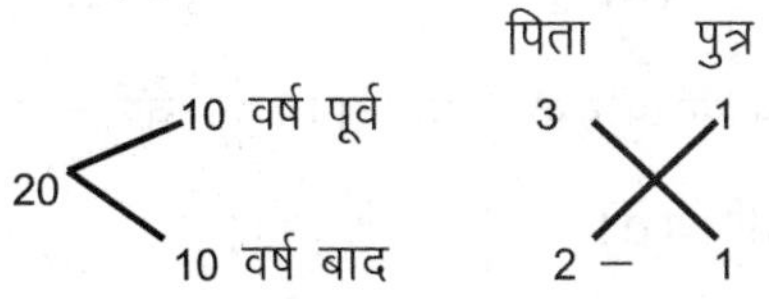

$(2 \times 1 \sim 3 \times 1)$ Unit ⟶ $(2 \sim 1) \times 20$

1 Unit ⟶ 20 वर्ष

10 वर्ष पहले, पिता की उम्र $= 3$ इकाई $= 3 \times 20 = 60$ वर्ष

पुत्र की उम्र $= 1$ इकाई $= 1 \times 20 = 20$ वर्ष

∴वर्तमान में पिता : पुत्र $= (60 + 10) : (20 + 10)$

$= 70 : 30 = 7 : 3$

38. Sol^n: (d)

(राम + 2 पुत्र) के उम्र का योग $= 17 \times 3 = 51$ वर्ष i

(राम की पत्नी + 2 पुत्र) के उम्र का योग $= 16 \times 3 = 48$ वर्ष.. ...ii

घटाने पर,

राम – राम की पत्नी का उम्र $= 3$

$33 -$ राम की पत्नी $= 3$

∴ राम की पत्नी का उम्र $= 33 - 3 = 30$ वर्ष

39. Sol^n: (a)

वर्तमान में P, Q व R के उम्रों का योग $= 25 \times 3 + 5 + 5 + 5 = 90$ वर्ष

वर्तमान में Q व R के उम्रों का योग $= 20 \times 2 + 7 + 7 = 54$ वर्ष

∴ P की वर्तमान उम्र = (P + Q +R) के उम्र – (Q + R) के उम्र

$= 90 - 54 = 36$ वर्ष

40. Sol^n: (d)

A + B का उम्र $= 30 \times 2 = 60$ वर्ष i

B + C का उम्र $= 26 \times 2 = 52$ वर्ष ii

A – C का उम्र $= 60 - 52 = 8$ वर्ष

41. Sol^n : (b) वर्तमान में पति व पत्नी के उम्र का योग $= 25 \times 2 + 4 + 4 = 58$ वर्ष

तथा वर्तमान में पति, पत्नी तथा बच्चे के उम्र का योग $= 20 \times 3 = 60$ वर्ष

∴बच्चे का वर्तमान उम्र $= 60 - 58 = 2$ वर्ष

42. Sol^n: (c)

A + B के उम्र $= 20 \times 2 = 40$ वर्ष.........i

C + B के उम्र $= 19 \times 2 = 38$ वर्ष.........ii

C + A के उम्र $= 21 \times 2 = 42$ वर्ष.........iii

2 (A + B + C) के उम्र $= 120$ वर्ष

∴ A + B + C के उम्र $= 60$ वर्ष

अतः, A का उम्र $= 60 - 38 = 22$ वर्ष

B का उम्र $= 60 - 42 = 18$ वर्ष

C का उम्र $= 60 - 40 = 20$ वर्ष

43. Sol^n: (a)

वर्तमान में 5 सदस्यों के उम्रों का योग $= (17 \times 5 + 5 \times 3) = 100$ वर्ष

वर्तमान में 5 सदस्य + बच्चे का उम्र योग $= 17 \times 6 = 102$ वर्ष

∴बच्चे का वर्तमान उम्र $= 102 - 100 = 2$ वर्ष

44. Sol^n: (b) माना, दोनों का उम्र क्रमशः $5x$ व $9x$ वर्ष है

∴ $9x - 5x = 40$

$4x = 40$

$x = 10$

∴दोनों के उम्रों का योग $= 5x + 9x = 14x = 14 \times 10 = 140$ वर्ष

45. Sol^n: (a) माना, पुत्र का वर्तमान उम्र $= x$ वर्ष

∴ पिता का वर्तमान उम्र $= (3x + 3)$ वर्ष

3 वर्ष बाद,

पिता की उम्र = पुत्र का उम्र × 2 + 10

$3x + 3 + 3 = (x + 3) \times 2 + 10$

$3x + 6 = 2x + 6 + 10$

$x = 10$

∴वर्तमान में पिता का उम्र $= 3x + 3 = 3 \times 10 + 3 = 33$ वर्ष

46. Sol^n: (a) माना 4 वर्ष पूर्व, बेटे का उम्र $= x$ वर्ष

∴ राम का उम्र $= 3x$ वर्ष

∴ 4 वर्ष बाद दोनों का उम्र क्रमशः $(x + 4 + 4)$ व $(3x + 4 + 4)$ है

प्रश्नानुसार,

$x + 8 + 3x + 8 = 56$

$4x = 40$

$x = 10$

∴ राम के बेटे का वर्तमान उम्र $= x + 4 = 10 + 4 = 14$ वर्ष

47. Sol^n : (b) माना 3 वर्ष पूर्व, माता एवं पिता का उम्र क्रमशः $2x, 3x$ व $4x$ वर्ष था

∴ वर्तमान में, पुत्र, माता व पिता का उम्र क्रमशः $(2x + 3)$, $(3x + 3)$ तथा $(4x + 3)$ वर्ष होगा।

$(2x + 3) + (3x + 3) + (4x + 3) = 108$

$9x = 99$

$x = 11$

∴ 7 वर्ष बाद माता की उम्र $= (3x + 3 + 7) = 3 \times 11 + 10 = 43$ वर्ष

48. Sol^n: (b) पुत्री की वर्तमान उम्र = 10 वर्ष

∴ मां की वर्तमान उम्र $= 10 \times 3 = 30$ वर्ष

∴ पिता का वर्तमान उम्र $= 30 + 5 = 35$ वर्ष

अतः पुत्री के जन्म के समय पिता की उम्र $= 35 - 10 = 25$ वर्ष

49. Sol^n: (b) माना की पुष्पा की वर्तमान आयु $= x$ वर्ष

$(x - 6) \times \frac{5}{4} = 4$

$5x - 30 = 4x$

$x = 30$ वर्ष

∴ बेटे की आयु $= 30 \times \frac{1}{10} = 3$ वर्ष

50. Sol^n: (a) पुत्र की वर्तमान आयु $= \frac{38}{2} = 19$ वर्ष

∴ 5 वर्ष पूर्व पुत्र की आयु $= (19 - 5)$ वर्ष $= 14$ वर्ष

51. Sol^n: (d)

$A + B = 65$..................i

$A - B = 15$..................ii

$2A = 80$

$A = 40$

∴ $B = 25$

अतः इनकी आयु का गुणनफल $= 40 \times 25 = 1000$ वर्ष

52. Sol^n: (d) माना, व्यक्ति की वर्तमान उम्र $= x$ वर्ष

प्रश्नानुसार, $(x + 3) \times 3 - (x - 3) \times 3$

$= 3x + 9 - 3x + 9$

$= 18$ वर्ष

53. Sol^n: (a) पुत्री की वर्तमान उम्र = 10 वर्ष

∴ माँ की वर्तमान उम्र $= 10 \times 3 = 30$ वर्ष

अतः पिता की वर्तमान उम्र $= 30 + 7 = 37$ वर्ष

∴ पुत्री के जन्म के समय पिता की उम्र $= 37 - 10 = 27$ वर्ष

54. Sol^n: (a) $\frac{P+Q+R}{3} = R + 5$

$P + Q + R = 3R + 15$

$P + Q = 2R + 15$

$39 = 2R + 15$

$2R = 24$

∴ $R = 12$ वर्ष

10

प्रतिशतता (Percentage)

''प्रतिशत'' प्रति एवं शत दो शब्दों से मिलकर बना है। प्रति का अर्थ 'प्रत्येक' एवं शत का अर्थ 'सैकड़ा' होता है, अर्थात् प्रतिशत का अर्थ है ''प्रत्येक सौ में''।

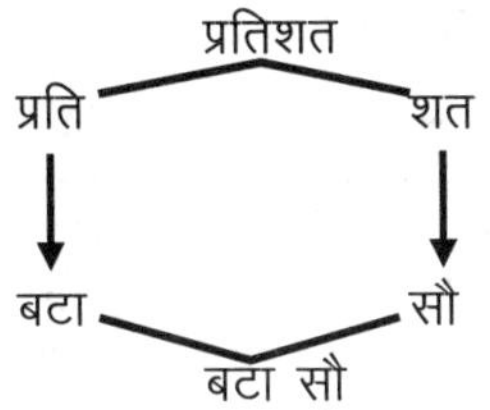

जैसे – $x\% = \frac{x}{100}$

$5\% = \frac{5}{100}$ आदि

Type - 01

x, y का कितने % है	x का कितने %, y है	$x\%$, $y\%$ का कितने % है
माना, x, y का P% है। $x = y \times \frac{P}{100}$ $\therefore P = \frac{x \times 100}{y}$	माना, x का P%, y है। $x \times \frac{P}{100} = y$ $\therefore P = \frac{y \times 100}{x}$	माना, $x\%$, $y\%$ का P% है। $\frac{x}{100} = \frac{y}{100} \times \frac{P}{100}$ $\therefore P = \frac{x \times 100}{y}$

''का'' से सम्बन्धित प्रश्न :–

इस प्रकार के Structure के लिए एक सारणी देखें :–

निष्कर्षतः– ''का'' कितने % है'' वाले प्रश्न को हल करने के लिए जिस अवयव के साथ ''का'' लगा हो उसे हर में रखते है तथा बचे अवयव को अंश में रखकर उसमें 100 से गुणा करके अभीष्ट परिणामी ज्ञात कर लेते है।

प्रश्न : 7%, 5% का कितने % है?

हलः अभीष्ट % = $\frac{7\% \times 100}{5\%} = 140\%$

प्रश्न : 3kg का कितने %, 750 gm है?

हल : अभीष्ट % = $\frac{750gm \times 100}{3kg} = \frac{750gm \times 100}{3000gm} = 25\%$

प्रश्न : दो संख्यायें क्रमशः किसी तीसरी संख्या का 20% तथा 25% है। दूसरी संख्या, पहली संख्या का कितने % है ?

हल : पहली संख्या : दूसरी संख्या : तीसरी संख्या

20 : 25 : 100

$\therefore$ अभीष्ट % = $\frac{25 \times 100}{20} = 125\%$

Type - 02

% वृद्धि और % कमी ज्ञात करने की सामान्य अवधारणा :–

Note :-

% वृद्धि या % कमी ज्ञात करना :– जितने की वृद्धि या कमी हो उसे अंश में रखकर 100 से गुणा करें तथा जिसके सापेक्ष वृद्धि या कमी हो उससे भाग दें।

प्रश्न : एक नगर की जनसंख्या 60000 से बढ़कर 65000 हो जाती है, तो जनसंख्या में कितने % की वृद्धि हुई ?

हल : 60000 ⟶ 65000

वृद्धि = 5000

$\therefore$ % वृद्धि = $\frac{5000 \times 100}{60000} = \frac{25}{3} = 8\frac{1}{3}\%$

प्रश्न : चावल का मूल्य 15रू0/kg से घटकर 12रू0/kg हो जाता है तो चावल के मूल्य में कितने % की कमी हुई ?

हल :15रू0/kg ⟶ 12रू0/kg

कमी = 3रू0/kg

अतः %कमी = $\frac{3 \times 100}{15} = 20\%$

Type - 03

से कितने % अधिक या से कितने % कम है :–

Note : ''से'' कितने % अधिक/कम :– जितने की अधिकता या कमी हो को अंश में रखकर 100 से गुणा करें और ''से'' वाले अवयव से भाग दें।

प्रश्न : 50, 40 से कितने % अधिक है ?

हल : 50 की 40 से अधिकता = 10

$\therefore$ अभीष्ट % = $\frac{10 \times 100}{40} = 25\%$

प्रश्न : दो संख्यायें किसी तीसरी संख्या से क्रमशः 20% और 25% अधिक है तो बताइये पहली संख्या, दूसरी संख्या से कितने % कम है ?

हल : पहली संख्या : दूसरी संख्या : तीसरी संख्या

120 : 125 : 100

24 : 25 : 20

पहली संख्या की दूसरी संख्या से कमी = (25 - 24) = 1

अतः अभीष्ट % कमी = $\frac{1 \times 100}{25} = 4\%$

Type - 04

जब प्रश्न में % वृद्धि दिया हो तथा % कमी ज्ञात करना हो :–

Point : किसी आयताकार मैदान की लम्बाई x% बढ़ा दिया जाता है। तो बताइये इसकी चौड़ाई में कितने % की कमी कर दी जाये कि मैदान का क्षेत्रफल अपरिवर्तित रहें ?

Derivation : माना, मैदान की लम्बाई l तथा चौड़ाई b है।

तब मैदान का क्षेत्रफल = lb

x% वृद्धि पर मैदान की नई लम्बाई = $\frac{l(100+x)}{100}$

माना, चौड़ाई को y% कम कर दिया जाये

तब मैदान की नई चौड़ाई = $\frac{b(100-x)}{100}$

प्रश्नानुसार, पुराना क्षेत्रफल = नया क्षेत्रफल

$lb = lb\frac{(100+x)}{100} \times \frac{(100-y)}{100}$

$10000 = 10000 - 100y + 100x - xy$

$100y + xy = 100x$

$y(100+x) = 100x$

$y = \frac{100x}{100+x}$

$$\boxed{\% \text{ कमी} = \frac{100x}{100+x}}$$

Note : जब कभी भी प्रश्न में % वृद्धि दिया हो और % कमी पूछा जाये तो वह अभीष्ट % कमी = $\frac{100x}{100+x}$ के बराबर होगा।

जहाँ x = % वृद्धि

प्रश्न : एक आयताकार प्लॉट की चौड़ाई 50% बढ़ाई जाती है, तो पहले जितना क्षेत्रफल बनाये रखने के लिए लम्बाई कितने % कम करनी चाहिए ?

हल : अभीष्ट % कमी = $\frac{100\times50}{100+50} = \frac{5000}{150} = \frac{100}{3} = 33\frac{1}{3}$%

प्रश्न : यदि A की आय B की आय से 25% अधिक हो तो, B की आय A की आय से कितने % कम है ?

हल : अभीष्ट % कमी = $\frac{100\times25}{100+25} = \frac{2500}{125} = 20$%

Note : **इसका विपरीत अर्थात् यदि प्रश्न में % कमी दिया जो और % वृद्धि पूछा जाये तो यह - $\boxed{\% \text{ वृद्धि} = \frac{100x}{100-x}}$ के बराबर होगा । जहाँ, x = %कमी**

प्रश्न : यदि A की आय, B की आय से 25% कम हो तो B की आय, A की आय से कितने % अधिक है?

हल : अभीष्ट % वृद्धि = $\frac{100\times25}{100-25} = \frac{2500}{75} = 33\frac{1}{3}$%

प्रश्न : आसू की आय में 10% कमी कर दी गई। उसकी आय को पूर्व स्तर पर लाने हेतु नई आय में कितने % की वृद्धि करनी होगी ?

हल : अभीष्ट % वृद्धि = $\frac{100\times10}{100-10} = \frac{1000}{90} = 11\frac{1}{9}$%

Type - 05

जब % वृद्धि व % कमी वाले प्रश्नों में अभीष्ट प्रतिशत परिवर्तन ज्ञात करना हो :–

(i) जब पहले % वृद्धि व बाद में % कमी दिया हो तब –

$$\boxed{R = +x - y - \frac{xy}{100}}$$

(ii) जब पहले % कमी व बाद में % वृद्धि दिया हो तब –

$$\boxed{R = -x + y - \frac{xy}{100}}$$

(iii) जब पहले और बाद दोनों में % वृद्धि दिया हो तब –

$$\boxed{R = +x + y + \frac{xy}{100}}$$

(iv) जब पहले और बाद दोनों में % कमी दिया हो तब –

$$\boxed{R = -x - y + \frac{xy}{100}}$$

प्रश्न : यदि जल कर में 20% वृद्धि होने पर पानी की खपत 20% कम कर दी जाये तो कुल कर में कितने % कमी अथवा वृद्धि होगी ?

हल : $R = +20 - 20 - \frac{20\times20}{100}$

R = -4

∴ कर में कुल 4% की कमी होगी।

प्रश्न : किसी आयत की लम्बाई 25% कम तथा चौड़ाई को 16% बढ़ा दिया जाये तो उसके क्षेत्रफल में कितने % की वृद्धि अथवा कमी होगी ?

हल : $R = -25 + 16 - \frac{25\times16}{100}$

R = -9 - 4

R = -13

∴ क्षेत्रफल में 13% की कमी होगी।

प्रश्न : यदि किसी वर्ग की भुजाओं की लम्बाईयाँ 50% बढ़ा दी जाये तो क्षेत्रफल में कितने % की वृद्धि होगी ?

हल : $R = +50 + 50 + \frac{50\times50}{100}$

$R = 125$

अतः क्षेत्रफल में 125% की वृद्धि होगी।

प्रश्न : एक सिनेमाघर की सीटों में 25% कमी की गई एवं टिकट के मूल्य में भी 10% कमी की गई। कुल आय में कितने % की कमी होगी ?

हल : $R = -25 - 10 + \frac{25 \times 10}{100}$

$R = -35 + \frac{5}{2}$

$R = -35 + 2.5 = -32.5$

अतः आय में 32.5% की कमी होगी।

Type - 06

परीक्षा से सम्बन्धित प्रश्न :–

(i) **जब दो विषयों का जिक हो।**

(ii) **जब किसी एक विद्यार्थी का जिक हो।**

(iii) **जब दो विद्यार्थियों का जिक हो।**

(i) जब दो विषयों का जिक हो –

प्रश्न : किसी परीक्षा में 70% प्रत्याशी अंग्रेजी में पास हुये। 80% गणित में पास हुये तथा 10% दोनों विषयों में फेल हुये। यदि दोनों विषयों में 144 प्रत्याशी पास हुये तो –

(a) कुल कितने % प्रत्याशी फेल हुये ?

(b) कुल कितने % प्रत्याशी पास हुये ?

(c) प्रत्याशियों की कुल संख्या क्या थी ?

हल :	पास	फेल
अंग्रेजी	70%	30%
गणित	80%	20%

दोनों विषयों में फेल = 10%

∴ (a) कुल फेल % प्रत्याशी = (30 + 20 - 10)% = 40%

(b) कुल पास % प्रत्याशी = (100 - 40)% = 60%

(c) कुल पास प्रत्याशी = 144

60% = 144

$\therefore 100\% = \frac{144}{60} \times 100 = 240$

अतः प्रत्याशियों की कुल संख्या = 240

> **Note : कुल फेल % = पहले विषय में फेल% + दूसरे विषय में फेल% - दोनों विषयों में फेल%**

> **Note : कुल पास % = पहले विषय में पास% + दूसरे विषय में पास% - दोनों विषयों में पास%**

प्रश्न : किसी परीक्षा में 52% विद्यार्थी हिन्दी तथा 42% अंग्रेजी में फेल हुये। यदि 17% विद्यार्थी इन दोनों विषयों में फेल हुये तो कितने % विद्यार्थी दोनों विषयों में पास हुये ?

हल : दोनों विषयों में पास % = (48 + 58 - 83)% = 23 %

(ii) जब किसी एक विद्यार्थी का जिक हो :–

प्रश्न : किसी परीक्षा में पास होने के लिए अधिकतम अंको के 36% अंक लाना आवश्यक है। एक विद्यार्थी ने 113 अंक प्राप्त किये तथा वह 85 अंकों से फेल हो गया। परीक्षा के अधिकतम अंक है ?

हल : परीक्षा के न्यूनतम उत्तीर्णांक का % = 36 %

तथा परीक्षा का न्यूनतम उत्तीर्णांक = (113 + 85) = 198

$\because 36\% \longrightarrow 198$

$\therefore 100\% \longrightarrow \frac{198}{36} \times 100 = 550$ अंक

(iii) जब दो विद्यार्थीयों का जिक्र हो –

(A) **जब एक विद्यार्थी पास व दूसरा विद्यार्थी फेल हो।**

(B) **जब दोनों विद्यार्थी पास या दोनों विद्यार्थी फेल हो।**

Condition (A) के लिये

Point : किसी परीक्षा में एक छात्र $x\%$ अंक प्राप्त करके P अंक से फेल हो जाता है परन्तु दूसरा छात्र y% अंक प्राप्त करता है जो न्यूनतम उत्तीर्णांक से Q अंक अधिक है तो परीक्षा का पूर्णांक बताइये ?

Derivation : माना, परीक्षा का पूर्णांक R है

पहले छात्र का न्यूनतम उत्तीर्णांक = दूसरे छात्र का न्यूनतम उत्तीर्णांक

$$R \times \frac{x}{100} + P = R \times \frac{y}{100} - Q$$

$$(P + Q) = \frac{Ry}{100} - \frac{Rx}{100}$$

$$(P + Q) = \frac{R}{100}(y - x)$$

$$\therefore R = \frac{(P+Q) \times 100}{y-x}$$

$$\text{पूर्णांक} = \frac{\text{अंको का योग} \times 100}{\text{प्रतिशत का अंतर}}$$

Condition (B) के लिये – **Similar Derivation** से,

$$\text{पूर्णांक} = \frac{\text{अंकों का अंतर} \times 100}{\text{प्रतिशत का अंतर}}$$

प्रश्न : एक प्रत्याशी किसी परीक्षा में 20% अंक प्राप्त करके 30 अंकों से फेल हो जाता है परन्तु अन्य प्रत्याशी 32% अंक प्राप्त करके पास होने वाले अंकों से 42 अंक अधिक प्राप्त करता है तो–

(A) परीक्षा का पूर्णांक बताइये ?

(B) परीक्षा का न्यूनतम उत्तीर्णांक बताइये ?

(c) परीक्षा का % न्यूनतम उत्तीर्णांक बताइये ?

हल : (A) परीक्षा का पूर्णांक $= \frac{(30+42)\times 100}{(20\sim 32)}$

$= \frac{72\times 100}{12} = 600$

(B) परीक्षा का न्यूनतम उत्तीर्णांक $= 600 \times \frac{20}{100} + 30 = 150$

(C) परीक्षा का % न्यूनतम उत्तीर्णांक $= \frac{150\times 100}{600} = 25\%$

द्वितीय विधि :

I → 20% → – 30 अंक
II → 32% → + 42 अंक
(32–20)% → 42–(–30) अंक
12% = 72 अंक
1% = 6 अंक

पूर्णांक = 100% = 600 अंक
न्यूनतम उत्तीर्णांक $= 600\times\frac{20}{100}+30$
= 150 अंक
न्यूनतम उत्तीर्णांक % $= \frac{150\times100}{600}$
= 25%

प्रश्न : किसी परीक्षा में A व B को क्रमशः 45% व 60% अंक मिले जो न्यूनतम उत्तीर्णांक से क्रमशः 25 अंक और 70 अंक अधिक था तो परीक्षा का पूर्णांक बताइये ?

हल : परीक्षा का पूर्णांक $= \frac{(25\sim 70)\times 100}{(45\sim 60)}$

$= \frac{45\times 100}{15} = 300$

द्वितीय विधि :

I → 45% → + 25 अंक
II → 60% → + 70 अंक
(60–45)% → 70–25 अंक
15% = 45 अंक
1% = 3 अंक

पूर्णांक = 100% = 300 अंक

Type - 07

जनसंख्या पर आधारित प्रश्न

माना किसी नगर की जनसंख्या P है तथा इसमें प्रतिवर्ष r% की दर से वृद्धि / कमी होती है तब –

(i) n वर्ष बाद जनसंख्या $= P\left(1 \pm \frac{r}{100}\right)^n$

जब n भिन्नात्मक हो, जैसे – $n = a\frac{b}{c}$ **वर्ष हो तब,**

$a\frac{b}{c}$ वर्ष बाद जनसंख्या $= P\left(1 \pm \frac{r}{100}\right)^a \times \left(1 \pm \frac{r\times\frac{b}{c}}{100}\right)$

(ii) n वर्ष पूर्व जनसंख्या $= \frac{P}{\left(1\pm\frac{r}{100}\right)^n}$

(iii) **यदि जनसंख्या में पहले वर्ष r_1% कमी, दूसरे वर्ष में r_2% वृद्धि तथा तीसरे वर्ष r_3% कमी हो तो –**

3 वर्ष बाद जनसंख्या $= P\left(1 - \frac{r_1}{100}\right)\left(1 + \frac{r_2}{100}\right)\left(1 - \frac{r_3}{100}\right)$

प्रश्न : किसी नगर की वर्तमान जनसंख्या 80000 है जनसंख्या में प्रतिवर्ष 5% की दर से कमी होती है तो–

(a) 2 वर्ष बाद नगर की जनसंख्या कितनी होगी ?

(B) $2\frac{3}{5}$ वर्ष बाद नगर की जनसंख्या कितनी होगी ?

हल : (A) 2 वर्ष बाद नगर की जनसंख्या,

$= 8000\left(1 - \frac{5}{100}\right)^2$

$= 8000 \times \frac{19}{20} \times \frac{19}{20} = 72200$

(B) $2\frac{3}{5}$ वर्ष बाद जनसंख्या $= 8000\left(1 - \frac{5}{100}\right)^2 \times \left(\frac{1-5\times\frac{3}{5}}{100}\right)$

$= 8000 \times \frac{19}{20} \times \frac{19}{20} \times \frac{97}{100} = 70034$

प्रश्न : किसी नगर की जनसंख्या 36100 है। जनसंख्या में प्रत्येक वर्ष 5% की कमी होती है तो 2 वर्ष पूर्व नगर की जनसंख्या कितनी थी ?

हल : 2 वर्ष पूर्व जनसंख्या,

$= \frac{3600}{\left(1-\frac{5}{100}\right)^2}$

$= \frac{36100}{\frac{19}{20}\times\frac{19}{20}}$

$= 36100 \times \frac{20}{19} \times \frac{20}{19}$

$= 40000$

Type - 08

आय–व्यय सम्बन्धी प्रश्न

(i) जब प्रश्न में शेष का जिक हो।

(ii) मिश्रित प्रश्न

Condition (i) जब प्रश्न में शेष का जिक्र हो –

प्रश्न : एक व्यक्ति अपनी कुल आय का 40% शिक्षा पर तथा शेष का 70% अन्य जरूरतों पर खर्च करता है। यदि महीने के अन्त में वह 3600 रू0 बचत करता हो तो उसकी मासिक आय बताइये ?

हल : माना, उसकी मासिक आय x है।

$x \times \frac{60}{100} \times \frac{30}{100} = 3600$

$x = 3600 \times \frac{10}{6} \times \frac{10}{3} = 20000$ रू0

प्रश्न : एक व्यक्ति अपनी कुल आय का 30% शिक्षा पर शेष का 50% मनोरंजन पर तथा शेष में से 2500 रू0 अन्य मदों पर खर्च करता है। यदि महीने के अन्त में वह 3100 रू0 बचत करता हो तो उसकी मासिक आय बताइये ?

हल : माना, उसकी मासिक आय x है।

$x \times \frac{70}{100} \times \frac{50}{100} - 2500 = 3100$

$x \times \frac{7}{10} \times \frac{1}{2} = 5600$

$x = 5600 \times \frac{20}{7} = 16000$

Condition (ii) : मिश्रित प्रश्न –

प्रश्न :– A और B के आय समान है। A अपनी आय का 35% तथा B अपनी आय का 22% बचत करता है। यदि B का बचत 3080 रू0 हो तो A का बचत बताइये ?

हल : B का बचत = 3080 रू0

22% = 3080

$\therefore$ $100\% = \frac{3080}{22} \times 100 = 14000$ रू0

अतः A का बचत $= 14000 \times \frac{35}{100} = 4900$ रू0

प्रश्न :– A और B का मासिक वेतन मिलाकर 40000 रू0 है। A अपने वेतन का 85% खर्च करता है और B अपने वेतन का 95% खर्च करता है, अब यदि उनकी बचत बराबर है तो A का वेतन कितना है ?

हल : A + B = 40000

A का बचत = B का बचत

$A \times \frac{15}{100} = B \times \frac{5}{100}$

$\frac{A}{B} = \frac{5}{15} = \frac{1}{3}$

A : B = 1 : 3

अनुपाती योग = 4

$\therefore$ A का वेतन $= \frac{1}{4} \times 40000 = 10,000$ रू0

Type - 09

चुनाव पर प्रश्न

(i) जब मतों की संख्या वैध हो।

(ii) जब मतों की संख्या अवैध हो।

(iii) जब कुछ मतदाता अपने मताधिकार का प्रयोग न करें।

Condition (i) जब मतों की संख्या वैध हो –

प्रश्न :– किसी द्विपक्षीय चुनाव में A को कुल वैध मतों का 60% मत मिला और वह B के मुकाबले 360 मतों से चुनाव जीत गया तो चुनाव में कुल कितने मत पड़े ?

हल :

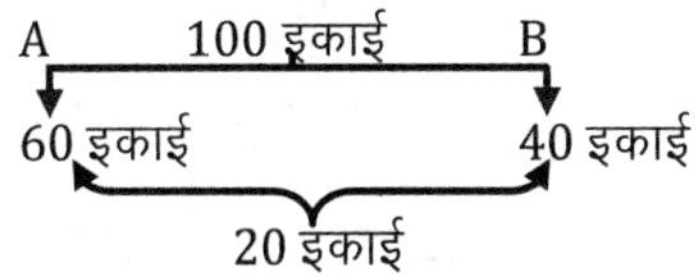

20 इकाई की जीत = 360 मत

$\therefore$ 1 इकाई $= \frac{360}{20} = 18$ मत

$\therefore$ 100 इकाई $= 18 \times 100 = 1800$ मत

Condition (ii) जब मतों की संख्या अवैध हो–

प्रश्न : किसी द्विपक्षीय चुनाव में 20% मत अवैध घोषित कर दिये गये। जीतने वाले उम्मीदवार वैध मतों का 70% मत प्राप्त कर 6400 मतों से विजयी होता है तो –

(i) चुनाव में कुल कितने मत पड़े ?

(ii) कुल वैध मतों की संख्या बताइये ?

हल :

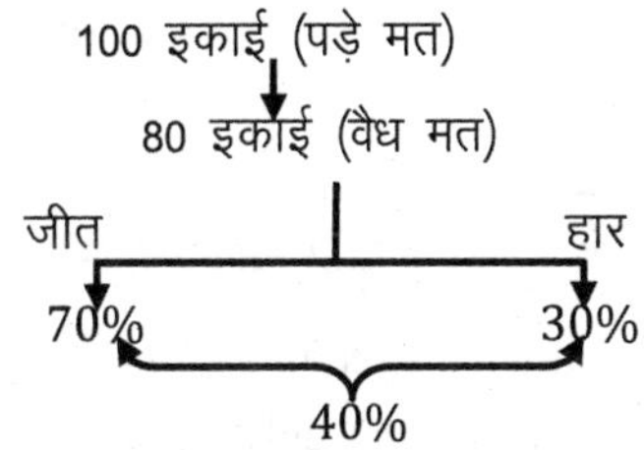

$\because$ 80 इकाई का 40% = 6400

$\therefore$ 1 इकाई $= \frac{6400 \times 100}{80 \times 40} = 200$ मत

(i) कुल मतों की संख्या = 100 इकाई = 200×100

= 20,000 मत

(ii) वैध मतों की संख्या = 80 इकाई = 200×80

= 16,000 मत

Condition (iii) : जब कुछ मतदाता अपने मताधिकार का प्रयोग न करें –

प्रश्न : किसी द्विपक्षीय चुनाव में 10% मतदाताओं ने अपने मताधिकार का प्रयोग नहीं किया जबकि डाले गये मत के 10% मत अवैध हो गये। इस चुनाव में A को कुल वैध मतों का 46% मत मिला और वह B के मुकाबले 1620 मतों से चुनाव हार गया तो –

(i) मतदाता सूची में कुल मतों की संख्या बताइये ?

(ii) कुल पड़े मतों की संख्या बताइये ?

(ii) कुल वैध मतों की संख्या बताइये ?

हल : 100 इकाई (सूची के मत)

↓

90 इकाई (पड़े मत)

↓

81 इकाई (वैध मत)

A → 46%, B → 54%

8%

$\because$ 81 इकाई का 8% = 1620 मत

$\therefore$ 1 इकाई $= \frac{1620 \times 100}{81 \times 8} = 250$ मत

(i) मतदाता सूची के कुल मत = 100 इकाई = 250×100

= 25000 मत

(ii) पड़ने वाले मत की संख्या = 90 इकाई = 90×250

= 22500 मत

(iii) वैध मतों की संख्या = 81 इकाई = 81×250

= 20250 मत

Type - 10

जब वस्तु के मूल्य में वृद्धि या कमी हो :–

Point : – चीनी के मूल्य में $x\%$ की वृद्धि हो जाने से एक व्यक्ति ₹ P में पहले की अपेक्षा a kg चीनी कम प्राप्त करता है तो –

(i) चीनी का पुराना भाव बताइये ?

(ii) चीनी का नया भाव बताइये ?

Derivation : माना, चीनी का पुराना भाव ₹ y / kg था।

$x\%$ वृद्धि पर नया भाव $= \frac{y\,(100+x)}{100}$

₹ P में पहले प्राप्त मात्रा – अब प्राप्त मात्रा = a kg

$$\frac{P}{y} - \frac{P(100)}{y(100+x)} = a$$

$$\frac{P}{y}\left[1 - \frac{100}{100+x}\right] = a$$

$$P\left[\frac{100+x-100}{100+x}\right] = a \times y$$

$$\therefore y = \frac{px}{(100+x) \times a}$$

$$\therefore \text{पुराना भाव} = \frac{\text{कीमत} \times \text{\% वृद्धि / कमी}}{\text{अधिक/कम मात्रा} \times (100 \pm \text{वृद्धि / कमी})}$$

तथा नया भाव $= y\,\frac{(100+x)}{100} = \frac{Px}{a(100+x)} \times \frac{100+x}{100}$

$= \frac{Px}{a \times 100}$

$$\therefore \text{नया भाव} = \frac{\text{कीमत} \times \text{\% वृद्धि / कमी}}{\text{अधिक/कम मात्रा} \times 100}$$

प्रश्न : आम के मूल्य में 25% की वृद्धि हो जाने से एक ग्राहक 120 रू0 में पहले की अपेक्षा 6 आम कम प्राप्त करता है तो –

(i) प्रति आम का पुराना भाव बताइये ?

(ii) प्रति आम का नया भाव बताइये ?

हल : (i) पुराना भाव $= \frac{120 \times 25}{6\,(100+25)}$

$= \frac{120 \times 25}{6 \times 125}$

= 4रू0 / आम

(ii) नया भाव $= \frac{120 \times 25}{6 \times 100}$

= 5रू0 / आम

द्वितीय विधि :

Note- वस्तु के मूल्य और उसकी मात्रा में विलोमानुपात का सम्बन्ध होता है अर्थात यदि वस्तु के मूल्य में वृद्धि होगी तो मात्रा पहले से कम मिलेगा और यदि वस्तु के मूल्य में कमी होगी तो पहले से अधिक मिलेगा।

	पुराना		नया	
कीमत →	4	:	5	[100 : 125 = 4 : 5]
मात्रा →	5	:	4	(5–4) unit= 6 आम
	×6 ↓		×6 ↓	$\therefore$ 1unit = 6 आम
	30 आम		24 आम	

$\therefore$ पुराना भाव $= \frac{120}{30}$ = 4 रू० / आम

∴ नया भाव = $\frac{120}{24}$ = 5 रू० / आम

प्रश्न : चावल के मूल्य में 25% की कमी होने पर कोई व्यक्ति ₹600 में 10 किलोग्राम अधिक चावल खरीद सकता है। चावल का प्रति किलोग्राम घटा हुआ मूल्य है

(a) ₹30 (b) ₹25

(c) ₹20 (d) ₹15

हल :

पुराना नया

कीमत → 4 : 3 [100 : 75 = 4 : 3]

मात्रा → 3 : 4 (4–3) unit= 10kg

×10 ×10 ∴1unit =10kg

30kg 40kg

∴ नया(घटा) मूल्य = $\frac{600}{40}$= 15 रू० /Kg

Type - 11

विविध प्रश्न –

प्रश्न : यदि (x - y) का 50% = (x + y) का 30% है तो x का कितने प्रतिशत y है ?

हल : $(x-y) \times \frac{50}{100} = (x+y) \times \frac{30}{100}$

$5x - 5y = 3x + 3y$

$2x = 8y$

$\frac{x}{y} = \frac{8}{2} = \frac{4}{1}$

अतः अभीष्ट % = $\frac{1 \times 100}{4} = 25\%$

प्रश्न : 25 लीटर नमक के एक घोल में नमक की मात्रा 6% है। तद्नुसार उस घोल में कितना पानी और मिला दिया जाये कि नमक की मात्रा 5% हो जाये ?

हल : नमक 25 ली0 पानी

$25 \times \frac{6}{100} = 1{\cdot}5$ लीटर 23·5 लीटर

x लीटर पानी मिलाने पर

$\frac{\text{नमक}}{\text{पानी}} = \frac{1{\cdot}5}{23{\cdot}5+x} = \frac{5}{95} = \frac{1}{19}$

28·5

= 23·5 + x

x = 5 लीटर

प्रश्न : एक कार्यालय में 72% कर्मचारी चाय पीते है तथा 44% कॉफी पीते है। यदि प्रत्येक कर्मचारी चाय अथवा कॉफी अवश्य पीता हो तथा 40 कर्मचारी चाय तथा कॉफी दोनों पीते हो तो कार्यालय में कुल कितने कर्मचारी है।

हल : चाय काफी

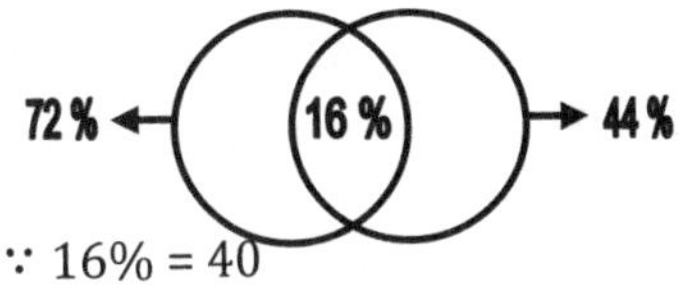

∵ 16% = 40

∴ 100% = $\frac{40}{100} \times 100 = 250$

∴ कुल कर्मचारियों की संख्या = 250

प्रश्नावली

TYPE - 01

1. यदि A का 20% = B का 50% है, तो A का कितने प्रतिशत B है?
(a) 30% (b) 40%
(c) 25% (d) 15%
(SSC CGL Pre Exame 24-2-2002)

2. 72ग्राम, 3.6 किलोग्राम का कितने प्रतिशत होता है?
(a) 32 (b) 22
(c) 12 (d) 2
(SSC FCI सहायक ग्रेड– III Exame 11-11-2012)

3. दो संख्याएं किसी तीसरी संख्या से क्रमशः 25% और 20% कम हैं। पहली संख्या दूसरी संख्या का कितना प्रतिशत है?
(a) 5% (b) 75%
(c) 80% (d) 93.75%

4. 6 घंटे एक दिन का कितने प्रतिशत है?
(a) 30% (b) 40%
(c) 25% (d) 45%
(RRB Group D 31-10-2018)

5. दो संख्याएं x तथा y किसी तीसरी संख्या से क्रमशः 20% तथा 50% अधिक हैं। x, y के कितने प्रतिशत के बराबर है?
(a) 30 (b) 45
(c) 60 (d) 80
(SSC Data Entry Operator exame 2-8-2019)

6. दो संख्याएँ किसी तीसरी संख्या से क्रमशः 35% तथा 50% अधिक हैं। पहली संख्या दूसरी संख्या के कितने प्रतिशत के बराबर होगी?
(a) 90 (b) 85
(c) 80 (d) 75
(SSC लेखा सेवा प्रशिक्षु परीक्षा 27.6.2010)

7. दो संख्याएँ किसी तीसरी संख्या से क्रमशः $12\frac{1}{2}$ % तथा 25% अधिक है। पहली संख्या दूसरी संख्या के कितने प्रतिशत के बराबर है?
(a) 90 (b) 87.5
(c) 25 (d) 12.5
(SSC Graduate Level Tier-II Exam 1-8-2010)

TYPE - 02

8. दो संख्याओं में से, बड़ी संख्या का 40% छोटी संख्या के 60% के बराबर है। यदि इन संख्याओं का योग 150 हो, तो बड़ी संख्या होगी–
(a) 70 (b) 80
(c) 90 (d) 60
(SSC CGL Pre Exam 13-11-2005)

9. यदि किसी संख्या के 80% को 80 में जोड़ने पर परिणाम स्वयं संख्या प्राप्त होती हो, तो वह संख्या होगी–
(a) 200 (b) 320
(c) 400 (d) 480
(SSC Data Entry Operator Exam 31-8-2008)

10. एक संख्या से 15 घटाने पर वह घट कर 80% रह जाती है। उस संख्या का 40% क्या है?
(a) 75 (b) 60
(c) 30 (d) 90
(SSC Constable (GD) Rifleman (GD)Exam 22-4-2012)

11. दो संख्याओं का अन्तर बड़ी संख्या के 25% के बराबर है। यदि छोटी संख्या 30 है, तो बड़ी संख्या होगी–
(a) 40 (b) 45
(c) 48 (d) 50
(SSC लेखा सेवा प्रशिक्षु परीक्षा 27.6.2010)

12. दो संख्याओं का अंतर उन दोनों में बड़ी संख्या के 20% के बराबर है। यदि छोटी संख्या 20 हो तो बड़ी संख्या क्या होगी?
(a) 25 (b) 45
(c) 50 (d) 80
(SSC CGL Pre Exam 27-2-2000)

13. दो संख्याओं का अंतर 1660 है। यदि एक संख्या का $6\frac{1}{2}$ % दूसरी संख्या के $8\frac{1}{2}$ % के बराबर है, तो छोटी संख्या है–
(a) 7055 (b) 5395
(c) 3735 (d) 2075
(SSC CGL Pre Exam 11-5-2003)

14. एक संख्या मे $22\frac{1}{2}$ % वृद्धि करने पर वह 98 हो जाती हैं। तदनुसार, वह संख्या कितनी है?
(a) 45 (b) 18
(c) 80 (d) 81
(SSC Graduate Level Tier-II Exam 29-9-2013)

15. जब किसी संख्या के 75% में 75 जोड़े जाएँ तो प्राप्त उत्तर ही संख्या है। संख्या का 40% ज्ञात करे:
(a) 100 (b) 80
(c) 120 (d) 160
(SSC CGL Tier-I 27-4-2014)

TYPE - 03

16. किसी विद्यालय में लड़कें तथा लड़कियाँ 3 : 2 के अनुपात में है। यदि 20% लड़के तथा 30% लड़कियाँ छात्रवृत्ति लेने वाले विद्यार्थी है, तो उन विद्यार्थियों का प्रतिशत जो छात्रवृत्ति नहीं लेते हैं, होगा–
(a) 50 (b) 72
(c) 75 (d) 76
(SSC CGL Pre Exam 4-2-2007)

17. A, B तथा C के वेतन 1 : 3 : 4 के अनुपात में हैं। यदि उनके वेतन में क्रमशः 5 प्रतिशत, 10 प्रतिशत तथा 15 प्रतिशत की वृद्धि की जाए, तो उनके बढ़े हुए वेतन किस अनुपात में होंगे?

(a) 20 : 66 : 95 (b) 21 : 66 : 95
(c) 21 : 66 : 92 (d) 19 : 66 : 92
(SSC CGL Pre Exam 27-7-2008)

18. किसी विद्यालय में लड़के तथा लड़कियाँ 3 : 2 के अनुपात में हैं। यदि लड़कों में 20% तथा लड़कियों में 25% विद्यार्थियों को छात्रवृत्ति मिलती है, तो उन विद्यार्थियों, जिनको छात्रवृत्ति नहीं मिलती, की प्रतिशतता है:
(a) 78 (b) 75
(c) 60 (d) 55
(SSC Data Entry Operator and LDC Exam 27-11-2010)

19. कोलकाता से किसी स्थान का बस किराया तथा रेलगाड़ी किराया क्रमशः 20 रू तथा 30 रू. थे। रेलगाड़ी के किराये में 20% तथा बस के किरायें में 10% की वृद्धि की गयी। रेलगाड़ी के नये किराए का बस के नये किराए से अनुपात है–
(a) 11 : 18 (b) 18 : 11
(c) 5 : 3 (d) 3 : 5
(SSC CGL Pre Exam 4-2-2007)

20. एक गाँव में लड़कों और लड़कियों की संख्या का अनुपात 3 : 2 है। यदि 30% लड़के और 70% लड़कियाँ किसी परीक्षा में बैठें तो उसी परीक्षा में बैठने वाले और न बैठने वाले गाँववासियों की संख्या का अनुपात क्या होगा?
(a) 9 : 14 (b) 23 : 27
(c) 1 : 1 (d) 27 : 23
(SSC CAPFs SI, CISF ASI and Delhi Police SI Exam 21-6-2015)

TYPE - 04

21. x की आय y की आय से 20% अधिक है। y की आय x की आय से कितने प्रतिशत कम है?
(a) $83\frac{1}{3}\%$ (b) $16\frac{2}{3}\%$
(c) $82\frac{2}{3}\%$ (d) $16\frac{1}{3}\%$
(SSC CGL Pre Exam 24-2-2002)

22. यदि राम की आय श्याम की आय से $12\frac{1}{2}\%$ अधिक है, तो श्याम की आय राम की आय से कितनी कम है–
(a) $11\frac{1}{9}\%$ (b) $13\frac{1}{2}\%$
(c) $87\frac{1}{2}\%$ (d) $88\frac{1}{9}\%$
(SSC CGL Pre Exam 24-2-2002)

23. यदि A का वेतन B से 25% कम है, तो B का वेतन A से कितना अधिक है?
(a) 25% (b) 30%
(c) $33\frac{1}{3}\%$ (d) 36%
(Bihar SSC Graduate Level Pre exam 16-2-2015)

24. B को A से 20% कम अंक प्राप्त हुए A को B से कितने प्रतिशत अधिक अंक प्राप्त हुए ?
(a) 20 (b) 25
(c) 12 (d) 80
(SSC CGL Pre Exam 27-7-2008)

25. यदि x की कमाई y से 25% अधिक हो, तो y की कमाई x से कितना प्रतिशत कम है?
(a) 16 (b) 10
(c) 20 (d) 25
(SSC CGL Pre Exam 27-7-2008)

TYPE - 05

26. किसी संख्या में 10% की वृद्धि कर दी जाती है और फिर उसमें 10% की कमी कर दी जाती है। अंतिम रूप से उस संख्या में–
(a) कोई परिवर्तन नहीं होता
(b) 1% की कमी हो जाती है
(c) 1% की वृद्धि हो जाती है
(d) 0-1% की वृद्धि हो जाती है
(SSC CGL Pre Exam 11-5-2003)

27. यदि किसी पुस्तक के मूल्य में पहले 25% की कमी कर दी जाए और फिर 20% की वृद्धि कर दी जाए, तो पुस्तक के मूल्य में शुद्ध परिवर्तन होगा–
(a) 10% कमी (b) 5% कमी
(c) कोई परिवर्तन नहीं (d) 5% वृद्धि
(SSC CGL Pre Exam 11-5-2003)

28. चीनी के भाव में 20% की बढ़ोतरी हो गयी है। परिणामस्वरूप एक परिवार ने अपनी चीनी की खपत में 20% की कमी कर दी है। इससे परिवार द्वारा चीनी पर किए जाने वाले व्यय में कितनी कमी हुई?
(a) 0% (b) 2.5%
(c) 4% (d) 5%
(SSC CGL Pre Exam 4-2-2007)

29. किसी वस्तु के भाव में 25% की कमी हो गई है, किन्तु वस्तु की दैनिक बिक्री में 30% की वृद्धि हो गई। परिणामस्वरूप दैनिक बिक्री से प्राप्त धनराशि में हो जाएगी–
(a) $2\frac{1}{2}\%$ की वृद्धि (b) $-2\frac{1}{2}\%$ की कमी
(c) 2% की वृद्धि (d) 2% %की कमी
(SSC CGL Pre Exam 27-7-2008)

30. एक गोले की त्रिज्या को 20% घटाने पर उसका आयतन कितना घटेगा?
(a) 20% (b) 28.8%
(c) 57.6% (d) 48.8%
(Hariyana TET (Class VI-VIII 2 Feb 2014))

31. यदि किसी ठोस घन की प्रत्येक भुजा में 150% की वृद्धि की जाए, तो इसके पृष्ठीय क्षेत्रफल में हुई प्रतिशत वृद्धि है
(a) 525 (b) 225
(c) 625 (d) 150
(C TET (Class VI-VIII)22 Feb 2015)

32. यदि किसी वृत्त की त्रिज्या में 35% की कमी होती है, तो इसका क्षेत्रफल में ....की कमी हो जाती है।

(a) $57\frac{3}{4}\%$ (b) $57\frac{2}{4}\%$
(c) $56\frac{3}{4}\%$ (d) $57\frac{1}{4}\%$

(RRB NTPC 2-3-2021)

33. किसी वर्ग की 2 आसन्न भुजाओं की लम्बाइयों में क्रमशः 35% और 25% की वृद्धि की जाती है परिणामस्वरूप प्राप्त आयत का क्षेत्रफल, वर्ग के क्षेत्रफल से.......अधिक होगा।

(a) 68.75% (b) 69.75%
(c) 67.75% (d) 70.75%

(RRB NTPC 4-2-2021)

34. यदि किसी भूमि के आयताकार भूखण्ड की लंबाई एवं चौड़ाई को क्रमशः 10% एवं 8% बढ़ा दिया जाये, तब इसके क्षेत्रफल में वृद्धि या कमी प्रतिशत क्या होगा?

(a) 16.8% कमी (b) 18.8% कमी
(c) 16.8% वृद्धि (d) 18.8% वृद्धि

(RRB NTPC 30-12-2020)

35. किसी वस्तु के मूल्य में r% की वृद्धि की गयी। बाद में बढ़े हुए मूल्य में r% की कमी की गयी। यदि वस्तु का अन्तिम मूल्य 1 रू० हो, तो आरम्भ का मूल्य था–

(a) 1रू० (b) $\frac{1-r^2}{100}$रू०
(c) $\frac{\sqrt{1-r^2}}{100}$रू० (d) $\left(\frac{10000}{10000-r^2}\right)$

(SSC CGL Pre exam 8-2-2004)

TYPE - 06

36. किसी परीक्षा में 60% छात्र अंग्रेजी में उत्तीर्ण हुए है, 70% हिन्दी में और 40% दोनों में। तब अंग्रेजी और हिन्दी दोनों में अनुत्तीर्ण छात्रों का प्रतिशत क्या था?

(a) 10 (b) 20
(c) 25 (d) 30

(SSC CGL Pre exam 27-2-2000)

37. किसी परीक्षा में 52% विद्यार्थी हिन्दी तथा 42% अंग्रेजी में फेल हुए। यदि 17% विद्यार्थी इन दोनों विषयों में फेल हुए हो, तो कितने प्रतिशत विद्यार्थी दोनों विषयों में पास हुए?

(a) 38% (b) 33%
(c) 23% (d) 18%

(SSC CGL Pre exam 8-2-2004)

38. एक परीक्षा में 80% लड़के अंग्रेजी में पास हुए और 85% गणित में पास हुए जबकि 75% लड़के दोनों विषयों में पास हुए। यदि 45 लड़के दोनों विषयों में फेल हुए तो परीक्षा में बैठे लड़कों की कुल संख्या बताइए।

(a) 400 (b) 450
(c) 200 (d) 150

(SSC Constable (GD) Exam 12-5-2013)

39. एक परीक्षा में 75% उम्मीदवार अंग्रेजी में और 60% उम्मीदवार गणित में उत्तीर्ण हुए। 25% दोनों में अनुत्तीर्ण हो गए एवं 240 उम्मीदवार परीक्षा में उत्तीर्ण हुए। कुल उम्मीदवार कितने थे?

(a) 492 (b) 300
(c) 500 (d) 400

(SSC CAPFs SI, CISF ASI and Delhi Police SI Exam 22-6-2014)

40. एक उम्मीदवार को किसी परीक्षा में उत्तीर्ण होने के लिए 40% अंक प्राप्त करने जरूरी हैं। यदि 220 अंक प्राप्त करने वाला उम्मीदवार 20 अंकों से अनुत्तीर्ण हो गया हो तो उस परीक्षा के अधिकतम अंक क्या थे?

(a) 1200 (b) 800
(c) 600 (d) 450

(SSC CGL Pre Exam 27-2-2000)

41. किसी परीक्षा में पास होने के लिए अधिकतम अंकों के 36% अंक लाना आवश्यक है। एक विद्यार्थी ने 113 अंक प्राप्त किये तथा वह 85 अंकों से फेल हो गया परीक्षा के अधिकतम अंक है:

(a) 500 (b) 550
(c) 565 (d) 620

(SSC Data entry Operator and LDC Exam 28-11-2010)

42. एक प्रत्याशी किसी परीक्षा में 20% अंक प्राप्त करके 30 अंको से फेल हो जाता है परन्तु अन्य प्रत्याशी 32% अंक प्राप्त करके पास होने वाले अंकों से 42 अंक अधिक प्राप्त करता है। तब पास होने के लिए अंकों का प्रतिशत है–

(a) 52% (b) 50%
(c) 33% (d) 25%

(SSC CGL Pre Exam 11-5-2003)

43. एक छात्र ने किसी परीक्षा में 65% अंक प्राप्त किया परंतु अहेता अंकों में 20 अंक कम थे। दूसरे छात्र ने उसी परीक्षा में 80% अंक प्राप्त किए और ये अंक अर्हता अंकों से 10 अंक अधिक थे। तो परीक्षा का पूर्णांक क्या है?

(a) 400 (b) 500
(c) 300 (d) 200

(RRB NTPC 7-1-2021)

44. राम को एक परीक्षा में 40% अंक प्राप्त हुए और वह 20 अंकों से अनुत्तीर्ण हो गया। आदित्य को 45% अंक प्राप्त हुए और प्राप्तांक उत्तीर्ण होने के लिए आवश्यक अंकों से 30 अंक अधिक है। उत्तीर्ण होने के लिए कितने प्रतिशत अंकों की आवश्यकता है?

(a) 38% (b) 42%

(c) 43% (d) 33%
RRB Paramedical Exam- 20-7-2018

45. किसी परीक्षा में 1000 लड़के और 800 लड़कियाँ थी। लड़कों में 60% और लड़कियों में 50% परीक्षार्थी उत्तीर्ण हुए। जो परीक्षार्थी अनुत्तीर्ण हुए उनका प्रतिशत ज्ञात कीजिए।
(a) 46.4 (b) 48.4
(c) 44.4 (d) 49.4
(SSC CGL Pre Exam 4-7-1999)

46. एक परीक्षा में 1100 लड़कों और 900 लड़कियों ने भाग लिया। उनमें 50% लड़के और 40% लड़कियाँ परीक्षा में उत्तीर्ण हो गई। तदनुसार अनुत्तीर्ण परीक्षार्थियों का प्रतिशत कितना रहा ?
(a) 45 (b) 45.5
(c) 50 (d) 54.5
(SSC MTS Non Technical Exam 20-2-2011)

47. वार्षिक परीक्षा में अंकिता को गणित में एकता से 10% कम अंक प्राप्त हुए। यदि अंकिता को 81 अंक मिले तो एकता को कितने अंक प्राप्त हुए?
(a) 90 (b) 87
(c) 88 (d) 89

48. एक परीक्षा में 25% छात्र असफल हो जाते हैं और केवल 450 छात्र सफल होते है, तो परीक्षा में कुल छात्रों की संख्या क्या थी?
(a) 700 (b) 600
(c) 550 (d) 500

49. दो छात्रों ने एक प्रवेश परीक्षा में भाग लिया। उनमें से एक ने दूसरे से 15 अंक अधिक प्राप्त किए, और उसके अंक उनके अंकों के योगफल के 80% के बराबर हैं। उनमें से प्रत्येक द्वारा प्राप्त अंक ज्ञात कीजिए।
(a) 5 और 20 (b) 6 और 21
(c) 8 और 23 (d) 4 और 19
(RRB NTPC (Stage - 2)16-6-2022)

50. किसी विद्यार्थी ने विज्ञान के विषयों में 300 में से 32% अंक अर्जित किए। वह भाषा के 200 अंक वाले प्रश्न पत्रों में कितने अंक अर्जित करे ताकि उसके कुल मिलाकर 46% अंक हो जाएँ?
(a) 72% (b) 67%
(c) 66% (d) 60%
(SSC Data Entry Operator Exam 28-11-2010)

51. एक परीक्षा में, जिसमे पूर्णांक 500 थे, A को B की अपेक्षा 10% कम अंक मिले। उसी में B को C की अपेक्षा 25% अधिक अंक मिले और C को D की अपेक्षा 20% कम अंक मिले। तदनुसार यदि A को 360 अंक मिले हो, तो D को पूर्णांक के कितने प्रतिशत अंक प्राप्त हुए थे?
(a) 90% (b) 80%
(c) 50% (d) 60%
(SSC (10+2) Level Data Entry Operator Exam

TYPE - 07

52. गेहू के मूल्य में 20% की कमी होने से लालता ₹320 में 5 किलोग्राम अधिक गेहूँ खरीद सकती है गेहूँ का आरंभिक मूल्य (प्रति किलोग्राम रूपयों में) था–
(a) 16 (b) 18
(c) 20 (d) 21
(SSC Data Entry Operator and LDC Exame 28-11-2010)

53. चावल के मूल्य में 25% की कमी होने पर कोई व्यक्ति ₹600 में 10 किलोग्राम अधिक चावल खरीद सकता है। चावल का प्रति किलोग्राम घटा हुआ मूल्य है
(a) ₹30 (b) ₹25
(c) ₹20 (d) ₹15
(SSC Data Entry Operator and LDC Exame 28-11-2010)

54. चीनी के भाव में 20% की कमी हो गयी है। अब एक व्यक्ति 36 रू. में 500 ग्राम अधिक चीनी खरीद सकता है। चीनी का प्रति किलोग्राम प्रारंभिक भाव था–
(a) रू. 14.40 (b) रू. 18
(c) रू. 15.60 (d) रू. 16.50
(SSC CGL Pre Exame 27-7-2008)

55. चीनी के भाव में 25% की कमी हो जाने से कोई आदमी 360 रूपए में $7\frac{1}{2}$ किलोग्राम अधिक चीनी खरीद सकता है। चीनी का आरभिक मूल्य प्रति किलोग्राम था–
(a) 16 रूपए (b) 18 रूपए
(c) 20 रूपए (d) 25 रूपए
(SSC डाटा एन्ट्री ऑपरेटर परीक्षा 2.8.2009)

56. अंडो के मूल्य में 50% की वृद्धि होने पर ₹24 में 4 अंडे कम मिलते हैं। प्रति दर्जन अंडो का वर्तमान भाव है:
(a) ₹ 24 (b) ₹ 27
(c) ₹ 36 (d) ₹ 42
(SSC Data Entry Operator and LDC exame 27-11-2010)

57. चावल की कीमत में 20% की कमी हो जाने पर एक ग्राहक ₹800 में 12.5 किग्रा चावल ज्यादा खरीद लेता है। तदनुसार, चावल की मूल कीमत प्रति किग्रा कितनी है?
(a) ₹14 (b) ₹16
(c) ₹12 (d) ₹150
(SSC (10+2) डाटा एंट्री ऑपरेटर एवं LDC)

TYPE - 08

58. किसी कस्बे की जनसंख्या प्रतिवर्ष 4% बढ़ जाती है। यदि इसकी वर्तमान जनसंख्या 50,000 हो, तो 2 वर्ष बाद यह कितनी होगी?
(a) 53,900 (b) 54,000
(c) 54,080 (d) 54,900
(SSC CGL Pre Exame 27-7-2008)

59. एक गाँव की वर्तमान जनसंख्या 67600 है। यह 4% वार्षिक की दर से बढ़ती रही है। गाँव की जनसंख्या दो वर्ष पूर्व कितनी थी?
(a) 62500 (b) 63000
(c) 64756 (d) 652200
(SSC Data entry Operator and LDC Exame 27-11-2010)

60. एक गाँव की जनसंख्या में प्रतिवर्ष 5 प्रतिशत की वृद्धि होती है। यदि इसकी वर्तमान जनसंख्या 4410 है, तो 2 वर्ष पूर्व इसकी जनसंख्या क्या थी?
(a) 4500 (b) 4000
(c) 3800 (d) 3500
(SSC CHSL (10+2) DEO & LDC Exame 9-11-2014)

61. एक कस्बे की वर्तमान जनसंख्या 15,625 है। यह दो क्रमागत वर्षो में 8% और 12% बढ़ती है, लेकिन तीसरे वर्ष में 22% घट जाती है। तीसरें वर्ष के अंत में कस्बे की जनसंख्या कितनी होगी?
(a) 13,230 (b) 15,120
(c) 14,742 (d) 14,042
(RRB Group D 5-9-2022)

62. एक शहर की 20% जनसंख्या युद्ध के कारण मृत हो गई, और शेष जनसंख्या में से 5% व्यक्ति एक महामारी में मारे गए। यदि शहर की वर्तमान जनसंख्या 15,200 है, तो युद्ध से पूर्व शहर की जनसंख्या कितनी थी?
(a) 20,000 (b) 19,680
(c) 23,500 (d) 20,100
(RRB Group D- 30-9-2022)

63. एक कस्बे की जनसंख्या 10,000 है। यदि पुरुष जनसंख्या में 5% और महिला जनसंख्या में 10% की वृद्धि होती है, तो जनसंख्या 10,800 हो जाएगी। कस्बे में महिलाओं की संख्या कितनी है?
(a) 7000 (b) 6000
(c) 8000 (d) 5000
(RRB NTPC 3-2-2021)

64. पहले वर्ष के दौरान एक गाँव की जनसंख्या में 5% वृद्धि हुई और दूसरे वर्ष मे उसमें 5% का ह्रास हुआ। दूसरे वर्ष के अंत में उसकी जनसंख्या 47,880 थी। पहले वर्ष के प्रारंभ में उसकी जनसंख्या कितनी थी?
(a) 45,500 (b) 48,000
(c) 43,500 (d) 53,000
(SSC MTS Exame 16-2-2014)

65. एक शहर की आबादी में लगातार दो वर्षो में 10% और 20% की वृद्धि हुई, किन्तु तीसरे वर्ष इसमें 25% की कमी हुई। तीसरे वर्ष की जनसंख्या और 3 वर्ष पूर्व की जनसंख्या का अनुपात ज्ञात कीजिए।
(a) 100 : 99 (b) 99 : 100
(c) 2 : 1 (d) 1 : 1
(RRB JE - 1-6-2019)

66. एक नगर की जनसंख्या 15,000 है। यदि उसमे पुरूषों की संख्या में 8% तथा स्त्रियों की संख्या में 10% वृद्धि हो जाए तो जनसंख्या बढ़कर 16,300 हो जाएगी। तदनुसार उस नगर में स्त्रियों की संख्या ज्ञात करें।
(a) 4000 (b) 6000
(c) 3000 (d) 5000
(Bihar SSC Graduate Level Exame 23-2-2015)

67. एक गाँव की जनसंख्या 9800 थी। एक वर्ष में पुरूषों की संख्या 8% तथा महिलाओं की संख्या में 5% की वृद्धि होती है तो गाँव की जनसंख्या 10458 हो जाती है तो वृद्धि से पूर्व गाँव में पुरूषों की संख्या क्या थी?
(a) 4200 (b) 4410
(c) 5600 (d) 6048
(SSC CHSL 2017)

TYPE - 09

68. प्रत्येक माह, कृतिका अपनी आय का 30% घर के किराए पर और शेष का 60% घरेलू व्यय पर खर्च करती है। यदि वह प्रत्येक माह ₹6300 की बचत करती है, तो उसकी कुल मासिक आय कितनी है?
(a) ₹22,000 (b) ₹20,500
(c) ₹22,500 (d) ₹25,000
(RRB Group D 17-9-2018)

69. वीर अपनी मासिक आय का 15% किराया और शेष का 60% गृह कार्यो पर खर्च करता है। यदि वह ₹2210 बचाता है तो उसकी मासिक आय होगी?
(a) ₹6500 (b) ₹7500
(c) ₹8000 (d) ₹7000
(RRB ALP & Tec (10-8-2018))

70. अरूण की आय, बाला की आय की 150% है। चंदू की आय, अरूण की आय की 120% है। यदि अरूण, बाला और चंदू की कुल आय ₹86000 हो तो चंदू की आय ज्ञात कीजिए।
(a) ₹36000 (b) ₹32000
(c) ₹30000 (d) ₹34000
(RRB RPF Constable 19-1-2019)

71. नीलम अपनी कुल आय का 20% मकान के किराए पर तथा शेष का 70% घरेलू मदों पर खर्च करती है। यदि वह 3600 रू. की बचत करती है, तो उसकी कुल आय कितनी है?
(a) 15000 रू. (b) 10500 रू.
(c) 10050 रू. (d) 10000 रू.
(SSC CGL Pre Exame 24-2-2002)

72. एक व्यक्ति ने अपनी आय का 20% अपने बड़े पुत्र को दिया तथा शेष का 30% अपने छोटे पुत्र

को दे दिया। शेष बची हुई राशि का 10% उसने एक ट्रस्ट को दे दिया और इस प्रकार उसके पास 10080 रूपये बचे। उसकी आय थी–

(a) 50000 रूपयें (b) 40000 रूपयें
(c) 30000 रूपयें (d) 20000 रूपयें
(SSC CGL Pre Exame 11-5-2003)

73. राधा अपने वेतन का 40% भोजन पर, 20% मकान किराए पर, 10% मनोरंजन पर तथा 10% परिवहन पर व्यय करती है। यदि माह के अंत में उसकी बचत 1500 रूपये है, तो उसका मासिक वेतन (रूपये में) है–

(a) 8000 (b) 7500
(c) 6000 (d) 10000
(SSC CGL Pre exame 11-5-2003)

74. एक व्यक्ति के पास कुछ धनराशि है। उसने उस राशि का 20% एक वस्तु खरीदने में खर्च किया और शेष का 5% परिवहन पर। इसके बाद उसने ₹ 120 दान कर दिए। तदनुसार, यदि उसके पास ₹1,400 शेष बचे हों, तो उसके द्वारा परिवहन पर किया खर्च कितना था?

(a) ₹76 (b) ₹61
(c) ₹95 (d) ₹80
(SSC Graduate Level Tier-II exame 16-9-2012)

75. एक व्यकित अपने मासिक वेतन का 40% भोजन तथा शेष वेतन का एक–तिहाई परिवहन पर व्यय करता है। यदि वह 4,500 रूपए, जो भोजन तथा परिवहन पर व्यय करने के बाद शेष रहने वाली राशि के आधे के बराबर है, मासिक की बचत करता हो, तो उसका मासिक वेतन होगा–

(a) 11,250 रूपए (b) 22,500 रूपए
(c) 25,000 रूपए (d) 45,000 रूपए
(SSC Data Entry Operator Exame 31-8-2008)

76. A और B का मासिक वेतन मिलाकर 40,000 रूपए है। A अपने वेतन का 85% खर्च करता है और B अपने वेतन का 95% खर्च करता हैं अब यदि उनकी बचत बराबर है, तो A का वेतन (रूपए में) कितना है?

(a) 10,000 रूपए (b) 12,000 रूपए
(c) 16,000 रूपए (d) 18,000 रूपए
(SSC CGL Tier-I Exame 19-10-2014)

TYPE - 10

77. एक चुनाव में, वोट डालने के लिए अधिकृत लोगो में से 90% लोगों ने अपने वोट डाले। डाले गए वोटों में से 80% वोट वैध थे। विजेता को वैध वोटों में से 60% वोट प्राप्त हुए। यदि विजेता को 64800 वोट प्राप्त हुए, तो वोट डालने के लिए अधिकृत लोगों की संख्या कितनी थी?

(a) 150000 (b) 125000
(c)200000 (d) 175000
(RRB NTPC (Stage -2)15-6-2022)

78. एक चुनाव में उम्मीदवार A को कुल मान्य वोटो के 75% के बराबर वोट मिले है। यदि कुल वोटों में से 15% वोटों को अमान्य घोषित किया गया और कुल वोटों की संख्या 560000 है, तो A के पक्ष में पड़ने वाले मान्य वोटों की संख्या ज्ञात करें।

(a) 355000 (b) 357000
(c) 356000 (d) 358000
(RRB NTPC 13-1-2021)

79. एक चुनाव में 10 प्रतिशत मतदाताओं ने अपना मत नहीं दिया और 60 मतदाताओं ने मतपत्र को खाली छोड़ दिय। केवल दो उम्मीदवार थे। विजेता उम्मीदवार को मतदाता सूची के 47 प्रतिशत मतदाताओं का मत मिला और उसे अपने प्रतिद्वन्दी से 308 मत अधिक मिले। सूची में मतदाताओं की संख्या कितनी थी?

(a) 3600 (b) 6200
(c) 4575 (d) 6028
(SSC CGL Pre 2018)

80. 8% मतदाताओं ने अपने मत का प्रयोग नहीं डाले। इस चुनाव में केवल 2 उम्मीदवार थे। विजेता को कुल वोट के 48% प्राप्त हुए तथा उसने 1100 मतों से विजय प्राप्त की तो चुनाव मे कुल कितने मतदाता थे?

(a) 21000 (b) 23500
(c) 22000 (d) 27500
(SSC MTS 2019)

81. दो उम्मीदवारों के बीच एक चुनाव में, पंजीकृत मतदाताओं में से 5% ने अपना वोट नहीं डाला। 10% वोट या तो अमान्य या NOTA के पाए गए। जीतने वाले उम्मीदवार ने अपने पक्ष में 60% वोट प्राप्त किए और 17271 वोटो से जीत हासिल की। पंजीकृत मतदाताओं की संख्या ज्ञात कीजिए।

(a) 90252 (b) 100000
(c) 101000 (d) 102500
(SSC CGL Pre 2022)

82. दो उम्मीदवारों के बीच हुए एक चुनाव में मतदाता सूची में शामिल 75% मतदाताओं ने मतदान किया, जिसमें से 2% मत अमान्य घोषित कर दिए गए। एक उम्मीदवार को 9261 मत मिले, जो मान्य मतों के 75% के बराबर थे। उस चुनाव में मतदाता सूची में शामिल मतदाताओं की कुल संख्या कितनी थी?

(a) 18000 (b) 16400
(c) 16000 (d) 16800
(RRB NTPC 10-2-2021)

TYPE - 11

83. किसी 400 मिली. विलयन में, जिसमें 15% अल्कोहल है, कितना शुद्ध अल्कोहॉल मिलाया

जाए ताकि प्राप्त मिश्रण में अल्कोहॉल की सान्द्रता 32% हो जाए?

(a) 60 मिली. (b) 100 मिली.
(c) 128 मिली. (d) 68 मिली.

(SSC CGL Pre Exame 11-5-2003)

84. 80% बोरिक अम्ल वाले 100 मिली. पानी के घोल में कितना पानी और मिलाया जाए कि घोल में बोरिक अम्ल 50% हो जाए?

(a) 30 मिली. (b) 40 मिली.
(c) 50 मिली. (d) 60 मिली.

(SSC (10+2) Data Entry Operator and LDC Exame 11-12-2011)

85. अल्कोहल और पानी के एक लीटर के मिश्रण में पानी 30% है। उस मिश्रण में कितना अल्कोहल और डाला जाए कि पानी का प्रतिशत 15% हो जाए?

(a) 1000 मिली. (b) 7000 मिली.
(c) 300 मिली. (d) 900 मिली.

(SSC (10+2)Data Entry Operator and LDC Exame 11-12-2011)

86. 15 लीटर मिश्रण में 1 : 4 के अनुपात में अल्कोहल और पानी है। यदि मिश्रण में 3 लीटर पानी मिलाया जाता है तो नए मिश्रण में अल्कोहल का प्रतिशत कितना होगा?

(a) 15% (b) $16\frac{2}{3}$%
(c) 17% (d) $18\frac{1}{2}$%

(SSC Graduate Level Tier exame 21-4-2013)

87. 30% अल्कोहल सान्द्रता वाले मिश्रण को 50% अल्कोहल सान्द्रता वाले मिश्रण में किस अनुपात में मिलाया जाए ताकि 45% अल्कोहल सान्द्रता वाला मिश्रण प्राप्त हो?

(a) 1 : 2 (b) 1 : 3
(c) 2 : 1 (d) 3 : 1

(SSC CGL Pre Exame 2-7-2008)

88. 15 प्रतिशत तथा 40 प्रतिशत सान्द्रता वाले दो चीनी के घोलो को किस अनुपात में मिलाया जाए, ताकि 30 प्रतिशत सान्द्रता वाला घोल प्राप्त हो?

(a) 2 : 3 (b) 3 : 2
(c) 8 : 9 (d) 9 : 8

(SSC CGL Pre Exame 27-7-2008)

89. 20 लीटर मिश्रण में 20% अल्कोहल और शेष पानी है। यदि उसमें 4 लीटर पानी और मिला दिया जाए तो नये मिश्रण में अल्कोहल का प्रतिशत कितना होगा?

(a) $33\frac{1}{3}$% (b) $16\frac{2}{3}$%
(c) 25% (d) $12\frac{1}{2}$%

90. दूध और पानी के एक 40 लीटर मिश्रण मे 10% पानी है। नए मिश्रण में 20% पानी रखने के लिए, मूल मिश्रण में मिलाए जाने वाले पानी की मात्रा है–

(a) 6 लीटर (b) 6.5 लीटर
(c) 5.5 लीटर (d) 5 लीटर

(SSC CGL Pre Exame 11-5-2003)

TYPE - 12

91. यदि किसी भिन्न का अंश 20% बढ़ा दिया जाएं तथा हर 5% घटा दिया जाए, तो भिन्न $\frac{5}{2}$ हो जाती है, तो वास्तविक भिन्न क्या है?

(a) $\frac{24}{19}$ (b) $\frac{3}{18}$
(c) $\frac{95}{48}$ (d) $\frac{48}{95}$

92. दिया गया है, A की आय का 10% = B की आय का 15% = C की आय का 20% । यदि तीनो की आयों का योग ₹7800 है, तो Bकी आय ज्ञात करें?

(a) ₹ 3600 (b) ₹ 3000
(c) ₹ 2400 (d) ₹ 1800

93. एक परीक्षा में, A को, B से 25% अंक अधिक प्राप्त हुए B को C से 10% कम अंक प्राप्त हुए और C को D से 25 अंक अधिक प्राप्त हुए। यदि D को 500 में से 320 अंक प्राप्त हुए हों तो A को कितने अंक प्राप्त हुए?

(a) 405 (b) 450
(c) 360 (d) 400

94. यदि A का 91%, B का 39% है और B, A का x% है तो x का मान कितना होगा?

(a) $\frac{500}{3}$ (b) $\frac{400}{3}$
(c) $\frac{700}{3}$ (d) $\frac{200}{3}$

(SSC CGL (Mains)2022)

Revision Series

95. प्रतिशत के आधे को दशमलव के रूप में लिखा जायेगा ?

(a)0·2 (b) 0·02
(c) 0·005 (d) 0·05

96. (420 का x%) = (21 का 400%) हो तो x = ?

(a)100 (b)200
(c)20 (d)इनमें से कोई नहीं

97. किसी संख्या के 30% का $\frac{3}{5}$ यदि 18 हो, तो संख्या क्या है ?

(a)100 (b)80
(c)160 (d)180

98. 90sec , 1 Hr. 40 Min. का कितने % है ?

(a)1·5% (b)2%
(c)2·5% (d)3%

99. P, Q से 5 गुना बड़ा है। Q, P से कितने % कम है ?

(a)$83\frac{1}{3}$ (b)70

(c) $63\frac{1}{3}$ (d)50

100. दो संख्यायें एक तीसरी संख्या से क्रमशः 12·5% तथा 25% अधिक है। पहली संख्या, दूसरी संख्या का कितने % है ?

(a)90% (b)87·5%
(c)25% (d)12·5%

101. यदि दो संख्यायें क्रमशः तीसरी संख्या का 20% व 50% है। तो प्रथम संख्या, दूसरी संख्या का कितने % है ?

(a)10 (b)20
(c)30 (d)40

102. यदि A का 80% = B के 50% और B = A का x% है, तब x का मान है ?

(a)400 (b)300
(c)160 (d)150

103. चीनी का मूल्य 12रू0/किग्रा0 से बढ़कर 15रू0/किग्रा0 हो जाता है तो इसके मूल्य में कितने % की वृद्धि हुई ?

(a) $16\frac{2}{3}\%$ (b)20%
(c)25% (d)30%

104. दो संख्या एक तीसरी संख्या से 20% और 25% छोटी है। दूसरी संख्या प्रथम संख्या से कितने % कम है ?

(a)6.66 (b)25
(c)6.25 (d)5

105. संख्या 80, 90 से कितने % कम है ?

(a)10% (b) $16\frac{2}{3}\%$
(c) $33\frac{1}{3}\%$ (d) $11\frac{1}{9}\%$

106. एक टीम ने 40 खेल खेलें और उनमें 24 जीते। तदनुसार उस टीम द्वारा जीते हुये खेलों का प्रतिशत कितना है ?

(a)70% (b)40%
(c)60% (d)35%

107. यदि A, C से 50% बड़ा हो और B, C से 25% बड़ा हो तो A, B से कितने % बड़ा होगा ?

(a)25% (b)50%
(c)75% (d)120%

108. चीनी के मूल्य में 20% की वृद्धि होती है। चीनी की खपत कितने % कम की जाये ताकि उस पर होने वाला खर्च पहले जितना हो ?

(a)20% (b)10%
(c) $16\frac{2}{3}\%$ (d)15%

109. प्याज की कीमत में 25% की वृद्धि हो जाती है, तो गृहणी को उसकी खपत कितने % कम कर देनी चाहिए ताकि उसके प्याज खरीद के खर्च में वृद्धि न हो ?

(a)22·5 (b)25·75
(c)25 (d)20

110. यदि किसी उपभोक्ता वस्तु के मूल्य में 50% की वृद्धि हो जाये तो इसकी खपत में कितने भाग कमी की जाये ताकि इसकी खपत पर होने वाला व्यय पहले जितना ही रहे ?

(a) $\frac{1}{4}$ (b) $\frac{1}{3}$
(c) $\frac{1}{2}$ (d) $\frac{2}{3}$

111. किसी वस्तु के मूल्य में 25% की कटौती की गई है। इसे इसके आरंभिक मूल्य पर लाने के लिए नये मूल्य में कितने % की वृद्धि करनी पड़ेगी ?

(a) $9\frac{1}{11}$ (b) $11\frac{1}{9}$
(c) $33\frac{1}{3}$ (d) $36\frac{2}{3}$

112. जल कर में 20% की वृद्धि हुई लेकिन उसकी खपत 20% कम हुई है। तो धन के खर्च में वृद्धि या कमी कितनी हुई ?

(a)5% कमी (b)4% कमी
(c)4% वृद्धि (d)कोई परिवर्तन नहीं होगा

113. किसी वस्तु पर लगे कर में 10% की कमी की गई और उसकी खपत 10% बढ़ जाती है। उस पर प्राप्त राजस्व में प्रतिशत परिवर्तन ज्ञात कीजिए ?

(a)10% वृद्धि (b)2% कमी
(c)1% कमी (d)11% वृद्धि

114. किसी वस्तु के मुल्य में r% की वृद्धि की गई। बाद में बढ़े हुये मूल्य में r% की कमी की गई। यदि वस्तु का अन्तिम मूल्य ₹ 1 हो तो आरम्भ का मूल्य था ?

(a)₹ 1 (b)₹ $\frac{1-r^2}{100}$
(c)₹ $\frac{\sqrt{1-r^2}}{100}$ (d)₹ $\frac{10000}{(10000-r^2)}$

115. यदि वृत्त की त्रिज्या 5% तक बढ़ा दी जाये तो उसके क्षेत्रफल में कितनी वृद्धि होगी ?

(a)10·25% (b)10%
(c)5·75% (d)15%

116. एक लम्ब वृत्तीय शंकु की ऊँचाई में 200% की वृद्धि तथा उसके आधार के अर्द्धव्यास में 50% की कमी करने पर शंकु के आयतन में क्या परिवर्तन होगा ?

(a)25% की वृद्धि (b)50% की वृद्धि
(c)25% की कमी (d)इनमें से कोई नहीं

117. यदि किसी लम्ब वृत्ताकार बेलन के आधार की त्रिज्या तथा उसकी ऊँचाई दोनों में 20% की वृद्धि की जाये तो उसके आयतन में कितनी वृद्धि होगी ?

(a)20% (b)40%
(c)60% (d)72·8%

118. किसी परीक्षा में 60% छात्र अंग्रेजी में उत्तीर्ण हुये है। 70% हिन्दी में और 40% दोनों में। तब अंग्रेजी और हिन्दी दोनों में अनुत्तीर्ण छात्रों का % क्या था ?

(a)10 (b)20
(c)25 (d)30

119. किसी परीक्षा में 60% उम्मीदवार अंग्रेजी में तथा 70% उम्मीदवार गणित में उत्तीर्ण हुये किन्तु 20% उम्मीदवार उन दोनों विषयों में अनुत्तीर्ण हुये। यदि 2500 उम्मीदवार दोनों विषयों में उत्तीर्ण हुये हो तो परीक्षा देने वाले कुल उम्मीदवारों की संख्या थी –

(a)3000 (b)3500
(c)4000 (d)5000

120. किसी परीक्षा में उत्तीर्ण होने के लिए एक विद्यार्थी को 36% अंक अवश्य प्राप्त करने चाहिए। 190 अंक प्राप्त करने वाला एक विद्यार्थी 35 अंकों से असफल हो गया। उस परीक्षा के पूर्णांक है ?

(a)450 (b)810
(c)500 (d)625

121. एक परीक्षार्थी 30% अंक प्राप्त करके 5 अंकों से अनुत्तीर्ण हो जाता है। एक अन्य विद्यार्थी 40% अंक प्राप्त करके आवश्यक न्यूनतम अंकों से 10 अंक अधिक प्राप्त करता है उत्तीर्ण होने के लिए आवश्यक न्यूनतम अंक कितने है ?

(a)50 (b)70
(c)100 (d)150

122. एक प्रत्याशी किसी परीक्षा में 20% अंक प्राप्त करके 30 अंकों से फेल हो जाता है परन्तु अन्य प्रत्याशी 32% अंक प्राप्त करके पास होने वाले अंकों से 42 अंक अधिक प्राप्त करता है। तब पास होने के लिए अंकों का प्रतिशत है ?

(a)52% (b)50%
(c)33% (d)25%

123. किसी परीक्षा का पूर्णांक 500 था। A को B की अपेक्षा 10% कम अंक मिले। B को C की अपेक्षा 25% अधिक मिले और C को D की अपेक्षा 20% कम अंक मिले। यदि A को 500 में 360 अंक मिले तो D को पूर्णांक के कितने % अंक प्राप्त हुये ?

(a)90% (b)80%
(c)50% (d)60%

124. एक परीक्षा में 1100 लड़कों और 900 लड़कियों ने भाग लिया। उनमें 50% लड़के और 40% लड़कियाँ परीक्षा में उत्तीर्ण हुये तो अनुत्तीर्ण परीक्षार्थियों का % क्या था ?

(a)45 (b)45·5
(c)50 (d)54·5

125. प्रत्येक प्रश्न एक अंक वाले 80 प्रश्नों की एक परीक्षा में अर्पिता पहले 40 प्रश्नों के 65% सही उत्तर देती है। पूरी परीक्षा में 75% अंक पाने के लिए शेष 40 में से उसे कितने % सही उत्तर देने होंगे ?

(a)60% (b)85%
(c)75% (d)80%

126. 40% लोग समाचार x पढ़ते है, 50% लोग समाचार, y पढ़ते है और 10% लोग दोनों समाचार पत्र पढ़ते है। कितने % लोग दोनों में से कोई भी समाचार पत्र नहीं पढ़ते ?

(a)10% (b)15%
(c)20% (d)125%

127. एक व्यक्ति अपने वेतन का 20% शिक्षा पर तथा शेष का 15% अन्य मदों पर खर्च करता है। तदोपरान्त उसके पास ₹ 11560 शेष रहते है तो उसका वेतन है ?

(a)₹ 18320 (b)₹ 17000
(c)₹ 16500 (d)₹ 16000

128. प्राची अपने वेतन का 40% भोजन पर, 20% किराये पर, 10% मनोरंजन पर तथा 10% परिवहन पर व्यय करती है। यदि माह के अन्त में उसकी बचत ₹ 1500 है तो उसका वेतन है–

(a)8000 (b)10000
(c)6000 (d)7500

129. A की आय का 10% = B की आय का 15% = C की आय का 20% है। यदि उनकी आय का कुल योग ₹ 7800 हो तो B की आय होगी –

(a)₹ 3600 (b)₹ 3000
(c)₹ 2400 (d)₹ 1800

130. *A* और *B* की आय का योग ₹ 33000 है। *A* अपनी आय का 60% और *B* अपनी आय का 75% खर्च करता है। यदि इनके बचत का अनुपात 4 : 3 हो तो *A* की आय है –

(*a*)₹ 15000 (*b*)₹ 18000
(*c*)₹ 20000 (*d*)इनमें से कोई नहीं

131. किसी जनपद में रहने वाले व्यक्तियों की संख्या 64000 है। यदि जनसंख्या $2\frac{1}{2}\%$ वार्षिक दर से बढ़ती है तो 3 वर्ष बाद वहाँ रहने वाले व्यक्तियों की संख्या हो जायेगी ?

(a)70000 (b)69200
(c)68921 (d)68911

132. एक गाँव की आबादी 20% प्रतिवर्ष की दर से घट रही है। यदि 2 वर्ष पूर्व उसकी आबादी 10,000 थी तो वर्तमान आबादी है –

(a)4600 (b)6400
(c)7600 (d)6000

133. किसी नगर में 1000 निवासियों में से 60% पुरूष है जिनमें से 20% साक्षर है। यदि सभी निवासियों में 25% साक्षर है तो नगर में कितने % महिलायें साक्षर है ?

(a)27·5 (b)32·5
(c)37·5 (d)22·5

134. एक नगर की जनसंख्या 15000 है। यदि उसमें पुरूषों की संख्या में 8% तथा स्त्रियों की संख्या में 10% वृद्धि हो जाये तो जनसंख्या बढ़कर 16300 हो जायेगी। उस नगर में स्त्रियों की संख्या ज्ञात करे ?

(a)4000 (b)6000
(c)3000 (d)5000

135. पहले वर्ष के दौरान एक गाँव की जनसंख्या में 5% की वृद्धि हुई और दूसरे वर्ष में उसमें 5% की कमी हुआ। दूसरे

वर्ष के अन्त में उसकी जनसंख्या 47880 थी। पहले वर्ष के प्रारम्भ में उसकी जनसंख्या कितनी थी ?

(a)45500 (b)48000
(c)43500 (d)53000

136. दो प्रत्याशियों के बीच हुये एक चुनाव में कुल डाले गये मतों के 60% मत प्राप्त करके एक प्रत्याशी 14000 मतों से विजयी हुआ । जीतने वाले प्रत्याशी द्वारा प्राप्त किये गये मतों की संख्या है –

(a)28000 (b)32000
(c)42000 (d)45000

137. किसी द्विपक्षीय चुनाव में 20% मत अवैध घोषित हो गये और A, 70% वैध मत प्राप्त कर B के मुकाबले 9600 मतों से चुनाव जीत जाता है तो चुनाव में कुल कितने मत पड़े ?

(a)20000 (b)25000
(c)24000 (d)30000

138. एक चुनाव में दो उम्मीदवार ने भाग लिया। 10% मतदाताओं ने मतदान नही किया तथा पड़े मत के 10% मत अवैध घोषित हो गये जीतने वाले को वैध मतों का 70% मत प्राप्त हुआ और वह 7290 मतों से चुनाव जीता तो मतदाता सूची में कुल कितने मतदाता थे ?

(a)22500 (b)20500
(c)25000 (d)N.O.T.

139. किसी चुनाव में 8% मतदाताओं ने अपने मत नहीं डाले। इस चुनाव में केवल दो ही प्रत्याशी थे। जीतने वाले प्रत्याशी ने कुल मतों के 48% मत प्राप्त कर 1100 मतों से चुनाव में दूसरे प्रत्याशी को हरा दिया। चुनाव में कुल मत थे –

(a)21000 (b)23500
(c)22000 (d)27500

140. दो उम्मीदवारों के बीच हुये एक चुनाव में एक उम्मीदवार को कुल वैध मतों के 52% मत मिले तथा कुल मतों के 25% मत अवैध है। यदि कुल मतों की संख्या 8400 हो, तो दूसरे उम्मीदवार को कितने वैध मत मिले ?

(a)3276 (b)3196
(c)3024 (d)N.O.T

141. एक चुनाव में दो उम्मीदवार थे। इस चुनाव में 68 मत अवैध घोषित कर दिये गये। जीतने वाले उम्मीदवार ने 52% मत प्राप्त किये तथा वह 98 मतों से जीता। कुल कितने मत पड़े?

(a)2518 (b)2450
(c)2382 (d)इनमें से कोई नहीं

142. गेहूँ के मूल्य में 20% कमी होने के कारण एक व्यक्ति ₹ 600 में पहले से 10 kg गेहूँ अधिक खरीद सकता है। भाव में कमी होने के बाद गेहूँ का भाव कितना है ?

(a)11·50 रू0 प्रति किग्रा0
(b)12·50 प्रति किग्रा0
(c)12 रू0 प्रति किग्रा0
(d)15 रू0 प्रति किग्रा0

143. नमक के मूल्य में 20% कमी होने पर एक खरीददार ₹ 160 में 8kg अधिक नमक खरीद सकता है। कमी होने से पहले नमक का प्रति किग्रा0 मूल्य क्या था ?

(a)₹ 5 (b)₹ 6
(c)₹ 10 (d)₹ 4

144. अण्डों के मूल्य में 50% की वृद्धि होने पर ₹ 24 में 4 अण्डे कम मिलते हैं। प्रति दर्जन अण्डों का वर्तमान भाव है ?

(a)₹ 24 (b)₹ 27
(c)₹ 26 (d)₹ 42

145. दूध और पानी के 40 लीटर मिश्रण में पानी की मात्रा 10% है। कितना पानी और मिलाया जाये ताकि नये मिश्रण में पानी की मात्रा 20% हो ?

(a)10 लीटर (b)7 लीटर
(c)5 लीटर (d)3 लीटर

146. एल्कोहल और पानी के एक लीटर मिश्रण में पानी 30% है उस मिश्रण में कितना एल्कोहल और डाला जाये कि पानी की प्रतिशत मात्रा 15% हो जाये ?

(a)1000 मिली0 (b)700 मिली0
(c)300 मिली0 (d)900 मिली0

147. 15 प्रतिशत तथा 40 प्रतिशत सान्द्रता वाले दो चीनी के घोलों को किस अनुपात में मिलाया जाये ताकि 30% सान्द्रता वाला घोल प्राप्त हो ?

(a)2 : 3 (b)3 : 2
(c)8 : 9 (d)9 : 8

148. 20 लीटर मिश्रण में 20% एल्कोहल और शेष पानी है यदि उसमें 4 लीटर पानी और मिला दिया जाये तो नये मिश्रण में एल्कोहल का प्रतिशत कितना होगा ?

(a)$33\frac{1}{3}\%$ (b)$16\frac{2}{3}\%$
(c)25% (d)$12\frac{1}{2}\%$

149. किसी स्कूल के लड़कों की संख्या और लड़कियों की संख्या का अनुपात 4 : 1 है। यदि लड़कों के 75% को तथा लड़कियों के 70% को छात्रवृत्ति मिलती है, तो उन विद्यार्थियों का प्रतिशत जिन्हें छात्रवृत्ति नहीं मिलती है, निम्न है–

(a)50 (b)28
(c)75 (d)26

150. किसी कॉलेज में लड़कों और लड़कियों की संख्याओं में 3 : 2 का अनुपात है। यदि 20% लड़के तथा 25% लड़कियाँ बालिग है तो कितने % विद्यार्थी बालिग नहीं है ?

(a)58 (b)$66\frac{2}{3}$
(c)78 (d)$83\frac{1}{3}$

151. कम्पनियों A, B, C के कर्मचारियों की संख्या क्रमशः 3 : 2 : 4 के अनुपात में है। उनकी संख्या क्रमशः 20%, 30%, 15% बढ़ाने पर नया अनुपात क्या होगा ?

(a)18 : 13 : 23 (b)13 : 18 : 13

(c)17 : 13 : 23 (d)18 : 11 : 23

152. यदि किसी संख्या के 80% को 80 में जोड़ने पर परिणाम स्वयं प्राप्त होती हो, तो वह संख्या होगी–

(a)200 (b)320
(c)400 (d)480

153. एक संख्या में से 10% कम करने पर, वह 30 हो जाती है। तो वह संख्या क्या है ?

(a)$33\frac{1}{2}$ (b)$33\frac{1}{3}$
(c)40 (d)35

154. यदि A, B से 40% अधिक है। B, C से 20% कम है। तब A : C है–

(a)28 : 25 (b)26 : 25
(c)3 : 2 (d)3 : 1

ANSWER

1.	b	32.	a	63.	b	94.	c	125.	b
2.	d	33.	a	64.	b	95.	c	126.	c
3.	d	34.	d	65.	b	96.	c	127.	b
4.	c	35.	d	66.	d	97.	a	128.	d
5.	d	36.	a	67.	c	98.	a	129.	c
6.	a	37.	c	68.	c	99.	a	130.	a
7.	a	38.	b	69.	a	100.	a	131.	c
8.	c	39.	d	70.	a	101.	d	132.	b
9.	c	40.	c	71.	a	102.	c	133.	b
10.	c	41.	b	72.	d	103.	c	134.	d
11.	a	42.	d	73.	b	104.	c	135.	b
12.	a	43.	d	74.	d	105.	d	136.	c
13.	b	44.	b	75.	b	106.	c	137.	d
14.	c	45.	c	76.	a	107.	d	138.	a
15.	c	46.	d	77.	a	108.	c	139.	d
16.	d	47.	a	78.	b	109.	d	140.	c
17.	c	48.	b	79.	b	110.	b	141.	a
18.	a	49.	a	80.	d	111.	c	142.	c
19.	b	50.	b	81.	c	112.	b	143.	a
20.	b	51.	b	82.	d	113.	c	144.	c
21.	b	52.	a	83.	b	114.	d	145.	c
22.	a	53.	d	84.	d	115.	a	146.	a
23.	c	54.	b	85.	a	116.	c	147.	a
24.	b	55.	a	86.	b	117.	d	148.	b
25.	c	56.	c	87.	b	118.	a	149.	d
26.	b	57.	b	88.	a	119.	d	150.	c
27.	a	58.	c	89.	b	120.	d	151.	a
28.	c	59.	a	90.	d	121.	a	152.	c
29.	b	60.	b	91.	c	122.	d	153.	b
30.	d	61.	c	92.	c	123.	b	154.	a
31.	a	62.	a	93.	b	124.	d		

Explanatory Notes

1. (b) A × 20% = B × 50%
या, 2A = 5B
या, A : B = 5 : 2
∴ अभीष्ट % = $\frac{2\times100}{5}$ = 40%

2. (d) अभीष्ट % = = $\frac{72gm\times100}{3\cdot6Kg}$
= $\frac{72gm\times100}{3600Kg}$
= 2%

3. (d)

I	:	II	: III
75	:	80	: 100(माना)
या, 15	:	16	: 20

∴ अभीष्ट % = $\frac{I\times100}{II}$
= $\frac{15\times100}{16}$
= 93·75%

4. (c) अभीष्ट% = $\frac{6\text{घंटे}\times100}{1\text{ दिन}}$
= $\frac{6\text{घंटे}\times100}{24\text{घंटे}}$
= 25%

5. (d)

x	:	y	: तीसरी संख्या
120	:	150	: 100(माना)
या, 12	:	15	: 10

∴ अभीष्ट% = $\frac{x\times100}{y}$
= $\frac{12\times100}{15}$
= 80%

6. (a)

I	:	II :	III तीसरी संख्या
135	:	150	: 100(माना)

∴ अभीष्ट% = $\frac{\text{पहली संख्या}\times100}{\text{दूसरी संख्या}}$
= $\frac{135\times100}{150}$ = 90%

7. (a)

I	:	II	: III
112·5	:	125	: 100(माना)

अभीष्ट% = $\frac{I\times100}{II}$
= $\frac{112\cdot5\times100}{125}$
= 90%

8. (c) माना, बड़ी संख्या = x
छोटी संख्या = x
$x+y$ = 150 ......(i)
x × 40% = y × 60%
या, $2x = 3y$
या, $y = \frac{2x}{3}$ यह मान (i) में रखने पर
$x + \frac{2x}{3}$ =150
$\frac{5x}{3}$ =150
x = 90

9. (c) माना, वह संख्या x है
$x \times \frac{80}{100} + 80 = x$
या, $\frac{4x}{5} + 80 = x$
या, $x - \frac{4x}{5} = 80$
या, $\frac{x}{5} = 80$
अत: $x = 400$

10. (c) माना, वह संख्या x है
$(x-15) = x \times \frac{80}{100}$
या, $x - 15 = \frac{4x}{5}$
या, $x - \frac{4x}{5} = 15$
$\frac{x}{5} = 15$
∴ $x = 75$
∴ x का 40% = $75 \times \frac{40}{100} = 30$

11. (a) माना, बड़ी संख्या x है।
$(x-30) = x \times \frac{25}{100}$
या, $(x-30) = \frac{x}{4}$
या, $4x - 120 = x$
या, $3x = 120$
∴या, $x = 40$

12. (a) माना, बड़ी संख्या x है।
$(x-20) = x \times \frac{20}{100}$
या, $(x-20) = \frac{x}{5}$
या, $5x - 100 = x$
या, $4x = 100$
∴या, $x = 25$

13. (b) माना, दोनों संख्यायें x व y है।
$x \times \frac{13}{2}\% = y \times \frac{17}{2}\%$
या, $\frac{x}{y} = \frac{17}{13}$
माना, x = 17K, y = 13K
17K – 13 K= 1660
4K = 1660
K= 415
∴ छोटी संख्या = 13 K = 13×415 = 5395

14. (c) $\frac{45+}{200} = \frac{9+\rightarrow\text{वृद्धि}}{40\rightarrow\text{संख्या}}$
∴ (40+9) unit = 98
1 unit = $\frac{98}{49}$ = 2
∴ संख्या = 40 unit = 40×2 = 80

15. माना, संख्या x है।

$x \times \frac{75}{100} + 75 = x$

या, $\frac{3x}{4} + 75 = x$

या, $x - \frac{3x}{4} = 75$

या, $\frac{x}{4} = 75$

∴ $x = 300$

∴ x का 40% = $300 \times \frac{40}{100} = 120$

16. (d)

	लड़के	लड़कियाँ	
संख्या →	300	200	(माना)
	80%↓	↓70%	
छात्रवृत्ति न पाने वाले →	240	140	

∴ छात्रवृत्ति पाने वाले विद्याथी का

% = $\frac{(240+140)\times100}{(300+200)}$

= $\frac{380\times100}{500}$

= 76%

17. (c)

	A	B	C
वेतन →	100	300	400(माना)
	105%↓	110%↓	115%↓
नया वेतन →	105 :	330	: 460
	21 :	66	: 92

18. (a)

	लड़के	लड़कियो
संख्या →	300	200(माना)
	80%↓	↓75%
छात्रवृत्ति पाने वाले →	240	150

∴ छात्रवृत्ति न पाले वाले विद्यार्थी का % = $\frac{390\times100}{500}$ = 78%

19. (b)

	बस	रेलगाड़ी
किराया →	₹20	₹30
	110%↓	↓120%
नया किराया →	₹22	₹36

∴ रेलगाड़ी का नया किराया : बस का नया किराया = 36 : 22

= 18 : 11

20. (b)

	लड़के	लड़कियाँ
संख्या →	300	200 (माना)
	30%↓	↓70%
परीक्षा में बैठने वाले →	90	140
परीक्षा में न बैठने वाले →	210	60

अतः (90+140) : (210 + 60)

= 230 : 270

= 23 : 27

21. (b) अभीष्ट %कमी = $\frac{100\times20}{100+20}$

= $\frac{2000}{120}$ = $16\frac{2}{3}$%

22. (a) अभीष्ट % कमी = $\frac{100\times12{\cdot}5}{100+12{\cdot}5}$

= $\frac{1250}{112{\cdot}5}$ = $11\frac{1}{9}$ %

23. (c) अभीष्ट % वृद्धि = $\frac{100\times25}{100-25}$

= $\frac{2500}{75}$ = $33\frac{1}{3}$ %

24. (b) अभीष्ट % वृद्धि = $\frac{100\times20}{100-20}$

= $\frac{2000}{80}$ = 25%

25. (c) अभीष्ट % कमी = $\frac{100\times25}{100+25}$

= $\frac{2500}{125}$ = 20%

26. (b) $R = +10 - 10 - \frac{10\times10}{100}$

$R = -1$

अतः अन्तिम रूप से संख्या में 1% कमी होगी

27. (a) $R = -25 + 20 - \frac{25\times20}{100}$

$R = -5-5 = -10$

∴ 10% कमी होगी

28. (c) $R = +20 - 20 - \frac{20\times20}{100}$

$R = -4$

= −10

∴ कुल व्यय में 4% की कमी होगी।

29. (b) $R = -25 + 30 - \frac{25\times30}{100}$

$R = 5 - \frac{15}{2}$

$R = \frac{-5}{2}$

$R = -2\frac{1}{2}$

∴ प्राप्त धनराशि में $2\frac{1}{2}$% कमी होगी

30. (d) 20%(−), 20%(−), 20%(−) से,

$R = -20-20+\frac{20\times20}{100}$

$R = -40 + 4 = -36$

अब, $R^1 = -36 - 20 + \frac{36\times20}{100}$

$R^1 = -56+7{\cdot}2$

$R^1 = -48{\cdot}8\%$

∴ आयतन में 48·8% कमी होगी।

31. (a) 150%(+), 150%(+) से,

$R = +150+150+ \frac{150\times150}{100}$

$R = 300+225$

$R = 525\%$

∴ घन के पृष्ठीय क्षेत्रफल में 525% की वृद्धि होगी।

32. (a) 35%(–), 35%(–) से

$R = -35-35+\frac{35\times35}{100}$

$R = -70+\frac{49}{4}$

$R = \frac{-280+49}{4} = \frac{-231}{4}$

$R = -57\frac{3}{4}\%$

∴ वृत्त के क्षेत्रफल में $57\frac{3}{4}\%$ की कमी होगी।

33. (a) $R = +35+25+\frac{35\times25}{100}$

$R = 60+\frac{35}{4}$

R = 60+8·75

R = 68·75 (वृद्धि)

34. (d) $R = +10+8+\frac{10\times8}{100}$

R = 18+0·8

R = 18·8% (वृद्धि)

35. (d) माना, प्रारम्भिक मूल्य = P

$P\times\frac{(100+r)}{100}\times\frac{(100-r)}{100} = 1$

$P\times\frac{(10000-r^2)}{10000} = 1$

$\therefore P = \frac{10000}{(10000-r^2)}$

36. (a) कुल fail = (I विषय में fail% + II विषय में fail% – दोनों विषय में fail%)

= (40+30–60)%

= 10%

37. (c) कुल fail = (52+42–17)%

= 77%

∴ Pass = (100 – 77)%

= 23%

38. (b) कुल fail = (20+15–25)%

= 10%

$10\% \xrightarrow{\text{Fail}}$ 45 लड़के

∴ 100% = 45×10 लड़के

= 450 लड़के

39. (d) कुल fail = (25+40–25)%

= 40%

∴ Pass = 60%

∴ $60\% \xrightarrow{\text{Pass}}$ 240 उम्मीदवार

1% = 4 उम्मीदवार

∴ Total = 100% = 400 उम्मीदवार

40. (c) न्यूनतम उत्तीर्णांक (% में) = 40%

न्यूनतम उत्तीर्णांक (अंक में) = 220+20

= 240 अंक

∴ 40% = 240 अंक

∴ 1% = 6 अंक

अतः पूर्णांक = 100% = 600 अंक

41. (b) न्यूनतम उत्तीर्णांक (% में) = 36%

न्यूनतम उत्तीर्णांक (अंक में) = 113+85

= 198 अंक

∴ 36% = 198 अंक

∴ $1\% = \frac{198}{36} = \frac{11}{2}$ = अंक

∴ पूर्णांक = $100\% = \frac{11}{2}\times100$

= 550 अंक

42. (d)

I → 20% → – 30 अंक

II → 32% → + 42 अंक

(32–20)% → 42–(–30) अंक

12% = 72 अंक

1% = 6 अंक

पूर्णांक = 100% = 600 अंक

न्यूनतम उत्तीर्णांक = $600\times\frac{20}{100}+30$

= 150 अंक

न्यूनतम उत्तीर्णांक % = $\frac{150\times100}{600}$

= 25%

43. (d)

I → 65% → – 20 अंक

II → 80% → + 10 अंक

(80–65)% → 10–(–20) अंक

15% = 30 अंक

पूर्णांक = $100\% = \frac{30}{15}\times100$ = 200 अंक

44. (b)

राम → 40% → – 20 अंक

आदित्य → 80% → + 30 अंक

(45–40)% → 30–(–20) अंक

5% = 50 अंक

पूर्णांक = 100% = 50×20= 1000 अंक

न्यूनतम उत्तीर्णांक = $1000\times\frac{40}{100}+20$

= 420 अंक

∴ उत्तीर्णांक % = $\frac{420\times100}{1000}$ = 42%

45. (c)

	लड़के	लड़कियाँ
संख्या →	1000	800
	40%↓	↓50%
Fail→	400	400

∴ Fail % = $\frac{(400+400)\times100}{(1000+800)}$

$= \frac{800\times100}{1800}$ = 44·4%

46. (d)

	लड़के	लड़कियाँ
संख्या →	1100	900
	50%↓	↓60%
Fail→	550	540

$\therefore$ Fail % = $\frac{(550+540)\times100}{(1100+900)}$

= $\frac{1090\times100}{2000}$

= 54·5%

47. (a)

अंकिता एकता

90 Unit 100 Unit (माना)

$\therefore$ 90 unit = 81 अंक

$\therefore$ 1 unit = $\frac{81}{90}$ अंक

$\therefore$ एकता = 100 unit = $\frac{81}{90}$ ×100 = 90 अंक

48. (b)Fail = 25%

$\therefore$ Pass = 75%

$\therefore$ 75% = 450 छात्र

$\therefore$ Total = 100% = $\frac{450}{75}$ × 100

= 600

49. (a) माना, दूसरे का प्राप्तांक = x

तब पहले का प्राप्तांक = $(x+15)$

$\therefore (x+15) = [x+(x+15)]\times\frac{80}{100}$

$x+15 = [2x+15]\times\frac{4}{5}$

$5(x+15) = [2x+15]\times4$

$5x+75 = 8x+60$

$3x = 15$

$x = 5$

$\therefore$ दोनों के अंक क्रमशः 5 तथा 20 है।

50. (b) माना, भाषा में x% अंक अर्जित करें

$\left(300\times\frac{32}{100}+200\times\frac{x}{100}\right) = (300+200)\times\frac{46}{100}$

या, $96 + 2x = 500\times\frac{46}{100}$

या, $96 + 2x = 230$

या, $2x = 134$

$x = 67\%$

51. (b)

10%(–) 25%(+) 20%(–)

A ← B ← C ← D

90 unit 100 unit 80 unit 100 unit (माना)

$\therefore$ 90 unit (A) = 360 अंक

$\therefore$ D = 100 unit = 400 अंक

D का % प्राप्तांक = $\frac{400\times100}{500}$

= 80%

52. (a)

Note- वस्तु के मूल्य और उसकी मात्रा में विलोमानुपात का सम्बन्ध होता है अर्थात यदि वस्तु के मूल्य में वृद्धि होगी तो मात्रा पहले से कम मिलेगा और यदि वस्तु के मूल्य में कमी होगी तो मात्रा पहले से अधिक मिलेगा।

	पुराना		नया	
कीमत →	5	:	4	[100 : 80 = 5 : 4]
मात्रा →	4	:	5	(5–4) unit= 5kg
	×5 ↓		×5 ↓	$\therefore$ 1unit = 5kg
	20kg		25kg	

$\therefore$ पुराना भाव = $\frac{320}{20}$ = 16 रू० /Kg

53. (d)

	पुराना		नया	
कीमत →	4	:	3	[100 : 75 = 4 : 3]
मात्रा →	3	:	4	(4–3) unit= 10kg
	×10 ↓		×10 ↓	$\therefore$ 1unit =10kg
	30kg		40kg	

$\therefore$ नया(घटा) मूल्य = $\frac{600}{40}$= 15 रू० /Kg

54. (b)

	पुराना		**नया**	
कीमत →	5	:	4	[100 : 80 = 5 : 4]
मात्रा →	4	:	5	(5–4) unit= $\frac{1}{2}$ kg
	$\times\frac{1}{2}$ ↓		$\times\frac{1}{2}$ ↓	$\therefore$ 1unit = $\frac{1}{2}$ kg
	2kg		2·5kg	

$\therefore$ प्रारंभिक भाव = $\frac{36}{2}$= 18 रू० /Kg

55. (a)

	पुराना		नया	
कीमत →	4	:	3	[100 : 75 = 4 : 3]
मात्रा →	3	:	4	(4–3) unit= $\frac{15}{2}$ kg
	×7·5 ↓		×7·5 ↓	$\therefore$ 1unit=7·5 kg
	22·5kg		30kg	

$\therefore$ प्रारंभिक मूल्य = $\frac{360}{22\cdot5}$

= 16 रू० /Kg

56. (c)

	पुराना		नया	
कीमत →	2	:	3	[100 :150 =2 : 3]
मात्रा →	3	:	2	(3–2) unit=4 अण्डे
	×4 ↓		×4 ↓	$\therefore$ 1unit= 4 अण्डे
	12अण्डे		8 अण्डे	

$\therefore$ प्रति अण्डे नया भाव = $\frac{24}{8}$= 3 रू०

$\therefore$ प्रति दर्जन अण्डे नया भाव 3 × 12

= 36 रू०

57. (b)

	पुराना		नया	
कीमत →	5	:	4	[100 : 80 = 5 : 4]
मात्रा →	4	:	5	
	×12·5 ↓		×12·5 ↓	(5–4) unit =12·5 kg $\therefore$ 1 unit = 12·5kg
	50 kg		62·5kg	

$\therefore$ मूल (पुराना) भाव = $\frac{800}{50}$ = 16 रू० / kg

58. (c) 2 वर्ष बाद जनसंख्या $= 50000 \times \frac{104}{100} \times \frac{104}{100}$
$= 54080$

59. (a) माना, 2 वर्ष पूर्व जनसंख्या $= x$
$x\times \frac{104}{100} \times \frac{104}{100} = 67600$
$x\times \frac{26}{25} \times \frac{26}{25} = 67600$
$x = 67600 \times \frac{25}{26} \times \frac{25}{26}$
$x = 62500$

60. (b) माना, 2 वर्ष पूर्व जनसंख्या $= x$
$x\times \frac{105}{100} \times \frac{105}{100} = 4410$
$x\times \frac{21}{20} \times \frac{21}{20} = 4410$
$x = 4410 \times \frac{20}{21} \times \frac{20}{21}$
$x = 4000$

61. (c) 3 वर्ष बाद जनसंख्या
$= 15625\times\frac{108}{100} \times\frac{112}{100} \times\frac{78}{100}$
$= 14742$

62. (a) माना, युद्ध से पहले जनसंख्या $= x$
$x\times \frac{80}{100} \times \frac{95}{100} = 15200$
$x\times \frac{4}{5} \times \frac{19}{20} = 15200$
$x= 15200\times \frac{25}{19} = 20000$

63. (b)
10000 ⟶ 108000
+8000
∴ कुल % वृद्धि $= \frac{800\times100}{10000} = 8\%$
पुरूष 10000 महिला
105% 110%
108%
2 3

पुरूष : महिला = 2 : 3
अनुपाती योग = 5
महिलाओं की संख्या $= \frac{3}{5}\times 10000 = 6000$

64. (b)
माना, पहले वर्ष के प्रारम्भ में जनसंख्या $= x$
$x\times \frac{105}{100} \times \frac{95}{100} = 47880$
$x\times \frac{21}{20} \times \frac{19}{20} = 47880$
$x= 47880\times \frac{20}{21} \times\frac{20}{19}$
$x = 48000$

65. (b) माना, 3 वर्ष पूर्व जनसंख्या = 100 Unit
∴ तीसरे वर्ष बाद जनसंख्या
$= 100\times\frac{110}{100} \times\frac{120}{100} \times\frac{75}{100}$
= 99 unit
∴ अभीष्ट अनुपात = 99 : 100

66. (d)
15000 ⟶ 163000
+1300
∴ कुल % वृद्धि $= \frac{1300\times100}{15000} = \frac{26}{3}\%$
पुरूष 15000 स्त्री
8% 10%
$\frac{26}{3}\%$
$10-\frac{26}{3}$: $\frac{26}{3}-8$

$\frac{4}{3} : \frac{2}{3}$
= 2 : 1
अनुपाती योग = 3
∴ स्त्रियों की संख्या $= \frac{1}{3} \times 15000 = 5000$

67. (c)
9800 ⟶ 10458
+658
∴ कुल % वृद्धि $= \frac{658\times100}{9800} = \frac{47}{7}\%$
पुरूष 9800 स्त्री
8% 5%
$\frac{47}{7}\%$
$\frac{47}{7}-5$: $8-\frac{47}{7}$

$\frac{12}{7} : \frac{9}{7}$
= 4 : 3
अनुपाती योग = 7
∴ पुरूष $= \frac{4}{7} \times 9800 = 5600$

68. (c) माना, कृतिका की मासिक आय $= x$
$x\times \frac{70}{100} \times \frac{40}{100} = 6300$
$x\times \frac{7}{10} \times \frac{2}{5} = 6300$
$x = 6300 \times \frac{25}{7} =$ ₹22500

69. (a) माना, वीर की मासिक आय $= x$
$x\times \frac{85}{100} \times \frac{40}{100} = 2210$
$x\times \frac{17}{20} \times \frac{2}{5} = 2210$
$x = 2210 \times \frac{50}{17}$
= ₹6500

70. (a) माना, बाला की आय = 100 unit

तब, अरूण की आय = $100\times\frac{150}{100}$ = 150 unit

तथा, चंदू की आय = $150\times\frac{120}{100}$ = 180 unit

अरूण : बाला : चंदू = 150 : 100 : 180

= 15 : 10 : 18

(15+10+18) unit = ₹86000

43 unit = ₹86000

1 unit = ₹2000

चंदू की आय = 18 unit = 18×2000

= ₹36000

71. (a) माना, नीलम की कुल आय = ₹x

$x\times\frac{80}{100}\times\frac{30}{100} = 3600$

$x\times\frac{4}{5}\times\frac{3}{10} = 3600$

$x = 3600\times\frac{50}{12}$ = ₹15000

72. (d) माना, व्यक्ति की कुल आय = ₹x

$x\times\frac{80}{100}\times\frac{70}{100}\times\frac{90}{100} = 10080$

$x\times\frac{4}{5}\times\frac{7}{10}\times\frac{9}{10} = 10080$

$x = \frac{10080\times5\times10\times10}{4\times7\times9}$ = ₹20000

73. (b) कुल व्यय = (40+20+10+10)% = 80%

∴ बचत = 20%

∴ $20\% \xrightarrow{\text{बचत}}$ ₹1500

∴ 100% = 1500×5 = ₹7500

74. (d) माना, व्यक्ति की कुल धनराशि = x

$x\times\frac{80}{100}\times\frac{95}{100} - 120 = 1400$

$x\times\frac{4}{5}\times\frac{19}{20} = 1400+120$

$x = \frac{1520\times20\times5}{4\times19}$ = ₹2000

∴ परिवहन पर खर्च = $2000\times\frac{80}{100}\times\frac{5}{100}$

= ₹80

75. (b) माना, उसका मासिक वेतन = x

भोजन तथा परिवहन पर खर्च के बाद शेष राशि = $x\times\frac{60}{100}\times\left(1-\frac{1}{3}\right)$

$x\times\frac{3}{5}\times\frac{2}{3} = \frac{2x}{5}$

प्रश्नानुसार, $\frac{2x}{5}\times\frac{1}{2} = 4500$

x = 4500×5 = ₹22500

76. (a) A की बचत = B की बचत

A × 15% = B× 5%

या, $\frac{A}{B} = \frac{5}{15} = \frac{1}{3}$

या, A : B = 1 : 3

अनुपाती योग = 4

∴ A का वेतन = $\frac{1}{4}\times40000$ = ₹10000

77. (a)

$100x$ (अधिकृत मत)

↓ 90%

$90x$ (पड़े मत)

↓ 80%

$72x$ (वैद्य मत)

W: $72x\times60\%$ L: $72x\times40\%$

∴ $72x\times\frac{60}{100} = 64800$

$72x\times\frac{3}{5} = 64800$

$x = \frac{64800\times5}{72\times3} = 1500$

∴ अधिकृत मत $100x$ = 150000

78. (b) मान्य मत = $560000\times\frac{85}{100} = 476000$

∴ A का मत = $476000\times\frac{75}{100}$

= 357000

79. (b) माना, सूची के मत = $100x$

पड़े मत = $90x$

वैध मत = $(90x - 60)$

$W = 47x$

$L = 90x - 60 - 47x = 43x - 60$

$47x - (43x - 60) = 308$

$47x - 43x + 60 = 308$

$4x = 248$

$x = 62$

∴ सूची के मत $100x = 6200$

80. (d) माना, सूची के मत $100x$

पड़े मत $92x$

$W = 48x$

$L = (92x - 48x) = 44x$

$48x - 44x = 1100$

$4x = 1100$

$x = 275$

∴ कुल मत $100x = 27500$

81. (c) माना, सूची के मत = $100x$

पड़े मत = $95x$

वैध मत = $95x\times\frac{90}{100} = 85{\cdot}5x$

$W = 85{\cdot}5x\times60\%$

$L = 85{\cdot}5x\times60\%$

$85{\cdot}5x\times\frac{20}{100} = 17271$

$17{\cdot}1x = 17271$

$x = \frac{17271}{17{\cdot}1} = 1010$

∴ सूची के मत = $100x$

= 101000

82. (d) माना, सूची के मत $100x$

पड़े मत = $75x$

वैद्य मत = $75x \times \frac{98}{100}$

Winning प्रत्याशी = 9261

$75x \times \frac{98}{100} \times \frac{75}{100} = 9261$

$3x \times \frac{98}{4} \times \frac{3}{4} = 9261$

$x = \frac{9261 \times 4 \times 4}{3 \times 98 \times 3} = 168$

∴ सूची के मत = $100x$

= 16800

83. (b)

400मिली

एल्कोहल — अन्य

$400 \times \frac{15}{100}$ =60 मिली — 340 मिली

माना, x मिली एल्कोहल और मिलाया जाये ताकि, एल्कोहल : अन्य = 32 : 68

$(60+x) : 340 = 8 : 17$

$1020 + 17x = 2720$

$17x = 2720 – 1020 = 1700$

x = 100 मिली

84. (d)

100मिली

बोरिक अम्ल — पानी

$100 \times \frac{80}{100}$ = 80 मिली — 20 मिली

माना, x मिली पानी और मिलाया जाये ताकि, बोरिक अम्ल : पानी = 50 : 50

$80 : (20+x) = 1 : 1$

$80 = 20+x$

x = 60 मिली

85. (a)

1000 मिली

अल्कोहल — पानी

700 मिली — $1000 \times \frac{30}{100}$ = 300 मिली

माना, x मिली पानी और मिलाया जाये ताकि,

$\frac{\text{अल्कोहल}}{\text{पानी}} = \frac{85}{15} = \frac{17}{3}$

$\frac{(700+x)}{300} = \frac{17}{3}$

$2100+3x = 5100$

$3x = 3000$

x = 1000 मिली

86. (b)

15लीटर

एल्कोहल — पानी

$\frac{1}{5} \times 15$ = 3 लीटर — $\frac{4}{5} \times 15$ = 12 लीटर

नये मिश्रण में पानी 12+3 = 15 लीटर

और नया मिश्रण = 15+3 = 18 लीटर

∴ नये मिश्रण में एल्कोहल का % = $\frac{3 \times 100}{18} = \frac{50}{3} = 16\frac{2}{3}$%

87. (b)

30% — 50%

45%

5 — 15

∴ अभीष्ट अनुपात = 5 : 15

= 1 : 3

88. (a)

15% — 40%

30%

10 — 15

∴ अभीष्ट अनुपात = 10 : 15

= 2 : 3

89. (b)

20 लीटर

एल्कोहल — पानी

$20 \times \frac{20}{100}$ = 4 लीटर — 16 लीटर

नये मिश्रण में पानी 16+4 = 20 लीटर

और नया मिश्रण = 20+4 = 24 लीटर

∴ नये मिश्रण में एल्कोहल का % = $\frac{4 \times 100}{24} = \frac{50}{3} = 16\frac{2}{3}$%

90. (d)

40 लीटर

दूध — पानी

3 लीटर — $\frac{40 \times 10}{100}$ = 4 लीटर

माना, x लीटर पानी और मिलाया जाये

तकि, $\frac{\text{दूध}}{\text{पानी}} = \frac{80}{20} = \frac{4}{1}$

$\frac{36}{(4+x)} = \frac{4}{1}$

$36 = 16+4x$

$4x = 20$

x = 5 लीटर

91. (c) माना, वास्तविक भिन्न = $\frac{x}{y}$

$\frac{x \times 120\%}{y \times 95\%} = \frac{5}{2}$

$\frac{x \times 24}{y \times 19} = \frac{5}{2}$

$\frac{x}{y} = \frac{5}{2} \times \frac{19}{24} = \frac{95}{48}$

92. (c) A× 10% = B×15% = C×20% = K (माना)

2A = 3B = 4C = K

∴ $A = \frac{K}{2}$, $B = \frac{K}{3}$, $C = \frac{K}{4}$

$A : B : C = \frac{K}{2} : \frac{K}{3} : \frac{K}{4}$

= 6 : 4 : 3

(6+4+3) unit = ₹7800

13 unit = ₹7800

∴1 unit = ₹600

∴B की आय = 4 unit

= ₹2400

93. (b) D का अंक = 320

C का अंक = $320 \times \frac{125}{100} = 400$

B का अंक = $400 \times \frac{90}{100} = 360$

A का अंक = $360 \times \frac{125}{100} = 450$

94. (c) A × 91% = B का 39%

या, 7A = 3B

या $\frac{A}{B} = \frac{3}{7}$

B = A × x%

$7 = 3 \times \frac{x}{100}$

$\therefore x = \frac{700}{3}$

95. Sol[n] : (c) $\frac{1}{100} \times \frac{1}{2} = 0.005$

96. Sol[n] : (c) $420 \times \frac{x}{100} = 21 \times \frac{400}{100}$

$x = \frac{21 \times 400}{420} = 20$

97. Sol[n] : (a) माना, संख्या x है।

$x \times \frac{30}{100} \times \frac{3}{5} = 18$

$x = \frac{18 \times 50}{9} = 100$

98.Sol[n]: (a) अभीष्ट% = $\frac{90\,sec \times 100}{1Hr\ 40\ Min}$

$= \frac{1.5\ Min \times 100}{100\ Min}$

= 1.5%

99. Sol[n] : (a) माना q = x

∴ P = $x + 5x = 6x$

q की p से कमी = $6x - x = 5x$

%कमी = $\frac{5x \times 100}{6x}$

$= \frac{250}{3}$

$= 83\frac{1}{3}\%$

100. Sol[n] : (a) पहली संख्या : दूसरी संख्या : तीसरी संख्या

112·5 : 125 : 100

अतः अभीष्ट% = $\frac{112.5 \times 100}{125}$

= 22·5 × 4

= 90%

101. Sol[n] : (d) पहली संख्या : दूसरी संख्या : तीसरी संख्या

20 : 50 : 100

2 : 5 : 10

अतः अभीष्ट % = $\frac{2 \times 100}{5} = 40\%$

102. Sol[n] : (c) A × $\frac{80}{100}$ = B का $\frac{50}{100}$

8A = 5B

A = $\frac{5B}{8}$

तथा B = A का x%

B = $\frac{5B}{8} \times \frac{x}{100}$

$\therefore x = 160$

103. Soln : (c) 12रू0 / kg ⟶ 15रू0/kg

मूल्य में वृद्धि = 3रू0/kg

∴ अभीष्ट % वृद्धि = $\frac{3 \times 100}{12} = 25\%$

104. Soln : (c) पहली संख्या : दूसरी संख्या : तीसरी संख्या

80 : 75 : 100

16 : 15 : 20

दूसरी संख्या की पहली संख्या से कमी = 16 − 15 = 1

∴ अभीष्ट % कमी = $\frac{1 \times 100}{16} = \frac{25}{4} = 6.25\%$

105. Sol[n] : (d) कमी = 90 - 80 = 10

∴ अभीष्ट % कमी = $\frac{10 \times 100}{90}$

$= \frac{100}{9}$

$= 11\frac{1}{9}\%$

106. Sol[n] : (c) कुल जीत = 24

∴ अभीष्ट जीत % = $\frac{24 \times 100}{40}$

= 60%

107. Sol[n] : (d) A : B : C

= 150 : 125 : 100

= 6 : 5 : 4

A की B से अधिकता = 6 - 5 = 1

∴ अभीष्ट % अधिकता = $\frac{1\times100}{5} = 20\%$

108. Solⁿ : (c) अभीष्ट % कमी = $\frac{100\times20}{100+20}$

$= \frac{2000}{120}$

$= \frac{50}{3}$

$= 16\frac{2}{3}\%$

109. Solⁿ : (d) अभीष्ट % कमी = $\frac{100\times25}{100+25}$

$= \frac{2500}{125}$

= 20%

110. Solⁿ : (b) अभीष्ट खपत के भाग में कमी = $\frac{100\times50}{100+50} \times \frac{1}{100}$

$= \frac{50}{150}$

$= \frac{1}{3}$ भाग

111. Solⁿ : (c) अभीष्ट % वृद्धि = $\frac{100\times25}{100-25}$

$= \frac{2500}{75}$

$= \frac{100}{3}$

$= 33\frac{1}{3}\%$

112. Solⁿ : (b) वृद्धि / कमी% = $+20 - 20 - \frac{20\times20}{100} = -4$

∴ खर्च में अभीष्ट कमी % = 4%

113. Solⁿ : (c) वृद्धि / कमी% = $-10 + 10 - \frac{10\times10}{100} = -1$

∴ अभीष्ट कमी % = 1%

114. Solⁿ : (d) माना वस्तु का आरम्भिक मूल्य = P रू0

r% वृद्धि के बाद मूल्य = $\frac{P(100+r)}{100}$

r% कमी के बाद नया मूल्य = $\frac{P(100+r)}{100} \times \frac{(100-r)}{100}$

$1 = \frac{P(10000-r^2)}{10000}$

$\therefore P = \frac{10000}{(10000-r^2)}$

115. Solⁿ : (a) क्षेत्रफल में अभीष्ट % वृद्धि = $5 + 5 + \frac{5\times5}{100}$

$= 10 + \frac{1}{4} = \frac{41}{4} = 10.25\%$

116. Solⁿ : (c) शंकु का आयतन = $\frac{1}{3}\pi r^2 h$

r × r × h

50%(-), 50%(-), 200%(+)

$R = -50 - 50 + \frac{50\times50}{100} = -75$

$\therefore R' = -75 + 200 - \frac{75\times200}{100}$

$= 125 - 150$

$= -25$

अतः आयतन में अभीष्ट % कमी = 25%

117. Solⁿ : (d) बेलक का आयतन = $\pi r^2 h$

r × r × h

20%(+), 20%(+), 20%(+)

$R = +20 + 20 + \frac{20\times20}{100} = 44\%$

$\therefore R^1 = 44 + 20 + \frac{44\times20}{100} = 64 + 8.8 = 72.8\%$

अतः आयतन में वृद्धि = 72.8%

118. Solⁿ : (a) परीक्षा में कुल अनुत्तीर्ण %

= (40 + 30 - 60)% = 10%

119. Solⁿ : (d) कुल उत्तीर्ण % = I विषय में उत्तीर्ण% + II विषय में उत्तीर्ण% - दोनों विषय में उत्तीर्ण%

कुल उत्तीर्ण% = (60 + 70 - 80)% = 50%

∵ 50% = 2500

∴ 100% = $\frac{2500}{50} \times 100 = 5000$

120. Solⁿ : (d) आवश्यक % न्यूनतम उत्तीर्णांक = 36%

तथा आवश्यक न्यूनतम उत्तीर्णांक = 190 + 35 = 225 अंक

∵ 36% = 225 अंक

∴ 100% = $\frac{225}{36} \times 100$

= 25 × 25

= 625

121. Solⁿ : (a) परीक्षा का पूर्णांक = $\frac{(5+10)\times100}{(30\sim40)}$

$= \frac{15\times100}{10} = 150$

∴ न्यूनतम उत्तीर्णांक $= 150 \times \frac{30}{100} + 5 = 50$ अंक

122. Solⁿ : (d) = परीक्षा का पूर्णांक $= \frac{(30+42)\times 100}{20 \sim 32}$

$= \frac{72 \times 100}{12} = 600$

परीक्षा का न्यूनतम उत्तीर्णांक $= 600 \times \frac{20}{100} + 30 = 150$

अतः अभीष्ट % न्यूनतम उत्तीर्णांक $= \frac{150 \times 100}{600} = 25\%$

123. Solⁿ : (b) A : B : C : D

$90 : 80 \times \frac{125}{100} : 80 : 100$

90 : 100 : 80 : 100

A को प्राप्त अंक = 360

90 इकाई = 360 अंक

1 इकाई = 4 अंक

∴ D को प्राप्त अंक = 100 इकाई $= 100 \times 4 = 400$ अंक

अतः D का % प्राप्तांक $= \frac{400 \times 100}{500} = 80\%$

124. Solⁿ : (d) अनुत्तीर्ण लड़कों की संख्या

$= 1100 \times \frac{50}{100} = 550$

अनुत्तीर्ण लड़कियों की संख्या $= 900 \times \frac{60}{100} = 540$

∴ कुल अनुत्तीर्ण परीक्षार्थी = 550 + 540 = 1090

अतः अभीष्ट अनुत्तीर्ण परीक्षार्थी% $= \frac{1090 \times 100}{2000} = 54.5\%$

125. Solⁿ : (b) $40 \times \frac{65}{100} + 40 \times \frac{x}{100} = 80 \times \frac{75}{100}$

$26 + \frac{2x}{5} = 60$

$\frac{2x}{5} = 60 - 26 = 34$

$x = 34 \times \frac{5}{2} = 85\%$

126. Solⁿ : (c)

x, y या दोनों प्रकार के समाचार पत्र पढ़ने वाले =

(30 + 40 + 10)% = 80%

∴ दोनों में से कोई भी समाचार पत्र न पढ़ने वाले = 20%

127. Solⁿ : (b) माना, उसका वेतन x रू0 है।

$x \times \frac{80}{100} \times \frac{85}{100} = 11560$

$x = 11560 \times \frac{5}{4} \times \frac{20}{7} =$ ₹ 17000

128.Solⁿ:(d) कुल खर्च % = (40 + 20 + 10 + 10)% = 80%

∴ बचत% = 20%

∵ 20% = ₹ 1500

∴ 100% $= \frac{1500}{20} \times 100 =$ ₹ 7500

129.Solⁿ:(c) $A + B + C = 7800$

$A \times \frac{10}{100} = B \times \frac{15}{100} = C \times \frac{20}{100}$

∴ $2A = 3B = 4C = K$ (माना)

$A = \frac{K}{2}, B = \frac{K}{3}$, व $C = \frac{K}{4}$

∴ $A : B : C = \frac{K}{2} : \frac{K}{3} : \frac{K}{4}$

$= \frac{1}{2} \times 12 : \frac{1}{3} \times 12 : \frac{1}{4} \times 12$

(हल का ल0स0 = 12)

$A : B : C = 6 : 4 : 3$

अनुपाती योग = 13

∴ B की आय $= \frac{4}{13} \times 7800 =$ ₹ 2400

130. Solⁿ : (a) A + B = 33000

$\frac{\text{A की बचत}}{\text{B की बचत}} = \frac{4}{3}$

$\frac{A \times \frac{40}{100}}{B \times \frac{25}{100}} = \frac{4}{3}$

$\frac{A}{B} = \frac{4}{3} \times \frac{25}{40} = \frac{5}{6}$

A : B = 5 : 6

अनुपाती योग = 11

∴ A की आय $= \frac{5}{11} \times 33000 =$ ₹ 15000

131. Solⁿ : (c) 3 वर्ष बाद जनसंख्या $= 64000 \left(1 + \frac{2.5}{100}\right)^3$

$= 64000 \times \frac{102.5}{100} \times \frac{102.5}{100} \times \frac{102.5}{100}$

$= 64000 \times \frac{20.5}{20} \times \frac{20.5}{20} \times \frac{20.5}{20}$

= 68921

132. Solⁿ : (b) वर्तमान आबादी $= 10000 \times \frac{80}{100} \times \frac{80}{100}$

= 6400

133. Solⁿ : (b) नगर में कुल साक्षर व्यक्ति

$= 1000 \times \frac{25}{100} = 250$

नगर में पुरूष $= 1000 \times \frac{60}{100} = 600$

नगर में महिलायें = 400

$600 \times \frac{20}{100} + 400 \times \frac{x}{100} = 250$

$4x = 250 - 120 = 130$

$\therefore x = \frac{130}{4} = 32{\cdot}5\%$

134. Solⁿ : (d) माना, स्त्रियों की संख्या $= x$

∴ पुरूषों की संख्या $= (15000 - x)$

$x \times \frac{10}{100} + (15000 - x) \times \frac{8}{100} = 1300$

$10x + 120000 - 8x = 130000$

$2x = 10000$

$x = 50000$

135. Solⁿ : (b) $47880 = x\left(1 + \frac{5}{100}\right)\left(1 - \frac{5}{100}\right)$

$47880 = x \times \frac{21}{20} \times \frac{19}{20}$

$x = \frac{47880 \times 20 \times 20}{19 \times 19} = 48000$

136. Solⁿ : (c)

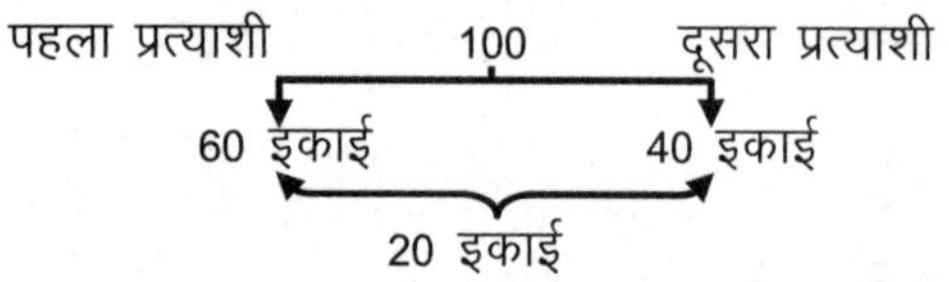

∵ 20 इकाई = 14000

∴ 1 इकाई = 700

अतः जीतने वाले प्रत्याशी को प्राप्त मत = 60 इकाई

$= 60 \times 700 = 42000$

137. Solⁿ : (d)

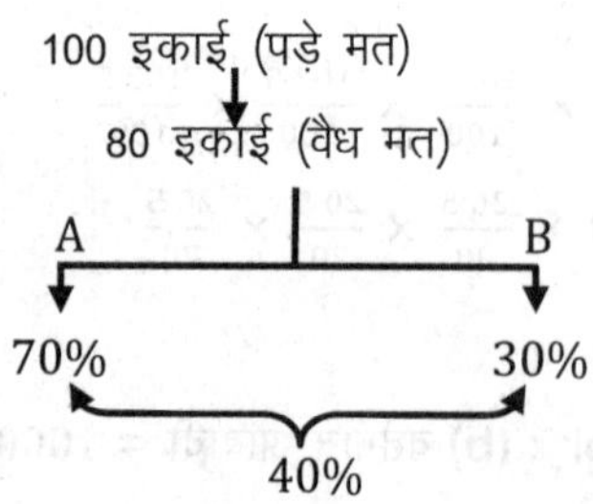

∵ 80 इकाई का 40% = 9600

∴ 1 इकाई $= \frac{9600 \times 100}{80 \times 40}$

∴ 1 इकाई $= \frac{9600}{32} = 300$ मत

∴ कुल पड़े मत = 100 इकाई $= 100 \times 300 = 30000$

138. Soln : (a)

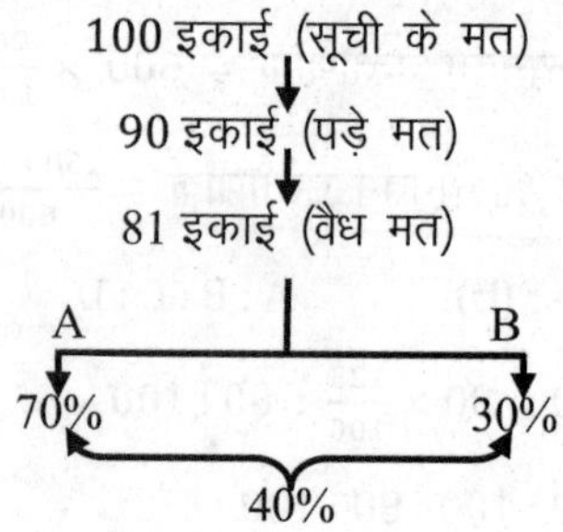

∵ 81 इकाई का 40% = 1620 मत

∴ 1 इकाई $= \frac{7290 \times 100}{81 \times 40} = 225$ मत

∴ मतदाता सूची के मत = 100 इकाई

$= 225 \times 100$

$= 22500$

139. Solⁿ : (d) माना कुल मत = 100 इकाई

कुल पड़े मत = 100 - 8 = 92 इकाई

जीतने वाले प्रत्याशी को प्राप्त मत = 48 इकाई

∴ हारने वाले प्रत्याशी को प्राप्त मत = 92 - 48 = 44

∵ (48 - 44) इकाई = 1100 मत

∵ 1 इकाई $= \frac{1100}{4} = 275$

अतः कुल मत = 100 इकाई $= 275 \times 100 = 27500$

140. Soln : (c) कुल वैध मत $= 8400 \times \frac{75}{100}$

$= 6300$

जीतने वाले उम्मीदवार को प्राप्त मत

$= 6300 \times \frac{52}{100} = 3276$

∴ दूसरे (हारने वाले) उम्मीदवार को प्राप्त मत

$= 6300 - 3276 = 3024$

141. Solⁿ : (a) माना, वैध मत $= x$

$\frac{52x}{100} - \frac{48x}{100} = 98$

$\frac{4x}{100} = 98$

Explanatory Notes

1. (d) $90\% \xrightarrow{SP} ₹72$

$\therefore 1\% = \frac{72}{90}$

$\therefore$ 5% लाभ पर विक्रय मूल्य = 105%

$= \frac{72}{90} \times 105 = ₹84$

2. (b) साइकिल का विक्रय मूल्य $= 1400 \times \frac{85}{100}$

= ₹ 1190

3. (b) $92\% \xrightarrow{SP} ₹69$

$\therefore CP = 100\% = \frac{69}{92} \times 100 = ₹75$

अतः ₹78 में बेचने से,

लाभ = 78 – 75 = ₹3

% लाभ $= \frac{3 \times 100}{75} = 4\%$

4. (b) (T.V. + रेडियो) का कुल क्रय मूल्य

= 2000+750 = ₹2750

(T.V. + रेडियो) का कुल विक्रय मूल्य =

$\left[2000 \times \frac{120}{100} + 750 \times \frac{95}{100}\right] =$

= 2400+712·5

= ₹3112·5

$\therefore$ लाभ = 3112·5 – 2750 = ₹362·5

5. (a) हानि = 5750 – 4500 = ₹1250

% हानि $= \frac{1250 \times 100}{5750}$

= 21·74%

6. (a) वास्तविक क्रय मूल्य = 925000 + 35000

= ₹960000

$\therefore$ लाभ = 1080000 – 960000

₹ 120000

% लाभ $= \frac{120000 \times 100}{960000}$

= 12·5%

7. (d) 100 सेब का क्रय मूल्य = ₹300

शेष सेब (100 – 4) = 96 = 8 दर्जन

$\therefore$ 8 दर्जन सेब का SP = 50 × 8 = ₹400

$\therefore$ लाभ = 400 – 300 = ₹100

8. (a) $2\frac{1}{2}$ दर्जन अण्डे का CP $= 20 \times \frac{5}{2} = ₹50$

शेष अण्डे (30–6) = 24 = 2 दर्जन

$\therefore$ 2 दर्जन अण्डे का SP = 2×22 = ₹44

$\therefore$ हानि = 50 – 44 = ₹6

% हानि $= \frac{6 \times 100}{50} = 12\%$

9. (d) $90\% \xrightarrow{SP} ₹240$

$\therefore$ 20% लाभ पर SP = 120%

$= \frac{240}{90} \times 120$

= ₹320

10. (c) $80\% \xrightarrow{SP} ₹480$

$\therefore 1\% \rightarrow ₹60$

$\therefore$ 20% लाभ पर SP = 120%

= 120×60

= ₹720

11. (d) $95\% \xrightarrow{SP} ₹665$

$\therefore 1\% \rightarrow ₹7$

अतः 12% लाभ पर SP = 112%

= 112×7

= ₹784

12. (d) $70\% \xrightarrow{SP} ₹700$

$\therefore 1\% \rightarrow ₹10$

अतः 30% लाभ पर SP = 130%

= 130×10

= ₹1300

13. (c) माना, ₹100 में x सन्तरे बेचने चाहिये

$\frac{\frac{60}{12} \times 100}{100-25} = \frac{\frac{100}{x} \times 100}{100+25}$ $\left[CP = \frac{SP \times 10}{100+x}\right]$ से,

[$\because$प्रति सन्तरे क्रय दोनों स्थितियों में बराबर होंगे]

$\frac{500}{75} = \frac{10000}{x} \times \frac{1}{125}$

$\frac{20}{3} = \frac{80}{x}$

$\therefore 20x = 240$

$x = 12$

14. (a) CP : SP = 5 : 4

$\therefore$ हानि = 5 – 4 = 1 unit

% हानि $= \frac{1 \times 100}{5} = 20\%$

15. (a) CP : SP = 20 : 21

$\therefore$ लाभ = 21 – 20 = 1

% लाभ $= \frac{1 \times 100}{20} = 5\%$

16. (c) $SP = CP \times \frac{5}{4}$

या, $\frac{SP}{CP} = \frac{5}{4}$

या, SP : CP = 5 : 4

लाभ = 5 – 4 = 1

% लाभ $= \frac{1 \times 100}{4} = 25\%$

17. (d) माना, CP और SP क्रमशः x और y है

$\therefore y = x \times \frac{85}{100}$

$\frac{y}{x} = \frac{17}{20}$

$\therefore x : y = 20 : 17$

18. (c) 15 का CP = 20 का SP

या, $\frac{CP}{SP} = \frac{20}{15} = \frac{4}{3}$

या, CP : SP = 4 : 3

$\therefore$ हानि = 4 – 3 = 1

% हानि $= \frac{1 \times 100}{4} = 25\%$

19. (b) 18 का CP = 15 का SP

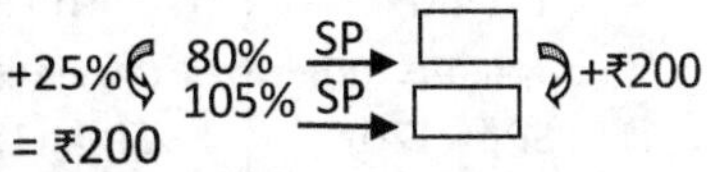

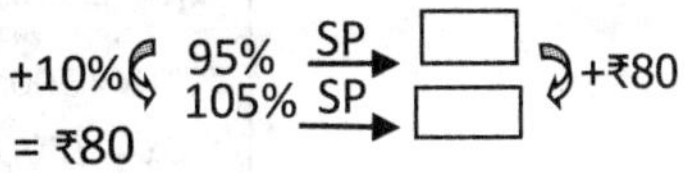

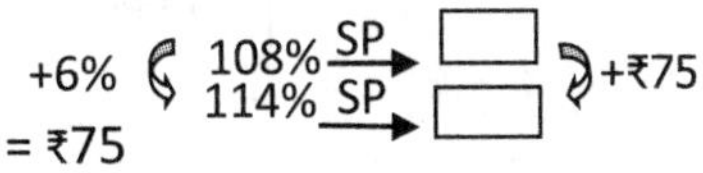

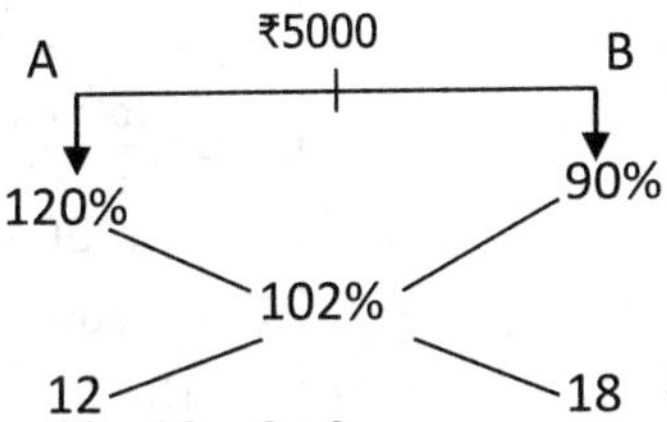

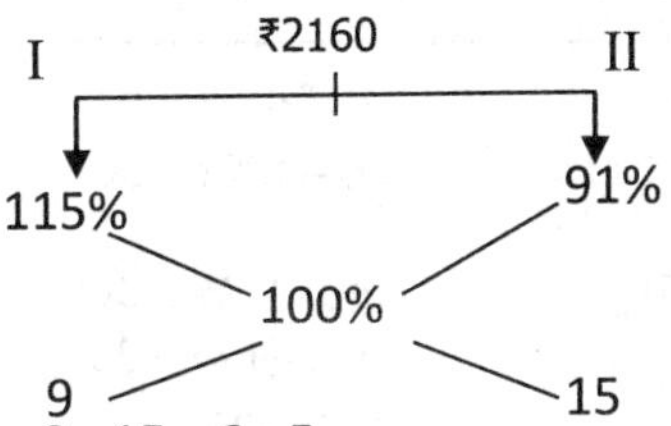

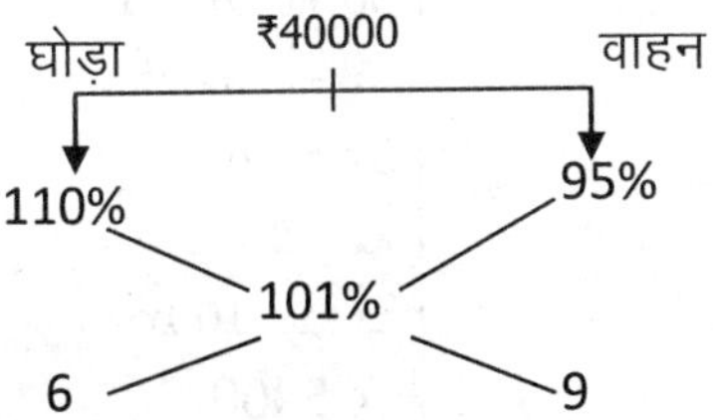

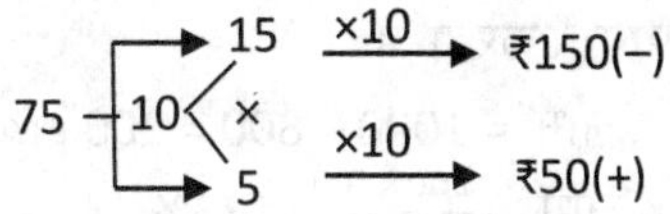

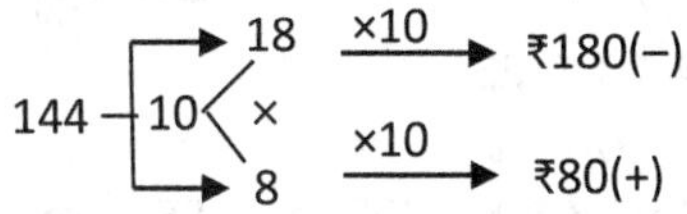

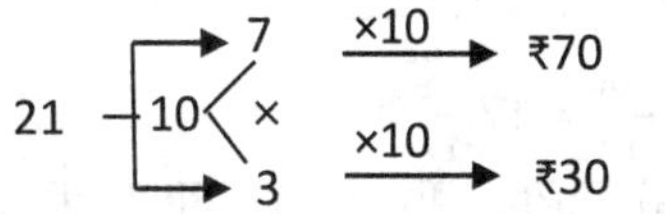

$= \frac{4}{5}$

लाभ = S.P. - C.P. = 5 - 4 = 1

अतः अभीष्ट लाभ % = $\frac{1 \times 100}{4}$ = 25%

(84) Solⁿ : c. 15 मेजों का क्रय मूल्य = 20 मेजों का विक्रय मूल्य

$\therefore \frac{C.P.}{S.P.} = \frac{20}{15}$

$= \frac{4}{3}$

हानि = C.P. - S.P. = 4 - 3 = 1

अतः अभीष्ट हानि % = $\frac{1 \times 100}{4}$ = 25%

(85) Solⁿ : d. 10 वस्तु का C.P. = 16 वस्तु का S.P.

$\therefore \frac{C.P.}{S.P.} = \frac{16}{10}$

$= \frac{8}{5}$

हानि = C.P. - S.P. = 8 - 5 = 3

अतः अभीष्ट हानि % = $\frac{3 \times 100}{8}$

$= \frac{75}{2}$

$= 37\frac{1}{2}\%$

(86) Solⁿ : b. 1 पुस्तक का क्रय मूल्य : 1 पुस्तक का विक्रय मूल्य = $\frac{25}{20} : \frac{18}{15}$

$= \frac{25}{20} \times 60 : \frac{18}{15} \times 60$

= 75 : 72

∴ हानि = C.P. - S.P. = 75 - 72 = 3

अतः अभीष्ट हानि % = $\frac{3 \times 100}{75}$

= 4%

(87) Solⁿ : d. 1 सन्तरें का क्रय मूल्य : 1 सन्तरें का विक्रय मूल्य = $\frac{10}{5} : \frac{15}{6}$

$= \frac{10}{5} \times 30 : \frac{15}{6} \times 30$

= 60 : 75

= 4 : 5

∴ लाभ = S.P. - C.P. = 5 - 4 = 1

अतः अभीष्ट लाभ % = $\frac{1 \times 100}{4}$

= 25%

(88) Solⁿ : d. 1 वस्तु का क्रय मूल्य : 1 वस्तु का विक्रय मूल्य = $\frac{5}{6} : \frac{6}{5}$

$= \frac{5}{6} \times 30 : \frac{6}{5} \times 30$

= 25 : 36

∴ लाभ = S.P. - C.P. = 36 - 25 = 11

अतः अभीष्ट लाभ % = $\frac{11 \times 100}{25}$

= 44%

(89) Solⁿ : a. अभीष्ट लाभ % = $\frac{20 \times 100}{100-20}$

$= \frac{20 \times 100}{80}$

= 25%

(90) Solⁿ : c. अभीष्ट हानि% = $\frac{3 \times 100}{(21+3)}$

$= \frac{3 \times 100}{24}$

$= 12\frac{1}{2}\%$

(91) Solⁿ : b. अभीष्ट लाभ% = $\frac{11 \times 100}{44}$

= 25%

(92) Solⁿ : b.

144 — ×
18 ⟶ यहाँ क्रय मूल्य ऋणात्मक होगा
8 —×10⟶ ₹ 80

अतः क्रय मूल्य ₹ 80 होगा।

(93) Solⁿ : b.

21 — ×
3 —×10⟶ ₹ 30
7 —×10⟶ ₹ 80

अतः क्रय मूल्य ₹ 30 या ₹ 70 होगा।

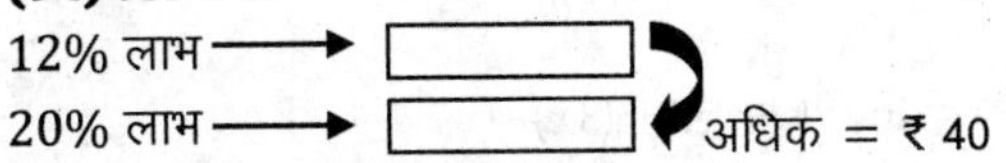

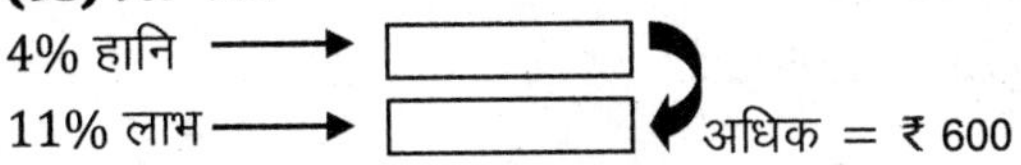

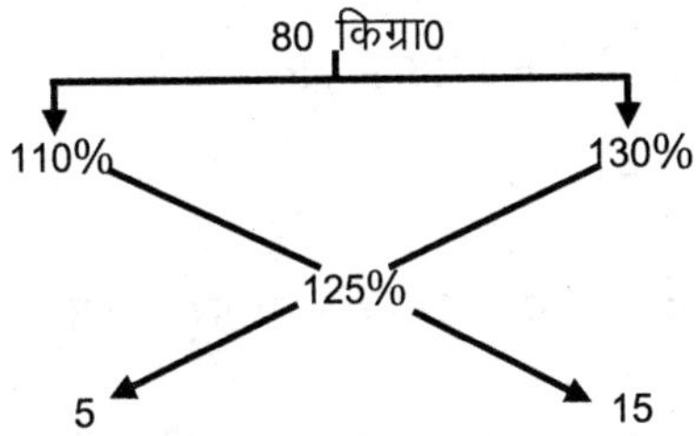

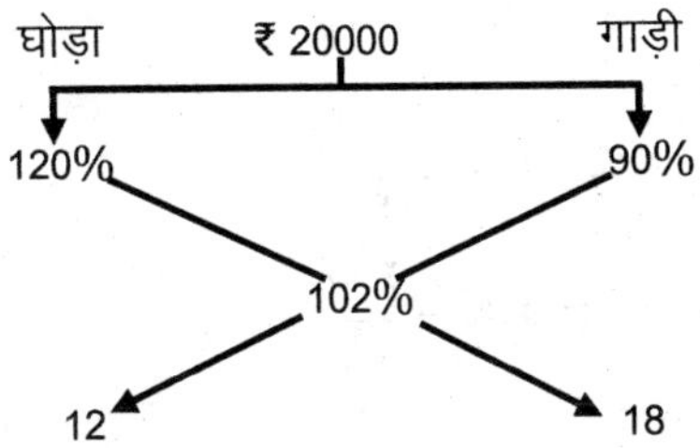

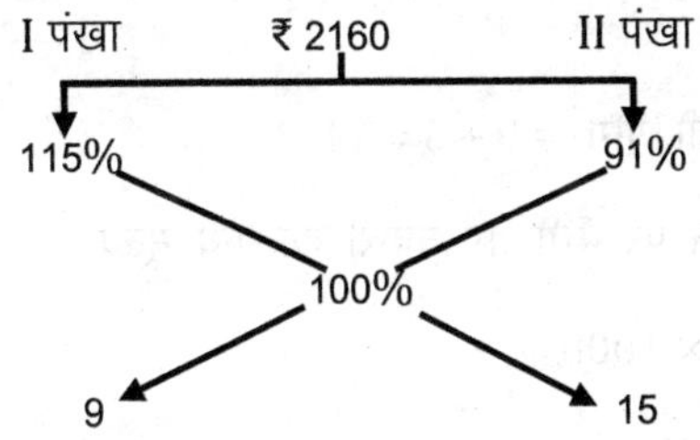

∴ (700 + 500) सन्तरों का विक्रय मूल्य = ₹ 8400

लाभ = 8400 - 7000

= ₹1400

∴ लाभ % = $\frac{1400 \times 100}{7000}$

= 20%

(120) Sol^n : C. माना, घोड़े का क्रय मूल्य = ₹ x

15% लाभ पर विक्रय मूल्य = $\frac{115x}{100} =$ ₹ $\frac{23x}{20}$

यदि नया क्रय मूल्य = $\frac{75x}{100} =$ ₹ $\frac{3x}{4}$

तथा नया विक्रय = ₹ $\left(\frac{23x}{20} - 60\right)$

= ₹ $\frac{23x - 1200}{20}$

तब लाभ = 32%

$\therefore \frac{3x}{4} \times \frac{132}{100} = \frac{23x - 1200}{20}$

$\frac{99x}{5} = 23x - 1200$

99x = 115x - 6000

16x = 6000

$\therefore x = \frac{6000}{16} =$ ₹ 375

है तथा दूसरी वस्तु को बेंचने पर 20% की हानि होती हैं। उसका शुद्ध लाभ/हानि % क्या है–

(a)5% लाभ (b)4% लाभ

(c)5% हानि (d)4% हानि

100. एक दुकानदार दो वस्तुओं को क्रमशः ₹ 2550 तथा ₹ 3600 में बेचता हैं पहली वस्तु पर उसे 15% हानि तथा दूसरी वस्तु पर 20% लाभ होता है, तो उसे कितने रूपये का और कितने % का लाभ/हानि होगा ?

(a)₹ 150 और 1.5% लाभ

(b)₹ 150 और 2.5% लाभ

(c)₹ 250 और 1.5% हानि

(d)₹ 250 और 2.5% हानि

101. दो बाईक में से प्रत्येक का विक्रय मूल्य समान है जबकि दोनों के क्रय मूल्य का योग ₹ 98000 है। इनमें से एक को 20% के लाभ पर तथा दूसरे को 25% के लाभ पर बेंचा गया है। तो 25% के लाभ बेंची गई बाइक का क्रय मूल्य बताइये ?

(a)₹ 30000 (b)₹ 40000

(c)₹ 52000 (d)₹ 48000

102. एक व्यक्ति ने दो बकरियाँ ₹ 1008 में खरीदी। इनमें से एक को उसने 20% हानि पर तथा दूसरी को 44% लाभ बेंच दिया। यदि दोनों बकरियाँ एक ही मूल्य पर बेंची गई हो तो जो बकरी हानि पर बेंची गई उसका क्रय मूल्य था–

(a)₹ 648 (b)₹ 360

(c)₹ 568 (d)₹ 440

103. एक दुकानदार किसी वस्तु को क्रय मूल्य पर ही बेंचने का दावा करता है, परन्तु गलत वॉट का प्रयोग करके 25% का लाभ कमाता है, वह 1 किग्रा0 वॉट के स्थान पर कितने ग्राम तौलता है ?

(a)750 ग्राम (b)800 ग्राम

(c)850 ग्राम (d)900 ग्राम

104. एक दुकानदार अपने सामान को क्रय मूल्य पर ही बेचने का दिखावा करता है तथा सामान बेचते समय 5 किग्रा0 के स्थान पर 4500 gm वॉट का प्रयोग करता है। दुकानदार का लाभ % क्या है ?

(a)$11\frac{1}{9}$% (b)$16\frac{2}{3}$%

(c)8% (d)20%

105. यदि किसी वस्तु को ₹ 425 में बेंचने से उतना ही लाभ होता है जितना उसे ₹ 355 में बेंचने से हानि होता है, तो उस वस्तु का क्रय मूल्य है ?

(a)₹ 370 (b)₹ 380

(c)₹ 390 रू0 (d)₹ 400

106. एक वस्तु को ₹ 525 में बेंचने पर होने वाला लाभ उस वस्तु को ₹ 385 में बेंचने पर होने वाले हानि का तीन गुना है। उस वस्तु का क्रय मूल्य बताइये ?

(a)₹ 400 (b)₹ 420

(c)₹ 500 (d)₹ 440

107. एक वस्तु को ₹ 1230 में बेंचने पर होने वाला लाभ उस वस्तु को ₹ 855 में बेंचने पर होने वाली हानि का एक–चौथाई है। उस वस्तु का क्रय मूल्य बताइये ?

(a)₹ 1100 (b)₹ 1200

(c)₹ 1150 (d)₹ 1155

108. एक दुकानदार एक वस्तु 15% लाभ पर बेंचता है। अगर उसने उसे ₹ 18 अधिक में बेंचा होता तो लाभ 18% हो जाता। तद्नुसार, उस वस्तु का लगत मूल्य (₹ में) कितना है–

(a)540 (b)318

(c)600 (d)350

109. यदि लागत मूल्य पर 20% का लाभ होता है तो बिक्री मूल्य पर लाभ का प्रतिशत क्या होगा–

(a)$16\frac{2}{3}$% (b)12%

(c)$15\frac{1}{3}$% (d)16%

110. यदि विक्रय मूल्य दुगुना हो जाता है तो लाभ तिगुना हो जाता है तो प्रतिशत लाभ है–

(a)75% (b)60%

(c)50% (d)100%

111. एक दुकानदार त्रुटिपूर्ण तराजू के माध्यम से वस्तुओं को खरीदते समय 10% का घोटाला करता है तथा बेचते समय 10% का घोटाला करता है। उसका लाभ % कितना है–

(a)10% (b)11%

(c)21% (d)20%

112. A ने कोई वस्तु B को 25% लाभ पर, B ने वह वस्तु C को 20% लाभ पर तथा C ने D को 10% लाभ पर बेंची। यदि D ने इसे ₹ 330 में खरीदा हो तो A ने उसे कितने में खरीदा ?

(a)₹ 200 (b)₹ 250
(c)₹ 275 (d)₹ 290

113. A एक साइकिल B को 5% लाभ पर बेंचता है। B उसी को C को 10% लाभ पर बेच देता है। तद्नुसार यदि C ने ₹ 2310 दिये हो तो A का लागत मूल्य कितने ₹ है–

(a)₹ 2000 (b)₹ 2100
(c)₹ 1900 (d)₹ 2010

114. A एक साइकिल B को 20% के लाभ पर बेचता है और B उसे C को 25% की हानि पर बेंच देता है। यदि C ने वह साईकिल ₹ P में खरीदी हो तो A के लिए उसकी लागत मूल्य क्या थी–

(a)₹ $\frac{1}{20}P$ (b)₹ $\frac{9}{10}P$
(c)₹ $\frac{9}{20}P$ (d)₹ $\frac{10}{9}P$

115. एक व्यापारी ने 200 अण्डे खरीदे उनमें से 38 टूट गये। शेष अण्डे उसने ₹ 4·80 प्रति दर्जन की दर से बेंच दिये और इस प्रकार उसे 8% का अभिलाभ हुआ। कुल निवेश (₹ में) कितना था ?

(a)₹ 80 (b)₹ 60
(c)₹ 45 (d)₹ 120

116. रितु ने 20 रूपये प्रति दर्जन की दर पर $2\frac{1}{2}$ दर्जन अण्डे खरीदी। उसने देखा कि उनमें 6 अण्डे सड़े हुये है। उसने शेष अण्डे ₹ 22 प्रति दर्जन की दर पर बेंच दिये। उसे कितने % लाभ या हानि हुई ?

(a)12% हानि (b)12% लाभ
(c)10 % हानि (d)10% लाभ

117. एक फल विक्रेता ₹ 10 में 4 की दर पर कुछ सन्तरे खरीदता है। और ₹ 10 में 5 की दर पर उतने ही सन्तरे खरीदता है। वह ₹ 20 में वह 9 की दर पर सारे संतरे बेंचता है। उसे कितने % हानि या लाभ हुआ –

(a)$1\frac{19}{81}$% हानि (b)$1\frac{19}{81}$% लाभ
(c)न हानि न लाभ (d)हानि 2%

118. एक फल विक्रेता ₹ 40 में 3 की दर से कुछ सन्तरे खरीदता है और उतनी ही मात्रा में कुछ सन्तरें ₹ 60 में 5 की दर से खरीदता है। यदि वह सभी सन्तरे ₹ 50 में 3 की दर से बेंचता है तो उसे प्राप्त होने वाले लाभ अथवा हानि का % (निकटतम पूर्णांक में) बताइये–

(a)32% लाभ (b)31% हानि
(c)34% हानि (d)31% लाभ

119. एक फल विक्रेता 700 सन्तरे ₹ 500 के 100 सन्तरे की दर से खरीदता है और एक अन्य किस्म ₹ 700 के 100 सन्तरें की दर से 500 सन्तरें खरीदता है और उनको ₹ 84 प्रति दर्जन पर बेंचता है। लाभ प्रतिशत बताइये–

(a)20 (b)40
(c)30 (d)10

120. किसी व्यक्ति ने एक घोड़ा 15% के लाभ पर बेंचा। यदि उसने इसे 25% कम में खरीदा होता तथा ₹ 60 कम में बेंचा होता तो उसे 32% का लाभ होता। घोड़े का क्रय मूल्य था–

(a)₹ 370 (b)₹ 372
(c)₹ 375 (d)₹ 378

ANSWER

1.	d	32.	c	63.	c	94.	b
2.	b	33.	a	64.	b	95.	a
3.	b	34.	a	65.	a	96.	c
4.	b	35.	a	66.	b	97.	c
5.	a	36.	c	67.	a	98.	c
6.	d	37.	d	68.	b	99.	d
7.	d	38.	b	69.	d	100.	b
8.	a	39.	c	70.	c	101.	d
9.	d	40.	a	71.	a	102.	a
10.	c	41.	a	72.	a	103.	b
11.	d	42.	c	73.	c	104.	a
12.	d	43.	c	74.	d	105.	c
13.	c	44.	c	75.	a	106.	b
14.	a	45.	a	76.	d	107.	d
15.	a	46.	d	77.	d	108.	c
16.	c	47.	c	78.	b	109.	a
17.	d	48.	d	79.	b	110.	d
18.	c	49.	b	80.	c	111.	c
19.	b	50.	d	81.	a	112.	a
20.	b	51.	b	82.	c	113.	a
21.	c	52.	c	83.	d	114.	d
22.	d	53.	c	84.	c	115.	b
23.	d	54.	b	85.	d	116.	a
24.	c	55.	d	86.	b	117.	a
25.	d	56.	b	87.	d	118.	a
26.	c	57.	a	88.	d	119.	a
27.	c	58.	a	89.	a	120.	c
28.	a	59.	a	90.	c		
29.	d	60.	b	91.	b		
30.	d	61.	b	92.	b		
31.	c	62.	a	93.	a		

Explanatory Notes

1. (d) $90\% \xrightarrow{SP}$ ₹72
∴ $1\% = \frac{72}{90}$
∴ 5% लाभ पर विक्रय मूल्य = 105%
$= \frac{72}{90} \times 105 =$ ₹84
2. (b) साइकिल का विक्रय मूल्य $= 1400 \times \frac{85}{100}$
= ₹ 1190
3. (b) $92\% \xrightarrow{SP}$ ₹69
∴ CP = 100% $= \frac{69}{92} \times 100 =$ ₹75
अतः ₹78 में बेचने से,
लाभ = 78 – 75 = ₹3
% लाभ $= \frac{3 \times 100}{75} = 4\%$
4. (b) (T.V. + रेडियो) का कुल क्रय मूल्य
= 2000+750 = ₹2750
(T.V. + रेडियो) का कुल विक्रय मूल्य =
$\left[2000 \times \frac{120}{100} + 750 \times \frac{95}{100}\right] =$
= 2400+712·5
= ₹3112·5
∴ लाभ = 3112·5 – 2750 = ₹362·5
5. (a) हानि = 5750 – 4500 = ₹1250
% हानि $= \frac{1250 \times 100}{5750}$
= 21·74%
6. (a) वास्तविक क्रय मूल्य = 925000 + 35000
= ₹960000
∴ लाभ = 1080000 – 960000
₹ 120000
% लाभ $= \frac{120000 \times 100}{960000}$
= 12·5%
7. (d) 100 सेब का क्रय मूल्य = ₹300
शेष सेब (100 – 4) = 96 = 8 दर्जन
∴ 8 दर्जन सेब का SP = 50 × 8 = ₹400
∴ लाभ = 400 – 300 = ₹100
8. (a) $2\frac{1}{2}$ दर्जन अण्डे का CP $= 20 \times \frac{5}{2} =$ ₹50
शेष अण्डे (30–6) = 24 = 2 दर्जन
∴ 2 दर्जन अण्डे का SP = 2×22 = ₹44
∴ हानि = 50 – 44 = ₹6
% हानि $= \frac{6 \times 100}{50} = 12\%$
9. (d) $90\% \xrightarrow{SP}$ ₹240
∴ 20% लाभ पर SP = 120%
$= \frac{240}{90} \times 120$
= ₹320
10. (c) $80\% \xrightarrow{SP}$ ₹480
∴ 1% → ₹60
∴ 20% लाभ पर SP = 120%
= 120×60
= ₹720
11. (d) $95\% \xrightarrow{SP}$ ₹665
∴ 1% → ₹7
अतः 12% लाभ पर SP = 112%
= 112×7
= ₹784
12. (d) $70\% \xrightarrow{SP}$ ₹700
∴ 1% → ₹10
अतः 30% लाभ पर SP = 130%
= 130×10
= ₹1300
13. (c) माना, ₹100 में x सन्तरे बेचने चाहिये
$\frac{\frac{60}{12} \times 100}{100-25} = \frac{\frac{100}{x} \times 100}{100+25}$ $\left[CP = \frac{SP \times 10}{100+x}\right]$ से,
[∵प्रति सन्तरे क्रय दोनों स्थितियों में बराबर होंगे]
$\frac{500}{75} = \frac{10000}{x} \times \frac{1}{125}$
$\frac{20}{3} = \frac{80}{x}$
∴ $20x = 240$
$x = 12$
14. (a) CP : SP = 5 : 4
∴ हानि = 5 – 4 = 1 unit
% हानि $= \frac{1 \times 100}{5} = 20\%$
15. (a) CP : SP = 20 : 21
∴ लाभ = 21 – 20 = 1
% लाभ $= \frac{1 \times 100}{20} = 5\%$
16. (c) SP = CP × $\frac{5}{4}$
या, $\frac{SP}{CP} = \frac{5}{4}$
या, SP : CP = 5 : 4
लाभ = 5 – 4 = 1
% लाभ $= \frac{1 \times 100}{4} = 25\%$
17. (d) माना, CP और SP क्रमशः x और y है
∴ $y = x \times \frac{85}{100}$
$\frac{y}{x} = \frac{17}{20}$
∴ $x : y = 20 : 17$
18. (c) 15 का CP = 20 का SP
या, $\frac{CP}{SP} = \frac{20}{15} = \frac{4}{3}$
या, CP : SP = 4 : 3
∴ हानि = 4 – 3 = 1
% हानि $= \frac{1 \times 100}{4} = 25\%$
19. (b) 18 का CP = 15 का SP

या, $\frac{CP}{SP} = \frac{15}{18} = \frac{5}{6}$

∴ लाभ = 6 – 5 = 1

% लाभ = $\frac{1\times100}{5}$ = 20%

20. (b) 25 का CP = 20 का SP

या, $\frac{CP}{SP} = \frac{20}{25} = \frac{4}{5}$

∴ लाभ = 5 – 4 = 1

% लाभ = $\frac{1\times100}{4}$ = 25%

21. (c) 20 का CP = x का SP

या, $\frac{CP}{SP} = \frac{x}{20}$

∴ लाभ = SP – CP = (20– x)

$25 = \frac{(20-x)\times100}{x}$

या, $25x = 2000 - 100x$

या, $125x = 2000$

$x = 16$

22. (d)

₹ केले

क्रय → 10 6

विक्रय → 6 4

क्रय : विक्रय = 40 : 36

= 10 : 9

हानि = 10 – 9 = 1

% हानि = $\frac{1\times100}{10}$ = 10%

23. (d)

₹ चॉकलेट

क्रय → 1 2

विक्रय → 1 5

CP : SP = 5 : 2

∴ हानि = 5 – 2 = 3

% हानि = $\frac{3\times100}{5}$ = 60%

24. (d)

₹ सन्तरे

क्रय → 25 10

विक्रय → 25 9

CP : SP = 225 : 250

= 9 : 10

लाभ = 10 – 9 = 1

% लाभ = $\frac{1\times100}{9} = 11\frac{1}{9}\%$

25. (d)

₹ सन्तरे

क्रय → 3 7

विक्रय → x 100

CP : SP = 300 : $7x$

लाभ = SP – CP = ($7x$–300)

$33 = \frac{(7x-300)\times100}{300}$

$33\times3 = 7x - 300$

$7x = 399$

$x = 57$

26. (c)

₹ वस्तु

क्रय → P 12

विक्रय → $\frac{P}{8}$ 1

CP : SP = P : $\frac{P}{8}\times12$

CP : SP = 1 : $\frac{3}{2}$ = 2 : 3

लाभ = 3 – 2 = 1

% लाभ = $\frac{1\times100}{2}$ = 50%

27. (c)

₹ अण्डे

क्रय → 5 3

विक्रय → 12 5

CP : SP = 25 : 36

लाभ = 143

SP – CP = 143

(36–25)unit = 143

11 unit = 143

1 unit = ₹13

∴ CP = 25 unit = 25×13 = 325 रू०

माना ₹325 में उसने x अण्डे खरीदे।

x अण्डे का CP = 325

$x\times\frac{5}{3} = 325$ [∵ 1अण्डे का CP = ₹ $\frac{5}{3}$]

$x = 325\times\frac{3}{5} = 195$

28. (a) माना, A ने साइकिल x₹ में खरीदी

$x\times\frac{110}{100}\times\frac{120}{100} = 264$

$x\times\frac{11}{10}\times\frac{6}{5} = 264$

$x = \frac{264\times10\times5}{11\times6}$ = ₹200

29. (d) माना, कार का क्रय मूल्य = ₹x

$x\times\frac{90}{100}\times\frac{120}{100} = 54000$

$x\times\frac{9}{10}\times\frac{6}{5} = 54000$

$x = \frac{54000\times10\times5}{9\times6}$ = ₹50000

30. (d) माना, A के लिए लागत मूल्य = ₹x

$x\times\frac{120}{100}\times\frac{75}{100} = P$

$x\times\frac{6}{5}\times\frac{3}{4} = P$

x = ₹ $\frac{10}{9}$P

31. (c) माना, 1 सन्तरे का SP = ₹1

∴ 36 सन्तरे का SP = ₹36

तथा हानि = ₹4

∴ CP = 36+4 = ₹40

% हानि = $\frac{4\times100}{40}$ = 10%

32. (c) माना, 1 गेंद का CP = ₹x
हानि = CP – SP
$17x - 720 = 5x$
$12x = 720$
$x = 60$

33. (a) माना, 1 पेन्सिल का SP = ₹1
∴ 100 पेन्सिल का SP = ₹100
तथा लाभ = ₹20
∴ CP = 100 – 20 = ₹80
% लाभ = $\frac{20 \times 100}{80}$ = 25%

34. (a) माना, 1 बॉल का SP = ₹1
∴ 12 बॉल का SP = ₹12
तथा लाभ = ₹4
∴ CP = 12 – 4 = ₹8
% लाभ = $\frac{4 \times 100}{8}$ = 50%

35. (a) माना, 1 मीटर का SP = ₹1
∴ 25 मीटर का SP = ₹25
तथा लाभ = ₹5
∴ CP = 25 – 5 = ₹20
% लाभ = $\frac{5 \times 100}{20}$ = 25%

36. (c) 50 का CP = 40 का SP
या, $\frac{CP}{SP} = \frac{40}{50} = \frac{4}{5}$
∴ लाभ = 5 – 4 = 1
% लाभ = $\frac{1 \times 100}{4}$ = 25%

37. (d) Note-
यदि दो वस्तुओं में प्रत्येक का विक्रय मूल्य समान हो तथा पहली वस्तु पर x% लाभ तथा दूसरी पर x% हानि हो
तो– अभीष्ट हानि % = $\frac{x^2}{100}$होता है।
∴ हानि % = $\frac{20 \times 20}{100}$ = 4%

38. (b) दोनों कुर्सियों का SP = 2×120 = ₹240
दोनों कुर्सियों का CP
= $\left[\frac{120 \times 100}{125} + \frac{120 \times 100}{75}\right]$ = 96+160 = ₹256
∴ हानि = CP – SP
= 256 – 240 = ₹16

39. (c) दोनों पाइप का SP = 2×12 = ₹24
दोनों कुर्सियों का CP
= $\left[\frac{12 \times 100}{120} + \frac{12 \times 100}{80}\right]$ = 10+15 = ₹25
∴ हानि = CP – SP
= 25 – 24 = ₹1

40. (a) दोनों खिलौने का SP = 504×2 = ₹1008
दोनों खिलौनें का CP
= $\left[\frac{504 \times 100}{112} + \frac{504 \times 100}{96}\right]$ = 450+525 = ₹975
लाभ = 1008 – 975 = ₹33
% लाभ = $\frac{33 \times 100}{975} = \frac{44}{13} = 3\frac{5}{13}$%
= 25 – 24 = ₹1

41. (a) माना, CP = ₹x
हानि = लाभ + 50
CP – SP = (SP – CP) + 50
x– 560 = (720 – x) + 50
x+x = 770 + 560
$2x$ = 1330
x = 665

42. (c) माना, CP = x
लाभ = हानि
SP – CP = CP – SP
$524 - x = x - 452$
$524 + 452 = x + x$
$2x = 976$
x = ₹488

43. (c) माना, CP = x
लाभ = हानि
SP – CP = CP – SP
$425 - x = x - 355$
$425 + 355 = x + x$
$2x = 780$
x = ₹390

44. (c) 90% $\xrightarrow{SP}$ ₹45000
1% = ₹500
∴ 15% लाभ पर SP = 115%
=115 × 500
= 57500

45. (a) 75% $\xrightarrow{SP}$ 720 रू०
1% = $\frac{720}{75}$ रू०
∴ 25% लाभ पर SP = 125%
= 125 × $\frac{720}{75}$ = ₹1200

46. (d) 90% $\xrightarrow{SP}$ ₹600
1% = $\frac{600}{90}$ = ₹ $\frac{20}{3}$
∴ 20% लाभ पर SP = 120%
= 120 × $\frac{20}{3}$ = ₹800

47. (c) 85% $\xrightarrow{SP}$ ₹170
1% = $\frac{170}{85}$ = ₹2
∴ 20% लाभ पर SP = 120%
= 120 × 2 = ₹240

48. (d)
+15% { 90% $\xrightarrow{SP}$ ☐ ; 105% $\xrightarrow{SP}$ ☐ } +₹45
15% = ₹ 45
1% = ₹3
∴ घड़ी का SP = 90%

= 90×3 = ₹270

49. (b)

+25% { 80% SP → □ ; 105% SP → □ } +₹200

25% = ₹200

1% = ₹8

∴ लागत मूल्य = 100% = ₹800

50. (d)

+10% { 95% SP → □ ; 105% SP → □ } +₹80

10% = ₹80

1% = ₹8

∴ CP = 100% = ₹800

51. (b)

+6% { 108% SP → □ ; 114% SP → □ } +₹75

6% = ₹75

1% = $\frac{75}{6}$

∴ CP = 100% = $100 \times \frac{75}{6}$

= ₹1250

52. (c)

₹5000: A → 120%, B → 90%

102%

12   18

A : B = 12 : 18 = 2 : 3

अनुपाती योग = 5

∴ A का CP = $\frac{2}{5}$ × 5000 = ₹2000

53. (c)

₹2160: I → 115%, II → 91%

100%

9   15

I : II = 9 : 15 = 3 : 5

अनुपाती योग = 8

∴ I पंखे का CP = $\frac{3}{8}$ × 2160 = ₹810

II पंखे का CP = $\frac{5}{8}$ × 2160 = ₹1350

54. (b)

₹40000: घोड़ा → 110%, वाहन → 95%

101%

6   9

घोड़ा : वाहन = 6 : 9 = 2 : 3

अनुपाती योग = 5

∴ घोड़े का CP = $\frac{2}{5}$ × 40000 = ₹16000

55. (d)

75 – 10 < × : 15 ×10 → ₹150(–) ; 5 ×10 → ₹50(+)

Note : लाभ वाले प्रश्न में छोटा उत्तर धनात्मक होगा।

∴ अभीष्ट क्रय = ₹50

56. (b)

144 – 10 < × : 18 ×10 → ₹180(–) ; 8 ×10 → ₹80(+)

∴ अभीष्ट क्रय मूल्य = ₹80

57. (a)

21 – 10 < × : 7 ×10 → ₹70 ; 3 ×10 → ₹30

Note : हानि वाले प्रश्न में दोनो उत्तर धनात्मक होगा।

∴ अभीष्ट क्रय ₹30 या ₹70 होगा

58. (a) पूरे गेहूँ का CP = (30×9·50+40×8·50)

= 285+340 = ₹625

पूरे गेहूँ का SP = 70×8·90 = ₹623

∴ हानि = 652 – 623

= ₹ 2

59. (a) (80+120)Kg चीनी का CP

= (80×13·50+16×120)

= 1080+1920 = ₹3000

20% लाभ पर SP = 3000×$\frac{120}{100}$ = ₹3600

∴ 200 Kg चीनी का SP = 3600

∴ प्रति किग्रा चीनी का SP = $\frac{3600}{200}$ = ₹ 18

60. (b) माना, वह दोनों प्रकार के $x - x$ सन्तरे खरीदता है

$(x + x)$ सन्तरे का CP

$= \left(\frac{60}{20} \times x + \frac{60}{30} \times x\right) = 5\,x$

$(x + x)$ सन्तरे का SP

$= \frac{60}{25} \times 2x = 4{\cdot}8\,x$

∴ हानि = $5x - 4{\cdot}8x = 0{\cdot}2x$

%हानि = $\frac{0{\cdot}2\times100}{5x}$ = 4%

61. (b) (30+20) किग्रा चावल का CP = (30×70+20×70·75)

= 2100 + 1415

= ₹3515

50 किग्रा चावल का SP = 50 × 80·50

= ₹4025

∴ लाभ = 4025 – 3515 = ₹510

62. (a) वजन से 20% कम तौलता है अर्थात् वह 1000 gm वॉट के स्थान पर 800 gm वॉट का प्रयोग करता है

∴ लाभ = 1000 – 800 = 200 gm

% लाभ = $\frac{200\times100}{800}$ = 25%

∴ कुल लाभ % = 25+10+$\frac{25\times10}{100}$ = 35+2·5 = 37·5%

63. (c) वास्तविक लाभ % = 5+5+$\frac{5\times5}{100}$

= 10+0·25

= 10·25%

64. (b) लाभ = 1000 gm – 850 gm

= 150 gm

% लाभ = $\frac{150\times100}{850}$

= $\frac{300}{17}$ = $17\frac{11}{17}$ %

65. (a) माना, वह दोनों प्रकार के $x - x$ सन्तरे खरीदता है

$(x+x)$ सन्तरे का CP =

$\left[\frac{40}{3}\times x+\frac{60}{5}\times x\right]$

= $\left[\frac{40x}{3}+12x\right]=\frac{76x}{3}$

$(x+x)$ सन्तरे का SP = $\frac{50}{3}\times 2x=\frac{100x}{3}$

∴ लाभ = $\frac{100x}{3}-\frac{76x}{3}=\frac{24x}{3}=8x$

% लाभ = $\frac{8x\times100}{\frac{76x}{3}}=8x\times100\times\frac{3}{76x}$

= $\frac{600}{19}$ = 31·57

66. (b) I स्थिति का CP = II स्थिति का CP =

$\frac{P\times100}{112}=\frac{Q\times100}{96}$

= $\frac{P}{Q}=\frac{112}{96}=\frac{7}{6}$

∴ Q : P = 6 : 7

67. (a) माना, वह दोनों प्रकार के $x - x$ नींबू खरीदता है

$(x+x)$ नींबू का CP = $\frac{1}{2}\times x+\frac{2}{1}\times x=2\cdot5x$

$(x+x)$ नींबू का SP = $\frac{3}{2}\times2x=2x$

∴ हानि = $2\cdot5x-2x=0\cdot5x$

% हानि = $\frac{0\cdot5x\times100}{2\cdot5x}$

= 20%

68. (d)

I स्थिति	II स्थिति
माना $CP_1=100x$	$CP_2=100x$
$SP_1=120x$	$SP_2=(120x-18)$
	लाभ=$(120x-18)-90x$
	$=30x-18$
	$30=\frac{(30x-18)\times100}{90x}$
	$270x=300x-180$
	$30x=180$
	$x=6$
	∴ CP1 = $100x$
	= ₹ 600

69. (d)

I स्थिति	II स्थिति
मना $CP_1=100x$	$CP_2=80x$
$SP_1=110x$	$SP_2=(110x+20)$
	लाभ=$(110x+20)-80x$
	$=30x+20=10(3x+2)$
	$40=\frac{10(30x+2)\times100}{80x}$
	$40\times8x=300x+200$
	$20x=200$
	$x=10$
	∴ CP1 = $100x$
	= ₹1000

70. (c)

I स्थिति	II स्थिति
माना $CP_1=100x$	$CP_2=(100x-900)$
$SP_1=125x$	$SP_2=(125x-900)$
	लाभ=$(125x-900)-(100x-900)$
	$=125x-900-100x+900=25x$
	$(25+5)=\frac{25x\times100}{100x-900}$
	$30=\frac{25x\times100}{100(x-9)}$
	$30(x-9)=25$
	$30x-270=25x$
	$5x=270$
	$x=54$
	∴ CP1 = $100x$ =
	= ₹ 5400

(71) Sol^n : a. वस्तु पर कुल लागत मूल्य = 80 + 20 = ₹ 100

∴ लाभ = S.P. - C.P. = 120-100 = ₹ 20

अतः अभीष्ट लाभ % = $\frac{20 \times 100}{100}$ = 20%

(72) Sol^n : a. 12 पेन्सिल का क्रय मूल्य = 2 × 12 = ₹ 24

4 पेन्सिल का विक्रय मूल्य = 1.5 × 4 = ₹ 6

शेष 8 पेन्सिल का विक्रय मूल्य = 2.5 × 8 = ₹ 20

अतः 12 पेन्सिल का विक्रय मूल्य = 6 + 20 = ₹ 26

∴ लाभ 26 - 24 = ₹ 2

अतः अभीष्ट लाभ % = $\frac{2 \times 100}{24}$

$= \frac{25}{3}$

$= 8\frac{1}{3}\%$

(73) Sol^n : C. 100 अण्डे का क्रय मूल्य = 2 × 100 = ₹ 200

(100 - 20) अण्डे का विक्रय मूल्य = 2.50 × 80 = ₹ 200

∵ C. P. = S. P.

अतः उसे न लाभ होगा न हानि

(74) Sol^n : d. वस्तु का क्रय मूल्य = $\frac{\text{विक्रय मूल्य} \times 100}{100 + \text{लाभ}\%}$

$= \frac{1560 \times 100}{120}$

= ₹ 1300

(75) Sol^n : a. वस्तु का क्रय मूल्य = $\frac{\text{विक्रय मूल्य} \times 100}{100 - \text{हानि}\%}$

$= \frac{2550 \times 100}{85}$

= ₹ 3000

(76) Sol^n : d. मोबाइल का क्रय मूल्य = $\frac{1950 \times 100}{75}$

= ₹ 2600

अतः 30% लाभ पर मोबाइल का विक्रय मूल्य = $\frac{2600 \times 130}{100}$

= ₹ 3380

(77) Sol^n : d. वस्तु का क्रय मूल्य = $\frac{240 \times 100}{90}$

= ₹ $\frac{800}{3}$

∴ 20% लाभ पर वस्तु का विक्रय मूल्य = $\frac{800}{3} \times \frac{120}{100}$

= ₹ 320

(78) Sol^n : b. टेप रिकार्डर का क्रय मूल्य = $\frac{950 \times 100}{95}$

= ₹ 1000

∴ ₹ 1040 विक्रय पर, लाभ = 1040 - 1000 = ₹ 40

अतः अभीष्ट लाभ % = $\frac{40 \times 100}{1000}$ = 4%

(79) Sol^n : b. क्रय मूल्य : विक्रय मूल्य = 20 : 21

∴ लाभ = S.P. - C.P. = 21 - 20 = 1

अतः अभीष्ट लाभ % = $\frac{1 \times 100}{20}$ = 5%

(80) Sol^n : C. क्रय मूल्य = विक्रय मूल्य × $\frac{80}{100}$

$\frac{\text{क्रय मूल्य}}{\text{विक्रय मूल्य}} = \frac{4}{5}$

∴ लाभ = S.P. - C.P. = 5- 4 = 1

अतः अभीष्ट लाभ % = $\frac{1 \times 100}{4}$ = 25%

(81) Sol^n : A. विक्रय मूल्य = क्रय मूल्य × $\frac{3}{4}$

$\frac{\text{विक्रय मूल्य}}{\text{क्रय मूल्य}} = \frac{3}{4}$

∴ हानि = C.P. - C.P. = 4 - 3 = 1

अतः अभीष्ट हानि % = $\frac{1 \times 100}{4}$

= 25%

(82) Sol^n : C. हानि = विक्रय मूल्य × $\frac{3}{7}$

$\frac{\text{हानि}}{\text{विक्रय मूल्य}} = \frac{3}{7}$

∴ क्रय मूल्य = 7 + 3 = 10

अतः अभीष्ट हानि % = $\frac{3 \times 100}{10}$

= 30%

(83) Sol^n : d. 50 सन्तरों का C.P. = 40 सन्तरों का S. P.

∴ $\frac{C.P.}{S.P.} = \frac{40}{50}$

$= \frac{4}{5}$

लाभ = S.P. - C.P. = 5 - 4 = 1

अतः अभीष्ट लाभ % $= \frac{1 \times 100}{4} = 25\%$

(84) Sol^n : c. 15 मेंजों का क्रय मूल्य = 20 मेजों का विक्रय मूल्य

$\therefore \frac{C.P.}{S.P.} = \frac{20}{15}$

$= \frac{4}{3}$

हानि = C.P. - S.P. = 4 - 3 = 1

अतः अभीष्ट हानि % $= \frac{1 \times 100}{4} = 25\%$

(85) Sol^n : d. 10 वस्तु का C.P. = 16 वस्तु का S.P.

$\therefore \frac{C.P.}{S.P.} = \frac{16}{10}$

$= \frac{8}{5}$

हानि = C.P. - S.P. = 8 - 5 = 3

अतः अभीष्ट हानि % $= \frac{3 \times 100}{8}$

$= \frac{75}{2}$

$= 37\frac{1}{2}\%$

(86) Sol^n : b. 1 पुस्तक का क्रय मूल्य : 1 पुस्तक का विक्रय मूल्य $= \frac{25}{20} : \frac{18}{15}$

$= \frac{25}{20} \times 60 : \frac{18}{15} \times 60$

= 75 : 72

∴ हानि = C.P. - S.P. = 75 - 72 = 3

अतः अभीष्ट हानि % $= \frac{3 \times 100}{75}$

= 4%

(87) Sol^n : d. 1 सन्तरें का क्रय मूल्य : 1 सन्तरें का विक्रय मूल्य $= \frac{10}{5} : \frac{15}{6}$

$= \frac{10}{5} \times 30 : \frac{15}{6} \times 30$

= 60 : 75

= 4 : 5

∴ लाभ = S.P. - C.P. = 5 - 4 = 1

अतः अभीष्ट लाभ % $= \frac{1 \times 100}{4}$

= 25%

(88) Sol^n : d. 1 वस्तु का क्रय मूल्य : 1 वस्तु का विक्रय मूल्य $= \frac{5}{6} : \frac{6}{5}$

$= \frac{5}{6} \times 30 : \frac{6}{5} \times 30$

= 25 : 36

∴ लाभ = S.P. - C.P. = 36 - 25 = 11

अतः अभीष्ट लाभ % $= \frac{11 \times 100}{25}$

= 44%

(89) Sol^n : a. अभीष्ट लाभ % $= \frac{20 \times 100}{100 - 20}$

$= \frac{20 \times 100}{80}$

= 25%

(90) Sol^n : c. अभीष्ट हानि% $= \frac{3 \times 100}{(21+3)}$

$= \frac{3 \times 100}{24}$

$= 12\frac{1}{2}\%$

(91) Sol^n : b. अभीष्ट लाभ% $= \frac{11 \times 100}{44}$

= 25%

(92) Sol^n : b.

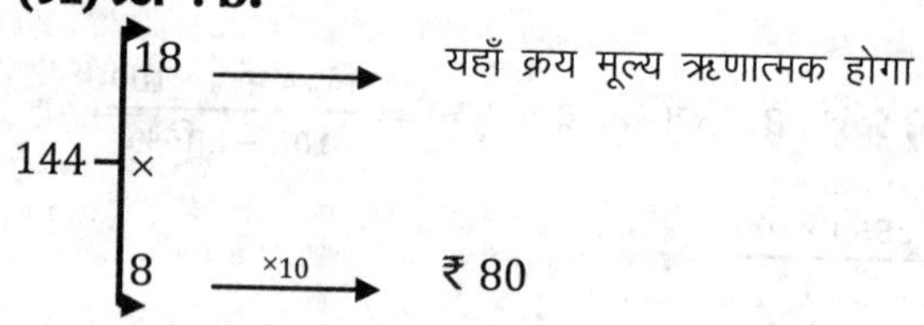

अतः क्रय मूल्य ₹ 80 होगा।

(93) Sol^n : b.

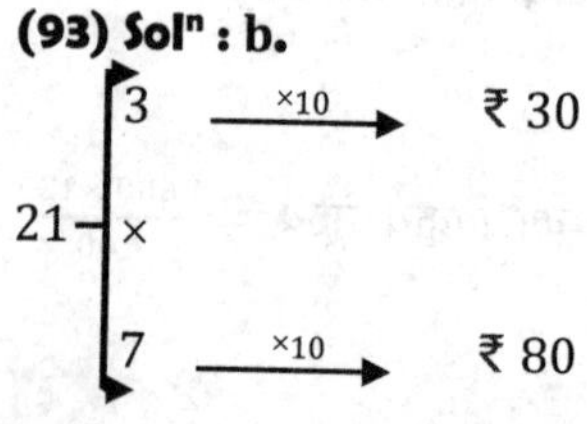

अतः क्रय मूल्य ₹ 30 या ₹ 70 होगा।

(94) Solⁿ : b.

12% लाभ → ▭
20% लाभ → ▭ अधिक = ₹ 40

8% → ₹ 40
1% → ₹ $\frac{40}{8}$

$\therefore$ 100% = $\frac{40}{8} \times 100$ = ₹ 500

(95) Solⁿ : a.

4% हानि → ▭
11% लाभ → ▭ अधिक = ₹ 600

15% → ₹ 600
1% → ₹ $\frac{6000}{15}$

$\therefore$ 100% = $\frac{600}{15} \times 100$ = ₹ 4000

(96) Solⁿ : C.

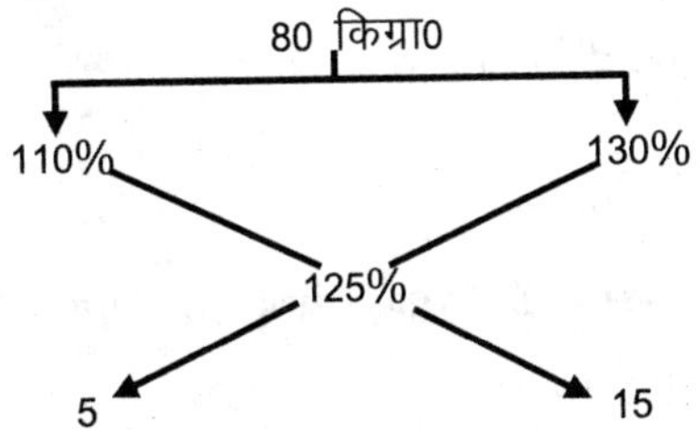

अनुपात = 5 : 15 = 1 : 3

अनुपाती योग = 4

$\therefore$ 10% लाभ पर बेंची गई चीनी की मात्रा = $\frac{1}{4} \times 80$

= 20 किग्रा0

(97) Solⁿ : C.

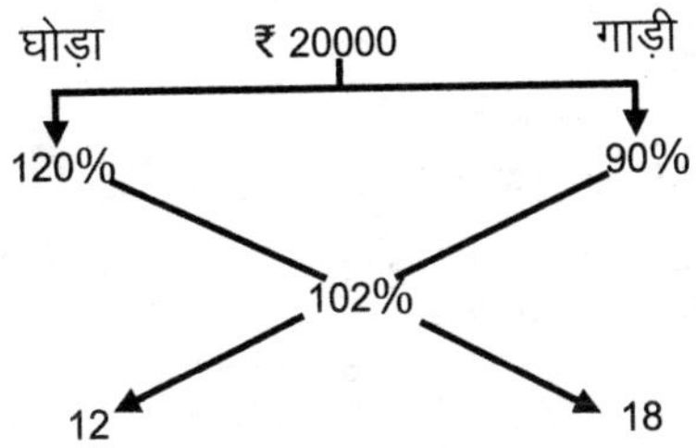

घोड़ा : गाड़ी = 2 : 3

अनुपाती योग = 5

$\therefore$ घोड़े का क्रय मूल्य = $\frac{2}{5} \times 20000$

= ₹ 8000

(98) Solⁿ : C.

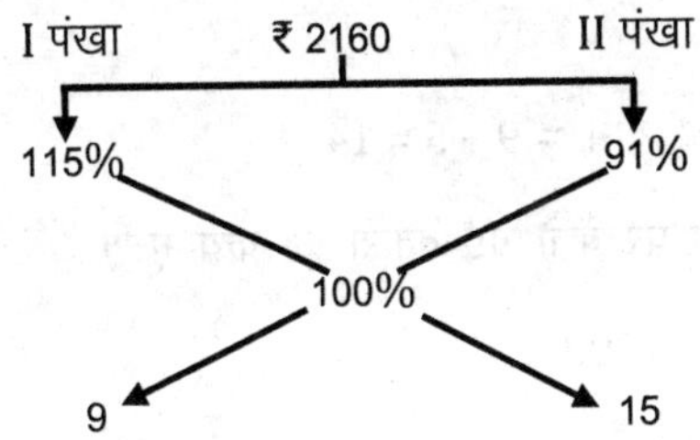

$I : II$ = 9 : 15 = 3 : 5

अनुपाती योग = 8

I पंखे क्रय मूल्य = $\frac{3}{8} \times 2160$ = ₹ 810

II पंखे का क्रय मूल्य = $\frac{5}{8} \times 2160$ = ₹ 1350

(99) Solⁿ : d. अभीष्ट हानि % = $\frac{(20)^2}{100}$

= $\frac{400}{100}$

= 4%

(100)Solⁿ : b. पहली वस्तु का क्रय मूल्य = $\frac{2550 \times 100}{85}$

= ₹ 3000

दूसरी वस्तु का क्रय मूल्य = $\frac{3600 \times 100}{120}$ = ₹ 3000

दोनों वस्तु का क्रय मूल्य = 3000 + 3000 = ₹ 6000

दोनों वस्तु का विक्रय मूल्य = 2550 + 3600 = ₹ 6150

$\therefore$ लाभ = 6150 - 6000 = ₹ 150

अभीष्ट लाभ % = $\frac{150 \times 100}{6000}$

= 2·5%

(101) Solⁿ : d. $\text{I} \times \frac{120}{100} = \text{II} \times \frac{125}{100}$

$\frac{I}{II} = \frac{125}{120}$

= $\frac{25}{24}$

अनुपाती योग = 25 + 24 = 49

$\therefore$ 25% लाभ पर बेंची गई वस्तु का क्रय मूल्य

= $\frac{24}{49} \times 98000$ = ₹ 48000

(102) Solⁿ : a. $\text{I} \times \frac{80}{100} = \text{II} \times \frac{144}{100}$

$\frac{I}{II} = \frac{144}{80}$

$= \frac{9}{5}$

अनुपाती योग = 9 + 5 = 14

∴ हानि पर बेंची गई बकरी का क्रय मूल्य

$= \frac{9}{14} \times 1008$

= ₹ 648

(103) Solⁿ : b. माना, वह 1Kg वॉट के स्थान पर x gm वॉट का प्रयोग करता है।

$25 = \frac{(1000-x)\times100}{x}$

$x = 4000 - 4x$

$5x = 4000$

x = 800 ग्राम

(104) Solⁿ : a. अभीष्ट % लाभ $= \frac{(5000-4500)\times100}{4500}$

$= \frac{500\times100}{4500}$

$= \frac{100}{9}$

$= 11\frac{1}{9}\%$

(105) Solⁿ : C.

विक्रय मूल्य

₹ 425 $\xrightarrow{\text{लाभ}}$ x

₹ 355 $\xrightarrow{\text{हानि}}$ x

70 ⟶ $2x$

$x = \frac{70}{2}$ = ₹ 35

∴ क्रय मूल्य = विक्रय – लाभ (x)

= 425 - 35

= ₹ 390

(106) Solⁿ : b.

विक्रय मूल्य

₹ 525 $\xrightarrow{\text{लाभ}}$ $3x$

₹ 385 $\xrightarrow{\text{हानि}}$ x

140 ⟶ $4x$

$x = \frac{140}{4}$ = ₹ 35

∴ क्रय = विक्रय – लाभ $(3x)$

$= 525 - 3 \times 35$

= 525 - 105

= ₹ 420

(107) Solⁿ : d.

विक्रय मूल्य

₹ 1230 $\xrightarrow{\text{लाभ}}$ $\frac{x}{4}$

₹ 855 $\xrightarrow{\text{हानि}}$ x

375 ⟶ $x + \frac{x}{4} = \frac{5x}{4}$

∴ $x = \frac{375\times4}{5}$ = ₹ 300

∴ क्रय मूल्य = विक्रय – लाभ $\left(\frac{x}{4}\right)$

$= 1230 - \frac{300}{4} = 1230 - 75$

= ₹ 1155

(108) Solⁿ : C. 18% लाभ पर विक्रय – 15% लाभ पर विक्रय = ₹ 18

3% = ₹ 18

∴ 100 % $= \frac{18}{3} \times 100$

= ₹ 600

(109) Solⁿ : A. माना, लागत मूल्य =₹ x

विक्रय मूल्य $= \frac{120x}{100}$

= ₹ $\frac{6x}{5}$

∴ लाभ $= \frac{6x}{5} - x$ = ₹ $\frac{x}{5}$

अतः अभीष्ट लाभ % $= \frac{\frac{x}{5}\times100}{\frac{6x}{5}}$

$= \frac{100}{6}$

$= \frac{50}{3}$

$= 16\frac{2}{3}\%$

(110) Solⁿ : d. माना, क्रय मूल्य = x तथा विक्रय मूल्य = y

तब लाभ = ₹ $(y - x)$

विक्रय मूल्य दो गुना करने पर,

अब का लाभ = पहले के लाभ का 3 गुना

$(2y - x) = (y - x) \times 3$

$(2y - x) = 3y - 3x$

$2x = y$

$\frac{x}{y} = \frac{1}{2}$

लाभ = 2 - 1 = 1

अतः अभीष्ट लाभ % = $\frac{1 \times 100}{1} = 100\%$

(111) Sol^n : c. अभीष्ट लाभ % = $10 + 10 + \frac{10 \times 10}{100}$

= 20 + 1

= 21%

(112) Sol^n : a. $A \times \frac{125}{100} \times \frac{120}{100} \times \frac{110}{100}$

= 330

$A = \frac{330 \times 100 \times 100 \times 100}{125 \times 120 \times 110}$

$= \frac{3 \times 4 \times 5 \times 100}{5 \times 6}$

= ₹ 200

(113) Sol^n : a. $A \times \frac{105}{100} \times \frac{110}{100} = 2310$

$A = \frac{2310 \times 100 \times 100}{105 \times 110}$

= ₹ 2000

(114) Sol^n : d. $A \times \frac{120}{100} \times \frac{75}{100} = P$

$A = \frac{P \times 100 \times 100}{120 \times 75}$

= ₹ $\frac{10}{9}P$

(115) Sol^n : b. माना, 200 अण्डे का क्रय मूल्य =₹ x

शेष अण्डे = 200 − 38 = 162

∴ 162 अण्डे का विक्रय मूल्य = ₹ $\frac{1}{12}(162 \times 4{\cdot}80)$

$= \frac{777.6}{12}$ = ₹ 64·8 रू0

∴ $x \times \frac{108}{100}$ = ₹ 64·8

$x = \frac{64{\cdot}8 \times 100}{108}$ = ₹ 60

(116) Sol^n : a. $2\frac{1}{2}$ अण्डे (30 अण्डे) का क्रय मूल्य

$= 20 \times \frac{5}{2}$ = ₹ 50

शेष अण्डे = 30 − 6 = 24 अण्डे = 2 दर्जन

∴ शेष 2 दर्जन अण्डे का विक्रय मूल्य = 22×2

= ₹ 44

∴ हानि = 50 − 44 = ₹ 6

अतः अभीष्ट % हानि = $\frac{6 \times 100}{50}$

= 12%

(117) Sol^n : a. माना, उसने प्रत्येक प्रकार के 20 सन्तरे खरीदता है।

∴ (20 + 20) सन्तरें का क्रय मूल्य = $\left(20 \times \frac{10}{4} + 20 \times \frac{10}{5}\right)$ = ₹ 90

तथा पूरे 40 सन्तरें का विक्रय मूल्य = $40 \times \frac{20}{9}$ = ₹ $\frac{800}{9}$

∴ हानि = $90 - \frac{800}{9}$ = ₹ $\frac{10}{9}$

∴ % हानि = $\frac{\frac{10}{9} \times 100}{90}$

$= \frac{100}{81}$

$= 1\frac{19}{81}\%$

(118) Sol^n : a. माना, उसने प्रत्येक प्रकार के 15 सन्तरें खरीदा।

∴ (15 सन्तरें + 15 सन्तरें) का क्रय मूल्य

$= \left(\frac{40}{3} \times 15 + \frac{60}{5} \times 15\right)$

= ₹ 380

तथा 30 सन्तरें का विक्रय मूल्य = $\frac{50}{3} \times 30$ =₹ 500

∴ लाभ = 500 - 380 = ₹120

∴ लाभ % = $\frac{120}{380} \times 100 = 31{\cdot}58\%$

= 32% (लगभग)

(119) Sol^n : a. (700 + 500) सन्तरों का क्रय मूल्य

= ₹ $\left(\frac{500}{100} \times 700 + \frac{700}{100} \times 500\right)$

= ₹ 7000

∵ 12 सन्तरों का विक्रय मूल्य =₹ 84

∴ (700 + 500) सन्तरों का विक्रय मूल्य =₹ 8400

लाभ = 8400 - 7000

= ₹1400

∴ लाभ % = $\frac{1400 \times 100}{7000}$

= 20%

(120) Sol^n : C. माना, घोड़े का क्रय मूल्य = ₹ x

15% लाभ पर विक्रय मूल्य = $\frac{115x}{100}$ = ₹ $\frac{23x}{20}$

यदि नया क्रय मूल्य = $\frac{75x}{100}$ = ₹ $\frac{3x}{4}$

तथा नया विक्रय = ₹ $\left(\frac{23x}{20} - 60\right)$

= ₹ $\frac{23x-1200}{20}$

तब लाभ = 32%

∴ $\frac{3x}{4} \times \frac{132}{100} = \frac{23x-1200}{20}$

$\frac{99x}{5} = 23x - 1200$

99x = 115x - 6000

16x = 6000

∴ $x = \frac{6000}{16}$ = ₹ 375

12

साधारण ब्याज (Simple Interest)

मूलधन (Principal Amount) : उधार ली गई/दी गई कुलराशि को मूलधन कहते है। इसे P द्वारा प्रदर्शित करेंगे।

ब्याज (Interest) : मूलधन पर जितना अतिरिक्त रकम अदा की जाती है, उस अतिरिक्त रकमको ब्याज कहते है।

मिश्रधन (Amount) : ब्याज एवं मूलधन के योगफल की राशि मिश्रधन कहलाता है। इसे "A" द्वारा प्रदर्शित करेंगे।

साधारण ब्याज : वह अतिरिक्त धन जो केवल और केवल मूलधन पर लिया जाता है, साधारण ब्याज कहलाता है।

Point : ₹ P का r% वार्षिक ब्याज की दर से t वर्ष का साधारण ब्याज बताइये ?

Derivation : ₹ 100 मूलधन पर 1 वर्ष का ब्याज = ₹ r

∴ ₹ 1 मूलधन पर 1 वर्ष का ब्याज ₹ $\frac{r}{100}$

∴ ₹ P मूलधन पर 1 वर्ष का ब्याज =₹ $\frac{r}{100} \times P$

∴ ₹ P मूलधन पर t वर्ष का ब्याज = $\frac{Pr}{100} \times t$

अतः $\boxed{S.I. = \frac{Prt}{100}}$

मिश्रधन = मूलधन + साधारण ब्याज

$= P + \frac{Prt}{100}$

$= P\left[1 + \frac{rt}{100}\right]$

$\boxed{A = P\left[\frac{100+rt}{100}\right]}$

या $\boxed{P = \left[\frac{A \times 100}{100 + rt}\right]}$

Type - 01

अवधारणात्मक प्रश्न :–

प्रश्न : कितने वर्षो में 12% वार्षिक दर से ₹ 3000 का साधारण ब्याज ₹ 1080 हो जायेगा ?

हल : $S.I. = \frac{Prt}{100}$ से,

$1080 = \frac{3000 \times 12 \times t}{100}$

$t = \frac{1080}{30 \times 12} = 3$ वर्ष

प्रश्न : ₹ 2400 पर 7% वार्षिक साधारण ब्याज की दरे से 9 माह का साधारण ब्याज ज्ञात कीजिए ?

हल : $S.I. = \frac{2400 \times 7 \times \frac{9}{12}}{100}$

= ₹ 126

प्रश्न : जॉन ने एक धनराशि 10% वार्षिक साधारण ब्याज की दर निवेश की है। चार वर्षो बाद यह धनराशि ₹ 770 हो जाती है। वह राशि कितनी थी ?

हल : मूलधन = $\frac{770 \times 100}{100+10 \times 4}$

$= \frac{770 \times 100}{140}$

= ₹ 550

प्रश्न : यदि ₹ 500 दिये गये समय में 5% वार्षिक ब्याज की दर से ₹ 650 हो जाते हैं तो बताइये ₹ 900 उतने ही समय में उसी दर पर कितने हो जायेंगे ?

हल : साधारण ब्याज = 650 - 500 = ₹ 150

$150 = \frac{500 \times 5 \times t}{100}$

$t = \frac{150}{25} = 6$ वर्ष

अतः ₹ 900 का 5% दर से 6 वर्ष का मिश्रधन

$A = 900\left[\frac{100 + 6 \times 5}{100}\right]$

$A = 900 \times \frac{130}{100}$

= ₹ 1170

Type - 02

अनुपात पर प्रश्न :–

प्रश्न : यदि मूलधन और 5 वर्षो के ब्याज का अनुपात 10 : 3 है, तो ब्याज की दर क्या है ?

हल : मूलधन : ब्याज = 10 : 3

$r = \frac{S.I. \times 100}{P \times t}$

$= \frac{3 \times 100}{10 \times 5}$

= 6%

प्रश्न : यदि मूलधन और उस पर एक वर्ष के ब्याज के बाद के मिश्रधन का अनुपात 10 : 12 हो, तो वार्षिक ब्याज की दर क्या है ?

हल : मूलधन : मिश्रधन = 10 : 12

∴ ब्याज = 12 - 10 = 2

$r = \frac{S.I.\times 100}{P\times t}$

$= \frac{2\times 100}{10\times 1}$

= 20%

Type - 03

ब्याज के परिवर्तन पर प्रश्न :–

प्रश्न : ₹ 800 की राशि साधारण ब्याज की निश्चित दर पर 3 वर्ष में ₹ 956 हो जाती है। यदि ब्याज दर 4% बढ़ा दी जाये तो वह राशि 3 वर्ष में कितनी हो जायेगी ?

हल : साधारण ब्याज = 956 - 800 = ₹ 156

$r = \frac{156\times 100}{800\times 3}$

= 6·5%

अब, नई ब्याज दर = (6·5 + 4)% = 10·5%

अतः 3 वर्ष का मिश्रधन = $800\left[\frac{100+10\cdot 5\times 3}{100}\right]$

= 8 × 131·5

= ₹ 1052

प्रश्न :– बैंक द्वारा साधारण ब्याज की वार्षिक दर 5% से घटकर 3·5% किये जाने पर किसी व्यक्ति की ब्याज से होने वाली वार्षिक आय ₹ 105 कम हो गई। बैंक में कितने रूपये की राशि जमा करवाई गई थी ?

हल : 1·5% ब्याज कम होने से आय में कमी =₹ 105

$\therefore$ 1% = $\frac{105}{1\cdot 5}$ = ₹ 70

अतः 100% = ₹ 7000

Type - 04

जब प्रश्न में अलग–अलग मिश्रधन दिया हो :–

प्रश्न : कोई धनराशि साधारण ब्याज से 5 वर्ष में ₹ 5200 तथा 7 वर्ष में ₹ 5680 हो जाती है तो –

(A) वह धन बताइये ?

(B) ब्याज की वार्षिक दर बताइये ?

हल : माना, वह धन ₹ P है।

P + 5 वर्ष का S.I. = 5200..............i

P + 7 वर्ष का S.I. = 5680..............ii

2 वर्ष का S.I. = ₹ 480

1 वर्ष का S.I. = ₹ 240 यह मान समीकरण (i) में रखने पर

P + 5 × 240 = ₹ 5200

(A) P = 5200 - 1200 = ₹ 4000

(B) $r = \frac{240\times 100}{4000\times 1}$

= 6%

प्रश्न : कोई धनराशि साधारण ब्याज की दर से 8 वर्ष में ₹ 2900 तथा 10 वर्ष में ₹ 3000 हो जाती है तो –

(A) वह धन बताइये ?

(B) ब्याज की वार्षिक दर बताइये ?

हल :

P + 8 वर्ष का S.I. = 2900..............i

P + 10 वर्ष का S.I. = 3000............ii

2 वर्ष का S.I. = ₹ 480

1 वर्ष का S.I. = ₹ 50

समीकरण (i) से P + 8 × 50 = ₹ 2900

(A) P = 2900 - 400

= ₹ 2500

(B) $r = \frac{50\times 100}{2500\times 1}$

= 2%

Type - 05

गुना पर बनने वाले प्रश्नों के प्रकार :–

Case - 1

Point : किसी धन का साधारण ब्याज, उस धन के $\frac{P}{Q}$ गुने के बराबर होता है तो ब्याज की दर के लिए सम्बन्ध स्थापित कीजिए?

Derivation : साधारण ब्याज = मूलधन × $\frac{P}{Q}$

$\frac{\text{साधारण ब्याज}}{\text{मूलधन}} = \frac{P}{q}$

$r = \frac{S.I.\times 100}{P\times t}$ से,

$$r = \frac{P\times 100}{q\times t}$$

प्रश्न : किसी राशि पर 4 वर्षो का साधारण ब्याज उस राशि का $\frac{1}{5}$ है। वार्षिक ब्याज की दर बताइये ?

हल : साधारण ब्याज = मूलधन × $\frac{1}{5}$

$\frac{\text{साधारण ब्याज}}{\text{मूलधन}} = \frac{1}{5}$

$r = \frac{1 \times 100}{5 \times 4}$

$= 5\%$

प्रश्न : किसी धनराशि पर किसी वार्षिक ब्याज की दर से साधारण ब्याज मूलधन का $\frac{25}{16}$ है। यदि दर % तथा वर्षो में समय को निरूपित करने वाली संख्यायें बराबर हो, तो ब्याज की दर बताइये ?

हल : साधारण ब्याज = मूलधन × $\frac{25}{16}$

$\frac{\text{साधारण ब्याज}}{\text{मूलधन}} = \frac{25}{16}$

$S.I. = \frac{P \times r \times t}{100}$ यहाँ, माना दर = $x\%$

अतः तब समय = x वर्ष

$25 = \frac{16 \times x \times x}{100}$

$x^2 = \frac{2500}{16}$

$x = \sqrt{\frac{2500}{16}}$

$= \frac{50}{4}$

$= \frac{25}{2}$

$= 12\frac{1}{2}\%$

Note : उपर्युक्त प्रश्नों को सीधे तौर पर सूत्र से हल कर लें।

Case - II :

Note : यदि किसी धन का n गुना कर दिया जाये तो प्राप्त धन निश्चित रूप से मिश्रधन होगा।

Point : कोई धन ₹ P, r% वार्षिक ब्याज की दर से + वर्षो में स्वयं का n गुना हो जाता है तो ब्याज की दर के लिए सम्बन्ध स्थापित कीजिए –

Derivation :- $P \times n = A$

$P \times n = \frac{P\,(100 + rt)}{100}$

$100n = 100 + rt$

$100n - 100 = rt$

$100(n-1) = rt$

$$\boxed{r = \frac{100\,(n-1)}{t}}$$

प्रश्न : साधारण ब्याज की किस दर पर कोई धन 15 वर्षो में स्वयं का 4 गुना हो जायेगा ?

हल : t = 15 वर्ष तथा n = 4

अतः $r = \frac{100\,(4-1)}{15}$

$= \frac{100 \times 3}{15}$

$= 20\%$

Case - III

Point : कोई धन ₹ P, r% वार्षिक ब्याज की दर से t वर्ष में स्वयं का $\frac{m}{n}$ गुना हो जाता है, तो ब्याज की दर के लिए सम्बन्ध स्थापित कीजिए ?

Derivation : $P \times \frac{m}{n} = A$

$\therefore \frac{A}{P} = \frac{m}{n}$

अतः मिश्रधन = m तथा मूलधन = n

∴ साधारण ब्याज = (m - n)

$r = \frac{S.I. \times 100}{P \times t}$ से

$$\boxed{r = \frac{(m-n) \times 100}{n \times t}}$$

प्रश्न : साधारण ब्याज की किस वार्षिक दर से कोई धनराशि 4 वर्षो में स्वयं के $\frac{7}{4}$ गुने के बराबर हो जायेगी ?

हल : $\frac{m}{n} = \frac{7}{4}$ [m = 7 तथा n = 4 लेने पर]

$r = \frac{(7-4) \times 100}{4 \times 4}$

$= \frac{3 \times 25}{4}$

$= \frac{75}{4}$

$= 18\frac{3}{7}\%$

प्रश्न : कोई धन एक–तिहाई वर्ष में स्वयं का $\frac{21}{20}$ गुना हो जाता है। वार्षिक साधारण ब्याज दर ज्ञात कीजिए ?

हल : $\frac{m}{n} = \frac{21}{20}$ [m = 21 तथा n = 20 लेने पर]

$r = \frac{(21-20) \times 100}{20 \times \frac{1}{3}}$

$= \frac{100}{\frac{20}{3}}$

$= \frac{100 \times 3}{20} = 15\%$

Case - IV

Point : यदि कोई धन ₹ P, r% वार्षिक – साधारण ब्याज की दर से t_1 वर्षों में स्वयं का n_1 गुना तथा t_2 वर्षों में स्वयं का n_2 गुना हो जाता है तो इस सन्दर्भ के लिए सम्बन्ध स्थापित कीजिए ?

Derivation : $P \times n_1 = A$

$P \times n_1 = \frac{P(100+rt_1)}{100}$

$100n_1 = 100 + rt_1$

$100(n_1 - 1) = rt_1$ i

इसी प्रकार, $100(n_2 - 1) = rt_2$..............ii

समीकरण (i) में समीकरण (ii) से भाग देने पर

$$\boxed{\frac{t_1}{t_2} = \frac{(n_1-1)}{(n_2-1)}}$$

प्रश्न : एक राशि साधारण ब्याज पर 10 वर्ष में दुगुनी हो जाती है। कितने वर्षों में यह समान ब्याज की दर पर तिगुनी हो जायेगी ?

हल : $\frac{10}{t_2} = \frac{(2-1)}{(3-1)}$

$\frac{10}{t_2} = \frac{1}{2}$

$\therefore t_2 = 20$ वर्ष

प्रश्न : कोई धन साधारण ब्याज की दर पर 20 वर्षों में दुगुना हो जाता है तो उसी ब्याज की दर पर कितने वर्षो में यह स्वयं का सात गुना हो जायेगा ?

हल : $\frac{20}{t_2} = \frac{(2-1)}{(7-1)}$

$\frac{20}{t_2} = \frac{1}{6}$

$\therefore t_2 = 120$ वर्ष

Type - 06

जब अलग–अलग धन पर साधारण ब्याज समान हो –

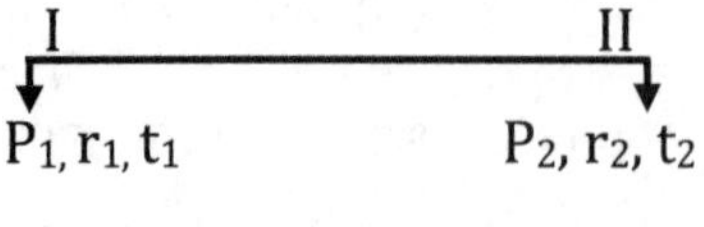

I स्थिति पर साधारण ब्याज = II स्थिति पर साधारण ब्याज

$$\frac{P_1 \times r_1 \times t_1}{100} = \frac{P_2 \times r_2 \times t_2}{100}$$

$$\boxed{\therefore P_1r_1t_1 = P_2r_2t_2}$$

Case - I :-

प्रश्न :– ₹ 3500 का 5% दर से 9 वर्ष का साधारण ब्याज उतना ही है, जितना ₹ 3600 का 7% दर से t वर्ष का तो t का मान बताइये ?

हल : $3500 \times 5 \times 9 = 3600 \times 7 \times t$

$\therefore t = \frac{3500 \times 5 \times 9}{3600 \times 7}$

$= 6\frac{1}{4}$ वर्ष

Case - II

प्रश्न :– ₹ 1500 की कोई धनराशि दो भागों में इस प्रकार उधार दी जाती है कि एक भाग पर 10% वार्षिक की दर से 5 वर्षो का साधारण ब्याज, दूसरे भाग पर 12·5% वार्षिक की दर से 4 वर्षो के साधारण ब्याज के बराबर है। 12·5% पर उधार दी गई धनराशि है–

हल :

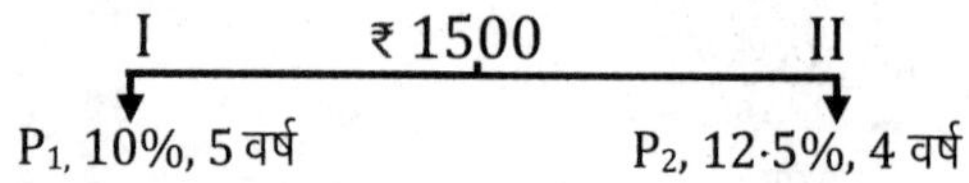

$P_1 \times 10 \times 5 = P_2 \times 12{\cdot}5 \times 4$

$\frac{P_1}{P_2} = \frac{50}{50} = \frac{1}{1}$

$P_1 : P_2 = 1 : 1$

अनुपाती योग = 2

$\therefore$ 12·5% दर पर उधार दी गई राशि $= \frac{1}{2} \times 1500$

= ₹ 750

Type - 07

मिश्रण नियम पर बनने वाला प्रश्न :–

प्रश्न : एक व्यक्ति ₹ 35000 का कुछ भाग 8% साधारण ब्याज पर तथा शेष भाग 15% की साधारण ब्याज दर पर उधार देता है। यदि 2 वर्ष के अन्त में दोनों भागों से 11% की औसत दर पर साधारण ब्याज मिला हो तो 15% ब्याज दर पर उधार दी गई राशि क्या थी ?

हल :

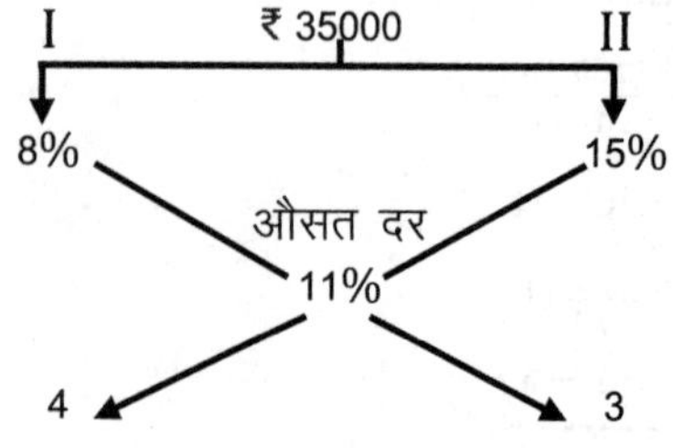

I : II = 4 : 3

अनुपाती योग = 7

∴ 15% ब्याज दर पर उधार दी गई राशि $= \frac{3}{7} \times 35000$

= ₹ 15000

Type - 08

योग–अन्तर पर बनने वाला प्रश्न :–

(A) जब एक ही धन का अलग–अलग समयों के ब्याजों का योग या अन्तर दिया हो।

(B) जब अलग–अलग धन के अलग–अलग समयों के ब्याजों का योग/अन्तर दिया हो।

Case (A) :

प्रश्न : किसी धन का 5% साधारण ब्याज दर पर 3 वर्ष और 7 वर्ष के साधारण ब्याजों का अन्तर ₹ 960 है तो वह धन बताइये ?

हल : 7 वर्ष का साधारण ब्याज – 3 वर्ष का ब्याज = 960

$\frac{P \times 5 \times 7}{100} - \frac{P \times 5 \times 3}{100}$

$= 960$

$\frac{20P}{100} = 960$

P = 960 × 5

= ₹ 4800

Case - (B) :

प्रश्न : ₹ 4000 की राशि को दो भागों में बाँटकर पहले भाग को 3% वार्षिक ब्याज की दर पर तथा दूसरे भाग को 5% वार्षिक ब्याज दर से निवेश किया जाता है। 1 वर्ष बाद दोनों भाग से मिलाकर ₹ 144 साधारण ब्याज प्राप्त होता है। प्रत्येक भाग की राशि क्या है ?

हल :

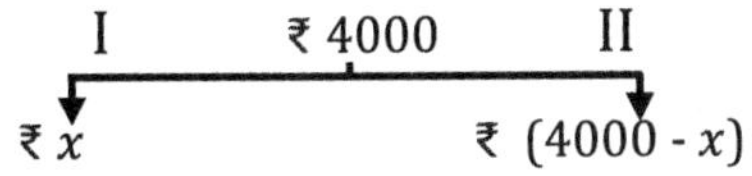

$\frac{x \times 3 \times 1}{100} + \frac{(4000-x) \times 5 \times 1}{100} = 144$

$\frac{3x}{100} + \frac{20000-5x}{100} = 144$

$\frac{1}{100}(3x + 20000 - 5x) = 144$

$-2x + 20000 = 14400$

$5600 = 2x$

$x =$ ₹ 2800 (पहला भाग)

अतः दूसरा भाग = 4000 - 2800 = ₹ 1200

Second Method :

(मिश्रण नियम द्वारा)

औसत दर $= \frac{144 \times 100}{4000 \times 1}$

= 3.6 %

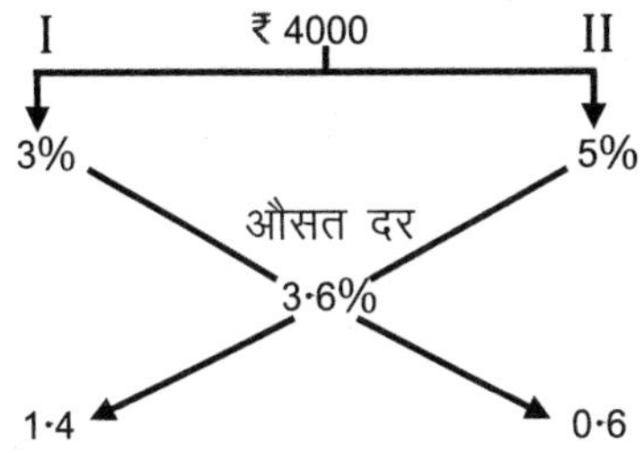

अतः I : II = 7 : 3

अनुपाती योग = 10

∴ I भाग $= \frac{7}{10} \times 4000 =$ ₹ 2800

और II भाग $= \frac{3}{10} \times 4000 =$ ₹ 1200

प्रश्न : ₹ 4000 को दो भागों में साधारण ब्याज दर पर उधार दिया गया। यदि एक भाग पर ब्याज की दर 8% वार्षिक हो तथा दूसरे भाग पर यह दर 10% वार्षिक हो तथा कुल वार्षिक ब्याज ₹ 352 मिले तो 8% वार्षिक दर पर कितना धन दिया गया।

हल :

औसत दर $= \frac{352 \times 100}{4000 \times 1}$

= 8·8%

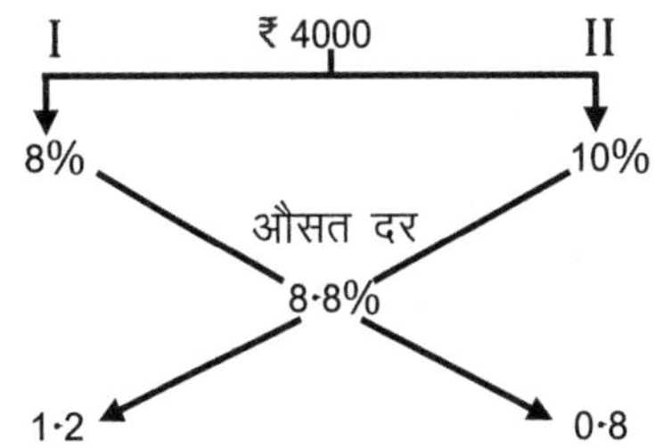

I : II = 1·2 : 0·8 = 3 : 2

अनुपाती योग = 5

∴ 8% दर पर दिया गया धन $= \frac{3}{5} \times 4000$

= ₹ 2400

Type - 09

मिश्रित प्रश्न :

Case : (A) -

प्रश्न : एक व्यक्ति निश्चित धनराशि जमा करता है। यदि ब्याज की दर प्रथम 4 वर्ष तक 8% वार्षिक, अगले 6 वर्षो तक 10% वार्षिक तथा अन्तिम 5 वर्षो तक 12% वार्षिक हो, यदि कुल साधारण ब्याज ₹ 12160 हो तो वह राशि बताइये ?

हल : S.I. = r × t से,

माना, वह धन = 100%

$4 \times 8 = 32\%$

$6 \times 10 = 60\%$

$5 \times 12 = 60\%$

152%

∵ 152% = ₹ 12160

अतः $100\% = \frac{12160}{152} \times 100$

$= 80 \times 100$

= ₹ 80000

Case (B) :

किस्त पर बनने वाला प्रश्न :–

प्रश्न : ₹ 944 की राशि चार बराबर वार्षिक किस्तों में देय है। यदि प्रत्येक किस्त पर शेष समय के लिए 12% वार्षिक दर से साधारण ब्याज देय है तो प्रत्येक किस्त की राशि बताइये ?

हल : माना, प्रत्येक किस्त = 100%

मूलधन + ब्याज = मिश्रधन

$100 + 12 \times 3 = 136\%$

$100 + 12 \times 2 = 124\%$

$100 + 12 \times 1 = 112\%$

$100 + 12 \times 0 = 100\%$

472%

∵ 472% = ₹ 944

अतः $100\% = \frac{944}{472} \times 100$

$= 2 \times 100$

= ₹ 200

प्रश्नावली

TYPE - 01

1. किसने वर्षो में 12% वार्षिक दर से 3,000 रूपए का साधारण ब्याज 1,080 रूपए हो जाएगा?
(a) 3 (b) $2\frac{1}{2}$
(c) 2 (d) $3\frac{1}{2}$
(SSC Data Entry Operator Exam 2-8-2009)

2. ₹1,860 का 12% प्रति वर्ष के साधारण ब्याज पर कितने समय में ₹ 2,641.20 हो जाएँगे?
(a) 3 वर्ष (b) $3\frac{1}{2}$वर्ष
(c) 4 वर्ष (d) $4\frac{1}{2}$वर्ष
(SSC Constable GD and Riflefan GD Exam 22-4-2012)

3. रू. 4500 की धनराशि वार्षिक साधारण ब्याज की कितनी दर पर 5 वर्षो में रू. 6,525 हो जाएगी?
(a) 10% (b) 9%
(c) 8% (d) 12%
(CGL Mains 2020)

4. एक व्यक्ति 5,000 रू. 2 वर्ष के लिए 4% वार्षिक साधारण ब्याज की दर पर उधार लेता है। वह तत्काल इसे किसी दूसरे व्यक्ति को $6\frac{1}{4}$%वार्षिक साधारण ब्याज की दर पर 2 वर्ष के लिए उधार दे देता है। इस सौदे में उसका लाभ होगा–
(a) 112.50 रू. (b) 450 रू.
(c) 225 रू. (d) 150रू
(SSC CGL Pre Exam 13-11-2005).

5. एक व्यक्ति के पास 16,000 रू. थे। उसने इसमें से कुछ धनराशि 4% और शेष 5% वार्षिक की दर से साधारण ब्याज पर उधार दी। यदि एक वर्ष में उसे कुल 700 रू. ब्याज के रूप में मिले हों, तो 4% पर उधार दी गई धनराशि थी–
(a) 12,000 रू. (b) 8,000 रू.
(c) 10,000 रू. (d) 6,000 रू.

6. एक व्यक्ति ने 400 रू. 2 वर्ष के लिए, 550 रू. 4 वर्ष के लिए तथा 1,200 रू. 6 वर्ष के लिए जमा किए। उसे कुल साधारण ब्याज 1,020 रू. प्राप्त हुआ। वार्षिक ब्याज की दर है–
(a) 10% (b) 5%
(c) 15% (d) 20%
(SSC CGL Pre exam 4-2-2007)

7. एक व्यक्ति अपनी धनराशि के 40% को 15% वार्षिक ब्याज की दर से, शेष के 50% को 10% वार्षिक की दर से तथा शेष को 18% वार्षिक की दर से उधार देता है। यदि कुल धन राशि पर ब्याज की गणना करनी हो, तो ब्याज की वार्षिक दर कितनी होगी?
(a) 13.4% (b) 14.33%
(c) 14.4% (d) 13.33%
(SSC CGL Pre exam 4-2-2007)

8. मनोज ने 29400 रू. 6 वर्ष के लिए साधारण ब्याज पर जमा किए। 6 वर्ष बाद उसे 4200 रू. ब्याज प्राप्त हुआ । वार्षिक ब्याज की दर थी–
(a) $2\frac{8}{21}$% (b) $2\frac{7}{20}$%
(c) 2% (d) 2.5%

9. एक आदमी ने 60,000 रूपए, जिनमें से कुछ 5% की दर से तथा शेष 4% की दर से, साधारण ब्याज पर उधार दिए। यदि कुल वार्षिक ब्याज 2560 रूपए हो, तो 4% की दर से उधार दी गयी धन राशि थी–
(a) 40000 रूपए (b) 44000 रूपए
(c) 30000 रूपए (d) 45000 रूपए
(SSC CGL Pre Exam 27-7-2008)

10. जॉन ने एक धनराशि 10% वार्षिक साधारण ब्याज की दर पर निवेश की है। चार वर्षो बाद यह राशि, ब्याज सहित ₹770 हो जाती है, तदनुसार वह राशि कितनी थी?
(a) ₹ 650 (b) ₹ 350
(c) ₹ 550 (d) ₹ 500
(SSC CISF Constable GD Exam 5-6-2011)

11. वह धनराशि, जो 14% वार्षिक की दर से 2 वर्ष में ₹ 2520 साधारण ब्याज अर्जित करती है, निम्नलिखित है:
(a) ₹ 9,000 (b) ₹ 10,800
(c) ₹ 7,900 (d) ₹ 7,880
(CTET (VI-VIII 21-12-2021)

TYPE - 02

12. कितनी राशि पर 2 वर्ष की R% वार्षिक ब्याज की दर से साधारण ब्याज R होगा?
(a) $\frac{100}{2R}$ (b) 50
(c) $\frac{100}{R}$ (d) $\frac{200}{R}$
(SSC CGL Pre 2019)

13. यदि किसी धन का 8% की दर से 5 वर्ष में साधारण ब्याज ₹ 640 हो, तो मूलधन क्या होगा?
(a) ₹ 1,280 (b) ₹ 1,600
(c) ₹ 3,200 (d) ₹ 2,400
(REET (VI-VIII)2017)

14. कितने समय में 72 रू. $6\frac{1}{4}$% वार्षिक साधारण ब्याज की दर से 81 रू. हो जाएँगे?
(a) 2 वर्ष (b) 3 वर्ष
(c) 2 वर्ष 6 माह (d) उपर्युक्त मे से कोई नही
(SSC CGL Pre Exam 13-11-2005)

TYPE - 03

15. ₹ 600 साधारण ब्याज की दर से 4 वर्ष में ₹ 720 हो जाता है। यदि ब्याज की दर 2% बढ़ा दिया जाये, तो यह धन कितना होगा–

(a) ₹ 792 (b) ₹ 768
(c) ₹ 724 (d) ₹ 748
(UP TET (I-V)28-11-2021)

16. 800 रूपए की राशि साधारण ब्याज की एक निश्चित दर पर 3 वर्ष में 956 रूपए हो जाती है। यदि ब्याज दर 4% बढ़ा दी जाए तो वह राशि 3 वर्ष में कितनी हो जाएगी?
(a) 1025 रूपए (b) 1042 रूपए
(c) 1052 रूपए (d) 1024 रूपए
(SSC Constable (GD Exam 4-10-2015))

17. ₹ 800 की धनराशि साधारण ब्याज पर 3 वर्षो में ₹ 920 हो जाती है। यदि ब्याज की दर 3% बढ़ा दी जाती है, तो यह राशि कितनी हो जाएगी?
(a) ₹1,056 (b) ₹1,112
(c) ₹1,182 (d) ₹ 992
(SSC CAPFs SI, CISF ASI and Delhi Police Exam 22-6-2014)

TYPE - 04

18. यदि मूलधन और उस पर एक वर्ष के ब्याज के बाद के मिश्रधन का अनुपात 10 : 12 हो, तो वार्षिक ब्याज की दर कितनी होगी?
(a) 12% (b) 16%
(c) 18% (d) 20%
(FCI Assistant Grade –III Exam 5-2-2012)

19. 10% वार्षिक ब्याज की दर से किसी निश्चित समय के बाद एक निश्चित मूलधन और साधारण ब्याज का अनुपात 10 : 3 था। निवेश किए गए धन की अवधि कितने वर्ष थी?
(a) 1 (b) 3
(c) 5 (d) 7
(SSC MTS Exam 20-2-2011)

20. यदि मूल राशि और 1 वर्ष के साधारण ब्याज का अनुपात 25 : 1 है, तो ब्याज की दर कितनी है?
(a) 4% (b) 25%
(c) 5% (d) 20%
(SSC CGL Tier –I 30-8-2015)

21. यदि मूल धन और 5 वर्षो के ब्याज का अनुपात 10:3 है, तो ब्याज की दर क्या है?
(a) 5% (b) 6%
(c) 8% (d) 3%
(SSC CHSL 10+2 LDC , DEO and PA/SA Exam 15-11-2015)

TYPE - 05

22. प्रतिवर्ष साधारण ब्याज दर पर, किसी राशि पर 10 वर्ष में मिलने वाला ब्याज उस राशि का $\frac{2}{5}$ भाग होगा, तो साधारण ब्याज दर कितना है?
(a) 4% (b) $6\frac{2}{5}\%$
(c) 7% (d) $4\frac{1}{2}\%$
(SSC CGL Tier II 12-4-2015)

23. एक धनराशि पर साधारण ब्याज उस राशि का $\frac{8}{25}$ है। यदि वर्षो की संख्या प्रति वर्ष दर की प्रतिशतता से संख्यात्मक रूप से आधी है, तो प्रति वर्ष दर क्या है?
(a) 5 (b) 8
(c) $6\frac{1}{4}$ (d) 4
(SSC CGL Tier II exam 25-10-2015)

24. किसी राशि पर 4 वर्ष का साधारण ब्याज उस राशि का $\frac{1}{5}$ है। वार्षिक ब्याज की दर है–
(a) 4% (b) 5%
(c) 6% (d)8%
(SSC CGL Pre exam 24-2-2002)

25. किसी राशि का साधारण ब्याज मूलधन का $\frac{4}{9}$ है। यदि ब्याज पर दिए जाने वाले मूलधन की अवधि के वर्ष, ब्याज की वार्षिक दर के बराबर हो तो ब्याज की दर क्या है?
(a) 5% (b) $6\frac{2}{3}\%$
(c) 6% (d) $7\frac{1}{5}\%$
(SSC CGL Pre exam 27-2-2000)

TYPE - 06

26. कोई राशि साधारण ब्याज द्वारा किसी दर से 3 वर्ष में स्वयं की $\frac{7}{6}$ गुनी हो जाती है। ब्याज की प्रतिशत वार्षिक दर है–
(a) $5\frac{5}{9}\%$ (b) $6\frac{5}{9}\%$
(c) 18% (d) 25%
(SSC CGL Pre Exam 4-7-1999)

27. कोई धनराशि 12% वार्षिक ब्याज की दर से कितने वर्षो में दुगुनी हो जाएगी?
(a) 8 वर्ष , 6 महीने (b) 6 वर्ष , 9 महीने
(c) 8 वर्ष , 4 महीने (d) 7 वर्ष , 6 महीने
(SSC 10+2 Data Entry Operator Exam 227-10-2012)

28. कोई धनराशि साधारण ब्याज की किसी दर से $\frac{1}{4}$ वर्ष में स्वयं की $\frac{41}{40}$ हो जाती है। वार्षिक ब्याज की दर है–
(a) 10% (b) 1%
(c) 2.5% (d) 5%
(SSC CGL Pre Exam11-5-2003)

TYPE - 07

29. कोई धन राशि साधारण ब्याज से 15 वर्ष में अपने से तीन गुनी हो जाती है। कितने समय में यह अपने से 5 गुनी हो जाएगी?
(a) 40वर्ष (b) 36वर्ष
(c) 30वर्ष (d) 25वर्ष

(SSC CGL Pre Exam 4-2-2007)

30. कितने वर्षो में एक धनराशि $6\frac{1}{4}$% प्रतिवर्ष के साधारण ब्याज पर दुगुनी हो जाएगी?

(a) 16 वर्ष (b) $12\frac{1}{2}$ वर्ष
(c) 8वर्ष (d) $10\frac{2}{3}$ वर्ष

(SSC CGL Tier I Exam 9-8-2015)

31. कोई धन राशि साधारण ब्याज से 15 वर्ष में अपने से तीन गुनी हो जाती है। कितने समय में यह अपने से 5 गुनी हो जाएगी?

(a) 40 वर्ष (b) 36 वर्ष
(c) 30 वर्ष (d) 25 वर्ष

(SSC CGL Pre exam 4-2-2007)

32. यदि कोई धनराशि साधारण ब्याज पर 5 वर्ष में दुगुनी हो जाती है, तो वह धनराशि कितने वर्षो में चौगुनी होगी?

(a) 18 (b) 16
(c) 15 (d) 20

(SSC MTS Exam 23-2-2014)

33. कोई धनराशि तीन वर्ष में स्वयं की 5 गुनी हो जाती है तो वह कितने समय में स्वयं की 13 गुनी हो जाएगी?

(a) 6 वर्ष (b) 15 वर्ष
(c) 9 वर्ष (d) 12 वर्ष

(SSC CGL Pre 2019)

TYPE - 08

34. कोई धनराशि साधारण ब्याज की किसी दर से 2 वर्षो में 756 रूपये हो जाती है तथा $3\frac{1}{2}$ वर्षो में 873 रूपये हो जाती हैं। वार्षिक ब्याज की दर है–

(a) 10% (b) 11%
(c) 12% (d) 13%

(SSC CGL Pre Exam 11-5-2003)

35. साधारण ब्याज पर कोई धनराशि 2 वर्षो के बाद 720 रू० हो जाती है तथा 5 और अधिक वर्षो के बाद 1020 रू० हो जाती है। वह धनराशि है

(a) 500 रू० (b) 600 रू०
(c) 700 रू० (d) 710 रू०

(SSC CGL Pre exam 8-2-2004)

36. कोई धन राशि साधारण ब्याज से 5 वर्ष में 5,200 रू० तथा 7 वर्ष में 5,680 रू० हो जाती हैं। वार्षिक ब्याज की दर है–

(a) 3% (b) 4%
(c) 5% (d) 6%

(SSC CGL Pre Exam 4-2-2007)

37. कोई धनराशि साधारण ब्याज की किसी दर से 8 वर्ष में 2900 रूपए तथा 10 वर्ष में 3000 रूपए हो जाती है। वार्षिक ब्याज की दर है–

(a) 4% (b) $2\frac{1}{2}$%
(c) 3% (d) 2%

(SSC CPO SI exam 9-11-2008)

TYPE - 09

38. वार्षिक ब्याज की दर 11.5% से 10% रह जाने पर किसी व्यक्ति को 55.50 रूपये वार्षिक की हानि होती है। उसकी पूँजी (रूपयों में) है–

(a) 3700 (b) 7400
(c) 8325 (d) 11100

(SSC CGL Pre exam 11-5-2003)

39. साधारण ब्याज की वार्षिक दर 10% से $12\frac{1}{2}$% हो जाने पर, किसी व्यक्ति की वार्षिक आय 1250 रू० बढ़ जाती है। उसका मूलधन (रूपयो में) है–

(a) 50,000 (b) 45,000
(c) 60,000 (d) 65,000

(SSC CGL Pre Exam 8-2-2004)

40. कोई धनराशि साधारण ब्याज की किसी दर पर 3 वर्ष के लिए उधार दी गयी। यदि इसे 2.5% वार्षिक अधिक दर पर उधार दिया गया होता तो ₹ 540 अधिक ब्याज प्राप्त होता । उधार दी गयी राशि थी –

(a) ₹ 6400 (b) ₹ 6472
(c) ₹ 6840 (d) ₹ 7200

(SSC Data Entry Operatror and LDC 27-11-2010)

41. किसी साहूकार को पता चलता है कि वार्षिक ब्याज की दर 8% वार्षिक से $7\frac{3}{4}$% वार्षिक रह जान से उसकी वार्षिक आय में 61.50 रूपये की कमी आ गई । उसकी पूँजी है–

(a) 22400 रूपये (b) 23800 रूपये
(c) 24600 रूपये (d) 26000 रूपये

(SSC CGL Pre Exam 11-5-2003)

TYPE - 10

42. 1550 रू० की एक धनराशि आंशिक रूप से 5% और 8% वार्षिक की दरों से साधारण ब्याज पर लगाई जाती है। 3 वर्षो के बाद ब्याज के रूप में कुल 300 रू० प्राप्त हुए। 5% और 8% की दरों पर लगाई गई राशियों का अनुपात है–

(a) 5 : 8 (b) 8 : 5
(c) 31 : 6 (d) 16 : 15

(SSC CGL Pre Exam 24-2-2002)

43. कोई व्यक्ति 5,000 रू० की राशि का कुछ भाग 4 प्रतिशत और शेष भाग 5 प्रतिशत वार्षिक की दर से साधारण ब्याज पर उधार देता है। 2 वर्षो के बाद कुल ब्याज 440 रू० है। उपरोक्त दरों में से प्रत्येक पर लगाई गई राशि ज्ञात करने के लिए 5,000 रू० को निम्न अनुपात में बाँटना चाहिए।

(a) 4 : 5 (b) 3 : 2
(c) 5 : 4 (d) 2 : 3

(SSC CGL Pre exam 24-2-2002)

44. ₹ 12,000 की धनराशि को दो भागों में इस प्रकार बाँटा गया है, कि पहले भाग का 3 वर्षो का 12% वार्षिक की दर से साधारण ब्याज, दूसरे भाग के 4 $\frac{1}{2}$ वर्षो के 16% वार्षिक की दर से साधारण ब्याज के बराबर है। तदनुसार, पहले भाग और दूसरे भाग का पारस्परिक अनुपात कितना है?

(a) 2 : 1 (b) 1 : 2
(c) 2 : 3 (d) 3 : 2

(SSC (10+2) Data Entry Operator and LDC Exam 28-10-2012)

45. 1,750 रूपये की एक राशि दो भागों में इस प्रकार विभाजित की जाती है कि पहले भाग पर 8% की दर से वार्षिक साधारण ब्याज और दूसरे भाग पर 6% की दर से वार्षिक साधारण ब्याज बराबर है। तब प्रत्येक भाग पर ब्याज (रूपयों में है)

(a) 60 (b) 65
(c) 70 (d) 40

(SSC CGL Exam 24-2-2002)

46. 1500 रू० की कोई धनराशि दो भागों में इस प्रकार उधार दी जाती है कि एक भाग पर 10% वार्षिक की दर से 5 वर्षो का साधारण ब्याज दूसरे भाग पर 12.5% वार्षिक की दर से 4 वर्षो के साधारण ब्याज के बराबर है। 12.5% पर उधार दी गई धनराशि है–

(a) 500 रू० (b) 1000 रू०
(c) 750 रू० (d) 1250 रू०

(SSC CGL Pre Exam 13-11-2005)

47. ₹ 7,930 की राशि 3 भागो में विभाजित की जाती है और A, B एवं C को क्रमशः 2,3, एवं 4 वर्षो के लिए 5% के साधारण ब्याज पर ऋण के रूप में दी जाती है। यदि समय पूरा होने पर तीनों को मिश्रधन बराबर मिले तो A ने कितने रूपए का ऋण लिया था?

(a) ₹ 2,800 (b) ₹ 3,050
(c) ₹ 2,750 (d) ₹ 2,760

(SSC CHSL 2019)

48. 3100 रू० की एक धनराशि दो भागों में साधारण ब्याज पर उधार दी जाती है। एक भाग 8% की दर से तथा अन्य भाग पर 6% की दर से दिया जाता है। यदि कुल वार्षिक ब्याज 212 रू० है, तो 8% की दर दी गई धनराशि (रू० में) क्या है?

(a) 1000 (b) 1250
(c) 1300 (d) 1400

49. एक व्यक्ति 7900 रू० की कुल राशि को साधारण ब्याज की वार्षिक दर 3% ,5% तथा 8% वाली तीन योजनाओं में निवेश करता है। एक वर्ष में अंत में उसे तीनों योजनाओं से समान ब्याज प्राप्त हुआ। 3% की दर पर उसके द्वारा निवेश की गई राशि (रू में) कितनी है?

(a) 2900 (b) 3500
(c) 4000 (d) 5600

(SSC CGL Pre 2019)

50. एक व्यक्ति के पास 16000 रू० थे। उसने इसमें से कुछ धनराशि 4% और शेष 5% वार्षिक की दर से साधारण ब्याज पर उधार दी। यदि एक वर्ष में उसे कुल 700 रू० ब्याज के रूप में मिले हों, तो 4% पर उधार दी गई धनराशि थी–

(a) 12,000 रू० (b) 8,000 रू०
(c) 10,000 रू० (d) 6,000 रू०

(SSC CGL Pre exam 13-11-2005)

TYPE - 11

51. एक व्यक्ति ने 400 रू० 2 वर्ष के लिए 550 रू० 4 वर्ष के लिए तथा 1,200 रू० 6 वर्ष के लिए जमा किए। उसे कुल साधारण ब्याज 1,020 रू० प्राप्त हुआ। वार्षिक ब्याज की दर है–

(a) 10% (b) 5%
(c) 15% (d) 20%

(SSC CGL Pre Exam)

52. दो बराबर राशि क्रमशः 7% और 5% के साधारण ब्याज पर उधार दी गई। दो ऋणों पर अर्जित ब्याज 4 वर्ष में ₹ 960 जुड़ते हैं। उधार दी गई कुल राशि बताइए।

(a) ₹ 3500 (b) ₹ 2500
(c) ₹ 2000 (d) ₹ 3000

(SSC Constable GD 12-5-2013)

53. एक आदमी अपने 50,000 रू० में से 8000 रू. साधारण ब्याज की $5\frac{1}{2}$% वार्षिक दर से तथा 24,000 रू. 6% वार्षिक दर से उधार देता है। शेष धन राशि को वह साधारण ब्याज की ही एक ऐसी वार्षिक दर से उधार देता है ताकि उसे कुल मिलाकर वर्ष में 3680 रू. ब्याज से प्राप्त हों जिस वार्षिक दर से शेष धन राशि उधार दी गयी है, वह है–

(a) 5% (b) 7%
(c) 10% (d) 12%

(SSC CGL Pre Exam 27-7-2008)

54. शिल्पा ने समान धनराशि दो अलग–अलग बैंकों में जमा की जो क्रमशः 10% और 12% की दर से साधारण ब्याज देते हैं तीन वर्ष के बाद उसे कुल ₹3,300 ब्याज मिला। उसने कुल कितनी राशि जमा की थी?

(a) ₹ 10,000 (b) ₹ 11,000
(c) ₹ 12,000 (d) ₹ 12,250

(SSC MTS Exam 16-2-2014)

55. एक व्यक्ति ने एक बैंक में एकसमान साधारण ब्याज दर पर 500 रूपए 4 वर्षो के लिए और 600 रूपए 3 वर्षो के लिए जमा किए। उसे कुल

190 रूपए की राशि, ब्याज के रूप में मिली। तदनुसार, साधारण ब्याज की वार्षिक दर कितनी थी?

(a) 4% (b) 5%
(c) 2% (d) 3%

(SSC MTS 17-3-2013)

56. यदि किसी आदमी को अपनी पूँजी के एक चौथाई भाग पर 3% ब्याज मिलता है, दो–तिहाई पर 5% और शेष पर 11% तो उसे समग्र पूँजी पर मिलने वाला प्रतिशत है–

(a) 4.5 (b) 5
(c) 5.5 (d) 5.2

(SSC 10+2 Data Entry Operator Exam 4-11-2012)

TYPE - 12

57. रोहन एक निश्चित राशि को साधारण ब्याज पर उधार लेता है। ब्याज की दर पहले 3 वर्षो के लिए 3% वार्षिक, अगले 5 वर्षो के लिए 4% वार्षिक तथा अगले 7 वर्षो के लिए 6% वार्षिक है। यदि वह 2059 रू ब्याज के रूप में चुकाता है, तो उधार ली गई राशि (रू में) क्या है?

(a) 2400 (b) 2500
(c) 2900 (d) 3100

SSC CGL Pre 2019

58. पहले 2 वर्ष के लिए ब्याज की दर प्रति वर्ष 6% है, अगले 3 वर्ष के लिए प्रति वर्ष 10% है और 5 वर्ष के बाद की अवधि के लिए प्रति वर्ष 12% है। यदि 7 वर्ष बाद किसी व्यक्ति को साधारण ब्याज के रूप में रूपये 12,771 मिलता है, तो उसके द्वारा निवेश की गई राशि ज्ञात कीजिए।

(a) Rs 20,000 (b) Rs 19,300
(c) Rs 19,450 (d) Rs 19,350

(CGL (mains))2020

59. कोई निश्चित राशि, 3 वर्ष के लिए 4% वार्षिक दर पर अगले 4 वर्ष के लिए 8% वार्षिक दर पर और 7 वर्ष बाद 12% वार्षिक दर पर उधार दी जाती है। यदि 11 वर्ष की अवधि में, प्राप्त साधारण ब्याज रूपये 27,600 है, तो राशि (रूपये में) ज्ञात कीजिए।

(a) 25,000 (b) 32,000
(c) 27,000 (d) 30,000

(CGL Mains 2020)

TYPE - 13

60. ₹ 10,000 की एक राशि का कुछ भाग 8 प्रतिशत वार्षिक दर पर तथा शेष 10 प्रतिशत वार्षिक दर पर उधार दिया जाता है, यदि औसत ब्याज दर 9.2 प्रतिशत हो, तो वे दोनों भाग है–

(a) ₹4000, ₹6000 (b) ₹4500, ₹5500
(c) ₹5000, ₹5000 (d) ₹5500, ₹4500

61. ₹1500 धनराशि का एक भाग साधारण ब्याज की 10% वार्षिक दर से तथा शेष भाग 7% वार्षिक दर से उधार दिया गया। 3 वर्ष में कुल ब्याज ₹396 प्राप्त हुआ तो 10% की दर से दी गई धनराशि थी

(a) ₹ 900 (b) ₹ 800
(c) ₹ 700 (d) ₹ 600

62. विश्वास ने कुल ₹ 30,000 की रकम उधार ली इसका एक भाग 12 प्र.श.प्र.व. की साधारण ब्याज दर से और शेष 10% वार्षिक की साधारण ब्याज दर से लिया। यदि दो वर्ष के अंत में ऋण रकम को निपटाने के लिए उसने कुल मिलाकर ₹36480 अदा किए तो 12 प्र.श.प्र.व. की दर से उधार ली गयी राशि क्या थी?

(a) ₹ 16,000 (b) ₹ 18,000
(c) ₹ 17,500 (d) ₹ 12,000

Revision Series

63. कितने वर्षो में ₹ 800 का 3% वार्षिक ब्याज की दर से साधारण ब्याज ₹ 72 होगा ?

(a)1 वर्ष (b)2 वर्ष
(c)3 वर्ष (d)4 वर्ष

64. कितने समय में ₹ 72, 6·25% वार्षिक साधारण ब्याज की दर से ₹ 81 हो जायेगी ?

(a)2 वर्ष (b)3 वर्ष
(c)2 वर्ष 6 माह (d)N.O.T.

65. मनोज ने ₹ 29400, 6 वर्ष के लिए साधारण ब्याज पर जमा किये। 6 वर्ष बाद उसे ₹ 4200 ब्याज प्राप्त हुआ। वार्षिक ब्याज की दर क्या थी ?

(a)$2\frac{8}{21}\%$ **(b)**$2\frac{7}{20}\%$
(c)$3\frac{8}{21}\%$ **(d)**$4\frac{8}{21}\%$

66. एक धनराशि 4 वर्ष में $12\frac{1}{2}\%$ **वार्षिक साधारण ब्याज की दर से ₹ 3750 हो जाती है। वह धनराशि है –**

(a) ₹ 2500 (b) ₹ 3000
(c) ₹ 4000 (d) ₹ 4500

67. साधारण ब्याज की दर से ₹ 1500 का ब्याज एक निश्चित समय एवं वार्षिक दर से ₹ 1080 है। जबकि ब्याज की दर का आधा भाग समय है। तब समय क्या है ?

(a)8 वर्ष (b)6 वर्ष
(c)10 वर्ष (d)5 वर्ष

68. साधारण ब्याज की किसी दर से ₹ 2000, 5 वर्ष में ₹ 2600 हो जाता है। यदि ब्याज की दर पहली दर से 3%

अधिक हो जाये तो उतने ही समय में उतनी ही धनराशि कितनी हो जायेगी ?

(a) ₹ 2700 (b) ₹ 2800

(c) ₹ 2900 (d) ₹ 3000

69. ₹ 2400 की धनराशि साधारण ब्याज दर पर 4 वर्षों में ₹ 3264 हो जाती है यदि ब्याज की दर में 1% की वृद्धि कर दी जाये तो वही धनराशि उतने ही समय में कितनी हो जायेगी ?

(a) ₹ 3288 (b) ₹ 3312

(c) ₹ 3340 (d) ₹ 3360

70. एक राशि किसी दर पर साधारण ब्याज पर 2 वर्ष के लिए उधार दी गई थी। यदि उसे 3% अधिक दर पर उधार दिया गया होता तो उससे ₹ 300 अधिक मिलते। मूलराशि कितनी थी ?

(a) ₹ 5000 (b) ₹ 6000

(c) ₹ 7000 (d) ₹ 4000

71. साधारण ब्याज की किसी दर से कोई धनराशि 2 वर्ष के लिए निवेशित की गई। यदि इसे 1% अधिक दर पर निवेशित किया गया होता तो ₹ 24 अधिक ब्याज मिलता। वह धनराशि है ?

(a) ₹ 1000 (b) ₹ 1050

(c) ₹ 1200 (d) ₹ 9600

72. 10% वार्षिक ब्याज की दर से किसी निश्चित समय के बाद एक निश्चित मूलधन और साधारण ब्याज का अनुपात 10 : 3 था। निवेश की गई धन की अवधि कितने वर्ष थी ?

(a) 1 (b) 3

(c) 5 (d) 7

73. यदि मूल राशि और 1 वर्ष के साधारण ब्याज का अनुपात 25 : 1 है तो ब्याज की दर कितनी है ?

(a) 4% (b) 25 %

(c) 5 % (d) 20 %

74. साधारण ब्याज की वार्षिक दर 10% से $12\frac{1}{2}\%$ हो जाने पर किसी व्यक्ति की वार्षिक आय ₹ 1250 बढ़ जाती है। उसका मूलधन (रूपयो में) है ?

(a)50000 (b)45000

(c)60000 (d)65000

75. वार्षिक ब्याज की दर 11·5% से 10% रह जाने पार किसी व्यक्ति को 55·50 रूपये वार्षिक की हानि होती है। उसकी पूँजी है –

(a)3800 (b)3700

(c)8325 (d)11100

76. साधारण ब्याज पर कोई धनराशि 2 वर्षो के बाद ₹ 720 हो जाती है तथा 5 वर्षो के बाद ₹ 1020 हो जाती है। मूलधन ज्ञात कीजिए ?

(a)₹ 600 (b)₹ 1740

(c)₹ 6000 (d)₹ 520

77. एक धनराशि साधारण ब्याज पर उधार देने पर 3 वर्षो में ₹ 1380 और 5 वर्षों में ₹ 1500 हो जाती है। तद्नुसार ब्याज की वार्षिक दर कितने प्रतिशत है ?

(a)3 (b)3·5

(c)4 (d)5

78. कोई धनराशि साधारण ब्याज की किसी दर से 2 वर्षो में ₹ 756 हो जाती है तथा $3\frac{1}{2}$ वर्षो में ₹ 873 हो जाती है। वार्षिक ब्याज की दर है ?

(a)10% (b)11%

(c)12% (d)13%

79. किसी धनराशि पर 6 वर्षो का साधारण ब्याज उस राशि का $\frac{9}{24}$ है। तद्नुसार उस ब्याज की दर कितनी है ?

(a)6% (b)$6\frac{1}{4}\%$

(c)8% (d)$8\frac{1}{2}\%$

80. किसी निश्चित राशि पर साधारण ब्याज उस राशि का $\frac{16}{25}$ है। तद्नुसार यदि ब्याज की प्रतिशत दर और उसका समय (वर्षो में) एक समान हो तो ब्याज की दर कितनी है ?

(a)6% (b)8%

(c)10% (d)12%

81. किसी राशि का साधारण ब्याज, मूलधन का $\frac{4}{9}$ है। यदि ब्याज पर दिये जाने वाले मूलधन की अवधि के वर्ष, ब्याज की वार्षिक दर के बराबर हो तो ब्याज की दर क्या है ?

(a)5% (b)$6\frac{2}{3}\%$

(c)$7\frac{1}{5}\%$ (d)6%

82. एक धन राशि पर साधारण ब्याज उस राशि का $\frac{8}{25}$ है। यदि वर्षो की संख्या प्रतिवर्ष दर की प्रतिशतता से संख्यात्मक रूप से आधी है तो प्रतिवर्ष दर क्या है ?

(a)8 (b)4

(c)$6\frac{1}{4}$ (d)5

83. कोई राशि साधारण ब्याज द्वारा किसी दर से 3 वर्ष में स्वयं की $\frac{7}{6}$ गुना हो जाती है। ब्याज की प्रतिशत वार्षिक दर है ?

(a)$5\frac{5}{9}$% (b)$6\frac{5}{9}$%

(c)18% (d)25%

84. कोई धनराशि साधारण ब्याज की किसी दर से $\frac{1}{4}$ वर्ष में स्वयं की $\frac{41}{40}$ हो जाती है। वार्षिक ब्याज की दर है –

(a)110% (b)1%

(c)10% (d)5%

85. कितने समय में कोई धनराशि साधारण ब्याज की 15% पर वार्षिक दर से स्वयं के दुगुने के बराबर हो जायेगी ?

(a)$6\frac{1}{4}$वर्ष (b)$6\frac{2}{3}$वर्ष

(c)$6\frac{1}{3}$वर्ष (d)$6\frac{1}{2}$वर्ष

86. एक राशि साधारण ब्याज पर 8 वर्षो में दुगुनी हो जाती है। प्रतिवर्ष ब्याज की दर क्या है ?

(a)10% (b)12.5%

(c)15% (d)20%

87. कोई धनराशि साधारण ब्याज दर पर 5 वर्षो में स्वयं का दुगुना हो जाता है तो उसी दर पर मूलधन कितने वर्षो में तिगुना हो जायेगा ?

(a)10 वर्ष (b)5 वर्ष

(c)20 वर्ष (d)आँकड़े अधूरे है

88. कोई धनराशि साधारण ब्याज से 15 वर्ष में अपने से तीन गुनी हो जाती है। कितने समय में वह अपने से 5 गुनी हो जायेगी ?

(a)40 वर्ष (b)36 वर्ष

(c)30 वर्ष (d)25 वर्ष

89. एक निश्चित धनराशि 15 वर्ष 6 माह में तिगुनी हो जाती है। उस राशि को दो गुनी होने में कितने वर्ष लगे होंगे ?

(a)7 वर्ष 9 माह (b)6 वर्ष 3 माह

(c)9 वर्ष 6 माह (d)8 वर्ष 3 माह

90. जितना ब्याज 5 वर्ष में 4% की साधारण ब्याज दर पर ₹ 6000 पर होगा उतना ब्याज ₹ 8000 की राशि पर 3% प्रतिवर्ष की दर पर कितने समय में होगा ?

(a)3 वर्ष (b)6 वर्ष

(c)5 वर्ष (d)4 वर्ष

91. प्रकाश ₹ 800 को दो असमान भागों में बाँटकर बैंक A तथा बैंक B में जमा करता है। बैंक A की ब्याज दर 10% वार्षिक तथा समय 8 वर्ष है। बैंक B की ब्याज दर 12% एवं समय 10 वर्ष है। यदि दोनों बैंकों से समान ब्याज प्राप्त होता है, तो 10% ब्याज पर उसने कितना धन लगाया था ?

(a)₹ 500 (b)₹ 360

(c)₹ 480 (d)₹ 400

92. ₹ 12000 की धनराशि को दो भागों मे इस प्रकार बाँटा गया है कि पहले भाग का 3 वर्षो का 12% वार्षिक की दर से साधारण ब्याज, दूसरे भाग के $4\frac{1}{2}$ वर्षो के 16% वार्षिक की दर से साधारण ब्याज के बराबर है। पहले भाग और दूसरे भाग का पारस्परिक अनुपात कितना है ?

(a)3 : 2 (b)2 : 3

(c)1 : 2 (d)2 : 1

93. ₹ 1500 की धनराशि का एक भाग साधारण ब्याज की 10% वार्षिक दर से तथा शेष भाग 7% वार्षिक दर से उधार दिया गया। 3 वर्ष में कुल ब्याज ₹ 396 प्राप्त हुआ 10% की दर से दी गई धनराशि थी ?

(a)₹ 900 (b)₹ 700

(c)₹ 600 (d)₹ 800

94. प्राची ने समान धनराशि दो अलग–अलग बैको में जमा की जो क्रमशः 10% और 12% की दर से साधारण ब्याज देते है। 3 वर्ष के बाद उसे कुल ₹ 3300 ब्याज मिला, उसने कुल कितनी राशि जमा की थी ?

(a)₹ 12000 (b)₹ 10000

(c)₹ 11000 (d)₹ 12250

95. ₹ 500 की एक धनराशि 12% वार्षिक साधारण ब्याज दर से निवेशित की जाती है तथा एक अन्य धनराशि 10% वार्षिक साधारण ब्याज की दर से निवेशित की जाती है। यदि 4 वर्ष बाद दोनों धन राशियों पर प्राप्त कुल ब्याज ₹ 480 हो तो अन्य धनराशि है ?

(a)₹ 450 (b)₹ 550

(c)₹ 750 (d)₹ 600

96. दो भिन्न बैंकों से ₹ 500 के दो वर्ष में प्राप्त होने वाले साधारण ब्याजों का अन्तर 2·50 है। उनकी ब्याज की वार्षिक दरों का अन्तर है ?

(a)0·10% (b)0·50%

(c) 1% (d) 0·25%

97. a का साधारण ब्याज b है तथा b का साधारण ब्याज c है। दोनों स्थिति में दर और समय समान है तो a, b, c के सम्बन्ध में कहा जा सकता है ?

(a) $a^2 = bc$ (b) $b = ac$

(c) $b^2 = ac$ (d) $c^2 = ab$

98. एक व्यक्ति एक निश्चित धनराशि जमा करता है। यदि ब्याज की दर प्रथम 2 वर्ष तक 3% वार्षिक, अगले 3 वर्ष तक 8% वार्षिक और अन्तिम 1 वर्ष तक 10% वार्षिक साधारण ब्याज मिला हो। यदि उस व्यक्ति को ₹ 1520 साधारण ब्याज प्राप्त हुआ तो उसने कुल कितने रूपये जमा किये ?

(a) ₹ 3800 (b) ₹ 3000

(c) ₹ 4000 (d) ₹ 4500

99. एक व्यक्ति किसी बैंक से कुछ रूपये इस शर्त पर ऋण लेता है कि वह प्रथम 2 वर्ष के लिए 4% अगले, 4 वर्ष के 6% तथा उससे अधिक समय के लिये 8% ब्याज देगा। यदि उसने 9 वर्ष के अन्त में कुल ₹ 11200 साधारण ब्याज जमा किया हो तो बताइये उसने बैंक से कितने रूपये ऋण लिया–

(a) ₹ 30000 (b) ₹ 40000

(c) ₹ 45000 (d) ₹ 20000

100. ₹ 6600 की राशि साधारण ब्याज की 10% दर से तीन बराबर वार्षिक किस्तों में चुकाया जाना है। तो प्रत्येक किसत का मान बताइये ?

(a) ₹ 2200 (b) ₹ 2000

(c) ₹ 1800 (d) ₹ 2100

101. ₹ 1740 की राशि 8% साधारण ब्याज की दर से 5 बराबर वार्षिक किस्तों में चुकाया जाना है तो प्रत्येक किस्त का मान बताइये ?

(a) ₹ 400 (b) ₹ 348

(c) ₹ 300 (d) ₹ 325

102. एक महाजन एक ग्रामीण को ₹ 4000, 3 वर्ष के लिए उधार देता है इसके कुछ भाग पर साधारण ब्याज की दर 10% वार्षिक है तथा शेष भाग पर यह दर 12% वार्षिक है। 3 वर्ष बाद उसे कुल धनराशि ₹ 5350 प्राप्त हुई। उसने 12% ब्याज पर कितनी धनराशि दी ?

(a) ₹ 2000 (b) ₹ 2250

(c) ₹ 2500 (d) ₹ 2275

ANSWER

1.	a	32.	c	63.	c	94.	b
2.	b	33.	c	64.	a	95.	d
3.	b	34.	d	65.	a	96.	d
4.	c	35.	b	66.	a	97.	c
5.	c	36.	d	67.	b	98.	a
6.	a	37.	d	68.	c	99.	d
7.	c	38.	a	69.	d	100.	b
8.	a	39.	a	70.	a	101.	c
9.	b	40.	d	71.	c	102.	c
10.	c	41.	c	72.	b		
11.	a	42.	d	73.	a		
12.	b	43.	b	74.	a		
13.	b	44.	a	75.	b		
14.	a	45.	a	76.	d		
15.	b	46.	c	77.	d		
16.	c	47.	d	78.	d		
17.	d	48.	c	79.	b		
18.	d	49.	c	80.	b		
19.	b	50.	c	81.	b		
20.	a	51.	a	82.	a		
21.	b	52.	c	83.	a		
22.	a	53.	c	84.	c		
23.	b	54.	a	85.	b		
24.	b	55.	b	86.	b		
25.	b	56.	b	87.	a		
26.	a	57.	c	88.	c		
27.	c	58.	d	89.	a		
28.	a	59.	d	90.	c		
29.	c	60.	a	91.	c		
30.	a	61.	a	92.	d		
31.	c	62.	d	93.	a		

Explanatory Notes

1. (a) $1080 = \frac{3000\times12t}{100}$

$t = \frac{1080}{360} = 3$ वर्ष

2. (b) $A = \frac{P(100+rt)}{100}$ से,

$2641{\cdot}20 = \frac{1860(100+12\times t)}{100}$

$\frac{2641{\cdot}20\times100}{1860} = (100+12t)$

$142 = 100+12t$

$42 = 12t$

$t = \frac{42}{12} = \frac{7}{2} = 3\frac{1}{2}$ वर्ष

3. (b) $A = \frac{P(100\ rt)}{100}$ से,

$6525 = \frac{4500(100+r\times5)}{100}$

$\frac{6525}{45} = (100+5r)$

$145 = 100+5r$

$5r = 45$

$r = 9\%$

4. (c) लाभ $= \frac{5000\times6{\cdot}25\times2}{100} - \frac{5000\times4\times2}{100}$

$= 625 - 400 =$ ₹225

5. (c)

₹16000

x, 4%, 1वर्ष (₹16000 $-x$) 5%, 1वर्ष

$\frac{x\times4\times1}{100} + \frac{(16000-x)\times5\times1}{100} = 700$

$\frac{4x+80000-5x}{100} = 700$

$80000 - x = 70000$

$\therefore x = 10000$

6. (a) माना, दर = r%

$\frac{400\times r\times2}{100} + \frac{550\times r\times4}{100} + \frac{1200\times r\times6}{100}$

$= 1020$

$8r + 22r + 72r = 1020$

$102r = 1020$

$r = 10\%$

7. (c) माना, कुल धनराशि = 100 unit , तथा समय = 1 वर्ष

I भाग $= 100\times\frac{40}{100} = 40$ unit

II भाग $= 60\times\frac{50}{100} = 30$ unit

III भाग = 30 unit

कुल ब्याज $= \frac{40\times15\times1}{100} + \frac{30\times10\times1}{100} + \frac{30\times18\times1}{100}$

$= (6+3+5{\cdot}4) = 14{\cdot}4$ unit

$\therefore 14{\cdot}4 = \frac{100\times r\times1}{100}$

$r = 14{\cdot}4\%$

8. (a) $4200 = \frac{29400\times r\times6}{100}$

$r = \frac{4200}{294\times6} = \frac{50}{21} = 2\frac{8}{21}\%$

9. (b)

₹60000

x, 5%, 1वर्ष (₹60000 $-x$) 4%, 1वर्ष

$\frac{x\times5\times1}{100} + \frac{(60000-x)\times(4\times1)}{100} = 2560$

$\frac{1}{10}[5x+240000-4x] = 2560$

$x+240000 = 256000$

$\therefore x = 16000$

$\therefore$4% दर से दी गई राशि = 60000 – 16000

= ₹44000

10. (c) माना, वह राशि 100 unit है

(100+10×4) $\xrightarrow{A}$ ₹770

140 unit = 770

$\therefore 100$ unit $= \frac{770}{140}\times100$

= ₹550

11. (a) $2520 = \frac{P\times14\times2}{100}$

$2520 = P\frac{7}{25}$

$\therefore P = 2520\times\frac{25}{7} =$ ₹9000

12. (b) माना, राशि = P

$R = \frac{P\times R\times2}{100}$

$1 = \frac{P}{50}$

$\therefore P = 50$

13. (b) $640 = \frac{P\times8\times5}{100}$

$640 = \frac{P\times2}{5}$

$\therefore P = \frac{640\times5}{2} =$ ₹1600

14. (a) $A = \frac{P(100+rt)}{100}$ से

$81 = \frac{72(100+6{\cdot}25\times t)}{100}$

$\frac{81\times100}{72} = 100 + 6{\cdot}25t$

$112{\cdot}5 = 100 + 6{\cdot}25t$

$112{\cdot}5 = 100 + 6{\cdot}25t$

$12{\cdot}5 = 6{\cdot}25t$

$t = \frac{12{\cdot}5}{6{\cdot}25} = 2$वर्ष

15. (b) 4 वर्ष का SI = 720 – 600 = ₹120

$120 = \frac{600\times r\times4}{100}$

$r = \frac{120}{24} = 5\%$

नयी दर = (5+2)% = 7%

$\therefore$नया मिश्रधन $= 600 + \frac{600\times7\times4}{100}$

= 600 + 168

₹768

16. (c) 3 वर्ष का SI = 956 – 800 = ₹156

$156 = \frac{800\times r\times3}{100}$

$= r = \frac{156}{24} = 6{\cdot}5\%$

नयी दर = (6·5+4)% = 10·5%

∴नया मिश्रधन $= 800 + \frac{800\times10{\cdot}5\times3}{100}$

= 800 + 252

= ₹1052

17. (d) 3 वर्ष का SI = 920–800 = ₹120

$120 = \frac{800\times r\times3}{100}$

$r = \frac{120}{24} = 5\%$

नयी दर = (5+3)% = 8%

∴नया मिश्रधन $= 800 + \frac{800\times8\times3}{100}$

= 800+192

= ₹992

18. (d) P : A = 10 : 12

∴SI = A – P = 12 – 10 = 2 unit

$2 = \frac{10\times r\times1}{100}$

= r = 20%

19. (b) P : SI = 10 : 3

$3 = \frac{10\times10\times t}{100}$

t = 3 वर्ष

20. (a) P : SI = 25 : 1

$1 = \frac{25\times r\times1}{100}$

r = 4%

21. (b) P : SI = 10 : 3

$3 = \frac{10\times r\times5}{100}$

$3 = \frac{r}{2}$

r = 6%

22. (a) $SI = P\times\frac{2}{5}$

या, $\frac{SI}{P} = \frac{2}{5}$

$2 = \frac{5\times r\times10}{100}$

r = 4%

23. (b) $SI = P\times\frac{8}{25}$

या, $\frac{SI}{P} = \frac{8}{25}$

माना, दर = $2x$%

तब समय = x वर्ष

$8 = \frac{25\times2x\times x}{100}$

$8 = \frac{x^2}{2}$

या, $x^2 = 16$ ∴ $x = 4$

∴ दर = $2x$% = 8%

24. (b) $SI = P\times\frac{1}{5}$

या, $\frac{SI}{P} = \frac{1}{5}$

$1 = \frac{5\times r\times4}{100}$

$1 = \frac{r}{5}$

∴ r = 5%

25. (b) $SI = P\times\frac{4}{9}$

या, $\frac{SI}{P} = \frac{4}{9}$

माना, दर = x%

तब समय = x वर्ष

$4 = \frac{9\times x\times x}{100}$

या, $x^2 = \frac{400}{9}$

$x = \frac{20}{3} = 6\frac{2}{3}\%$

26. (a) $P\times\frac{7}{6} = A$

या, $\frac{A}{P} = \frac{7}{6}$ अतः SI = A – P = 7 – 6 = 1

$1 = \frac{6\times r\times3}{100}$

या, $1 = \frac{9r}{50}$

या, $r = \frac{50}{9} = 5\frac{5}{9}\%$

27. (c) P × 2 = A

या, $\frac{A}{P} = \frac{2}{1}$

∴ SI = A–P = 2–1 = 1

$1 = \frac{1\times12\times t}{100}$

या, $1 = \frac{3t}{25}$

∴$t = \frac{25}{3} = 8\frac{1}{3}$ वर्ष

या 8 वर्ष 4 महीने

28. (a) $P\times\frac{41}{40} = A$

या, $\frac{A}{P} = \frac{41}{40}$

∴ SI = A–P = 41–40 = 1

$1 = \frac{40\times r\times\frac{1}{4}}{100}$

या, $1 = \frac{r}{10}$

∴r = 10%

29. (c) $\frac{t_1}{t_2} = \frac{(n_1-1)}{(n_2-1)}$ से

$\frac{15}{t_2} = \frac{(3-1)}{(5-1)}$

$\frac{15}{t_2} = \frac{2}{4} = \frac{1}{2}$

∴$t_2 = 30$ वर्ष

30. (a) P×2 = A

या, $\frac{A}{P} = \frac{2}{1}$

$\therefore$ SI = A–P = 2–1 = 1

$1 = \frac{1\times6{\cdot}25\times t}{100}$

$\therefore t = \frac{100}{6{\cdot}25}$ = 16 वर्ष

31. (c) $\frac{t_1}{t_2} = \frac{(n_1-1)}{(n_2-1)}$ से

$\frac{15}{t_2} = \frac{(3-1)}{(5-1)}$

$\frac{15}{t_2} = \frac{2}{4} = \frac{1}{2}$

$\therefore t_2$ = 30 वर्ष

32. (c) $\frac{t_1}{t_2} = \frac{(n_1-1)}{(n_2-1)}$ से

$\frac{5}{t_2} = \frac{(2-1)}{(4-1)} = \frac{1}{3}$

$\therefore t_2$ = 15 वर्ष

33. (c) $\frac{t_1}{t_2} = \frac{(n_1-1)}{(n_2-1)}$ से

$\frac{3}{t_2} = \frac{(5-1)}{(13-1)} = \frac{4}{12} = \frac{1}{3}$

$\therefore t_2$ = 3×3= 9 वर्ष

34. (d) P + 2 वर्ष का SI = ₹756 ...(i)

P + $3\frac{1}{2}$ वर्ष का SI = ₹873 ...(ii)

समी० (ii)– समी० (i) से,

$1\frac{1}{2}$ वर्ष का SI = ₹117

$\therefore$ 1 वर्ष का SI = 117×$\frac{2}{3}$ = ₹78

तब, 2 वर्ष का SI = ₹156

$\therefore$ P = 756 – 156 = ₹600

$r = \frac{SI\times100}{P\times t} = \frac{78\times100}{600\times1}$ = 13%

35. (b) P + 2 वर्ष का SI = ₹720 ...(i)

P + 7 वर्ष का SI = ₹1020 ...(ii)

समी० (ii)– समी० (i) से,

5 वर्ष का SI = ₹300

$\therefore$ 1 वर्ष का SI = ₹60

$\therefore$ 2 वर्ष का SI = ₹120

$\therefore$ P = 720 – 120 = ₹600

36. (d) P + 5 वर्ष का SI = ₹5200 ...(i)

P + 7 वर्ष का SI = ₹5680 ...(ii)

समी० (ii)– समी० (i) से,

2 वर्ष का SI = ₹480

$\therefore$ 1 वर्ष का SI = ₹240

तब, 5 वर्ष का SI = 240×5 = ₹1200

P = 5200 – 1200 = ₹4000

$r = \frac{SI\times100}{P\times t} = \frac{240\times100}{4000\times1}$ = 6%

37. (d) P + 8 वर्ष का SI = ₹2900 ...(i)

P + 10 वर्ष का SI = ₹3000 ...(ii)

समी० (ii)– समी० (i) से,

2 वर्ष का SI = ₹100

$\therefore$ 1 वर्ष का SI = ₹50

$\therefore$ 8 वर्ष का SI = 50×8 = ₹400

$\therefore$ P = 2900 – 400 = ₹2500

$r = \frac{SI\times100}{P\times t} = \frac{50\times100}{2500\times1}$ = 2%

38. (a) 1 वर्ष में हानि = ₹55·50

(11·5–10)% = 55·5

$\therefore$ 1% = $\frac{55{\cdot}5}{1{\cdot}5}$ = ₹37

$\therefore$ P = 100% = ₹3700

39. (a) वार्षिक लाभ = ₹1250

(12·5 – 10)% = 1250

1% = $\frac{1250}{2{\cdot}5}$ = ₹500

$\therefore$ P = 100% = ₹50000

40. (d) 2·5% अधिक ब्याज दर से,

3 वर्ष का लाभ = ₹540

$\therefore$ 1 वर्ष का लाभ ₹180

2·5% = ₹180

$\therefore$ 1% = $\frac{180}{2{\cdot}5}$ = ₹72

$\therefore$ P = 100% = ₹7200

41. (c) $\left(8-\frac{31}{4}\right)$% = ₹61·5

$\frac{1}{4}$% = ₹61·5

$\therefore$ 1% = 61·5×4 = ₹246

$\therefore$ P = 100% = ₹24600

42. (d) 3 वर्ष का औसत दर = $\frac{300\times100}{1550\times3} = \frac{200}{31}$%

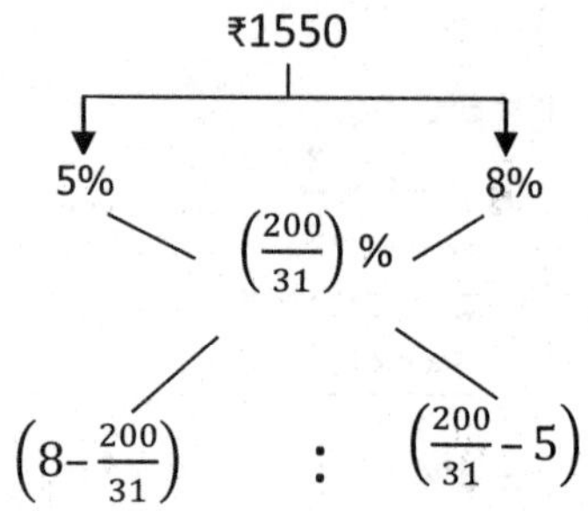

$= \frac{48}{31} : \frac{45}{31}$

= 16 : 15

43. (b) 2 वर्ष का औसत दर = $\frac{440\times100}{5000\times2}$ = 4·4%

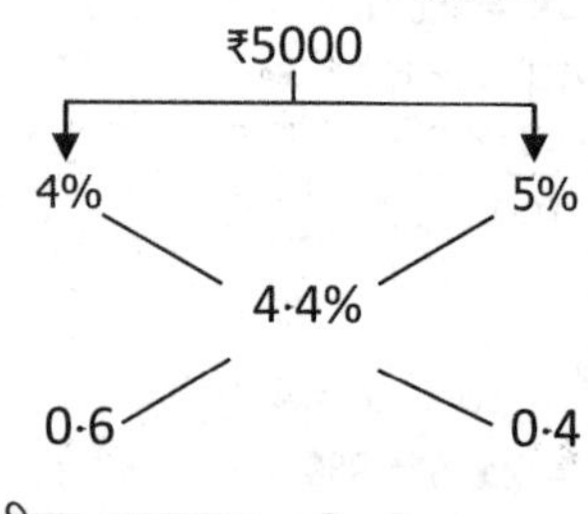

$\therefore$ अभीष्ट अनुपात = 3 : 2

44. (b)

₹1200

P_1, 12%, 3 वर्ष P_2, 16%, 4·5 वर्ष

$\frac{P_1 \times 12 \times 3}{100} = \frac{P_2 \times 16 \times 4 \cdot 5}{100}$

$\frac{P_1}{P_2} = \frac{72}{36} = \frac{2}{1}$

या, $P_1 : P_2 = 2 : 1$

45. (b)

₹1750

P_1, 8%, 1 वर्ष P_2, 6%, 1 वर्ष

$\frac{P_1 \times 8 \times 1}{100} = \frac{P_2 \times 6 \times 1}{100}$

$\frac{P_1}{P_2} = \frac{6}{8} = \frac{3}{4}$

या, $P_1 : P_2 = 3 : 4$

अनुपाती योग = 7

$\therefore P_1 = \frac{3}{7} \times 1750 = 3 \times 250 =$ ₹750

$\therefore P_1$ पर ब्याज $= \frac{750 \times 8 \times 1}{100} = 60$

46. (c)

₹1500

P_1, 10%, 5 वर्ष P_2, 12·5%, 4 वर्ष

$P_1 \times 10 \times 5 = P_2 \times 12 \cdot 5 \times 4$

या, $\frac{P_1}{P_2} = \frac{50}{50} = \frac{1}{1}$

$\therefore P_1 : P_2 = 1 : 1$

अनुपाती योग = 2

$\therefore P_2 = \frac{1}{2} \times 1500 =$ ₹750

47. (d)

₹7930

A → x B → y C → Z

$\left(x + \frac{x \times 5 \times 2}{100}\right) = \left(y + \frac{y \times 5 \times 3}{100}\right) = \left(z + \frac{z \times 5 \times 4}{100}\right)$

या, $\frac{110x}{100} = \frac{115y}{100} = \frac{120z}{100}$

या, $22x = 23y = 24$

या, $x : y : z = 276 : 264 : 253$ (Hidden Method से)

अनुपाती योग = 793

$\therefore$ A का ऋण $= \frac{276}{793} \times 7930 =$ ₹2760

48. (c) वार्षिक औसत दर $= \frac{212 \times 100}{3100 \times 1} = \frac{212}{31}\%$

₹3100

I → 8% II → 6%

$\left(\frac{212}{31}\right)\%$

$\left(\frac{212}{31} - 6\right) : \left(8 - \frac{212}{31}\right)$

$= \frac{26}{31} : \frac{36}{31}$

I : II = 13 : 18

अनुपाती योग = 31

$\therefore$ I भाग $= \frac{13}{31} \times 3100 =$ ₹1300

49. (c)

₹7900

A → x y C → z

$\frac{x \times 3 \times 1}{100} = \frac{y \times 5 \times 1}{100} = \frac{z \times 8 \times 1}{100}$

या, $3x = 5y = 8z$

या, $x : y : z = 40 : 24 : 15$

अनुपाती योग = 79

$\therefore x = \frac{40}{79} \times 7900 =$ ₹4000

50. (b) 1 वर्ष का औसत दर $= \frac{700 \times 100}{16000 \times 1} = \frac{35}{8}\%$

₹16000

I → 4% II → 5%

$\frac{35}{8}\%$

$\left(5 - \frac{35}{8}\right) : \left(\frac{35}{8} - 4\right)$

$= \frac{5}{8} : \frac{3}{8}$

I : II = 5 : 3

अनुपाती योग = 8

$\therefore$ I भाग $= \frac{5}{8} \times 16000 =$ ₹10000

51. (a) $\frac{400 \times r \times 2}{100} + \frac{550 \times r \times 4}{100} + \frac{1200 \times r \times 6}{100} = 1020$

$8r + 22r + 72r = 1020$

$102r = 1020$

$\therefore r = 10\%$

52. (c) माना, दोनों में प्रत्येक राशि ₹x है

$\frac{x \times 7 \times 4}{100} + \frac{x \times 5 \times 4}{100} = 960$

$\frac{48x}{100} = 960$

$x = \frac{960 \times 100}{48} =$ ₹2000

53. (c) $\frac{8000\times5\cdot5\times1}{100}+\frac{24000\times6\times1}{100}+\frac{18000\times r\times1}{100}=$ 3680

440+1440+180r = 3680

180r = 3680 – 1880

180r = 1800

r = 10%

54. (a) माना, दोनों में प्रत्येक राशि ₹x है

$\frac{x\times10\times3}{100}+\frac{x\times12\times3}{100}$ = ₹3300

$\frac{66x}{100}$ = 3300

$x=\frac{3300\times100}{66}$ = ₹5000

∴कुल धनराशि $x+x=2x$

₹10000

55. (b) माना, वार्षिक दर x% है

$\frac{500\times x\times4}{100}+\frac{600\times x\times3}{100}$ = ₹190

$20x+18x=190$

$38x=190$

∴$x=\frac{190}{38}$ = 5%

56. (b) माना, कुल पूँजी ₹x है

तब पहला भाग = ₹ $\frac{x}{4}$

दूसरा भाग = ₹ $\frac{2x}{3}$

तीसरा भाग = $x-\left(\frac{x}{4}+\frac{2x}{3}\right)$

$=x-\left(\frac{3x+8x}{12}\right)$

= ₹ $\frac{x}{12}$

कुल ब्याज =

$=\frac{\frac{x}{4}\times3\times1}{100}+\frac{\frac{2x}{3}\times5\times1}{100}+\frac{\frac{x}{12}\times11\times1}{100}$

$=\frac{1}{100}\times\left[\frac{3x}{4}+\frac{10x}{3}+\frac{11x}{12}\right]$

$=\frac{1}{100}\times\left[\frac{9x+40x+11x}{12}\right]$

$=\frac{1}{100}\times\frac{60x}{12}$

$=\frac{1}{20}x$

∴

∴$\frac{x}{20}=\frac{x\times r\times1}{100}$

या, 100 = 20r

∴ r = 5%

57. (c) माना, मूलधन = 100 unit

r × t = SI

3 × 3 = 9 unit

4×5 = 20 unit

6×7 = 42 unit

∴ 15 वर्ष का SI = 71 Unit

71 unit = ₹ 2059

1 unit = $\frac{2059}{71}$ = ₹29

∴P = 100 unit = ₹ 2900

58. (d) माना, मूलधन = 100 unit

r × t = SI

6 × 2 = 12 unit

10 × 3 = 30 unit

12 × 2 = 24 unit

∴ 7 वर्ष का SI = 66 Unit

66 unit = ₹ 12771

1 unit = $\frac{12771}{66}$ = ₹193.5

∴P = 100 unit = ₹ 19350

59. (d) माना, मूलधन = 100 unit

r×t = SI

4×3 = 12 unit

8×4 = 32 unit

12×4 = 48 unit

∴ 11 वर्ष का SI = 92 Unit

92 unit = ₹ 27600

1 unit = $\frac{27600}{92}$ = ₹300

∴P = 100 unit = ₹30000

60. (a)

₹10000

I II

8% 10%

9·2%

0·8 : 1·2

∴I : II = 2 : 3

अनुपाती योग = 5

I भाग = $\frac{2}{5}$ × 10000 = ₹4000

II भाग = $\frac{3}{5}$ × 10000 = ₹6000

61. (a) 3 वर्ष का औसत दर = $\frac{396\times100}{1500\times3}$ = 8·8

₹1500

I II

10% 7%

8·8

1·8 1·2

I : II = 3 : 2

अनुपाती योग = 5

∴I भाग = $\frac{3}{5}$ × 1500 = ₹900

62. (d) 2 वर्ष का SI = 36480 – 30000 = ₹6480

2 वर्ष का औसत दर = $\frac{6480\times100}{30000\times2}$ = 10·8%

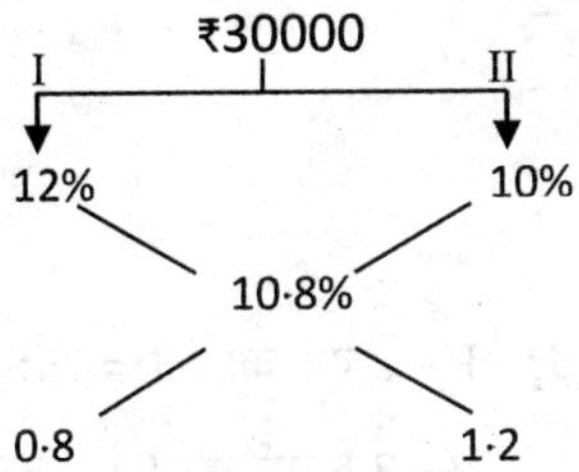

I : II = 2 : 3

अनुपाती योग = 5

$\therefore$ I भाग = $\frac{2}{5} \times 30000$ = ₹12000

63. Sol^n : (c) S.I. = $\frac{\text{Prt}}{100}$ से,

$t = \frac{S.I. \times 100}{p \times r}$

$t = \frac{72 \times 100}{800 \times 3}$

= 3 वर्ष

64. Sol^n : (a) S.I. = 81 - 72 = ₹ 9

$t = \frac{S.I. \times 100}{P \times r}$

$= \frac{9 \times 100}{72 \times 6{\cdot}25}$

$= \frac{100}{8 \times 6{\cdot}25}$

$= \frac{100}{50}$

= 2 वर्ष

65. Sol^n : (a) $r = \frac{S.I. \times 100}{P \times r}$

$= \frac{4200 \times 100}{29400 \times 6}$

$= \frac{700}{294}$

$= \frac{50}{21}$

$= 2\frac{8}{21}\%$

66. Sol^n : (a) $P = \frac{A \times 100}{100 + rt}$

$= \frac{3750 \times 100}{100 + 12{\cdot}5 \times 4}$

$= \frac{3750 \times 100}{150}$

P = 1250 × 2 = ₹ 2500

67. Sol^n : (b) माना, ब्याज की दर $x\%$

तब समय = $\frac{x}{2}$ वर्ष

$1080 = \frac{1500 \times x \times \frac{x}{2}}{100}$

$1080 \times \frac{2}{15} = x^2$

$x = \sqrt{144} = 12$

$\therefore$ समय = $\frac{x}{2} = \frac{12}{2}$ = 6 वर्ष

68. Sol^n : (c) S.I. = 2600 - 2000 = ₹ 600

$r = \frac{S.I. \times 100}{P \times t}$

$= \frac{600 \times 100}{2000 \times 5}$

= 6%

यदि नया ब्याज दर = 6 + 3 = 9% हो तो,

नया मिश्रधन = $2000 \left[\frac{100 + 9 \times 5}{100}\right]$

= 20 × 145

= ₹ 2900

69. Sol^n : (d) S.I. = 3264 - 2400 = ₹ 864

$r = \frac{S.I. \times 100}{P \times r}$

$= \frac{864 \times 100}{2400 \times 4}$

$= \frac{864}{96} = 9\%$

यदि नया ब्याज दर = 9 + 1 = 10% हो तो,

नया मिश्रधन = $2400 \left[\frac{100 + 10 \times 4}{100}\right]$

= 24 × 140

= ₹ 3360

70. Sol^n : (a) ब्याज की दरों में अन्तर = (R - r) = 3%

S.I. = $\frac{P \times (R - r) \times t}{100}$ से,

$300 = \frac{P \times 3 \times 2}{100}$

$P = \frac{300 \times 100}{6}$ = ₹ 5000

71. Sol^n : (c) ब्याज की दरों में अन्तर = (R - r) = 1%

S.I. = $\frac{P \times (R - r) \times t}{100}$ से,

$24 = \frac{P \times 1 \times 2}{100}$

$\therefore$ P = 24 × 50 = ₹ 1200

72. Sol^n : (b) मूलधन : साधारण ब्याज = 10 : 3

$\therefore t = \frac{S.I. \times 100}{p \times r}$

$= \frac{3 \times 100}{10 \times 10}$

= 3 वर्ष

73. Solⁿ : (a) मूलधन : साधारण ब्याज = 25 : 1

$\therefore t = \frac{S.I.\times 100}{p \times r}$

$= \frac{1 \times 100}{25 \times 1}$

= 4%

74. Solⁿ : (a) 12·5% दर पर S.I. - 10% दर पर S.I. = 1250

$\frac{P \times 12{\cdot}5 \times 1}{100} - \frac{P \times 10 \times 1}{100} = 1250$

$\frac{2{\cdot}5P}{100} = 1250$

$P = \frac{1250 \times 10}{2{\cdot}5}$ = ₹ 50000

द्वितीय विधि : (12·5 - 10)% = 1250

$\therefore 1\% = \frac{1250}{2{\cdot}5}$ = ₹ 500

अतः 100% = ₹ 50000

75. Solⁿ : (b) (11·5 - 10)% = 55·50

अतः $100\% = \frac{55{\cdot}50}{1{\cdot}5} \times 100$

= ₹ 3700

76. Solⁿ : (d) P + 2 वर्ष का S.I. = 720............i

P + 5 वर्ष का S.I. = 1020..........ii

16 ⟶ m

3 वर्ष का S.I. = ₹ 300

25 ⟶ n

∴ 1 वर्ष का S.I. = ₹ 100,

यह मान समीकरण i में रखने पर

P + 2 × 100 = 720

∴ P = 720 - 200 = ₹ 520

77. Solⁿ : (d) P + 3 वर्ष का S.I. = 1380............i

P + 5 वर्ष का S.I. = 1500..........ii

2 वर्ष का S.I. = ₹ 120

∴ 1 वर्ष का S.I. = ₹ 60

समीकरण i से, P + 3 × 60 = ₹ 1380

P = 1380 - 180 = ₹ 1200

$\therefore r = \frac{S.I.\times 100}{P \times t}$

$= \frac{60 \times 100}{1200 \times 1}$

= 5%

78. Solⁿ : (d) P + 2 वर्ष का S.I. = 756............i

P + 3·5 वर्ष का S.I. = 873..........ii

1·5 वर्ष का S.I. = ₹ 117

∴ 1 वर्ष का S.I. $= \frac{117}{1{\cdot}5}$ = ₹ 78

समीकरण i से, P + 2 × 78 = 756

P = 756 - 156 = ₹ 600

$r = \frac{S.I.\times 100}{P \times t}$

$= \frac{78 \times 100}{600 \times 1}$

= 13%

79. Solⁿ : (b) साधारण ब्याज = मूलधन × $\frac{9}{24}$

$\frac{\text{साधारण ब्याज}}{\text{मूलधन}} = \frac{9}{24}$

$r = \frac{S.I.\times 100}{P \times t}$

$= \frac{9 \times 100}{24 \times 6}$

$= \frac{3 \times 25}{6 \times 2}$

$= \frac{25}{4}$

$= 6\frac{1}{4}\%$

80. Solⁿ : (b) $r = \frac{m \times 100}{n \times t}$

माना दर तथा समय दोनों x है

$x = \frac{16 \times 100}{25 \times x}$

$x^2 = 16 \times 4$

$x = \sqrt{16 \times 4}$

= 4 × 2

= 8%

81. Solⁿ : (b) $r = \frac{m \times 100}{n \times t}$

यहाँ, m = 4 तथा n = 9 लेने पर,

माना, दर = x% तथा समय = x वर्ष

$x = \frac{4 \times 100}{9 \times x}$

$x^2 = \frac{400}{9}$

$x = \frac{20}{3} = 6\frac{2}{3}\%$

82. Sol^n : (a) $r = \frac{m \times 100}{n \times t}$

यहाँ, m = 8 तथा n = 25 लेने पर,

माना, माना दर = x% तब समय = $\frac{x}{2}$ वर्ष

$x = \frac{8 \times 100}{25 \times \frac{x}{2}}$

$x^2 = 64$

$x = 8\%$

83. Sol^n : (a) मूलधन × $\frac{7}{6}$ = मिश्रधन

$\frac{\text{मिश्रधन}}{\text{मूलधन}} = \frac{7}{6}$

∴ साधारण ब्याज = 7 - 6 = 1

$r = \frac{S.I. \times 100}{P \times t}$

$= \frac{1 \times 100}{6 \times 3}$

$= \frac{50}{9}$

$= 5\frac{5}{9}\%$

Second Method :

$r = \frac{(m-n)\times 100}{n \times t}$ से,

m = 7 तथा n = 6 लेने पर

$r = \frac{(7-6)\times 100}{6 \times 3}$

$= \frac{50}{9}$

$= 5\frac{5}{9}\%$

84. Sol^n : (c) $r = \frac{(m-n \times 100)}{n \times t}$ से,

m = 41 व n = 40 लेने पर

$r = \frac{(41-40) \times 100}{40 \times \frac{1}{4}}$

$= \frac{1 \times 100}{10} = 10\%$

85. Sol^n : (b) $t = \frac{(n-1)\times 100}{r}$

$= \frac{(2-1)\times 100}{15}$

$= \frac{20}{3}$

$= 6\frac{2}{3}$ वर्ष

86. Sol^n : (b) $r = \frac{(n-1)\times 100}{t}$

$= \frac{(2-1)\times 100}{8}$

$= \frac{25}{2}$

$= 12.5\%$

87. Sol^n : (a) $\frac{t_1}{t_2} = \frac{(n_1-1)}{(n_2-1)}$ से,

$\frac{5}{t_2} = \frac{(2-1)}{(3-1)} = \frac{1}{2}$

$t_2 = 10$ वर्ष

88. Sol^n : (c) $\frac{t_1}{t_2} = \frac{(n_1-1)}{(n_2-1)}$ से,

$\frac{15}{t_2} = \frac{(3-1)}{(5-1)} = \frac{2}{4} = \frac{1}{2}$

∴ $t_2 = 30$ वर्ष

89. Sol^n : (a) $\frac{15\frac{1}{2}}{t_2} = \frac{(3-1)}{(2-1)}$

$2 \times t_2 = \frac{31}{2}$

$t_2 = \frac{31}{4} = 7\frac{3}{4}$ वर्ष

7 वर्ष + $\frac{3}{4}$ × 12 माह

= 7 वर्ष 9 माह

90. Sol^n : (c) $P_1 r_1 t_1 = P_2 r_2 t_2$

$6000 \times 4 \times 5 = 8000 \times 3 \times t$

$t = \frac{6000 \times 4 \times 5}{8000 \times 3}$

= 5 वर्ष

91. Sol^n : (c)

₹ 800

x (800 - x)

$\frac{x \times 10 \times 8}{100} = \frac{(800-x) \times 12 \times 10}{100}$

$2x = 2400 - 3x$

$5x = 2400$

x = ₹ 480

92. Sol^n : (d)

₹ 12000

P_1 P_2

$\frac{P_1 \times 12 \times 3}{100} = \frac{P_2 \times 16 \times 4{\cdot}5}{100}$

$\frac{P_1}{P_2} = \frac{72}{36} = \frac{2}{1}$

$\therefore P_1 : P_2 = 2 : 1$

93. Sol^n : (a)

औसत दर = $\frac{396 \times 100}{1500 \times 3}$

= 8·8%

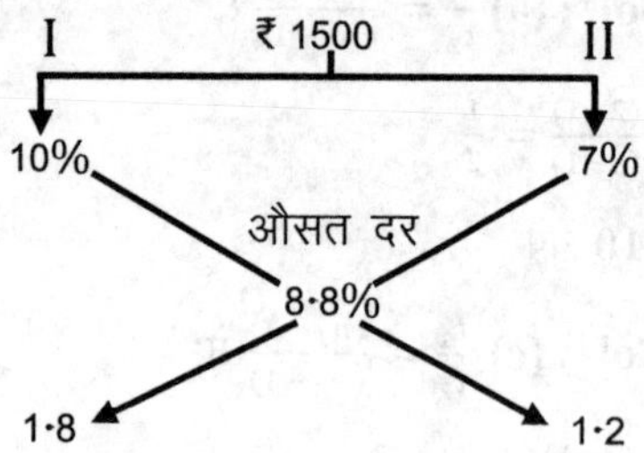

$I : II = 3 : 2$

अनुपाती योग = 5

∴ 10% दर से दी गई राशि = $\frac{3}{5} \times 1500$

= ₹ 900

94. Sol^n : (b) माना, प्रत्येक बैंक में जमा राशि = P

$\frac{P \times 10 \times 3}{100} + \frac{P \times 12 \times 3}{100} = 3300$

$\frac{66P}{100} = 330$

P = $\frac{3300 \times 100}{66} = 5000$

∴ कुल जमा राशि = P + P = 2P = 2 × 5000 = ₹ 10000

95. Sol^n : (d) माना, अन्य राशि P है।

$\frac{500 \times 12 \times 4}{100} + \frac{P \times 10 \times 4}{100} = 480$

$240 + \frac{2P}{5} = 480$

$\frac{2P}{5} = 480 - 240 = 240$

$P = 240 \times \frac{5}{2} =$ ₹ 600

96. Sol^n : (d) $\frac{500 \times r_1 \times 2}{100} - \frac{500 \times r_2 \times 2}{100} = 2{\cdot}50$

$10r_1 - 10r_2 = 2{\cdot}50$

$10\ (r_1 - r_2) = 2{\cdot}5$

$r_1 - r_2 = \frac{2.5}{10} = 0{\cdot}25\%$

97. Sol^n : (c) माना, दर = समय = r

$\frac{a \times r \times r}{100} = b \ldots\ldots\ldots\ldots\ldots i$

$\frac{b \times r \times r}{100} = c \ldots\ldots\ldots\ldots\ldots ii$

समीकरण i में समीकरण ii से भाग देने पर

$\frac{a}{b} = \frac{b}{c}$

$b^2 = ac$

98. Sol^n : (a) S.I. = r × t से,

माना, कुल जमा राशि = 100%

2 × 3 = 6%

3 × 8 = 24%

1 × 10 = 10%

40%

∵ 40% = ₹ 1520

∴ 100% = $\frac{1520}{40} \times 100$

= ₹ 3800

99. Sol^n : (d) माना, कुल जमा राशि = 100%

तब, S.I. = r × t से

2 × 4 = 8%

4 × 6 = 24%

3 × 8 = 24%

56%

∵ 56% = ₹ 11200

∴ 100% = $\frac{11200}{56} \times 100$

= ₹ 20000

100. Sol^n : (b) माना, प्रत्येक किस्त 100% है।

100 + 2 × 10 = 120%

100 + 1 × 10 = 110%

100 + 0 × 10 = 100%

300%

∵ 330% = ₹ 6600

∴ 100% = $\frac{6600}{330} \times 100$

= ₹ 2000

101. Sol^n : (c) माना, प्रत्येक किस्त = 100%

100 + 4 × 8 = 132%

100 + 3 × 8 = 124%

100 + 2 × 8 = 116%

100 + 1 × 8 = 108%

100 + 0 × 8 = 100%

580%

∵ 580% = ₹ 1740

∴ 100% = $\frac{1740}{580} \times 100$ = ₹ 300

102. Sol^n : (c) माना, 12% दर पर दी गई राशि = ₹ x

∴ 10% दर पर दी गई राशि = ₹ $(4000 - x)$

S.I. = 5350 - 4000 = ₹ 1350

$$\frac{x \times 12 \times 3}{100} + \frac{(4000-x) \times 10 \times 3}{100} = 1350$$

$$\frac{9x}{25} + \frac{3(4000-x)}{10} = 1350$$

$18x + 15(4000 - x) = 67500$

$18x + 60000 - 15x = 67500$

$3x = 7500$

x = ₹ 2500

13 चक्रवृद्धि ब्याज (Compound Interest)

किसी मूलधन पर विशेष समय (वार्षिक, छमाही या तिमाही) अवधि के पश्चात् किसी निश्चित ब्याज दर से प्राप्त ब्याजको मूलधन के साथ जोड़कर अगले समय पर जब ब्याज ली जाती है तो ब्याज लेने की इस प्रक्रिया को चक्रवृद्धि ब्याज कहते है।

Type - 01

Point : मूलधन ₹ P पर r% वार्षिक चक्रवृद्धि ब्याज दर से वर्ष के अन्त में प्राप्त मिश्रधन 'A' क्या होगा ?

Derivation : वर्ष के प्रारम्भ में वह धन = P

$\therefore r\%$ दर से वर्ष के अन्त में मिश्रधन $= P + P \times \frac{r}{100}$

$= P\left(1+\frac{r}{100}\right)$

अब, दूसरे वर्ष के प्रारम्भ में मूलधन $= P\left(1+\frac{r}{100}\right)$

$\therefore r\%$ दर से दूसरे वर्ष के अन्त में मिश्रधन

$= P\left(1+\frac{r}{100}\right)\left(1+\frac{r}{100}\right) = P\left(1+\frac{r}{100}\right)^2$

....

....

....

अतः t वर्ष के अन्त में मिश्रधन (A) $= P\left(1+\frac{r}{100}\right)^t$

$$\mathbf{A = P\left(1+\frac{r}{100}\right)^t}$$

Note : यदि $t = a\frac{b}{c}$ वर्ष हो तो मिश्रधन –

$$\mathbf{A = P\left(1+\frac{r}{100}\right)^a \times \left(1+\frac{r\times\frac{b}{c}}{100}\right)}$$

Note : यदि प्रथम वर्ष ब्याज दर $r_1\%$, दूसरे वर्ष ब्याज दर $r_2\%$ तथा तीसरे वर्ष ब्याज दर $r_3\%$ हो तो–

तीन वर्ष के अन्त में चक्रवृद्धि मिश्रधन–

$$\mathbf{A = P\left(1+\frac{r_1}{100}\right)\left(1+\frac{r_2}{100}\right)\left(1+\frac{r_3}{100}\right)}$$

$$\mathbf{C.I. = A - P}$$

Note : यदि ब्याज छमाही संयोजित किया जाये तब –

छमाही दर = $\frac{\text{वार्षिक दर}}{2}$ तथा समय = वर्षों में संख्या × 2

Note : यदि ब्याज तिमाही संयोजित किया जाये तब –

तिमाही दर = $\frac{\text{वार्षिक दर}}{4}$ तथा समय = वर्षों में संख्या × 4

प्रश्न : कौन–सी धनराशि 2 वर्षो में 4% वार्षिक चक्रवृद्धि ब्याज की दर से ₹ 1352 हो जायेगी ?

हल : $1352 = P\left(1+\frac{4}{100}\right)^2$

$1352 = P\times\frac{26}{25}\times\frac{26}{25}$

$\therefore P = \frac{1352\times25\times25}{26\times26}$

= ₹ 1250

प्रश्न : किस वार्षिक ब्याज की दर पर ₹ 2304 चक्रवृद्धि ब्याज से 2 वर्ष में ₹ 2500 हो जायेगी ?

हल : $2500 = 2304\left(1+\frac{r}{100}\right)^2$

$\frac{2500}{2304} = \left(1+\frac{r}{100}\right)^2$

$\left(1+\frac{r}{100}\right)^2 = \left(\frac{50}{48}\right)^2$

$1+\frac{r}{100} = \frac{25}{24}$

$\frac{r}{100} = \frac{25}{24} - 1 = \frac{1}{24}$

$r = \frac{100}{24}$

$= \frac{25}{6}$

$= 4\frac{1}{6}\%$

प्रश्न : 10% वार्षिक चक्रवृद्धि ब्याज पर ₹ 2000 कितने वर्ष में ₹ 2420 हो जायेगी ?

हल : $2420 = 2000\left(1+\frac{10}{100}\right)^t$

$\frac{2420}{2000} = \left(\frac{11}{10}\right)^t$

$\left(\frac{11}{10}\right)^t = \frac{121}{100} = \left(\frac{11}{10}\right)^2$

$\therefore$ t = 2 वर्ष

प्रश्न : ₹ 6000 का 10% वार्षिक ब्याज की दर $1\frac{1}{2}$ वर्ष का चक्रवृद्धि ब्याज, जबकि ब्याज वार्षिक रूप से संयोजित होता है, क्या होगा ?

हल : $A = 6000\left(1+\frac{10}{100}\right)^1 \times \left(1+\frac{10\times\frac{1}{2}}{100}\right)$

$= 6000\times\frac{11}{10}\times\frac{105}{100}$

$A = 66 \times 105 = ₹ 6930$

$\therefore$ C.I. = A - P = 6930 - 6000 = ₹ 930

प्रश्न : ₹ 10000 का 40% वार्षिक चक्रवृद्धि ब्याज की दर पर, यदि ब्याज हर 6 महीने बाद जोड़ा जाये तो 2 वर्षो के बाद कितना ब्याज होगा ?

हल : छमाही दर $= \frac{4}{2} = 2\%$,

समय $= 2 \times 2 = 4$ छमाही

$A = 10000\left(1 + \frac{2}{100}\right)^4$

$A = 10000 \times \frac{102}{100} \times \frac{102}{100} \times \frac{102}{100} \times \frac{102}{100}$

= ₹ 10824·32

$\therefore$ C.I. = 10824·32 - 10000

= ₹ 824·32

Type - 02

जब कोई धन चक्रवृद्धि ब्याज दर पर t वर्ष में स्वयं का n गुना हो जाये –

प्रश्न : कोई राशि चक्रवृद्धि ब्याज की दर से 2 वर्ष में स्वयं का $\frac{9}{4}$ गुना हो जाता है, तो ब्याज की दर बताइये ?

हल : माना, मूलधन = ₹ 1 रू0

तब 2 वर्ष का मिश्रधन =₹ $\frac{9}{4}$

$\frac{9}{4} = 1\left(1 + \frac{r}{100}\right)^2$

$\left(1 + \frac{r}{100}\right)^2 = \left(\frac{3}{2}\right)^2$

$1 + \frac{r}{100} = \frac{3}{2}$

$\frac{r}{100} = \frac{3}{2} - 1 = \frac{1}{2}$

$\therefore r = \frac{100}{2}$

= 50%

प्रश्न : कोई धनराशि चक्रवृद्धि ब्याज दर से 3 वर्ष में अपने की 8 गुना हो जाती है। ब्याज की वार्षिक दर बताइये ?

हल : माना, मूलधन = ₹ 1

तब 3 वर्ष का मिश्रधन = ₹ 8

$8 = 1\left(1 + \frac{r}{100}\right)^3$

$\left(1 + \frac{r}{100}\right)^3 = 2^3$

$1 + \frac{r}{100} = 2$

$\frac{r}{100} = 1$

$\therefore r = 100\%$

Type - 03

जब कोई धन t_1 वर्ष में m गुना तथा t_2 वर्ष में n गुना हो जाये :–

प्रश्न : कोई धनराशि चक्रवृद्धि ब्याज से 5 वर्ष में दुगुनी हो जाती है। उसी ब्याज की दर से वह धनराशि कितने समय में 8 गुनी हो जायेगी ?

हल : माना, मूलधन ₹ P तथा ब्याज की दर r% है।

$2P = P\left(1 + \frac{r}{100}\right)^5$ ……………i

माना, t वर्ष में यह 8 गुनी हो जायेगी

$8P = P\left(1 + \frac{r}{100}\right)^t$

$(2)^3 = P\left(1 + \frac{r}{100}\right)^t$

$\left(1 + \frac{r}{100}\right)^{5 \times 3} = \left(1 + \frac{r}{100}\right)^t$

समीकरण (i) से 2 का मान रखने पर

$\therefore$ t = 15 वर्ष

Note : ऐसे प्रश्नों को हल करने के लिए गुनाा वाली आधार बराबर करें, फिर पहले वाले समय में दूसरे गुना वाली घात से गुणा करके अभीष्ट समय प्राप्त कर लें।

Second Method :

5 वर्ष ⟶ 2 गुना

t ⟶ 2^3 गुना

$\therefore t = 5 \times 3 = 15$ वर्ष

प्रश्न : कोई धनराशि चक्रवृद्धि ब्याज से 3 वर्ष में तिगुना हो जाती है। उसी ब्याज की दर से वह धनराशि कितने समय में 9 गुनी हो जायेगी ?

हल :

3 वर्ष ⟶ 3 गुना

t ⟶ 3^2 गुना

$\therefore t = 3 \times 2 = 6$ वर्ष

Type - 04

जब कोई धन t_1 वर्ष में ₹ Q तथा t_2 वर्ष में ₹ R हो जाये –

Derivation : माना, मूलधन ₹ P तथा दर r% है।

t_1 वर्ष का मिश्रधन = Q

$P\left(1+\frac{r}{100}\right)^{t_1} = Q$.................i

t_2 वर्ष का मिश्रधन = R

$P\left(1+\frac{r}{100}\right)^{t_2} = R$.................ii

समीकरण ii में समीकरण i से भाग देने पर

$$\frac{P\left(1+\frac{r}{100}\right)^{t_2}}{P\left(1+\frac{r}{100}\right)^{t_1}} = \frac{R}{Q}$$

$$\boxed{\left(1+\frac{r}{100}\right)^{t_2-t_1} = \frac{R}{Q}}$$

$$\boxed{\left(1+\frac{\text{दर}}{100}\right)^{\text{समयो का अंतर}} = \frac{\text{बड़ा मिश्रधन}}{\text{छोटा मिश्रधन}}}$$

प्रश्न : कोई धनराशि चक्रवृद्धि ब्याज दर से 2 वर्ष के बाद ₹ 1460 और 3 वर्ष में ₹ 1606 होती है। ब्याज की वार्षिक दर क्या है ?

हल : $\left(1+\frac{r}{100}\right)^{3-2} = \frac{1606}{1460}$

$1+\frac{r}{100} = \frac{803}{730}$

$\frac{r}{100} = \frac{803}{730} - 1 = \frac{73}{730} = \frac{1}{10}$

$\therefore r = \frac{1}{10} \times 100 = 10\%$

प्रश्न : कोई धनराशि चक्रवृद्धि ब्याज दर से 2 वर्ष में ₹ 1000 तथा 5 वर्ष में ₹ 1331 हो जाती है। तो ब्याज की वार्षिक दर बताइये ?

हल : $\left(1+\frac{r}{100}\right)^{5-2} = \frac{1331}{1000} = \left(\frac{11}{10}\right)^3$

$\therefore 1+\frac{r}{100} = \frac{11}{10}$

$\frac{r}{100} = \frac{11}{10} - 1 = \frac{1}{10}$

$r = \frac{1}{10} \times 100$

$= 10\%$

Type - 05

जब अलग–अलग मिश्रधन दिया हो तो मूलधन ज्ञात करना :–

प्रश्न : कोई राशि चक्रवृद्धि ब्याज की दर से 6 वर्षो में ₹ 2400 और 12 वर्षो में ₹ 3600 हो जाती है, वह राशि बताइये ?

हल : $2400 = P\left(1+\frac{r}{100}\right)^6$ ……………..i

$3600 = P\left(1+\frac{r}{100}\right)^{12}$ ……………..i

$$\frac{\text{समीकरण II}}{\text{समीकरण I}} = \frac{3600}{2400} = \frac{P\left(1+\frac{r}{100}\right)^{12}}{P\left(1+\frac{r}{100}\right)^{6}}$$

$\frac{3}{2} = \left(1+\frac{r}{100}\right)^6$ यह मान समीकरणर i में रखने पर,

$2400 = P \times \frac{3}{2}$

$\therefore P = \frac{2400 \times 2}{3}$

= ₹ 1600

Note : जब अलग–अलग मिश्रधन में दूसरा समय, पहले समय का दुगुना हो तो –

$$\boxed{\text{मूलधन} = \frac{(\text{छोटा मिश्रधन})^2}{\text{बड़ा मिश्रधन}}}$$

Second Method : $P = \frac{2400 \times 2400}{3600}$

= ₹ 1600

Type - 06

चक्रवृद्धि ब्याज और साधारण ब्याज के अन्तर पर प्रश्न की स्थितियाँ :–

स्थिति – I : किसी धन का विशेष दर से 1 वर्ष के साधारण ब्याज तथा उसी धन का उसी दर से 1 वर्ष के चक्रवृद्धि ब्याज में कोई अन्तर नही होता है।

स्थिति – II : 2 वर्ष के चक्रवृद्धि ब्याज और साधारण ब्याज में अन्तर ज्ञात करना :–

ब्याजों का अन्तर = चक्रवृद्धि ब्याज – साधारण ब्याज

$= \left\{P\left(1+\frac{r}{100}\right)^2 - P\right\} - \frac{\Pr \times 2}{100}$

$= P\left[1 + \left(\frac{r}{100}\right)^2 + \frac{2r}{100} - 1 - \frac{2r}{100}\right]$

$$\boxed{\textbf{ब्याजों का अन्तर} = P\left(\frac{r}{100}\right)^2}$$

प्रश्न : ₹ 4000 का 5% वार्षिक ब्याज की दर से 2 वर्ष के चक्रवृद्धि ब्याज तथा साधारण ब्याज में अन्तर बताइये ?

हल : ब्याजों का अन्तर = $4000\left(\frac{5}{100}\right)^2$

$= 4000 \times \frac{1}{20} \times \frac{1}{20}$

= ₹ 10

प्रश्न : यदि किसी धनराशि पर 4% वार्षिक दर पर 2 वर्षो के साधारण ब्याज और चक्रवृद्धि ब्याज का अन्तर ₹ 20 है तो वह धनराशि बताइये ?

हल : $20 = P\left(\frac{4}{100}\right)^2$

$20 = P \times \frac{1}{25} \times \frac{1}{25}$

$\therefore P = 20 \times 625$

= ₹ 12500

स्थिति – III : 3 वर्ष के चक्रवृद्धि ब्याज और साधारण ब्याज में अन्तर ज्ञात करना ।

ब्याजों का अन्तर = $\left\{P\left(1+\frac{r}{100}\right)^3 - P\right\} - \frac{\text{Pr} \times 3}{100}$

$= P\left[1+\left(\frac{r}{100}\right)^3 + \frac{3r}{100}\left(1+\frac{r}{100}\right) - 1 - \frac{3r}{100}\right]$

$= P\left[1+\left(\frac{r}{100}\right)^3 + \frac{3r}{100} + 3\left(\frac{r}{100}\right)^2 - 1 - \frac{3r}{100}\right]$

$= P\left(\frac{r}{100}\right)^2\left[\frac{r}{100}+3\right]$

ब्याजों का अन्तर = $P\left(\frac{r}{100}\right)^2\left(\frac{r+300}{100}\right)$

प्रश्न : ₹ 8000 की राशि पर 3 वर्ष के साधारण ब्याज और चक्रवृद्धि ब्याज में अन्तर बताइये यदि ब्याज की दर 5% वार्षिक हो।

हल : ब्याजों का अन्तर = $8000\left(\frac{5}{100}\right)^2\left(\frac{5+300}{100}\right)$

$= 8000 \times \frac{1}{20} \times \frac{1}{20} \times \frac{305}{100}$

= ₹ 61

प्रश्न : किसी धनराशि पर 10% ब्याय दर से 3 वर्ष के साधारण ब्याज और चक्रवृद्धि में अन्तर ₹ 186 है। तो वह धनराशि बताइये ?

हल : $186 = P\left(\frac{10}{100}\right)^2\left(\frac{10+300}{100}\right)$

$186 = P \times \frac{1}{100} \times \frac{310}{100}$

$P = \frac{186 \times 100 \times 10}{31}$

= ₹ 6000

Type - 07

जब अलग – अलग धन पर अलग समय के लिए समान दर पर प्राप्त चक्रवृद्धि मिश्रधन समान हो –

Devivation : माना,

$P_1\left(1+\frac{r}{100}\right)^{t_1} = P_2\left(1+\frac{r}{100}\right)^{t_2} = P_3\left(1+\frac{r}{100}\right)^{t_3} = K$

$\therefore P_1 = \frac{K}{\left(1+\frac{r}{100}\right)^{t_1}}, \qquad P_2 = \frac{K}{\left(1+\frac{r}{100}\right)^{t_2}}$

तथा $P_3 = \frac{K}{\left(1+\frac{r}{100}\right)^{t_3}}$

$\therefore$

$$P_1 : P_2 : P_3 = \frac{1}{\left(1+\frac{r}{100}\right)^{t_1}} : \frac{1}{\left(1+\frac{r}{100}\right)^{t_2}} : \frac{1}{\left(1+\frac{r}{100}\right)^{t_3}}$$

प्रश्न : ₹ 3903 की राशि को दो बराबर भागों में बाँटकर प्रत्येक भाग को 4% वार्षिक चक्रवृद्धि ब्याज दर पर क्रमशः 7 वर्ष और 9 वर्ष के लिए निवेशित किया जाता है। यदि दोनों भागों से प्राप्त मिश्रधन समान हो तो 7 वर्ष के लिए निवेशित की गई राशि क्या थी ?

हल : $P_1 : P_2 = \frac{1}{\left(1+\frac{4}{100}\right)^7} : \frac{1}{\left(1+\frac{4}{100}\right)^9}$

$P_1 : P_2 = \frac{1}{\left(\frac{26}{25}\right)^7} : \frac{1}{\left(\frac{26}{25}\right)^9}$

$P_1 : P_2 = 1 : \frac{1}{\left(\frac{26}{25}\right)^2}$

$= 1 : \frac{625}{676}$

$= 676 : 625$

अनुपाती योग = 1301

$\therefore P_1 = \frac{676}{1301} \times 3903 =$ ₹ 2028

Type - 08

किस्तों में चुकायी जाने वाली राशि ज्ञात करना :–

Derivation : माना प्रत्येक किस्त x रूपये, मिश्रधन A रू0 (चुकायी जाने वाली राशि) तथा चक्रवृद्धि ब्याज की दर r% है तो –

पहली किस्त $(x) = P_1\left(1+\frac{r}{100}\right)^1$

$\therefore \quad P_1 = \frac{x}{\left(1+\frac{r}{100}\right)^1}$

दूसरी किस्त (x) = $P_2\left(1+\frac{r}{100}\right)^2$

$\therefore \quad P_2 = \frac{x}{\left(1+\frac{r}{100}\right)^2}$

....

....

n वीं किस्त (x) = $P_n = \left(1+\frac{r}{100}\right)^n$

$\therefore \; P_n = \frac{n}{\left(1+\frac{r}{100}\right)^n}$

$\because \mathbf{P_1 + P_2 + P_3 + \cdots \ldots\ldots .+P_n = A}$

$$\boxed{\frac{x}{\left(1+\frac{r}{100}\right)^1}+\frac{x}{\left(1+\frac{r}{100}\right)^2}+\cdots\ldots\ldots\ldots..\frac{x}{\left(1+\frac{r}{100}\right)^n}=\mathbf{A}}$$

प्रश्न : ₹ 210 की राशि कर्ज पर ली गई, जिसकी अदायगी दो बराबर वार्षिक किस्तों में की जानी है, यदि ब्याज की अदायगी वार्षिक 10% चक्रवृद्धि दर पर की जाये तो प्रत्येक किस्त कितनी होगी ?

हल : माना, प्रत्येक किस्त ₹ x है।

$\frac{x}{\left(1+\frac{10}{100}\right)^1}+\frac{x}{\left(1+\frac{10}{100}\right)^2}=210$

$\frac{x}{\frac{11}{10}}+\frac{x}{\frac{121}{100}}=210$

$\frac{10x}{11}+\frac{100x}{121}=210$

$\frac{110x+100x}{121}=210$

$210x = 210 \times 121$

$x=\frac{210\times 121}{210}$

$=$ ₹ 121

प्रश्न : ₹ 2550 को 4% वार्षिक चक्रवृद्धि ब्याज की दर से 2 बराबर वार्षिक किस्तों में चुकाया जाना है तो प्रत्येक किस्त का मान बताइये ?

हल : माना, प्रत्येक किस्त ₹ x है।

$\frac{x}{\left(1+\frac{4}{100}\right)^1}+\frac{x}{\left(1+\frac{4}{100}\right)^2}=2550$

$\frac{25x}{26}+\frac{625x}{676}=2550$

$\frac{650x+625x}{676}=2550$

$1275 = 2550x \times 676$

$x=\frac{2550\times 676}{1275}$

$= 2 \times 676$

$=$ ₹ 1352

प्रश्नावली

TYPE - 01

1. 10% वार्षिक चक्रवृद्धि ब्याज पर 2,000 रू० कितने वर्ष में 2,420 रूपए हो जाएंगे?
(a) 3 (b) $2\frac{1}{2}$
(c) 2 (d) $1\frac{1}{2}$
(SSC CGL Pre Exam 27-2-2000)

2. कौन–सी धनराशि 2 वर्षो में 4 प्रतिशत वार्षिक चक्रवृद्धि ब्याज की दर से 1352 रूपये हो जाएगी?
(a) 1200 रूपये (b) 1225 रूपये
(c) 1250 रूपये (d) 1300 रूपये
(SSC CGL Pre Exam 11-5-2003)

3. 5% प्रतिवर्ष चक्रवृद्धि ब्याज पर ₹ 800 कितने वर्ष में ₹ 882 हो जाएँगे?
(a) 1वर्ष (b) 2वर्ष
(c) 3वर्ष (d) 4वर्ष
(SSC Constable GD Exam 12-5-2013)

4. ₹ 250 की राशि पहले वर्ष में 4% और दूसरे वर्ष में 8% की चक्रवृद्धि ब्याज पर कितनी हो जाएगी?
(a) ₹ 280 (b) ₹ 280.80
(c) ₹ 468 (d) ₹ 290.80
(SSC Constable GD Exam 12-5-2013

5. 2000 रू. का 2 वर्ष का चक्रवृद्धि ब्याज, जबकि ब्याज की दर प्रथम वर्ष के लिए 4% वार्षिक तथा द्वितीय वर्ष के लिए 3% वार्षिक है, होगा–
(a) 142.40 रू. (b) 140.40 रू.
(c) 141.40 रू. (d) 143.40 रू.
(SSC CGL Pre exam 4-2-2007)

6. 6,400 का 2 वर्षो का $7\frac{1}{2}$% प्रति वर्ष की दर पर चक्रवृद्धि ब्याज कितने रूपए होगा?.
(a) ₹ 1,016 (b) ₹ 996
(c) ₹ 976 (d) ₹ 966
(SSC CISF Constable GD Exam 5-6-2011)

7. 6,000 रूपए का 10% वार्षिक ब्याज की दर से $1\frac{1}{2}$ वर्ष का चक्रवृद्धि ब्याज, जबकि ब्याज वार्षिक रूप में संयोजित होता है, होगा–
(a) 910 रूपए (b) 870 रूपए
(c) 930 रूपए (d) 900 रूपए
(SSC CPO SI Exam 9-11-2008)

8. 10% वार्षिक चक्रवृद्धि ब्याज की दर से 8000 रूपए की धनराशि कितने समय में 9,261 रूपए हो जाएगी जबकि ब्याज अर्द्ध–वार्षिक रूप में संयोजित होता है?
(a) $3\frac{1}{2}$ वर्ष (b) $1\frac{1}{2}$ वर्ष
(c) $2\frac{1}{2}$ वर्ष (d) 2 वर्ष
(SSC CPO SI Exam 9-11-2008)

9. 4,000 का चक्रवृद्धि ब्याज,, तीन वर्षो के बाद 630.50 हो जाता है, तो वार्षिक रूप से चक्रवृद्धि ब्याज दर क्या होगी?
(a) 7% (b) 5%
(c) 8% (d) 6%
(CHSL -2020)

10. किस वार्षिक ब्याज की दर से ₹ 3000, 3 वर्ष में ₹ 3993 हो जाएगा यदि चक्रवृद्धि ब्याज वार्षिक देय हो, तो दर क्या है?
(a) 9% (b) 10%
(c) 11% (d) 13%
(SSC CGL Pre- 2018)

TYPE - 02

11. यदि ब्याज त्रैमासिक रूप में संयोजित हो, तो ब्याज की किस वार्षिक दर से 32000 रू. का 9 मास का चक्रवृद्धि ब्याज 5044 रू. होगा?
(a) 20% (b) 32%
(c) 50% (d) 80%
(SSC CGLpre Exam 4-2-2007)

12. अर्द्धवार्षिक रूप में संयोहित 20% वार्षिक चक्रवृद्धि ब्याज की दर से कितने समय में 10,000 रू. की धन राशि 13310 रू. हो जाएगी?
(a) $1\frac{1}{2}$ वर्ष (b) 2 वर्ष
(c) $2\frac{1}{2}$ वर्ष (d) 3 वर्ष
(SSC CGL Pre Exam)

13. 10,000 रूपए का 4% वार्षिक चक्रवृद्धि ब्याज की दर पर, यदि ब्याज हर छः महीने बाद जोड़ा जाए तो 2 वर्षो बाद कितना ब्याज होगा?
(a) 636.80 रू. (b) 824.32 रू.
(c) 912.86 रू. (d) 828.82 रू.
(SSC CGL Pre Exam 27-2-2000)

14. अर्द्ध वार्षिक रूप से नियोजित, कोई निश्चित धनराशि 4% वार्षिक चक्रवृद्धि ब्याज से 1 वर्ष के अंत में ₹ 7,803 हो जाती है। तो वह धनराशि है।
(a) Rs. 7,000 (b) Rs. 7,200
(c) Rs. 7,500 (d) Rs. 7,700
(SSC CGL Pre Exam 2017)

15. रूपये 5,500 की राशि पर वार्षिक 15% की दर से 2 वर्ष मे प्राप्त चक्रवृद्धि ब्याज ज्ञात कीजिए, जब ब्याज की गणना हर 8 महीने पर चक्रवृद्धि आधार पर की जाती है।
(a) Rs 1,850 (b) Rs 1,880
(c) Rs 1,820.50 (d) Rs 1,773.50
(CGL Mains Exam 2020)

16. ₹ 3,200 की राशि 10% वार्षिक दर पर त्रैमासिक आधार पर चक्रवृद्धि ब्याज पर निवेश करने पर ₹ 3,362 हो जाती है। तदनुसार, उस निवेश की अवधि ज्ञात कीजिए।
(a) $\frac{1}{2}$वर्ष (b) 1वर्ष

(c) 2वर्ष (d) $\frac{3}{4}$वर्ष
(SSC Graduate Level Exam Tier-II)

17. अर्द्ध–वार्षिक रूप में संयोजित, 6250 रूपए का 12% वार्षिक दर से एक वर्ष का चक्रवृद्धि ब्याज होगाः
(a) 772.50 रूपये (b) 772 रूपये
(c) 672.50 रूपये (d) 672 रूपये
(SSC Graduate Level Exam 1-3-2010)

TYPE - 03

18. कोई धनराशि चक्रवृद्धि ब्याज से 3 वर्ष में अपनी आठ गुनी हो जाती है। ब्याज की वार्षिक दर होगी–
(a) 100% (b) 80%
(c) 20% (d) 10%
(SSC CGL Pre Exam 8-2-2004)

19. एक धनराशि 3 वर्षो के चक्रवृद्धि ब्याज पर 1.331 गुनी हो जाती है। तदनुसार, वह ब्याज दर कितनी है?
(a) 8% (b) 7.5%
(c) 10% (d) 50%
(SSC MTS Exam 17-3-2013)

20. यदि कोई धनराशि वार्षिक आधार पर चक्रवृद्धि ब्याज पर 2 वर्षो में अपनी 1.44 गुनी हो जाती है, तो उस ब्याज की वार्षिक दर कितनी है?
(a) 25% (b) 22%
(c) 21% (d) 20%
(SSC Graduate Level Exam Tier-II 29-9-2013)

TYPE - 04

21. कोई धनराशि चक्रवृद्धि ब्याज से 15 वर्षो में दुगुनी हो जाती है। यह राशि कितने वर्षो में आठ गुनी हो जायेगी?
(a) 30 (b) 45
(c) 50 (d) 60
(SSC CGL PRE Exam 4-7-1999)

22. चक्रवृद्धि ब्याज की किसी वार्षिक प्रतिशत दर से कोई धनराशि 4 वर्ष में स्वयं की दुगुनी हो जाती है। उसी दर से, कितने वर्ष में वह स्वयं की 16 गुनी होगी?
(a) 16 (b) 12
(c) 10 (d) 8
(SSC Graduate Level Exam Tier-II 1-8-2010)

23. एक धनराशि, चक्रवृद्धि ब्याज पर 3 वर्षो में तीन गुनी हो जाती है। तदनुसार , वह अपनी मूल राशि की 9 गुनी कितने वर्षो में हो जाएगी?
(a) 9 (b) 27
(c) 6 (d) 3
(SSC Graduate Level Exam Tier II 16-9-2012)

TYPE - 05

24. चक्रवृद्धि ब्याज की किसी दर से कोई धनराशि 2 वर्ष में 2,420 रूपए तथा 3 वर्ष में 2,662 रूपए होती है जबकि ब्याज वार्षिक रूप में संयोजित होता है। ब्याज की वार्षिक दर है–
(a) 6% (b) 8%
(c) 9% (d) 10%
(SSC CPO SI Exam 9-11-2008)

25. किसी धनराशि पर दो क्रमिक वर्षो का चक्रवृद्धि ब्याज क्रमशः 225 रूपए तथा 238.50 रूपए है। तदनुसार ब्याज की वार्षिक दर कितनी है?
(a) $7\frac{1}{2}$ (b) 5
(c) 10 (d) 6
(SSC (10+2)Data Entry Operator 21-10-2012)

26. एक धनराशि r% प्रतिवर्ष के चक्रवृद्धि ब्याज दर पर दो वर्षो तथा 3 वर्षो के बाद क्रमशः ₹1440 तथा ₹1728 हो जाती है। तदनुसार, r का मान क्या है?
(a) 5 (b) 10
(c) 15 (d) 20
(SSC (10+2) Data Entry Operator and LDC Exam 28-10-2012)

27. कोई धनराशि चक्रवृद्धि ब्याज से दो वर्षो के बाद 4,500 रूपये और चार वर्षो के बाद 6,750 रूपये हो जाती है। वह धनराशि है–
(a) 4,000 रूपये (b) 2,500 रूपये
(c) 3,000 रूपये (d) 3,050 रूपये
(SSC CGL PRE exam 24-2-2002)

28. एक धनराशि एक निश्चित चक्रवृद्धि ब्याज दर हर वर्ष जोड़ने पर, 4 वर्षो में 7,000 रूपए और 8 वर्षो में 10,000 रूपए हो जाती है। तदनुसार, वह मूल धनराशि कितनी है?
(a) 4,700 रूपए (b) 4,900 रूपए
(c) 4,100 रूपए (d) 4,300 रूपए
(SSC MTS Exam 17-3-2013)

TYPE - 06

29. किसी धनराशि पर 10% वार्षिक की दर से 2 वर्षो के साधारण ब्याज और चक्रवृद्धि ब्याज (प्रति वर्ष संयोजित) का अंतर 65 रूपये है। वह धनराशि है–
(a) 65650 रूपये (b) 65065 रूपये
(c) 6565रूपये (d) 6500 रूपये
(SSC CGL Pre Exam 11-5-2003)

30. 1000 रू० की धनराशि पर 2 वर्षो के साधारण ब्याज और चक्रवृद्धि ब्याज (प्रति वर्ष संयोजित का अंतर 10 रू० है। वार्षिक ब्याज की दर होगी–
(a) 5% (b) 6%
(c) 10% (d) 12%
(SSC CGL Pre exam 8-2-2004)

31. 1,000 रूपए की धनराशि पर 5% वार्षिक ब्याज की दर से 2 वर्ष के चक्रवृद्धि तथा साधारण ब्याजों का अन्तर होगा–
(a) 2 रूपए (b) 2.50 रूपए

(c) 3 रूपए (d) 3.50 रूपए
(SSC Data Entry Operator exam 2-8-2009)

32. किसी धन राशि के 9% वार्षिक दर से 2 वर्ष के चक्रवृद्धि तथा साधारण ब्याज का अन्तर ₹ 129.60 है। वह धन राशि है:
(a) ₹ 12000 (b) ₹ 12500
(c) ₹ 13500 (d) ₹ 16000
(SSC Data Entry Operator Exam 28-11-2010)

TYPE - 07

33. एक धनराशि पर 3 वर्षो के लिए 10% वार्षिक दर पर साधारण ब्याज तथा चक्रवृद्धि ब्याज का अंतर 31 रूपए है। तदनुसार वह धनराशि कितनी है?
(a) 500 रूपए (b) 750 रूपए
(c) 1000 रूपए (d) 1250 रूपए
(SSC (10+2)Data Entry Operator and LDC Exam 4-12-2011)

34. यदि किसी धनराशि पर 5% वार्षिक की दर से 3 वर्षो के साधारण और चक्रवृद्धि ब्याजों का अन्तर 36.60 रूपये हो, तो वह धनराशि है–
(a) 8,000 रूपये (b) 8,400 रूपये
(c) 4,400 रूपये (d) 4,800 रूपये
(SSC CGL Pre Exam 24-2-2002)

35. किसी धनराशि के 5 प्रतिशत वार्षिक दर से 3 वर्ष के चक्रवृद्धि ब्याज तथा साधारण ब्याज का अन्तर 122 रूपए है। वह धनराशि है–
(a) 16,000 रूपए (b) 15,000 रूपए
(c) 12,000 रूपए (d) 10,000 रूपए
(SSC CGL Pre Exam 27-7-2008)

36. 3 वर्ष तथा 2 वर्ष के लिये चक्रवृद्धि ब्याज और साधारण ब्याज के बीच का अंतरों को अनुपात क्रमशः 23 : 7 है। ब्याज की वार्षिक दर (%में) कितनी है?
(a) 200/7 (b) 100/7
(c) 300/7 (d) 400/7
(SSC CHSL 2018)

TYPE - 08

37. किसी मूलधन पर यदि दो वर्षो का साधारण ब्याज 4800 रू. और चक्रवृद्धि ब्याज 5088 रू. है. तो ब्याज दर कितनी है?
(a) 6% (b) 24%
(c) 12% (d) 18%

38. किसी धन पर 2 वर्ष के लिए चक्रवृद्धि ब्याज ₹ 40.80 है और साधारण ब्याज ₹ 40 है। मूलधन ज्ञात कीजिए
(a) ₹ 400 (b) ₹ 450
(c) ₹ 500 (d) ₹ 550
(HPTET (I-V)2013)

TYPE - 09

39. वह धनराशि कितनी होगी, जो 5% वार्षिक की दर पर, दूसरे वर्ष में ₹ 420 चक्रवृद्धि ब्याज प्राप्त कर सके?
(a) ₹ 4,000 (b) ₹ 42,000
(c) ₹ 8,000 (d) ₹ 21,000
(SSC FCI Assistant Grade –III Exam 11-11-2012)

40. किसी मूल राशि पर 10% प्रतिवर्ष की दर पर दूसरे वर्ष चक्रवृद्धि ब्याज ₹ 132 बना मूल राशि कितनी थी?
(a) ₹ 1250 (b) ₹ 1000
(c) ₹ 1200 (d) ₹ 1320
(SSC (CGL Tier-II Exam 12-4-2015)

41. ₹ 2000, 40% की दर से वार्षिक चक्रवृद्धि ब्याज की दर पर तीसरे वर्ष के लिए ब्याज की राशि ज्ञात कीजिए
(a) ₹1500 (b) ₹1600
(c) ₹1568 (d) ₹1750
(RRB RPF Constable 18-1-2019)

42. किसी मूलधन पर 10% वार्षिक ब्याज की दर पर दूसरे वर्ष का चक्रवृद्धि ब्याज ₹ 154 प्राप्त होता है, मूलधन ज्ञात कीजिए।
(a) ₹ 1,400.00 (b) ₹ 1,200.00
(c) ₹ 1,540.00 (d) ₹ 2,750.00
(RRB NTPC 4-3-2021)

TYPE - 10

43. एक धनराशि उधार ली गई और उसे ₹ 882 की दो वार्षिक किस्तों (प्रत्येक 5% चक्रवृद्धि ब्याज के साथ) में अदा किया गया। उधार ली गई राशि थी?
(a) ₹ 1620 (b) ₹ 1640
(c) ₹ 1680 (d) ₹ 1700
(Punjab TET (Class VI-VIII)2011)

44. रू. 4,620 की राशि 2 बराबर वार्षिक किश्तों में वापस भुगतान की जानी है। यदि ब्याज दर वार्षिक रूप से चक्रवृद्धि होने वाली 10% वार्षिक है, तो प्रत्येक किश्त (रू. में) कितनी होगी?
(a) 2,420 (b) 2,552
(c) 2,662 (d) 2,750
(CGL Pre -2022)

Revision Series

45. कोई धनराशि चक्रवृद्धि ब्याज की 8% वार्षिक दर से 2 वर्ष में ₹ 5832 हो जाती है। वह धनराशि है ?

(a)₹ 5000 (b)₹ 5200

(c)₹ 5280 (d)₹ 5400

46. ₹ 2000 का 2 वर्ष का चक्रवृद्धि ब्याज, जबकि ब्याज की दर प्रथम वर्ष के लिए 4% वार्षिक तथा द्वितीय वर्ष के लिए 3% वार्षिक है, होगा –

(a)₹ 142·40 (b)₹ 140·40

(c)₹ 141·40 (d)₹ 143·40

47. ₹ 1500 का 20% वार्षिक दर पर 2 वर्ष 4 माह का चक्रवृद्धि ब्याज क्या होगा ?

(a)₹ 800 (b)₹ 900

(c)₹ 804 (d)₹ 850

48. कितने समय में ₹ 1000 की राशि 10% वार्षिक की दर से ₹ 1331 हो जायेगी, जबकि ब्याज प्रतिवर्ष संयोजित होता है ?

(a)3 वर्ष (b)2 वर्ष

(c)$3\frac{1}{2}$ वर्ष (d)$2\frac{1}{2}$ वर्ष

49. यदि ब्याज की गणना प्रतिवर्ष के आधार पर की जाये तो ₹ 8000 की राशि दो वर्षो में ₹ 8820 हो जायेगी, उस चक्रवृद्धि ब्याज की दर बताइये ?

(a)7 (b)5

(c)6 (d)3

50. 10% वार्षिक चक्रवृद्धि ब्याज की दर से ₹ 8000 की धनराशि कितने समय में ₹ 9261 हो जायेगी जबकि ब्याज अर्द्धवार्षिक रूप में संयोजित होता है ?

(a)$3\frac{1}{2}$ वर्ष (b)$2\frac{1}{2}$ वर्ष

(c)$1\frac{1}{2}$ वर्ष (d)2 वर्ष

51. वह राशि बताइये जो 2 वर्ष बाद 10% की चक्रवृद्धि ब्याज की दर से ₹ 2420 हो जाये ?

(a)₹ 1000 (b)₹ 1500

(c)₹ 2500 (d)₹ 2000

52. अर्द्धवार्षिक रूप में संयोजित ₹ 6250 का 12% वार्षिक दर से एक वर्ष का चक्रवृद्धि ब्याज होगा–

(a)₹ 672 (b)₹ 772·50

(c)₹ 772 (d)₹ 672·50

53. ₹ 3200 की राशि 10% वार्षिक दर पर त्रैमासिक आधार पर चक्रवृद्धि ब्याज पर निवेश करने पर ₹ 3362 हो जाती है। तदनुसार उस निवेश की अवधि ज्ञात कीजिए ?

(a)$\frac{1}{2}$ वर्ष (b)2 वर्ष

(c)1 वर्ष (d)$\frac{3}{4}$ वर्ष

54. यदि कोई धनराशि वार्षिक आधार पर चक्रवृद्धि ब्याज पर 2 वर्ष में स्वयं का 1·44 गुनी हो जाती है, तो उस ब्याज की वार्षिक दर कितनी है ?

(a)25% (b)22%

(c)21% (d)20%

55. एक धनराशि 3 वर्षो के चक्रवृद्धि ब्याज पर 1·331 गुनी हो जाती है। तद्नुसार वह ब्याज दर कितनी है ?

(a)50% (b)8%

(c)10% (d)7·5%

56. कोई धनराशि चक्रवृद्धि ब्याज से 15 वर्षो में दुगुनी हो जाती है। यह राशि कितने वर्ष में आठ गुनी हो जायेगी ?

(a)45 (b)30

(c)50 (d)60

57. यदि कोई धनराशि वार्षिक चक्रवृद्धि के आधार पर 3 वर्षो का चक्रवृद्धि ब्याज जोड़कर $3\frac{3}{8}$ गुनी हो जाये, तो ब्याज की वार्षिक दर कितनी है ?

(a)25% (b)$16\frac{2}{3}$%

(c)$33\frac{1}{3}$% (d)50%

58. कोई धनराशि चक्रवृद्धि ब्याज पर 5 वर्षो में तीन गुनी हो जाती है तद्नुसार, वह राशि अपने की 9 गुनी कितने वर्षो में हो जायेगी ?

(a)8 वर्ष (b)10 वर्ष

(c)15 वर्ष (d)30 वर्ष

59. चक्रवृद्धि ब्याज की किसी दर से कोई धनराशि 2 वर्ष में ₹ 2420 तथा 3 वर्ष में ₹ 2662 हो जाती है, तो ब्याज की वार्षिक दर बताइये ?

(a)6% (b)8%

(c)9% (d)10%

60. चक्रवृद्धि ब्याज का किसी दर से कोई धन 3 वर्ष में ₹ 484 तथा 5 वर्ष में ₹ 576 हो जाती है, यदि ब्याज वार्षिक संयोजित हो तो ब्याज की वार्षिक दर बताइये ?

(a)10% (b)11%

(c)$11\frac{1}{9}$% (d)$9\frac{1}{11}$%

61. कोई धन चक्रवृद्धि ब्याज की दर से 2 वर्ष में ₹ 1000 तथा 5 वर्ष में ₹ 1331 हो जाती है, तो ब्याज की वार्षिक दर बताइये –

(a)8% (b)10%

(c)14% (d)100%

62. कोई धनराशि चक्रवृद्धि ब्याज की दर से 2 वर्ष में ₹ 4500 तथा 4 वर्ष में ₹ 6750 हो जाती है, तो वह धनराशि है–

(a)₹4000 (b)₹ 2500

(c)₹ 3000 (d)₹ 3050

63. कोई धनराशि चक्रवृद्धि ब्याज की दर से 10 वर्ष में ₹ 800 तथा 15 वर्षो में ₹ 1000 हो जाती है तो 20 वर्ष में यह राशि कितने ₹ हो जायेगी ?

(a)₹ 1200 (b)₹ 1300

(c)₹1250 (d)₹ 1400

64. एक धनराशि एक निश्चित चक्रवृद्धि ब्याज की दर से 4 वर्ष में ₹ 7000 तथा 8 वर्ष में ₹ 10000 हो जाती है। वह मूल धनराशि कितनी है–

(a)₹ 4700 (b)₹ 4900

(c)₹ 4100 (d)₹ 4300

65. ₹ 1000 की धनराशि पर 5% वार्षिक ब्याज की दर से 2 वर्ष के चक्रवृद्धि ब्याज तथा साधारण ब्याजों का अन्तर होगा–

(a)₹ 2 (b)₹ 2·50

(c)₹ 3 (d)₹ 3·50

66. किसी धनराशि पर 10% वार्षिक की दर से 2 वर्षो के साधारण ब्याज व चक्रवृद्धि ब्याज का अन्तर ₹ 65 है। वह धनराशि है–

(a)₹ 65650 (b)₹ 65065

(c)₹ 6565 (d)₹ 6500

67. एक राशि पर 5% प्रतिवर्ष की दर से 2 वर्ष के लिए साधारण ब्याज और चक्रवृद्धि ब्याज में ₹ 100 का अन्तर है। राशि होगा–

(a)₹ 35000 (b)₹ 41000

(c)₹ 40000 (d)₹ 45000

68. किसी धनराशि के 5% वार्षिक दर से 3 वर्ष के चक्रवृद्धि ब्याज तथा साधारण ब्याज का अन्तर ₹ 122 है। वह धनराशि है–

(a)₹ 16000 (b)₹ 15000

(c)₹ 12000 (d)₹ 10000

69. यदि किसी धनराशि पर 5% वार्षिक की दर से 3 वर्षो के साधारण और चक्रवृद्धि ब्याजों का अन्तर ₹ 36·60 हो तो वह धनराशि है–

(a)₹ 8000 (b)₹ 8400

(c)₹ 4800 (d)₹ 4400

70. वह धनराशि कितनी होगी, जो 5% वार्षिक की दर पर, दूसरे वर्ष में ₹ 420 चक्रवृद्धि ब्याज प्राप्त कर सके ?

(a)₹ 4000 (b)₹ 42000

(c)₹ 8000 (d)₹ 21000

71. किसी मूलराशि पर 10% प्रतिवर्ष की दर पर दूसरे वर्ष चक्रवृद्धि ₹ 132 बना। मूलराशि कितनी थी –

(a)₹ 1250 (b)₹ 1000

(c)₹ 1200 (d)₹ 1320

72. किसी धनराशि पर 2 वर्ष का चक्रवृद्धि ब्याज 129 रू0 तथा उतने ही समय का साधारण ब्याज ₹ 120 है। ब्याज की वार्षिक दर है–

(a)12% (b)14%

(c)15% (d)12·5%

73. किसी धनराशि पर 2 वर्ष का साधारण ब्याज ₹ 600 तथा चक्रवृद्धि ब्याज ₹ 615 है। मूल धनराशि बताइये ?

(a)₹ 6500 (b)₹ 6000

(c)₹ 8000 (d)₹ 9500

74. किसी धनराशि के किसी दी गई दर से 2 वर्ष के साधारण ब्याज तथा चक्रवृद्धि ब्याज क्रमशः ₹ 900 तथा ₹ 954 है। वह धनराशि है–

(a)₹ 3700 (b)₹ 3650

(c)₹ 3850 (d)₹ 3750

75. ₹ 1100 को दो बराबर वार्षिक किस्तों में चुकाया जाना है यदि चक्रवृद्धि ब्याज की दर 20% हो तो प्रत्येक किस्त का मान बताइये –

(a)₹ 842 (b)₹ 700

(c)₹ 720 (d)₹ 792

76. 5% प्रतिवर्ष चक्रवृद्धि ब्याज दर पर ₹ 12300 का ऋण हर वर्ष के अन्त में दो बराबर वार्षिक किस्तों में लौटाया जाना है। हर किस्त की राशि होगी–

(a)₹ 6651 (b)₹ 6615

(c)₹ 6156 (d)₹ 6516

77. उधार ली गई कोई राशि 5% प्रतिवर्ष के चक्रवृद्धि ब्याज के साथ ₹ 882 की दो बराबर वार्षिक किस्तों में लौटा दी गई। उधार ली गई राशि थी–

(a)₹ 1600 (b)₹ 1640

(c)₹ 1620 (d)₹ 1700

78. किसी सम्पत्ति का मूल्य प्रतिवर्ष 5% की दर से कम हो जाता है। यदि इसका वर्तमान मूल्य ₹ 411540 हो तो 3 वर्ष पहले इसका मूल्य कितना था–

(a)₹ 45000 (b)₹ 460000

(c)₹ 475000 (d)₹ 480000

ANSWER

1.	c	2.	c	3.	b	4.	b	5.	a
6.	b	7.	c	8.	b	9.	b	10.	b
11.	a	12.	a	13.	b	14.	c	15.	c
16.	a	17.	a	18.	a	19.	c	20.	d
21.	b	22.	a	23.	c	24.	d	25.	d
26.	d	27.	c	28.	b	29.	d	30.	c
31.	b	32.	d	33.	c	34.	d	35.	a
36.	a	37.	c	38.	c	39.	c	40.	c
41.	c	42.	a	43.	b	44.	c	45.	a
46.	a	47.	c	48.	a	49.	b	50.	c
51.	d	52.	b	53.	a	54.	d	55.	c
56.	a	57.	d	58.	b	59.	d	60.	d
61.	b	62.	c	63.	c	64.	b	65.	b
66.	d	67.	c	68.	a	69.	c	70.	c
71.	c	72.	c	73.	b	74.	d	75.	c
76.	b	77.	b	78.	d				

Explanatory Notes

1. (c) $2420 = 2000\left(1+\frac{10}{100}\right)^t$

या, $\frac{2420}{2000} = \left(\frac{11}{10}\right)^t$

या, $\frac{121}{100} = \left(\frac{11}{10}\right)^t$

या, $\left(\frac{11}{10}\right)^t = \left(\frac{11}{10}\right)^2$

$\therefore$ t = 2 वर्ष

2. (c) $1352 = P\left(1+\frac{4}{100}\right)^2$

$1352 = P\times\frac{26}{25}\times\frac{26}{25}$

$P = \frac{1352\times25\times25}{26\times26}$ = ₹1250

3. (b) $882 = 800\left(1+\frac{5}{100}\right)^t$

या, $\frac{882}{800} = \left(\frac{21}{20}\right)^t$

या, $\left(\frac{21}{20}\right)^t = \left(\frac{21}{20}\right)^2$

$\therefore$ t = 2 वर्ष

4. (b) $A = 250\times\frac{104}{100}\times\frac{108}{100}$

A = ₹280·8

5. (a) 2 वर्ष का मिश्रधन $= 2000\times\frac{104}{100}\times\frac{103}{100}$

= ₹2142·4

$\therefore$CI = A – P

= 2142·4 – 2000

= ₹142·4

6. (b) $A = 6400\left(1+\frac{15}{200}\right)^2$

$= 6400 = \frac{43}{40}\times\frac{43}{40}$

= 4×43×43 = ₹7396

$\therefore$CI = A – P

= 7396 – 6400

= ₹996

7. (c) $1\frac{1}{2}$ वर्ष का मिश्रधन (A)

$= 6000\times\frac{110}{100}\times\frac{105}{100}$

A= ₹6930

$\therefore$CI = A–P = 6930 – 6000

= ₹930

8. (b) अर्द्धवार्षिक दर $= \frac{10}{2} = 5\%$

माना , समय t वर्ष है

तब अर्द्धवार्षिक समय = 2t छमाही

$9261 = 8000\left(1+\frac{5}{100}\right)^{2t}$

$\frac{9261}{8000} = \left(\frac{21}{20}\right)^{2t}$

या, $\left(\frac{21}{20}\right)^{2t} = \left(\frac{21}{20}\right)^3$

$\therefore$ 2t = 3

तब, $t = \frac{3}{2} = 1\frac{1}{2}$ वर्ष

9. (b) 3 वर्ष का मिश्रधन = 4000 + 630·5

= ₹4630·5

$4630{\cdot}5 = 4000\left(1+\frac{r}{100}\right)^3$

या, $\frac{4630{\cdot}5}{4000} = \left(1+\frac{r}{100}\right)^3$

या, $\left(1+\frac{r}{100}\right)^3 = \frac{46305}{40000} = \frac{9261}{8000}$

या, $\left(1+\frac{r}{100}\right)^3 = \left(\frac{21}{20}\right)^3$

या, $\frac{100+r}{100} = \frac{21}{20}$

या, $100+r = \frac{21}{20}\times100$

$\therefore$ r = 105 –100 = 5%

10. (b) $3993 = 3000\left(1+\frac{r}{100}\right)^3$

$\frac{3993}{3000} = \left(1+\frac{r}{100}\right)^3$

या, $\left(1+\frac{r}{100}\right)^3 = \frac{1331}{1000} = \left(\frac{11}{10}\right)^3$

या, $\frac{100+r}{100} = \frac{11}{10}$

या, $100+r = \frac{11}{10}\times100$

$\therefore$r = 110–100 = 10%

11. (a) A = 32000 + 5044 = ₹37044

माना, वार्षिक दर = x%

तब, तिमाही दर $\frac{x}{4}$ %

तथा तिमाही समय = 3 तिमाही

$37044 = 32000\left(1+\frac{x}{400}\right)^3$

$\frac{37044}{32000} = \left(1+\frac{x}{400}\right)^3$

या, $\left(1+\frac{x}{400}\right)^3 = \frac{9261}{8000} = \left(\frac{21}{20}\right)^3$

या, $\frac{400+x}{400} = \frac{21}{20}$

या, $400+x = \frac{21}{20}\times400 = 420$

$\therefore x$ = 420 – 400 = 20%

12. (a) माना, वार्षिक समय = t वर्ष

तब, छमाही समय = 2t

तथा छमाही दर $= \frac{20}{2} = 10\%$

$13310 = 10000\left(1+\frac{10}{100}\right)^{2t}$

$\frac{13310}{10000} = \left(\frac{11}{10}\right)^{2t}$

या, $\left(\frac{11}{10}\right)^{2t} = \left(\frac{11}{10}\right)^3$

या, 2t = 3

$\therefore t = \frac{3}{2}$ वर्ष $= 1\frac{1}{2}$ वर्ष

13. (b) छमाही दर $= \frac{4}{2} = 2\%$, छमाही समय = 2×2

= 4 छमाही

$A = 10000\left(1+\frac{2}{100}\right)^4$

$= 10000 \times \frac{51}{50} \times \frac{51}{50} \times \frac{51}{50} \times \frac{51}{50}$

$= \frac{6765201}{625} = 10824{\cdot}32$

$\therefore$ CI = $10824{\cdot}32 - 10000$

= ₹ 824·32

14. (c) छमाही दर $= \frac{4}{2} = 2\%$,

छमाही समय = 2 छमाही

$7803 = P\left(1+\frac{2}{100}\right)^2$

$7803 = P \times \frac{51}{50} \times \frac{51}{50}$

$\therefore P \frac{7803 \times 50 \times 50}{51 \times 51} = 3 \times 2500$

₹7500

15. (c) 8 महीने के आधार पर गणना करने पर–

$r = 15 \times \frac{8}{12} = 10\%$, $t = \frac{24}{8} = 3$

$A = 5500\left(1+\frac{10}{100}\right)^3$

$= 5500 \times \frac{11}{10} \times \frac{11}{10} \times \frac{11}{10}$

= ₹ 7320·5

$\therefore$ CI = 7320·5 – 5500 = ₹1820·5

16. (a) तिमाही दर $= \frac{10}{4}\% = \frac{5}{2}\%$,

समय = t वर्ष (माना)

तब तिमाही समय = 4 t तिमाही

$3362 = 3200\left(1+\frac{5}{200}\right)^{4t}$

या, $\frac{3362}{3200} = \left(\frac{41}{40}\right)^{4t}$

या, $\frac{1681}{1600} = \left(\frac{41}{40}\right)^{4t}$

या, $\left(\frac{41}{40}\right)^{4t} = \left(\frac{41}{40}\right)^2$

$\therefore 4t = 2$

$\therefore t = \frac{2}{4} = \frac{1}{2}$ वर्ष

17. (a) छमाही दर $= \frac{12}{2} = 6\%$, समय = 2 छमाही

$A = 6250\left(1+\frac{6}{100}\right)^2$

$A = 6250 \times \frac{53}{50} \times \frac{53}{50}$

A = ₹7022·5

$\therefore$ CI = 7022·5 – 6250

= ₹772·5

18. (a) $P \times 8 = P\left(1+\frac{r}{100}\right)^3$

या, $(2)^3 = \left(1+\frac{r}{100}\right)^3$

या, $1+\frac{r}{100} = 2$

या, $\frac{r}{100} = 1$

$\therefore$ r = 100%

19. (c) $P \times 1{\cdot}331 = P\left(1+\frac{r}{100}\right)^3$

या, $(1{\cdot}1)^3 = \left(1+\frac{r}{100}\right)^3$

या, $1{\cdot}1 = 1+\frac{r}{100}$

या, $\frac{r}{100} = 1{\cdot}1 - 1 = 0{\cdot}1$

$\therefore r = 0{\cdot}1 \times 100 = 10\%$

20. (d) $P \times 1{\cdot}44 = P\left(1+\frac{r}{100}\right)^2$

या, $(1{\cdot}2)^2 = \left(1+\frac{r}{100}\right)^2$

या, $1{\cdot}2 = \left(1+\frac{r}{100}\right)$

या, $\frac{r}{100} = 1{\cdot}2 - 1 = 0{\cdot}2$

$\therefore r = 0{\cdot}2 \times 100 = 20\%$

21. (b) दूसरा गुना = $(\text{पहला गुना})^a$

$8 = 2^a$

या, $2^3 = 2^a$

$\therefore a = 3$

$\therefore t_2 = t_1 \times a = 15 \times 3 = 45$ वर्ष

22. (a) दूसरा गुना = $(\text{पहला गुना})^a$

$16 = 2^a$

या, $2^4 = 2^a$

$\therefore a = 4$

$\therefore t_2 = t_1 \times a = 4 \times 4 = 16$ वर्ष

23. (c) दूसरा गुना = $(\text{पहला गुना})^a$

$9 = (3)^a$

या, $3^2 = 3^a$

$\therefore a = 2$

तब, $t_2 = t_1 \times a = 3 \times 2 = 6$ वर्ष

24. (d) $\left(1+\frac{r}{100}\right)^{3-2} = \frac{2662}{2420}$

$\left(1+\frac{r}{100}\right) = \frac{1331}{1210}$

$\frac{r}{100} = \frac{1331}{1210} - 1 = \frac{121}{1210}$

$r = \frac{1}{10} \times 100 = 10\%$

25. (d) $\left(1+\frac{r}{100}\right)^1 = \frac{238{\cdot}5}{225}$

$\frac{r}{100} = \frac{238{\cdot}5}{225} - 1 = \frac{13{\cdot}5}{225}$

$r = \frac{13{\cdot}5 \times 100}{225} = \frac{1350}{225} = 6\%$

26. (d) $\left(1+\frac{r}{100}\right)^{3-2} = \frac{1728}{1440}$

$\frac{r}{100} = \frac{1728}{1440} - 1 = \frac{288}{1440}$

$r = \frac{288 \times 100}{1440} = 20\%$

27. (c) $4500 = P\left(1+\frac{r}{100}\right)^2$ ------(i)

$6750 = \left(1+\frac{r}{100}\right)^4$ ------(ii)

समी० (ii) ÷ समी० (i)

$\frac{6750}{4500} = \left(1+\frac{r}{100}\right)^{4-2}$

$\frac{3}{2} = \left(1+\frac{r}{100}\right)^{2}$ यह मान (i) में रखने पर

$4500 = P\times\frac{3}{2}$

$\therefore P = 4500\times\frac{2}{3}$ = ₹3000

Note- यदि दो समयो का मिश्रधन दिया हो जिसमें दूसरा समय पहले समय का दो गुना हो तो–

मूलधन = $\frac{(\text{छोटा मिश्रधन बड़ा मिश्रधन})^2}{\text{बड़ा मिश्रधन}}$

$P = \frac{4500\times4500}{6750}$ = ₹3000

28. (b) मूलधन = $\frac{7000\times7000}{10000}$

₹4900

29. (d) दो वर्ष के लिये

$D = P\left(\frac{r}{100}\right)^2$

$65 = P\left(\frac{10}{100}\right)^2$

$65 = P\times\frac{1}{100}$

$\therefore$ P = ₹6500

30. (c) $D = P\left(\frac{r}{100}\right)^2$ से

$10 = 1000\left(\frac{r}{100}\right)^2$

$\frac{10}{1000} = \frac{r}{100}\times\frac{r}{100}$

$r^2 = \frac{1}{100}\times100\times100 = 100$

$\therefore r = 10\%$

31. (b) $D = P\left(\frac{r}{100}\right)^2$ से

$D = 1000\left(\frac{5}{100}\right)^2$

$= 1000\times\frac{1}{20}\times\frac{1}{20}$

= ₹2·5

32. (d) $D = P\left(\frac{r}{100}\right)^2$ से

$129{\cdot}6 = P\left(\frac{9}{100}\right)^2$

$\therefore P = \frac{129{\cdot}6\times100\times100}{9\times9}$

P = ₹16000

33. (c) जब समय 3 वर्ष दिया हो तो,

$D = P\left(\frac{r}{100}\right)^2\times\left(\frac{r+300}{100}\right)$

$31 = P\left(\frac{10}{100}\right)^2\times\left(\frac{10+300}{100}\right)$

$31 = P\times\frac{1}{10}\times\frac{1}{10}\times\frac{310}{100}$

$\therefore P = \frac{31\times1000}{31}$ = ₹1000

34. (d) $D = P\left(\frac{r}{100}\right)^2\times\left(\frac{r+300}{100}\right)$ से,

$36{\cdot}6 = P\left(\frac{5}{100}\right)^2\times\left(\frac{5+300}{100}\right)$

$36{\cdot}6 = P\times\frac{1}{400}\times\frac{305}{100}$

$\therefore P = \frac{36{\cdot}6\times400\times100}{305}$ = ₹4800

35. (a) $122 = P\left(\frac{5}{100}\right)^2\times\left(\frac{5+300}{100}\right)$

$122 = P\times\frac{1}{400}\times\frac{305}{100}$

$P = \frac{122\times400\times100}{305}$ = ₹16000

36. (a) $\frac{P\left(\frac{r}{100}\right)^2\times\left(\frac{r+300}{100}\right)}{P\left(\frac{r}{100}\right)^2} = \frac{23}{7}$

या, $\frac{r+300}{100} = \frac{23}{7}$

या, 7r + 2100 = 2300

या, 7r = 200

$\therefore r = \frac{200}{7}\%$

37. (c) $r = \frac{(CI-ST)\times200}{SI}$ से,

$r = \frac{(5088-4800)\times200}{4800}$

$r = \frac{288\times200}{4800} = 12\%$

38. (c) $r = \frac{(CI-ST)\times200}{SI}$ से,

$r = \frac{(40{\cdot}80-40)\times200}{40}$

$r = \frac{0{\cdot}8\times200}{40} = \frac{160}{40} = 4\%$

$40 = \frac{P\times4\times2}{100}$

$P = \frac{40\times100}{8}$ = ₹500

39. (c) $P\times\frac{105}{100}\times\frac{5}{100} = 420$

$P\times\frac{21}{20}\times\frac{1}{20} = 420$

$\therefore P = \frac{420\times20\times20}{21}$ = ₹8000

40. (c) $P\times\frac{110}{100}\times\frac{10}{100} = 132$

$P\times\frac{11}{10}\times\frac{1}{10} = 132$

$P = \frac{132\times100}{11}$ = ₹1200

41. (c) तीसरे वर्ष का चक्रवृद्धि ब्याज

$= 2000\times\frac{140}{100}\times\frac{140}{100}\times\frac{40}{100}$

= ₹1568

42. (a) $P\times\frac{110}{100}\times\frac{10}{100} = 154$

$P\times\frac{11}{10}\times\frac{1}{10} = 154$

$P = \frac{154\times100}{11}$ = ₹1400

43. (b) $\frac{882}{\left(1+\frac{5}{100}\right)} + \frac{882}{\left(1+\frac{5}{100}\right)^2} = A$

$\frac{882}{\frac{21}{20}} + \frac{882}{\frac{441}{400}} = A$

$\frac{882\times20}{21} + \frac{882\times400}{441} = A$

42 ×20+2×400 = A

840 + 800 = A

$\therefore A = ₹1640$

44. (b) माना, प्रत्येक किस्त ₹x है।

$\frac{x}{\left(1+\frac{10}{100}\right)} + \frac{x}{\left(1+\frac{10}{100}\right)^2} = 4620$

$\frac{x}{\frac{11}{10}} + \frac{x}{\frac{121}{100}} = 4620$

$\frac{10x}{11} + \frac{100x}{121} = 4620$

$\frac{110x+100x}{121} = 4620$

$210x = 4620 \times 121$

$x = \frac{4620\times121}{210} = ₹2662$

45. (a) $5832 = P\left(1 + \frac{8}{100}\right)^2$

$5832 = P \times \frac{27}{25} \times \frac{27}{25}$

$\therefore P = \frac{5832 \times 25 \times 25}{27 \times 27}$

$= ₹5000$

46. (a) $A = 2000 \left(1 + \frac{4}{100}\right)\left(1 + \frac{3}{100}\right)$

$A = 2000 \times \frac{26}{25} \times \frac{103}{100}$

$= ₹2142{\cdot}4$

$\therefore$ C.I. = A - P

$= 2142{\cdot}4 - 2000$

$= ₹142{\cdot}4$

47. (c) $t = 2$ वर्ष $+ \frac{4}{12}$ वर्ष $= 2\frac{1}{3}$ वर्ष

$A = 1500 \left(1 + \frac{20}{100}\right)^2 \times \left(1 + \frac{20}{300}\right)$

$A = 1500 \times \frac{6}{5} \times \frac{6}{5} \times \frac{16}{15}$

$= ₹2304$

$\therefore$ C.I. = ₹ (2304 - 1500)

$= ₹804$

48. (a) $1331 = 1000 \left(1 + \frac{10}{100}\right)^t$

$\frac{1331}{100} = \left(\frac{11}{10}\right)^t$

$\left(\frac{11}{10}\right)^t = \left(\frac{11}{10}\right)^3$

$\therefore t = 3$ वर्ष

49. (b) $8820 = 8000\left(1 + \frac{r}{100}\right)^2$

$\frac{8820}{8000} = \left(1 + \frac{r}{100}\right)^2$

$\therefore \left(1 + \frac{r}{100}\right)^2 = \frac{441}{400} = \left(\frac{21}{20}\right)^2$

$1 + \frac{r}{100} = \frac{21}{20}$

$\frac{r}{100} = \frac{21}{20} - 1 = \frac{1}{20}$

$\therefore r = \frac{1}{20} \times 100$

$= 5\%$

50. (c) छमाही दर $= \frac{10}{2} = 5\%$,

माना समय = t छमाही

$9261 = 8000\left(1 + \frac{5}{100}\right)^t$

$\frac{9261}{8000} = \left(\frac{21}{20}\right)^t$

$\therefore \left(\frac{21}{20}\right)^t = \left(\frac{21}{20}\right)^3$

$\because t = 3$ छमाही

या, $t = \frac{3}{2}$ वर्ष $= 1\frac{1}{2}$ वर्ष

51. (d) $2420 = P\left(1 + \frac{10}{100}\right)^2$

$2420 = P \times \frac{11}{10} \times \frac{11}{10}$

$P = \frac{2420 \times 10 \times 10}{11 \times 11}$

$= ₹2000$

52. (b) छमाही दर $= \frac{12}{2} = 6\%$

समय = 1 × 2 = 2 छमाही

$A = 6250\left(1 + \frac{6}{100}\right)^2$

$A = 6250 \times \frac{53}{50} \times \frac{53}{50}$

$= ₹7022{\cdot}5$

$\therefore$ C.I. = 7022·5 - 6250

$= ₹772{\cdot}5$

53. (a) तिमाही दर $= \frac{10}{4}\% = 2{\cdot}5\%$

माना, समय = t तिमाही

$3362 = 3200 \left(1 + \frac{2{\cdot}5}{100}\right)^t$

$\frac{3362}{3200} = \left(\frac{41}{40}\right)^t$

$\left(\frac{41}{40}\right)^t = \frac{1681}{1600} = \left(\frac{41}{40}\right)^2$

$t = 2$ तिमाही

या, $t = \frac{2}{4}$ वर्ष $= \frac{1}{2}$ वर्ष

54. (d) माना मूलधन, = ₹ 1

तब मिश्रधन = ₹ 1·44

$1.44 = 1\left(1+\frac{r}{100}\right)^2$

$1+\frac{r}{100} = \sqrt{1.44} = 1.2$

$\frac{r}{100} = 1.2 - 1 = 0.2$

$\therefore r = 0.2 \times 100 = 20\%$

55. (c) माना, मूलधन = ₹ 1

तब मिश्रधन = ₹ 1·331

$1.331 = 1\left(1+\frac{r}{100}\right)^3$

$1+\frac{r}{100} = \sqrt[3]{1.331} = 1.1$

$\frac{r}{100} = 1.1 - 1 = 0.1$

$\therefore r = 0.1 \times 100 = 10\%$

56. (a)

15 वर्ष ⟶ 2 गुना

t ⟶ 2^3 गुना

$\therefore t = 15 \times 3$

= 45 वर्ष

57. (d) माना, मूलधन = ₹ 1

तब मिश्रधन $= 1 \times \frac{27}{8}$

$\frac{27}{8} = 1\left(1+\frac{r}{100}\right)^3$

$1+\frac{r}{100} = \sqrt[3]{\frac{27}{8}} = \frac{3}{2}$

$\frac{r}{100} = \frac{3}{2} - 1 = \frac{1}{2}$

$\therefore r = \frac{1}{2} \times 100$

= 50%

58. Sol^n : (b)

5 वर्ष ⟶ 3 गुना

t ⟶ 3^2 गुना

$\therefore t = 5 \times 2$

= 10 वर्ष

59. (d) $\left(1+\frac{r}{100}\right)^{3-2} = \frac{2662}{2420} = \frac{1331}{1210}$

$\frac{r}{100} = \frac{1331}{1210} - 1 = \frac{121}{1210} = \frac{1}{10}$

$\therefore r = \frac{1}{10} \times 100 = 10\%$

60. (d) $\left(1+\frac{r}{100}\right)^{5-3} = \frac{576}{484}$

$\left(1+\frac{r}{100}\right)^2 = \left(\frac{24}{22}\right)^2$

$1+\frac{r}{100} = \frac{24}{20} = \frac{12}{11}$

$\frac{r}{100} = \frac{12}{11} - 1 = \frac{1}{11}$

$r = \frac{100}{11}$

$= 9\frac{1}{11}\%$

61. (b) $\left(1+\frac{r}{100}\right)^{5-2} = \frac{1331}{1000}$

$\left(1+\frac{r}{100}\right)^3 = \left(\frac{11}{10}\right)^3$

$1+\frac{r}{100} = \frac{11}{10}$

$\frac{r}{100} = \frac{11}{10} - 1 = \frac{1}{10}$

$\therefore r = \frac{1}{10} \times 100$

= 10%

62. (c) मूलधन $= \frac{4500 \times 4500}{6750}$

= ₹ 3000

63. (c) $800 = P\left(1+\frac{r}{100}\right)^{10}$ ………………. *i*

$1000 = P\left(1+\frac{r}{100}\right)^{15}$ ………………. *ii*

समीकरण ii में समीकरण i से भाग देने पर

$\frac{P\left(1+\frac{r}{100}\right)^{15}}{P\left(1+\frac{r}{100}\right)^{10}} = \frac{1000}{800} = \frac{5}{4}$

$\left(1+\frac{r}{100}\right)^5 = \frac{5}{4}$ ……………………. *iii*

∴ 20 वर्ष का मिश्रधन

$\therefore A = P\left(1+\frac{r}{100}\right)^{20} = P\left(1+\frac{r}{100}\right)^{15}.\left(1+\frac{r}{100}\right)^5$

$= 1000 \times \frac{5}{4}$ समीकरण ii तथा iii से,

A = ₹ 1250

64. (b) मूलधन $= \frac{7000 \times 7000}{10000}$

= ₹ 4900

65. (b) ब्याजों में अन्तर $= P\left(\frac{r}{100}\right)^2$ से,

$= 1000\left(\frac{5}{100}\right)^2$

$= 1000 \times \frac{1}{20} \times \frac{1}{20}$

= ₹ 2·5

∴ अभीष्ट अन्तर = ₹ 2·50

66. (d) ब्याजों में अन्तर $= P\left(\frac{r}{100}\right)^2$ से,

$65 = P\left(\frac{10}{100}\right)^2$

$65 = P \times \frac{1}{10} \times \frac{1}{10}$

∴ P = ₹ 6500

67. (c) ब्याजों में अन्तर $= P\left(\frac{r}{100}\right)^2$ से,

$100 = P\left(\frac{5}{100}\right)^2$

$100 = P \times \frac{1}{20} \times \frac{1}{20}$

P = ₹ 40000

68. (a) ब्याजों में अन्तर $= P\left(\frac{r}{100}\right)^2\left(\frac{r+300}{100}\right)$ से,

$122 = P\left(\frac{5}{100}\right)^2\left(\frac{5+300}{100}\right)$

$122 = P \times \frac{1}{20} \times \frac{1}{20} \times \frac{305}{100}$

$P = \frac{122 \times 20 \times 20 \times 100}{305}$

∴ P = ₹ 16000

69. (c) ब्याजों में अन्तर $= P\left(\frac{r}{100}\right)^2\left(\frac{r+300}{100}\right)$ से,

$36{\cdot}60 = P\left(\frac{5}{100}\right)^2\left(\frac{5+300}{100}\right)$

$36{\cdot}60 = P \times \frac{1}{20} \times \frac{1}{20} \times \frac{305}{100}$

$P = \frac{36{\cdot}60 \times 20 \times 20 \times 100}{305}$

∴ P = ₹ 4800

70. (c) दूसरे वर्ष का C.I. = दो वर्ष का C.I. - पहले वर्ष C.I.

$420 = P\left[\left(1 + \frac{5}{100}\right)^2 - 1\right] - \frac{P \times 5 \times 1}{100}$

$420 = P\left[\left(\frac{21}{20}\right)^2 - 1\right] - \frac{5P}{100}$

$420 = P\left[\frac{441 - 400}{400}\right] - \frac{5P}{100}$

$420 = \frac{41P}{400} - \frac{5P}{100}$

$= \frac{41P - 20P}{400}$

$= \frac{21P}{100}$

$P = \frac{420 \times 100}{21}$

= ₹ 8000

71. (c) $132 = P\left[\left(1 + \frac{10}{100}\right)^2 - 1\right] - \frac{P \times 10 \times 1}{100}$

$132 = P\left[\left(\frac{11}{10}\right)^2 - 1\right] - \frac{P}{10}$

$132 = P\left[\frac{121 - 100}{100}\right] - \frac{P}{10}$

$132 = \frac{21P}{100} - \frac{P}{10}$

$= \frac{21P - 10P}{100}$

$= \frac{11P}{100}$

$\therefore P = \frac{132 \times 100}{11}$

= ₹ 1200

72. (c) Note : जब दो वर्ष का साधारण ब्याज और चक्रवृद्धि ब्याज दिया हो तो अभीष्ट ब्याज दर = $\frac{(C.I. - S.I.) \times 200}{S.I.}$

अतः दर $= \frac{(129 - 120) \times 200}{120}$

$= \frac{9 \times 5}{3}$

= 15%

73. (b) ब्याज की दर $= \frac{(615 - 600) \times 200}{600}$

$r = \frac{15}{3}$

= 5%

∴ 2 वर्ष का S.I. = 600

$\frac{P \times 5 \times 2}{100} = 600$

∴ P = 600 × 10

=₹ 6000

74. (d) $r = \frac{(954 - 900) \times 200}{900}$

$= \frac{54 \times 2}{9}$

$= 12\%$

∵ 2 वर्ष का S.I. = 900

$\frac{P \times 12 \times 2}{100} = 900$

$\therefore P = \frac{900 \times 100}{12 \times 2}$

$= \frac{900 \times 25}{6}$

$= 150 \times 25$

= ₹ 3750

75. (c) माना, प्रत्येक किस्त ₹ x है।

$\frac{x}{\left(1+\frac{20}{100}\right)} + \frac{x}{\left(1+\frac{20}{100}\right)^2} = 1100$

$\frac{5x}{6} + \frac{25x}{36} = 1100$

$\frac{30x + 25x}{36} = 1100$

$55x = 1100 \times 36$

$x = \frac{1100 \times 36}{55}$ = ₹ 720

76. (b) माना, प्रत्येक किस्त ₹ x है।

$\frac{x}{\left(1+\frac{5}{100}\right)} + \frac{x}{\left(1+\frac{5}{100}\right)^2} = 12300$

$\frac{20x}{21} + \frac{400x}{441} = 12300$

$\frac{420x + 400x}{441} = 12300$

$820x = 12300 \times 441$

$x = \frac{12300 \times 441}{820}$ = ₹ 6615

77. (b) माना, प्रत्येक किस्त ₹ x है।

$\frac{882}{\left(1+\frac{5}{100}\right)} + \frac{882}{\left(1+\frac{5}{100}\right)^2} = A$

$\frac{882 \times 20}{21} + \frac{882 \times 400}{441} = A$

$840 + 800 = A$

∴ A = ₹ 1640

78. (d) $411540 = P\left(1 - \frac{5}{100}\right)^3$

$411540 = P \times \frac{19}{20} \times \frac{19}{20} \times \frac{19}{20}$

$P = \frac{411540 \times 20 \times 20 \times 20}{19 \times 19 \times 19}$

P = ₹ 480000

14 कार्य और समय (Work & Time)

कार्य क्षमता (Work Capacity) :- इकाई समय (1 दिन या 1 घण्टे) में किये गये कार्य को कार्य क्षमता कहते हैं। अर्थात्

$$\text{कार्य क्षमता} = \frac{1}{\text{कार्य करने में लगा समय}}$$

अर्थात् कार्य क्षमता और समय में विलोमानुपात का सम्बन्ध होता है।

(i) यदि कोई व्यक्ति किसी कार्य x दिन मे पूरा करता है तब उसकी कार्यक्षमता = 1 दिन का कार्य = $\frac{1}{x}$ होगा।

(ii) यदि किसी व्यक्ति की कार्यक्षमता = 1 दिन कार्य = $\frac{1}{x}$ है तब उसके द्वारा कार्य करने में लगा समय = x दिन होगा।

Note : किसी व्यक्ति के कार्य करने का समय ज्ञात करना हो तो सर्वप्रथम उसकी कार्यक्षमता (1 दिन /घण्टे का कार्य) ज्ञात करें।

(iii) इस अध्याय के अन्तर्गत बनने वाले प्रश्नों को short Method (द्रुत विधि) का उपयोग करेंगे ताकि हम परीक्षा में अपने कीमती समय को बचा सकें।

ध्यान दें :– कुल कार्य मानने के लिये व्यक्तियों के द्वारा लिये गये समयों का ल०स० ज्ञात करें ताकि किसी व्यक्ति के 1 दिन का कार्य (कार्यक्षमता) की गणना पूर्ण अंकों में किया जा सकें।

Type - 01

कार्य करनें में लगे समय की गणना करना :–

1. A और B किसी कार्य को क्रमशः 20 दिन तथा 30 दिन में पूरा कर सकते हैं तो दोनों मिलकर उसी कार्य को कितने दिन में पूरा कर लेंगे?

(a) 10 दिन (b) 12 दिन
(c) 15 दिन (d) 6 दिन

हलः

3 ← A → 20 दिन
2 ← B → 30 दिन
60 इकाई कुल (कुल कार्य)

∴ (A + B) का 1 दिन का कार्य = (3 + 2) = 5 इकाई

∴ (A + B) = $\frac{60}{5}$ = 12 दिन

2. A, B व C किसी कार्य को क्रमशः 10 दिन, 12 दिन और 15 दिन में पूरा कर सकते हैं। तो तीनों मिलकर उसी कार्य को कितने दिन में पूरा कर लेंगे?

(a) 4 दिन (b) 8 दिन
(c)10 दिन (d) 2 दिन

6 ← A → 10 दिन
5 ← B → 12 दिन
4 ← C → 15 दिन
60 इकाई (कुल कार्य)

∴ (A + B + C) का 1 दिन का कार्य = (6 + 5 + 4) = 15 इकाई

∴ (A + B + C) = $\frac{60}{15}$ = 4 दिन

3. A और B मिलकर एक काम को 6 दिन में पूरा कर सकते हैं और A अकेला उसे 9 दिन में पूरा कर सकता है। B अकेले उस काम को कितने दिन में कर सकेंगा?

(a) 18 दिन (b) 24 दिन
(c) 9 दिन (d) 12 दिन

3 ← (A+B) → 6 दिन
2 ← A → 9 दिन
18 इकाई (कुल कार्य)

∴ B का 1 दिन कार्य = (A + B) का 1 दिन कार्य – A का 1 दिन कार्य

= 3 – 2 = 1 इकाई

∴ B = $\frac{18}{1}$ = 18 दिन

4. A और B किसी काम को 12 दिन में, B और C उसी काम को 15 दिनो में तथा C और A उसी काम को 20 दिनों में कर सकते है। यदि A , B, C एक साथ काम करें तो वे कितने दिनों में काम खत्म करेंगे?

(a) 5 दिन (b) $7\frac{5}{6}$ दिन
(c) 10 दिन (d) $15\frac{2}{3}$ दिन

हलः

5 ← (A+B) → 12 दिन
4 ← (B+C) → 15 दिन
3 ← (C+A) → 20 दिन
60 इकाई (कुल कार्य)

∴ 2 (A + B + C) का 1 दिन कार्य = 12 इकाई

∴ (A + B + C) का 1 दिन कार्य = 6 इकाई

अतः (A + B + C) = $\frac{60}{6}$ = 10 दिन

5. A और B एक काम को 10 दिनो में, B और C, 15 दिनों में तथा C और A 20 दिनों में कर सकते है। C अकेला उस कार्य का कितने दिनों में खत्म करेगा?

(a) 60 दिन (b) 120 दिन
(c) 80 दिन (d) 30 दिन

6 ← (A+B) → 10 दिन
4 ← (B+C) → 15 दिन
3 ← (C+A) → 20 दिन
60 इकाई (कुल कार्य)

2 (A + B + C) का 1 दिन कार्य = 13 इकाई

∴ (A + B + C) का 1 दिन कार्य = $\frac{13}{2}$ इकाई

$\therefore$ C का 1 दिन कार्य $= \frac{13}{2} - 6 = \frac{13-12}{2} = \frac{1}{2}$ इकाई–

$\therefore C = \frac{60}{\frac{1}{2}} = 60 \times 2 = 120$ दिन

6. A किसी कार्य का आधा भाग 5 दिनों में, B उसी कार्य का $\frac{3}{5}$ भाग 9 दिनों में तथा C उस काम का $\frac{2}{3}$ भाग 8 दिनों में कर सकता है। तीनों मिलकर उस कार्य को कितने दिन में कर सकेंगे?

(a) 3 दिन (b) 5 दिन
(c) $4\frac{1}{2}$ दिन (d) 4 दिन

हल :

A, $\frac{1}{2}$ भाग = 5 दिन	B, $\frac{3}{5}$ भाग = 9 दिन	C, $\frac{2}{3}$ भाग = 8 दिन
A = $5\times\frac{2}{1}$ = 10 दिन	B = $9\times\frac{5}{3}$ = 15 दिन	C = $8\times\frac{3}{2}$ = 12 दिन

6 ⟵ A ⟶ 10 दिन
4 ⟵ B ⟶ 15 दिन ⟵ 60 इकाई (कुल कार्य)
5 ⟵ C ⟶ 12 दिन

$\therefore$ (A + B + C) का 1 दिन कार्य = 15 इकाई

$\therefore (A + B + C) = \frac{60}{15} = 4$ दिन

Type - 02

जब कार्य शुरू होने के कुछ दिन बाद कोई व्यक्ति कार्य करना छोड़ दे या कार्य में शामिल हो जायें :

7. A और B किसी कार्य को क्रमशः 20 दिन और 30 दिन में पूरा कर सकते हैं। दोनों नें मिलकर कार्य शुरू किया, किन्तु 5 दिन बाद A कार्य छोंड़कर चला जाता है तो पूरा कार्य कितने दिन में समाप्त होगा?

(a) $17\frac{1}{2}$ दिन (b) $22\frac{1}{2}$ दिन
(c) $15\frac{1}{2}$ दिन (d) $25\frac{1}{2}$ दिन

3 ⟵ A ⟶ 20 दिन
2 ⟵ B ⟶ 30 दिन
60 इकाई कुल (कुल कार्य)

हल :

(A+B) का 5 दिन कार्य	B
5 × 5 = 25 इकाई	शेष कार्य = 60–25 = 35 इकाई

⟶ 60 इकाई ⟵

$\therefore$ B शेष कार्य $= \frac{35}{2} = 17\frac{1}{2}$ दिन

अतः पूरा कार्य $= \left(17\frac{1}{2} + 5\right)$ दिन $= 22\frac{1}{2}$ दिन में समाप्त होगा।

8. A और B एक काम को क्रमशः 15 दिन तथा 10 दिन में समाप्त कर सकते है। वे एक साथ काम करना आरम्भ करते है, लेकिन 2 दिन के बाद B काम छोड़ देता है, A शेष काम पूरा करता है। तो पूरा काम कितने दिन में समाप्त होगा?

(a) 10 दिन (b) 8दिन
(c) 12 दिन (d) 15 दिन

हल :

2 ⟵ A ⟶ 15 दिन
3 ⟵ B ⟶ 10 दिन
30 इकाई कुल (कुल कार्य)

(A+B) का 2 दिन कार्य	A
5 × 2 = 10 इकाई	शेष कार्य = 30–10 = 20 इकाई

⟶ 30 इकाई ⟵

$\therefore$ A. शेष कार्य $= \frac{20}{2} = 10$ दिन में करेगां

$\therefore$ पूरा कार्य = 2 दिन + 10 दिन = 12 दिन में होगा

9. A और B किसी कार्य को क्रमशः 45 दिन तथा 40 दिन में समाप्त कर सकते है। उन्होंनें एक साथ कार्य शुरू किया लेकिन कुछ दिन बाद A कार्य छोड़ देता है, शेष कार्य B, 23 दिनों में समाप्त करता है। A ने कितने दिनों के बाद काम छोंड़ा था?

(a) 10 दिन (b) 9 दिन
(c) 8 दिन (d) 5 दिन

हल :

8 ⟵ A ⟶ 45 दिन
9 ⟵ B ⟶ 40 दिन
360 इकाई कुल (कुल कार्य)

(A+B)	B, 23 दिन
शेष कार्य = 153 इकाई	23 × 9 = 207 इकाई

⟶ 360 इकाई ⟵

$\therefore$ शेष कार्य $= (A + B) = \frac{153}{(8+9)} = \frac{153}{17} = 9$ दिन

$\therefore$ A, 9 दिनों के बाद कार्य छोड़ा था।

10. A तथा B किसी काम को क्रमशः 20 दिन तथा 30 दिन में समाप्त कर सकते है। दोनों 7 दिनों तक एक साथ काम करते है और दोनों ने काम छोड़ दिया फिर शेष कार्य को C ने 10 दिनों में पूरा किया। तो अकेले C पूरा कार्य कितने दिनों में समाप्त कर लेगा?

(a) 25 दिन (b) 24 दिन
(c) 20 दिन (d) 30 दिन

हल :

3 ⟵ A ⟶ 20 दिन
2 ⟵ B ⟶ 30 दिन
60 इकाई कुल (कुल कार्य)

(A+B), 7 दिन	C, 10 दिन
$5 \times 7 = 35$ इकाई	शेष कार्य = 25 इकाई

⟵ 60 इकाई ⟶

$\therefore$ C का 1 दिन कार्य $= \frac{25}{10} = \frac{5}{2}$ इकाई

अतः $C = \frac{60}{\frac{5}{2}} = \frac{60 \times 2}{5} = 24$ दिन

11. A और B किसी कार्य को क्रमशः 24 दिन तथा 32 दिन में पूरा कर सकते है। दोनों ने मिलकर कार्य शुरू किया, तो कितने दिन बाद B कार्य करना छोड़ दे कि पूरा कार्य 18 दिन में समाप्त हो जायें?

(a) 60 दिन (b)12 दिन
(c) 4 दिन (d) 8 दिन

हल :

4 ⟵ A ⟶ 24 दिन
3 ⟵ B ⟶ 32 दिन
96 इकाई कुल (कुल कार्य)

यहाँ, A पूरे 18 दिन कार्य करेगा

$\therefore$ 18 दिन में A द्वारा किया गया कार्य $= 18 \times 4 = 72$ इकाई

अतः शेष कार्य $= 96 - 72 = 24$ कार्य B करेगा।

$\therefore B = \frac{24}{3} = 8$ दिन कार्य करके कार्य छोड़ेगा।

12. A और B किसी कार्य को क्रमशः 10 दिन और 15 दिन में पूरा कर सकते हैं। A ने कार्य शुरू किया और उसके 5 दिन बाद B भी कार्य में शामिल हो गया। तो पूरा कार्य कितने दिन में समाप्त होगा?

(a) 3 दिन (b) 6 दिन
(c) 8 दिन (d) 12 दिन

हल :

3 ⟵ A ⟶ 10 दिन
2 ⟵ B ⟶ 15 दिन
30 इकाई कुल (कुल कार्य)

A, 5 दिन	A + B
$3 \times 5 = 15$ इकाई	शेष कार्य = 15 इकाई

⟵ 30 इकाई ⟶

$\therefore$ शेष कार्य $(A + B) = \frac{15}{(3+2)} = 3$ दिन में करेगा

अतः पूरा कार्य = 5 दिन + 3 दिन = 8 दिन में समाप्त होगा।

13. A और B किसी कार्य को क्रमशः 20 दिन तथा 30 दिन में पूरा कर सकते है। B ने कार्य शुरू किया और उसके कुछ दिन बाद A भी कार्य में शामिल हो गया फिर दोनों ने मिलकर शेष कार्य 10 दिन में समाप्त किया तो कितने दिन बाद A कार्य में शामिल हुआ?

(a) 2 दिन (b) $3\frac{1}{3}$ दिन
(c) 4 दिन (d) 5 दिन

हल :

3 ⟵ A ⟶ 20 दिन
2 ⟵ B ⟶ 30 दिन
60 इकाई कुल (कुल कार्य)

B	(A+B), 10 दिन
शेष कार्य = 10 इकाई	$5 \times 10 = 50$ इकाई

⟵ 60 इकाई ⟶

$\therefore$ B शेष कार्य $= \frac{10}{2} = 5$ दिन

अतः A, 5 दिन बाद कार्य में शामिल हुआ।

Type - 03

जब कार्य समाप्त होने से कुछ दिन पहले कोई व्यक्ति कार्य से निकल जायें :

14. A तथ B किसी कार्य को क्रमशः 18 दिन तथा 12 दिन में समाप्त कर सकते है। उन्होने एक साथ काम करना शुरू किया किन्तु काम खत्म होने से 3 दिन पहले B काम छोड़ देता है तो कुल मिलाकर काम कितने दिनों में समाप्त हुआ?

(a) 12 दिन (b) 10 दिन
(c) 9·6 दिन (d) 9 दिन

हल :

2 ⟵ A ⟶ 18 दिन
3 ⟵ B ⟶ 12 दिन
36 इकाई कुल (कुल कार्य)

माना, कार्य x दिन में समाप्त हुआ

A का x दिन कार्य + B का $(x-3)$ दिन कार्य = 36

$2x + (x-3).3 = 36$

$2x + 3x - 9 = 36$

$5x = 45$

$\therefore x = 9$ दिन

15. A, B और C किसी कार्य को क्रमशः 36 दिन, 54 दिन और 72 दिन में पूरा कर सकते है। तीनों ने मिलकर कार्य शुरू किया किन्तु कार्य समाप्त होने से 8 दिन पहले A तथा 12 दिन पहले B कार्य करना छोड़ देता है तो इस प्रकार कार्य कितनों में दिनों पूरा होगा?

(a) 24 दिन (b) 27 दिन
(c) 18 दिन (d) 36 दिन

हल :

6 ⟵ A ⟶ 36 दिन
4 ⟵ B ⟶ 54 दिन ⟵ 216 इकाई (कुल कार्य)
3 ⟵ C ⟶ 72 दिन

माना, कार्य x दिन में पूरा हुआ

तब A का $(x-8)$ दिन + B का $(x-12)$ दिन + C का x दिन कार्य = 216

$(x-8)\times 6+(x-12)\times 4+3x=216)$

$6x-48+4x-48+3x=216$

$13x=216+96=312$

$x=\frac{312}{13}=24$ दिन

Type - 04

जब कार्य बारी–बारी से दिन छोड़कर किया जाये :

16. A और B किसी कार्य को क्रमशः: 20 दिन तथा 30 दिन में पूरा कर सकते है। दोनों बारी–बारी से 1–1 दिन छोड़कर कार्य पर आते है और कार्य की की शुरूआत A करता है, तो पूरा कार्य कितने दिन में समाप्त होगा?

(a) 12दिन (b) 18 दिन
(c) 16 दिन (d) 24 दिन

हल :

3 ⟵ A ⟶ 20 दिन
2 ⟵ B ⟶ 30 दिन
60 इकाई कुल (कुल कार्य)

पहले दिन $A\rightarrow 3$ कार्य करेगा

दूसरे दिन, $B\rightarrow 2$ कार्य करेगा

∴ 1 चक्र (2 दिन) में कार्य = 5 इकाई

तब, कुल चक्रों की संख्या= $5\overline{)60}(12$ चक्र
60
×

अतः 12 चक्र अर्थात 12 × 2= 24 दिन में कार्य समाप्त होगा।

17. A, B और C किसी कार्य को क्रमशः 10 दिन, 12 दिन और 15 दिन में पूरा कर सकते है। तीनों बारी–बारी से 2–2 दिन छोड़कर कार्य पर आते हैं और कार्य की शुरूआत A करता है तो कार्य कितने दिन में समाप्त होगा?

(a) 8 दिन (b) 6 दिन
(c) 12 दिन (d) 24 दिन

हल :

6 ⟵ A ⟶ 10 दिन
5 ⟵ B ⟶ 12 दिन ⟵ 60 इकाई (कुल कार्य)
4 ⟵ C ⟶ 15 दिन

पहले दिन, $A\rightarrow 6$ कार्य करेगा

दूसरे दिन, $B\rightarrow 5$ कार्य करेगा

तीसरे दिन,$C\rightarrow 4$ कार्य करेगा

∴ 1 चक्र (3 दिन) में हुआ कार्य = 15 इकाई

∴ 4 चक्र (3 × 4 दिन) में हुआ कार्य = 15 × 4 = 60 इकाई

∴ 12 दिन में कार्य समाप्त होगा।

18. A, B और C किसी कार्य को क्रमशः 10 दिन , 15 दिन और 20 दिन में पूरा कर सकता है। तीनों बारी–बारी से दो – दो दिन छोड़कर कार्य पर आते है और कार्य की शुरूआत A करता है तो इस प्रकार कार्य कितने दिन में समाप्त होगा?

(a) 12 दिन (b) $13\frac{1}{2}$ दिन
(c) $12\frac{1}{2}$ दिन (d) 13 दिन

हल :

6 ⟵ A ⟶ 10 दिन
4 ⟵ B ⟶ 15 दिन ⟵ 60 इकाई (कुल कार्य)
3 ⟵ C ⟶ 20 दिन

पहले दिन, $A\rightarrow 6$ कार्य करेगा

दूसरे दिन, $B\rightarrow 4$ कार्य करेगा

तीसरे दिन, $C\rightarrow 3$ कार्य करेगा

∴ 1 चक्र (3 दिन) में कार्य = 13 इकाई

∴ 4 चक्र (12 दिन) में कार्य = 52 इकाई [शेष कार्य = 8 इकाई]

अब, 13वें दिन , A → 6 इकाई कार्य करेगा [शेष कार्य = 2 इकाई]

∴ 14 दिन, $B\rightarrow\frac{2}{4}$ दिन $=\frac{1}{2}$ दिन में कार्य कर लेगा

अर्थात कुल लगा समय = 13 दिन + $\frac{1}{2}$ दिन = $13\frac{1}{2}$ दिन

19. A और B किसी कार्य को क्रमशः 12 दिन और 15 दिन में कर सकता है दोनों बारी–बारी से एक–एक दिन छोड़कर कार्य पर आते हैं और कार्य की शुरूआत A करता है तो पूरा कार्य कितने दिनो तक चलेगा?

(a) 12 दिन (b) 13 दिन
(c) $13\frac{1}{2}$ दिन (d) $13\frac{1}{4}$ दिन

हल :

5 ⟵ A ⟶ 12 दिन
4 ⟵ B ⟶ 15 दिन
60 इकाई कुल (कुल कार्य)

पहले दिन, $A\rightarrow 5$ कार्य करेगा

दूसरे दिन, $B\rightarrow 4$ कार्य करेगा

∴ 1 चक्र (2 दिन में) कार्य = 9 इकाई

अतः 6 चक्र (12 दिन) में कार्य = 9 × 6 = 54 इकाई [शेष कार्य = 6 इकाई]

अब, 13वें दिन A → 5 इकाई कार्य करेगा [अब शेष कार्य = 1 इकाई]

∴ 14वें दिन, $B\rightarrow\frac{1}{4}$ दिन में कार्य समाप्त कर देगा

∴ कुल लगा समय = 13 दिन + $\frac{1}{4}$ दिन = $13\frac{1}{4}$ दिन

Type - 05

कार्यकुशलता (Work capacity) पर प्रश्न :

Note : कार्यक्षमता और समय में विलोमानुपात का सम्बन्ध होता है।

यदि A और B के कार्यक्षमता का अनुपात $= x : y$ हो तो A और B द्वारा लिये गये समय का अनुपात = $\frac{1}{x} : \frac{1}{y} = y : x$ होगा।

20. A की कार्यक्षमता, B के कार्यक्षमता की 3 गुनी है। दोनों मिलकर किसी कार्य को 60 दिन में पूरा कर सकते है तो, अकेला A कार्य कितने दिन में समाप्त कर लेगा।

(a) 120 दिन (b) 80 दिन
(c) 100 दिन (d) 180 दिन

हल :

कार्यक्षमता (1 दिन में कार्य)	A : B
	3 : 2

माना, कुल कार्य = (3 + 1) × 60 = 240 इकाई

$\therefore$ A = $\frac{240}{3}$ = 80 दिन

21. A की कार्यक्षमता, B के कार्यक्षमता से 60% अधिक है। यदि दोनों मिलकर किसी कार्य को 40 दिन में कर सकते हो तो अकेला B कार्य कितने दिन में कर लेगा?

(a) 94 दिन (b) 65 दिन
(c) 104 दिन (d) 140 दिन

हल :

कार्यक्षमता (1 दिन में कार्य)	A : B
	160 : 100 या, A : B = 8 : 5

माना, कुल कार्य = (8 + 5) × 40 = 520 इकाई

$\therefore$ B = $\frac{520}{5}$ = 104 दिन

22. A की कार्यक्षमता, B के कार्यक्षमता से 20% कम है। यदि अकेला A कार्य को 30 दिन में कर सकता हो तो अकेला B कार्य कितने दिन में कर लेगा?

(a) 36 दिन (b 12 दिन
(c)18 दिन (d) 24 दिन

हल :

कार्यक्षमता (1 दिन में कार्य)	A : B
	80 : 100 या, A : B = 4 : 5

माना, कुल कार्य = 4 × 30 = 120 इकाई

$\therefore$ B = $\frac{120}{5}$ = 24 दिन

23. A, B तथा C किसी काम को 6 दिनों में करते है। A की कार्यक्षमता, B की दो गुनी है और C की 3 गुनी है। तो C अकेले काम को कितने दिन में समाप्त करेगा?

(a) 44 दिन (b) 33 दिन
(c) 22 दिन (d) 11 दिन

हल :

कार्यक्षमता (1 दिन में कार्य)	A : B : C
	6 : 3 : 2

माना, कुल कार्य = (6 + 3 + 2) × 6 = 66 इकाई

$\therefore$ C = $\frac{66}{2}$ = 33 दिन

24. एक काम को खत्म करने में A, B की तुलना में 50% अधिक समय लेता है। यदि तीनों मिलकर उस काम को 18 दिन में समाप्त कर सकते हैं तो B उस का कामे कितने दिनों में कर लेगा?

(a) 30 दिन (b) 45 दिन
(c) 35 दिन (d) 40 दिन

हल :

समय का अनुपात	150 : 100 = 3 : 2
कार्यक्षमता (1 दिन में कार्य)	2 : 3

माना, कुल कार्य = (2 + 3) × 18 = 90 इकाई

$\therefore$ B = $\frac{90}{3}$ = 30 दिन

25. A की कार्यक्षमता, B की तिगुनी है इसलिये वह किसी काम को B की तुलना में 40 दिन पहले खत्म कर देता है। तो दोनों मिलकर काम को कितने दिन में खत्म करेंगे?

(a) 14 दिन (b) 13 दिन
(c) 20 दिन (d) 15 दिन

हल :

कार्यक्षमता	3 : 1
समय का अनुपात	1 : 3 अन्तर 2 इकाई

$\because$ 2 इकाई = 40 दिन

1 इकाई 20 दिन

$\therefore$ A द्वारा समय = 1 इकाई = 20 दिन

B द्वारा समय = 3 इकाई = 60 दिन

3 ⟵ A ⟶ 20 दिन
1 ⟵ B ⟶ 60 दिन
60 इकाई कुल (कुल कार्य)

$\because$ (A + B) का 1 दिन कार्य = (3 + 1) = 4 इकाई

$\therefore$ (A + B) = $\frac{60}{4}$ = 15 दिन

जब पूरे कार्य की मजदूरी में किसी व्यक्ति की मजदूरी ज्ञात करना हो :–

Note:- जो व्यक्ति कार्य अधिक करेगा उसे अधिक मजदूरी तथा जो व्यक्ति कार्य कम करेगा उसे कम मजदूरी प्राप्त होगा अर्थात मजदूरी सदैव कार्यक्षमता के अनुपात में बाँटा जाना चाहियें।

26. A किसी काम को 4 दिनों में तथा B उसी काम को 9 दिनों में पूरा कर सकते है। दोनों एक साथ मिलकर कार्य को पूरा करते है तो उन्हें ₹ 2600 मिलते हैं तो–

(a) ₹1800, ₹800 (b) ₹2000, ₹600
(c) ₹1500, ₹1100 (d) ₹1900, ₹700

हल :

समय →	4 : 9
कार्यक्षमता →	9 : 4

अनुपाती योग = 13

$A = \frac{9}{13} \times 2600 = ₹1800$

$B = \frac{4}{13} \times 2600 = ₹800$

27. A एक काम को 6 दिनों में तथा B उसी काम को 8 दिनों में कर सकता हैं। A तथा B ने काम को पूरा करने के लिये ₹6400 लिये। C की मदद से A तथा B ने इस काम को 3 दिनों में पूरा कर लिये तो C का हिस्सा है–

(a) ₹1600 (b) ₹800
(c) ₹3200 (d) ₹2400

हल :

4 ⟵ A ⟶ 6 दिन
3 ⟵ B ⟶ 5 दिन ⟵ 24 इकाई
8 ⟵ A+B+C ⟶ 3 दिन

C का, 1 दिन कार्य = 8–(4+3)= 1 unit

∴ तीनों की मजदूरी का अनुपात = कार्यक्षमता का अनुपात = 4 : 3 : 1

अनुपाती योग = 8

$C = \frac{1}{8} \times 6400 = ₹800$

Type - 06

मिश्र–समानुपात पर प्रश्न :

Case : (A) आदमी, दिन, घण्टा और काम में सम्बन्ध :–

$$\frac{M_1D_1H_1}{W_1} = \frac{M_2D_2H_2}{W_2}$$

Note : प्रश्न में जो जानकारी नहीं दी गई हो, उसे हटाकर तब सम्बन्ध बना लें :–

प्रश्न : कुछ आदमी किसी कार्य को 60 दिन में समाप्त कर सकते है। यदि 8 आदमी और रहे होते तो यही कार्य 10 दिन पहले ही समाप्त हो जाता, तो बताइये प्रारम्भ में कितने आदमी कार्य पर थें ?

हल : $M_1 = x$ [माना], $D_1 = 60$ दिन

$M_2 = (x + 8)$, $D_2 = 60 - 10 = 50$ दिन

अब, $M_1 D_1 = M_2 D_2$

$x \times 60 = (x + 8) \times 50$

$6x = 5x + 40$

$\therefore x = 40$ आदमी

प्रश्न : 15 मजदूर प्रतिदिन 6 घण्टे काम करके 12 दिन में 4 मीटर ऊँची दिवार बना लेते है, तो 10 घण्टे प्रतिदिन कार्य करते हुये 6 दिनों में 20 मीटर ऊँची दिवार को बनाने में कितने मजदूरों की आवश्यकता होगी ?

हल : $M_1 = 15$, $D_1 = 12$ दिन, $H_1 = 6$ घण्टे, $W_1 = 4$ मीटर

$M_2 = x$ [माना], $D_2 = 6$ दिन, $H_2 = 10$ घण्टे, $W_2 = 20$ मीटर

$$\frac{M_1D_1H_1}{W_1} = \frac{M_2D_2H_2}{W_2}$$

$$\frac{15 \times 12 \times 6}{4} = \frac{M_2 \times 6 \times 10}{20}$$

$\therefore M_2 = 90$ मजदूर

Case : (B)

प्रश्न : एक ठेकेदार ने किसी कार्य को 120 दिन में पूरा कराने का ठेका लिया। उसने 100 मजदूरों को कार्य पर लगाया। 45 दिन बाद उसने पाया कि $\frac{1}{4}$ कार्य ही हो सका। अतः शेष कार्य को समय पर समाप्त करने के लिये कितने और मजदूरों की आवश्यकता होगी ?

हल : $M_1 = 100$ मजदूर, $D_1 = 45$ दिन, $W_1 = \frac{1}{4}$

$M_2 = (100 + x)$ मजदूर, $D_2 = 120 - 45 = 75$ दिन,

$W_2 = 1 - \frac{1}{4} = \frac{3}{4}$

अब,

$$\frac{M_1D_1}{W_1} = \frac{M_2D_2}{W_2}$$

$$\frac{100 \times 45}{\frac{1}{4}} = \frac{(100+x) \times 75}{\frac{3}{4}}$$

$$\therefore \frac{100 \times 45 \times 3}{75} = 100 + x$$

$100 + x = 180$

$\therefore x = 180 - 100$

= 80 मजदूर

Case : (C)

प्रश्न : 60 आदमी एक कार्य को 250 दिन में कर सकते थे। उन्होंने एक साथ मिलकर 200 दिन तक कार्य किया। उसके पश्चात् खराब मौसम के कारण कार्य को 10 दिन के लिए बन्द रखना पड़ा। काम को नियत समय में पूरा करने के लिए कितने और आदमी को काम पर लगाने पड़ेगे।

हल : 250 दिन में 10 दिन कार्य बन्द था अतः काम 240 दिन में कराना है।

माना, कुल कार्य $= 60 \times 250 = 15000$

माना x और मजदूर लगाने पड़ेगे।

$200 \times 60 + 40 \times (60 + x) = 15000$

$2400 + 40x = 15000 - 12000$

$= 3000$

$40x = 3000 - 2400$

$x = \frac{600}{40}$

$x = 15$ और मजदूर लगाने पड़ेगे।

Case : (D)

प्रश्न : 40 मजदूर किसी कार्य को 30 दिन में समाप्त कर सकते है। प्रत्येक 10 दिन बाद 5 मजदूर काम छोड़कर चले जाते है। इस प्रकार कार्य कुल कितने दिन में समाप्त हो जायेगा ?

हल : माना, कुल कार्य $= 40 \times 30 = 1200$

40 मजदूरों द्वारा प्रथम 10 दिन में कार्य $= 40 \times 10 = 400$

35 मजदूरों द्वारा दूसरे 10 दिन में कार्य $= 35 \times 10 = 350$

30 मजदूरों द्वारा तीसरे 10 दिन में कार्य $= 30 \times 10 = 300$

25 मजदूरों का द्वारा अन्तिम 6 दिन में कार्य $= 25 \times 6 = 150$

1200 कार्य

∴ कुल लगा समय $= 10 + 10 + 10 + 6 = 36$ दिन

Case : (E)

प्रश्न : किसी छावनी में 200 व्यक्तियों की भोजन सामग्री 30 दिन के लिए थी। 10 दिन बाद 50 व्यक्ति और आ जाने से यह सामग्री कितने दिन के लिए पर्याप्त होगी ।

हल : 10 दिन बाद,

200 सैनिकों के लिए शेष सामग्री 20 दिन और चलती.......(i)

परन्तु, 50 सैनिक और आ जाने से माना शेष सामग्री x दिन चलेगी..........(ii)

$200 \times 20 = 250 \times x$

$x = \frac{200 \times 20}{250}$

$= 16$ दिन

प्रश्न : किसी सैनिक छावनी में 1600 सैनिकों के लिए 900 ग्राम/सैनिक की दर से 80 दिन की खाद्य सामग्री थी। 30 दिनों के बाद 400 सैनिक छावनी छोड़कर चले गये तो बताइये 1000 ग्राम/सैनिक की दर से शेष सामग्री कितने दिन चलेगी ?

हल : 30 दिनों के बाद का विश्लेषण यदि सैनिक नहीं जाते तो शेष सामग्री–

1600 सैनिकों के लिए 900 ग्राम/सैनिक की दर से 50 दिन चलती...........(i)

और जब 400 सैनिक चले गये तो,

माना शेष सामग्री 1200 सैनिकों के लिए 1000 ग्राम/सैनिक की दर से x दिन चलेगी...........(ii)

$1600 \times 900 \times 50 = 1200 \times 1000 \times x$

$x = 60$ दिन

Case : (F)

प्रश्न : 3 पुरूष या 5 स्त्रियाँ एक कार्य 12 दिन में पूरा सकते है। तद्नुसार 6 पुरूष तथा 5 स्त्रियाँ वही कार्य कितने दिन में पूरा कर लेगीं ?

हल : 3 पुरूष = 5 स्त्रियाँ

∴ 1 पुरूष $= \frac{5}{3}$ स्त्रियाँ

5 स्त्रियाँ कार्य को 12 दिन में करती है.................(i)

माना, (6 पुरूष + 5 स्त्रियाँ) वही कार्य x दिन में करेगें.....(ii)

$5 \times 12 = (6 \times \frac{5}{3} + 5) \times 3$

$60 = 15x$

$x = 4$ दिन

प्रश्न : 4 पुरूष या 6 स्त्रियाँ एक कार्य 7 घण्टे प्रतिदिन कार्य करके 12 दिनों में कर सकते है। तद्नुसार, उसी कार्य का दुगुना बड़ा कार्य 10 पुरूष तथा 3 स्त्रियाँ 8 घण्टे प्रतिदिन कार्य करके कितने दिनों में पूरा कर सकेंगे ?

हल : 4 पुरूष = 6 स्त्रियाँ

∴ 1 पुरूष $= \frac{3}{2}$ स्त्रियाँ

माना, (10 पुरूष + 3 स्त्रियाँ) = $(10 \times \frac{3}{2} + 3)$ = 18 स्त्रियाँ कार्य को x दिन में करेंगी।

6 स्त्रियाँ, 7 घण्टे, 12 दिन, 1 कार्य = 18 स्त्रियाँ, 8 घण्टे, x दिन, 2 कार्य

$$\frac{6 \times 7 \times 12}{1} = \frac{18 \times 8 \times x}{2}$$

$$x = \frac{6 \times 7 \times 12}{9 \times 8}$$

= 7 दिन

Case : (G)

प्रश्न : 4 आदमी तथा 6 औरतें मिलकर किसी कार्य को 8 दिन में पूरा कर सकते है। जबकि 3 आदमी तथा 7 औरतें मिलकर इसे 10 दिन में पूरा कर सकते है, तो 20 औरतें इसे कितने समय में पूरा करेंगी ?

हल : $(4m + 6w) \times 8 = (3m + 7w) \times 10$

$32m + 48w = 30m + 70w$

$2m = 22w$

$\therefore 1m = 11w$ E

माना, 20 औरतें इस कार्य को x दिन में पूरा कर लेंगी।

$(4m + 6w) \times 8 = 20w \times x$

$(4 \times 11w + 6w) \times 8 = 20w \times x$

$50w \times 8 = 20w \times x$

$x = 20$ दिन

Case : (H)

प्रश्न : 6 पुरूष या 8 महिलायें या 10 लड़के एक कार्य को 65 दिन में समाप्त कर सकते है। 4 पुरूष, 4 महिलायें और 5 लड़के एक साथ मिलकर कार्य कितने दिन में समाप्त कर लेंगे?

हल : $6M \times 65 = 8F \times 65 = 10B \times 65 = K$

$$\therefore M : F : B = \frac{K}{6} : \frac{K}{8} : \frac{K}{10}$$

$$= \frac{1}{3} : \frac{1}{4} : \frac{1}{5}$$

$M : F : B = 20 : 15 : 12$

6 पुरूष, 65 दिन = $(4M + 4F + 5B) \times x$ दिन (माना)

$(6 \times 20) \times 65 = (4 \times 20 + 4 \times 15 + 5 \times 12) \times x$

$120 \times 65 = 200 \times x$

$\therefore x = 39$ दिन

प्रश्नावली

TYPE - 01

1. A और B अलग–अलग एक कार्य क्रमशः 6 तथा 12 दिनों में कर सकते हैं। तदनुसार, वे दोनों मिलकर वह कार्य कितने दिनों में कर पाएंगे?
(a) 9 दिन (b) 18 दिन
(c) 6 दिन (d) 4 दिन
(SSC FCI Assistant Grade-III Exam 11--11-2012)

2. A एक काम को 20 दिन में कर सकता है और B उसी काम को 30 दिन में कर सकता है। दोनों उस कार्य को कितने दिन में पूरा करेंगे?
(a) 16 दिन (b) 14दिन
(c) 10 दिन (d) 12 दिन
(SSC Constable GD Exam 12-5-2013)

3. A, B और C एक काम को अकेले–अकेले क्रमशः 10 दिन, 12 दिन और 15 दिन में पूरा कर सकते हैं। यदि वे एक साथ मिल कर काम करना शुरू करें, तो काम पूरा करने के लिए अपेक्षित दिनों कि संख्या है–
(a) 16 दिन (b) 8 दिन
(c) 4 दिन (d) 2 दिन
(SSC Constable GD and Rifleman GD Exam 22-4-2012)

4. A और B मिलकर एक खाई को 12 दिन में खोद सकते है, जिसे A अकेला 28 दिन में खोद सकता है। B अकेला उसे कितने दिन मे खोद सकता है?
(a) 20 दिन (b) 21दिन
(c) 22 दिन (d) 23 दिन
(SSC CGL Tier IExam 27-7-2014)

5. राज और राम मिलकर किसी कार्य को 10 दिन में पूरा करते हैं। राज अकेले उस कार्य को 12 दिन में कर सकता है तो राम अकेला उस कार्य को कितने दिन में पूरा करेगा?
(a) 20 दिन (b) 40 दिन
(c) 50 दिन (d) 60दिन
(SSC CGL Tier II Exam 21-9-2014)

6. A और B एक काम को 10 दिन में कर सकते हैं, B और C उसे 15 दिन में तथा C और A इसे 20 दिन में कर सकते है। C अकेला उस काम को निम्न समस में पूरा करेगा?
(a) 60 दिन (b) 120 दिन
(c) 80दिन (d) 30 दिन
(SSC CGL Pre exam 24-2-2002)

7. A और B एक काम को 12 दिन में कर सकते हैं, B और C उसे 8 दिन तथा C और A उसे 6 दिन में कर सकते हैं B को अकेले इस काम को करने में कितना समय लगेगा?
(a) 24दिन (b) 32दिन
(c) 40दिन (d) 48दिन
(SSC CGL Pre exam 24-2-2002)

8. A और B एक कार्य को 72 दिनों में पूरा कर सकते है। उसी काम को B और C 120 दिनों में, A और C उसे 90 दिनों में पूरा कर सकते हैं। तीनों मिलकर उस काम को कितने दिनो में पूरा करेंगे?
(a) 80 दिन (b) 100 दिन
(c) 60दिन (d) 150 दिन
(SSC CGL Pre Exam 4-7-1999)

9. A और B दिए गए किसी काम को 8 दिन में कर सकते हैं, B और C उसी काम को 12 दिन में कर सकते हैं और A, B एवं C उसे 6 दिन में पूरा कर सकते हैं। A और C द्वारा उस काम को पूरा करने में कितने दिन लगेंगे?
(a) 16 (b) 8
(c) 12 (d) 24
(SSC CGL Tier-II Exam 25-10-2015)

10. A एक कार्य, B द्वारा किए जाने वाले उसी कार्य को 5 दिन कम में पूरा कर सकता है। यदि दोनों मिलकर वही कार्य $11\frac{1}{9}$ दिनों में कर सकते है, तो अकेला B उसी कार्य कितने दिनों में कर लेगा?
(a) 15 (b) 20
(c) 25 (d) 30
(SSC 10+2 Data Entry Operator LDC)

TYPE - 02

11. A और B एक काम को क्रमशः 18 और 24 दिन में कर सकते है। वे एक साथ 8 दिन काम करते है और तब A चला जाता है। शेष काम को B निम्न समय में पूरा करेगा?
(a) 5 दिन (b) $5\frac{1}{3}$दिन
(c) 8 दिन (d) 10 दिन
(SSC CGL Pre exam 4-7-1999)

12. A और B कोई काम क्रमशः 6 और 12 दिनों में पूरा कर सकते हैं। वे दोनों एक साथ काम शुरू करते है, लेकिन 3 दिनों बार A काम छोड़ देता है। तदनुसार काम पूरा करने में कुल कितने दिन लगेंगे?
(a) 4 (b) 5
(c) 6 (d) 9
(SSC CGL Pre exam 27-2-2000)

13. A किसी कार्य को 24 दिन में, B उसको 9 दिन में तथा C उसे 12 दिन में पूरा कर सकता है। B और C कार्य प्रारम्भ करते हैं परन्तु उन्हें 3 दिन के बाद यह कार्य छोड़ना पड़ता है। शेष कार्य को करने में A को लगाा समय था–
(a) 5 दिन (b) 6 दिन
(c) 10 दिन (d) $10\frac{1}{2}$ दिन
(SSC CGL Pre exam 11-5-2003)

14. A एक कार्य 20 दिनों में और B उसे 30 दिनों में कर सकता है। वे दोनों एक–साथ मिलकर 7 दिन कार्य करते हैं तत्पश्चात् दोनों उसे छोड़ देते हैं तब C अकेला शेष कार्य 10 दिनों में पूरा कर देता है। तदनुसार C अकेला पूरा कार्य कितने दिनों में समाप्त कर सकता था?

(a) 25 दिन (b) 30 दिन
(c) 24 दिन (d) 20 दिन

15. A तथा B एक कार्य मिलकर 30 दिनों में पूरा कर सकते है। उन्होने एक–साथ 20 दिनों तक कार्य किया, उसके बाद B चला गया। तब A ने शेष कार्य 20 दिनों में पूरा किया। तदनुसार B अकेला वह कार्य कितने दिनों में पूरा कर सकता है?

(a) 50 (b) 48
(c) 54 (d) 60

(SSC 10+2 Data Entry Operator Exam 10-11-2013)

16. A और B एक कार्य को क्रमशः 30 और 36 दिनों में कर सकते हैं। वे दोनों एक साथ कार्य करना आरंभ करते है किंतु कुछ दिन बाद A कार्य छोड़ देता है और B शेष कार्य को 25 दिनो में पूरा करता है। A ने कितने दिन बाद कार्य छोड़ा था

(a) 10 दिन (b) 6 दिन
(c) 5 दिन (d) 11 दिन

17. A, B, और C एक कार्य को मिलकर 40 दिन में कर सकते है। 16 दिन B और C के साथ कार्य करने के बाद A छोड़कर चला जाता है और तब B और C शेष कार्य को 40 दिन में पूरा करते हैं A अकेला उस कार्य को कितने दिन में कर सकता था?

(a) 10 दिन (b) 90 दिन
(c) 100 दिन (d) 120 दिन

(SSC CGL Tier I 19-10-2014)

18. A और B मिलकर एक कार्य को 8 दिन में पूरा कर सकते हैं B और C दोनों अकेले काम करके उसी कार्य को 12 दिन में पूरा कर सकते है। A और B कार्य शुरू करते है और 4 दिन तक करते रहते है। इसके बाद A कार्य छोड़ देता है। B , 2 दिन और कार्य करता रहता है और फिर वह भी छोड़ देता है। अब C कार्य करना शुरू करता है और कार्य को पूरा कर देता है। C को कितने दिन लगे?

(a) 5 (b) 8
(c) 3 (d) 4

(SSC CGL Pre exam 27-4-2014)

19. A और B एक कार्य को क्रमशः 45 और 40 दिन में पूरा कर सकते हैं उन्होने एक साथ काम शुरू किया परंतु A ने कुछ समय बाद काम छोड़ दिया और B ने 23 दिन में शेष कार्य पूरा किया A ने कितने समय बाद कार्य छोडा?

(a) 6दिन (b) 9दिन
(c) 12दिन (d) 5दिन

(SSC CGL Tier-II Exam 12-4-2015)

TYPE - 03

20. A किसी कार्य को 36 दिन में, B 54 दिन तथा C ,72 दिन में पूरा कर सकता है। उन्होंने मिलकर कार्य करना आरंभ किया किन्तु कार्य समाप्त होने से 8 दिन पहले A तथा 12 दिन पहले B काम छोड़कर चले गए। केवल C अन्त तक कार्य करता रहा। कार्य कितने दिन में पूरा हुआ?

(a) 24 (b) 25
(c) 27 (d) 30

(SSC लेखा सेवा प्रशिक्षु परीक्षा 27.6..2010)

21. A, B तथा C एक कार्य क्रमशः 10,12 और 15 दिनों में कर सकते है। A उस कार्य को पूरा होने से 5 दिन पहले छोड़ देता है, और B उसे A के 2 दिनों बाद छोड़ देता है। तदनुसार कार्य पूरा होने में कितना समय लगेगा ?

(a) 6 दिन (b) 12 दिन
(c) 13 दिन (d) 7 दिन

(SSC MTS Exam 17-3-2013)

22. A तथा B अकेले किसी कार्य को 9 तथा 18 दिन में पूरा कर सकते हैं। उन्होंने एक साथ मिलकर कार्य किया किन्तु कार्य पूरा होने से 3 दिन पहले A कार्य छोड़कर चला गया। कार्य कितने दिन में पूरा हुआ?

(a) 13 (b) 8
(c) 6 (d) 5

(SSC CPO SI Exam 9-11-2008)

23. A, B और C एक कार्य को क्रमशः 24,30 और 40 दिनो में कर सकते हैं। उन्होंने साथ–साथ कार्य करना आरंभ किया किन्तु C ने कार्य पूरा होने से 4 दिन पहले कार्य छोड़ दिया। कार्य कितने दिनों में पूरा किया गया ?

(a) 13 (b) 12
(c) 14 (d) 11

(SSC CGL Tier Exam 9-8-2015)

TYPE - 04

24. A तथा B किसी कार्य को क्रमशः 12 तथा 18 दिन में पूरा कर सकते हैं। A कार्य को आरंभ करता है तथा उसके बाद वे बारी–बारी से एक–एक दिन कार्य करते हैं। कार्य कितने समय में पूरा होगा?

(a) $14\frac{1}{3}$ दिन (b) $15\frac{2}{3}$ दिन
(c) $16\frac{1}{3}$ दिन (d) $18\frac{2}{3}$ दिन

(SSC CGL Exam 4-2-2007)

25. A और B अकेले अकेले किसी दीवार का निर्माण क्रमशः 12 और 16 दिन में कर सकते है। A से शुरू करके, यदि वे बारी–बारी से प्रत्येक दिन

कार्य करते है। तो कितने दिनों में दीवार का निर्माण पूरा हो जाएगा।?

(a) $7\frac{2}{3}$ दिन (b) $12\frac{2}{3}$ दिन

(c) $13\frac{2}{3}$ दिन (d) $6\frac{3}{4}$ दिन

26. A, B तथा C एक काम को क्रमशः 20, 30 और 60 दिन में कर सकते है। A उस काम को कितने दिन में पूरा कर सकता है यदि B और C द्वारा हर तीसरे दिन उसकी मदद की जाए?

(a) 10 दिन (b) 12 दिन

(c) 15दिन (d) 20 दिन

(SSC Graduate Level Exam 19-5-2013)

27. A, B तथा C एक कार्य क्रमशः 30,20 तथा 10 दिनों में कर सकते हैं। A को एक दिन के काम में B का सहयोग मिलता है और अगले दिन C का सहयोग मिलता है। यही क्रम आगे चलता है। तदनुसार काम पूरा होने में कितना समय लगेगा?

(a) $9\frac{3}{8}$ दिन (b) $4\frac{8}{8}$ दिन

(c) $8\frac{4}{13}$ दिन (d) $3\frac{9}{13}$ दिन

(SSC Graduate Level Exam 16-9-2012)

TYPE - 05

28. A, B की तुलना में दुगुना बेतहर कामगार है और वे दोनों मिलकर एक कार्य 14 दिनों में पूरा कर देते है। तदनुसार यदि A अकेला उस काम का करे, तो वह कितने दिनो में पूरा कर देगा?

(a) 11 दिन (b) 21 दिन

(c) 28 दिन (d) 42 दिन

(SSC MTS Exam 27-2-2022)

29. A एक काम को 6 दिन में कर सकता है। B, A से 25% अधिक कुशल है। B अकेला उस काम को समाप्त करने में कितना समय लेगा?

(a) $4\frac{4}{5}$दिन (b) $3\frac{1}{3}$दिन

(c) $5\frac{1}{4}$दिन (d) $2\frac{2}{3}$दिन

(SSC Graduate Level Exam 19-5-2013)

30. A, B से 20% कम काम करता है। यदि A एक काम को $7\frac{1}{2}$ घंटे में पूरा कर सकता है, तो B उसे कितने घंटे में कर सकता है?

(a) 10 घंटे (b) 4 घंटे

(c) 6 घंटे (d) 8 घंटे

(SSC Graduate Level exam Tier I 19-5-2013)

31. A किसी कार्य को 12 दिन में पूरा कर सकता है। Aकी तुलना में B 60% अधिक कार्य–कुशल है।उसी कार्य को पूरा करनें में B कितने दिन लेगा?

(a) 6 (b)$7\frac{1}{2}$

(c) 8 (d) $8\frac{1}{2}$

(SSC Graduate Level Exam Tier -II1-8-2010)

32. A एक कार्य पूरा करने में B से 50% अधिक समय लेता है। यदि दोनों एक साथ कार्य करते है। तो कार्य पूरा करने में 18 दिन लगते है। तदनुसार यदि B अकेले ही कार्य करे तो कितने दिनो में कार्य पूरा करेगां?

(a) 30 दिन (b) 35 दिन

(c) 40 दिन (d) 45 दिन

(Bihar SSC Graduate Level Exam 16-2-2015)

33. एक काम करने में B को, A तथा C के एक–साथ करने की तुलना में तिगुना समय लगता है और C को, A तथा B के एक साथ काम करने की तुलना में दुगुना समय लगता है। तदनुसार, यदि तीनों व्यक्ति एक–साथ उस काम को 10 दिनों में पूरा कर देते हों, तो अकेले A को वह कार्य पूरा करने में कितना समय लगेगा?

(a) 22 दिन (b) 24 दिन

(c) 30 दिन (d) 20 दन

(SSC Dehli Police Si Exame 19-8-2012)

34. प्रतिभा सोनिया से तीन गुणा दक्ष है और इसलिए सोनिया से 60 दिन कम समय में किसी कार्य को पूरा करने में समर्थ है। प्रतिभा और सोडिया अलग–अलग उस कार्य को क्रमशः कितने दिन में पूरा कर सकती हैं?

(a) 30 दिन, 60 दिन (b) 60 दिन, 90 दिन

(c) 30 दिन, 90 दिन (d) 40 दिन, 120 दिन

(SSC CGL Pre exam 19-10-2014)

35. A, B की तुलना में तीन गुना बेहतर कामगार है और इसलिए वह कोई कार्य B की तुलना में उससे 40 दिन कम अवधि में कर सकता है। दोनों मिलकर वही कार्य कितने दिनों में कर सकते हैं?

(a) 14 दिन (b) 13 दिन

(c) 20 दिन (d) 15 दिन

(SSC MTS Exam 20-2-2011)

TYPE - 06

36. P किसी कार्य के $\frac{1}{4}$ भाग को 10 दिन में, Q उसी कार्य के 40% भाग को 15 दिन में, R उस कार्य के $\frac{1}{3}$ भाग को 13 दिन में तथा S उस कार्य के $\frac{1}{6}$ भाग को 7 दिन में पूरा कर सकता है। सबसे पहले उस कार्य को कौन पूरा कर सकेगा?

(a) P (b) Q

(c) R (d) S

(SSC Data Entry Operator and LDC Exam 28-11-2010)

37. किसी खेत के $\frac{2}{3}$ भाग को A 6 दिन में जोत सकता है और उसी खेत के $\frac{1}{3}$ भाग को B, 10 दिन में जोत सकता है। A और B दोनों मिलकर

उस खेत के $\frac{4}{5}$ भाग को निम्न समय में जोत सकेंगे–

(a) 4 दिन (b) 5 दिन
(c) 8 दिन (d) 10 दिन
(SSC CGL PRE Exam 24-2-2002)

38. बाबू और आशा किसी कार्य को मिलकर 7 दिन में पूरा कर सकते हैं। आशा बाबू की तुलना में $1\frac{3}{4}$ गुना कुशल है। इसी कार्य को अकेले आशा कितने समय में पूरा कर सकती है?

(a) $\frac{49}{4}$ दिन (b) $\frac{49}{3}$ दिन
(c) 11 दिन (d) $\frac{28}{3}$ दिन
(SSC CGL Pre Exam 11-5-2003)

TYPE - 07

39. सुमन एक काम को 3 दिन में कर सकती है और सुमति उसी काम को 2 दिन में कर सकती है। दोनों एक साथ मिलकर काम को पूरा करते है। और उनकों कुल 150 रू० मिलते हैं। इसमें सुमन का क्या भाग होगा?

(a) रू० 30/- (b) रू० 60/-
(c) रू० 70/- (d) रू० 75/-
(SSC Graduate Level Exam 4-7-1999)

40. A और B ने किसी कार्य को करने का 4500 रूपये में ठेका लिया। A अकेला इस कार्य को 8 दिन में तथा B अकेला इस कार्य को 12 दिन में कर सकता है। C की सहायता से उन्होंने यह कार्य 4 दिन में पूरा कर लिया । तब ठेके की धनराशि में C का भाग है

(a) 2250 रूपये (b) 1500 रूपये
(c) 750 रूपये (d) 375 रूपये
(SSC CGL Pre Exam 11-5-2003)

41. A तथा B को एक कार्य ₹1,200 की राशि पर पूरा करने को दिया गया। A अकेला उसे 15 दिनों में और B उसे 12 दिनों में कर सकता है। साथ में C की मदद से वे उसे 5 दिनों में कर सकते हैं तदनुसार C का हिस्सा कितना होगा?

(a) ₹ 300 (b) ₹ 400
(c) ₹ 500 (d) ₹ 600
(SSC MTS Exam 24-3-2013)

42. अमर किसी कार्य के $\frac{1}{4}$ भाग को 3 दिन तथा शंकर उसी कार्य के $\frac{1}{6}$ भाग को 4 दिन में पूरा कर सकता है। यदि दोनों मिलकर कार्य को पूरा करें तो 1,800 रूपए के मेहनताने में से अमर को कितनी राशि मिलेगी?

(a) 600 रूपए (b) 1000 रूपए
(c) 1080 रूपए (d) 1200 रूपए
(SSC SAS Exam 27-6-2010)

43. A, B तथा C ने मिलकर 1,800 रू० मूल्य के एक कार्य को पूरा किया। इसमें A ने 6 दिन, B ने 4 दिन तथा C ने 9 दिन कार्य किया । यदि उनकी दैनिक मजदूरी 5 : 6 : 4 के अनुपात में हों तो A को कितनी धन राशि प्राप्त होगी?

(a) 800 रू० (b) 600 रू०
(c) 900 रू० (d) 750 रू०
(SSC CGL PRE exam 4-2-2007)

TYPE - 08

44. किसी काम को कुछ आदमी 30 दिनों में कर सकते हैं। यदि 5 आदमी और काम पर लगा दिए जाए तो वही काम 20 दिन में पूरा हो जाता है। तब बताइये, आरम्भ कितने आदमी थे?

(a) 10 (b) 15
(c) 20 (d) 25
(SSC CGL Pre Exam 27-2-2000)

45. (x+4) व्यक्तियों द्वारा (x+5)दिनों में किया गया कार्य (x–5) व्यक्तियों द्वारा (x+20) दिन में किए गए कार्य के बराबर है, तो x का मान बताइए।

(a) 20 (b) 25
(c) 30 (d) 15
(SSC CHSL (10+2)Exam 20-12-2015)

46. कुछ व्यक्ति एक काम को 40 दिन में कर सकते हैं। यदि 8 व्यक्ति और मिल जाएं तो वही काम 10 दिन कम समय मे पूरा हो सकता है। प्रारम्भ मे काम में कुल कितने व्यक्ति लगे थे?

(a) 20 (b) 24
(c) 30 (d) 16
(SSC Constable GD Exam 4-10-2015)

47. 250 आदमी प्रतिदिन 5 घंटे काम करके एक काम को 20 दिन में पूरा कर सकते है। उसी काम को प्रतिदिन 8 घंटे काम करके 10 दिन के भीतर पूरा करने के लिए के लिए अपेक्षित आदमियों की न्यूनतम संख्या है

(a) 310 (b) 300
(c) 313 (d) 312
(SSC Graduate Level Exam 4-9-2011)

TYPE - 09

48. एक ठेकेदार को 16 दिन में एक सड़क बनाने के लिए नियुक्त किया गया। 20 मजदूरों के साथ 12 दिन काम करने के बाद यह पता चला कि केवल $\frac{5}{8}$ सड़क ही बन पाई है। निर्धारित समय में काम पूरा करने के लिए कितने अतिरिक्त मजदूरों की आवश्यकता होगी?

(a) 18 (b) 10
(c) 12 (d) 16
(SSC CHSL PRE Exam 6-12-2015)

49. एक रेल–लाइन को 3 महीनों में बिछाने के लिए पचहत्तर व्यक्ति नियोजित किए गए हैं। किसी

आपात स्थिति के कारण उस कार्य को 18 दिनों में पूरा किया जाना है। वांछित समय में कार्य को पूरा करने के लिए कितने और व्यक्तियों को नियोजित किया जाना चाहिए?

(a)300 (b) 325
(c) 350 (d) 375

(SSC CAPFs SI CISF ASI Exam 22-6-2014)

50. 5 कि.मी. लंबी सड़क को 100 दिनों में बनाने के लिये 280 मजदूरो को काम पर लगाया गया। लेकिन 80 दिनों के बाद पता चला कि केवल $3\frac{1}{2}$ कि.मी. सड़क बन पाई है, तो काम को समय पर पूरा करने के लिये कितने अतिरिक्त मजदूरों को काम पर लगाने की जरूरत है?

(a)480 (b) 80
(c) 200 (d) 100

51. किसी कार्य को 60 दिनों में पूरा करने के लिए 35 व्यक्तियों को लगाया जाता है। 32 दिनों के बाद पता चलता है कि कार्य का केवल $\left(\frac{2}{5}\right)$ वाँ भाग ही पूरा हो पाया है। शेष कार्य को उसकी अवधि में पूरा करने के लिए कितने और व्यक्तियों की आवश्यकता होगी?

(a) 20 (b) 35
(c) 30 (d) 25

(SSC CGL Exam 2019)

TYPE - 10

52. यदि 12 आदमी या 24 लड़के एक काम को 66 दिन में कर सकते हैं, तो 15 आदमी और 6 लड़के उस काम को कितने दिन में करेंगे?

(a) 44 (b) 33
(c) 55 (d) 66

(SSC CHSL (10+2 DEO &LDC Exam 16-11-2014)

53. यदि 12 पुरूष अथवा 18 महिलाएँ, एक खेत की कटाई 14 दिनों में पूरी कर सकते हो, तो उसी गति से काम करते हुए, 8 पुरूष तथा 16 महिलाए उसी खेत की कटाई कितने दिनों में पूरी कर सकेंगे?

(a) 9 (b) 5
(c) 7 (d) 8

54. 3 पुरूष या 7 महिलाएँ एक कार्य को 32 दिन में पूरा कर सकते हैं। 7 पुरूष और 5 महिलाओं को दुगुना कार्य करने में कितने दिन लगेंगे

(a) 19 (b) 21
(c) 27 (d) 36

(SSC CHSL (10+2)DEO and LDC Exam 16-11-2014)

55. 4 पुरूष या 6 स्त्रियाँ एक कार्य 7 घंटे प्रति दिन कार्य करके 12 दिनों में कर सकते हैं। तदनुसार, उसी कार्य को दुगुना बड़ा कार्य 10 पुरूष तथा 3 स्त्रियाँ 8 घंटे प्रति दिन कार्य करके कितने दिनो में पूरा कर सकेंगे?

(a) 6 (b) 7
(c) 8 (d) 10

(SSC 10+2 Data Entry Operator Exam 27-10-2013)

56. 4 पुरूष और 6 बच्चे किसी कार्य को 8 दिन में पूरा कर सकते हैं जबकि 3 पुरूष और 7 बच्चे उसी कार्य को 10 दिन में पूरा कर सकते हैं। यदि केवल 20 बच्चे कार्य करें, तो कार्य कितने दिन में पूरा होगा?

(a) 20 दिन (b) 22 दिन
(c) 15 दिन (d) 18दिन

(SSC MTS Exam 23-2-2014)

57. यदि 4 पुरूष और 6 स्त्रियाँ किसी कार्य को 8 दिनों में पूरा करते हैं, 2 पुरूष और 9 स्त्रियों भी उसे 8 दिनों में पूरा करते हैं, तो 18 स्त्रियाँ उस कार्य को कितने दिनों में पूरा करेंगी?

(a) $4\frac{1}{3}$ दिन (b) $5\frac{1}{3}$ दिन
(c) $4\frac{2}{3}$ दिन (d) $5\frac{2}{3}$ दिन

(SSC CGL PRE Exam 16-8-2015)

58. यदि 6 पुरूष और 8 लड़के किसी काम को 10 दिन में पूरा कर सकते हों और 26 पुरूष और 48 लडके उसी काम को 2 दिन में पूरा कर सकते हों, तो 15 पुरूष और 20 लड़के मिलकर उस काम को कितने समय में पूरा करेंगे?

(a) 5 दिन (b) 4 दिन
(c) 6 दिन (d) 7 दिन

(SSC CGL PRE Exam 4-7-1999)

Revision Series

59. A और B किसी कार्य को क्रमशः 20 दिन तथा 30 दिन में समाप्त कर सकते है। दोनों मिलकर उसी कार्य को कितने दिन में समाप्त कर लेंगे ?

(a)8 दिन (b)10 दिन
(c)12 दिन (d)15 दिन

60. A और B किसी कार्य को 15 दिन में समाप्त कर सकते है। यदि अकेला A इसे 20 दिन में समाप्त करे तो अकेला B उसी कार्य को कितने दिन में पूरा कर लेगा ?

(a)30 दिन (b)45 दिन
(c)60 दिन (d)40 दिन

61. A और B एक काम को 12 दिन में कर सकते है। B और C उसे 8 दिन तथा C और A उसे 6 दिन में कर सकते है। B को अकेले इस काम को करने में कितना समय लेगा ?

(a) 24 दिन (b)32 दिन
(c)40 दिन (d)48 दिन

62. A, B तथा C मिलकर एक कार्य को 30 मिनट में पूरा कर सकते है। A तथा B मिलकर उस कार्य को 50 मिनट में पूरा

कर सकते है C अकेला उस कार्य को कितने समय में पूरा कर सकेगा ?

(a) 60 मिनट (b)75 मिनट

(c)80 मिनट (d)150 मिनट

63. A, B और C किसी कार्य को 2 घण्टे में पूरा कर सकते है। A उसी कार्य को अकेले 6 घण्टे में और B, 5 घण्टे में करता है तो C कार्य को अकेले कितने समय में पूरा करेगा ?

(a)$7\frac{1}{2}$ घण्टे (b)$5\frac{1}{2}$ घण्टे

(c)9 घण्टे (d)$4\frac{1}{2}$ घण्टे

64. : A एक कार्य का $\frac{1}{6}$, 5 दिन में कर सकता है और B काम का $\frac{2}{5}$, 8 दिन कर सकता है। A और B दोनों मिलकर उस काम को कितने दिन में कर सकते है ?

(a)13 दिन (b)20 दिन

(c)12 दिन (d)15 दिन

65. A एक कार्य को 20 दिनों में, B वही कार्य 40 दिनों में पूरा कर सकता है। यदि वे दोनों मिलकर वह कार्य 5 दिनों तक करें, तो उस कार्य का कितना भाग शेष रह जायेगा ?

(a)$\frac{1}{10}$ (b)$\frac{5}{8}$

(c)$\frac{8}{15}$ (d)$\frac{7}{15}$

66. x एक चौथाई काम 6 दिन में करता है। y शेष काम को 12 दिन में पूरा करता है। x और y मिलकर काम को कितने समय में पूरा करेंगे ?

(a)$9\frac{3}{5}$ दिन (b)9 दिन

(c)$7\frac{1}{3}$ दिन (d)$8\frac{1}{8}$ दिन

67. A किसी कार्य को 60 दिन में कर सकता है। वह 15 दिन कार्य करता है और फिर B अकेले ने शेष कार्य को 30 दिन में पूरा किया। दोनों मिलकर कार्य को निम्न समय में पूरा कर सकते है –

(a)32 दिन (b)25 दिन

(c)28 दिन (d)24 दिन

68. A एक काम को 12 दिन में और B इसी कार्य को 18 दिन में समाप्त कर सकता है। वे एक साथ 2 दिन कार्य करते है और तब A चला जाता है। शेष काम को B कितने समय में पूरा करेगा ?

(a)8 दिन (b)6 दिन

(c)10 दिन (d)13 दिन

69. A और B कोई कार्य क्रमशः 6 दिन और 12 दिन में पूरा कर सकते है। दोनों एक साथ काम शुरू करते है लेकिन 3 दिनों बाद A काम छोड़ देता है। तद्नुसार काम पूरा करने में कुल कितने दिन लगेंगे ?

(a) 9 (b) 5

(c) 6 (d) 4

70. A किसी कार्य को 24 दिन में, B उसे 9 दिन में तथा C उसे 12 दिन में पूरा कर सकता है। B और C कार्य प्रारम्भ करते है, परन्तु 3 दिन बाद उन्हें कार्य छोड़ना पड़ता है। शेष कार्य को करने में A का लगा समय था –

(a)5 दिन (b)6 दिन

(c)10 दिन (d)$10\frac{1}{2}$ दिन

71. A और B किसी कार्य को क्रमशः 20 दिन और 12 दिन में पूरा कर सकते है। A ने अकेले कार्य प्रारम्भ किया और 4 दिन बाद B कार्य में शामिल हुआ और कार्य पूरा करने तक दोनों ने मिलकर कार्य किया। कार्य कुल कितने दिन चला ?

(a)6 दिन (b)10 दिन

(c)20 दिन (d)15 दिन

72. A किसी कार्य को 18 दिन और B, 12 दिन में पूरा कर सकते है। दोनों ने मिलकर कार्य आरम्भ किया किन्तु B कार्य समाप्ति से 3 दिन पूर्व कार्य छोड़कर चला गया। कार्य को पूरा होने में कुल कितने दिन लगेगा ?

(a) 9 (b) 10

(c) 12 (d) 9·6

73. A एक कार्य 20 दिनों में और B उसे 30 दिनों में पूरा कर सकता है। वे दोनों एक साथ मिलकर 7 दिन कार्य करते है तत्पश्चात् दोनों उसे छोड़ देते है तथा C अकेला शेष कार्य 10 दिनों में पूरा कर देता है। C अकेला कार्य कितने दिनों में समाप्त कर सकता था ?

(a) 25 दिन (b) 30 दिन

(c) 20 दिन (d) 24 दिन

74. A तथा B किसी कार्य को क्रमशः 10 दिन तथा 15 दिन में पूरा कर सकते है। दोनों ने मिलकर एक साथ काम करना शुरू किया परन्तु कार्य समाप्त होने के 2 दिन पूर्व A काम करना छोड़ दिया। इस तरह से काम समाप्त होने में कुल कितने दिन लगे ?

(a)6 दिन (b)7 दिन

(c)$6\frac{2}{3}$ दिन (d) $7\frac{1}{5}$ दिन

75. A किसी कार्य का $\frac{4}{5}$ भाग को 20 दिन में पूरा करता है। फिर वह B को बुलाकर उसके शेष भाग को 3 दिनों में पूरा करता है। B को उस काम को अकेले करने में कितना समय लगेगा ?

(a)37 दिन (b)$37\frac{1}{2}$ दिन

(c)23 दिन (d)40 दिन

76. किसी काम के $\frac{7}{10}$ भाग को A, 15 दिनों में समाप्त करता है उसके पश्चात् B की सहायता से वह शेष काम को 4 दिनों में पूरा करता है। उस काम को A और B मिलकर निम्न समय में पूरा कर पायेंगे ?

(a) $10\frac{1}{3}$ दिन (b)$12\frac{2}{3}$ दिन

(c) $8\frac{1}{4}$ दिन (d) $13\frac{1}{3}$ दिन

77. A, B की तुलना में दुगुना बेहतर कामगर है वे दोनों मिलकर एक कार्य 14 दिन में पूरा कर देते है। यदि A अकेला उस काम को करें तो वह कितने दिन में पूरा कर देगा ?

(a)11 दिन (b)42 दिन

(c)21 दिन (d)28 दिन

78. किसी काम को पूरा करने में A, B से 50% अधिक समय लेता है। यदि मिलकर वे उस कार्य को 18 दिन में पूरा करें तो B अकेले उसे कितने दिनों में पूरा करेगा ?

(a)40 दिन (b)45 दिन

(c)35 दिन (d)30 दिन

79. A, B से 20% कम काम करता है। यदि A एक काम को $7\frac{1}{2}$ घण्टे में पूरा कर सकता है, तो B अकेला उस कार्य को कितने घण्टो में पूरा कर लेगा ?

(a)6 घण्टे (b)8 घण्टे

(c)4 घण्टे (d)16 घण्टे

80. A एक काम को 6 दिन में पूरा कर सकता है। B, A से 25% अधिक कुशल है। B अकेला उस कार्य को कितने समय में पूरा कर लेगा

(a)$3\frac{1}{3}$ दिन (b)$4\frac{4}{5}$ दिन

(c)$5\frac{1}{4}$ दिन (d)$2\frac{2}{3}$ दिन

81. A, $\frac{3}{4}$ समय में B से आधा कार्य करता है। यदि वे मिलकर उस कार्य को 18 दिन में पूरा करते हैं तो B अकेले उस कार्य को कितने समय में पूरा करेगा ?

(a)45 दिन (b)30 दिन

(c)40 दिन (d)50 दिन

82. B किसी काम को जितने समय में पूरा करता है, उसके $\frac{1}{6}$ समय में A, आधा काम करता है। यदि काम को पूरा करने के लिए दोनों को कुल 10 दिन लगते है तो B अकेला उस काम को कितने समय में पूरा करेगा ?

(a)70 दिन (b)30 दिन

(c)40 दिन (d)50 दिन

83. A तथा B किसी कार्य को क्रमशः 12 दिन तथा 18 दिन में पूरा कर सकते है। A कार्य आरम्भ करता है तथा उसके बाद वे बारी–बारी से एक–एक दिन कार्य करते है। कार्य कितने समय में पूरा होगा ?

(a)$14\frac{1}{3}$ दिन (b)$18\frac{2}{3}$ दिन

(c)$15\frac{2}{3}$ दिन (d)$16\frac{1}{3}$ दिन

84. A, B तथा C एक काम को क्रमशः 20, 30 व 60 दिन में पूरा कर सकते है। A कार्य कितने दिन में पूरा कर सकता है यदि B तथा C द्वारा हर तीसरे दिन उसकी मदद की जाये ?

(a)10 दिन (b)12 दिन

(c)20 दिन (d)15 दिन

85. A और B किसी कार्य को क्रमशः 15 दिन और 10 दिन में पूरा कर सकते है, उन्होंने कार्य को ₹ 30000 में पूरा कराने का ठेका लिया ठेके की धनराशि में A का भाग होगा ?

(a)₹ 12000 (b)₹ 16500

(c)₹ 12500 (d)₹ 18000

86. अमर किसी कार्य के $\frac{1}{4}$ भाग को 3 दिन तथा शंकर उसी कार्य के $\frac{1}{6}$ भाग को 4 दिन में पूरा कर सकता है। यदि दोनों मिलकर कार्य को पूरा करें तो ₹ 1800 के मेहनताने में से अमर को कितनी राशि मिलेगी ?

(a)₹ 600 (b)₹ 1000

(c)₹ 1200 (d)₹ 1080

87. A, B तथा C ने मिलकर ₹ 1800 के मूल्य के एक कार्य को पूरा किया। इसमें A ने 6 दिन, B ने 4 दिन तथा C ने 9 दिन कार्य किया। यदि उनकी दैनिक मजदूरी 5 : 6 : 4 के अनुपात में हो तो A को कितना धन प्राप्त होगा ?

(a)₹ 800 (b)₹ 750

(c)₹ 600 (d)₹ 900

88. 2 आदमी तथा 1 औरत मिलकर किसी कार्य को 14 दिन में पूरा कर सकते है। जबकि 2 आदमी तथा 4 औरतें मिलकर

उसे 8 दिन में पूरा कर सकते है। यदि एक आदमी को कार्य करने के बदले ₹ 600 प्रतिदिन मिलते हों तो एक औरत को प्रतिदिन कितनी धनराशि मिलनी चाहिए ?

(a)₹ 360 (b)₹ 400

(c)₹ 480 (d)₹ 450

मिश्र समानुपात के प्रश्न

89. यदि 16 पुरूष या 20 स्त्रियाँ एक काम को 25 दिन में पूरा कर लेती हो तो 28 पुरूष और 15 स्त्रियाँ उसे कितने दिन में कर पायेंगी ?

(a)$13\frac{1}{3}$ (b)$18\frac{3}{4}$

(c)10 (d)$14\frac{2}{7}$

90. 6 पुरूष या 12 महिलायें किसी कार्य को 20 दिन में कर सकते है। 8 पुरूष और 16 महिलायें मिलकर इससे दुगुने कार्य को कितने दिन में कर पायेंगे ?

(a)2 (b)10

(c)5 (d)15

91. 6 पुरूष और 8 स्त्रियाँ एक कार्य 10 दिनों में पूरा कर सकती है तद्नुसार 3 पुरूष तथा 4 स्त्रियाँ वही कार्य कितने दिनों में कर पायेंगे ?

(a)24 दिन (b)20 दिन

(c)18 दिन (d)12 दिन

92. 2 पुरूष और 5 महिलायें एक काम को 12 दिनों में पूरा कर सकते है। 5 पुरूष और 2 महिलायें उसी काम को 9 दिन में पूरा कर सकते है। केवल 3 महिलायें उस काम को कितने दिन में पूरा कर सकती है ?

(a)21 दिन (b)30 दिन

(c)36 दिन (d)42 दिन

93. 3 पुरूष तथा 4 लड़के एक कार्य को 12 दिनों में पूरा कर सकते है। 4 पुरूष तथा 3 लड़के वही कार्य 10 दिनों में पूरा कर सकते है। तद्नुसार, 2 पुरूष तथा 3 लड़के वही कार्य कितने दिनों में पूरा कर सकते है ?

(a)$5\frac{5}{11}$ (b)8

(c)$17\frac{1}{2}$ (d)22

94. यदि 10 पुरूष या 20 स्त्रियाँ या 40 बच्चे एक कार्य 7 महीनों में कर सकते हों तो 5 पुरूष, 5 स्त्रियाँ और 5 बच्चे एक साथ उस कार्य का आधा कार्य कितने समय में कर सकते है ?

(a)6 महीने (b)8 महीने

(c)4 महीने (d)5 महीने

95. 120 मजदूर किसी कार्य को 15 दिनों में समाप्त कर सकते है। इसी कार्य को 10 दिनों में समाप्त करने हेतु कितने मजदूर लगाने होंगे ?

(a)180 (b)150

(c)210 (d)200

96. 21 जिल्दसाज 1400 पुस्तकों की जिल्द 15 दिन में तैयार कर सकते है। 800 पुस्तकों की जिल्द 20 दिन में तैयार करने के लिए कितने जिल्दसाज चाहिए ?

(a)7 (b)12

(c)9 (d)14

97. कुछ व्यक्ति एक काम को 90 दिन में पूरा करते है। यदि 15 व्यक्ति कम हो जायें तो 10 दिन अधिक लगेंगे। आरम्भ में कितने व्यक्ति थे ?

(a)145 (b)160

(c)120 (d)150

98. किसी छावनी में 200 व्यक्तियों की भोजन सामग्री 30 दिन के लिए थी। 10 दिन बाद 50 व्यक्ति और आ जाने से यह सामग्री कितने दिन के लिए पर्याप्त होगी ?

(a)12 दिन (b)20 दिन

(c)16 दिन (d)15 दिन

99. एक छावनी में 3300 व्यक्तियों के लिए 850 ग्राम प्रति व्यक्ति की दर से 32 दिन का भोजन है। 7 दिन बाद कुछ और व्यक्ति छावनी में आ गये। अब 825 ग्राम प्रति व्यक्ति की दर से वह भोजन 17 दिन तक पर्याप्त रहा। कितने व्यक्ति नये आये ?

(a)1700 (b)1600

(c)1500 (d)1800

100. किसी सैनिक कैम्प में 1600 सैनिकों के लिए 900 ग्राम/सैनिक की दर से 80 दिनों की खाद्य सामग्री थी। 30 दिनों के बाद 400 सैनिक कैम्प छोड़कर चले जाते है और अब प्रत्येक सैनिक 1000 ग्राम की दर से शेष सामग्री कितने दिन चलायेंगे ?

(a)70 दिन (b)65 दिन

(c)60 दिन (d)80 दिन

101. 60 मजदूर किसी कार्य को 50 दिन में पूरा कर सकते है। प्रत्येक 10 दिन बाद 5 मजदूर कार्य छोड़कर चले जाते है। इस प्रकार यह कार्य कितने दिन में पूरा होगा ?

(a)60 दिन (b)70 दिन

(c)50 दिन (d)65 दिन

102. एक ठेकेदार एक सड़क 40 दिन में बनाने का ठेका लेता है और 25 आदमी काम पर लगाता है। 24 दिनों के बाद उसे पता चलता है कि केवल एक तिहाई सड़क बनी है तब ठेकेदार कितने और आदमी काम पर लगाये कि सड़क नियत अवधि से 4 दिन पहले ही बन जायें ?

(a)60 (b)75

(c)100 (d)इनमें से कोई नहीं

103. एक किले में 1500 व्यक्तियों के लिए 50 दिन के लिए पर्याप्त भोजन सामग्री है। 15 दिन पश्चात् और अधिक व्यक्ति कार्य पर आ गये, तब भोजन सामग्री केवल 25 दिन और चल सकी कितने नये व्यक्ति किले में आये ?

(a)500 (b)400

(c)600 (d)450

104. एक ठेकेदार ने 100 दिन में एक सड़क बनाने का दायित्व लिया। उसने 110 व्यक्तियों का उपयोग किया। 45 दिन में उसने पाया कि सड़क केवल $\frac{1}{4}$ भाग ही बन पायी। कार्य को समय पर पूरा करने के लिए और कितने लोगों को काम पर लगाया जाये ?

(a)160 (b)120

(c)270 (d)180

105. $(x + 4)$ व्यक्तियों द्वारा $(x + 5)$ दिनों में किया गया कार्य $(x - 5)$ व्यक्तियों द्वारा $(x + 20)$ दिन में किये गये कार्य के बराबर है, तो x का मान बताइये ?

(a)20 (b)15

(c)30 (d)25

ANSWER

1.	d	33.	b	65.	b	97.	d
2.	d	34.	c	66.	a	98.	c
3.	c	35.	d	67.	d	99.	a
4.	b	36.	b	68.	d	100.	c
5.	d	37.	c	69.	c	101.	d
6.	b	38.	c	70.	c	102.	b
7.	d	39.	b	71.	b	103.	c
8.	c	40.	c	72.	a	104.	a
9.	b	41.	a	73.	d	105.	a
10.	c	42.	d	74.	d		
11.	b	43.	b	75.	b		
12.	c	44.	a	76.	d		
13.	c	45.	a	77.	c		
14.	c	46.	b	78.	d		
15.	d	47.	c	79.	a		
16.	c	48.	d	80.	b		
17.	c	49.	a	81.	b		
18.	d	50.	c	82.	c		
19.	b	51.	d	83.	a		
20.	a	52.	a	84.	d		
21.	d	53.	a	85.	a		
22.	b	54.	b	86.	c		
23.	d	55.	b	87.	c		
24.	a	56.	a	88.	b		
25.	c	57.	b	89.	c		
26.	c	58.	b	90.	d		
27.	a	59.	c	91.	b		
28.	b	60.	c	92.	c		
29.	a	61.	d	93.	c		
30.	c	62.	b	94.	c		
31.	b	63.	a	95.	a		
32.	a	64.	c	96.	c		

Explanatory Notes

1. (d)

$2 \leftarrow A \rightarrow 6$ दिन
$2 \leftarrow B \rightarrow 12$ दिन > 12 unit

(A+B) का 1दिन कार्य =(2+1)= 3 unit

$\therefore (A+B) = \frac{12}{3} = 4$ दिन

2. (d)

$3 \leftarrow A \rightarrow 20$ दिन
$2 \leftarrow B \rightarrow 30$ दिन > 60 unit

(A+B) का 1दिन कार्य =(3+2)= 5 unit

$\therefore (A+B) = \frac{60}{5} = 12$ दिन

3. (c)

$6 \leftarrow A \rightarrow 10$ दिन
$5 \leftarrow B \rightarrow 12$ दिन > 60 unit
$4 \leftarrow C \rightarrow 15$ दिन

(A+B+C) का 1दिन कार्य = (6+5+4) = 4 unit
= 15 unit

$\therefore (A+B+C) = \frac{60}{15} = 4$ दिन

4. (b)

$7 \leftarrow (A+B) \rightarrow 12$ दिन
$3 \leftarrow A \rightarrow 28$ दिन > 84 unit

B का 1दिन कार्य = (7–3) = 4 unit

$\therefore B = \frac{84}{4} = 21$ दिन

5. (b)

6 ←(राज +राम) →10 दिन
5 ← राज →12 दिन > 60 unit

राम का 1 दिन कार्य = (6–5) = 1 unit

∴राम = $\frac{60}{1}$ = 60 दिन

6. (b)

$6 \leftarrow (A+B) \rightarrow 10$ दिन
$4 \leftarrow (B+C) \rightarrow 15$ दिन > 60 unit
$3 \leftarrow (C+A) \rightarrow 20$ दिन

2(A+B+C) का 1दिन कार्य =13 unit

∴(A+B+C) का 1 दिन कार्य 6·5 unit

तब C का 1 दिन कार्य = 6·5–6 = 0·5 unit

$\therefore C = \frac{60}{0.5} = \frac{600}{5} = 120$ दिन

7. (d)

$2 \leftarrow (A+B) \rightarrow 12$ दिन
$3 \leftarrow (B+C) \rightarrow 8$ दिन > 24 unit
$4 \leftarrow (C+A) \rightarrow 6$ दिन

2(A+B+C) का 1दिन कार्य = 9 unit

∴(A+B+C) का 1 दिन कार्य 4·5 unit

तब B का 1 दिन कार्य = 4·5–4 = 0·5 unit

$\therefore B = \frac{24}{0.5} = \frac{240}{5} = 48$ दिन

8. (c)

$5 \leftarrow (A+B) \rightarrow 72$ दिन
$3 \leftarrow (B+C) \rightarrow 120$ दिन > 360 unit
$4 \leftarrow (C+A) \rightarrow 90$ दिन

2(A+B+C) का 1दिन कार्य = 12 unit

∴(A+B+C) का 1 दिन कार्य 6 unit

(A+B+C) का = $\frac{360}{6}$ = 60 दिन

9. (b)

$3 \leftarrow (A+B) \rightarrow 8$ दिन
$2 \leftarrow (B+C) \rightarrow 12$ दिन > 24 unit
$4 \leftarrow (A+B+C) \rightarrow 6$ दिन

∴A का 1 दिन कार्य = 4–2 = 2 unit

C का 1 दिन कार्य = 4–3 = 1unit

∴(A+C) का 1 दिन कार्य = 2+1 = 3unit

(A+C) = $\frac{24}{3}$ = 8 दिन

10. (c) माना, B = x दिन

A = $(x-5)$ दिन

(A+B) = $\frac{100}{9}$ दिन

$\therefore \frac{1}{x-5} + \frac{1}{x} = \frac{9}{100}$

$\frac{x+x-5}{x^2-5x} = \frac{9}{100}$

या, $9x^2 - 45x = 200x - 500$

या, $9x^2 - 245x + 500x = 0$

या, $9x^2 - 225x - 20x + 500 = 0$

या, $9x(x-25) - 20(x-25) = 0$

या, $(x-25)(9x-20) = 0$

$\therefore x = 25$ दिन

यहाँ, $x = \frac{20}{9}$ दिन सम्भव नहीं है क्योंकि तब A का समय ऋणात्मक होगा।

11. (b)

4 ← A → 18 दिन
3 ← B → 24 दिन > 72 इकाई कुल (कुल कार्य)

A+B, 8 दिन	B
8 × 7 = 56 इकाई	शेष कार्य = 16 इकाई

→ 72 इकाई ←

अकेले B द्वारा किया गया कार्य

= 72 – 56 = 16 unit

∴ शेष कार्य, B = $\frac{16}{3} = 5\frac{1}{3}$ दिन में करेगा

12. (c)

2 ←—— A → 6 दिन
1 ←—— B → 12 दिन
> 12 इकाई कुल (कुल कार्य)

A+B, 3 दिन	B
$3 \times 3 = 9$ इकाई	शेष कार्य = 3 इकाई

|—→ 12 इकाई ←—|

अकेले B द्वारा किया गया कार्य
= 12 – 9 = 3 unit

∴ B शेष कार्य, $= \frac{3}{1} = 3$ दिन में करेगा

∴ कुल समय = 3+3 =6 दिन

13. (c)

3← A → 24 दिन
8← B → 9 दिन
6← C → 12 दिन
→ 72 इकाई (कुल कार्य)

B+C, 3 दिन	A
$3 \times 14 = 42$ इकाई	शेष कार्य = 30 इकाई

|—→ 72 इकाई ←—|

A द्वारा किया गया शेष कार्य = 72–42 = 30 unit

∴ शेष कार्य, $A = \frac{30}{3} = 10$ दिन में करेगा।

14. (c)

3 ←—— A → 20 दिन
2 ←—— B → 30 दिन
> 60 इकाई कुल (कुल कार्य)

A+B, 7 दिन	C, 10 दिन
$7 \times 5 = 35$ इकाई	शेष कार्य = 25 इकाई

|—→ 60 इकाई ←—|

C, 10 दिनों मे = 60–35 = 25 unit

∴ C, 1 दिन में $= \frac{25}{10} = \frac{5}{2}$ unit

$\therefore C = \frac{60}{\frac{5}{5}}$ दिन $= \frac{60\times2}{5} = 24$ दिन

15. (d) $1 \leftarrow A + B \rightarrow 30$ दिन = 30 unit

A+B, 20 दिन	A, 20 दिन
$1 \times 20 = 20$ इकाई	शेष कार्य = 10 इकाई

|—→ 30 इकाई ←—|

∴ A शेष (30–20 = 10 unit) कार्य = 20 दिन

∴ A, 1 दिन में $= \frac{10}{20} = \frac{1}{12}$ unit

∴ B का 1 दिन कार्य $1 - \frac{1}{2} = \frac{1}{2}$ unit

अतः $B = \frac{30}{\frac{1}{2}}$ दिन = 60 दिन

16. (c)

6 ←—— A → 30 दिन
5 ←—— B → 36 दिन
> 180 इकाई कुल (कुल कार्य)

A+B	B, 25 दिन
शेष कार्य = 55 इकाई	$25 \times 5 = 125$ इकाई

|—→ 180 इकाई ←—|

(A+B) ने 180 –125 = 55 unit कार्य किया

∴ $(A+B) = \frac{55}{(6+5)} = 5$ दिन

अतः A ने 5 दिन बाद कार्य छोड़ा

17. (c)1 unit ← (A +B + C) → 40 दिन→ 40 unit

A+B+C, 16 दिन	B + C, 40 दिन
$1 \times 16 = 16$ इकाई	शेष कार्य = 24 इकाई

|—→ 40 इकाई ←—|

अर्थात् (B+C)ने 40 दिन में = (40 – 16) = 24 unit + कार्य किया

∴ (B+C) का 1 दिन कार्य $= \frac{24}{40} = \frac{3}{5}$ unit

∴ A का 1 दिन कार्य $= 1 - \frac{3}{5} = \frac{2}{5}$ unit

अतः $A = \frac{40}{2}$ दिन $= \frac{40\times5}{2} = 100$ दिन

18. (d)

3←A+B→ 8 दिन
2← B → 12 दिन
2← C → 12 दिन
→ 24 इकाई (कुल कार्य)

A+B, 4 दिन	B, 2 दिन	C
$4 \times 3 = 12$ इकाई	$2 \times 2 = 4$ इकाई	

|—→ 24 इकाई ←—|

अतः C, द्वारा किया गया कार्य = 24 – (12+4) = 8 unit

∴ $C = \frac{8}{2} = 4$ दिन

19. (b)

8 ←—— A → 45 दिन
9 ←—— B → 40 दिन
> 360 इकाई कुल (कुल कार्य)

A+B	B, 23 दिन
शेष कार्य = 153 इकाई	$23 \times 9 = 207$ इकाई

|—→ 360 इकाई ←—|

$\therefore$ (A + B) द्वारा किया गया कार्य

= 360 – 207 = 153 unit

$\therefore (A+B) = \frac{153}{(8+9)} = \frac{153}{17} = 9$ दिन

$\therefore$ A ने 9 दिन बाद कार्य छोड़ा

20. (a)

6 ← A → 36 दिन
4 ← B → 54 दिन → 216 इकाई (कुल कार्य)
3 ← C → 72 दिन

माना, कार्य x दिन तक चला

A(x–8) दिन + B,(x–12) दिन+ C, x दिन = 216

$(x-8)\times6+(x-12)\times4+x\times3 = 216$

$6x-48+4x-48+3x = 216$

$13x = 216+96 = 312$

$\therefore x = \frac{312}{13} = 24$ दिन

21. (d)

6 ← A → 10 दिन
5 ← B → 12 दिन → 60 इकाई (कुल कार्य)
4 ← C → 15 दिन

माना, कार्य x दिन तक चला

A(x–5)दिन + B,(x–3)दिन+ C, xदिन

= 60 unit

$(x-5) \times 6 + (x-3)\times5+x\times4 = 60$

$6x-30+5x-15+4x = 60$

$15x = 60+45 = 105$

$\therefore x = \frac{105}{15} = 7$ दिन

22. (b)

2 ← A → 9 दिन
1 ← B → 18 दिन
18 इकाई कुल (कुल कार्य)

माना, कार्य x दिन तक चला

A (x –3) दिन + B, x दिन = 18 unit

$(x-3)\times2+ x\times 1 = 18$

$2x - 6+x = 18$

$3x = 24$

$x = 8$ दिन

23. (d)

5 ← A → 24 दिन
4 ← B → 30 दिन → 120 इकाई (कुल कार्य)
3 ← C → 40 दिन

माना, कार्य x दिन तक चला

(A+B), x दिन + C (x–4) दिन = 120 Unit

$9x+(x-4)3 = 120$

$9x+ 3x-12 = 120$

$12x = 132$

$\therefore x = \frac{132}{12} = 11$ दिन

24. (a)

3 ← A → 12 दिन
2 ← B → 18 दिन
36 इकाई कुल (कुल कार्य)

1चक्र 2 दिन $\begin{cases} A \rightarrow 3unit \\ B \rightarrow 2unit \end{cases}$ 5 unit

5) 36 (7 चक्र(14) दिन
35
1 unit (शेष)

$\therefore$ 15वें दिन, A शेष (1 unit)कार्य = $\frac{1}{3}$ दिन में करेगा

अतः कुल समय = $14\frac{1}{3}$ दिन

25. (c)

4 ← A → 12 दिन
3 ← B → 16 दिन
48 इकाई कुल (कुल कार्य)

1चक्र 2 दिन $\begin{cases} A \rightarrow 4unit \\ B \rightarrow 3unit \end{cases}$ 7 unit

7) 48 (6 चक्र (12 दिन)
42
6 unit (शेष)

$\therefore$ 13वें दिन, A = (4 unit) करेगा

अब,शेष कार्य = 6 – 4 = 2 unit

$\therefore$ 14वें दिन, B शेष कार्य = $\frac{2}{3}$ दिन में करेगा

अतः कुल समय = $13\frac{2}{3}$ दिन

26. (c)

3 ← A → 20 दिन
2 ← B → 30 दिन → 60 unit
1 ← C → 60 दिन

1चक्र 3 दिन $\begin{cases} A \rightarrow 3\ unit \\ A \rightarrow 3\ unit \\ (A + B + C) \rightarrow 6\ unit \end{cases}$ 12unit

12) 60 (5 चक्र(15) दिन
60
X

$\therefore$ पूरा कार्य 15 दिन में होगा

27. (a)

2 ← A → 30 दिन
3 ← B → 20 दिन → 60 unit
6 ← C → 10 दिन

1चक्र 3 दिन $\begin{cases} (A + B) \rightarrow 5\ unit \\ (A + C) \rightarrow 8\ unit \end{cases}$ 13unit

13) 60 (4 चक्र(8 दिन)
52
8 unit (शेष)

9वें दिन, (A+B) = ;(5 unit)कार्य करेगा

अब,शेष कार्य = 8 – 5 = 3 unit

∴ 10वें दिन, (A+C) शेष कार्य = $\frac{3}{8}$ दिन में करेगा

अतः कुल समय = 9 $\frac{3}{8}$ दिन

28. (b)

	A	B
कार्य दक्षता → (1दिनो में कार्य)	2	1

∴ कुल कार्य = (2+1)×14 = 42 unit (माना)

A = $\frac{42}{2}$ = 21 दिन

29. (b)

	A	B
कार्य दक्षता → (1 दिन में कार्य)	4	5 [100:125 = 4:5]

∴ कुल कार्य = 4×6 = 24 unit (माना)

अतः B = $\frac{24}{5}$ = 4 $\frac{4}{5}$ दिन

30. (c)

	A	B
कार्य दक्षता → (1 दिन में कार्य घण्टे)	4	5 [80:100=4:5]

∴ कुल कार्य = 4×$\frac{15}{2}$ = 30 unit (माना)

∴ B = $\frac{30}{5}$ = 6 घण्टे

31. (b)

	A	B
कार्य दक्षता → (1 दिन में कार्य घण्टे)	5	8 [100:160=5:8]

∴कुल कार्य = 5×12 = 60 unit (माना)

अतः B = $\frac{60}{8}$ =दिन = $\frac{15}{2}$ दिन = 7 $\frac{1}{2}$ दिन

32. (a)

समय	3	2
कार्य दक्षता → (1 दिन में कार्य घण्टे)	2	3

∴कुल कार्य =(2+3)×18 = 90 unit (माना)

अतः B = $\frac{90}{3}$

= 30दिन

33. (b)

माना,(A+C) = x दिन ∴ B = 3x दिन $\frac{1}{x}+\frac{1}{3x}=\frac{1}{10}$ या, $\frac{4}{3x}=\frac{1}{10}$ $x=\frac{40}{3}$ दिन	तथा (A+B) = y दिन ∴ C = 2y दिन $\frac{1}{y}+\frac{1}{2y}=\frac{1}{10}$ या, $\frac{3}{2y}=\frac{1}{10}$ ∴ y = 15 दिन

(A+B+C) का 1 दिन कार्य = $\frac{1}{10}$

$\frac{1}{A}+\frac{1}{40}+\frac{1}{30}=\frac{1}{10}$

$\frac{1}{A}=\frac{1}{10}-\frac{1}{40}-\frac{1}{30}$

$\frac{1}{A}=\frac{12-3-4}{120}=\frac{5}{120}=\frac{1}{24}$

∴A = 24 दिन

34. (c)

	प्रतिभा	सोनिया
कार्य क्षमता →	3	1
समय →	1	3

माना, प्रतिभा = x दिन

सोनिया = 3x दिन

3x– x= 60 दिन

x = 30 दिन (प्रतिभा)

तथा, सोनिया = 3x दिन 90 दिन

35. (d)

	A	B
कार्य दक्षता →	3	1
समया→	1	3

माना , A = x दिन

B = 3x दिन

3x–x = 40 दिन

2x = 40

x =20 दिन (A)

∴B = 3x= 60 दिन

3 ←A → 20 दिन \
1 ←B → 60 दिन / >60 unit

(A+B) का 1 दिन कार्य = 4 unit

∴ (A+B) = $\frac{60}{4}$ = 15 दिन

36. (b) P, $\frac{1}{4}$ = 10 दिन

∴P = 40 दिन

Q × $\frac{40}{100}$ = 15 दिन

Q = 15×$\frac{5}{2}$ = $\frac{75}{2}$ दिन

R, $\frac{1}{6}$ = 7 दिन

∴ R = 42 दिन अतः Q सबसे पहले कार्य कार्य समाप्त कर देगा

37. (c) A, $\frac{2}{5}$ = 6 दिन

∴A = 6× $\frac{5}{2}$ = 15 दिन

B , $\frac{1}{3}$ = 10 दिन

B = 30 दिन

2 ←A →15 दिन
1 ←B →30 दिन   > 30 unit

(A+B) का 1 दिन कार्य = 3 unit

(A+B) = $\frac{30\times\frac{4}{5}}{3} = \frac{24}{3}$ = 8 दिन

38. (c)

	आशा	बाबू
कार्यदक्षता →	7	4
(1 दिन में कार्य) →	[आशा = बाबू × $\frac{7}{4}$] ∴ $\frac{\text{आशा}}{\text{बाबू}} = \frac{7}{4}$]	

कुल कार्य = (7+4)×7 = 77 unit (माना)

∴ आशा = $\frac{77}{7}$ = 11 दिन

39. (c)

	सुमन	सुमति
समय →	3	2
कार्य क्षमता →	2	3

∴मजदूरी का अनुपात = कार्यदक्षता का अनुपात = 2 : 3

अनुपाती योग = 5

∴ सुमन की मजदूरी = $\frac{2}{5}$ ×150 = ₹60

40. (c)

3 ←A →8 दिन
2 ←B →12 दिन   > 24 unit
6 ←(A+B+C) →4 दिन

∴ तीनों के कार्यदक्षता का अनुपात = 3 : 2 : 1

तब मजदूरी का अनुपात = 3 : 2 : 1

अनुपाती योग = 6

C = $\frac{1}{6}$ × 4500 = ₹750

41. (a)

4 ←A →15 दिन
5 ←B →12 दिन   > 60 unit
12 ←(A+B+C) →5 दिन

∴ C का 1 दिन कार्य = 12 – (4+5) = 3 unit

∴ तीनों के कार्यदक्षता का अनुपात = 4: 5 : 3

∴ मजदूरी का अनुपात = 4 : 5 : 3

अनुपाती योग = 12

C का भाग = $\frac{3}{12}$ ×1200 = ₹300

42. (d) अमर, $\frac{1}{4}$ भाग = 3 दिन

∴अमर = 12दिन

शंकर, $\frac{1}{6}$ भाग = 4 दिन

∴ शंकर, = 24 दिन

	अमर	शंकर
समय →	1	2
कार्य क्षमता →	2	1

मजदूरी का अनुपात = 2 : 1

अनुपाती योग = 3

अमर = $\frac{2}{3}$ × 1800 = ₹1200

43. (b)

	A	B	C
दिन →	6	4	9
दैनिक मजदूरी →	5	6	4
कुल मजदूरी →	30	24	36

= 5 : 4 : 6

अनुपाती योग = 15

A = $\frac{5}{15}$ × 1800 = ₹600

44. (a) $M_1 = x$ आदमी (माना)

D_1 = 90 दिन

$M_2 = (x+5)$ आदमी

D_2 = 20 दिन

$M_1D_1 = M_2D_2$ से,

$x\times30 = (x+5)\times20$

$3x= 2x+10$

$x = 10$

45. (a) $M_1D_1 = M_2D_2$ से,

$(x+4) \times (x+5) = (x-5) \times (x+20)$

$x^2 + 5x+ 4x+20 = x^2 + 20x- 5x-100$

$9x+ 20 = 15x-100$

$20+ 100 = 15x- 9x$

$6x = 120$

$x= 20$

46. (b) $M_1 = x$ व्यक्ति (माना)

D_1 = 40 दिन

$M_2 = (x+8)$ व्यक्ति

M_2 = 40 – 10 = 30 दिन

$M_1D_1 = M_2D_2$ से
$x \times 40 = (x+8) \times 30$
$4x = 3x + 24$
$x = 24$

47. (c) $250 \times 5 \times 20 = M_2 \times 8 \times 10$
$M_2 = \frac{250 \times 5 \times 20}{8 \times 10} = 312{\cdot}5$
∴आदमियों की न्यूनतम अपेक्षित संख्या = 313

48. (d) M_1 = 20 मजदूर
D_1 = 12 दिन
$W_1 = \frac{5}{8}$ भाग
$M_2 = (20+x)$ मजदूर (माना)
$D_2 = 16 - 12 = 4$ दिन
$W_2 = 1 - \frac{5}{8} = \frac{3}{8}$
$\frac{20 \times 12}{\frac{5}{8}} = \frac{(20+x) \times 4}{\frac{3}{8}}$
$20 \times 12 \times 3 = (20+x) \times 4 \times 5$
$720 = 400 + 20x$
$320 = 20x$
∴ x 16 मजदूर

49. (a) $M_1D_1 = M_2D_2$
$75 \times 90 = M_2 \times 18$
$\therefore M_2 = \frac{75 \times 90}{18} = 375$
∴अतिरिक्त व्यक्तियों की संख्या = 375 – 75 = 300

50. (c) M_1 = 280 मजदूर
D_1 = 80 दिन
$W_1 = 3{\cdot}5$ किमी.
$M_2 = (280+x)$ मजदूर
$D_2 = 100 - 80 = 20$ दिन
$W_2 = 5 - 3.5 = 1.5$ किमी.
$\frac{280 \times 80}{3{\cdot}5} = \frac{(280+x) \times 20}{1{\cdot}5}$
$280 \times 80 \times 1{\cdot}5 = (280+x) \times 20 \times 3{\cdot}5$
$280 \times 120 = (280+x) \times 70$
$\frac{280 \times 120}{70} = (280+x)$
$480 = 280 + x$
अतः $x = 200$ मजूदर

51. (d) M_1 = 35 व्यक्ति
D_1 = 32 दिन
$W_1 = \frac{2}{5}$ भाग.
$M_2 = (35+x)$ व्यक्ति
$D_2 = 60 - 32 = 28$ दिन
$W_2 = 1 - \frac{2}{5} = \frac{3}{5}$ भाग.
$\frac{35 \times 32}{\frac{2}{5}} = \frac{(35+x) \times 28}{\frac{3}{5}}$
$35 \times 16 \times 3 = (35+x) \times 28$
$\frac{35 \times 16 \times 3}{28} = 35 + x$
$60 = 35 + x$
अतः $x = 25$ मजूदर

52. (a) 12M = 24B
या, M : B = 2 : 1
$M_1D_1 = M_2D_2$
$12M \times 66 = (15M+6B) \times x$
$12 \times 2 \times 66 = (15 \times 2 + 6 \times 1) \times x$
$24 \times 66 = 36 \times x$
$\therefore x = \frac{24 \times 66}{36} = 44$ दिन

53. (a) 12M = 18F
या, M : F = 3 : 2
$M_1D_1 = M_2D_2$
$12M \times 14 = (8M+16F) \times x$
$12 \times 3 \times 14 = (8 \times 3 + 16 \times 2) \times x$
$36 \times 14 = 56 \times x$
$\therefore x = \frac{36 \times 14}{56} = 9$ दिन

54. (a) 3M = 7F
या, M : F = 7 : 3
$\frac{3M \times 32}{1} = \frac{(7M+5F) \times x}{2}$
$3 \times 7 \times 32 \times 2 = (7 \times 7 + 5 \times 3) \times x$
$3 \times 7 \times 32 \times 2 = 64x$
$\therefore x = \frac{42 \times 32}{64} = 21$ दिन

55. (b) 4M = 6F
या, M : F = 3 : 2
$\frac{4M \times 7 \times 12}{1} = \frac{(10M+3F) \times 8 \times x}{2}$
$4 \times 3 \times 7 \times 12 \times 2 = (10 \times 3 + 3 \times 2) \times 8x$
$4 \times 3 \times 7 \times 12 \times 2 = 36 \times 8x$
$\therefore x = \frac{4 \times 3 \times 7 \times 12 \times 2}{36 \times 8} = 7$ दिन

56. (a) $(4M+6B) \times 8 = (3M+7B) \times 10$
$32M + 48B = 30M + 70B$
$2M = 22B$
या, M : B = 11 : 1
$(4M+6B) \times 8 = 20B \times x$
$(4 \times 11 + 6 \times 1) \times 8 = 20 \times 1 \times x$
$x = \frac{50 \times 8}{20}$
$x = 20$ दिन

57. (b) $(4M+6F) \times 8 = (2M+9F) \times 8$
या, 4M+6F = 2M+9F
या, 2M = 3F
या, M : F = 3 : 2
$(4M+6F) \times 8 = 18F \times x$
$(4 \times 3 + 6 \times 2) \times 8 = 18 \times 2 \times x$
$x = \frac{24 \times 8}{18 \times 2} = \frac{16}{3} = 5\frac{1}{3}$ दिन

58. (b) $(6M+8B) \times 10 = (26M+48B) \times 2$
या, 60M+80B = 52M+96B
या, 8M = 16B

या, M : B = 2 : 1

(6M+8B)×10= (15M+20B)×x

(6×2+8×1)×10 = (15×2+20×1)× x

20×10 = 50×x

$\therefore x = \frac{20\times10}{50}$ = 4 दिन

59 : a. माना, कुल कार्य = 20 व 30 का ल० स० = 60

60 → A का 1 दिन कार्य = $\frac{60}{20} = 3$

60 → B का 1 दिन कार्य = $\frac{60}{30} = 2$

(A + B) का एक दिन कार्य = 3 + 2 = 5

अतः दोनों मिलकर कार्य = $\frac{60}{5}$

= 12 दिन में पूरा कर लेंगे

60 : c. माना, कुल कार्य = 15 व 20 का ल० स० = 60

60 → A का 1 दिन कार्य = $\frac{60}{15} = 4$

60 → B का 1 दिन कार्य = $\frac{60}{20} = 3$

∴ B का 1 दिन कार्य = 4 − 3 = 1

∴ B कार्य = $\frac{60}{1}$ = 60 दिन में पूरा कर लेगा।

61 : d. माना, कुल कार्य = 12, 8 व 6 का ल० स० = 24

कुल कार्य(24) → A + B का 1 दिन कार्य = 2

कुल कार्य(24) → B + C का 1 दिन कार्य = 3

कुल कार्य(24) → C + D का 1 दिन कार्य = 4

∴ 2 (A + B + C) का 1 दिन कार्य = 9

∴ A + B + C का 1 दिन कार्य = $\frac{9}{2}$

∴ B का 1 दिन कार्य = $\frac{9}{2} - 4 = \frac{1}{2}$

अतः B अकेले कार्य को $\frac{24}{\frac{1}{2}} = 24 \times 2$

= 48 दिन में कर लेगा।

62 : b. माना, कुल कार्य (30 व 50 का ल० स०)

= 150

150 → A + B + C का 1 मिनट कार्य = $\frac{150}{30} = 5$

150 → A + B का 1 मिनट कार्य = $\frac{150}{50} = 3$

∴ B का 1 मिनट कार्य = 4 − 3 = 1

$A + B$ का 1 मिनट कार्य = 3

∴ C अकेला कार्य = $\frac{150}{2}$ = 75 मिनट में पूरा कर लेगा।

63 : a. माना कुल कार्य (2, 6 व 5 का ल० स०)

= 30

कुल कार्य(30) → A + B + C के 1 घण्टे का कार्य = 15

कुल कार्य(30) → A के 1 घण्टे का कार्य = 5

कुल कार्य(30) → B के 1 घण्टे का कार्य = 6

∴ C के 1 घण्टे का कार्य = 15 - (5 + 6) = 4

∴ C कार्य को, $\frac{30}{4}$

= $\frac{15}{2} = 7\frac{1}{2}$ घण्टे में पूरा कर लेगा।

64 : c. A, $\frac{1}{6}$ भाग = 5 दिन

∴ A पूरा कार्य = 5 × 6 दिन में करेगा

B, $\frac{2}{5}$ भाग = 8 दिन

∴ B पूरा कार्य = $8 \times \frac{5}{2}$ = 20 दिन में करेगा

माना, पूरा कार्य (30 व 20 का ल० स०) = 60

60 → A का 1 दिन कार्य = $\frac{60}{30} = 2$

60 → B का 1 दिन कार्य = $\frac{60}{20} = 3$

∴ (A + B) का 1 दिन कार्य = 5

अतः (A +B) कार्य को $\frac{60}{5}$ = 12 दिन में कर लेंगे।

65 : b. माना, कुल कार्य (20 व 40 का ल० स०) = 40

40 → A का 1 दिन कार्य = $\frac{40}{20} = 2$

40 → B का 1 दिन कार्य = $\frac{40}{40} = 1$

∴ (A + B) का 1 दिन कार्य = 3

अतः (A +B) का 5 दिन कार्य = 3 × 5 = 15

∴ शेष कार्य = 40 - 15 = 25 [40 कार्य में 25 कार्य शेष है]

अतः शेष भाग = $\frac{25}{40} = \frac{5}{8}$

66 : a. x, $\frac{1}{4}$ भाग = 6 दिन

∴ x पूरा कार्य = 6 × 4 दिन में करेगा

y, $\left(1 - \frac{1}{4}\right)$ भाग = 12 दिन

∴ y पूरा कार्य = 12 × $\frac{4}{3}$ = 16 दिन

माना, कुल कार्य (24 व 16 का ल० स०) = 48

48 → x का 1 दिन कार्य = $\frac{48}{24} = 2$

48 → y का 1 दिन कार्य = $\frac{48}{16} = 3$

∴ (x + y) का 1 दिन कार्य = 5

∴ (x + y) कार्य को $\frac{48}{5}$ दिन

= $9\frac{3}{5}$ दिन में पूरा कर लेंगे।

67 : d. माना, कुल कार्य (60 व 30 का ल० स०)

= 60

60 → A का 1 दिन कार्य = $\frac{60}{60} = 1$ [∴ A का 15 दिन कार्य = 15]

→ B का 1 दिन कार्य = $\frac{60-15}{30} = \frac{45}{30} = \frac{3}{2} = 1.5$

(A + B)का 1 दिन कार्य = (1 + 1·5) = 2·5

अतः (A + B) मिलकर कार्य = $\frac{60}{2.5}$

= 24 दिन में कर लेंगे।

68 : d. माना, कुल कार्य (12 व 18 का ल० स०)

= 36

36 → A का 1 दिन कार्य = $\frac{36}{12} = 3$

→ B का 1 दिन कार्य = $\frac{36}{18} = 2$

∴ (A + B) का 1 दिन कार्य = 5

∴ (A + B) का 2 दिन कार्य = 5 × 2 = 10

∴ शेष कार्य = 36 - 10 = 26

अतः शेष कार्य, B, $\frac{26}{2}$ दिन = 13 दिन में पूरा करेगा।

69 : c. माना, कुल कार्य (6 व 12 का ल० स०) = 12

12 → A का 1 दिन कार्य = $\frac{12}{6} = 2$

→ B का 1 दिन कार्य = $\frac{12}{12} = 1$

∴ (A + B) का 1 दिन कार्य = 3

∴ (A + B) का 3 दिन कार्य = 3 × 3 = 9

∴ शेष (12- 9) = 3 कार्य,

B, $\frac{3}{1}$ दिन = 3 दिन में पूरा करेगा

∴ कुल लगा समय = (3 + 3) दिन = 6 दिन

70 : c. माना कुल कार्य (24, 9 व 12 का ल० स०) = 72

कुल कार्य(72) → A का 1 दिन कार्य = 3

→ B का 1 दिन कार्य = 8

→ C का 1 दिन कार्य = 6

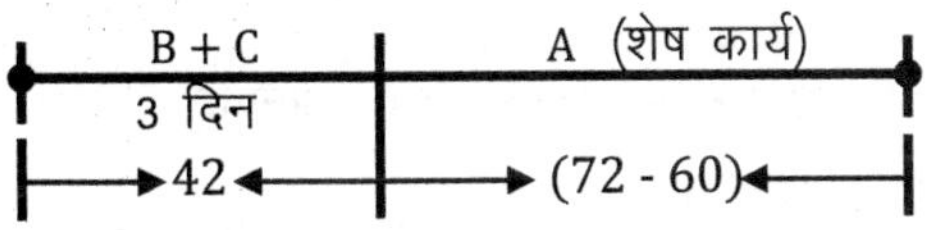

(B +C) का 3 दिन कार्य = (8 + 6) × 3 = 42

शेष कार्य = (72 - 42) = 30 [यह कार्य A द्वारा $\frac{30}{3}$ दिन

= 10 दिन में पूरा होगा]

71 : b. माना, कुल कार्य (20 व 12 का ल० स०) = 60

60 → A का 1 दिन कार्य = $\frac{60}{20} = 3$

→ B का 1 दिन कार्य = $\frac{60}{12} = 5$

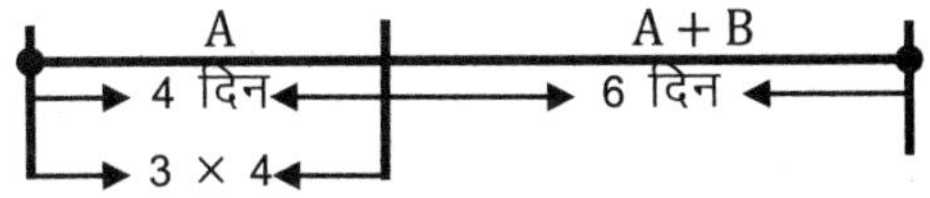

A द्वारा 4 दिन में किया गया कार्य = 3 × 4 = 12

शेष कार्य = 60 - 12 = 48 [यह कार्य A व B मिलकर करेंगे]

अतः A व B द्वारा शेष कार्य करने में = $\frac{48}{(3+5)}$ दिन

= 6 दिन लगेगा

∴ कुल लगा समय = (4 + 6) दिन

= 10 दिन

72 : a. माना कुल कार्य x दिन तक चला

[यहाँ A पूरे x दिन काम करेगा जबकि B, (x - 3) तक कार्य करेगा]

माना, कुल कार्य (18 व 12 का ल० स०) = 36

36 → A का 1 दिन कार्य = $\frac{36}{18} = 2$

→ B का 1 दिन कार्य = $\frac{36}{12} = 3$

A का x दिन कार्य + B का (x - 3) दिन कार्य = 36 (कुल कार्य)

$2x + (x - 3) \times 3 = 36$

$2x + 3x - 9 = 36$

$5x = 45$

∴ x = 9 दिन

73 : d. माना, कुल कार्य (20 व 30 का ल० स०) = 60

तथा C अकेला कार्य x दिन में कर लेगा

कुल कार्य(60) → A का 1 दिन कार्य = 3

→ B का 1 दिन कार्य = 2

→ C का 1 दिन कार्य = $\frac{60}{x}$

∴ (A +B) का 1 दिन कार्य = 5

C का 1 दिन कार्य $= \frac{60}{x}$

(A + B) का 7 दिन में कार्य + C का 10 दिन में कार्य = 60

$5 \times 7 + \frac{60}{x} \times 10 = 60$

$\frac{600}{x} = 60 - 35 = 25$

$\therefore x = \frac{600}{25} = 24$ दिन

74 : d. माना, कार्य कुल x दिन तक चला

तथा कुल कार्य (10 व 15 का ल० स०) = 30

30 → A का 1 दिन कार्य $= \frac{30}{10} = 3$

30 → B का 1 दिन कार्य $= \frac{30}{15} = 2$

$\therefore$ (A + B) का 1 दिन कार्य = 5

A का $(x - 2)$ कार्य + B का x दिन कार्य = 30 (कुल कार्य)

$(x - 2) \times 3 + 2x = 30$

$3x - 6 + 2x = 30$

$5x = 36$

$x = \frac{36}{5} = 7\frac{1}{5}$ दिन

75 : b. माना, कुल कार्य = 20

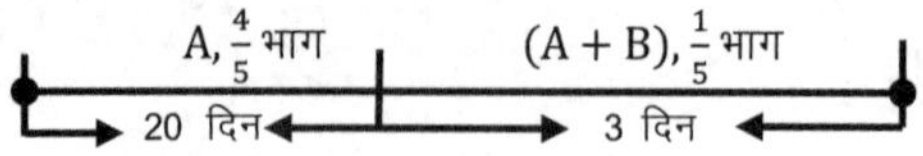

$\because$ A, $\frac{4}{5}$ भाग = 20 दिन में

$\therefore$ A पूरा कार्य $= \frac{20 \times 5}{4}$ दिन = 25 दिन में

माना, B पूरा कार्य x दिन में कर लेगा

20 → A का 1 दिन कार्य $= \frac{20}{25} = \frac{4}{5}$

20 → B का 1 दिन कार्य $= \frac{20}{x}$

A का 23 दिन कार्य + B का 3 दिन कार्य = 20

$23 \times \frac{4}{5} + \frac{20}{x} \times 3 = 20$

$\frac{60}{x} = 20 - \frac{92}{5} = \frac{8}{5}$

$8x = 60 \times 5$

$x = \frac{60 \times 5}{8}$

$= \frac{75}{2} = 37\frac{1}{2}$ दिन

द्वितीय विधि : शेष कार्य $= 1 - \frac{4}{5} = \frac{1}{5}$ भाग

[दोनों मिलकर 3 दिन में करते है ।]

(A + B), $\frac{1}{5}$ भाग = 3 दिन

$\therefore$ (A + B) मिलकर पूरा कार्य = 15 दिन में

माना, पूरा कार्य (25 व 12 का ल० स०) = 75

$\because$ [A अकेले कार्य 25 दिन में करता है ।]

75 → A + B का 1 दिन कार्य = 5

75 → A का 1 दिन कार्य = 3

$\therefore$ B का 1 दिन कार्य = 5 - 3 = 2

$\therefore$ B, अकेले पूरा कार्य $\frac{75}{2}$ दिन $= 37\frac{1}{2}$ दिन में कर लेगा।

76 : d. शेष कार्य $= 1 - \frac{7}{10} = \frac{3}{10}$ भाग [दोनों मिलकर 4 दिन में करते है]

$(A + B)$ मिलकर, $\frac{3}{10}$ भाग = 4 दिन

$\therefore$ $(A + B)$ मिलकर पूरा कार्य $= \frac{4 \times 10}{3}$ दिन

$= 13\frac{1}{3}$ दिन में कर लेंगे।

77 : c. A की कार्यक्षमता : B की कार्यक्षमता = 2 : 1

माना, कुल कार्य = दोनों की कार्यक्षमता अनुपात का योग × दोनों का समय

$= (2 + 1) \times 14 = 42$

$\therefore$ द्वारा लगा समय $= \frac{42}{2}$

= 21 दिन

78 : d. A व B के समय में अनुपात = 150 : 100 = 3 : 2

$\therefore$ A व B के कार्यक्षमता का अनुपात = 2 : 3

माना, कुल कार्य $= (2 + 3) \times 18 = 90$

$\therefore$ B द्वारा लगा समय $= \frac{90}{3} = 30$ दिन

79 : a. A व B के कार्यक्षमता का अनुपात = 80 : 100 = 4 : 5

माना, कुल कार्य = A की कार्यक्षमता × A का समय

$= 4 \times \frac{15}{2} = 30$

$\therefore$ B द्वारा लगा समय $= \frac{30}{5}$

= 6 घण्टे

80 : b. A व B की कार्यक्षमता का अनुपात

= 100 : 125 = 4 : 5

माना, कुल कार्य $= 4 \times 6 = 24$

$\therefore$ B द्वारा लगा समय $= \frac{24}{5}$ दिन $= 4\frac{4}{5}$ दिन

81 : b. माना, B, x दिन में कार्य करता है।

तब A, $\frac{3x}{4}$ दिन में $= \frac{1}{2}$ कार्य

$\therefore$ A पूरा कार्य करेगा $= \frac{3x}{4} \times 2 = \frac{3x}{2}$ दिन

$\therefore$ A व B के समय में अनुपात $= \frac{3x}{2} : x = 3 : 2$

$\therefore$ A व B के कार्यक्षमता का अनुपात $= 2 : 3$

माना, कुल कार्य $= (2 + 3) \times 18 = 90$

$\therefore$ B द्वारा लगा समय $= \frac{90}{3} = 30$ दिन

82 : c. माना, B, x दिन में कार्य करता है।

तब A, $\frac{1}{2}$ कार्य करेगा $= \frac{x}{6}$ दिन में

$\therefore$ A पूरा कार्य करेगा $= \frac{x}{6} \times 2$ दिन $= \frac{x}{3}$ दिन

$\therefore$ A व B के समय का अनुपात $= \frac{x}{3} : x = 1 : 3$

$\therefore$ A व B के कार्यक्षमता का अनुपात $= 3 : 1$

माना, कुल कार्य $= (3 + 1) \times 10 = 40$

$\therefore$ B द्वारा लगा समय $= \frac{40}{1}$ दिन $= 40$ दिन

83 : a. माना, कुल कार्य (12 व 18 का ल० स०)

$= 36$

36 → A का 1 दिन कार्य $= \frac{36}{12} = 3$

36 → B का 1 दिन कार्य $= \frac{36}{18} = 2$

पहले दिन, A → 3 कार्य करेगा
दूसरे दिन, B → 2 कार्य करेगा

$\therefore$ 1 चक्र (2 दिन) में कार्य $= 3 + 2 = 5$

$\therefore$ 7 चक्र (14 दिन) में कार्य $= 5 \times 7 = 35$

$\therefore$ शेष (36 − 35) कार्य A द्वारा 15वें दिन $\frac{1}{3}$ दिन में समाप्त होगा।

$\therefore$ कुल समय $= 14$ दिन $+ \frac{1}{3}$ दिन $= 14\frac{1}{3}$ दिन

84 : d. माना, कुल कार्य (20, 30 व 60 का ल० स०) $= 60$

कुल कार्य(60) → A का 1 दिन कार्य $= 3$

कुल कार्य(60) → B का 1 दिन कार्य $= 2$

कुल कार्य(60) → C का 1 दिन कार्य $= 1$

पहले दिन A, 3 कार्य करेगा

दूसरे दिन (A + B), 5 कार्य करेगा

तीसरे दिन (A + C), 4 कार्य करेगा

1 चक्र (3 दिन) में कार्य $= 3 + 5 + 4 = 12$

$\therefore$ 5 चक्र (15 दिन) में कार्य $= 12 \times 5 = 60$

$\therefore$ कार्य 15 दिन में समाप्त होगा

85 : a. माना, कुल कार्य (15 व 10 का ल० स०)

$= 30$

30 → A का 1 दिन कार्य $= 2$

30 → B का 1 दिन कार्य $= 3$

कार्यक्षमता का अनुपात = मजदूरी का अनुपात $= 2 : 3$

अनुपाती योग $= 5$

$\therefore$ A की धनराशि $= \frac{2}{5} \times 30000 =$ ₹ 12000

86 : c. अमर $\frac{1}{4}$ भाग $= 3$ दिन

$\therefore$ अमर पूरा कार्य करेगा $= 12$ दिन में

शंकर $\frac{1}{6}$ भाग $= 4$ दिन

$\therefore$ शंकर पूरा कार्य करेगा $= 24$ दिन में

माना, कुल कार्य (12 व 24 का ल० स०) $= 24$

24 → अमर का 1 दिन कार्य $= 2$

24 → शंकर का 1 दिन कार्य $= 1$

कार्यक्षमता का अनुपात = मजदूरी का अनुपात $= 2 : 1$

अनुपाती योग $= 3$

$\therefore$ अमर की राशि $= \frac{2}{3} \times 1800 =$ ₹ 1200

87 : c. A, B व C के मजदूरी का अनुपात

$= 6 \times 5 : 4 \times 6 : 9 \times 4$

$= 30 : 24 : 36$

$= 5 : 4 : 6$

अनुपाती योग $= 15$

$\therefore$ A की राशि $= \frac{5}{15} \times 1800 =$ ₹ 600

88 : b. $(2m + 1w) \times 14 = (2m + 4w) \times 8$

$28m + 14w = 16m + 32w$

$12m = 18w$

$\therefore 1w = \frac{12}{18}m = \frac{2}{3}m$

$\therefore 1w = \frac{2}{3} \times 600 =$ ₹400

89 : c. 16m = 20F

$1m = \frac{20}{16}F = \frac{5}{4}F$

20 F कार्य को 25 दिन = (28m + 15F) कार्य को x दिन (माना)

$20 \times 25 = (28 \times \frac{5}{4} + 15) \times x$

$x = \frac{20 \times 25}{50} = 10$ दिन

90 : d. 6m = 12F

$\therefore$ 1m = 2F

12F कार्य को 20 दिन = (8m + 16F) दो गुना कार्य x दिन (माना)

$\frac{12 \times 20}{1} = \frac{(8 \times 2 + 16) \times x}{2}$

$12 \times 20 = 16x$

$\therefore x = \frac{12 \times 20}{16}$

= 15 दिन

91 : c. (6m + 8F) कार्य को 10 दिन में

$\therefore$ (3m + 4F) कार्य को 20 दिन में कर लेंगी

[$\because$ पुरूष व स्त्रियों की संख्या पहले का आधा हो गया है अतः समय पहले का दुगुना हो जायेगा।]

92 : c. (2m + 5w) × 12 = (5m + 2w) × 9

24m + 60w = 45m + 18w

21m = 42w

$\therefore$ 1m = 2w

(2m + 5w) × 12 = 3w × x [माना, 3महिला कार्य x दिन में करेंगी]

(2 × 2w + 5w) × 12 = 3w × x

$x = \frac{9 \times 12}{3} = 36$ दिन

93 : c. (3m + 4B) × 12 = (4m + 3B) × 10

36m + 48B = 40m + 30B

4m = 18B

$\therefore 1m = \frac{18}{4}B = \frac{9}{2}B$

(3m + 4B) × 12 = (2m + 3B) × x (माना)

$(3 \times \frac{9}{2}B + 4B) \times 12 = (2 \times \frac{9}{2}B + 3B) \times x$

$\frac{35}{2} \times 12 = 12 \times x$

$x = \frac{35}{2}$ दिन $= 17\frac{1}{2}$ दिन

94 : c. 10m × 7 = 20F × 7 = 40C × 7 = K [माना]

1m = 2F = 4C = K

$\therefore 1m = K, 1F = \frac{K}{2}$ तथा $1C = \frac{K}{4}$

$\therefore m : F : C = K : \frac{K}{2} : \frac{K}{4}$

= 4 : 2 : 1

$\frac{M_1D_1}{W_1} = \frac{M_2D_2}{W_2}$ से,

$\frac{10m \times 7}{1} = \frac{(5M+5F+5C)}{\frac{1}{2}} \times x$

$\frac{10 \times 4 \times 7}{1} = \frac{(5 \times 4+5 \times 2+5 \times 1) \times x \times 2}{1}$

$280 = 70x$

$x = 4$ महीने

95 : a. $M_1D_1 = M_2D_2$ से

$120 \times 15 = x \times 10$

$x = 180$

96 : c. $\frac{M_1D_1}{W_1} = \frac{M_2D_2}{W_2}$ से,

$\frac{21 \times 15}{1400} = \frac{x \times 20}{800}$

$x \times 20 \times 1400 = 21 \times 15 \times 800$

$x = \frac{21 \times 15 \times 800}{20 \times 1400} = 9$

97 : d.

$M_1 = x$ व्यक्ति,	$D_1 = 90$ दिन
$M_2 = (x - 15)$ व्यक्ति,	$D_2 = (90 + 10)$ दिन = 100 दिन

$M_1D_1 = M_2D_2$ से

$x \times 90 = (x - 15) \times 100$

$9x = 10x - 150$

$x = 150$

98 : c. 10 दिन के बाद का विश्लेषण –

यदि 50 व्यक्ति नहीं आते तो,

200 व्यक्ति के लिए शेष सामग्री 20 दिन चलती...............(i)

परन्तु जब 50 व्यक्ति और आ गये तो –

250 व्यक्ति के लिए शेष सामग्री माना x दिन चलेगा............(ii)

$200 \times 20 = 250 \times x$

$x = \frac{200 \times 20}{250} = 16$ दिन

99 : a. 7 दिनों के बाद का विश्लेषण –

यदि कुछ और व्यक्ति छावनी में नहीं आते तो,

3300 व्यक्तियों के लिए 850 ग्राम/व्यक्ति की दर से शेष सामग्री 25 दिन चलती..............(i)

परन्तु जब माना, x नये व्यक्ति आ जाये तो –

$(3300 + x)$ व्यक्तियों के लिए 825 ग्राम/व्यक्ति की दर से शेष सामग्री 17 दिन चली..............(ii)

$3300 \times 850 \times 25 = (3300 + x) \times 825 \times 17$

$(3300 + x) = \frac{3300 \times 850 \times 25}{825 \times 17} = 5000$

$x = 5000 - 3300 = 1700$

100 : c. 30 दिनों के बाद का विश्लेषण शेष सामग्री को लेकर

$1600 \times 900 \times 50 = 1200 \times 1000 \times x$

$x = \frac{1600 \times 900 \times 50}{1200 \times 1000} = 60$ दिन

101 : D. माना, कुल कार्य = 60×50 = 3000

60 मजदूर द्वारा पहले 10 दिन में कार्य = 60×10 = 600

55 मजदूर द्वारा दूसरे 10 दिन में कार्य = 55×10 = 550

50 मजदूर द्वारा तीसरे 10 दिन में कार्य = 50×10 = 500

45 मजदूर द्वारा चौथे 10 दिन में कार्य = 45×10 = 450

40 मजदूर द्वारा पाँचवे 10 दिन में कार्य = 40×10 = 400

35 मजदूर द्वारा 6वे 10 दिन में कार्य = 35×10 = 350

30 मजदूर द्वारा अन्तिम 5 दिन में कार्य = 30×5 = 150

3000 कार्य

$\therefore$ कुल लगा समय = $(10 \times 6 + 5)$ दिन = 65 दिन

102 : b. $M_1 = 25$ मजदूर, $D_1 = 240$, दिन $W_1 = \frac{1}{3}$

$M_2 = (25 + x)$ मजदूर, $D_2 = (40 - 24)$ दिन,

$W_2 = 1\frac{1}{3} = \frac{2}{3}$

$\frac{M_1D_1}{W_1} = \frac{M_2D_2}{W_2}$ से,

$\frac{25 \times 24}{\frac{1}{3}} = \frac{(25+x) \times 12}{\frac{2}{3}}$

$(25 + x) = \frac{25 \times 24}{6} = 100$

$\therefore x = 100 - 25 = 75$

103: c. 15 दिन के बाद का विश्लेषण

यदि कुछ व्यक्ति नहीं आते तो शेष सामग्री 1500 व्यक्तियों के लिए 35 दिन तक चलती

अब, जब x व्यक्ति और आ गये तब (1500 + x) व्यक्तियों के लिए शेष सामग्री 25 दिन तक चला।

$\therefore 1500 \times 35 = (1500 + x) \times 25$

$60 \times 35 = 1500 + x$

$\therefore x = 2100 - 1500 = 600$

104 : a. $M_1 = 110$ व्यक्ति, $D_1 = 45$, $W_1 = \frac{1}{4}$

$M_2 = (110 + x)$ व्यक्ति, $D_2 = (100 - 45)$ दिन, $W_2 = 1 - \frac{1}{4}$

$\frac{M_1D_1}{W_1} = \frac{M_2D_2}{W_2}$

$\frac{110 \times 45}{\frac{1}{4}} = \frac{(110+x) \times 55}{\frac{3}{4}}$

$\frac{110 \times 45 \times 3}{55} = 110 + x$

$110 + x = 270 \quad \therefore x = 160$

105 : a. $M_1D_1 = M_2D_2$ से,

$(x + 4) \times (x + 5) = (x - 5) \times (x + 20)$

$x^2 + 5x + 4x + 20 = x^2 + 20x - 5x - 100$

$9x + 20 = 15x - 100$

$6x = 120$

$\therefore x = 20$

15 चाल, समय और दूरी (Time, Speed & Distance)

चाल (Speed) : इकाई समय में तय की दूरी को चाल कहते है।

चाल $= \frac{\text{दूरी}}{\text{समय}}$

या, **दूरी = चाल × समय**

या, **समय** $= \frac{\text{दूरी}}{\text{चाल}}$

Note : 1. चाल को किमी0/घण्टा से मीटर/सेकेण्ड में बदलने के लिए उसमें $\frac{5}{18}$ से गुणा करते है।

2. चाल को मीटर/सेकेण्ड में किमी0/घण्टा में बदलने के लिए उसमें $\frac{18}{5}$ से गुणा करते है।

3. चाल और समय में विलोमानुपात का सम्बन्ध होता है। जैसे– यदि A व B के चालों में अनुपात = x : y

तब A व B के समयों में अनुपात = y : x

(1) **औसत चाल पर बनने वाले प्रश्न –**

Type - 01

Point (i) : यदि दो समान दूरियाँ (प्रत्येक d km) क्रमशः x km/h व y km/h की चाल से तय की जाये तो औसत चाल –

Derivation :

A —— d km —— B —— d km —— C

→ x km/h → y km /h

(AB = BC = d km)

औसत चाल $= \frac{\text{कुल चली गई दूरी}}{\text{कुल लगा समय}} = \frac{(d+d)km}{\left(\frac{d}{x}+\frac{d}{y}\right)h}$

औसत चाल $= \frac{2d}{d\left(\frac{y+x}{xy}\right)}$

औसत चाल $= \frac{2xy}{x+y}$ km/h

Point (ii) : यदि तीन समान दूरियाँ (प्रत्येक d km) क्रमशः x km/h , y km/h व z km/h की चाल से तय की जाये तो औसत चाल –

Derivation :

A —— d km —— B —— d km —— C —— d km —— D

→ x km/h → y km /h → z km/h

(AB = BC = CD = d km)

औसत चाल $= \frac{(d+d+d)km}{\left(\frac{d}{x}+\frac{d}{y}+\frac{d}{z}\right)h}$

$= \frac{3d}{d\left(\frac{yz+zx+xy}{xyz}\right)}$

औसत चाल $= \frac{3xyz}{xy+yz+zx}$ किमी0/घण्टा

प्रश्न : एक व्यक्ति अपनी यात्रा का आधा भाग 6 किमी0/घण्टा की चाल से तथा शेष आधा 3 किमी0/घण्टा की चाल से तय करता है, तो उसकी औसत चाल बताइये ?

हल : औसत चाल $= \frac{2\times6\times3}{6+3}$

$= \frac{2\times6\times3}{9} = 4$ किमी0/घण्टा

प्रश्न : एक व्यक्ति अपनी यात्रा की तीन बराबर दूरियाँ क्रमशः 12 किमी0/घण्टा, 15 किमी0/घण्टा व 20 किमी0/घण्टा की चाल से तय करता है, तो पूरी यात्रा में उसकी औसत चाल बताइये ?

हल : औसत चाल $= \frac{3\times12\times15\times20}{12\times15+15\times20+20\times12}$

$= \frac{3\times12\times15\times20}{720}$

= 15 किमी0/घण्टा

प्रश्न : एक व्यक्ति 30 किलोमीटर की एक यात्रा को 6 किमी0/घण्टा की चाल से तथा शेष 40 किलोमीटर की यात्रा को 5 घण्टे में पूरा करता है। पूरी यात्रा के लिए उसकी औसत चाल बताइये ?

हल : औसत चाल $= \frac{(30+40)km}{\left(\frac{30}{6}+5\right)h}$

$= \frac{70}{10}\frac{km}{h}$

Type - 02

चाल, समय और दूरी में सम्बन्ध : [स्थिति–I]

दूरी = चाल × समय

प्रश्न : एक कार 40 किमी0/घण्टा की चाल से कोई दूरी तय करने में 9 घण्टे का समय लेती है। वही दूरी 60 किमी0/घण्टा की चाल से चलने में वह कितना समय लेगी ?

हल : वह निश्चित दूरी = 40 × 9 = 360 किमी0

∴ 60 किमी0/घण्टा की चाल से चलने में लगा समय

$= \frac{360}{60} = 6$ घण्टे

प्रश्न : एक गाड़ी 60 किमी0/घण्टा की गति से एक विशिष्ट दूरी 210 मिनट में तय करती है। 80 किमी0/घण्टा की गति

से वही दूरी तय करने में गाड़ी को लगने वाला समय क्या है ?

हल : वह निश्चित दूरी = $60 \times \frac{210}{60}$ किमी0 = 210 किमी0

$\therefore$ 80 किमी0/घण्टा की चाल से चलने में लगा समय

$= \frac{210}{80} = 2\frac{5}{8}$ घण्टे

प्रश्न : यदि कोई व्यक्ति 3 घण्टे में $10\frac{1}{5}$ किमी0 की दूरी तय करता है तो 5 घण्टे में कितनी दूरी तय करेगी ?

हल : व्यक्ति की सामान्य चाल $= \frac{\frac{51}{5}}{3} = \frac{51}{15}$ किमी0/घण्टा

$\therefore$ 5 घण्टे में तय दूरी $= \frac{51}{15} \times 5 = 17$ किमी0

स्थिति–II

प्रश्न : एक व्यक्ति अपने यात्रा की एक–तिहाई दूरी 60 किमी0/घण्टा की चाल से तथा शेष दूरी 80 किमी0/घण्टा की चाल से तय करता है। यदि पूरे यात्रा में वह 5 घण्टे समय लेता हो तो यात्रा की कुल दूरी बताइये ?

हल : माना, कुल दूरी = d km

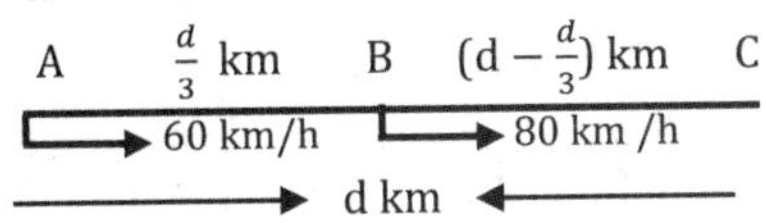

A से B में लगा समय + B से C में लगा समय = 5 घण्टा

$\frac{\frac{d}{3}}{60} + \frac{\frac{2d}{3}}{80} = 5$

$\frac{d}{180} + \frac{d}{120} = 5$

$\frac{2d+3d}{360} = 5$

$5d = 5 \times 360$

$\therefore d = 360$ किमी0

Type - 03

जब व्यक्ति अलग–अलग चाल से चले तो –

Condition (A) : जब वह एक बार पहले व एक बार देरी से पहुँचे –

Condition (B) : जब वह दोनों बार पहले वह दोनों बार देरी से पहुँचे –

Condition (A) :

Point :- एक व्यक्ति x किमी0/घण्टा की चाल से चलता है तो लक्ष्य को t_1 घण्टे पहले पहुँच जाता है। और जब वह y किमी0/घण्टा की चाल से चलता है तो लक्ष्य को t_2 घण्टे देरी से पहुँचता है तो लक्ष्य की कुल दूरी बताइये ?

Derivation : माना, कुल दूरी d किमी0 है।

दोनों चालो से लगे समयों में अन्तर = $(t_1 + t_2)$ घण्टा

$\frac{d}{y} - \frac{d}{x} = (t_1 + t_2)$

$d\left[\frac{x-y}{xy}\right] = (t_1 + t_2)$

$d = \left[\frac{xy}{x-y}\right] \times (t_1 + t_2)$

$$\text{दूरी} = \frac{\text{दोनों चालों का गुणनफल}}{\text{दोनों चालों का अन्तर}} \times (\text{समयों का योग})$$

Condition (B) : जब दोनों बार पहले या दोनों बार देरी से पहुँचे तो –

Point : एक व्यक्ति x किमी0/घण्टा की चाल से चलकर लक्ष्य को t_1 घण्टे देरी से तथा y किमी0/घण्टा की चाल से चलकर लक्ष्य को t_2 घण्टे देरी से पहुँचता है। यदि $(x < y)$ हो तो लक्ष्य की दूरी बताइये ?

Derivation : माना, लक्ष्य की दूरी = d किमी0

दोनों चालों से लगे समयों का अन्तर = $(t_1 - t_2)$ घण्टा

$\frac{d}{x} - \frac{d}{y} = (t_1 - t_2)$

$d\left[\frac{y-x}{xy}\right] = (t_1 - t_2)$

$d = \frac{xy}{x-y} \times (t_1 - t_2)$

$$\text{दूरी} = \frac{\text{दोनों चालों का गुणनफल}}{\text{दोनों चालों का अन्तर}} \times (\text{समयों का अन्तर})$$

Note : "अन्तर" का तात्पर्य बड़े में से छोटे को घटाना है।

प्रश्न : एक व्यक्ति 10 किमी0/घण्टा की गति से साइकिल चलाकर अपने कार्यालय 6 मिनट देरी से पहुँचा। और जब वह 12 किमी0/घण्टा से चलता है तो वह 6 मिनट पहले पहुँच गया तो उस व्यक्ति के कार्यालय और उसके आरम्भिक स्थान के बीच की दूरी क्या है?

हल : अभीष्ट दूरी $= \frac{12 \times 10}{(12-10)} \times \frac{(6+6)}{60}$ किमी0

$= \frac{120}{2} \times \frac{12}{60} = 12$ किमी0

प्रश्न : यदि कोई गाड़ी 40 किमी0/घण्टा पर चले तो अपने गंतव्य स्थान पर 11 मिनट देर से पहुँचती है। यदि वह 50 किमी0/घण्टा की चाल से चले तो केवल 5 मिनट देर से पहुँचती है। यात्रा पूरी करने के लिए गाड़ी का सही समय (Minute) में बताइये ?

हल : अभीष्ट दूरी $= \frac{40 \times 50}{(50-40)} \times \frac{(11-5)}{60}$ किमी0

$= \frac{40 \times 50}{10} \times \frac{6}{60}$

= 20 किमी0

$\therefore$ अभीष्ट समय $= \frac{20}{40}$ घण्टे – 11 मिनट

$= \frac{1}{2} \times 60$ मिनट – 11 मिनट

= 19 मिनट

Type - 04

जब एक ही दूरी को कोई व्यक्ति चाल बदलकर तय करे –

प्रश्न : कोई व्यक्ति अपनी सामान्य चाल की $\frac{3}{4}$ चाल से चलने पर, अपनी सामान्य चाल से लगने वाले समय की तुलना में 2 घण्टे अधिक समय लेता है। उसे सामान्य चाल से चलने पर कुल कितना समय लगेगा ?

हल : माना, कुल दूरी = d किमी0 तथा सामान्य चाल = x किमी0 / घण्टा

$\therefore$ सामान्य चाल से चलने में लगा समय $= \frac{d}{x}$

आंशिक चाल से लगा समय – सामान्य चाल से लगा समय = 2 घण्टे

$\frac{d}{\frac{3x}{4}} - \frac{d}{x} = 2$

$\frac{4d}{3x} - \frac{d}{x} = 2$

$\frac{d}{x}\left[\frac{4}{3} - 1\right] = 2$

$\frac{d}{x} \times \frac{1}{3} = 2$

$\frac{d}{x} = 6$ घण्टे

द्वितीय विधि : वास्तविक चाल एवं आंशिक चाल से समान दूरी तय होता है।

अतः चालों का अनुपात $= 1 : \frac{3}{4}$ या 4 : 3

$\therefore$ समयों का अनुपात = 3 : 4

$\because$ (4 - 3) इकाई = 2 घण्टे

$\therefore$1 इकाई = 2 घण्टे

$\therefore$वास्तविक चाल से चलने में लगा समय = 3 इकाई

= 3 × 2 = 6 घण्टे

प्रश्न : एक व्यक्ति एक निश्चित दूरी को अपनी वास्तविक चाल की $\frac{5}{7}$ चाल से तय करता है तो वह 20 मिनट देरी से पहुँचता है। यदि वह अपनी वास्तविक चाल से चले तो कितना समय लेगा ?

हल : $\because$ वास्तविक चाल एवं आंशिक चाल से समान दूरी तय होता है।

अतः चालों का अनुपात $= 1 : \frac{5}{7}$

या, 7 : 5

$\therefore$ समयों का अनुपात = 5 : 7

$\because$ (7 – 5) इकाई = 20 मिनट

$\therefore$ 1 इकाई $= \frac{20}{2} = 10$ मिनट

अतः वास्तविक चाल से चलने में लगा समय = 5 इकाई = 50 मिनट

प्रश्न : A तथा B एक ही समय एक ही स्थान से किसी गंतव्य के लिए रवाना हुये। A की चाल के $\frac{5}{6}$ से चलते हुये B गंतव्य पर A के 1 घण्टे 15 मिनट बाद पहुँचा। B ने गंतव्य पर पहुँचने में कितना समय लिया ?

हल : A व B के चालों में अनुपात $= 1 : \frac{5}{6} = 6 : 5$

$\therefore$ A व B के समयों में अनुपात = 5 : 6

(6 - 5) इकाई $= 1\frac{1}{4}$घण्टे

$\therefore$ B द्वारा लिया गया समय = 6 इकाई

$= 6 \times \frac{5}{4}$ घण्टे

$= 6 \times \frac{5}{4} \times 60 = 450$ मिनट

= 7 घण्टे 30 मिनट

Type - 05

अनुपाती–चाल पर बनने वाले प्रश्न :

Note : चाल और समय में विलोमानुपात का सम्बन्ध होता है। यदि A व B के चालों का अनुपात = $x : y$ हो,

तब इनके द्वारा लिये समय का अनुपात $= \frac{1}{x} : \frac{1}{y} = y : x$ होगा।

प्रश्न : A तथा B की चाल 3 : 4 के अनुपात में है। किसी गंतव्य पर पहुँचने में A, B से 20 मिनट अधिक समय लेता है। गंतव्य तक पहुँचने में A को कितना समय लगा ?

हल : A व B के चालों का अनुपात = 3 : 4

∴ A व B द्वारा लिये गये समय का अनुपात = 4 : 3

∵ (4 - 3) इकाई = 20 मिनट

∴ A द्वारा लिया गया समय = 4 इकाई

= 4 × 20 मिनट = 80 मिनट

$= \frac{80}{60}$ घण्टे $= 1\frac{1}{3}$ घण्टे

प्रश्न : A, B से दुगुना तेज चलता है और B, C से तिगुना तेज चलता है। C द्वारा $1\frac{1}{2}$ घण्टे में तय की गई दूरी A द्वारा कितने समय में तय की जायेगी ?

हल : A, B व C के चालों का अनुपात = 6 : 3 : 1

∴ A, B व C द्वारा लिये गये समय का अनुपात $= \frac{1}{6} : \frac{1}{3} : \frac{1}{1}$

= 1 : 2 : 6

C द्वारा लिया गया समय = 6 इकाई $= \frac{3}{2}$ घण्टे

∴ 1 इकाई $= \frac{3}{2} \times \frac{1}{6}$ घण्टे $= \frac{1}{4}$ घण्टे = 15 मिनट

∴ A द्वारा लिया गया समय = 1 इकाई = 15 मिनट

Type - 06

जब किसी दूरी को तय करने और वापस आने में अलग–अलग साधन का प्रयोग हो–

प्रश्न : एक व्यक्ति एक निश्चित दूरी तक पैदल जाता है और कार से वापस आता है तो उसे 35 मिनट लगता है। यदि वह दोनों ओर पैदल चलता है तो उसे 50 मिनट लगता है। तो बताइये दोनों ओर कार से चलने में उसे कितना समय लगेगा ?

हल : एक ओर पैदल + एक ओर कार = 35 मिनट............(i)

समी0 (i) में 2 से गुणा करने पर

दोनों ओर पैदल + दोनों ओर कार = 70 मिनट

50 मिनट + दोनों ओर कार = 70 मिनट

∴ दोनों ओर कार = 20 मिनट

Type - 07

जब दो व्यक्ति/वस्तु गतिशील हो–

Condition (A) : जब दो व्यक्ति समान दिशा में गतिशील हो जिसमें एक व्यक्ति दूसरे व्यक्ति का पीछा करें तो तेज चल रहे व्यक्ति द्वारा धीरे चल रहे व्यक्ति को पकड़ने में लगा

$$\text{समय} = \frac{\text{दोनों के बीच की दूरी}}{\text{सापेक्ष चाल}}$$

Note : जब दो व्यक्ति समान दिशा में गतिशील हो तो सापेक्ष चाल, चालों का अन्तर होगा।

Note : जब दो व्यक्ति विपरीत दिशा में गतिशील हो तो सापेक्ष चाल, चालों का योग होगा।

प्रश्न : एक जीप एक कार का पीछा कर रही है जो जीप से 5 किमी0 आगे है। उनकी चाल क्रमशः 90 किमी0/घण्टा तथा 75 किमी0/घण्टा है। जीप कार को कितने मिनट के पश्चात् पकड़ लेगी ?

हल :

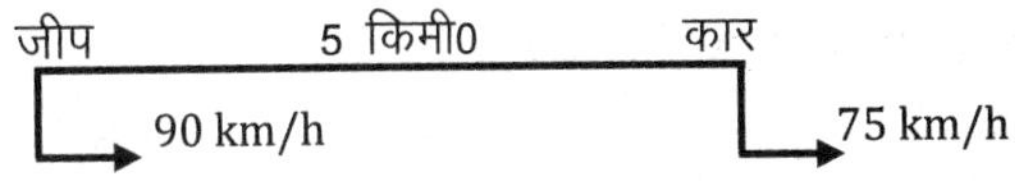

$\text{समय} = \frac{5\,km}{(90-75)km/h}$

$= \frac{5\,km}{\frac{15km}{h}} = \frac{1}{3}h$

= 20 मिनट

प्रश्न : एक बस सुबह 9 बजे दिल्ली से 40 किमी0/घण्टा की चाल से मुम्बई के लिये चली। 5 घण्टे बाद दूसरी दिल्ली से ही 56 किमी0/घण्टा की चाल से मुम्बई के लिए ही चली तो –

(i)कितनी देर बाद दोनों बस एक–दूसरे से मिलेगी?

(ii)कितने बजे दोनों बस एक दूसरे से मिलेगी?

(iii)दिल्ली से कितनी दूरी पर दोनों बस एक–दूसरे से मिलेगी?

हल : 5 घण्टे में पहली बस द्वारा तय दूरी = 40 × 5

= 200 किमी0

(i) $\text{समय} = \frac{200\,km}{(56-40)km/h}$

$= \frac{200}{16}$

$= \frac{25}{2} = 12\frac{1}{2}$ घण्टे

(ii) मिलने का समय = 2PM + 12 : 30 घण्टे

= 2 : 30 AM

(iii) दिल्ली से दूरी $= 56 \times \frac{25}{2} = 700$ किमी0

या, $40 \times \left(5 + \frac{25}{2}\right) = 40 \times \frac{35}{2} = 700$ किमी0

Condition (B) : जब दो व्यक्ति अलग–अलग स्थान से एक–दूसरे की ओर चले तो –

$$\text{उनके मिलने का समय} = \frac{\text{दोनों के बीच की दूरी}}{\text{सापेक्ष चाल (चालो का योग)}}$$

प्रश्न : एक बस स्टेशन A से सुबह 8 बजे 60 किमी0/घण्टा की चाल से स्टेशन B की ओर तथा दूसरी बस सुबह 9 बजे 75 किमी0/घण्टा की चाल से स्टेशन A की ओर चली। यदि A व B के बीच की दूरी 330 किमी0 हो तो –

(i)कितनी देर बाद दोनों बस एक–दूसरे से मिलेगी ?

(ii)कितने बजे दोनों बस एक–दूसरे से मिलेगी ?

(iii)स्टेशन B से मिलने की देरी बताइये ?

हल :

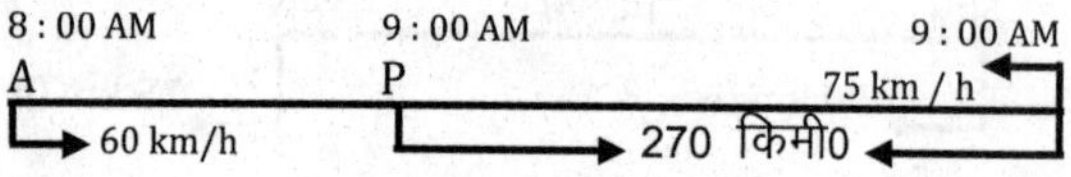

एक घण्टे में A से चली बस द्वारा तय दूरी = 60 × 1 = 60 km

(i) समय $= \frac{270\ km}{(60+75)\ km/h} = 2$ घण्टे

(ii) मिलने का समय = 9 : 00 AM + 2 : 00 घण्टे

= 11 : 00 AM

(iii) स्टेशन B से मिलने की दूरी = 75 × 2 = 150 km

प्रश्न : दो गाड़ियाँ एक ही समय स्टेशन A एवं स्टेशन B से एक–दूसरे की तरफ चलना प्रारम्भ करती है। दोनों की गति क्रमशः 60 किमी0/घण्टा एवं 45 किमी0/घण्टा है। जब तक वे मिलेंगी तब तक तेज गाड़ी कितनी दूरी तय कर चुकी होगी, यदि दोनों स्टेशनों के बीच की दूरी 350 किमी0 है?

हल

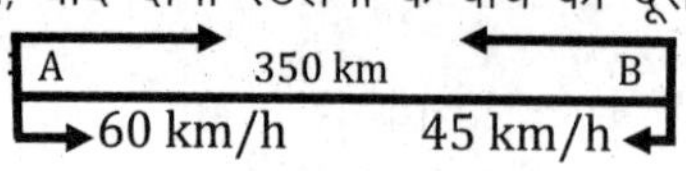

समय $= \frac{350\ km}{(60+45) km/h}$

$= \frac{350}{105} = \frac{10}{3}$ घण्टे

∴ मिलने तक तेज गाड़ी द्वारा तय दूरी $= 60 \times \frac{10}{3}$

= 200 km

Condition (C).

Point - दो व्यक्ति स्थान A व B से एक ही समय क्रमशः x और y चाल से एक–दूसरे की ओर चलना प्रारम्भ करते है। बिन्दु P पर दोनों मिलने के बाद क्रमशः t_1 व t_2 समय में अपने गंतव्य तक पहुँच जाते हैं तब–

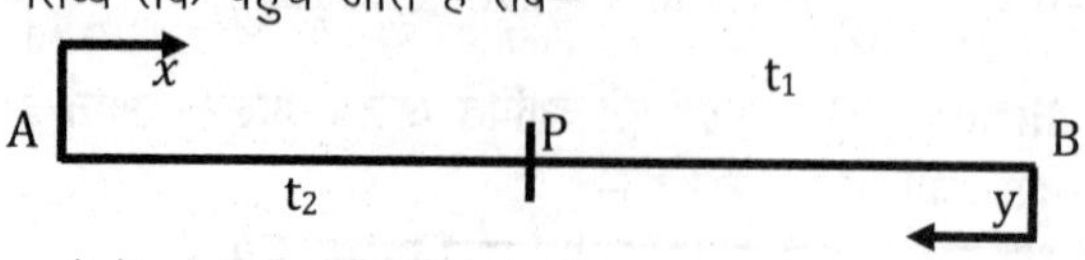

∵ दोनों एक ही समय चलते हैं।

∴ A से P में लगा समय = B से P में लगा समय

$\frac{\text{दूरी (AP)}}{\text{चाल}(x)} = \frac{\text{दूरी (BP)}}{\text{चाल}(y)}$ ....(i)

$AP = y \times t_2$

$BP = x \times t_1$

यह मान समी0 (i) में रखने पर

$\frac{y \times t_2}{x} = \frac{x \times t_1}{y}$

$x^2 \times t_1 = y^2 \times t_2$

$\frac{x^2}{y^2} = \frac{t_2}{t_1}$

$\frac{x}{y} = \sqrt{\frac{t_2}{t_1}}$

$\therefore \frac{\text{पहले की चाल}}{\text{दूसरे की चाल}} = \sqrt{\frac{\text{दूसरे द्वारा लगा समय}}{\text{पहले द्वारा लगा समय}}}$

प्रश्न : दो रेलगाड़ी स्टेशन A और B से एक ही समय एक–दूसरे की ओर चलती है। रास्ते में किसी बिन्दु पर मिलने के बाद पहली रेलगाड़ी 81 मिनट बाद स्टेशन B तथा दूसरी रेलगाड़ी 100 मिनट बाद स्टेशन A पर पहुँच जाती है। यदि रेलगाड़ी A की चाल 60 km/h हो तो रेलगाड़ी B की चाल बताइये ?

हल : $\frac{60}{B} = \sqrt{\frac{100}{81}}$

$\frac{60}{B} = \frac{10}{9}$

10 × B = 60 × 9

∴ B = 54 km/h

प्रश्न : दो स्टेशन A तथा B से एक ही समय दो ट्रेन एक–दूसरे की ओर चलना प्रारम्भ करती है। जब दोनों ट्रेन एक–दूसरे से मिल जाती है तो स्टेशन A से आने वाली ट्रेन स्टेशन B तक पहुँचने में 4 घण्टा 16 मिनट समय लेती है तथा जो ट्रेन स्टेशन B से आती है वो मिलने के बाद स्टेशन A पर पहुँचने में 7 घण्टे 21 मिनट समय लेती है। यदि स्टेशन B से चलने वाली ट्रेन की औसत चाल 64 किमी0/घण्टा है तो स्टेशन A से चलने वाली ट्रेन की औसत चाल बताइये ?

हल : $\frac{A}{64} = \sqrt{\frac{441}{256}}$

t_2 = 7 Hrs. 21 Min. = 441 Min.

t_1 = 4 Hrs. 16 Min. = 256 Min.

$\frac{A}{64} = \frac{21}{16}$

A × 16 = 64 × 21

A = 84 km/h

Type - 08

जब व्यक्ति या वस्तु रूक–रूककर चले :–

Point : एक व्यक्ति जब बिना रूके किसी दूरी को तय करता है तो उसकी औसत चाल x किमी0 / घण्टा होती है, परन्तु जब वह कई स्थानों पर रूकता हुआ जाता है तो उसी दूरी को तय करने में उसकी औसत चाल y किमी0 / घण्टा होती है तो प्रति घण्टे रूकने में लगा समय होगा–

Derivation : माना, कुल दूरी = d km

बिना रूके जाने में लगा समय $= \frac{d}{x}$ घण्टा

रूक कर जाने में लगा समय $= \frac{d}{y}$ घण्टा

$\therefore$ रूकने में लगा समय $= \frac{d}{y} - \frac{d}{x} = d\left[\frac{x-y}{xy}\right]$ घण्टा

$\because \frac{d}{y}$ घण्टे में रूकने का समय $= d\left[\frac{x-y}{xy}\right]$ घण्टा

$\therefore$ 1 घण्टे में रूकने का समय $= d\left[\frac{x-y}{xy}\right] \times \frac{y}{d}$ घण्टे

1 घण्टे में रूकने का समय $= \frac{x-y}{x}$ घण्टा

या, 1 घण्टे में रूकने का समय $= \frac{\text{औसत चालो का अंतर}}{\text{बिना रुके औसत चाल}}$ घण्टा

प्रश्न : एक व्यक्ति जब बिना रूके किसी लक्ष्य को तय करता है तो उसकी औसत चाल 80 किमी0 / घण्टा होती है। और जब वह वही लक्ष्य रूकते हुये तय करता है तो उसकी चाल 60 किमी0 / घण्टा होती है, तो बताइये वह प्रति घण्टे कितने मिनट रूकता है ?

हल : प्रति घण्टा रूकने में समय $= \frac{20}{80} = \frac{1}{4}$ घण्टे

$= \frac{1}{4} \times 60$ मिनट

= 15 मिनट

रेलगाड़ी [Train]

स्थिति - I :-

जब रेलगाड़ी गतिशील हो तथा व्यक्ति स्थिर हो तो रेलगाड़ी द्वारा व्यक्ति को–

पार करने में लगा समय $= \frac{\text{रेलगाड़ी की लंबाई}}{\text{रेलगाड़ी की चाल}}$

प्रश्न : 100 मीटर लम्बी एक रेलगाड़ी 30 किमी0 / घण्टा की चाल से चल रही है। रेलवे लाईन के समीप खड़े एक व्यक्ति को पार करने में लगा समय बताइये ?

हल : व्यक्ति को पार करने में लगा समय $= \frac{100 \text{ मीटर}}{30 \text{ किलोमीटर/घंटा}}$

$= \frac{100 \text{ मीटर}}{30 \times \frac{5}{18} \text{मीटर/सेकंड}}$

$= \frac{100 \times 18}{30 \times 5}$ सेकेण्ड

= 12 सेकेण्ड

प्रश्न : एक रेलगाड़ी 125 मीटर लम्बी है। यदि रेलवे लाईन के किनारे लगे किसी पेड़ को यह रेलगाड़ी 30 सेकेण्ड में पार कर जाती है तो रेलगाड़ी की चाल बताइये ?

हल : माना, रेलगाड़ी की चाल x मीटर / सेकण्ड है।

$30 = \frac{125}{x}$

$x = \frac{125}{30} = \frac{25}{6}$ मीटर / सेकेण्ड

या, $\frac{25}{6} \times \frac{18}{5}$ किमी0 / घण्टा

= 15 किमी0 / घण्टा

स्थिति–II :-

जब रेलगाड़ी और व्यक्ति दोनों गतिशील हो तो –

Condition (A) : जब दोनों समान दिशा में गतिशील हो तो रेलगाड़ी द्वारा,

व्यक्ति को पार करने में लगा समय $= \frac{\text{रेलगाड़ी की लंबाई}}{\text{दोनों चालो का अंतर}}$

Condition (B) : जब दोनों एक–दूसरे की ओर (विपरीत दिशा में) गतिशील हो तो रेलगाड़ी द्वारा,

व्यक्ति को पार करने में लगा समय $= \frac{\text{रेलगाड़ी की लंबाई}}{\text{दोनों की चालो का योग}}$

प्रश्न : 270 मीटर लम्बी एक रेलगाड़ी 25 किमी0 / घण्टा की गति से चल रही है। विपरीत दिशा से 2 किमी0 / घण्टा की गति से आ रहे एक व्यक्ति को कितने देर में पार कर लेगी ?

हल : पार करने में लगा समय $= \frac{270 \text{ मीटर}}{27 \times \frac{5}{18} \text{मीटर/सेकंड}}$

$= \frac{270 \times 18}{27 \times 5}$ से0

= 36 सेकेण्ड

प्रश्न : एक ट्रेन 40 किमी0/घण्टा की रफ्तार से चलती है। एक आदमी 25 किमी0/घण्टा की रफ्तार से समान दिशा में ट्रेन के समान्तर चल रहा है। यदि ट्रेन 48 सेकेण्ड में उस आदमी को पार करती है, तो ट्रेन की लम्बाई बताइये ?

हल : माना ट्रेन की लम्बाई x मीटर है।

48 सेकेण्ड $= \frac{x \text{ मीटर}}{(40-25) \times \frac{5}{18} \text{मीटर / सेकंड}}$

$48 = \frac{x}{15 \times \frac{5}{18}}$

$x = 48 \times 15 \times \frac{5}{18} = 200$ मीटर

स्थिति – III :-

जब गतिशील रेलगाड़ी किसी प्टेलफॉर्म से होकर जाये–

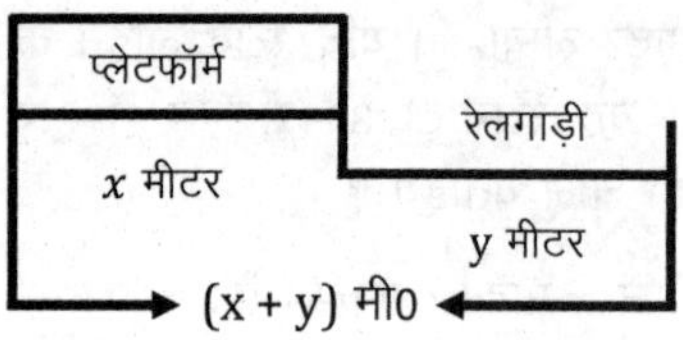

तो रेलगाड़ी द्वारा प्लेटफॉर्म को पार करने में लगा

$$\text{समय} = \frac{(\text{प्लेटफार्म की लंबाई} + \text{रेलगाड़ी की लंबाई})}{\text{रेलगाड़ी की चाल}}$$

प्रश्न : 250 मीटर लम्बी एक रेलगाड़ी किसी प्लेटफॉर्म को 30 सेकण्ड में पार कर जाती है। यदि रेलगाड़ी की चाल 54 किमी0/घण्टा हो तो प्लेटफॉर्म की लम्बाई बताइये ?

हल : माना, प्लेटफॉर्म की लम्बाई x मीटर है।

$30 = \frac{(250+x)}{54 \times \frac{5}{18}}$

$30 \times 15 = 250 + x$

$\therefore x = 200$ मीटर

प्रश्न : एक 260 मीटर लम्बी ट्रेन 120 मीटर लम्बे पुल से 19 सेकण्ड में गुजर जाती है। ट्रेन की गति बताइये ?

हल : माना, ट्रेन की गति x मी0/से0 है।

$19 = \frac{(260+120)}{x}$

$19x = 380$

$x = 20$ मी0/से0

या, $x = 20 \times \frac{18}{5}$ km/h = 72 km/h

स्थिति – IV :-

जब दो रेलगाड़ियाँ गतिशील हो–

Condition (A) : जब दोनों रेलगाड़ियाँ एक ही दिशा में चले तो तेज–चलने वाली रेलगाड़ी द्वारा धीरे चलने वाली रेलगाड़ी को पार करने में लगा समय $= \frac{\text{दोनों रेलगाड़ी की लंबाई का योग}}{\text{चालो का अंतर}}$

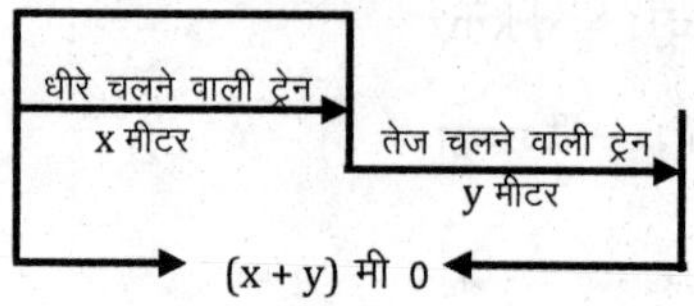

प्रश्न : 300 मीटर और 450 मीटर लम्बी दो रेलगाड़ियाँ क्रमशः 90 किमी0/घण्टा और 36 किमी0/घण्टा की चाल से समान दिशा में चल रही है। तो तेज चलने वाली रेलगाड़ी धीरे चलने वाली रेलगाड़ी को कितनी देर में पार कर जायेगी ?

हल : पार करने में लगा समय $= \frac{(300 + 450)}{(90 - 36) \times \frac{5}{18}}$ सेकेण्ड

$= \frac{750}{15} = 50$ सेकेण्ड

प्रश्न : समान लम्बाई की दो रेलगाड़ियाँ एक–दूसरे के समान्तर पटरियों पर एक ही दिशा में क्रमशः 56 किमी0/घण्टा तथा 46 किमी0/घण्टा की चाल से जा रही है। तेज गति वाली रेलगाड़ी दूसरे रेलगाड़ी को 36 सेकेण्ड में पार कर जाती है। प्रत्येक रेलगाड़ी की लम्बाई कितनी है ?

हल : माना, प्रत्येक रेलगाड़ी की लम्बाई x मीटर है।

$36 = \frac{x + x}{(56-46) \times \frac{5}{18}}$

$= 36 \times 10 \times \frac{5}{18} = 2x$

$100 = 2x$

$\therefore x = 50$ मीटर

Condition (B) : जब दोनों रेलगाड़ियाँ विपरीत दिशा में चले तो दोनों रेलगाड़ियों द्वारा एक–दूसरे को,

$$\text{पार करने में लिया गया समय} = \frac{\text{दोनों रेलगाड़ी की लंबाई का योग}}{\text{चालो का योग}}$$

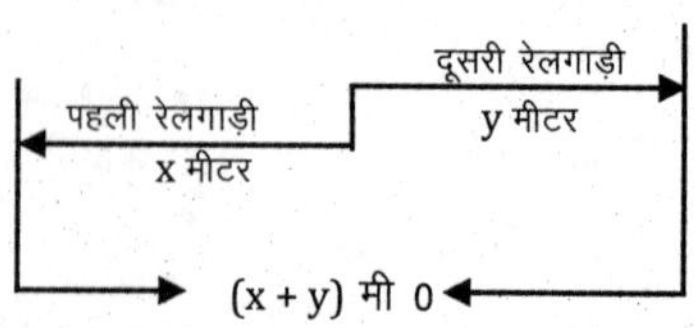

प्रश्न : 140 मीटर और 160 मीटर लम्बी दो रेलगाड़ियाँ क्रमशः 60 किमी0/घण्टा और 40 किमी0/घण्टा की चालों से दो

समान्तर रेल पटरियों पर विपरीत दिशाओं पर चल रही है। उन्हें एक–दूसरे को पार करने में लगा समय बताइये ?

हल : पार करने में लगा समय $= \frac{(140+160)}{(60+40)\times\frac{5}{18}}$ सेकेण्ड

$= \frac{300 \times 18}{100 \times 5}$

= 10.8 सेकेण्ड

प्रश्न : दो रेलगाड़ियाँ समान चालों से विपरीत दिशाओं में चल रही है। यदि प्रत्येक रेलगाड़ी की लम्बाई 120 मीटर है और वे एक–दूसरे को 12 सेकेण्ड में पार कर जाती है। तो प्रत्येक रेलगाड़ी की चाल बताइये ?

हल : माना, प्रत्येक रेलगाड़ी की चाल x मी0 / से0 है।

$12 = \frac{(120 + 120)}{(x + x)}$

$2x \times 12 = 240$

$x = 10$ मी0 / से0

या, $x = 10 \times \frac{18}{5}$ km/h

$= 36$ km/h

स्थिति – (V) :-

जब गतिशील रेलगाड़ी उस प्लेटफॉर्म के बगल से गुजरे जिस पर एक व्यक्ति खड़ा हो –

प्रश्न : कोई रेलगाड़ी 110 मीटर लम्बे प्लेटफॉर्म को 40 सेकेण्ड में तथा उस प्लेटफॉर्म पर खड़े एक लड़के को 30 सेकेण्ड में पार करती है। रेलगाड़ी की लम्बाई है ?

हल : माना, रेलगाड़ी की लम्बाई l मीटर तथा चाल x मी0 / से0 है।

$40 = \frac{(110+l)}{x}$

$\therefore 40x = 110 + l$..........................(i)

$30 = \frac{l}{x}$ या $l = 30x$ ....यह मान समी0 (i) में रखने पर

$40x = 110 + 30x$

$10x = 110$

$x = 11$ मी0 / से0 यह मान पुनः समी0 (i) में रखने पर

$40 \times 11 = 110 + l$

$\therefore l = 440 - 110 = 330$ मीटर

प्रश्न : एक रेलगाड़ी 36 किमी0 / घण्टा की गति से चलकर एक खड़े हुये व्यक्ति को पार करने में 10 सेकेण्ड लगाती है। तद्नुसार वह 55 मीटर लम्बाई के प्लेटफॉर्म को पार करने में कितना समय लेगी ?

हल : माना, रेलगाड़ी की लम्बाई l मीटर है।

$10 = \frac{l}{36 \times \frac{5}{18}}$

$\therefore l = 100$ मीटर

$\therefore$ प्लेटफॉर्म को पार करने में लगा समय $= \frac{(100+55)}{36 \times \frac{5}{18}}$ सेकेण्ड

$= \frac{155}{10}$

$= \frac{31}{2} = 15\frac{1}{2}$ सेकेण्ड

प्रश्नावली

1. एक व्यक्ति साईकिल से 150 मीटर की दूरी 25 सेकण्ड में तय करता है। किमी0 प्रति घण्टा में उसकी चाल क्या है?

(a) 25 (b) 21·6

(c) 23 (d) 20

2. एक रेलगाड़ी 180 किमी0/घण्टा से चल रही है। उसकी चाल (मीटर प्रति सेकण्ड में) है–

(a) 5 (b) 40

(c) 30 (d) 50

3. 40 किमी0 प्रति घण्टे की गति से चलने वाली बस 6 घण्टे 15 मिनट में दूरी तय करती है। यदि वह 50 किमी0/घण्टे की गति से उतनी ही दूरी तय करे तो उस दूरी को तय करने में उसे कितना समय लगेगा?

(a) 2 घण्टे (b) 5 घण्टे

(c) 4 घण्टे (d) 6 घण्टे

4. एक रेलगाड़ी 80 किमी0/घण्टा की गति से चलती है और कुछ दूरी 4·5 घण्टों में पूरी करती है। उसी दूरी को 4 घण्टों में पूरा करने के लिए रेलगाड़ी की गति है–

(a) 100 किमी0/घण्टा (b) 70 किमी0/घण्टा

(c) 90 किमी0/घण्टा (d) 85 किमी0/घण्टा

5. एक कार शहर Y से शहर Z की दूरी 60 किमी0/घण्टा की गति से तथा शहर Z से शहर Y की दूरी 65 किमी0/घण्टा की गति से तय करती है। कार की औसत गति कितनी है?

(a) 62·5 किमी0/घण्टा

(b) 62 किमी0/घण्टा

(c) 62.4 किमी0/घण्टा

(d) ज्ञात नहीं किया जा सकता

6. एक आदमी किसी स्थान A से B तक 12 किमी0/घण्टा की चाल से जाता है तथा वापस B से A 18 किमी0/घण्टा की चाल से लौटता है। पूरी यात्रा के लिए उसकी औसत चाल है?

(a) $14\frac{2}{5}$ किमी0/घण्टा (b) 15किमी0/घण्टा

(c) $15\frac{1}{2}$ किमी0/घण्टा (d) 16किमी0/घण्टा

7. एक आदमी 24 किमी0 की दूरी 6 किमी0/घण्टा की चाल से, एक अन्य 24 किमी0 की दूरी 8 किमी0/घण्टा की चाल से तथा एक तीसरी 24 किमी0 की दूरी 12 किमी0/घण्टा की चाल से तय करता है। पूरी यात्रा के लिए उसकी औसत चाल (किमी0/घण्टा में) है–

(a) $8\frac{2}{3}$ (b) 8

(c) $2\frac{10}{13}$ (d) 9

8. P, 6 घण्टों तक 5 किमी0/घण्टा की गति से यात्रा करता है और अगले 3 घण्टे 6 किमी0/घण्टा की गति से यात्रा करता है। तद्नुसार उसकी औसत गति कितने किमी0/घण्टा है?

(a) $5\frac{1}{3}$ (b) $3\frac{1}{5}$

(c) $1\frac{2}{9}$ (d) $2\frac{2}{5}$

9. एक मोटरगाड़ी अमूक यात्रा को 8 घण्टे में पूरी करता है। वह आधी दूरी को 40 किमी0/घण्टा में और शेष दूरी को 60 किमी0/घण्टा में तय करती है। यात्रा की दूरी है–

(a) 350 किमी0 (b) 420 किमी0

(c) 384 किमी0 (d) 400 किमी0

10. एक व्यक्ति 5 घण्टे 15 मिनट यात्रा करता है। यदि वह पहली आधी यात्रा 60 किमी0 प्रति घण्टा की गति से और शेष यात्रा 45 किमी0 प्रति घण्टा की गति से यात्रा करता है तो उसकी यात्रा की कुल दूरी ज्ञात करें?

(a) $1028\frac{6}{7}$ किमी0 (b) 270 किमी0

(c) 378 किमी0 (d) 189 किमी0

11. एक व्यक्ति ने 7 घण्टे में 75 किमी0 की दूरी तय की। कुछ दूरी 12 किमी0/घण्टा की दर से तथा बाकी 10 किमी0/घण्टा की दर से। 12 किमी0/घण्टा की दर से उसने कितनी दूरी तय की?

(a) 40 किमी0 (b) 20 किमी0

(c) 35 किमी0 (d) 30 किमी0

12. मैं कुछ दूरी तक पैदल चलता हूँ और वापस सवारी से आने में कुल 37 मिनट लगते हैं। दोनों ओर से पैदल चलने में मुझे 55 मिनट लगते हैं। दोनों ओर से सवारी से आने जाने में कुल कितना समय लगेगा?

(a) 30 मिनट (b) 19 मिनट

(c) 37 मिनट (d) 20 मिनट

13. एक व्यक्ति को किसी स्थान पर पैदल जाने और सवारी से वापस आने में 6 घण्टे 30 मिनट लगते हैं। यदि वह दोनों तरफ सवारी से जाता तो उसके 2 घण्टे 10 मिनट बच जाते। वह दोनों तरफ पैदल जाता है तो उसे कितना समय लगेगा?

(a) 8 घण्टे 20 मिनट (b) 4 घण्टे 10 मिनट
(c) 8 घण्टे 40 मिनट (d) 4 घण्टे 20 मिनट

14. एक आदमी 10 किमी0/घण्टा की दर पर चल रहा है। प्रति किमी0 पर वह 5 मिनट का विश्राम लेता है। 5 किमी0 की दूरी वह कितने समय में तय करेगा?

(a) 60 मिनट (b) 70 मिनट
(c) 40 मिनट (d) 50 मिनट

15. एक व्यक्ति 18 किमी0/घण्टा की दर पर घुड़सवारी करता है। लेकिन प्रत्येक 7 किमी0 पूरा होने पर घोड़ा बदलने के लिए 6 मिनट रूकता है। 90 किमी0 की दूरी तय करने में उसे कितना समय लगेगा?

(a) 6 घण्टे (b) 6 घण्टे 24 मिनट
(c) 6 घण्टे 18 मिनट (d) 6 घण्टे 12 मिनट

16. यदि राम 42 किमी0/घण्टा की चाल से अपनी कार चलाये तो वह बैंक में नियत समय से 15 मिनट पहले पहुँच जाता है। यदि वह 35 किमी0/घण्टा की चाल से कार चलाये तो वह नियत समय से 5 मिनट की देरी से बैंक पहुँचता है। उसके प्रस्थान बिन्दु से बैंक की दूरी है–

(a) 70 किमी0 (b) 60 किमी0
(c) 210 किमी0 (d) 72 किमी0

17. यदि कोई गाड़ी 40 किमी0/घण्टा पर चले तो अपने गंतव्य स्थान पर 11 मिनट देर से पहुँचती है। यदि वह 50 किमी0/घण्टा की चाल से चले तो केवल 5 मिनट देर से पहुँचता है। यात्रा पूरी करने के लिए गाड़ी का सही समय मिनट में है–

(a) 13 (b) 15
(c) 21 (d) 19

18. यदि मोहन अपने घर से अपने कार्यालय 16 किमी0/घण्टा की चाल से जाता है तो वह 5 मिनट की देरी से कार्यालय पहुँचता है। यदि वह 20 किमी0/घण्टा की चाल से जाता है तो वह कार्यालय के समय से 10 मिनट पहले पहुँच जाता है। उसके घर से कार्यालय की दूरी है–

(a) 22 किमी0 (b) 20 किमी0
(c) 16 किमी0 (d) 18 किमी0

19. एक रेलगाड़ी 40 किमी0/घण्टा की औसत गति से अपने गंतव्य तक समय पर पहुँच जाती है। यदि वह 35 किमी0/घण्टा की गति से चले तो वह 15 मिनट देर से पहुँचती है। तद्नुसार यात्रा की दूरी कितनी है?

(a) 70 किमी0 (b) 80 किमी0
(c) 40 किमी0 (d) 30 किमी0

20. एक व्यक्ति ने कुछ दूरी किसी चाल से तय की यदि वह 3 किमी0/घण्टे अधिक की चाल से तय करता तो उसे 40 मिनट कम समय लगता। यदि वह 2 किमी0/घण्टा कम की चाल से वह दूरी तय करता तो उसे 40 मिनट अधिक लगते। वह दूरी (किमी0 में) है–

(a) 20 (b) 40
(c) $36\frac{2}{3}$ (d) 35

21. किसी दूरी को तय करने के लिए A और B के चालों में 3 : 4 का अनुपात है। गंतव्य स्थान पर पहुँचने में A को B से 30 मिनट अधिक लगते हैं। गंतव्य स्थान पर पहुँचने के लिए A को जितना समय लगा वह निम्न है–

(a) 2 घण्टा (b) $1\frac{1}{2}$ घण्टे
(c) $2\frac{1}{2}$ घण्टे (d) $\frac{1}{2}$ घण्टे

22. 'क', 'ख' की तुलना में दुगुनी गति से चलता है और 'ख', 'ग' की तुलना में तिगुनी गति से चलता है। 'ग' $1\frac{1}{2}$ घण्टे में जितनी दूरी तय करता है, उतनी दूरी 'क' कितनी देर में तय करेगा?

(a) 15 मिनट (b) 20 मिनट
(c) 1 घण्टा (d) 30 मिनट

23. तीन कारों की चाल 3 : 4 : 5 के अनुपात में है। उनके द्वारा एक ही दूरी तय करने के लिए, लिए गये समय का अनुपात है–

(a) 12 : 15 : 10 (b) 3 : 4 : 5
(c) 20 : 15 : 12 (d) 5 : 4 : 3

24. एक व्यक्ति अपनी सामान्य चाल की $\frac{3}{5}$ चाल से चलने पर अपने निर्धारित स्थान पर $2\frac{1}{2}$ घण्टे देरी से पहुँचता है। अपने निर्धारित स्थान तक पहुँचने में उस व्यक्ति द्वारा लिया जाने वाला सामान्य समय ज्ञात कीजिए?

(a) 4 घण्टे (b) 3 घण्टे
(c) $3\frac{3}{4}$ घण्टे (d) $4\frac{1}{2}$ घण्टे

25. एक रेलगाड़ी अपनी स्वयं की चाल की $\frac{7}{11}$ चाल से चलकर किसी स्थान पर 22 घण्टे में पहुँचती है। यदि रेलगाड़ी अपनी स्वयं की ही चाल से चले तो कितने समय की बचत हो जायेगा?

(a) 14 घण्टे (b) 7 घण्टे
(c) 8 घण्टे (d) 16 घण्टे

26. A और B की चालों में अनुपात 5 : 8 है। यदि B, A की तुलना में 18 किमी0/घण्टा अधिक तेज चलता हो तो A की चाल बताइए?

(a) 48 किमी0/घण्टा (b) 30 किमी0/घण्टा

(c) 24 किमी0/घण्टा (d) इनमें से कोई नहीं

27. एक आदमी अपनी मूल गति के $\frac{3}{4}$ पर चलता हुआ अपने गंतव्य स्थान पर सामान्य समय से 20 मिनट देरी से पहुँचा। उसका सामान्य समय है–

(a) 45 मिनट (b) 60 मिनट

(c) 75 मिनट (d) 120 मिनट

28. एक चोर 200 मीटर की दूरी से एक सिपाही को देखकर 8 किमी0/घण्टा की चाल से दौड़ना आरम्भ कर देता है। सिपाही तुरन्त 9 किमी0/घण्टा की चाल से चोर का पीछा करता है तथा उसे पकड़ लेता है। चोर द्वारा दौड़ी गई कुल दूरी है–

(a) 2000 मीटर (b) 1800 मीटर

(c) 1600 मीटर (d) 1500 मीटर

29. एक चोर अपरान्ह 2:30 बजे कार चुराकर 60 किमी0/घण्टा की गति से भागता है। चोरी का पता अपरान्ह 3 बजे लगता है और कार का मालिक दूसरी कार में 75 किमी0/घण्टा की गति से जाता है। वह चोर को कितने बजे पकड़ लेगा?

(a) 4 PM (b) 4:30 PM

(c) 5:30 PM (d) 5:00 PM

30. 45 किमी0/घण्टा की चाल से चलने वाली बस उससे 150 मीटर आगे उसी दिशा में जा रहे एक ट्रक को 30 सेकण्ड में जा पकड़ती है। ट्रक की चाल है–

(a) 27 किमी0/घण्टा (b) 24 किमी0/घण्टा

(c) 25 किमी0/घण्टा (d) 28 किमी0/घण्टा

31. A और B के बीच की दूरी 300 किमी0 है। A से एक बस प्रातः 5 बजे 40 किमी0/घण्टा की चाल से B की ओर तथा B से एक दूसरी बस प्रातः 6 बजे 60 किमी0/घण्टा की चाल से A की ओर चली। तो दोनों बस कितने बजे एक–दूसरे से मिलेंगी?

(a) 8:00 AM (b) 8:36 AM

(c) 9:30 AM (d) 9:36 AM

32. दो रेलगाड़ियाँ A और B हावड़ा और पटना से क्रमशः पटना और हावड़ा के लिए एक ही समय चलना आरम्भ करती है। एक–दूसरे के सामने से गुजरने के बाद वे 4 घण्टे 48 मिनट और 3 घण्टे 20 मिनट क्रमशः पटना और हावड़ा पहुँचने के लिए लेती है। यदि हावड़ा से चलने वाली गाड़ी 45 किमी0/घण्टा की गति से चल रही है तो दूसरे गाड़ी की गति क्या है?

(a) 60 किमी0/घण्टा (b) 45 किमी0/घण्टा

(c) 35 किमी0/घण्टा (d) 54 किमी0/घण्टा

33. एक रेलगाड़ी पटना से हावड़ा के लिए तथा दूसरी हावड़ा से पटना के लिए एक ही समय पर चलती है। मिलने के बाद ये रेलगाड़ियाँ क्रमशः 9 घण्टे तथा 16 घण्टे में अपने गंतव्य स्थान पर पहुँचती है। इनकी चालों में क्या अनुपात है?

(a) 2 : 3 (b) 4 : 3

(c) 3 : 4 (d) 9 : 16

34. दो स्टेशन A तथा B एक–दूसरे से 110 किमी0 दूरी पर स्थित है। एक रेलगाड़ी A से प्रातः 7 बजे B की ओर 20 किमी0/घण्टा की चाल से चलती है। दूसरी रेलगाड़ी उसी दिन प्रातः 8 बजे B से A की ओर 25 किमी0/घण्टा की चाल से चलती है। वे किस समय मिलेंगी?

(a) 9:00 AM (b) 10:00 AM

(c) 11:00 AM (d) 10:30 AM

35. दो रेलगाड़ियाँ एक ही समय पर A और B से चलना आरम्भ करती हैं और एक–दूसरे की तरफ क्रमशः 75 किमी0/घण्टा और 50 किमी0/घण्टा की गति से आगे बढ़ती हैं। जब एक स्थल पर वे एक–दूसरे के सामने आती हैं तो देखा जाता है कि एक रेलगाड़ी दूसरी रेलगाड़ी से 175 किमी0 अधिक यात्रा कर चुकी है। A और B के बीच की दूरी क्या है?

(a) 875 किमी0 (b) 857 किमी0

(c) 758 किमी0 (d) 785 किमी0

36. विश्रामों को छोड़कर एक बस की गति 64 किमी0/घण्टा है और विश्रामों सहित बस की गति 48 किमी0/घण्टा है। प्रत्येक 1 घण्टे में बस कितने समय विश्राम के लिए रूकती है।

(a) 12·5 मिनट (b) 10 मिनट

(c) 15 मिनट (d) 18 मिनट

37. 75 मीटर लम्बी एक रेलगाड़ी 20 किमी0/घण्टा की चाल से चल रही है। एक खड़े हुए व्यक्ति को यह गाड़ी निम्नलिखित समय में पार कर जायेगी?

(a) 12 सेकण्ड (b) 15·5 सेकण्ड

(c) 14 सेकण्ड (d) 13·5 सेकण्ड

38. यदि एक रेलगाड़ी एक खम्भे को पार करने में 6 सेकण्ड लेती हो तथा उसकी लम्बाई 120 मीटर हो, तो रेलगाड़ी की चाल किमी0/घण्टा में होगी–

(a) 60 (b) 75

(c) 70 (d) 72

39. एक रेलगाड़ी 36 किमी0/घण्टे की चाल से चल रही है। यदि यह किसी खम्भे को 25 सेकण्ड में पार करती है तो इसकी लम्बाई होगी–

(a) 248 मीटर (b) 250 मीटर

(c) 260 मीटर (d) 255 मीटर

40. 300 मीटर लम्बी एक रेलगाड़ी 40 किमी0/घण्टा की चाल से जा रही है। यह अपने ही दिशा में जा रहे 4 किमी0/घण्टा की चाल से एक व्यक्ति को कितनी देर में पार कर जायेगी?

(a) 20 सेकण्ड (b) 30 सेकण्ड

(c) 45 सेकण्ड (d) 1 मिनट

41. 600 मीटर लम्बी एक रेलगाड़ी 48 किमी0/घण्टा की चाल से चल रही है। यह अपने विपरीत दिशा से आ रहे एक व्यक्ति को 40 सेकण्ड में पार कर जाती है तो व्यक्ति की चाल (किमी0/घण्टा में) है–

(a) 4 (b) 5

(c) 6 (d) 8

42. दो रेलगाड़ियाँ A तथा B एक ही बिन्दु से एक ही समय पर आरम्भ होकर क्रमशः 60 किमी0/घण्टा तथा 72 किमी0/घण्टा की चाल से एक ही दिशा में जाती है। यदि प्रत्येक रेलगाड़ी की लम्बाई 240 मीटर हो तो B द्वारा A को पार करने में कितना समय लगेगा?

(a) 1 मिनट 12 सेकण्ड (b) 1 मिनट 24 सेकण्ड

(c) 2 मिनट 12 सेकण्ड (d) 2 मिनट 24 सेकण्ड

43. 60 किमी0/घण्टा की चाल से जा रही 240 मीटर लम्बी एक रेलगाड़ी अपनी विपरीत दिशा में 48 किमी0/घण्टा की गति से आ रही एक 270 मीटर लम्बी रेलगाड़ी को कितने समय में पार करेगी?

(a) 17 सेकण्ड (b) 13 सेकण्ड

(c) 12 सेकण्ड (d) 8 सेकण्ड

44. 240 मीटर लम्बी एक रेलगाड़ी अपने सामने से विपरीत दिशा में 3 किमी0/घण्टा की चाल से रेलवे लाईन के साथ–साथ आ रहे व्यक्ति को 10 सेकण्ड में पार कर जाती है। रेलगाड़ी की चाल कितनी है?

(a) 63 किमी0/घण्टा (b) 75 किमी0/घण्टा

(c) 83·4 किमी0/घण्टा (d) 86·4 किमी0/घण्टा

45. एक रेलगाड़ी 30 किमी0/घण्टा की चाल से जा रही है। एक व्यक्ति उसी दिशा में पटरियों के समान्तर 15 किमी0/घण्टा की गति से दौड़ रहा है। यदि रेलगाड़ी उस व्यक्ति को 48 सेकण्ड में पार करें तो रेलगाड़ी की लम्बाई कितनी है?

(a) 220 मीटर (b) 200 मीटर

(c) 300 मीटर (d) 250 मीटर

46. प्रत्येक 125 मीटर लम्बी दो रेलगाड़ियाँ समान्तर पटरियों पर विपरीत दिशा में चल रही है। उसमें एक रेलगाड़ी 65 किमी0/घण्टा की गति से चल रही है और वे दोनों एक–दूसरे को 6 सेकण्ड में पार कर लेती है। तद्नुसार, दूसरी रेलगाड़ी की गति कितनी है?

(a) 85 किमी0/घण्टा (b) 75 किमी0/घण्टा

(c) 95 किमी0/घण्टा (d) 105 किमी0/घण्टा

47. एक 150 मीटर लम्बी रेलगाड़ी एक खम्भे को 15 सेकण्ड तथा एक समान लम्बाई वाली विपरीत दिशा से आती हुई रेलगाड़ी को 12 सेकण्ड में पार करती है। दूसरी रेलगाड़ी की चाल है–

(a) 45 किमी0/घण्टा (b) 48 किमी0/घण्टा

(c) 54 किमी0/घण्टा (d) 52 किमी0/घण्टा

48. एक 280 मीटर लम्बी रेलगाड़ी की गति 60 किमी0/घण्टा है। यह रेलगाड़ी 220 मीटर लम्बे प्लेटफार्म को पार करने में कितना समय लेगी?

(a) 20 सेकण्ड (b) 35 सेकण्ड

(c) 25 सेकण्ड (d) 30 सेकण्ड

49. 300 मीटर लम्बी एक ट्रेन 900 मीटर लम्बे प्लेटफॉर्म को पार करने में 1 मिनट 12 सेकण्ड लगते हैं। इस ट्रेन की गति किमी/घण्टा में कितनी थी?

(a) 50 (b) 60

(c) 45 (d) 54

50. 800 मीटर लम्बी एक रेलगाड़ी 78 किमी0/घण्टा की चाल से चल रही है। यदि वह किसी सुरंग को 1 मिनट में पार कर जाती है, तो सुरंग की लम्बाई (मीटर में) है–

(a) 77200 (b) 1300

(c) 13 (d) 500

51. एक 130 मीटर लम्बी रेलगाड़ी एक पुल को 90 किमी0/घण्टा की गति से चलते हुए 21 सेकण्ड में पार करती है तो पुल की लम्बाई होगी–

(a) 395 मीटर (b) 415 मीटर

(c) 285 मीटर (d) 295 मीटर

52. कोई रेलगाड़ी किसी खम्भे को 15 सेकण्ड तथा किसी 100 मीटर लम्बे प्लेटफॉर्म को 25 सेकण्ड में पार करती है। रेलगाड़ी की लम्बाई है–

(a) 50 मीटर (b) 100 मीटर

(c) 150 मीटर (d) 200 मीटर

53. एक रेलगाड़ी प्लेटफॉर्म पर खड़े एक व्यक्ति को 8 सेकण्ड में पार करती है तथा 264 मीटर लम्बे इस प्लेटफॉर्म को 20 सेकण्ड में पार कर जाती है। रेलगाड़ी की लम्बाई (मीटर में) है–

(a) 188 (b) 176

(c) 175 (d) 196

54. एक रेलगाड़ी 50 मीटर लम्बे प्लेटफार्म को 14 सेकण्ड में पार कर लेती है और प्लेटफार्म पर खड़े एक आदमी को 10 सेकण्ड में पार कर जाती है। रेलगाड़ी की गति क्या है?

(a) 24 किमी0/घण्टा (b) 36 किमी0/घण्टा

(c) 40 किमी0/घण्टा (d) 45 किमी0/घण्टा

55. एक चलती हुई रेलगाड़ी किसी प्लेटफार्म पर खड़े एक आदमी तथा एक 300 मीटर लम्बे पुल को पार करने में क्रमशः 10 सेकण्ड तथा 25 सेकण्ड का समय लेती है। 200 मीटर लम्बे प्लेटफॉर्म को पार करने में वह कितना समय लेगी?

(a) 18 सेकण्ड (b) 22 सेकण्ड

(c) 20 सेकण्ड (d) $16\frac{2}{3}$ सेकण्ड

56. दो स्टेशन A तथा B एक– दूसरे से 220 किमी० दूरी पर है। एक रेलगाड़ी A से 80 किमी०/घण्टा की चाल से B की आरे जाती है। 30 मिनट बाद दूसरी रेलगाड़ी 100 किमी०/घण्टा की चाल से B से A की ओर जाती है। दोनों रेलगाड़ियां A से कितनी दूरी पर मिलेंगी?

(a) 120 किमी० (b) 140 किमी०

(c) 130 किमी० (d) 150 किमी०

57. A और B के बीच की दूरी 330 किमी० है। एक रेलगाड़ी A से B की ओर प्रातः 8 बजे 60 किमी/घण्टा की गति से चलती है और एक दूसरी रेलगाड़ी B से A की ओर प्रातः 9 बजे 75 किमी/घण्टा की गति से चलती है। वे दोनों कितने बजे मिलेंगी?

(a) 10:00 AM (b) 10:30 AM

(c) 11:30 AM (d) 11:00 AM

58. A और B दो स्टेशन 500 किमी की दूरी पर है। एक गाड़ी A से चलती है और 20 किमी/घण्टा की चाल से B की ओर बढ़ती है। एक अन्य गाड़ी उसी समय B से चलती है और 30 किमी/घण्टा की चाल से A की ओर बढ़ती है। दोनों गाड़ियों के क्रास करने के स्थल की A से दूरी (किमी० में) है–

(a) 100 (b) 300

(c) 200 (d) 250

59. दो ट्रेनों चण्डीगढ़ के लिये दिल्ली से शाम 6 बजे और शाम 6 : 30 बजे चलती है और उनकी चाल क्रमशः 60 किमी०/घण्टा और 75 किमी०/घण्टा है। दिल्ली से कितने किमी० की दूरी पर वे दोनों ट्रेनें मिलेंगी?

(a) 67·5 km (b) 150 km

(c) 75 km (d) 60 km

60. एक चोर दोपहर 1 : 30 बजे एक कार चुराता है और उसे 40 किमी/घण्टा की गति से चलाकर ले जाता है। चोरी का पता दोपहर 2 बजे चल जाता है और कार मालिक एक दूसरी कार में 50 किमी/घण्टा की गति पर चलाकर जाता है। वह चोर को कितने बजे पकड़ लेगा?

(a) सायं 5 बजे (b) सायं 4 बजे

(c) सायं 4:30 बजे (d) सायं 6 बजे

61. स्टेशनों पर रूकने के समय को सम्मिलित करने पर किसी रेलगाड़ी की चाल 28 किमी/घण्टा है। जबकि स्टेशनों पर रूकने के समय को हटाकर उसकी चाल 42 किमी/घण्टा है। कितने समय प्रति घण्टा की औसत से रेलगाड़ी स्टेशनों पर रूकी?

(a) 14 मिनट (b) 6 मिनट

(c) 10 मिनट (d) 20 मिनट

62. एक व्यक्ति अपने गंतव्य पर जो 90 किमी0 की दूरी पर है 3 घण्टे में पहुंचना चाहता है। वह प्रथम आधी दूरी 20 किमी/घण्टा की चाल से तय करता है। शेष यात्रा के लिये उसकी औसत चाल कितनी होगी?

(a) 40 किमी/घण्टा (b) 60 किमी/घण्टा

(c) 50 किमी/घण्टा (d) 70 किमी/घण्टा

63. एक बैलगाड़ी को 120 किमी० की दूरी तय करनी है। यदि वह आधी यात्रा $\frac{3}{5}$ समय में पूरी कर ले तो शेष यात्रा शेष समय में पूरी करने के लिये बैलगाड़ी को किस गति से चलाना होगा?

(a) 6·4 किमी/घण्टा
(b) 6·67 किमी/घण्टा
(c) 15 किमी/घण्टा
(d) 10 किमी/घण्टा

64. एक कार कुछ दूरी को एक निश्चित चाल से 8 घण्टे में तय करती है। यदि इस चाल में 4 किमी/घण्टा की वृद्धि कर दी जाये तो यही दूरी $7\frac{1}{2}$ घण्टे में तय की जाती है। यह दूरी कितनी है?

(a) 480 किमी०
(b) 420 किमी०
(c) 640 किमी०
(d) ज्ञात नहीं किया जा सकता

65. कोई ट्रेन एक स्टेशन से दूसरे स्टेशन तक जाने में 3 घण्टे का समय लेती है। इसकी चाल यदि 12 किमी/घण्टा कम कर दी जाये तब इस यात्रा में उसे 45 मिनट अधिक लगते हैं। स्टेशनों के बीच की दूरी है–

(a) 220 किमी०
(b) 210 किमी०
(c) 180 किमी०
(d) 160 किमी०

ANSWER

1.	b	16.	a	31.	b	46.	a	61.	d
2.	d	17.	d	32.	d	47.	c	62.	b
3.	b	18.	b	33.	b	48.	d	63.	d
4.	c	19.	a	34.	b	49.	b	64.	a
5.	c	20.	b	35.	a	50.	d	65.	c
6.	a	21.	a	36.	c	51.	a		
7.	b	22.	a	37.	d	52.	c		
8.	a	23.	c	38.	d	53.	b		
9.	c	24.	c	39.	b	54.	d		
10.	b	25.	c	40.	b	55.	c		
11.	d	26.	b	41.	c	56.	a		
12.	b	27.	b	42.	d	57.	d		
13.	c	28.	c	43.	a	58.	c		
14.	d	29.	d	44.	c	59.	b		
15.	d	30.	a	45.	d	60.	b		

Explanatory Notes

1. Solⁿ : (b) चाल = दूरी / समय = $\frac{150}{25}$ मी० / से०

= 6 मी० / से०

या, 6 × $\frac{18}{5}$ किमी / घण्टा = 21·6 किमी० / घण्टा

2. Solⁿ : (d) चाल = 180 × $\frac{5}{18}$ मी० / से०

= 50 मी० / से०

3. Solⁿ : (b) वह निश्चित दूरी = 40 × $6\frac{1}{4}$

= 40 × $\frac{25}{4}$

= 250 किमी०

∴ 50 किमी / घण्टा से यही दूरी तय करने में लगा समय

= $\frac{250}{50}$ = 5 घण्टा

4. Solⁿ : (c) वह निश्चित दूरी = 80× 4·5

= 360 किमी०

∴ इसी दूरी को 4 घण्टे में तय करने के लिये नियत चाल

= $\frac{360}{4}$ किमी / घण्टा = 90 किमी / घण्टा

5. Solⁿ : (c) कार की औसत गति = $\frac{2xy}{x+y}$

= $\frac{2\times60\times65}{60+65}$

= $\frac{2\times60\times65}{125}$ = 62·4 किमी / घण्टा

6. Solⁿ : (a) औसत चाल = $\frac{2\times12\times18}{12+18}$

= $\frac{2\times12\times18}{30}$ = $14\frac{2}{5}$ किमी / घण्टा

7. Solⁿ : (b) औसत चाल = $\frac{\text{कुल चली गई दूरी}}{\text{कुल लगा समय}}$

= $\frac{24+24+24}{\frac{24}{6}+\frac{24}{8}+\frac{24}{12}}$ = $\frac{72}{9}$

= 8 किमी / घण्टा

8. Solⁿ : (a) औसत चाल = $\frac{\text{कुल चली गई दूरी}}{\text{कुल लगा समय}}$

= $\frac{5\times6+6\times3}{6+3}$

= $\frac{48}{9}$ = $5\frac{1}{3}$ किमी / घण्टा

9. Solⁿ : (c) A — d km — B — d km — C (A→B 40 km/h, B→C 60 km/h)

(यहाँ, AB = BC = d km (माना)

A से B में लगा समय + B से C में लगा समय = 8 घण्टा

$\frac{d}{40}+\frac{d}{60}=8$

$d\left[\frac{3+2}{120}\right]=8$

∴ d = 8× $\frac{120}{5}$ = 192 किमी०

∴ कुल दूरी = 2d किमी

= 2 × 192 किमी = 384 किमी०

10. Solⁿ : (b) A — d km — B — d km — C (A→B 60 km/h, B→C 45 km/h)

(यहाँ, AB = BC = d km (माना)

∴ कुल दूरी (AC) = 2d km

A से B में लगा समय + B से C में लगा समय = $5\frac{1}{4}$ घण्टा

$\frac{d}{60}+\frac{d}{45}=\frac{21}{4}$

$d\left[\frac{3+4}{180}\right]=\frac{21}{4}$

∴ d = $\frac{21}{4}\times\frac{180}{7}$ = 135 किमी०

∴ कुल दूरी = 2d किमी = 270 किमी०

11. Solⁿ : (d) A — x km — B — (75-x) km — C (A→B 12 km/h, B→C 10 km/h; AC = 75 km)

A से B में लगा समय + B से C में लगा समय = 7 घण्टे

$\frac{x}{12}+\frac{(75-x)}{10}=7$

$\frac{5x+450-6x}{60}=7$

$450 - x = 420$

∴ x = 30 किमी०

12. Solⁿ : (b) एक ओर पैदल + एक ओर सवारी

= 37 मिनट ––––(i)

समी० (i) में 2 से गुणा करने पर

दोनों ओर पैदल + दोनों ओर सवारी = 74 मिनट

55 मिनट + दोनों ओर सवारी = 74 मिनट

∴ दोनों ओर सवारी = 19 मिनट

13. Solⁿ : (c) एक ओर पैदल + एक ओर सवारी

= 6 : 30 घण्टे ––––(i)

समी० (i) में 2 से गुणा करने पर

दोनों ओर पैदल + दोनों ओर सवारी = 13 : 00 घण्टे

दोनों ओर पैदल + (6 : 30 − 2 : 10) घण्टे = 13 : 00 घण्टे

∴ दोनों ओर पैदल = (13 : 00 − 4 : 20) घण्टे = 8 : 40 घण्टे

14. Sol^n : (d) बिना विश्राम के लगा समय $= \frac{5}{10}$ घण्टा = 30 मिनट

∴ 5 किमी की दूरी में वह 4 बार विश्राम करेगा।

अतः विश्राम में लगा समय = 4 × 5 = 20 मिनट

∴ कुल लगा समय = 30 मिनट + 20 मिनट = 50 मिनट

15. Sol^n : (d) विश्राम की संख्या = 12

∴ कुल लगा समय $= \left(\frac{90}{18}\right)$ घण्टे + 12 × 6 मिनट

$[\because \frac{90}{7} = 12...]$

= 6 घण्टे 12 मिनट

16. Sol^n : (a) अभीष्ट दूरी $= \frac{42\times35}{(42-35)} \times \frac{(15+5)}{60}$

दूरी $= \frac{42\times35}{7} \times \frac{1}{3} = 70$ किमी

17. Sol^n : (d) अभीष्ट दूरी $= \frac{40\times50}{(50-40)} \times \frac{(11-5)}{60}$

दूरी $= \frac{40\times50}{10} \times \frac{1}{10} = 20$ किमी

∴ सही समय $= \frac{20}{40}$ घण्टे − 11 मिनट

= 30 मिनट− 11 मिनट

= 19 मिनट

18. Sol^n : (b) अभीष्ट दूरी $= \frac{16\times20}{20-16} \times \frac{(5+10)}{60}$ किमी०

दूरी $= \frac{16\times20}{4} \times \frac{1}{4} = 20$ किमी०

19. Sol^n : (a) अभीष्ट दूरी $= \frac{40\times35}{40-35} \times \frac{(15\pm10)}{60}$ किमी०

दूरी $= \frac{40\times35}{5} \times \frac{1}{4} = 70$ किमी०

20. Sol^n : (b) माना, दूरी = d km तथा प्रारम्भिक चाल = x किमी/घं०

$\frac{d}{x} - \frac{d}{x+3} = \frac{40}{60}$ -----------------(i)

$\frac{d}{x-2} - \frac{d}{x} = \frac{40}{60}$ -----------------(ii)

समी० (i) = समी० (ii)

$\frac{d}{x} - \frac{d}{x+3} = \frac{d}{x-2} - \frac{d}{x}$

$d\left[\frac{1}{x} - \frac{1}{x+3}\right] = d\left[\frac{1}{x-2} - \frac{1}{x}\right]$

$\frac{x+3-x}{x(x+3)} = \frac{x-x+2}{x(x-2)}$

$3x - 6 = 2x + 6$

$x = 12$ यह मान समी० (i) में रखने पर

$\frac{d}{12} - \frac{d}{15} = \frac{2}{3}$

$d\left[\frac{5-4}{60}\right] = \frac{2}{3}$

$d = \frac{2}{3} \times 60 = 40$ किमी०

21. Sol^n : (a) A और B के चालों में अनुपात = 3 : 4

∴ A और B के समयों का अनुपात = 4 : 3

∵ (4−3) इकाई = 30 मिनट

∴ A द्वारा लिया गया समय = 4 इकाई

= 4×30 मिनट

= 2 घण्टे

22. Sol^n : (a) क, ख और ग की चालों का अनुपात = 6 : 3 : 1

∴ क, ख और ग के समयों का अनुपात $= \frac{1}{6} : \frac{1}{3} : \frac{1}{1}$

= 1 : 2 : 6

'ग' द्वारा लिया गया समय = 6 इकाई $= \frac{3}{2}$ घण्टे

∴ 1 इकाई $= \frac{3}{2} \times \frac{1}{6}$ घण्टे $= \frac{1}{4}$ घण्टे

= 15 मिनट

∴ 'क' द्वारा लिया गया समय = 1 इकाई = 15 मिनट

23. Sol^n : (c) तीनों कार की चालों में अनुपात = 3 : 4 : 5

∴ तीनों कार द्वारा लिये गये समय का अनुपात $= \frac{1}{3} : \frac{1}{4} : \frac{1}{5}$

= 20 : 15 : 12

24. Sol^n : (c) सामान्य चाल : आंशिक चाल

$= 1 : \frac{3}{5} = 5 : 3$

∴ दोनों चालों से दूरी को तय करने में लगे समय का अनुपात = 3 : 5

∴ (5 - 3) इकाई = $\frac{5}{2}$ घण्टे

∴ 1 इकाई = $\frac{5}{2} \times \frac{1}{2} = \frac{5}{4}$ घण्टे

∴ सामान्य चाल से चलने पर लगा समय = 3 इकाई

= $\frac{5}{4} \times 3 = 3\frac{3}{4}$ घण्टे

25. Sol^n : (c) वास्तविक चाल : आंशिक चाल

= 1 : $\frac{7}{11}$ = 11 : 7

∴ वास्तविक चाल और आंशिक चाल से लिये गये

समय का अनुपात = 7 : 11

×2 ↓ ×2 ↓

14 घण्टे 22 घण्टे

∴ वास्तविक चाल से चलने में (22 - 14) घण्टे = 8 घण्टे की बचत होगी

26. Sol^n : (b) A व B की चालों में अनुपात = 5 : 8

∵ (8 - 5) इकाई = 18 किमी / घण्टा

∴ 1 इकाई = 6 किमी0 / घण्टा

अतः A की चाल = 5 इकाई = 30 किमी0 / घण्टा

27. Sol^n : (b) वास्तविक चाल : आंशिक चाल

= 1 : $\frac{3}{4}$ = 4 : 3

∴ वास्तविक चाल और आंशिक चाल से लिये गये समय का अनुपात = 3 : 4

∵ (4 - 3) इकाई = 20 मिनट

∵ अतः सामान्य समय = 3 इकाई = 3 × 20 मिनट

= 60 मिनट

28. Sol^n : (c) सिपाही द्वारा चोर को पकड़ने में लगा समय = $\frac{200\ m}{(9-8) km/h}$

= $\frac{0.2 \text{ किलोमीटर}}{1 \text{ किलोमीटर/ घंटा}}$ = 0·2 घण्टा

∴ चोर द्वारा दौड़ी गई दूरी = 8 × 0·2 किमी0 = 1·6 किमी0

= 1600 मीटर

29. Sol^n : (d) $\frac{1}{2}$ घण्टे में चारे द्वारा तय की गई दूरी

= 60 × $\frac{1}{2}$ = 30 किमी0

∴ चोर को पकड़ने में लगा समय = $\frac{30}{(75-60)}$ घण्टे = 2 घण्टे

अतः कार मालिक चोर को 3 : 00 PM + 2 : 00 घण्टे

= 5 : 00 PM पर पकड़ लेगा।

30. Sol^n : (a) माना, ट्रक की चाल x किमी0 / घण्टा है।

$30 = \frac{150}{(45-x) \times \frac{5}{18}}$

30 × (45 - x) × 5 = 150 × 18

45 - x = 18

∴ x = 45 - 18 = 27 किमी0 / घण्टा

31. Sol^n : (b)

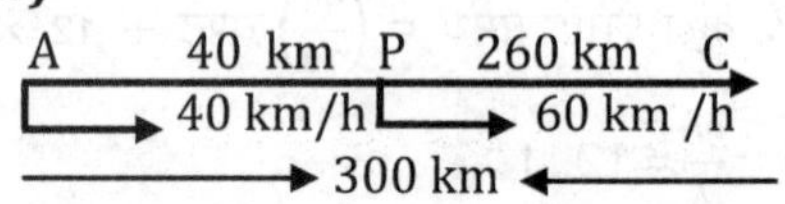

1 घण्टे में A से चली बस द्वारा तय दूरी = 40 × 1

= 40 किमी0

∴ दोनों बस के मिलने में लगा समय = $\frac{260}{(60+40)}$ घण्टे

= $\frac{13}{5}$ घण्टे

= 2 घण्टे + $\frac{3}{5}$ × 60 मिनट

= 2 घण्टे 36 मिनट

∴ दोनों के मिलने का समय = 6 : 00 + 2 : 36

= 8 : 36 AM

32. Sol^n : (d) माना, दूसरे गाड़ी की चाल x किमी0 / घण्टा है।

$\frac{45}{x} = \sqrt{\frac{200}{288}}$

$\frac{45}{x} = \sqrt{\frac{25}{36}}$

$\frac{45}{x} = \frac{5}{6}$

∴ x = 54 किमी0 / घण्टा

33. Sol^n : (b) $\frac{A \text{ की चाल}}{B \text{ की चाल}} = \sqrt{\frac{b}{a}}$

= $\sqrt{\frac{16}{9}} = \frac{4}{3}$

34. Solⁿ : (b)

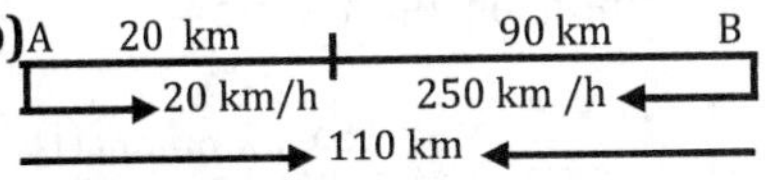

1 घण्टे में स्टेशन A से चली रेलगाड़ी द्वारा तय दूरी

$= 20 \times 1 = 20$ किमी0

$\therefore$ दोनों के मिलने में लगा समय $= \frac{90}{(20+25)}$ घण्टे $= 2$ घण्टे

$\therefore$ मिलने का समय $= 8:00 + 2:00 = 10:00$ AM

35. Solⁿ : (a) माना, रेलगाड़ियाँ t घण्टे बाद मिलती है।

दूरी = चाल × समय से,

$75t - 50t = 175$

$25t = 175$

$\therefore t = \frac{175}{25} = 7$ घण्टे

$\therefore$ A से B तक की दूरी $= 75t + 50t = 125t$

$= 125 \times 7 = 875$ किमी0

36. Solⁿ : (c) 1 घण्टे में बस के रूकने का समय

$= \frac{(64-48)}{64}$ घण्टे

$= \frac{16}{64}$ घण्टे $= \frac{1}{4} \times 60$ मिनट

$= 15$ मिनट

37. Solⁿ : (d) व्यक्ति को पार करने में लगा समय

$= \frac{75}{20 \times \frac{5}{18}}$ सेकेण्ड

$= \frac{75 \times 18}{20 \times 5}$ सेकेण्ड $= 13.5$ सेकेण्ड

38. Solⁿ : (d) माना, रेलगाड़ी की चाल x किमी0/घण्टा है।

$6 = \frac{120}{x \times \frac{5}{18}} = 6x$

$= 24 \times 18$

$x = 72$ किमी0/घण्टा

39. Solⁿ : (b) माना, रेलगाड़ी की लम्बाई x मीटर है।

$25 = \frac{x}{36 \times \frac{5}{18}}$

$\therefore x = 25 \times 10 = 250$ मीटर

40. Solⁿ : (b) व्यक्ति को पार करने में लगा समय

$= \frac{300}{(40-4)\times\frac{5}{18}}$ सेकेण्ड

$\frac{300}{36 \times \frac{5}{18}} = 30$ सेकेण्ड

41. Solⁿ : (c) माना, व्यक्ति की चाल x किमी0/घण्टा है।

$40 = \frac{600}{(48+x)\times\frac{5}{18}}$

$40 \times (48 + x) = 120 \times 18$

$48 + x = 54$

$\therefore x = 6$ किमी0/घण्टा

42. Solⁿ : (d) B द्वारा A को पार करने में लगा समय

$= \frac{(240+240)}{(72-60)\times\frac{5}{18}}$ सेकेण्ड

$= \frac{480 \times 18}{12 \times 5} = 144$ सेकेण्ड

$= 2$ मिनट 24 सेकेण्ड

43. Solⁿ : (a) पार करने में लगा समय

$= \frac{(240+270)}{(60+48)\times\frac{5}{18}}$ सेकेण्ड

$= \frac{510}{108 \times \frac{5}{18}}$ सेकेण्ड

$= \frac{510}{30}$ सेकेण्ड $= 17$ सेकेण्ड

44. Solⁿ : (c) माना, रेलगाड़ी की चाल x किमी0/घण्टा है।

$10 = \frac{240}{(3+x)\times\frac{5}{18}}$

$10 \times (3 + x) \times 5 = 240 \times 18$

$(3 + x) = \frac{240 \times 18}{10 \times 5} = 86.4$

$\therefore x = 86.4 - 3 = 83.4$ किमी0/घण्टा

45. Solⁿ : (b) माना, रेलगाड़ी की लम्बाई x मीटर है।

$48 = \frac{x}{(30-15)\times\frac{5}{18}}$

$48 \times 15 \times 5 = 18x$

$\therefore x = \frac{48 \times 15 \times 5}{18} = 200$ मीटर

46. Solⁿ : (a) माना, दूसरे रेलगाड़ी की गति x किमी0/घण्टा है।

$6 = \frac{125+125}{(65+x)\times\frac{5}{18}}$

$6 \times (65 + x) \times 5 = 250 \times 18$

$(65 + x) = \frac{250 \times 18}{6 \times 5} = 150$

$\therefore x = 150 - 65 = 85$ किमी0 / घण्टा

47. Sol^n : (c) माना, दूसरे रेलगाड़ी की चाल x मीटर / सेकेण्ड है।

पहली रेलगाड़ी की चाल $= \frac{150}{15} = 10$ मीटर / सेकेण्ड

दूसरी स्थिति,

समय $= \frac{150+150}{(10+x)}$

$12 = \frac{300}{(10+x)}$

$(10 + x) = \frac{300}{12} = 25$

$\therefore x = 15$ मी0 / सेकेण्ड

या, $x = 15 \times \frac{18}{5}$ किमी0 / घण्टा $= 54$ किमी0 / घण्टा

48. Sol^n : (d) प्लेटफॉर्म को पार करने में लगा समय $= \frac{(280+220)}{60 \times \frac{5}{18}}$ सेकेण्ड

$= \frac{500 \times 18}{300} = 30$ सेकेण्ड

49. Sol^n : (b) माना, ट्रेन की गति x किमी0 / घण्टा है।

$72 = \frac{(300+900)}{x \times \frac{5}{18}}$

$72 \times x \times \frac{5}{18} = 1200$

$x = 60$किमी0 / घण्टा

50. Sol^n : (d) माना, सुरंग की लम्बाई x मीटर है।

$60 = \frac{(800+x)}{78 \times \frac{5}{18}}$

$60 \times 78 \times \frac{5}{18} = (800 + x)$

$1300 = 800 + x$

$\therefore x = 500$ मीटर

51. Sol^n : (a) माना, पुल की लम्बाई x मीटर है।

$21 = \frac{(130+x)}{90 \times \frac{5}{18}}$

$21 \times 25 = (130 + x)$

$\therefore x = 525 - 130$

$x = 395$ मीटर

52. Sol^n : (c) माना, रेलगाड़ी की लम्बाई l मीटर तथा चाल x मीटर / सेकेण्ड है।

जब ट्रेन आदमी को पार करे तब –

$15 = \frac{l}{x}$ $\therefore l = 15x$................(i)

तथा, $25 = \frac{(100+l)}{x}$ [जब रेलगाड़ी प्लेटफॉर्म को पार करें]

$25x = 100 + l$ [समी0 (i) से l का मान रखने पर]

$25x = 100 + 15x$

$10x = 100$

$x = 10$ मी0 / से0

$\therefore l = 15x = 150$ मीटर

53. Sol^n : (b) माना, रेलगाड़ी की लम्बाई l मीटर तथा चाल x मी0 / से0 है।

जब ट्रेन आदमी को पार करे तब –

$8 = \frac{l}{x}$ $\therefore l = 8x$................(i)

तथा, $20 = \frac{(264+l)}{x}$ [जब रेलगाड़ी प्लेटफॉर्म को पार करें]

$20x = 264 + l$ [समी0 (i) से l का मान रखने पर]

$20x = 264 + 8x$

$12x = 264$

$x = 22$ मी0 / से0

$\therefore l = 8x = 176$ मीटर

54. Sol^n : (d)माना, रेलगाड़ी की लम्बाई l मीटर तथा चाल x मी0 / से0 है।

जब ट्रेन आदमी को पार करे तब –

$10 = \frac{l}{x}$ $\therefore l = 10x$................(i)

तथा, $14 = \frac{(50+l)}{x}$ [जब रेलगाड़ी प्लेटफॉर्म को पार करें]

$14x = 50 + l$ [समी0 (i) से l का मान रखने पर]

$14x = 50 + 10x$

$4x = 50$

$x = 12{\cdot}5$ मी0 / से0

या, $x = 12{\cdot}5 \times \frac{18}{5}$ किमी0 / घण्टा $= 45$ किमी0 / घण्टा

55. Sol^n : (c)माना, रेलगाड़ी की लम्बाई l मीटर तथा चाल x मी0 / से0 है।

जब ट्रेन आदमी को पार करे तब –

$10 = \frac{l}{x}$ $\therefore l = 10x$................(i)

तथा, $25 = \frac{(300+l)}{x}$ [जब रेलगाड़ी पुल को पार करें]

$25x = 300 + 10x$ [समी० (i) से]

$15x = 300$

$x = 20$ मी० / से०

$\therefore l = 10x = 200$ मीटर

अतः 200 मीटर लम्बे प्लेटफॉर्म को पार करने में लगा समय $= \frac{(200+200)}{20} = 20$ सेकेण्ड

56. Sol^n : (a)

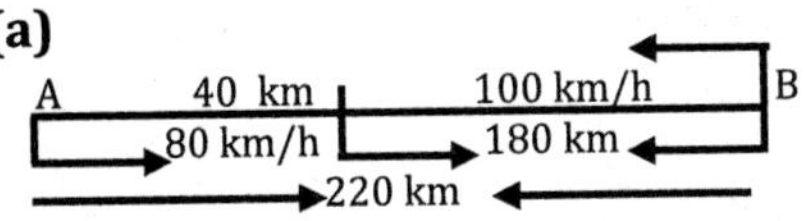

30 मिनट ($\frac{1}{2}$ घण्टे) में स्टेशन A से चली रेलगाड़ी द्वारा तय दूरी $= 80 \times \frac{1}{2} = 40$ किमी०

$\therefore$ दोनों रेलगाड़ियों के मिलने में लगा समय $= \frac{180}{(80+100)}$ घण्टा

$= 1$ घण्टा

अतः A से मिलने की दूरी $= 80 \times \left(1 + \frac{1}{2}\right)$

$= 80 \times \frac{3}{2} = 120$ किमी०

57. Sol^n : (d)

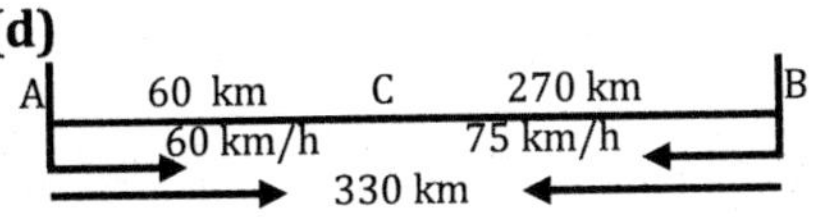

1 घण्टे में A से चली रेलगाड़ी द्वारा तय दूरी

$= 60 \times 1 = 60\ km$

$\therefore$ दोनों रेलगाड़ियों के मिलने में लगा समय $= \frac{270}{(60+75)}$ घण्टे

$= 2$ घण्टे

अतः मिलने का समय = 9 : 00 AM + 2 : 00 घण्टे

= 11 : 00 AM

58. Sol^n : (c)

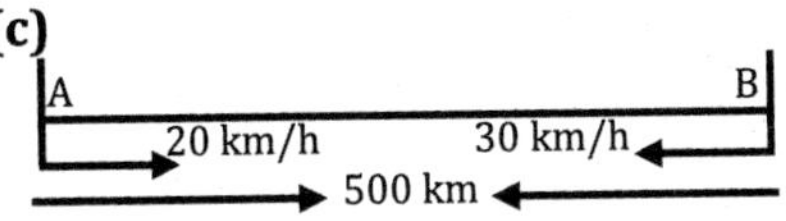

$\therefore$ दोनों गाड़ियों के मिलने में लगा समय $= \frac{500}{(20+30)}$ घण्टे

$= 10$ घण्टे

$\therefore$ दोनों गाड़ियों के क्रॉस स्थल की A से दूरी $= 20 \times 10$

$= 200$ किमी०

59. Sol^n : (b) $\frac{1}{2}$ घण्टे में पहली रेलगाड़ी द्वारा तय दूरी $= 60 \times \frac{1}{2} = 30$ किमी०

$\therefore$ दोनों ट्रेन के मिलने में लगा समय $= \frac{30}{(75-60)}$ घण्टे

$= 2$ घण्टे

अतः दिल्ली से मिलने में तय दूरी $= 75 \times 2 = 150\ km$

या, $60 \times \left(2 + \frac{1}{2}\right) km = 60 \times \frac{5}{2} = 150\ km$

60. Sol^n : (b) चोर द्वारा $\frac{1}{2}$ घण्टे में तय दूरी

$= 40 \times \frac{1}{2} = 20$ किमी०

$\therefore$ चोर को पकड़ने में लगा समय $= \frac{20}{(50-40)}$ घण्टे

$= 2$ घण्टे

$\therefore$ चोर को पकड़ने का समय = 2 : 00 PM + 2 : 00 घण्टे

= 4 : 00 PM

61. Sol^n : (d) प्रति घण्टा रूकने का समय

$= \frac{\text{दोनो चालो का अंतर}}{\text{बिना रुके चाल}}$ (घण्टे में)

$= \frac{(42-28)}{42}$ घण्टा

$= \frac{14}{42} \times 60$ मिनट

$= 20$ मिनट

62. Sol^n : (b) प्रथम आधी दूरी (45 किमी०) को 20 km/h की चाल से तय करने में लगा समय $= \frac{45}{20}$ घण्टे

$= \frac{9}{4}$ घण्टे

$\therefore$ शेष दूरी = 45 किमी० तथा शेष समय $= \left(3 - \frac{9}{4}\right)$

$= \frac{3}{4}$ घण्टे

अतः इस दूरी को तय करने में औसत चाल

$= \frac{45}{\frac{3}{4}} = \frac{45 \times 4}{3} = 60$ किमी० / घण्टा

63. Sol^n : (d) शेष आधी दूरी = 60 किमी० तथा शेष समय $= 15 \times \left(1 - \frac{3}{5}\right)$

$= 15 \times \frac{2}{5} = 6$ घण्टे

अतः शेष 60 किमी० की दूरी तय करने में औसत चाल

$= \frac{60}{6} = 10$ किमी0 / घण्टा

64. Sol^n : (a) माना, कुल दूरी = x किमी0

तब, $\frac{x}{15/2} - \frac{x}{8} = 4$

$\frac{2x}{15} - \frac{x}{8} = 4$

$\frac{16x - 15x}{120} = 4$

$\therefore x = 4 \times 120 = 480$ किमी0

65. Sol^n : (c) माना, ट्रेन की प्रारम्भिक चाल x किमी0 / घण्टा है।

तब, दोनों स्टेशनों के बीच की दूरी = $3x$ किमी0 ....(i)

अब, ट्रेन की नयी चाल = (x-12) किमी0 / घण्टा

तब, नया समय = $3 + \frac{45}{60} = 3 + \frac{3}{4} = \frac{15}{4}$ घण्टे

$\therefore$ दोनों स्टेशनों के बीच की दूरी = $(x - 12) \times \frac{15}{4}$ किमी0 ....(ii)

$\therefore 3x = (x - 12) \times \frac{15}{4}$ [$\because$ समी0 (i) = समी0 (ii)]

$12x = 15x - 180$

$3x = 180$

$x = 60$

$\therefore$ दोनों स्टेशनों के बीच की दूरी = $3x = 180$ किमी0

16 क्षेत्रफल (Area)

Type - 01

त्रिभुज (Triangle) :

Rememberable Fact : (i) यदि किसी त्रिभुज की तीनों भुजायें a , b व c ज्ञात हो तो Δ का क्षेत्रफल ज्ञात करने के लिए सर्वप्रथम Δ का अर्द्धपरिमाप (s) = $\frac{a+b+c}{2}$ ज्ञात करें तत्पश्चात्

$$\Delta \text{ का क्षेत्रफल } \sqrt{S(S-a)(S-b)(S-c)}$$

Note : (i) विशेषत : उपर्युक्त Concept हम विषमबाहु (Scalene Triangle) के लिये करते है।

(ii) यदि किसी Δ की कोई एक भुजा और उस भुजा से Δ की ऊँचाई ज्ञात हो तो –

$$\Delta \text{ का क्षेत्रफल} = \frac{1}{2} \times \text{भुजा} \times \text{ऊँचाई}$$

(iii) समकोण के लिये :–

$$\text{कर्ण}^2 = \text{आधार}^2 + \text{लम्ब}^2$$

$$\text{समकोण } \Delta \text{ का क्षेत्रफल} = \frac{1}{2} \times \text{आधार} \times \text{लम्ब}$$

समकोण पहचानने के लिए Triplet याद रखें –

- 3 : 4 : 5
- 5 : 12 : 13
- 7 : 24 : 25
- 8 : 15 : 17
- 9 : 40 : 41
- 20 : 21 : 29

(iv) समबाहु त्रिभुज के लिए : (Equilateral Triangle) :-

✓ समबाहु त्रिभुज का क्षेत्रफल = $\frac{\sqrt{3}}{4}$ × भुजा²

✓ समबाहु त्रिभुज की ऊँचाई = $\frac{\sqrt{3}}{2}$ × भुजा

Note : यदि किसी समबाहु Δ के अन्दर किसी बिन्दु से इनकी भुजाओं पर डाले गये लम्ब की लम्बाईयाँ क्रमशः P_1, P_2 व P^3 हो तो –

$$(P_1 + P_2 + P_3) = h = \frac{\sqrt{3}}{2} \times \text{भुजा}$$

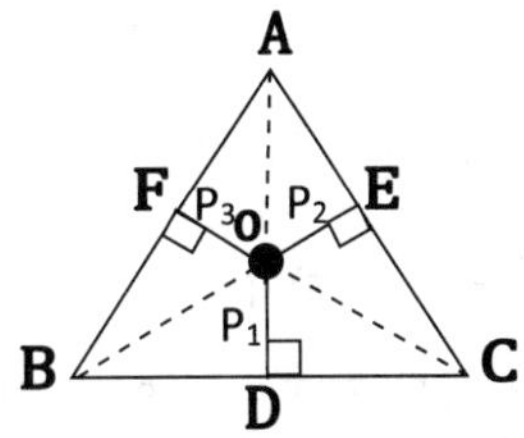

arΔBOC + arΔAOC + arΔAOB = arΔABC

$$\frac{1}{2}a \times p_1 + \frac{1}{2}a \times p_2 + \frac{1}{2}a \times p_3 = \frac{\sqrt{3}}{4}a^2$$

$$\frac{1}{2}a\,(p_1 + p_2 + p_3) = \frac{\sqrt{3}}{4}a^2$$

$$p_1 + p_2 + p_3 = \frac{\sqrt{3}}{2}a$$

(v) समद्विबाहु त्रिभुज (Isosceles Triangle) के लिए :–

$$\text{समद्विबाहु } \Delta \text{ का क्षेत्रफल} = \frac{b}{4}\sqrt{4a^2 - b^2}$$

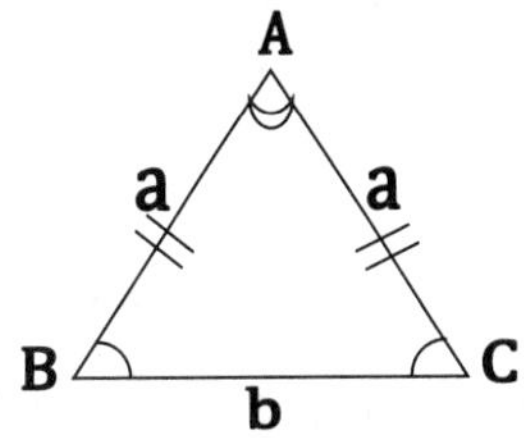

(vii) यदि किसी त्रिभुज ABC में भुजा BC, AC व AB के मध्य बिन्दु क्रमशः D, E तथा F हो तो –

Ar Δ DEF = ar Δ AEF = ar Δ FBD = ar Δ EDC = $\frac{1}{4}$ ar Δ ABC

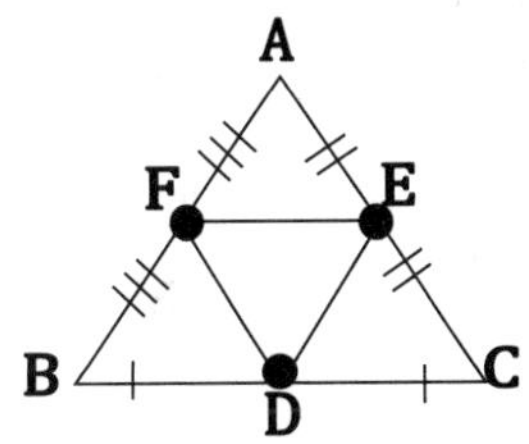

प्रश्न : उस त्रिभुज का क्षेत्रफल कितना होगा, जिसकी भुजायें 9cm, 10cm व 11cm लम्बी हो ?

हल : अर्द्धपरिमाप, S = $\frac{9+10+11}{2} = 15cm$

∴त्रिभुज का क्षेत्रफल = $\sqrt{15(15-9)(15-10)(15-11)}$

$= \sqrt{3 \times 5 \times 2 \times 3 \times 5 \times 2 \times 2}$

$= 2 \times 3 \times 5 \times \sqrt{2} = 30\sqrt{2}$ सेमी0²

प्रश्न : यदि किसी त्रिभुज का क्षेत्रफल 1176 cm^2 है। यदि आधार और सम्बन्धित ऊँचाई का अनुपात 3 : 4 है तो त्रिभुज की ऊँचाई क्या होगी ?

हल : माना, आधार व ऊँचाईं क्रमशः $3x$ व $4x$ सेमी0 है।

$\frac{1}{2} \times 3x \times 4x = 1176$

$6x^2 = 1176$

$x^2 = 196 = (14)^2$

$\therefore x = 14$

अतः त्रिभुज की ऊँचाई = $4x$ सेमी = 14 × 4cm = 56 सेमी0

प्रश्नः किसी त्रिभुज का क्षेत्रफल 216 सेमी0² और उसकी भुजायें 3 : 4 : 5 के अनुपात में है। इस त्रिभुज का परिमाप बताइये ?

हल : माना, भुजायें क्रमशः $3x$, $4x$ व $5x$ सेमी0 है।

$\frac{1}{2} \times 3x \times 4x = 216$

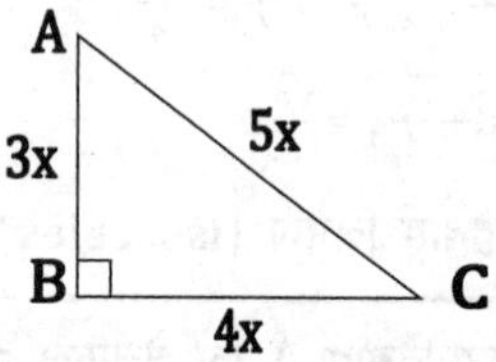

$6x^2 = 216$

$x^2 = 36 = (6)^2$

$\therefore x = 6$

$\therefore$ त्रिभुज का परिमाप = $(3x + 4x + 5x)cm$

$= 12 \times 6$

$= 72\ cm$

(Triplet Rule से यह त्रिभुज समकोण होगा।)

प्रश्न : किसी समकोण त्रिभुज की समकोण बनाने वाली भुजायें 5 : 12 के अनुपात में है। यदि त्रिभुज का क्षेत्रफल 270 सेमी0² है तो कर्ण की लम्बाई बताइये ?

हल : माना, समकोण बनाने वाली भुजायें क्रमशः $5x$ व $12x$ cm है।

$\therefore$ कर्ण = $\sqrt{(5x)^2 + (12x)^2} = \sqrt{169x^2} = 13x$

$\frac{1}{2} \times 5x \times 12x = 270$

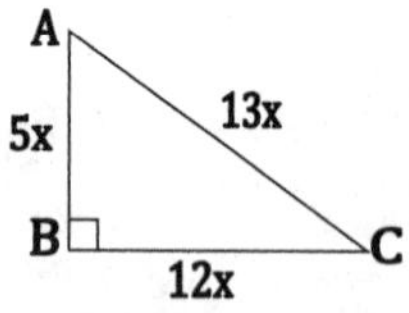

$x^2 = \frac{270}{30} = 9 = (3)^2$

$\therefore$ कर्ण = $13x$ cm

= 13 × 3 = 39 cm

प्रश्न : यदि किसी समबाहु त्रिभुज के परिमाप का संख्यात्मक मान उसके क्षेत्रफल का $\sqrt{3}$ गुना है। तो Δ की प्रत्येक भुजा की लम्बाई बताइये ?

हल : माना, Δ की प्रत्येक भुजा a इकाई है।

समबाहु Δ का परिमाप = क्षेत्रफल × $\sqrt{3}$

$3a = \frac{\sqrt{3}}{4}a^2 \times \sqrt{3}$

$3a = \frac{3}{4}a^2$

a = 4 इकाई

प्रश्न : किसी समद्विबाहु समकोण Δ का परिमाप $(4 + 4\sqrt{2})$ cm है। तो इसके कर्ण की लम्बाई बताइये ?

हल : माना, AB = BC = a cm

तब, कर्ण, $AC = \sqrt{a^2 + a^2} = a\sqrt{2}$cm

$\because a + a + a\sqrt{2} = 4 + 4\sqrt{2}$

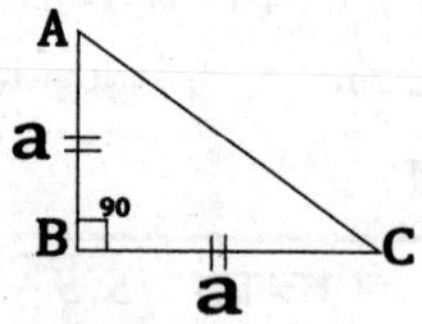

$a(2 + \sqrt{2}) = 2\sqrt{2}(\sqrt{2} + 2)$

$\therefore a = 2\sqrt{2}$

$\therefore$ कर्ण = $a\sqrt{2}cm = 2\sqrt{2} \times \sqrt{2}cm = 4cm$

Type - 02

आयत (Rectangle) :

Properties of Rectangle :-

(i) इसकी आमने–सामने की भुजायें बराबर एवं समान्तर होती है।

(ii) इसके प्रत्येक अन्तःकोण का मान 90^0 होता है।

(iii) इसके विकर्णो की लम्बाईयाँ समान होती है।

(iv) इसके दोनों विकर्ण एक–दूसरे को समद्विभाजित करते हैं, परन्तु समकोण पर नहीं काटते।

(v) $(\text{विकर्ण})^2 = (\text{लम्बाई})^2 + (\text{चौड़ाई})^2$

(vi) क्षेत्रफल = लम्बाई × चौड़ाई

(vii) परिमाप = 2 लम्बाई + 2 चौड़ाई = 2 (लम्बाई + चौड़ाई)

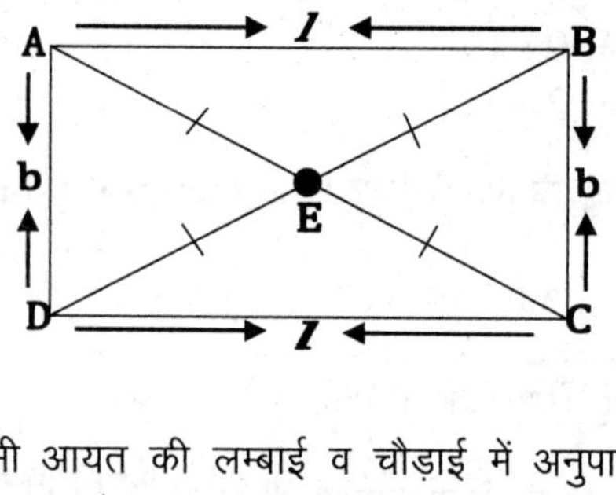

प्रश्न : किसी आयत की लम्बाई व चौड़ाई में अनुपात 4 : 3 है। यदि उसका क्षेत्रफल 192 मीटर² है, तो उसका परिमाप बताइये ?

हल : माना, लम्बाई व चौड़ाई क्रमशः $4x$ व $3x$ मीटर है।

$\because l \times b = 192$

$4x \times 3x = 192$

$x^2 = \frac{192}{12} = 16 = (4)^2$

$\therefore x = 4$

$\therefore$ परिमाप $= 2(l + b) = 2(4x + 3x)$cm $= 14x$ cm

$= 14 \times 4$ cm $= 56$cm

प्रश्न : किसी आयत की लम्बाई व परिमाप 5 : 18 के अनुपात में है। तद्नुसार उसकी लम्बाई व चौड़ाई का अनुपात क्या होगा ?

हल : $\frac{l}{2(l+b)} = \frac{5}{18}$

या, $\frac{l}{l+b} = \frac{5}{9}$

$9l = 5l + 5b$

$4l = 5b$

$\therefore \frac{l}{b} = \frac{5}{4}$

प्रश्न : एक आयताकार प्लॉट का परिमाप 48 मीटर है और क्षेत्रफल 108 मीटर^2 है। प्लॉट के आयाम बताइये ?

हल : माना, लम्बाई l तथा चौड़ाई b है

$2(l + b) = 48$ मीटर

$\therefore l + b = 24$ मीटर.....................(i)

$lb = 108$ मीटर^2.....................(ii)

$\therefore (l - b)^2 = (l + b)^2 - 4lb$

$= (24)^2 - 4 \times 108$

$(l - b)^2 = 576 - 432 = 144 = (12)^2$

$\therefore l - b = 12$...................(iii)

समीकरण (i) + समीकरण (iii),

$2l = 36$

$\therefore l = 18$cm

$18 + b = 24$

$\therefore$ b = cm

Type - 03

जब किसी आयताकार पार्क के चारों ओर बाहर या अन्दर से कोई रास्ता बनें –

Point : किसी आयताकार पार्क की लम्बाई व चौड़ाई क्रमशः l तथा b है। इस पार्क के चारों ओर बाहर से x इकाई चौड़ाई का एक रास्ता बनाया गया है, तो उस रास्ते का क्षेत्रफल (वर्ग इकाई में) क्या है–

Derivation : पार्क (ABCD) का क्षेत्रफल $= lb$

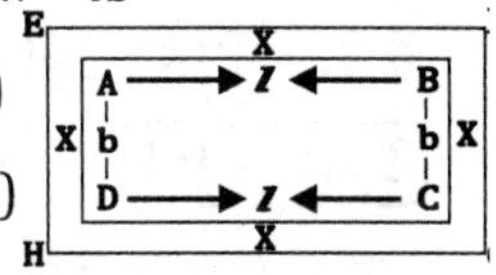

पार्क सहित रास्ते की लम्बाई $= (l + 2x)$

पार्क सहित रास्ते की चौड़ाई $= (b + 2x)$

$\therefore$ पार्क सहित रास्ते (EFGH) का क्षेत्रफल

$= (l + 2x)(b + 2x)$

$= (lb + 2lx + 2bx + 4x^2)$

$\therefore$ रास्ते का क्षेत्रफल = पार्क सहित रास्ते का क्षेत्रफल – पार्क का क्षेत्रफल

रास्ते का क्षेत्रफल $= lb + 2lx + 2bx + 4x^2 - lb$

$= 2x(l + b + 2x)$

$\therefore$ रास्ते का क्षेत्रफल = 2 × रास्ते की चौड़ाई (पार्क की लम्बाई + पार्क की चौड़ाई ± 2 × रास्ते की चौड़ाई

Note : यदि रास्ता बाहर से हो तो '+' चिन्ह् और यदि रास्ता अन्दर से हो तो '–' चिन्ह् का प्रयोग करेंगे।

Note : उपर्युक्त परिणाम 'वर्गाकार पार्क' के लिए भी Apply किया जा सकता है। ध्यान दें इस स्थिति में (पार्क की लम्बाई = पार्क की चौड़ाई)

प्रश्न : 25 मीटर लम्बे और 15 मीटर चौड़े एक सभागार के बाहर चारों ओर 3·5 मीटर की एक समान चौड़ाई का एक बरामदा है। उस बरामदे का फर्श 27·50 प्रति वर्गमीटर की दर पर तैयार करने की कुल लागत कितनी होगी ?

हल : बरामदे का क्षेत्रफल $= 2 \times 3\cdot5 (25 + 15 + 2 \times 3\cdot5)$

$= 7 \times 47 = 329$ मीटर^2

$\therefore$ बरामदे के फर्श पर लगा खर्च $= 329 \times 27\cdot50$

= ₹ 9047·50

प्रश्न : एक 38 मीटर लम्बे तथा 32 मीटर चौड़े आयताकार क्षेत्र के अन्दर की ओर चारों तरफ एक समान चौड़ाई वाला एक पथ बनाया गया है। यदि पथ का क्षेत्रफल 600 मीटर^2 हो तो पथ की चौड़ाई बताइये ?

हल : माना, पथ की चौड़ाई x मीटर है।

$600 = 2x(38 + 32 - 2x)$

$600 = 140x - 4x^2$

या, $x^2 - 35x + 150 = 0$ [4 से भाग देने पर]

या, $x^2 - 30x - 5x + 150 = 0$

$x(x - 30) - 5(x - 30) = 0$

$(x - 30)(x - 5) = 0$

$\therefore x = 5\ [\because x \neq 30]$

Type - 04

जब आयताकार पार्क के ठीक बीचो–बीच लम्बाई व चौड़ाई के अनुदिश रास्ते एक–दूसरे को काटते हुये बने हो –

Point : एक आयताकार पार्क की लम्बाई व चौड़ाई क्रमशः l तथा b है। मैदान के बीचो–बीच लम्बाई एवं चौड़ाई के अनुदिश x चौड़ाई का रास्ता बना है जो एक–दूसरे को समकोण पर काटता है, तो रास्ते का क्षेत्रफल बताइये ?

Derivation :

लम्बाई के अनुदिश बने रास्ते का क्षेत्रफल = lx

चौड़ाई के अनुदिश बने रास्ते का क्षेत्रफल = bx

प्रतिच्छेद भाग का क्षेत्रफल = $x \times x = x^2$

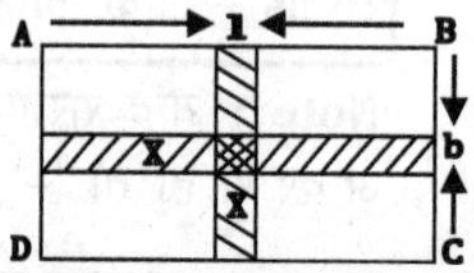

$\therefore$ रास्ते का क्षेत्रफल = $lx + bx - x^2$

$= x(l + b - x)$

रास्ते का क्षेत्रफल = रास्ते की चौड़ाई (पार्क की लम्बाई + पार्क की चौड़ाई – रास्ते की चौड़ाई)

Note : उपर्युक्त परिणाम वर्गाकार पार्क के लिए भी Apply किया जा सकता है। (ध्यान रहें इस स्थिति में पार्क की लम्बाई = पार्क की चौड़ाई)

प्रश्न : किसी आयताकार पार्क की लम्बाई और चौड़ाई क्रमशः 165 मीटर और 135 मीटर है। इस पार्क के ठीक बीचों–बीच लम्बाई व चौड़ाई के अनुदिश एक–दूसरे को काटते हुये 5 मीटर चौड़ा दो रास्ता बनाया गया है, तो उस रास्ते का क्षेत्रफल बताइये ?

हल : रास्ते का क्षेत्रफल $= 5\,(165 + 135 - 5)$

$= 5 \times 295$

$= 1475$ मीटर^2

Type - 05

समचतुर्भुज (Rhombus)

Properties of Rhombus :

(i) इसकी चारो भुजायें बराबर तथा आमने–सामने की भुजा समान्तर होती है।

(ii) इसके विकर्ण असमान लम्बाई के होते है।

(iii) इसके दोनों विकर्ण एक–दुसरे को समकोण पर काटते है तथा समद्विभाजित भी करते है।

(iv) समचतुर्भुज के भुजा और विकर्ण के सम्बन्ध :–

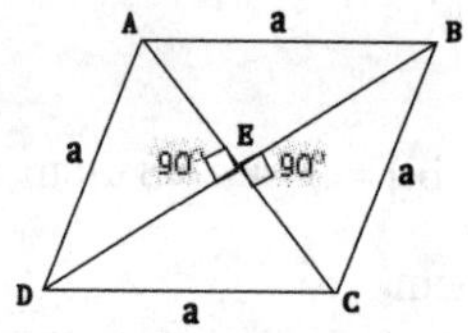

समकोण Δ AED में, (माना, AC = d_1 तथा BD = d_2)

लम्ब, AE = $\frac{d_1}{2}$

आधार, DE = $\frac{D_2}{2}$

तब, $(AD)^2 = (AE)^2 + (DE)^2$

$a^2 = \frac{d_1^2}{4} + \frac{d_2^2}{4} = \frac{d_1^2 + d_2^2}{4}$

$$\boxed{4a^2 = d_1^2 + d_2^2}$$

(v) समचतुर्भुज (ABCD) का क्षेत्रफल = AED का क्षेत्रफल × 4

$= \left[\frac{1}{2} \times \frac{d_1}{2} \times \frac{d_2}{2}\right] \times 4$

$$\boxed{\text{समचतुर्भुज का क्षेत्रफल} = \frac{1}{2} d_1 d_2}$$

(vi) समचतुर्भुज का परिमाप = 4a

प्रश्न : एक समचतुर्भुज के विकर्ण 24 सेमी0 व 10 सेमी0 है। इस समचतुर्भुज का परिमाप बताइये ?

हल : $4a^2 = (24)^2 + (10)^2$

$= 676$

$a^2 = \frac{676}{4}$

$= 169 = (13)^2$

$\therefore a = 13$cm

अतः परिमाप = $4a = 4 \times 13$

$= 52$ cm

प्रश्न : एक समचतुर्भुज का परिमाप 100 सेमी0 है। यदि इसके विकर्ण में से एक की माप 14 सेमी0 हो तो समचतुर्भुज का क्षेत्रफल बताइये ?

हल : समचतुर्भुज की भुजा, $a = \frac{100}{4} = 25$ सेमी0

$4a^2 = d_1^2 + d_2^2$ से,

$4 \times (25)^2 = (14)^2 + (d_2)^2$

$4 \times 625 = 196 + d_2^2$

$\therefore d_2^2 = 2500 - 196$

$= 2304$

$\therefore d_2 = 48$cm

अतः क्षेत्रफल $= \frac{1}{2} \times 14 \times 48$

= 336 वर्ग सेमी0

Type - 06

समान्तर चतुर्भुज (Parallelogram) :-

Properties of Parallelogram :-

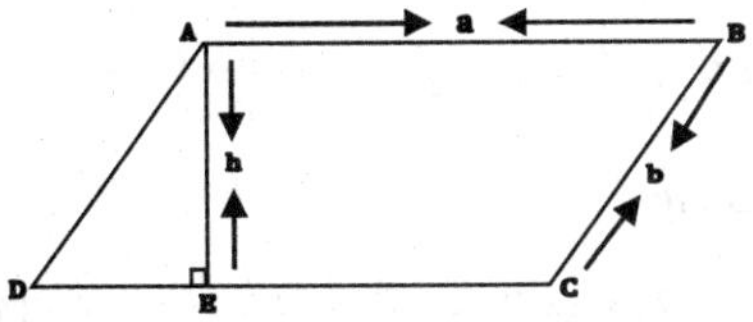

(i) इसकी आमने–सामने की भुजा बराबर और समान्तर होती है।

(ii) इसके सम्मुख कोण बराबर होते है।

(iii) इसके दोनों विकर्ण एक–दूसरे को समद्विभाजित करते है।

(iv) समान्तर चतुर्भुज का क्षेत्रफल = आधार × ऊँचाई

(v) परिमाप = 2 (a + b)

प्रश्न : एक समान्तर चतुर्भुज की भुजायें 60 मीटर और 40 मीटर है। और उसका एक विकर्ण 80 मीटर लम्बा है। उसका क्षेत्रफल कितना होगा ?

हल :

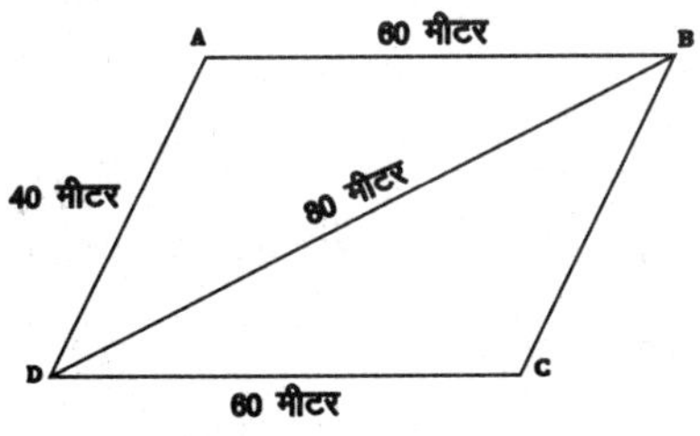

ΔABD का अर्द्धपरिमाप $= \frac{(40 + 60 + 80)}{2} = 90$ मीटर

ΔABD का क्षेत्रफल $= \sqrt{90(90-40)(90-60)(90-80)}$

$= \sqrt{2 \times 3 \times 3 \times 5 \times 2 \times 5 \times 5 \times 2 \times 3 \times 5 \times 2 \times 5}$

$= 2 \times 2 \times 3 \times 5 \times 5 \times \sqrt{15} = 300\sqrt{15}\text{cm}^2$

$\therefore$ ABCD का क्षेत्रफल $= 2 \times 300\sqrt{15} = 600\sqrt{15}\text{cm}^2$

Type - 07

समलम्ब चतुर्भुज (Trapezium) :-

Properties of Trapezium :-

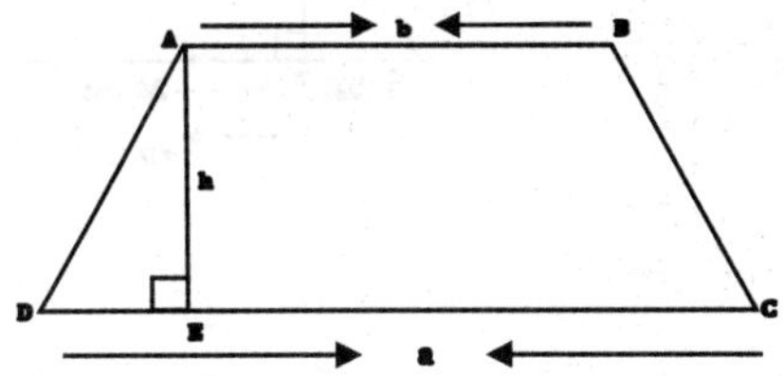

(i) इसकी दो जोड़ी भुजाओं में केवल एक जोड़ी भुजा ही समान्तर होती है।

(ii) समलम्ब चतुर्भुज का क्षेत्रफल = $\frac{1}{2}$ (समान्तर भुजाओं का योग) × समान्तर भुजाओं के मध्य लम्बवत ऊँचाई

(iii) किसी समलम्ब चतुर्भुज में असमान्तर भुजाओं के मध्य बिन्दुओं को मिलाने वाली रेखा समान्तर भुजाओं के योग की आधी होती है।

प्रश्न : एक समलम्ब चतुर्भुज की समान्तर भुजाओं की लम्बाई का अनुपात 3 : 2 है। उनके बीच की न्यूनतम दूरी 15 सेमी0 है तथा समलम्ब चतुर्भुज का क्षेत्रफल 450 सेमी0^2 है। तद्नुसार समान्तर भुजाओं की लम्बाई का योग बताइये ?

हल : माना, समान्तर भुजायें क्रमशः $3x$ व $2x$ सेमी0 है।

$450 = \frac{1}{2}(3x + 2x) \times 15$

$450 \times \frac{2}{15} = 5x$

$5x = 60$ सेमी0

∴ समान्तर भुजाओं की लम्बाईयों का योग $5x$ सेमी0 है

Note : यदि समलम्ब चतुर्भुज की असमान्तर भुजाओं की लम्बाईयाँ समान हो तो निम्न स्थिति का अवलोकन करें–

यहाँ, AD = BC

तब, AE ⊥ CD तथा BF ⊥ CD खीचें

यहाँ, [याद रखें] $DE = FC = \frac{b-a}{2}$

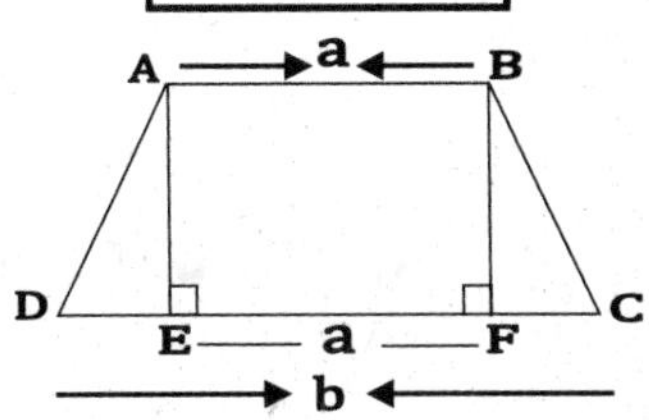

प्रश्न : एक समलम्ब की दो समान्तर भुजायें क्रमशः 28 cm व 40 cm है। यदि इसकी अन्य दो भुजाओं की लम्बाई प्रति 12 सेमी0 हो तो समलम्बका क्षेत्रफल बताइये ?

हल : समकोण Δ AED में,

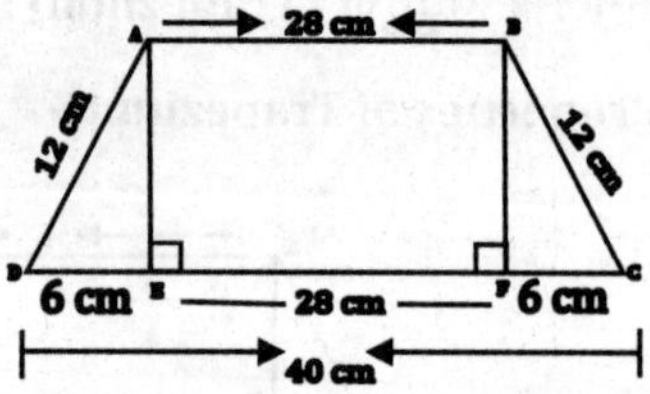

AE (h) = $\sqrt{(12)^2-(6)^2}$

= $\sqrt{144-36}$

= $\sqrt{108}$

= AE = $6\sqrt{3}$ सेमी0

$\therefore$ समलम्ब का क्षेत्रफल = $\frac{1}{2}\times(28+40)\times 6\sqrt{3}$

= $\frac{1}{2}\times 68\times 6\sqrt{3}$

= $204\sqrt{3}$ सेमी0²

Type - 08

वृत्त (Circle) :-

- ❖ वृत्त का क्षेत्रफल = πr^2
- ❖ वृत्त की परिधि = $2\pi r$
- ❖ पहिये द्वारा 1 चक्कर में तय दूरी = पहिये की परिधि = $2\pi r$
- ❖ चक्करों की संख्या = $\frac{\text{कुल दूरी}}{\text{1 चक्कर में तय दूरी}}$

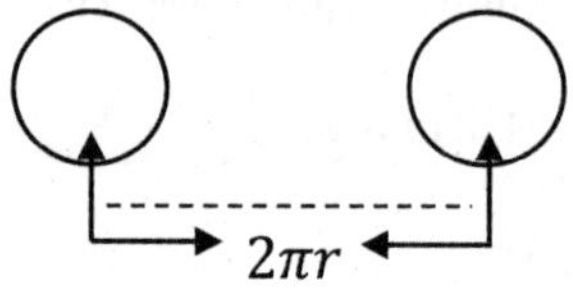

संकेन्द्री वृत्त (Concentric Circle) : दो या दो से अधिक वृत्त जिसका केन्द्र एक ही हो, संकेन्द्री वृत्त कहलाता है।

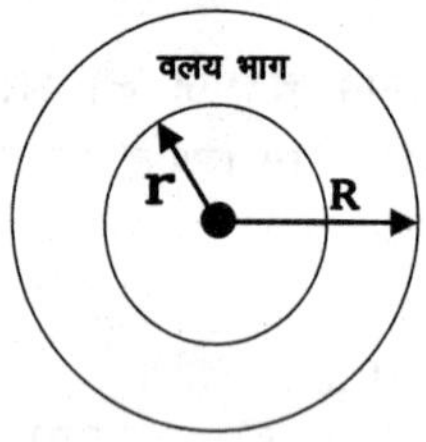

वलय का भाग का क्षेत्रफल = $\pi(R^2-r^2)$

= $\pi(R+r)(R-r)$

अर्द्धवृत्त :–

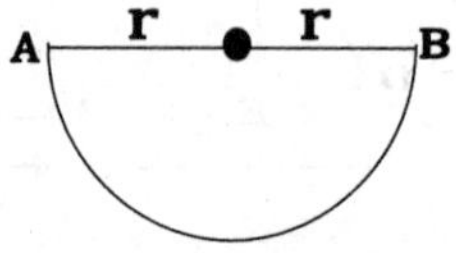

- ❖ अर्द्धवृत्त का परिमाप = $\pi r+2r$
- ❖ अर्द्धवृत्त का क्षेत्रफल = $\frac{1}{2}\pi r^2$

प्रश्न : वृत्त का क्षेत्रफल 144π वर्ग सेमी0 है, तो उसकी त्रिज्या कितनी होगी ?

हल : $\pi r^2 = 144\pi$

$r^2 = 144 = (12)^2$

$\therefore$ r = 12 सेमी0

प्रश्न : किसी वृत्त का क्षेत्रफल 38·5 वर्ग सेमी0 है। उसके परिधि की लम्बाई बताइये ? $\pi=\frac{22}{7}$

हल : $\frac{22}{7}r^2 = 38{\cdot}5$

$r^2 = 38{\cdot}5\times\frac{7}{22} = 12{\cdot}25 = (3{\cdot}5)^2$

$\therefore$ r = 3·5 cm

अतः परिधि, $2\pi r = 2\times\frac{22}{7}\times 3{\cdot}5 = 22$ सेमी0

प्रश्न : किसी वृत्तीय पहिये की त्रिज्या 1·75 मीटर है, तो 44 किमी0 की दूरी तय करने में यह पहिया कितने चक्कर लगायेगी ?

हल : पहिये द्वारा 1 चक्कर में तय दूरी = $2\times\frac{22}{7}\times 1{\cdot}75 =$ 11मीटर

$\therefore$ चक्करों की संख्या = $\frac{44\ km}{11\ m} = \frac{44000\ m}{11\ m} = 4000$

प्रश्न : दो संकेन्द्री वृत्तों जिनकी परिधियाँ क्रमशः 88 सेमी0 व 132 सेमी0 है, के बीच के वलय भाग का क्षेत्रफल बताइये ?

हल : माना, बड़े वृत्त की त्रिज्या R तथा छोटे वृत्त की त्रिज्या r है।

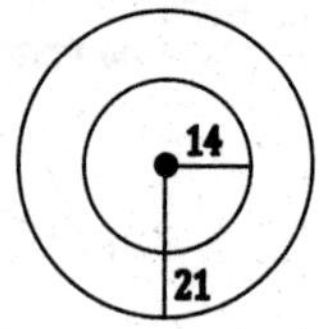

$2\pi r = 88$

$\therefore r = 88\times\frac{1}{2}\times\frac{7}{22} = 14$ सेमी0

तथा, $2\pi R = 132$

$\therefore R = 132\times\frac{1}{2}\times\frac{7}{22}$

= 21 सेमी0

अतः वलय भाग का क्षेत्रफल = $\pi R^2-\pi r^2$

= $\pi(R+r)(R-r)$

= $\frac{22}{7}\times(21+14)(21-14)$

= $\frac{22}{7}\times 35\times 7$

= 770 सेमी0²

प्रश्न : एक अर्द्धवृत्ताकार खिड़की की व्यास 63 सेमी0 है। तदनुसार उसका परिमाप बताइये ?

हल : 2r = 63 सेमी0

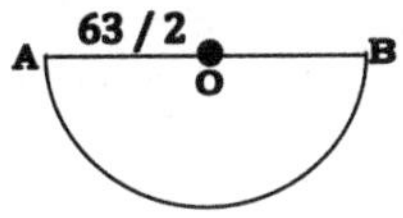

$\therefore$ r = $\frac{63}{2}$ सेमी0

$\therefore$ परिधि $= \pi r + 2r$

$= r \times \left(\frac{22}{7} + 2\right)$

$= \frac{63}{2} \times \frac{36}{7}$

$= 9 \times 18$

= 162 सेमी0

Type - 09

वृत्त का त्रिज्यखण्ड (Sector of Circle) :- वृत्त के चाप, उसके केन्द्र एवं दो त्रिज्याओं से घिरा हुआ क्षेत्र, त्रिज्यखण्ड कहलाता है।

❖ त्रिज्यखण्ड (OAB) का क्षेत्रफल $= \pi r^2 \times \frac{\theta}{360}$

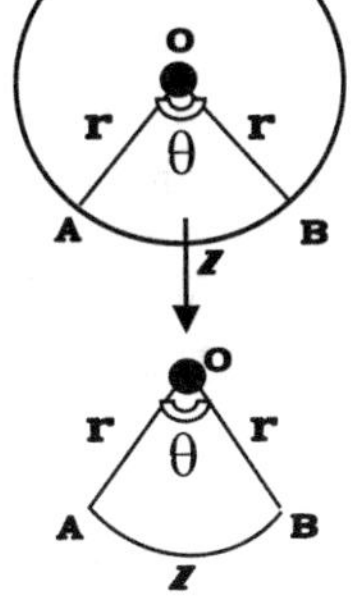

❖ चाप (AB) की लम्बाई, $l = 2\pi r \times \frac{\theta}{360} = \frac{\pi r\theta}{180}$

प्रश्न : 28 सेमी0 की त्रिज्या वाले वृत्त की एक चाप केन्द्र पर 72^0 का कोण बनाती है। इस चाप की लम्बाई ज्ञात कीजिए तथा इस प्रकार बने वृत्तखण्ड का क्षेत्रफल बताइये ?

हल : चाप की लम्बाई, l $= \frac{\pi r\theta}{180} = \frac{\frac{22}{7} \times 28 \times 72}{180} = 35{\cdot}2$ सेमी0

वृत्तखण्ड का क्षेत्रफल $= \pi r^2 \times \frac{\theta}{360} = \frac{22}{7} \times 28 \times 28 \times \frac{72}{360} = 492{\cdot}8\ cm^2$

Type - 10

समषट्भुज (Hexagon) :-

❖ छः समबाहु त्रिभुज के योग से निर्मित हुई ज्यामितीय आकृति को समषट्भुज कहते है।

❖ समषट्भुज का क्षेत्रफल = एक समबाहु Δ का क्षेत्रफल × 6

$= \frac{\sqrt{3}}{4}a^2 \times 6 = \frac{3\sqrt{3}}{2}a^2$

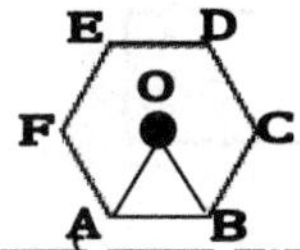

Note : यदि किसी समषट्भुज के शीर्षो को स्पर्श करता हुआ वृत्त खींचा जाये तो परिवृत्त की त्रिज्या, R = समषट्भुज की भुजा = a

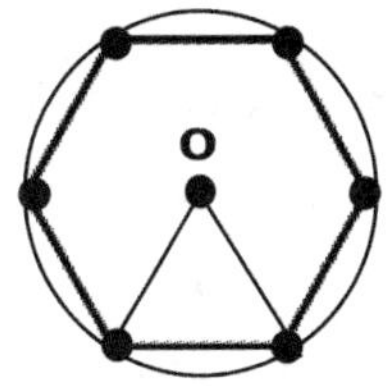

Note : यदि किसी समषट्भुज की भुजाओं को स्पर्श करता हुआ वृत्त खींचा जाये तो अन्तः वृत्त की त्रिज्या, r = समबाहु Δ की ऊँचाई $= \frac{\sqrt{3}}{2}a$

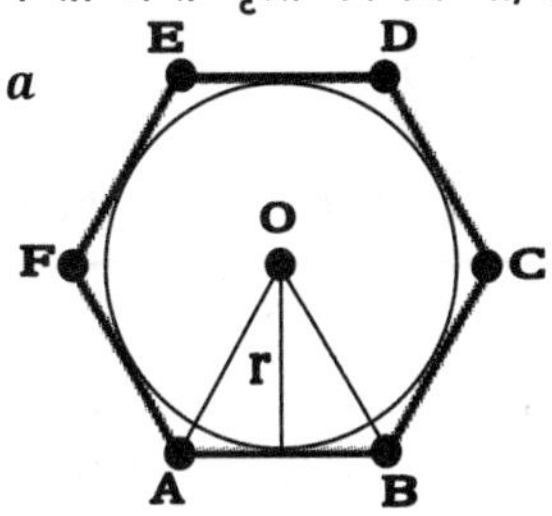

प्रश्न : किसी समषट्भुज का क्षेत्रफल $216\sqrt{3}$ वर्ग सेमी0 है, तो समषट्भुज की प्रत्येक भुजा बताइये ?

हल : समषट्भुज का क्षेत्रफल, $\frac{3\sqrt{3}}{2}a^2 = 216\sqrt{3}$

$a^2 = 216\sqrt{3} \times \frac{2}{3\sqrt{3}} = 144 = (12)^2$

$\therefore$ a = 12 सेमी0

प्रश्न : किसी समषट्भुज की प्रत्येक भुजा $14\sqrt{3}$ सेमी0 है। इसकी भुजाओं को स्पर्श करता हुआ एक वृत्त खींचा गया है, तो उस वृत्त का क्षेत्रफल बताइये ?

हल : समषट्भुज के अन्तःवृत्त की त्रिज्या = समबाहु Δ की ऊँचाई $= \frac{\sqrt{3}}{2} \times 14\sqrt{3}$

= 21 सेमी0

$\because$ समषट्भुज की भुजा = समबाहु Δ की भुजा

$\therefore$ वृत्त का क्षेत्रफल $= \pi r^2 = \frac{22}{7} \times 21 \times 21 = 1386\ cm^2$

Type - 11

समबाहु त्रिभुज और वृत्त

❖ **किसी समबाहु Δ के अन्तः वृत्त की त्रिज्या,**

$$\boxed{r = \frac{\Delta}{s}}$$

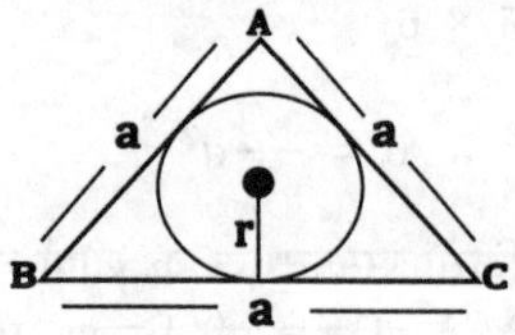

$$r = \frac{\frac{\sqrt{3}}{4}a^2}{\frac{3a}{2}} = \frac{\sqrt{3}}{4}a^2 \times \frac{2}{3a} = \frac{a}{2\sqrt{3}}$$

❖ **किसी समबाहु Δ के परिवृत्त की त्रिज्या,**

$$\boxed{R = \frac{abc}{4\Delta}}$$

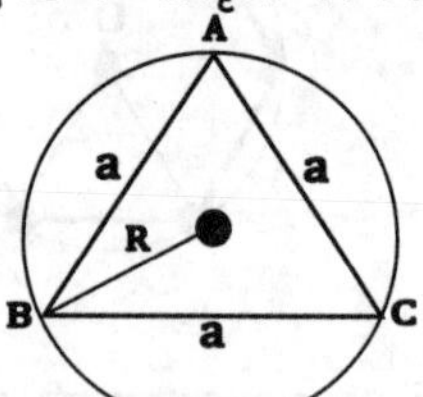

$$R = \frac{a \times a \times a}{4 \times \frac{\sqrt{3}}{4}a^2} = \frac{a}{\sqrt{3}}$$

अतः समबाहु Δ के अन्तः वृत्त की त्रिज्या, परिवृत्त की त्रिज्या,

$$\boxed{r : R = \frac{a}{2\sqrt{3}} : \frac{a}{\sqrt{3}} = \frac{1}{2\sqrt{3}} : \frac{1}{\sqrt{3}} = 1 : 2}$$

प्रश्न : एक समबाहु Δ के परिवृत्त तथा अन्तः वृत्त के क्षेत्रफलों में अनुपात कितना होगा ?

हल : परिवृत्त का क्षेत्रफल : अन्तः वृत्त का क्षेत्रफल

$= \pi R^2 : \pi r^2 = R^2 : r^2$ [$\because$ R : r = 2 : 1]

$= (2)^2 : (1)^2 = 4 : 1$

प्रश्न : 42 सेमी0 भुजा वाले एक समबाहु त्रिभुज के अन्तः वृत्त का क्षेत्रफल कितना होगा ?

हल : $r = \frac{a}{2\sqrt{3}} = \frac{42}{2\sqrt{3}} \times \frac{\sqrt{3}}{\sqrt{3}} = \frac{42\sqrt{3}}{6} = 7\sqrt{3}$ सेमी0

अतः अन्तः वृत्त का क्षेत्रफल $= \pi r^2$

$= \frac{22}{7} \times 7\sqrt{3} \times 7\sqrt{3} = 22 \times 21 = 462$ cm²

Type - 12

वर्ग और वृत्त :–

❖ **किसी वर्ग के अन्दर बने बड़े से बड़े वृत्त की त्रिज्या,**

$$r = \frac{\text{वर्ग की भुजा}}{2} = \frac{a}{2}$$

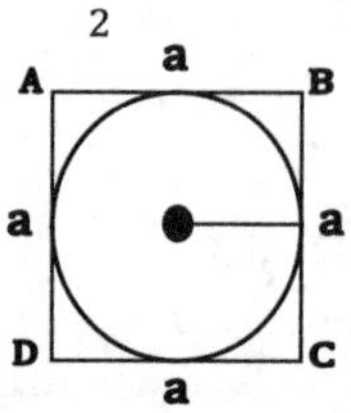

❖ **किसी वर्ग के शीर्षो को स्पर्श करता हुआ यदि कोई वृत्त खींचा जाये तो परिवृत्त की त्रिज्या,**

$$R = \frac{\text{वर्ग का विकर्ण}}{2}$$

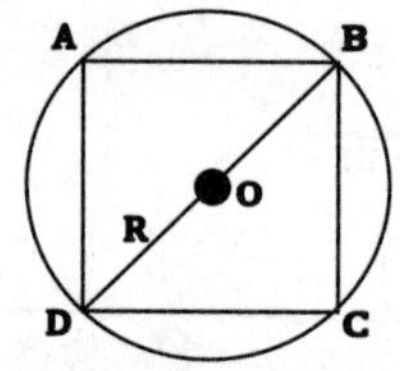

$$R = \frac{\sqrt{2}a}{2}$$

अतः वर्ग के अन्तःवृत्त की त्रिज्या वर्ग के परिवृत्त की त्रिज्या $= \frac{a}{2} : \frac{\sqrt{2}a}{2} = 1 : \sqrt{2}$

प्रश्न : एक वर्ग के अन्तर्वृत्त और परिवृत्त के क्षेत्रफलों का अनुपात क्या होगा ?

हल : वर्ग के, अन्तर्वृत्त का क्षेत्रफल : परिवृत्त का क्षेत्रफल

$= \pi r^2 : \pi R^2$

$= r^2 : R^2 = (1)^2 : (\sqrt{2})^2$

= 1 : 2

प्रश्न : वृत्त बनाने के लिए मोड़ने पर तार की त्रिज्या 84 सेमी0 होगी। यदि तार को वर्ग बनाने के लिए मोड़ा जाये तो वर्ग की एक भुजा की लम्बाई क्या होगी ?

हल : **वृत्तीय तार को जब वर्गाकार तार के रूप में मोड़ा जायेगा तो दोनों स्थितियों में तार की लम्बाई (दोनों का परिमाप) समान होगा।**

$\therefore$ वृत्त का परिधि = वर्ग का परिमाप

$2 \times \frac{22}{7} \times 84 = 4 \times a$

$a = \frac{2 \times 22 \times 12}{4} = 132$ सेमी0

प्रश्न : 21 सेमी0 भुजा वाले एक वर्ग के अन्दर खींचे जा सकने वाले बड़े से बड़े वृत्त का क्षेत्रफल बताइये ?

हल : वर्ग के अन्तवृत्त की त्रिज्या, $r = \frac{\text{वर्ग की भुजा}}{2} = \frac{21}{2}$

$= 10{\cdot}5\ cm$

$\therefore$ वृत्त का क्षेत्रफल $= \frac{22}{7} \times 10{\cdot}5 \times 10{\cdot}5 = 346{\cdot}5$ वर्ग सेमी0

Type - 13

प्रतिशत परिवर्तन पर प्रश्न :

प्रश्न : एक आयत की लम्बाई 60% बढ़ाई गई है। तद्नुसार इसकी चौड़ाई कितनी कम करनी होगी, ताकि आयत का क्षेत्रफल अपरिवर्तित रहें ?

हल : अभीष्ट % कमी = $\frac{100x}{100+x}$

$= \frac{100 \times 60}{100 + 60}$

$= \frac{6000}{160}$

$= \frac{75}{2} = 37\frac{1}{2}\%$

प्रश्न : एक आयत की लम्बाई 40% बढ़ा दी जाती है और उसकी चौड़ाई 30% घटा दी जाती है। आयत के क्षेत्रफल में क्या परिवर्तन होगा ?

हल : अभीष्ट परिवर्तन (R) = $+ x - y - \frac{xy}{100}$

$= + 40 - 30 - \frac{40 \times 30}{100} = 10 - 12 = -2$

∴ क्षेत्रफल में 2% की कमी होगी।

प्रश्न : यदि किसी वृत्त की त्रिज्या 10% घटा दी जाये तो वृत्त का क्षेत्रफल कितने % कम हो जायेगा ?

हल : अभीष्ट % कमी = $-x - y + \frac{xy}{100}$

$= -10 - 10 + \frac{10 \times 10}{100}$

$= -20 + 1 = -19$

∴ 19% कमी

प्रश्न : यदि किसी वर्ग के प्रत्येक कोर को दुगुना कर दिया जाये तो उसके क्षेत्रफल में कितने % की वृद्धि होगी ?

हल : माना, प्रारम्भिक भुजा : नयी भुजा = 1 : 2

∴ प्रारम्भिक क्षेत्रफल : नया क्षेत्रफल = 1 : 4

क्षेत्रफल में वृद्धि = 4 - 1 = 3

∴ % वृद्धि $= \frac{3 \times 100}{1} = 300\%$

प्रश्नावली

TYPE - 01

1. यदि त्रिभुज की भुजाए $\frac{1}{2}:\frac{1}{3}:\frac{1}{4}$ के अनुपात में है। यदि त्रिभुज का परिमाप 52 सेमी. हो तो सबसे छोटी भुजा कितनी लम्बी होगी?
(a) 24 सेमी. (b) 18 सेमी.
(c) 12 सेमी. (d) 9 सेमी.
(SSC CGL Pre exam 27-2-2000)

2. यदि किसी त्रिभुज का क्षेत्रफल 1176 सेमी.^{2} है और आधार और संबंधित ऊँचाई का अनुपात 3 : 4 है तो त्रिभुज की ऊँचाई क्या होगी?
(a) 42सेमी. (b) 52सेमी.
(c) 54सेमी. (d) 56सेमी.
(SSC CGL Pre exam 27-2-2000)

3. किसी त्रिभुज का आधार 15 सेमी. हैं और ऊँचाई 12 सेमी है। एक अन्य त्रिभुज की ऊँचाई जिसका क्षेत्रफल इस त्रिभुज के क्षेत्रफल का दुगुना है और आधार 20 सेमी. हैं निम्न है–
(a) 9 सेमी० (b) 18 सेमी.
(c) 8 सेमी. (d) 12.5सेमी.

4. किसी त्रिभुज की भुजाएँ $\frac{1}{3}:\frac{1}{4}:\frac{1}{5}$ के अनुपात में है तथा इसका परिमाप 94 सेमी है। त्रिभुज की सबसे छोटी भुजा की लम्बाई है:
(a) 18 सेमी (b) 22.5 सेमी
(c) 24 सेमी (d) 27 सेमी
(SSC Data Entry Operator Exam 27-11-2010)

5. उस त्रिभुज का क्षेत्रफल कितना है जिसका परिमाप 32 सेमी है, एक भुजा 11 सेमी तथा शेष दोनों भुजाओं का अंतर 5 सेमी है?
(a) $8\sqrt{30}$ सेमी^{2} (b) $5\sqrt{35}$ सेमी^{2}
(c) $6\sqrt{30}$ सेमी^{2} (d) $8\sqrt{2}$ सेमी^{2}
(SSC Delhi Police SI Exam 19-8-2012)

6. यदि किसी समबाहु त्रिभुज के परिमाप का संख्यात्मक मान उसके क्षेत्रफल का $\sqrt{3}$ का है, तो त्रिभुज की हर भुजा की लंबाई है–
(a) 2 यूनिट (b) 3 यूनिट
(c) 4 यूनिट (d) 6 यूनिट
(FCI Assistant Grade III Exam 5-2-2012)

7. किसी समबाहु त्रिभुज का क्षेत्रफल $400\sqrt{3}$वर्ग मी है। इसका परिमाप है–
(a) 120मी. (b) 150मी.
(c) 90मी. (d) 135मी.
(SSC CGL Pre exam 11-5-2003)

8. किसी समबाहु त्रिभुज के अभ्यांतर के किसी बिंदु से तीनों भुजाओं की लाम्बिक दूरियां $\sqrt{3}$ सेमी. $2\sqrt{3}$ सेमी और $5\sqrt{3}$ सेमी है। इस त्रिभुज का परिमाप (सेमी.में) है–
(a) 64 (b) 32
(c) 48 (d) 24
(SSC CGL Pre Exam 11-5-2003)

9. एक समबाहु त्रिभुज का माध्यिक $6\sqrt{3}$ सेमी. है। उस त्रिभुज का क्षेत्रफल (सेमी^{2} में) है
(a) 72 (b) 108
(c) $72\sqrt{3}$ (d) $36\sqrt{3}$
(SSC CHSL 10+2 DEO &LDC Exam 2-11-2014)

10. यदि समबाहु त्रिभुज का क्षेत्रफल 'a' तथा इसकी ऊँचाई 'b' हो, तब $\frac{b^2}{a}$ है–
(a) $\frac{1}{3}$ (b) $\frac{1}{\sqrt{3}}$
(c) 3 (d) $\sqrt{3}$
UPTET (Class VI-VIII 19 Dec 2016)

11. किसी समभुज त्रिभुज के भीतर किस भी बिन्दु से भुजाओं पर लम्बों की लंबाई 'a' सेमी. 'b' सेमी. और 'c'सेमी. है। उसका क्षेत्रफल (सेमी^{2} में) कितना है?
(a) $\frac{\sqrt{2}}{3}$(a+b+c) (b) $\frac{\sqrt{3}}{3}(a+b+c)^2$
(c) $\frac{\sqrt{3}}{3}$(a+b+c) (d) $\frac{\sqrt{2}}{3}(a+b+c)^2$
(SSC CGL Tier Exam 12-4-2015)

12. किसी त्रिभुज का क्षेत्रफल 216सेमी^{2} है और उसकी भुजाएँ 3 : 4 : 5 के अनुपात में है।इस त्रिभुज का परिमाप होगा–
(a) 6 सेमी. (b) 12 सेमी.
(c) 36 सेमी. (d) 72 सेमी.
(SSC CGL Pre Exam 8-2-2004)

13. किसी समकोण त्रिभुज की समकोण बनाने वाली भुजाएँ 5 : 12 के अनुपात में है। यदि त्रिभुज का क्षेत्रफल 270 सेमी.^{2} है, तो कर्ण की लम्बाई होगी:
(a) 39 सेमी (b) 42 सेमी
(c) 45 सेमी (d) 51 सेमी
(SSC Graduate Level Tier –II Exam 1-8-2010)

14. एक समकोण त्रिभुज की तीन भुजाओं की लंबाई क्रमशः (x–2) सेमी. , x सेमी. और (x+2) सेमी. है तो x का मान है–
(a) 10 (b) 8
(c) 4 (d) 0
(SSC Constable GD and Rifleman Exam 22-4-2012)

15. उस त्रिभुज का क्षेत्रफल कितना होगा, जिसकी भुजाएँ 9 सेमी.10 सेमी. तथा 11 सेमी लंबी हों?
(a) 30 सेमी^{2} (b) 60 सेमी^{2}
(c) $30\sqrt{2}$ सेमी^{2} (d) $60\sqrt{2}$ सेमी^{2}
(SSC 10+2 Data entry Exam 28-10-2012)

16. कर्ण $16\sqrt{2}$ सेमी वाले समकोण समद्विबाहु त्रिभज का क्षेत्रफल होगा–
(a) 144सेमी^{2} (b) 128सेमी^{2}
(c) 112सेमी^{2} (d) 110सेमी^{2}
(SSC सांख्यिकीय अन्वेषक परीक्षा 12.9.2010)

17. 7776 वर्ग सेमी क्षेत्रफल के एक त्रिभुज की भुजाओं का अनुपात 3 : 4 : 5 है। त्रिभुज का परिमाप क्या है?
(a) 432 सेमी. (b) 400 सेमी.
(c) 412 सेमी. (d) 424 सेमी.
(SSC CGL Tier Exam 9-8-2015)

18. किसी समकोण त्रिभुज का कर्ण 39 सेमी. है और अन्य दो भुजाओं (साइड्स) का अंतर 21 सेमी. है, तो त्रिभुज का क्षेत्रफल बताइए।
(a) 270 वर्ग सेमी. (b) 450 वर्ग सेमी.
(c) 540 वर्ग सेमी. (d) 180 वर्ग सेमी.
(SSC CHSL 10+2 LDC DEO Exam 20-12-2015)

19. किसी समद्विबाहु त्रिभुज की बराबर भुजा में से एक तथा असमान भुजा का अनुपात 3 : 4 है। यदि क्षेत्रफल $8\sqrt{5}$ Unit^2 हो, तब छोटी भुजा ज्ञात करें?
(a) 6 Units (b) $2\sqrt{5}$ Unit
(c) $8\sqrt{2}$ Unit (d) 12 units

20. यदि किसी समबाहु त्रिभुज की भुजा को 2unit बढ़ा दिया जाये, तब क्षेत्रफल $3+\sqrt{3}$ unit^2 बढ़ जाता है। त्रिभुज की प्रत्येक भुजा ज्ञात करें?
(a) $\sqrt{3}$ units (b) 3 units
(c) $3\sqrt{3}$ units (d) $3\sqrt{2}$ units
(SSC CHSL DEO & LDC Exam 2017)

TYPE - 02

21. एक आयताकार प्लॉट की भुजाओं में 5 : 4 का अनुपात है और इसका क्षेत्रफल 500 वर्ग मी० है। प्लॉट की परिमाप है–
(a) 80 मी० (b) 100 मी०
(c) 90 मी० (d) 95 मी०
(SSC CGL Pre Exam 4-7-2000)

22. यदि किसी आयत की लम्बाई तथा उसकी परिमाप 5 : 16 के अनुपात में हो, तो उसकी लम्बाई तथा चौड़ाई में अनुपात होगा–
(a) 5 : 11 (b) 5 : 8
(c) 5 : 4 (d) 5 : 3

23. 10 मीटर चौड़ाई की एक गली 200 मी. × 180 मी० के माप वाले एक आयताकार उद्यान को बाहर से घेरती है। पथ का क्षेत्रफल (वर्ग मीटर में) हैं–
(a) 8000 (b) 7000
(c) 7500 (d) 8200
(SSC Constable GD Rifleman Exam 22-4-2012)

24. किसी आयत की दो संलग्न भुजाएँ 4 : 3 के अनुपात मे है। यदि उसका क्षेत्रफल 192 मी^{2} है, तो उसका परिमाप (मीटर में) होगा?
(a) 28 (b) 36
(c) 56 (d) 60
(SSC SAS Exam 27-6-2010)

25. यदि किसी आयत के एक विकर्ण तथा क्षेत्रफल की माप क्रमशः 25 सेमी तथा 168 सेमी^{2} हो, तो आयत की लंबाई कितनी होगी?
(a) 31 सेमी (b) 24 सेमी
(c) 17 सेमी (d) 7 सेमी
(SSC Graduate Level Tier II exam 1-8-2010)

26. एक खेल का मैदान, आयताकार है। उस मैदान की भूमि को इस्तेमाल लायक बनाने के लिए 25 पैसे प्रति वर्ग मी.की दर पर ₹ 1,000 खर्च किए गए। उस मैदान की चौड़ाई 50 मी. है। यदि उस मैदान की लंबाई 20 मी. बढा दी जाए, तो प्रति वर्ग मी. की उसी दर पर, कुल कितने रूपए खर्च होंगे?
(a) 1,250 (b) 1,000
(c) 1,500 (d) 2,250
(SSC Graduate Level Exam 16-9-2012)

27. एक आयताकार प्लॉट का परिमाप 48 मी. है और क्षेत्रफल 108 मी^{2} है।प्लॉट के आयाम हैं–
(a) 36मी. और 3 मी. (b) 12मी. और 9 मी.
(c) 27मी. और 3 मी. (d) 18मी. और 6 मी.
(SSC Graduate Level Tier 19-5-2013).

28. संलग्न चित्र में यदि AB + AC = 5AD तथा AC – AD = 8 है, तो आयत ABCD का क्षेत्रफल है–

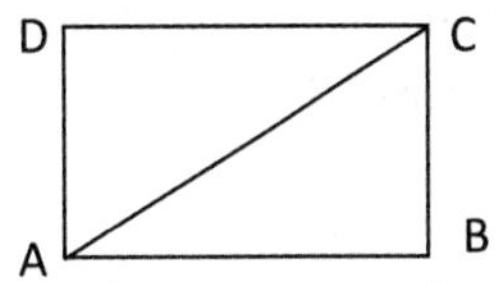

(a) 36वर्ग इकाई (b) 50वर्ग इकाई
(c) 60वर्ग इकाई (d) 82वर्ग इकाई
(SUPER TET 2019)

TYPE - 03

29. एक 38 मी. लम्बे तथा 32 मी. चौड़े आयताकार क्षेत्र के अन्दर की ओर चारों तरफ एकसमान चौड़ाई वाला एक पथ बनाया गया है। यदि पथ का क्षेत्रफल 600 मी.^{2} हो तो पथ की चौड़ाई होगी–
(a) 30मी. (b) 5मी.
(c) 18.75मी. (d) 10मी.
(SSC CGL Pre exam 4-2-2007)

30. एक आयताकार मैदान की लंबाई तथा चौड़ाई 7 : 4 के अनुपात में हैं उसके बाहर चारों ओर बनाया गया 4 मी. चौड़ा एक रास्ता, 416 मी^{2} क्षेत्रफल का है। तदनुसार उस मैदान की चौड़ाई कितने मीटर है?.
(a) 28 (b) 14
(c) 15 (d) 16
(SSC 10+2 Data Entry Operator Exam 10-11-2013)

31. 25 मीटर लम्बी और 15 मीटर चौड़े एक सभागार के चारों ओर 3.5 मीटर की एक समान चौडाई का एक बरामदा है। उस बरामदे का फर्श ₹27.50

प्रति वर्ग मीटर की दर पर तैयार करने की कुल लागत कितनी होगी?

(a) ₹ 9149.50 (b) ₹ 8146.50
(c) ₹ 9047.50 (d) ₹ 4186.50
(SSC FCI Assistant Grade III Exam 11-11-2012)

32. 30m × 22m माप के एक आयताकार पार्क में 2 m चौड़े दो फुटपाथ हैं। एक उत्तर से दक्षिण और दूसरा पूर्व से पश्चिम, और वे दोनों एक–दूसरे को पार्क के मध्य में काटते हैं। यदि मार्ग बनाने की लागत ₹ 15 प्रति वर्ग मीटर हो तो मार्ग निर्माण की कुल लागत की गणना कीजिए।

(a) ₹ 1545 (b) ₹ 1560
(c) ₹ 1490 (d) ₹ 1500
(RRB Group D-12-11-2018)

33. एक वर्गाकार उद्यान के चारों ओर 1.5 m की एक समान चौडाई वाला एक रास्ता है। रास्ते का क्षेत्रफल 225 m^2 है। उद्यान का परिमाप ज्ञात कीजिए।

(a) 144मीटर (b) 142मीटर
(c) 143मीटर (d) 144.5मीटर
(RRB NTPC Exam 15-3-2021)

TYPE - 04

34. दो वर्गों की भुजाओं का अनुपात 4 : 3 है और उनके क्षेत्रफलों का योग 225cm^2 है। छोटे वर्ग का परिमाप (cm)मे ज्ञात कीजिए।

(a) 36 (b) 48
(c) 30 (d) 44
(RRB NTPC Exam 15-6-2022)

35. एक वर्ग का क्षेत्रफल 36 cm^2 है। इनकी भुजाओं के मध्य बिंदुओं को जोड़ने से निर्मित वर्ग का क्षेत्रफल ज्ञात कीजिए ।

(a) 20 cm^2 (b) 28 cm^2
(c) 25 cm^2 (d) 18 cm^2
(RRB NTPC 25-1-2021)

36. एक वर्गाकार मैदान का क्षेत्रफल 7200 m^2 है। 4km/h की नियत चाल से चल रही एक साइकिल द्वारा इस मैदान को विकर्णताः पार करने मे कितना समय लगेगाः

(a) 25 मिनट (b) 30 मिनट
(c) 5 मिनट (d) $\frac{9}{5}$मिनट
(RRB NTPC 16-1-2021)

37. यदि एक वर्ग की भुजा तीन गुनी कर दी जाती है, तो परिणामी वर्ग और मूल के क्षेत्रफलों का अनुपात क्या होगा?

(a) 3 : 1 (b) 9 : 1
(c) 9 : 2 (d) 3 : 2
(RRB NTPC 29-1-2021)

38. यदि दो वर्गों के क्षेत्रफलों का अनुपात 225 : 256 हो, तो उनके परिमापों का अनुपात होगा–

(a) 225 : 256 (b) 256 : 225
(c) 15 : 16 (d) 16 : 15
(SSC CGL Pre Exam 8-2-2004)

39. किसी वर्ग के क्षेत्रफल का उसके विकर्ण पर खींचे गए वर्ग के क्षेत्रफल से अनुपात होगा–

(a) 1: 1 (b) 1 : 2
(c) 1 : 3 (d) 1 : 4
(SSC CGL Pre Exam 13-11-2005

40. किसी वर्ग के एक विकर्ण की लंबाई $15\sqrt{2}$ सेमी है। इसका क्षेत्रफल होगा–

(a) 112.5सेमी^{2} (b) 450सेमी^{2}
(c) $\frac{225\sqrt{2}}{2}$सेमी^{2} (d) 225सेमी^{2}
SSC Data Entry Operator exam 28-11-2010

41. एक वर्ग का क्षेत्रफल 200 वर्ग मी. है। एक नया वर्ग इस प्रकार बनाया गया है कि उसके विकर्ण की लंबाई पहले वर्ग के विकर्ण की $\sqrt{2}$ गुणा है। नए वर्ग का क्षेत्रफल है–

(a) 200 $\sqrt{2}$वर्ग मी. (b) 400 $\sqrt{2}$वर्ग मी
(c) 400 वर्ग मी. (d) 800 वर्ग मी.
(SSC Graduate Level Exam 4-9-2011)

TYPE - 05

42. एक समचतुर्भुज के विकर्ण क्रमशः 32 सेमी. और 24 सेमी. हैं। इस समचतुर्भुज की परिमाप है–

(a) 80 सेमी. (b) 72 सेमी.
(c) 68सेमी. (d) 64 सेमी.
(SSC CGL Pre Exam 24-2-2002)

43. एक समचतुभुर्ज के विकर्ण 24 सेमी. और 10 से. मी.है। इस समचतुर्भुज की परिमाप (सेमी) है–

(a) 68 (b) 65
(c) 54 (d) 52
(SSC CGL Pre Exam 24-2-2002)

44. एक समचतुर्भुज का परिमाप 2p यूनिट है और विकर्णो की लंबाई का योग m यूनिट है तो समचतुभुर्ज का क्षेत्रफल कितना है?

(a) $\frac{1}{4}$ m^2p वर्ग यूनिट
(b) $\frac{1}{4}$ mp^2 वर्ग यूनिट
(c) $\frac{1}{4}(m^2-p^2)$ वर्ग यूनिट
(d) $\frac{1}{4}(p^2-m^2)$ वर्ग यूनिट
(SSC CGL Tier-II Exam 21-9-2014)

45. एक समचतुर्भज का क्षेत्रफल 256 वर्ग सेमी है और उसका एक विकर्ण दूसरे से लंबाई में दुगुना है, तो उसके वृहत्तर विकर्ण की लंबाई कितनी है?

(a) 32 सेमी (b) 16 सेमी
(c) 48 सेमी (d) 24 सेमी
(SSC (CGL Tier-II Exam 12-4-2015)

46. किसी समचतुर्भुज का परिमाप 40 मी है और उसकी ऊँचाई 5 मी है। इसका क्षेत्रफल है–

(a) 60 वर्गमी. (b) 50 वर्गमी.

(c) 45 वर्गमी. (d) 55 वर्गमी
(SSC CGL Pre exam 11-5-2003).

47. किसी समचतुर्भुज का क्षेत्रफल 150 सेमी^{2} है। उसके एक विकर्ण की लम्बाई 10 सेमी. है। दूसरे विकर्ण की लम्बाई होगी–
(a) 25 सेमी. (b) 30 सेमी.
(c) 35 सेमी. (d) 40 सेमी.
(SSC CGL Pre exam 8-2-2004)

48. एक समचतुर्भुज का परिमाप 100 सेमी. है। यदि इसके विकर्णो में से एक की माप 14 सेमी. हो, तो समचतुर्भुर्ज का क्षेत्रफल होगा–
(a) 144 वर्ग सेमी. (b) 225 वर्ग सेमी.
(c) 336 वर्ग सेमी. (d) 400 वर्ग सेमी.
(SSC Data Entry Operator Exam 31-8-2008)

49. यदि किसी समचतुर्भुज की एक भुजा तथा उसके एक विकर्ण की माप क्रमशः 10 सेमी. तथा 16 सेमी. हो, तो सेमी^{2} में उसका क्षेत्रफल होगाः
(a) 60 (b) 64
(c) 96 (d) 100
(SSC Data Entry Operator and LDC Exam 28-11-2010)

TYPE - 06

50. किसी वृत्त का व्यास उसकी अर्द्ध–परिधि से 8 सेमी. कम है। उसकी त्रिज्या होगी–
(a) 3.5 सेमी. (b) 7 सेमी.
(c) 10.5 सेमी. (d) 14 सेमी.
(SSC लेखा सेवा प्रशिक्षु SAS Exam.27.6.2010)

51. यदि एक वृत्त की परिधि और उसके क्षेत्रफल का संख्यात्मक मान समान है, तो क्षेत्रफल है
(a) 6πवर्ग यूनिट (b) 4πवर्ग यूनिट
(c) 8πवर्ग यूनिट (d) 12πवर्ग यूनिट
(SSC CHSL 10+2 DEO & LDC Exam 2-11-2014)

52. एक वृत्त की परिधि और व्यास के बीच अंतर 150 मीटर है। उस वृत्त की त्रिज्या कितनी होगी? ($\pi = \frac{22}{7}$ लीजिए)
(a) 25 मीटर (b) 35 मीटर
(c) 30 मीटर (d) 40 मीटर
(SSC CHSL (10+2)DEO &LDC

53. बड़े वृत्त और छोटे वृत्त की त्रिज्याओं के बीच अंतर 14 सेमी है और उनके क्षेत्रफल के बीच अंतर 1056 सेमी^{2} है। छोटे वृत्त की त्रिज्या है–
(a) 7सेमी. (b) 5सेमी.
(c) 9सेमी. (d) 3सेमी.
(SSC CGL Pre Tier Exam 27-7-2014)

54. एक वृत्त की परिधि और व्यास का अनुपात 22 : 7 है। यदि परिधि $1\frac{4}{7}$ मीटर हो, तो वृत्त की त्रिज्या क्या होगी?
(a) $\frac{1}{3}$ मीटर (b) $\frac{1}{2}$ मीटर
(c) $\frac{1}{4}$ मीटर (d) 1 मीटर
(SSC CHSL 10+2 Exam 15-11-2015)

55. यदि एक वृत्त का क्षेत्रफल A है, वृत्त की त्रिज्या r है और परिधि C है, तो
(a) $\frac{A}{r} = c$ (b) rC = 2A
(c) $\frac{C}{A} = \frac{r}{2}$ (d) AC = $\frac{r^2}{4}$
(SSC CGL Tier-I exam 9-8-2015)

56. 176 मीटर परिधि वाले किसी वृत्ताकार पार्क के बाहर चारों ओर एक 7 मीटर चौड़ी सड़क बनायी गयी है। सड़क का क्षेत्रफल होगाः
($\pi = \frac{22}{7}$ लीजिए)
(a) 1386 मीटर^2 (b) 1472 मीटर^2
(c) 1512 मीटर^2 (d) 1760 मीटर^2
(SSC Data Entry Operator Exam 27-11-2010)

57. एक अर्धवृत्ताकार खिड़की का व्यास 63 सेमी है। तदनुसार उसका परिमाप
($\pi = \frac{22}{7}$ के अनुसार) कितना होगा?
(a) 126 सेमी (b) 162 सेमी
(c) 198 सेमी (d) 251 सेमी
(SSC CISF Constable exam 5-6-2011)

58. यदि किसी वृत्त की त्रिज्या 1 सेमी की वृद्धि कर दी जाए तो उसका क्षेत्रफल 22 सेमी^{2} अधिक हो जाता है। वृत्त की आरंभिक त्रिज्या है–
(a) 6 सेमी (b) 3.2 सेमी
(c) 3 सेमी (d) 3.5 सेमी
(SSC CGL Pre exam 4-2-2007)

59. यदि किसी अर्द्धवृत्ताकार क्षेत्र का परिमाप 144 मी. हो, तो क्षेत्र का व्यास होगा–
($\pi = \frac{22}{7}$ लीजिए)
(a) 55 मीटर (b) 30 मीटर
(c) 28 मीटर (d) 56 मीटर
(SSC CGL Pre Exam 27-7-2008)

60. एक अर्द्धवृत्त का परिमाप (मीटर में) इसके क्षेत्रफल (वर्गमीटर में) के सांख्यिक रूप से बराबर है। इसके व्यास की लम्बाई होगी–
($\pi = \frac{22}{7}$ लीजिए)
(a) $4\frac{6}{11}$ मीटर (b) $5\frac{6}{11}$ मीटर
(c) $6\frac{6}{11}$ मीटर (d) $6\frac{2}{11}$ मीटर

TYPE - 07

61. किसी पहिए की त्रिज्या 21 से०मी० है। 924 मीटर की दूरी तय करने में इसको कितने चक्कर लगाने पड़ेंगे?
($\pi = \frac{22}{7}$ का प्रयोग कीजिए)
(a) 7 (b) 11
(c) 200 (d) 700
(SSC CGL Pre Exam 4-7-1999)

62. किसी वृत्तीय पहिए की त्रिज्या 1.75मी० है। 11 किमी० की दूरी तय करने में इसको कितने चक्कर लगाने पड़ेगी?
($\pi = \frac{22}{7}$ का प्रयोग कीजिए)
(a) 800 (b) 1000
(c) 900 (d) 1200
(SSC CGL Pre exam 4-7-1999)

63. एक पहिएवाले खिलौने का व्यास 14 सेमी. है। तदनुसार वह 15 चक्करों में कितनी दूरी तय कर लेगा?
(a) 880 सेमी. (b) 660 सेमी.
(c) 600 सेमी. (d) 560 सेमी.
(SSC CGL Pre Exam 27-2-2000)

64. दो संकेन्द्र वृत्तों, जिनकी परिधियां क्रमशः 88 सेमी. और 132 सेमी. हैं, के बीच के वलय का क्षेत्रफल ज्ञात कीजिए।
(a) 780 सेमी^{2} (b) 770 सेमी^{2}
(c) 715 सेमी^{2} (d) 660 सेमी^{2}
(SSC CGL Pre Exam 27-2-2000)

65. किसी पहिए का व्यास 3 मी. है। यह पहिया एक मिनट में 28 चक्कर लगाता है। 5.280 किमी की दूरी चलने में यह पहिया निम्न समय लेगा–
($\pi = \frac{22}{7}$ लीजिए)
(a) 10 मिनट (b) 20 मिनट
(c) 30 मिनट (d) 40 मिनट
(SSC CGL Pre Exam 11-5-2003)

TYPE - 08

66. किसी दीवार –घड़ी की 7 सेमी. लम्बी मिनट की सुई द्वारा 6 मिनट के अन्तराल में संस्पर्शित क्षेत्र का क्षेत्रफल होगा
($\pi = \frac{22}{7}$ लीजिए)
(a) 154सेमी^{2} (b) 92.सेमी^{2}
(c) 15.4सेमी^{2} (d) 4.4सेमी^{2}
(SSC लेखा सेवा प्रशिक्षु SAS Exam 27-6-2010)

67. एक घड़ी की मिनट वाली सुई की लंबाई 7 सेमी हैं। तदनुसार, वह सुई 30 मिनटों में कितना क्षेत्रफल पार कर लेती है?
(a) 210 वर्ग सेमी (b) 154 वर्ग सेमी
(c) 77वर्ग सेमी (d) 147 वर्ग सेमी
(SSC 10+2 Level Data Entry and LDC Exam 4-11-2012)

68. एक वृत्त के चतुर्थांश के आकार में कागज का परिमाप 75 सेमी. है। इसका क्षेत्रफल कितना होगा
(a) 100 सेमी^{2} (b) 346.5 सेमी^{2}
(c) 693 सेमी^{2} (d) 512.25 सेमी^{2}
(SSC CAPFS SI CISF ASI EXam 21-6-2015)

69. एक वर्ग के चारों किनारों पर इस प्रकार चार समान वृत्त बनाए गए हैं कि प्रत्येक वृत्त दो अन्य वृत्तों को स्पर्श करते हैं। वर्ग के मध्य की ओर वृत्तों के परिमाप के बाहर का क्षेत्रफल कितना होगा? यदि वर्ग की प्रत्येक भुजा की माप 28 सेमी. है।
(a) 168 cm^2 (b) 40 cm^2
(c) 42 cm^2 (d) 32 cm^2
(RRB Group D Exam 31-10-2018)

TYPE - 09

70. एक समद्विबाहु समलम्ब का क्षेत्रफल 176 सेमी^{2} है और ऊँचाई इसकी समांतर भुजाओं के योग का $\frac{2}{11}$ है। यदि समांतर भुजाओं की लंबाई का अनुपात 4:7 है, तो विकर्ण की लंबाई क्या है? (सेमी. में)
(a) 28 (b) $\sqrt{137}$
(c) $2\sqrt{137}$ (d) 24
(SSC CGL PRE Tier Exam 25-10-2015)

71. एक समलम्ब की दो समान्तर भुजाओं की लम्बाइयाँ 6 सेमी और 8 सेमी है। यदि समलम्ब की ऊँचाई 4 सेमी है, तो उसका क्षेत्रफल कितना होगा?
(a) 28 सेमी (b) 28 वर्ग सेमी
(c) 30 वर्ग सेमी (d) 30 सेमी
(SSC CHSL 10+2 DEO & LDC 16-11-2014)

72. एक समलंब चतुभुर्ज की समानांतर भुजाओं की लंबाई का अनुपात 3 : 2 है। उनके बीच की न्यूनतम दूरी 15 सेमी. है तथा समलंब चतुर्भुज का क्षेत्रफल 450 सेमी^{2} है। तदनुसार समानांतर भुजाओं की लंबाई का योग कितना होगा?
(a) 15 सेमी. (b) 36 सेमी.
(c) 42 सेमी. (d) 60 सेमी.

73. एक समलंब चतुर्भुज का क्षेत्रफल 1792cm^2 है, और इसकी समान्तर भुजाओं के बीच की लंबवत दूरी 28 cm है। यदि समान्तर भुजाओं में से एक की लंबाई 72 cm है, तो दूसरी भुजा की लंबाई ज्ञात कीजिए।
(a) 64 cm (b) 56 cm
(c) 84 cm (d) 48 cm
(RRB NTPC Exam 16-6-2022)

74. समलम्ब चतुर्भुज की आकृति वाले एक खेत का क्षेत्रफल 1440 वर्ग मीटर है। समान्तर भुजाओं के बीच की लंबवत दूरी 24 मीटर है। समान्तर भुजाओं का अनुपात 5 : 3 है। लम्बी समान्तर भुजा की लंबाई ज्ञात कीजिए।
(a) 30 मीटर (b) 60 मीटर
(c) 45 मीटर (d) 75 मीटर
(RRB JE- 30-5-2019)

75. एक समलम्ब की दो भुजाओं की लम्बाई 28 सेमी. और 40 सेमी है। यदि इसकी अन्य दो भुजाओं की लम्बाई प्रति 12 सेमी. हो, तो समलम्ब का क्षेत्रफल (सेमी^{2} में) क्या होगा?

(a) $504\sqrt{3}$ (b) $312\sqrt{5}$
(c) $408\sqrt{3}$ (d) $204\sqrt{3}$

TYPE - 10

76. एक समानांतर चतुर्भुज की भुजाएँ 15 सेमी. तथा 7 सेमी हैं। उसके एक विकर्ण की लंबाई 20 सेमी है। तदनुसार उसका क्षेत्रफल कितना होगा?
(a) 42सेमी^{2} (b) 42सेमी^{2}
(c) 84सेमी^{2} (d) 96सेमी^{2}
(SSC MTS Exam 27-2-2011)

77. एक समांतर चतुर्भुज की भुजाओं का अनुपात 5 : 4 है। उसका क्षेत्रफल 1000 वर्ग इकाई है। बड़ी भुजा पर तुंगता 20 इकाई है। छोटी भुजा पर तुंगता है–
(a) 30 इकाई (b) 25 इकाई
(c) 10 इकाई (d) 15 इकाई
(SSC (10+2) Level Data Entry Exam 11-12-2011)

78. एक समान्तर चतुर्भुज की निकटवर्ती भुजाएँ 36 सेमी. तथा 27 सेमी है। तदनुसार यदि उस चतुर्भुज की छोटी भुजाओं की दूरी 12 सेमी. हो, तो बड़ी भुजाओं की दूरी कितनी होगी?
(a) 10 सेमी. (b) 12 सेमी.
(c) 16 सेमी. (d) 9 सेमी.
(SSC 10+2(Data Entry Operator Exam 11-12-2011)

79. एक समांतर चतुर्भर्ज की दो आसन्न भुजाओं की लम्बाई 15 सेमी. और 18 सेमी. है। यदि दो छोटी भुजाओं के बीच की दूरी 12 सेमी. है, तो बड़ी भुजाओं के बीच दूरी है–
(a) 8 सेमी. (b) 10 सेमी.
(c) 12 सेमी. (d) 15 सेमी.
(SSC CHSL DEO And LDC Exam 2011)

80. एक समांतर चतुर्भुज की भुजाएँ एक 60 मीटर और 40 मीटर है और उसका एक विकर्ण 80 मीटर लंबा है। उसका क्षेत्रफल कितना होगा?
(a) $500\sqrt{15}$वर्ग मीटर^2
(b) $600\sqrt{15}$वर्ग मीटर^2
(c) $400\sqrt{15}$वर्ग मीटर^2
(d) $450\sqrt{15}$वर्ग मीटर^2
(SSC CGL Tier-I Exam26-10-2014)

81. एक समांतर चतुर्भुज ABCD की एक भुजा AB = 24 सेमी. और दूसरी भुजा AD = 16 सेमी है। भुजाओं AB और DC की दूरी 10 सेमी. है। तदनुसार AD तथा BC भुजाओं के बीच की दूरी कितनी होगी?
(a) 16सेमी. (b) 18सेमी.
(c) 15सेमी. (d) 26सेमी.
(SSC CHSL DEO and LDC Exam 2011)

TYPE - 11

82. एक वर्ग और वृत्ताकार मैदान के परिमाप एक समान हैं। यदि वृत्तांकार मैदान का क्षेत्रफल, 3850 वर्ग मीटर हो तो वर्ग का क्षेत्रफल कितने वर्ग मीटर होगा?
(a) 4225 (b)3025
(c) 2500 (d) 2025
(SSC CGL PRE Exam 27-2-2000)

83. यदि एक वृत्त और एक वर्ग के क्षेत्रफल बराबर हो,, तो उनके परिमापों का अनुपात होगा–
(a) 1 : 1 (b) 2 : π
(c) π : 2 (d) $\sqrt{\pi}$: 2
(SSC CGL Pre Exam 13-11-2005)

84. 784 वर्ग सेमी. क्षेत्रफल वाली एक वर्गाकार कागज की शीट से बराबर माप वाली चार बड़ी वृत्ताकार प्लेटे काट ली जाती है। प्रत्येक की परिधि है $\left(\pi = \frac{22}{7}\right)$लीजिए।
(a) 22सेमी. (b) 44सेमी.
(c) 66सेमी. (d) 88सेमी.
(SSC CGL Pre Exam 11-5-2003)

85. किसी तार को जब एक वर्ग के रूप में मोड़ा जाता है, तो उसके द्वारा घिरा क्षेत्रफल 484 वर्ग सेमी. है। तार द्वारा घिरा क्षेत्रफल क्या होगा, यदि इसी तार को एक वृत्त क रूप में मोड़ा जाएगा $\left(\pi = \frac{22}{7}\right)$लीजिए।
(a) 462 वर्ग सेमी. (b) 539 वर्ग सेमी.
(c) 616 वर्ग सेमी. (d) 693 वर्ग सेमी.
(SSC CGP PRE Exam 13-11-2005)

86. एक तार को एक वर्ग के आकार में मोड़ने पर आवृत क्षेत्र का क्षेत्रफल 121 सेमी^{2} है। यदि उसी तार को एक वृत्त के आकार में मोड़ा जाए, तो वृत्त का क्षेत्रफल होगा–
$\left(\pi = \frac{22}{7}\right)$लीजिए।
(a) 144सेमी^{2} (b) 180सेमी^{2}
(c) 154सेमी^{2} (d) 176सेमी^{2}
(SSC CGL PRE Exam 27-7-2008)

87. एक वृत्त की त्रिज्या एक वर्ग की भुजा है। वृत्त और वर्ग के क्षेत्रफलों का अनुपात है
(a) 1 : π (b) π : 1
(c) π : 2 (d) 2 : π
(SSC Graduate Level Exam 19-5-2013)

88. यदि एक वर्ग के अंतर्वृत का क्षेत्रफल 9π सेमी^{2} है, तो वर्ग का क्षेत्रफल होगा
(a) 24 सेमी^{2} (b) 30 सेमी^{2}
(c) 36 सेमी^{2} (d) 81 सेमी^{2}
(SSC CGL PRE Exam27-7-2008)

89. एक वर्ग के अन्तवृत्त और परिवृत्त के क्षेत्रफलों का अनुपात होता है:
(a) 1 : 2 (b) 2 : 3
(c) 3 : 4 (d) 4 : 5
(SSC 10+2 Data Enty Operator Exam 11-12-2011)

90. एक वर्ग की अंतःत्रिज्या और परित्रिज्या का अनुपात कितना होता है?
(a) $1 : \sqrt{2}$ (b) $\sqrt{2} : \sqrt{3}$
(c) 1 : 3 (d) 1 : 2
(SSC Graduate Level Exam Tier-1)

TYPE - 12

91. 18 सेमी तथा 14 सेमी भुजाओं वाले आयत के अन्दर खींचे जाने वाले सबसे बड़े वृत्त का क्षेत्रफल होगा
(a) 49 सेमी^{2} (b) 154 सेमी^{2}
(c) 378 सेमी^{2} (d) 1078 सेमी^{2}
(SSC CGL Pre Exam 4-2-2007)

92. 42 सेमी. व्यास वाले एक वृत्ताकार तार को एक आयत के रूप में मोड़ा जाता है जिसकी भुजाएँ 6:5 के अनुपात में है। $\left(\pi = \frac{22}{7}\right)$ लेते हुए, आयत द्वारा घिरा क्षेत्रफल है–
(a) 540 सेमी०^2 (b) 1080 सेमी०^2
(c) 2160 सेमी०^2 (d) 4320 सेमी०^2
(SSC CGL PRE Exam 24-2-2002)

TYPE - 13

93. 42 सेमी की भुजा वाले एक समबाहु त्रिभुज के अंतःवृत्त का क्षेत्रफल होगा ।
$\left(\pi = \frac{22}{7}\right)$लीजिए
(a) 231 सेमी^{2} (b) 462 सेमी^{2}
(c) $22\sqrt{3}$ सेमी^{2} (d) 924 सेमी^{2}
(SSC CGL PRE Exam 8-2-2004)

94. किसी समबाहु त्रिभुज की एक भुजा की लम्बाई 8 सेमी. है। इस त्रिभुज के परिवृत्त तथा अन्तर्वृत्त के बीच के क्षेत्र का क्षेत्रफल होगा
$\left(\pi = \frac{22}{7}\right)$लीजिए
(a) $50\frac{1}{7}$सेमी^{2} (b) $50\frac{2}{7}$सेमी^{2}
(c) $75\frac{1}{7}$सेमी^{2} (d) $75\frac{2}{7}$सेमी^{2}
(SSC CPO SI Exam 9-11-2008)

95. एक समबाहु त्रिभुज के परिवृत्त तथा अंतःवृत्त के क्षेत्रफलों का अनुपात कितना होगा?
(a) 2 : 1 (b) 4 : 1
(c) 8 : 1 (d) 3 : 2
(SSC 10+2 Data Entry Operator Exam 4-12-2011)

96. यदि किसी समत्रिबाहु त्रिभुज के परिवृत्त तथा अंतर्वृत्त के क्षेत्रफलों में अंतर 44 सेमी^{2} हो, तो त्रिभुज का क्षेत्रफल होगा $\left(\pi = \frac{22}{7}\right)$लीजिए
(a) 28सेमी^{2} (b) $7\sqrt{3}$सेमी^{2}
(c) $14\sqrt{3}$सेमी^{2} (d) 21 सेमी^{2}
(SSC CGL PRE exam 27-7-2008)

97. एक वृत्त की परिधि 100 सेमी है। इस वृत्त के अन्तर्वर्ग की एक भुजा की माप होगी–
(a) $25\sqrt{2\pi}$ सेमी (b) $\frac{50\sqrt{2}}{\pi}$ सेमी
(c) $50\sqrt{2\pi}$ सेमी (d) $\frac{25\sqrt{2}}{\pi}$ सेमी
(SSC CPO SI Exam 9-11-2008)

98. 24 सेमी.की भुजा वाले समभुज त्रिभुज में, उसकी भुजाओं को स्पर्श करते हुए एक वृत्त बनाया जाता है। त्रिभुज के शेष भाग का क्षेत्रफल कितना होगा?
$(\sqrt{3} = 1.732)$
(a) 98.55 वर्ग सेमी (b) 100 वर्ग सेमी
(c) 101 वर्ग सेमी (d) 95 वर्ग सेमी
(SSC CGL PRE Tier exam 21-9-2014)

TYPE - 14

99. एक वर्ग और एक आयत के क्षेत्रफल बराबर हैं। आयत की लम्बाई वर्ग की किसी भुजा की लम्बाई से 5 से०मी० अधिक है और उसकी चौड़ाई वर्ग की भुजा से 3 से०मी० कम है। आयत की परिमाप ज्ञात कीजिए?
(a) 17से०मी० (b) 26से०मी०
(c) 30से०मी० (d) 34से०मी०
(SSC CGL Pre Exam 24-2-2002)

100. किसी कमरे के 15 मी. 17 सेमी. लम्बे और 9 मी. 2 सेमी. चौड़े फर्श पर लगाई–जा सकने वाली वर्ग टाइलों की नयूनतम संख्या कितनी है?
(a) 840 (b) 841
(c) 820 (d) 814
(SSC CGL PRE exam 11-5-2003)

101. एक आयत और एक वर्ग के परिमाप में से प्रत्येक 160 मी. है। आयत का क्षेत्रुफल वर्ग के क्षेत्रफल से 100 वर्ग मी. कम है। आयत की लम्बाई है–
(a) 30मी. (b) 60मी.
(c) 40मी. (d) 50मी.
(SSC CGL Pre exam 13-11-2005)

102. एक आयत की परिमाप 160 मीटर है और उसकी दोनों भुजाओं का अन्तर 48 मीटर है। उस वर्ग की एक भुजा ज्ञात कीजिए जिसका क्षेत्रफल इस आयत के क्षेत्रफल के बराबर है–
(a) 32 मीटर (b) 8 मीटर
(c) 4 मीटर (d) 16 मीटर
(SSC CGL Pre Exam 24-2-2002)

103. 30 मी. लंबे और 17.5 मी. चौड़े आयताकार प्रांगण में पत्थर बिछाने के लिए 2.5 मी. × 2मी. माप के कितने फर्शी पत्थरों की आवश्यकता पड़ेगी?
(a) 80 (b) 33
(c) 99 (d) 105
(SSC CAPFs SI, CISF ASI Exam 21-6-2015)

104. 8 मीटर लंबे और 6 मीटर चौड़े एक कमरे के फर्श को ढकने के लिए 4 डेसीमीटर वर्ग क्षेत्रफल वाली कुल कितनी टाइलों की आवश्यकता होगी?

(a) 200 (b) 260
(c) 280 (d) 300

(SSC Graduate Level Exam 29-9-2013)

TYPE - 15

105. तीन घोड़ों में से प्रत्येक को एक 7 मीटर लम्बी रस्सी के द्वारा 20 मी. 30 मी. तथा 40 मी. भुजाओं वाले त्रिभुजाकार भूखंड के एक–एक कोने पर खूंटे से बांधा गया है। भूखंड के उस क्षेत्र, जिस पर घोड़े चर सकते हैं, का क्षेत्रफल (वर्ग मी. में) होगा $\left(\pi = \frac{22}{7}\right)$लीजिए

(a) $\frac{77}{3}$ (b) 75
(c) 77 (d) 80

(SSC Graduate Level Exam 1-8-2010)

106. साइज 30 मीटर × 20 मीटर वाले किसी आयताकार क्षेत्र के एक कोने पर एक गाय एक 14 मीटर लम्बी रस्सी से बाँधी गयी है। उस क्षेत्र , जिसमें वह घास चर सकती है, का क्षेत्रफल होगा$\left(\pi = \frac{22}{7}\right)$लीजिए

(a) 350मीटर^2 (b) 196मीटर^2
(c) 154मीटर^2 (d) 22मीटर^2

(SSC Data Entry Operator Exam 28-11-2010

107. तीन वृत्तों, जिनमें से प्रत्येक की त्रिज्या 3.5 सेमी. है, को इस प्रकार रखा जाता है कि प्रत्येक वृत्त अन्य दोनों वृत्तों को स्पर्श करता है। इन वृत्त द्वारा परिबद्ध भाग का क्षेत्रफल है–

(a) 1.975सेमी^{2} (b) 1.967सेमी^{2}
(c) 19.67सेमी^{2} (d) 21.21सेमी^{2}

(SSC CGL PRE Exam 11.5.2003)

Revision Series

108. किसी समबाहु त्रिभुज का क्षेत्रफल $400\sqrt{3}$ वर्ग मीटर है। इसका परिमाप है –

(a)150 मी0 (b)135 मी0
(c)120 मी0 (d)90 मी0

109. किसी त्रिभुज की भुजायें $\frac{1}{3} : \frac{1}{4} : \frac{1}{5}$ के अनुपात में हैं तथा इसका परिमाप 94 सेमी0 है। त्रिभुज की सबसे छोटी भुजा की लम्बाई है–

(a)24 सेमी0 (b)27 सेमी0
(c)22·5 सेमी0 (d)18 सेमी0

110. किसी समबाहु त्रिभुज के अन्दर किसी बिन्दु से तीनों भुजाओं की लाम्बिक दूरियाँ $\sqrt{3}$ सेमी0, $2\sqrt{3}$ सेमी0 और $5\sqrt{3}$ सेमी0 है। इस त्रिभुज का परिमाप (सेमी0 में) है –

(a)32 (b)48
(c)64 (d)24

111. एक समकोण त्रिभुज की परिमिति 60 सेमी0 तथा विकर्ण 26 सेमी0 हो तो उसका क्षेत्रफल कितना होगा ?

(a)120 सेमी0^2 (b)110 सेमी0^2
(c)125 सेमी0^2 (d)115 सेमी0^2

112. एक समबाहु त्रिभुज की माध्यिका की लम्बाई x हो, तो त्रिभुज का क्षेत्रफल कितना होगा ?

(a)$\frac{\sqrt{3}x^2}{3}$ (b)$\frac{x^2}{2}$
(c)x^2 (d)$\frac{\sqrt{3}}{2}x^2$

113. किसी त्रिभुज की तीनों भुजायें क्रमशः 20cm, 21cm व 13cm है। तो इसके सबसे छोटे शीर्षाभिलम्ब (Altitude) की लम्बाई है –

(a)10 cm (b)8 cm
(c)9 cm (d)12 cm

114. किसी समकोण त्रिभुज का कर्ण 39 सेमी0 है और अन्य दो भुजाओं का अन्तर 21 सेमी0 है, तो त्रिभुज का क्षेत्रफल बताइये ?

(a)270cm^2 (b)180cm^2
(c)450cm^2 (d)540cm^2

115. किसी त्रिभुज की भुजायें 3 सेमी0, 4 सेमी0 व 5 सेमी0 है। इस त्रिभुज की भुजाओं के मध्य बिन्दुओं को मिलाने से बने त्रिभुज का क्षेत्रफल (वर्ग सेमी0) में है–

(a)3 (b)6
(c)$\frac{3}{4}$ (d)$\frac{3}{2}$

116. एक समकोण त्रिभुज की तीन भुजाओं की लम्बाई क्रमशः $(x - 2)$ सेमी0, x सेमी0 और $(x + 2)$ सेमी0 है तो x का मान है–

(a) 0 (b) 8
(c) 4 (d) 10

117. एक समद्विबाहु त्रिभुज का परिमाप 544 सेमी0 है और उसकी प्रत्येक समान भुजा उसके आधार की $\frac{5}{6}$ गुनी है। तदनुसार, उस त्रिभुज का क्षेत्रफल कितने वर्ग सेमी0 है ?

(a)13872 (b)18372
(c)31872 (d)38172

118. किसी वर्ग के एक विकर्ण की लम्बाई $15\sqrt{2}$ सेमी0 है। इसका क्षेत्रफल होगा–

(a)450cm² (b)112.5cm²
(c)225cm² (d)$\frac{225\sqrt{2}}{2}$cm²

119. किसी वर्ग के क्षेत्रफल का उसके विकर्ण पर खींचे गये वर्ग के क्षेत्रफल से अनुपात होगा –

(a)1 : 1 (b)1 : 4
(c)1 : 2 (d)1 : 3

120. दो वर्गो के परिमाप 40 सेमी0 तथा 24 सेमी0 है। उस तीसरे वर्ग, जिसका क्षेत्रफल इन दो वर्गो के क्षेत्रफलों के अन्तर के बराबर है, का परिमाप होगा–

(a)38cm (b)34cm
(c)30cm (d)32cm

121. एक वर्ग का क्षेत्रफल 200 वर्ग मीटर है। एक नया वर्ग इस प्रकार बनाया गया है कि उसके विकर्ण की लम्बाई पहले वर्ग के विकर्ण की $\sqrt{2}$ गुना है। नये वर्ग का क्षेत्रफल है–

(a)400 वर्ग मीटर (b)$400\sqrt{2}$ मीटर²
(c)800 मीटर² (d)$200\sqrt{2}$ मीटर²

122. एक आयताकार कार्पेट का क्षेत्रफल 120 मीटर² तथा परिमाप 46 मीटर है। उसके विकर्ण की लम्बाई कितनी होगी ?

(a)10 मीटर (b)13 मीटर
(c)21 मीटर (d)17 मीटर

123. यदि किसी आयत के एक विकर्ण तथा क्षेत्रफल की माप क्रमशः 25 सेमी0 तथा 168 सेमी0² हो तो आयत की लम्बाई कितनी होगी ?

(a)24 सेमी0 (b)7 सेमी0
(c)17 सेमी0 (d)31 सेमी0

124. यदि किसी आयत की लम्बाई और चौड़ाई में 3 : 2 का अनुपात है और इसका परिमाप 20 सेमी0 हो तो आयत का क्षेत्रफल (वर्ग सेमी0 में) है–

(a)96 (b)72
(c)48 (d)24

125. एक खेल का मैदान आयताकार है। उस मैदान की भूमि को इस्तेमाल लायक बनाने के लिए 25 पैसे प्रति वर्ग मीटर की दर पर ₹ 1000 खर्च किये गये। उस मैदान की चौड़ाई 50 मीटर है। यदि उस मैदान की लम्बाई 20 मीटर बढ़ा दी जाये तो प्रति वर्ग मीटर की उसी दर पर कुल कितने रूपये खर्च होंगे ?

(a)1000 (b)1500
(c)1250 (d)2250

126. एक आयताकार मैदान की लम्बाई तथा चौड़ाई 7 : 4 के अनुपात में है उसके बाहर चारों ओर बनाया गया 4 मीटर चौड़ा एक रास्ता 416 मीटर² क्षेत्रफल का है। तद्नुसार, उस मैदान की चौड़ाई कितने मीटर है ?

(a)28 (b)16
(c)14 (d)15

127. एक समचतुर्भुज के विकर्ण क्रमशः 32 सेमी0 और 24 सेमी0 है। इस समचतुर्भुज की परिमाप है–

(a)68 सेमी0 (b)64 सेमी0
(c)80 सेमी0 (d)72 सेमी0

128. किसी समचतुर्भुज का क्षेत्रफल 150 सेमी0² है। उसके एक विकर्ण की लम्बाई 10 सेमी0 हो, तो दूसरे विकर्ण की लम्बाई बताइये ?

(a)35 सेमी0 (b)25 सेमी0
(c)40 सेमी0 (d)30 सेमी0

129. ABCD एक समचतुर्भुज है, तो निम्न में से कौन–सा कथन सत्य है–

(a) $AC^2 + BD^2 = 2AB^2$
(b) $2(AC^2 + BD^2) = 3AB^2$
(c) $4(AC^2 + BD^2) = AB^2$
(d) $AC^2 + BD^2 = 4AB^2$

130. यदि किसी समचतुर्भुज की एक भुजा तथा उसके एक विकर्ण की माप क्रमशः 10 सेमी0 तथा 16 सेमी0 है तो वर्ग सेमी0 में उसका क्षेत्रफल होगा–

(a)100 (b)64
(c)96 (d)60

131. एक समान्तर चतुर्भुज की भुजायें 15 सेमी0 तथा 7 सेमी0 है। उसके एक विकर्ण की लम्बाई 20 सेमी0 है। तद्नुसार उसका क्षेत्रफल कितना होगा ?

(a)42 सेमी0² (b)84 सेमी0²
(c)60 सेमी0² (d)96 सेमी0²

132. एक समान्तर चतुर्भुज की दो आसन्न भुजायें क्रमशः 15 सेमी0 तथा 18 सेमी0 है। यदि दो छोटी भुजाओं के बीच की दूरी 12 सेमी0 है, तो बड़ी भुजाओं के बीच की दूरी है–

(a)8 cm (b)12 cm
(c)15 cm (d)10 cm

133. एक समान्तर चतुर्भुज की दो आसन्न भुजायें क्रमशः 5 : 4 है। उसका क्षेत्रफल 1000 वर्ग इकाई है। बड़ी भुजा पर तुंगता 20 इकाई है। छोटी भुजा पर तुंगता है –

(a)30 इकाई (b)15 इकाई
(c)10 इकाई (d)25 इकाई

134. एक समचतुर्भुज का परिमाप '2P' इकाई है और विकर्ण की लम्बाई का योग M इकाई है तो समचतुर्भुज का क्षेत्रफल है –

(a)$\frac{1}{4}M^2P$ वर्ग इकाई

(b)$\frac{1}{4}(P^2 - M^2)$ वर्ग इकाई

(c)$\frac{1}{4}(M^2 - P^2)$ वर्ग इकाई

(d)$\frac{1}{4}MP^2$ वर्ग इकाई

135. एक समलम्ब की दो समान्तर भुजाओं की लम्बाईयाँ 6 सेमी0 और 8 सेमी0 है। यदि समलम्ब की ऊँचाई 4 सेमी0 है, तो उसका क्षेत्रफल कितना होगा ?

(a)30 सेमी0^2 (b)28 सेमी0^2
(c)30 सेमी0 (d)20 सेमी0

136. किसी समलम्ब चतुर्भुज की समान्तर भुजायें क्रमशः a व b है। यदि इसकी असमान्तर भुजाओं (प्रत्येक समान) के मध्य बिन्दुओं को मिलाया जाये, तो इसकी लम्बाई होगी ?

(a)$\frac{ab}{2}$ (b)$\frac{a+b}{2}$
(c)$\frac{a-b}{2}$ (d)$\frac{a+b}{4}$

137. यदि किसी अर्द्धवृत्ताकार क्षेत्र का परिमाप 144 मीटर हो तो क्षेत्र का व्यास होगा – $(\pi = \frac{22}{7})$ लीजिये।

(a)56 मीटर (b)28 मीटर
(c)30 मीटर (d)55 मीटर

138. यदि किसी वृत्त की त्रिज्या में 1 सेमी0 की वृद्धि कर दी जाये तो उसका क्षेत्रफल 22 वर्ग सेमी0 अधिक हो जाता है। वृत्त की आरम्भिक त्रिज्या है –

(a)3 cm (b)3·2 cm
(c)6 cm (d)3·5 cm

139. 176 मीटर परिधि वाले किसी वृत्ताकार पार्क के बाहर चारों ओर एक 7 मीटर चौड़ी सड़क बनाई गई है। सड़क का क्षेत्रफल होगा ?

(a)1760 मी0^2 (b)1512 मी0^2
(c)1386 मी0^2 (d)1472 मी0^2

140. एक वृत्ताकार पहिये का व्यास 7 मीटर है। तद्नुसार 22 किमी0 तक चलने में उसके कुल कितने चक्र होंगे –

(a)1000 (b)100
(c)400 (d)500

141. किसी 13 सेमी0 त्रिज्या वाले वृत्त की उस जीवा, जो उसके केन्द्र से 12 सेमी0 की दूरी पर है, की लम्बाई सेमी0 में है–

(a)5 (b)12
(c)8 (d)10

142. एक घड़ी की मिनट वाली सुई की लम्बाई 7 सेमी0 है। तद्नुसार वह सुई 30 मिनटों में कितना क्षेत्रफल पार करेगी ?

(a)77 cm^2 (b)210 cm^2
(c)154 cm^2 (d)147 cm^2

143. किसी पहिये का व्यास 3 मीटर है। यह पहिया 1 मिनट में 28 चक्कर लगाता है। 5·280 किमी0 की दूरी चलने में यह पहिया निम्न समय लेगा – $(\pi = \frac{22}{7})$ लीजिये।

(a)30 मिनट (b)10 मिनट
(c)40 मिनट (d)20 मिनट

144. तीन वृत्तों, जिनमें से प्रत्येक की त्रिज्या 3·5 सेमी0 है, को इस प्रकार रखा जाता है कि प्रत्येक वृत्त अन्य दोनों वृत्तों को स्पर्श करता है। इन वृत्तों द्वारा परिबद्ध भाग का क्षेत्रफल है–

(a)1·975 cm^2 (b)21·21 cm^2
(c)19·67 cm^2 (d)1·96 cm^2

145. यदि 3 सेमी0 त्रिज्या वाले 4 बराबर वृत्त एक–दुसरे को बाहर से स्पर्श करते है, तो उन चारों वृत्तों से घिरा हुआ सम्पूर्ण क्षेत्रफल कितना हो जायेगा ?

(a)$4(9 - \pi)$ cm^2 (b)$5(6 - \pi)$ cm^2
(c)$9(4 - \pi)$ cm^2 (d)$6(5 - \pi)$ cm^2

146. किसी समषट्भुज का क्षेत्रफल $54\sqrt{3}$ cm^2 है तो इसका परिमाप बताइये ?

(a)6 cm (b)12 cm
(c)36 cm (d)इनमें से कोई नहीं

147. किसी समषट्भुज की प्रत्येक भुजा 7 सेमी0 है। इसके शीर्षो को स्पर्श करता हुआ एक वृत्त खींचा जाता है, तो उस वृत्त का क्षेत्रफल वर्ग सेमी0 में है–

(a)154 cm^2 (b)77 cm^2

(c)132 cm^2 (d)616 cm^2

148. एक वर्ग और एक वृत्ताकार मैदान के परिमाप समान है। यदि वृत्ताकार मैदान का क्षेत्रफल 3850 मीटर² हो तो वर्ग का क्षेत्रफल कितने वर्ग मीटर होगा ?

(a)2500 (b)3025

(c)4225 (d)2025

149. किसी तार को जब एक वर्ग के रूप में मोड़ा जाता है तो उसके द्वारा घिरा क्षेत्रफल 484 cm^2 है। तार द्वारा घिरा क्षेत्रफल क्या होगा, यदि इसी तार को एक वृत्त के रूप में मोड़ा जाये ?

(a)616 cm^2 (b)462 cm^2

(c)693 cm^2 (d)539 cm^2

150. 18 सेमी0 तथा 14 सेमी0 भुजाओं वाले आयत के अन्दर खीचें जाने वाले सबसे बड़े वृत्त का क्षेत्रफल होगा–

(a)1078 cm^2 (b)49 cm^2

(c)378 cm^2 (d)154 cm^2

151. यदि एक वर्ग के अन्तर्वृत्त का क्षेत्रफल $9\pi\ cm^2$ है, तो वर्ग का क्षेत्रफल होगा–

(a)24 cm^2 (b)36 cm^2

(c)81 cm^2 (d)30 cm^2

152. साइज 30 मीटर × 20 मीटर वाले किसी आयताकार क्षेत्र के एक कोने पर एक गाय एक 14 मीटर लम्बी रस्सी से बांधी गई है। उस क्षेत्र जिसमें वह घास चर सकती है, का क्षेत्रफल होगा –

(a)350 मी0² (b)154 मी0²

(c)196 मी0² (d)22 मी0²

153. 784 वर्ग सेमी0 क्षेत्रफल वाली एक वर्गाकार कागज की शीट से बराबर माप वाली चार बड़ी वृत्ताकार प्लेट काट ली जाती है। प्रत्येक की परिधि है–

(a)44 सेमी0 (b)22 सेमी0

(c)88 सेमी0 (d)66 सेमी0

154. 42 सेमी0 व्यास वाले एक वृत्ताकार तार को एक आयत के रूप में मोड़ा जाता है, जिसकी भुजायें 6 : 5 के अनुपात में है। आयत द्वारा घिरा क्षेत्रफल है – $(\pi = \frac{22}{7})$ लीजिये।

(a)540cm^2 (b)4320cm^2

(c)2160cm^2 (d)1080cm^2

155. किसी कमरे के 15 मीटर 17 सेमी0 लम्बे और 9 मीटर 2 सेमी0 चौड़े फर्श पर लगायी जा सकने वाली वर्ग टाइलों की न्यूनतम संख्या है ?

(a)840 (b)814

(c)820 (d)841

156. 8 मीटर लम्बे और 6 मीटर चौड़े एक कमरे की फर्श को ढ़कने के लिये 4 डेसीमी0 वर्ग क्षेत्रफल वाली कुल कितनी टाइलों की आवश्यकता होगी ?

(a)280 (b)260

(c)200 (d)300

157. एक आयत का क्षेत्रफल एक वर्ग के क्षेत्रफल का तिगुना है। उस आयत की लम्बाई 20 सेमी0 है और उसकी चौड़ाई उस वर्ग की भुजा की $\frac{3}{2}$ गुनी है। तदनुसार उस वर्ग की एक भुजा कितने सेमी0 है–

(a)10 (b)60

(c)20 (d)30

158. एक समबाहु त्रिभुज, जिसकी भुजा 6 सेमी0 है, के अन्तः वृत्त का क्षेत्रफल कितना होगा ?

(a)$\frac{\pi}{2}cm^2$ (b)$6\pi\ cm^2$

(c)$3\pi\ cm^2$ (d)$\sqrt{3}\pi\ cm^2$

159. एक समबाहु त्रिभुज के अन्तः वृत्त का क्षेत्रफल 462 वर्ग सेमी0 है, इस त्रिभुज का परिमाप होगा ?

(a)42 सेमी0 (b)168 सेमी0

(c)126 सेमी0 (d)84 सेमी0

160. यदि किसी समबाहु त्रिभुज के परिवृत्त तथा अन्तवृत्त के क्षेत्रफलों में अन्तर 44 सेमी0² हो, तो त्रिभुज का क्षेत्रफल होगा–

(a)28 सेमी0² (b)21 सेमी0²

(c)$14\sqrt{3}$ सेमी0² (d)$7\sqrt{3}$ सेमी0²

161. तीन घोड़ों में से प्रत्येक को एक 7 मीटर लम्बी रस्सी के द्वारा 20 मीटर, 30 मीटर तथा 40 मीटर भुजाओं वाले त्रिभुजाकार भूखण्ड के एक–एक कोने पर खूँटें से बांधा गया है। भूखण्ड के उस क्षेत्र, जिस पर घोड़े चर सकते है, का क्षेत्रफल (वर्ग मीटर) में होगा–

(a)$\frac{77}{3}$ (b)75

(c)80 (d)77

162. एक घोड़ा जो किसी रस्सी से बंधा है। रस्सी को खींचे हुये वृत्तीय पथ बनाकर 88 मीटर चलकर रूकता है। वह जिस बिन्दु पर रूकता है, केन्द्र पर 72^0 कोण अन्तरित करता है तो रस्सी की लम्बाई बताइये ?

(a)70 मीटर (b)35 मीटर

(c)77 मीटर (d)इनमें से कोई नहीं

163. यदि किसी वृत्त का व्यास 8% बढ़ा दिया जाये तो क्षेत्रफल में कितनी वृद्धि होगी–

(a)16·64% (b)16%

(c)16·46% (d)6·64%

164. एक त्रिभुज की ऊँचाई 10% बढ़ायी गयी है। तद्नुसार उस त्रिभुज का आधार कितना कम करना होगा ताकि, त्रिभुज का क्षेत्रफल अपरिवर्तित रहें ?

(a)$11\frac{1}{9}\%$ (b)10%

(c)9% (d)$9\frac{1}{11}\%$

165. यदि किसी समबाहु त्रिभुज की भुजाओं में क्रमशः 20%, 30% व 50% की वृद्धि करके एक नया त्रिभुज बनाया जाये तो समबाहु त्रिभुज के परिमाप में कितने % की वृद्धि होगी ?

(a)$33\frac{1}{3}\%$ (b)25%

(c)75% (d)100%

166. यदि r त्रिज्या के एक वृत्त में एक समषट्भुज खींचा जाता है, तो उसका परिमाप होगा–

(a)12r (b)3r

(c)6r (d)9r

167. एक गोलाकार क्षेत्र का क्षेत्रफल 616 किमी0^2 है। 22 किमी0/घण्टा की रफ्तार से बाहर चक्कर लगाने में कितना समय लगेगा ?

(a)1 घण्टा (b)4 घण्टा

(c)2 घण्टा (d)3 घण्टा

168. यदि एक वृत्त में एक समबाहु त्रिभुज खींचा जाये तो त्रिभुज की भुजा और वृत्त के व्यास में अनुपात होगा ?

(a)$\sqrt{2} : 2$ (b)$\sqrt{3} : 2$

(c)$1 : \sqrt{3}$ (d)2 : 3

169. 5 मीटर चौड़ाई वाली एक–दूसरे को लम्बवत् काटकर जाने वाली दो सड़के एक 80 मीटर × 60 मीटर साइज के आयताकार क्षेत्र के बीचो–बीच बनाई गई है। सड़को पर 10 रू0 प्रति वर्ग मीटर की दर से बजरी डालने का खर्च होगा ?

(a)₹ 6500 (b)₹ 6750

(c)₹ 7250 (d)₹ 7000

170. 60 मीटर × 30 मीटर माप के किसी आयताकार मैदान के एक कोने से बंधी 16 मीटर लम्बी रस्सी से दूसरे छोर से एक गधे को बांध दिया जाता है। गधा इस मैदान के लगभग कितने वर्ग मीटर क्षेत्र की घास को चरेगा ?

(a)805 (b)402

(c)201 (d)128

ANSWER

1.	c	35.	d	69.	a	103.	d	137.	a
2.	d	36.	d	70.	c	104.	d	138.	a
3.	b	37.	b	71.	b	105.	c	139.	c
4.	c	38.	c	72.	d	106.	c	140.	a
5.	a	39.	b	73.	b	107.	b	141.	d
6.	c	40.	d	74.	d	108.	c	142.	a
7.	a	41.	c	75.	d	109.	a	143.	d
8.	c	42.	a	76.	c	110.	b	144.	d
9.	d	43.	d	77.	b	111.	a	145.	c
10.	d	44.	c	78.	d	112.	a	146.	c
11.	b	45.	a	79.	b	113.	d	147.	a
12.	d	46.	b	80.	b	114.	a	148.	b
13.	a	47.	b	81.	c	115.	d	149.	a
14.	b	48.	c	82.	b	116.	b	150.	d
15.	c	49.	c	83.	d	117.	a	151.	b
16.	b	50.	b	84.	b	118.	c	152.	b
17.	a	51.	b	85.	c	119.	c	153.	a
18.	a	52.	b	86.	c	120.	d	154.	d
19.	a	53.	b	87.	b	121.	a	155.	b
20.	a	54.	c	88.	c	122.	d	156.	d
21.	c	55.	b	89.	a	123.	a	157.	a
22.	d	56.	a	90.	a	124.	d	158.	c
23.	a	57.	b	91.	b	125.	c	159.	c
24.	c	58.	c	92.	b	126.	b	160.	c
25.	b	59.	d	93.	b	127.	c	161.	d
26.	a	60.	c	94.	b	128.	d	162.	a
27.	d	61.	d	95.	b	129.	d	163.	a
28.	c	62.	b	96.	c	130.	c	164.	d
29.	b	63.	b	97.	b	131.	b	165.	a
30.	d	64.	b	98.	a	132.	d	166.	c
31.	c	65.	b	99.	d	133.	d	167.	d
32.	d	66.	c	100.	d	134.	c	168.	b
33.	a	67.	c	101.	d	135.	b	169.	b
34.	a	68.	b	102.	a	136.	b	170.	c

Explanatory Notes

1. (c) Δ की भुजाओ का अनुपात $= \frac{1}{2} : \frac{1}{3} : \frac{1}{4}$
$= \frac{1}{2} \times 12 : \frac{1}{3} \times 12 : \frac{1}{4} \times 12$
= 6 : 4 : 3
(6+4+3) unit = 52 cm
1 unit = $\frac{52}{13}$ = 4 cm
∴ छोटी भुजा = 3 unit = 12 cm

2. (d) माना, आधार = $3x$ cm
तथा ऊँचाई = $4x$ cm
$\frac{1}{2} \times 3x \times 4x = 1176$
$6x^2 = 1176$
$x^2 = \frac{1176}{6} = 196$
$x = 14$
∴ ऊँचाई = $4x$ = 4×14 = 56 cm

3. (b) त्रिभुज का क्षेत्रफल = $\frac{1}{2}$×15×12 = 90 cm^2
दूसरे त्रिभुज का क्षेत्रफल = 90×2
= 180 cm^2
$\frac{1}{2}$×20×h = 180 cm^2
$h = \frac{180}{10}$ = 18 cm

4. (c) भुजाओं का अनुपात $= \frac{1}{3} : \frac{1}{4} : \frac{1}{5}$
$= \frac{1}{2} \times 60 : \frac{1}{4} \times 60 : \frac{1}{5} \times 60$
= 20 : 15 : 12
(20+15+12)unit = 94 सेमी
47 unit = 94 सेमी
∴ 1 unnit = 2 सेमी
∴ छोटी भुजा = 12 unit = 24 cm

5.] (a)
$x + y + 11 = 32$
$x + y = 21$-------(i)
$x - y = 5$-------(ii)
समी0 (i) + समी0 (ii) से
$2x = 26$
x = 13 cm
y = 8 cm

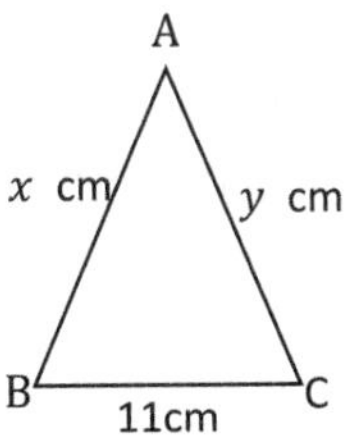

Δ का क्षेत्रफल
$=\sqrt{16.(16-11)(16-13).(16-8)}$
$=\sqrt{16 \times 5 \times 3 \times 2 \times 2 \times 2}$
= 4×2×30
= $8\sqrt{30}$ = सेमी^{2}

6. (c) समबाहु Δ का परिमाप = समबाहु Δ का क्षे०× $\sqrt{3}$
3a = $\frac{\sqrt{3}}{4} a^2 \times \sqrt{3}$
3a = $\frac{3}{4} a^2$
∴ a = 4 unit

7. (a) $\frac{\sqrt{3}}{4}. a^2 = 400\sqrt{3}$
a^2 = 400 ×4
a = $\sqrt{400 \times 4}$ = 20×2= 40 मीटर
∴ परिमाप = 3a = 3×40 = 120 मीटर

8. (c) $(\sqrt{3} + 2\sqrt{3} + 5\sqrt{3}) = \frac{\sqrt{3}}{2}. a$
$8\sqrt{3} = \frac{\sqrt{3}}{2} a$
∴ a = 8×2 = 16 cm
अतः परिमाप = 3a = 3×16 = 48 cm

9. (d) समबाहु Δ की माध्यिका = समबाहु Δ की ऊँचाई = $6\sqrt{3}$ cm
$\frac{\sqrt{3}}{2}. a = 6\sqrt{3}$
a = 6×2 = 12 cm
∴ Δ का क्षेत्रफल = $\frac{\sqrt{3}}{4}.(12)^2 = \frac{\sqrt{3}}{4} \times 144$
= $36\sqrt{3}$ cm^2

10. (d)
$\frac{\sqrt{3}}{4}.x^2 = a$ ------(i)
$\frac{\sqrt{3}}{2}.x = b$ ------(ii)

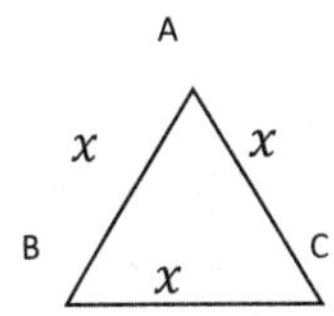

∴ $\frac{b^2}{a} = \frac{\frac{\sqrt{3}}{2}x \times \frac{\sqrt{3}}{2}x}{\frac{\sqrt{3}}{4}x^2} = \sqrt{3}$

11. (b)
$(P_1+P_2+P_3) = \frac{\sqrt{3}}{2}$× भुजा
(a+b+c) = $\frac{\sqrt{3}}{2}$× भुजा
∴ भुजा = $\frac{2}{\sqrt{3}}$ × (a+b+c) cm
अतः त्रिभुज का क्षेत्रफल= $\frac{\sqrt{3}}{4}\left[\frac{2}{\sqrt{3}}(a+b+c)\right]^2$
$= \frac{\sqrt{3}}{4} \times \frac{4}{3}(a+b+c)^2$
$\frac{}{\sqrt{3}}(a+b+c)^2$ cm^2

12. (d) $\frac{1}{2} \times 4x \times 3x = 216$
$6x^2 = 216$
$= x^2 = 36$
$x = 6$
∴ परिमाप = $3x + 4x + 5x = 12x$
= 12 × 6 = 72 cm

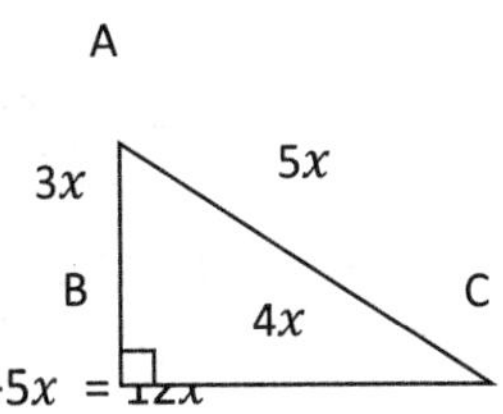

13. (a) समकोण Δ Triplet
5 : 12 : 13 से
$\frac{1}{2} \times 12x \times 5x = 270$
$3x^2 = 270$
$x^2 = 9$

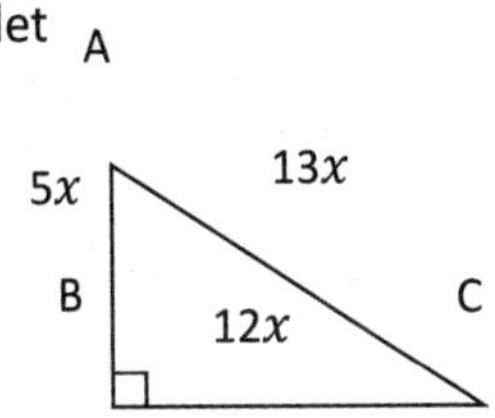

$\therefore\ x = 3$

$\therefore$ कर्ण = $13x = 39$ cm

14. (b) समकोण Δ में,

$(x+2)^2 = (x-2)^2 + x^2$

$x^2 + 4 + 4x = x^2 + 4 - 4x + x^2$

$3x = x^2$

$\therefore x = 8$

15. (c) $S = \frac{9+10+11}{2} = 15$ cm

Δ का क्षेत्रफल

$= \sqrt{15.(15-9).(15-10).(15-11)}$

$= \sqrt{3\times5\times2\times3\times5\times4}$

$= 2\times3\times5\sqrt{2}$

$= 30\sqrt{2}$ cm^2

16. (b)समद्विबाहु समकोण Δ का क्षेत्रफल = कर्ण^2 / 4

$= \frac{16\sqrt{2}\times16\sqrt{2}}{4}$

= 128 सेमी^{2}

17. (a) $\frac{1}{2}\times 4x \times 3x = 7776$

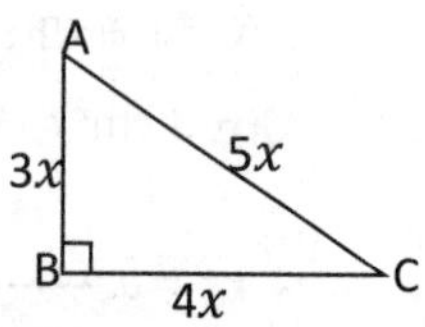

$6x^2 = 7776$

$x^2 = 1296$

$x = 36$

$\therefore$ त्रिभुज का परिमाप $= 2x + 4x + 5x$

$= 12x = 12 \times 36$

= 432 cm

18. (a)

समकोण Δ Triplet,

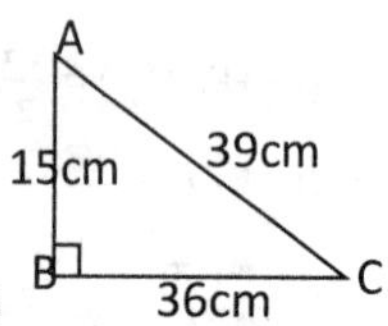

5 : 12 : 13 से

×3↓ ↓×3 ↓×3

15cm 36cm 39cm

Δ का क्षेत्रफल $= \frac{1}{2}\times36\times15$

= 270cm^2

19. (a)

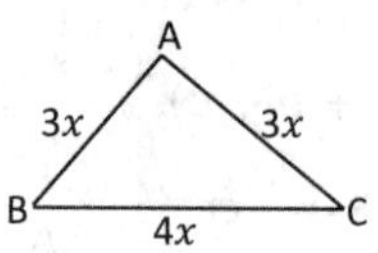

समद्विबाहु Δ का क्षेत्रफल $= \frac{b}{4}\sqrt{4a^2 - b^2}$

यहाँ, a = दो समान भुजा

b = असमान भुजा

$8\sqrt{5} = \frac{4x}{4}\sqrt{4(3x)^2 - (4x)^2}$

$8\sqrt{5} = x\sqrt{36x^2 - 16x^2}$

$8\sqrt{5} = x.\sqrt{20x^2}$

$8\sqrt{5} = x \times 2x \times \sqrt{5}$

$x^2 = 4 \therefore x = 2$

$\therefore$ छोटी भुजा = $3x$ = 6 unit

20. (a) माना, Δ की प्रारम्भिक भुजा = x *unit*

$\therefore$ नये Δ की प्रत्येक भुजा = $(x+2)$ unit

$\frac{\sqrt{3}}{4}(x+2)^2 - \frac{\sqrt{3}}{4}x^2 = 3+\sqrt{3}$

$\frac{\sqrt{3}}{4}[x^2 + 4 + 4x - x^2]\ 3+\sqrt{3}$

$4 + 4x = (3+\sqrt{3}) \times \frac{4}{\sqrt{3}}$

$4 + 4x = \frac{12}{\sqrt{3}} + \frac{\sqrt{3}\times4}{\sqrt{3}}$

$4 + 4x = \frac{12\sqrt{3}}{3} + 4$

$4x = 4\sqrt{3}$

$x = \sqrt{3}$ unit

21. (c) $5x \times 4x = 500$

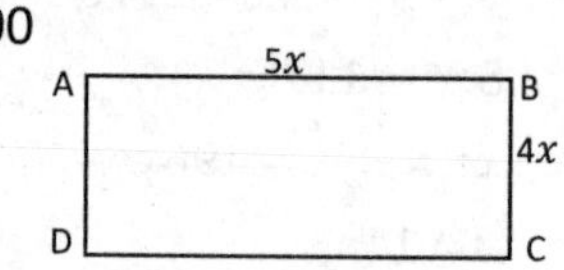

$20x^2 = 500$

$x^2 = 25$

$x = 5$

$\therefore$ परिमाप $= 2(5x + 4x)$

$= 18x$

= 18×5 = 90 मीटर

22. (d) $\frac{l}{2(l+b)} = \frac{5}{16}$

$16l = 10\,l + 10\,b$

$6\,l = 10\,b$

$\therefore \frac{l}{b} = \frac{10}{6} = \frac{5}{3}$

23. (a)

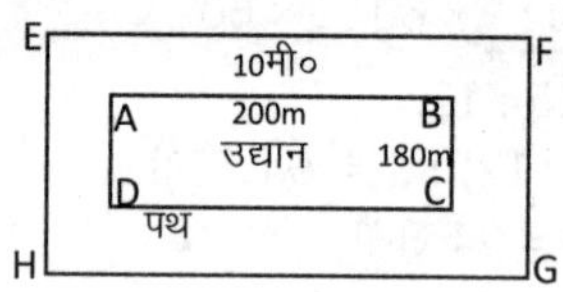

पथ का क्षेत्रफल = 2 × पथ की चौ०(उद्यान की ल० + उद्यान की चौ० + 2 × पथ की चौ०)

= 2×10 (200+180+2×10)

= 20 × 400 = 8000 मी^{2}

24. (c) $4x \times 3x = 192$

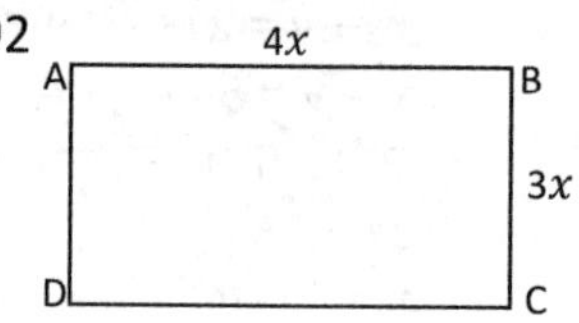

$12x^2 = 192$

$x^2 = 16$

$x = 4$

$\therefore$ परिमाप $= 2(4x+3x)$

$= 14x$ = 56 मीटर

25. (b) $l^2 + b^2 = (25)^2 = 625$--- (i)

$lb = 168$ -----(ii)

$(l+b)^2 = 625 + 2\times168 = 961$

$\therefore l + b = 31$ ---(iii)

$(l-b)^2 = 625 - 2\times168 = 289$

$l - b = 17$ ------(iv)

समी० (iii) + समी० (iv) से

$2l = 48$

l= 24 cm

26. (a) मैदान का क्षेत्रफल = $\frac{1000}{\frac{1}{4}}$ = 4000 मी²

$l \times 50 = 4000$

l = 80 मी०

मैदान की नयी लं० = 80+20= 100 मी०

तब नया क्षेत्रफल = 100×50 = 5000 मी²

∴ नया खर्च = 5000 × $\frac{1}{4}$ रू०

= ₹1250

27. (d) $2(l + b) = 48$

∴ $l + b$ = 24.....(i)

lb = 108.....(ii)

विकल्प (d) से

प्लांट के आयाम क्रमशः 18मी० व 6मी० होगा।

[∵18+6 = 24 तथा 18×6 = 108 अतः उपर्युक्त दोनों समी० संतुष्ट है।]

28. (c) $l + d$ = 5b .....(i)

$d - b$ = 8.....(ii)

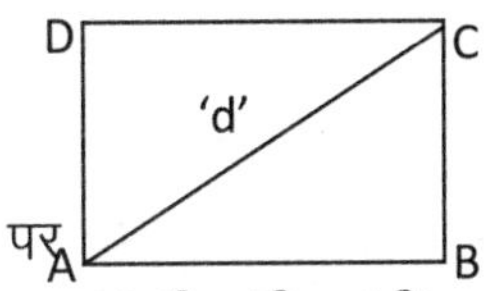

समी० (i) से,

$d = 5b - l$

दोनों पक्षों का वर्ग करने पर

$d^2 = 25b^2 + l^2 - 10lb$ $[d^2 = l^2 + b^2]$

या, $l^2 + b^2 = 25b^2 + l^2 - 10lb$

या, $10lb = 24b^2$

या, $5l = 12b$

∴ $\frac{l}{b} = \frac{12}{5}$

अतः $l = 12$ तथा $b = 5$

∴ आयत का क्षे० = lb = 12×5

= 60 वर्ग इकाई

29. (b) पथ का क्षे० = 2 × पथ की चौ० (क्षेत्र की लं० + क्षेत्र की चौ० – 2 × पथ की चौ०)

$600 = 2 \times x(38+32-2x)$

या, $300 = x(70-2x)$

या, $300 = 2x(35-x)$

या, $150 = 35x - x^2$

या, $x^2 - 35x + 150 = 0$

या, $x^2 - 30x - 5x + 150 = 0$

या, $x(x-30) - 5(x-30) = 0$

या, $(x-30)(x-5) = 0$

∴ x = 5 मी०

∵ यहाँ रास्ते की चौड़ाई 30 मी० सम्भव नहीं है

30. (d) माना, मैदान की लं० तथा चौ क्रमशः $7x$ व $4x$मी० है

$416 = 2 \times 4(7x + 4x + 2 \times 4)$

$\frac{416}{8} = 11x + 8$

$52 = 11x + 8$

$11x = 52 - 8 = 44$

$x = 4$

∴ मैदान की चौ० = $4x$ = 16 मी०

31. (c) बरामदे का क्षे० = 2×3·5(25+15+2×3·5)

= 7×47

= 329 मी.²

∴ कुल लागत = 329×27·5

= ₹9047·5

32. (d) मार्ग का क्षे० = मार्ग की चौ० (पार्क की लं० + पार्क की चौ० – मार्ग की चौ०)

= 2(30+22–2)

= 2×50 = 100 मी²

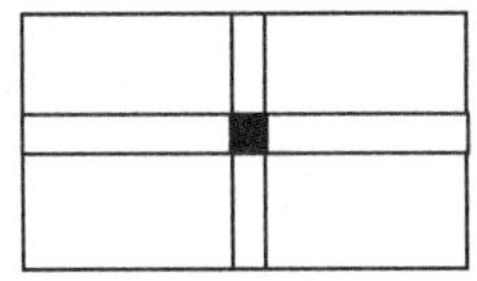

∴कुल लागत = 15×100

= ₹1500

33. (a) माना, उद्यान की प्रत्येक भुजा xमीटर है।

$225 = 2 \times 1{\cdot}5(x + x + 2 \times 1{\cdot}5)$

$\frac{225}{3} = 2x + 3$

$75 = 2x + 3$

$2x = 75 - 3 = 72$

x = 36 मी०

∴उद्यान का परिमाप = 4×36

= 144 मी०

34. (a) माना, दोनों वर्गो की प्रत्येक भुजा क्रमशः $4x$ व $3x$ cm है,

$(4x)^2 + (3x)^2 = 225$

$16x^2 + 9x^2 = 225$

$25x^2 = 225$

$x^2 = 9$

$x = 3$

∴छोटे वर्ग का परिमाप = $4 \times 3x$

= $12x$ = 36 cm

35. (d) $a^2 = 36$

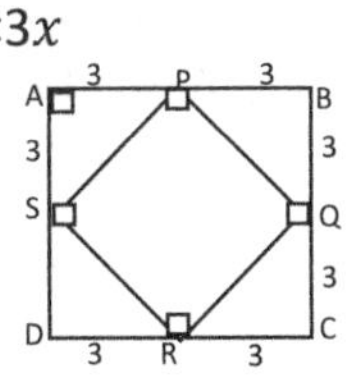

a = 6 cm

arΔPAS = $\frac{1}{2} \times 3 \times 3 = \frac{9}{2}$ cm²

∴ar □ PQRS = ar □ ABCD – 4×arΔ PAS

= 36 – 4×$\frac{9}{2}$= 18 cm²

36. (d) a^2 = 7200

a = $\sqrt{2 \times 3600} = 60\sqrt{2}$ मी०

अतः विकर्णतः तय दूरी = $a\sqrt{2}$

= $60\sqrt{2} \times \sqrt{2}$ = 120 मी०

∴ 120 मी० दूरी तय करने में लगा समय = $\frac{d}{S}$

= $\frac{120 \text{ मी0}}{4\text{किमी /घंटा}}$

= $\frac{120 \text{ मी0}}{4 \times \frac{1000}{60} \text{मी0/मिनट}}$

$= \frac{120}{\frac{200}{3}} = \frac{120 \times 3}{200}$ मिनट

$= \frac{9}{5}$ मिनट

37. (b)

	पुराना वर्ग	नया वर्ग
भुजा →	1	: 3
क्षेत्रफल →	$(1)^2$	: $(3)^2$

∴अभीष्ट अनुपात = 9 : 1

38. (c) $\frac{a_1^2}{a_2^2} = \frac{225}{256}$

या, $\left(\frac{a_1}{a_2}\right)^2 = \frac{15}{16}$

$\therefore \frac{a_1}{a_2} = \frac{15}{16}$

39. (b)

ar □ ABCD : ar □ ACPQ

$= a^2 : (a\sqrt{2})^2$

$= a^2 : 2a^2$

$= 1 : 2$

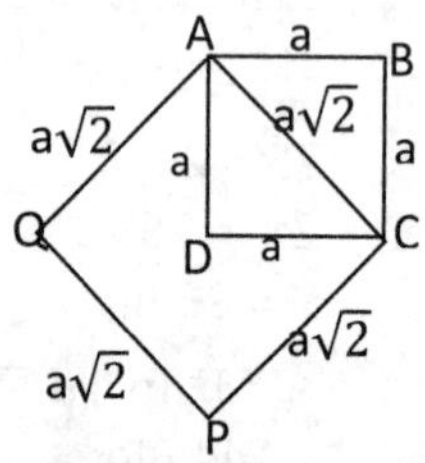

40. (d) $a\sqrt{2} = 15\sqrt{2}$

∴a = 15 cm

∴ वर्ग का क्षे० $= a^2 = 225\text{cm}^2$

या, वर्ग का क्षे० $= \frac{\text{विकर्ण}^2}{2} = \frac{15\sqrt{2} \times 15\sqrt{2}}{2}$

$= 225\text{cm}^2$

41. (c) $a^2 = 200$

∴$a = \sqrt{2 \times 100} = 10\sqrt{2}$

अतः $d = 10\sqrt{2} \times \sqrt{2} = 20$ मी०

तब नये वर्ग का विकर्ण $= 20 \times \sqrt{2}$

$= 20\sqrt{2}$मी०

∴ नये वर्ग का क्षे० $= \frac{(20\sqrt{2})^2}{2} = \frac{400 \times 2}{2} = 400$ मी²

42. (a) समकोण Δ AED में

$AD = \sqrt{12^2 + 16^2}$

$= \sqrt{144 + 256}$

$= \sqrt{400}$

= 20 cm

∴परिमाप = 4 × AD = 4×20 = 80 cm

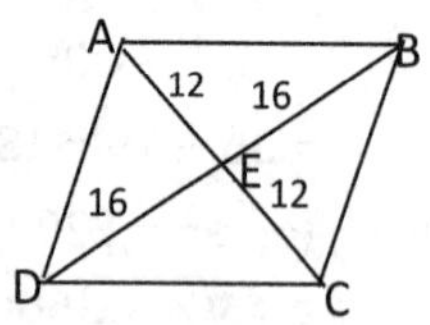

43. (c) समकोण Δ AED में,

$AD = \sqrt{5^2 + 12^2}$

$= \sqrt{169} = 13$ cm

∴ परिमाप = 4×AD = 4× 13

= 52 cm

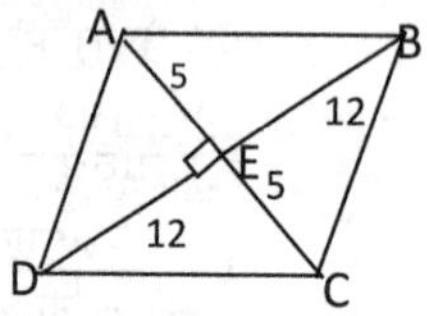

44. (c) समचतुर्भुज की भुजा $= \frac{2P}{4} = \frac{P}{2}$

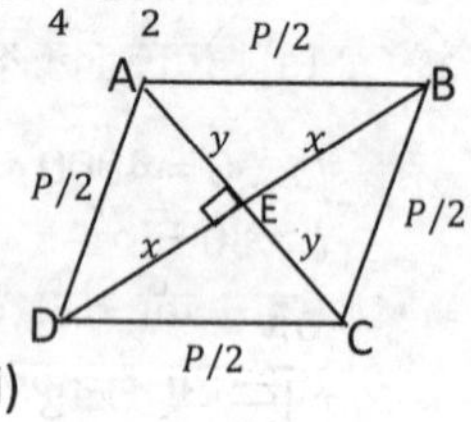

समकोण Δ AED में,

$\left(\frac{P}{2}\right)^2 = x^2 + y^2$

या, $\frac{P^2}{4} = x^2 + y^2$

या, $p^2 = 4x^2 + 4y^2$ ----(i)

तथा विकर्णो का योग = m

$2x + 2y = m$

दोनों पक्षों का वर्ग करने पर

$4x^2 + 4y^2 + 8xy = m^2$

या,

$P^2 + 8xy = m^2$

$\therefore 8xy = m^2 - P^2$

$2xy = \frac{1}{4}(m^2 - P^2)$

∴ समचतुर्भुज का क्षे० $= \frac{1}{2} d_1 d_2$

$= \frac{1}{2} \times 2x \times 2y$

$= 2xy$

$= \frac{1}{4}(m^2 - P^2)$

45. (a) माना, दोनों विकर्ण क्रमशः x तथा $2x$ है

समचतुर्भुज का क्षे० $= \frac{1}{2} d_1 d_2$

$256 = \frac{1}{2} \times x \times 2x$

$x^2 = 256$

$x = 16$

∴बड़ा विकर्ण $= 2x = 32$ cm

46. (b) समचतुर्भुज की भुजा $= \frac{40}{4} = 10$ मी०

∴ क्षेत्रफल = आधार × ऊँचाई

= 10×5 = 50 मी²

47. (b) $\frac{1}{2} d_1 . d_2 = 150$

$\frac{1}{2} \times 10 \times d_2 = 150$

$d_2 = \frac{150}{5} = 30$ cm

48. (c) समचतुर्भुज की भुजा $= \frac{100}{4} = 25$cm

समकोण Δ AED में

$(25)^2 = (7)^2 + x^2$

$625 - 49 = x^2$

या, $x^2 = 576$

$\therefore x = 24$

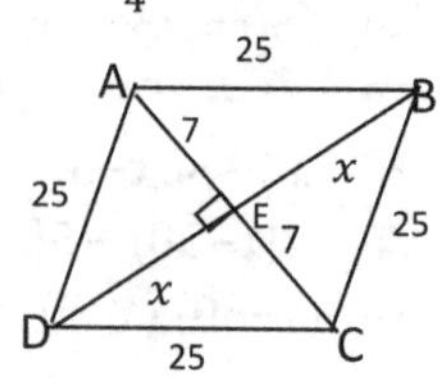

तब, दूसरा विकर्ण $= 2x = 48$ cm

∴ क्षे० $= \frac{1}{2} d_1 d_2$

$= \frac{1}{2}\, 14 \times 48$

$= 336\ \text{cm}^2$

49. (c) समकोण Δ AED में,

$(10)^2 = x^2 + 8^2$

$x^2 = 100 - 64 = 36$

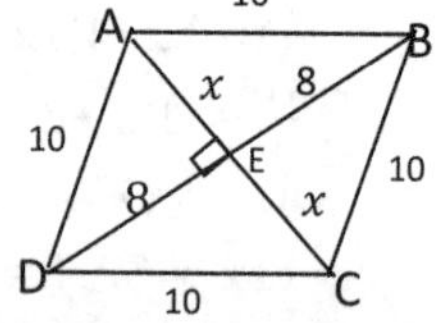

$\therefore x = 6$
तब, दूसरा विकर्ण, AC = $2x$ = 12 cm
$\therefore$क्षेत्रफल = $\frac{1}{2} d_1 d_2$
= $\frac{1}{2}$× 16 × 12 = 96cm^2

50. (b) $\pi r - 2r = 8$
$r\left[\frac{22}{7} - 2\right] = 8$
$r \times \frac{22-14}{7} = 8$
$r \times \frac{8}{7} = 8$
$\therefore r = 8 \times \frac{7}{8} = 7$ cm

51. (b) वृत्त की परिधि = वृत्त का क्षेत्रफल
$2\pi r = \pi r^2$
r =2 unit
$\therefore$ वृत्त का क्षे० = $\pi r^2 = \pi(2)^2$
= 4π वर्ग यूनिट

52. (b) $2\pi r - 2r = 150$
$2r\left[\frac{22}{7} - 1\right] = 150$
$2r \times \frac{22-7}{7} = 150$
$2r \times \frac{15}{7} = 150$
$r = 150 \times \frac{7}{30} = 35$ मीटर

53. (b) माना, बड़े और छोटे वृत्त की त्रिज्या क्रमशः R व r है
$R - r = 14$ ...... (i)
$\pi R^2 - \pi r^2 = 1056$
π (R+r) (R–r) = 1056
$\frac{22}{7}$ (R+r)×14 = 1056
$R + r = \frac{1056}{44} = 24$....(ii)
समी० (i) + समी० (ii) से,
2R = 38
$R = 19$ cm
$\therefore$ r = 5cm

54. (c) $\frac{\text{परिधि}}{\text{व्यास}} = \frac{22}{7}$
$\frac{\frac{11}{7}}{2r} = \frac{22}{7}$
$\frac{11}{7} \times \frac{1}{2r} = \frac{22}{7}$
$\frac{1}{r} = \frac{22}{7} \times \frac{14}{11}$
$\frac{1}{r} = 4$
$\therefore r = \frac{1}{4}$ मीटर

55. (b)
$A = \pi r^2$ ......(i)
$C = 2\pi r$ ......(ii)
$\frac{A}{C} = \frac{\pi r^2}{2\pi r}$
2A= rC

56. (a) 2πr = 176
$r = 176 \times \frac{1}{2} \times \frac{7}{22}$
r= 28 मीटर

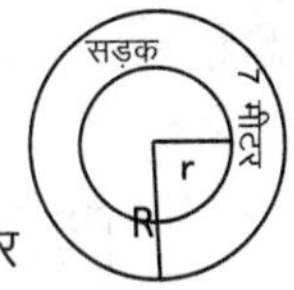

$\therefore$ R= 28+7 = 35 मीटर
$\therefore$ सड़क का क्षेत्रफल = $\pi R^2 - \pi r^2$
= π(R+r) (R–r)
= $\frac{22}{7}$(35+28) (35–28)
= $\frac{22}{7}$ × 63×7
= 1386 मी^{2}

57. (b) परिमाप = πr + 2r
= $\frac{22}{7} \times \frac{63}{2} + 63$
= 99 + 63
= 162cm

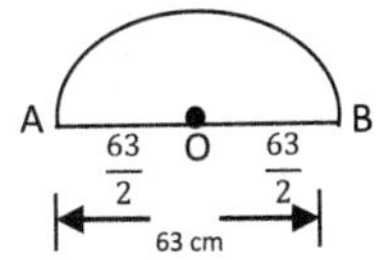

58. (c) माना, प्रारम्भिक त्रिज्या = r cm
$\therefore$,नयी त्रिज्या = (r + 1) cm
$\pi(r+1)^2 - \pi r^2 = 22$
$\pi[r^2 + 1 + 2r - r^2] = 22$
$1 + 2r = 22 \times \frac{7}{22}$
2r = 7 – 1 = 6
r = 3 cm

59. (d) परिमाप = πr+2r

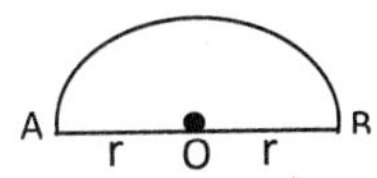

$144 = r\left(\frac{22}{7} + 2\right)$
या, $r \times \frac{36}{7} = 144$
$\therefore r = 144 \times \frac{7}{36} = 28$मीटर
अतः व्यास, 2r = 2×28 = 56 मीटर

60. (c) अर्द्धवृत्त का परिमाप = अर्द्धवृत्त का क्षे०
$\pi r + 2r = \frac{1}{2}\pi r^2$
$R\left[\frac{22}{7} + 2\right] = \frac{1}{2} \times \frac{22}{7} r^2$
$\frac{36}{7} = \frac{11}{7} r$
$r = \frac{36}{11}$ मीटर
$\therefore 2r = \frac{36}{11} \times 2$
$d = \frac{72}{11} = 6\frac{6}{11}$ मीटर

61. (d) पहिये द्वारा 1 चक्कर में तय दूरी = 2πr
= $2 \times \frac{22}{7} \times 21 = 132$ cm
$\therefore$कुंल चक्करों की संख्या = $\frac{924 \text{ मी0}}{132 \text{ सेमी0}}$
= $\frac{924 \times 100 \text{ सेमी}}{132 \text{ सेमी}}$
= 700

62. (b) पहिये द्वारा 1 चक्कर में तय दूरी = 2πr
= $2 \times \frac{22}{7} \times 1{\cdot}75 = 11$ मीटर
कुंल चक्करों की संख्या = $\frac{11 \text{ किमी 0}}{11 \text{ मी0}}$

$= \frac{11 \times 1000 \text{ मी}}{11 \text{ मी}} = 1000$

63. (b) पहिये द्वारा 1 चक्कर में तय दूरी =
$2\pi r = 2r \times \pi$
$= 14 \times \frac{22}{7} = 44$cm
$\therefore$ 15 चक्करं में तय दूरी = 44×15
= 660 cm

64. (b) $2\pi r = 88$

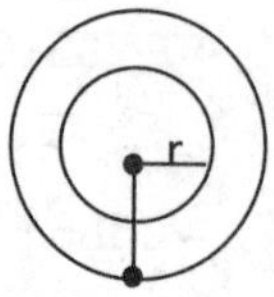

$\therefore r = 88 \times \frac{1}{2} \times \frac{7}{22} = 14$ cm
तथा $2\pi R = 132$
$\therefore R = 132 \times \frac{1}{2} \times \frac{7}{22} = 21$ cm
$\therefore$ वलय भाग का क्षे० $= 2\pi R^2 - \pi r^2$
$= \pi(R+r)(R-r)$
$= \frac{22}{7} \times (21+14)(21-14)$
$= \frac{22}{7} \times 35 \times 7$
$= 770 \text{ cm}^2$

65. (b) 1 मिनट में तय दूरी = 28×1 चक्कर में तय दूरी
$= 28 \times 2\pi r$
$= 28 \times 3 \times \frac{22}{7}$ [$\because$ 2r = 3 मी०]
= 264 मी०
$\therefore$ 5·280 Km मे लगा समय
$= \frac{5{\cdot}280 \times 100 \text{मी}o}{264 \text{मी}o} = \frac{5280}{264}$ = मिनट

66. (c)
मिनट की सुई द्वारा
60 min में बना कोण = 360°
$\therefore$ 6 min में बना कोण = 36°

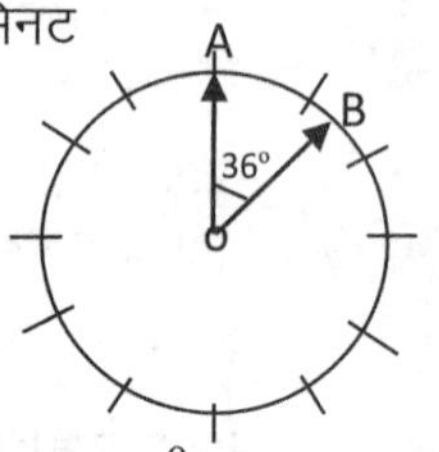

त्रिज्याखण्ड (OAB) का क्षे० $= \pi r^2 \times \frac{\theta}{360}$
$= \frac{22}{7} \times 7 \times 7 \times \frac{36}{360}$
$= 15{\cdot}4 \text{cm}^2$

67. (c) मिनट की सुई द्वारा
60 min में बना कोण = 360°
$\therefore$ 30 min में बना कोण = 180°

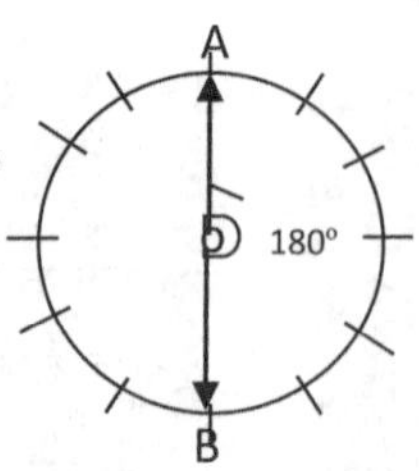

(OAB) (अर्द्धवृत्त) का क्षे० $= \pi r^2 \times \frac{180}{360}$
$= \frac{22}{7} \times 7 \times 7 \times \frac{1}{2}$
$= 77 \text{cm}^2$

68. (b) चाप (AB) की लं० $l = 2\pi r \times \frac{90}{360}$
$= \frac{\pi r}{2}$
परिमाप = 75 cm (दिया है)
$2r + l = 75$

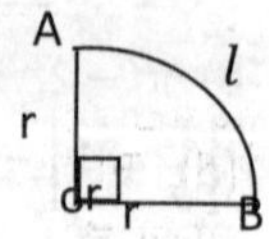

$2r + \frac{\pi r}{2} = 75$
$r\left[2 + \frac{22}{14}\right] = 75$
$r \times \frac{50}{14} = 75$
$r = 75 \times \frac{14}{50} = 21$ cm
$\therefore$ क्षेत्रफल $= \frac{1}{4}\pi r^2 = \frac{1}{4} \times \frac{22}{7} \times 21 \times 21$
$= 346{\cdot}5 \text{ cm}^2$

69. (a) छायांकित भाग का क्षेत्रफल
= वर्ग का क्षे० – एक वृत्त का क्षे०

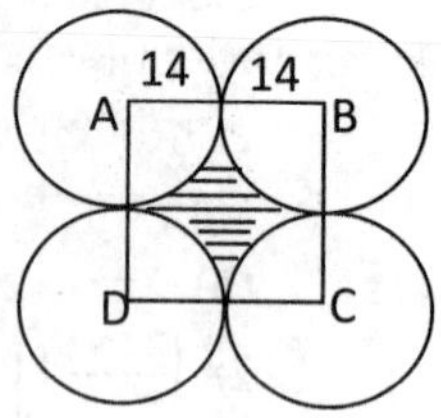

$= (28)^2 - \frac{22}{7}\ 14 \times 14$
= 784 – 616
$= 168 \text{ cm}^2$

70. (c) $h = (4x + 7x) \times \frac{2}{11}$
$h = 11x \times \frac{2}{11} = 2x$
$176 = \frac{1}{2}(4x + 7x) \times 2x$
$176 = 11x^2$
$\therefore x^2 = 16$
$x = 4$

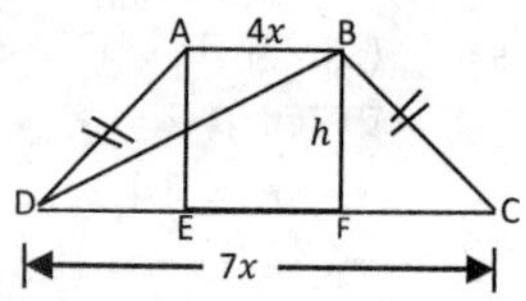

अतः $h = 2x = 8$ cm
DE = FC = $\frac{(28-16)}{2}$ = 6 cm
समकोण Δ BFD में
$BD = \sqrt{BF^2 + DF^2}$
$BD = \sqrt{8^2 + (28-6)^2}$
$BD = \sqrt{64 + 484}$
$BD = \sqrt{548} = 2\sqrt{137}$ cm

71. (b) समलम्ब का क्षेत्रफल $= \frac{1}{2}(6+8) \times 4$
$= 14 \times 2 = 25 \text{ cm}^2$

72. (d) $450 = \frac{1}{2}(2x + 3x) \times 15$

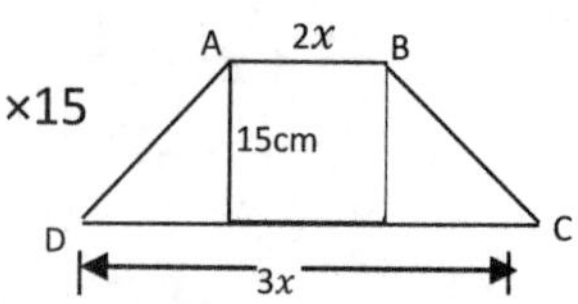

$450 = \frac{1}{2} \times 5x \times 15$
$\therefore x = \frac{450 \times 12}{5 \times 12} = 12$
$\therefore$ समान्तर भुजाओं का योग = $(2x + 3x)$
$= 5x = 5 \times 12 = 60$ cm

73. (b) माना, समान्तर भुजाओं में दूसरी भुजा = x cm

$1792 = \frac{1}{2} \times (72 + x) \times 28$

$\frac{1792}{14} = 72 + x$

$72 + x = 128$

$x = 128 - 72$

$x = 56$ cm

74. (d) माना, समान्तर भुजायें क्रमशः $5x$ व $3x$ मीटर है

$1440 = \frac{1}{2} \times (5x + 3x) \times 24$

$1440 = 12 \times 8x$

$\therefore x = \frac{1440}{96} = 15$

$\therefore$ लम्बी समान्तर भुजा $= 5x = 75$ मीटर

75. (d)

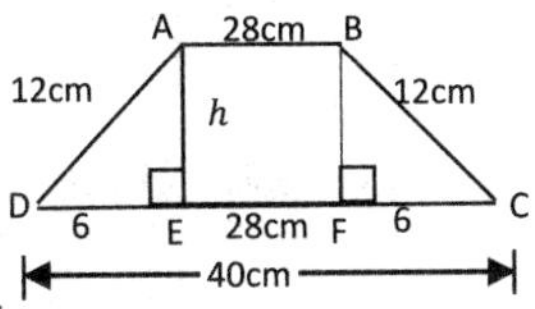

समकोण Δ AED में,

$h = \sqrt{12^2 - 6^2}$

$h = \sqrt{144 - 36} = \sqrt{108}$

$h = 6\sqrt{3}$ cm

$\therefore$ समलम्ब का क्षे० $= \frac{1}{2} \times (28+40) \times 6\sqrt{3}$

$= \frac{1}{2} \times 68 \times 6\sqrt{3} = 204\sqrt{3}$ cm^2

76. (c)

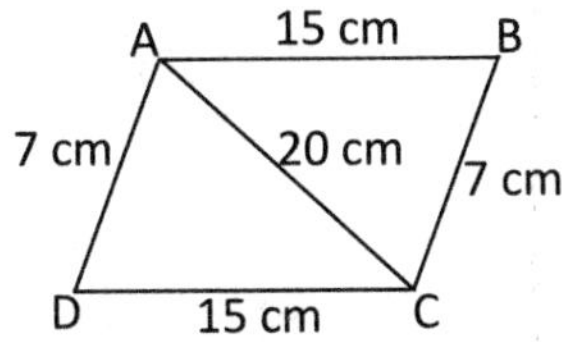

Δ ADC में,

$S = \frac{7+15+20}{2} = 21$ cm

ar Δ ADC

$= \sqrt{21(21-7)(21-15(21-20)}$

$= \sqrt{3 \times 7 \times 2 \times 7 \times 2 \times 3 \times 1}$

$= 2 \times 3 \times 7 = 42$ cm^2

$\therefore$ समान्तर चतुर्भुज ABCD का क्षे० $=$ $2 \times \text{ar}\Delta\text{ADC}$

$= 2 \times 42 = 84$ cm^2

77. (b) माना समान्तर चतुर्भुज की भुजायें क्रमशः $5x$ एवं $4x$ है।

आधार × ऊँचाई = समान्तर चतुर्भुज का क्षेत्रफल

$5x \times 20 = 1000$

$x = \frac{1000}{5 \times 20} = 10$ unit

$\therefore$ भुजायें = 50 एवं 40 unit

$\therefore 40 \times h = 1000$

$h = \frac{1000}{40} = 25$ unit

78. (d) $27 \times 12 = 36 \times h$

$h = \frac{27 \times 12}{36}$

$h = 9\ cm$

79. (b) $18 \times h = 15 \times 12$

$h = \frac{15 \times 12}{18}$

h = 10 cm

80. (b) Δ ADC मे,

$S = \frac{40+60+80}{2} = 90$ मी०

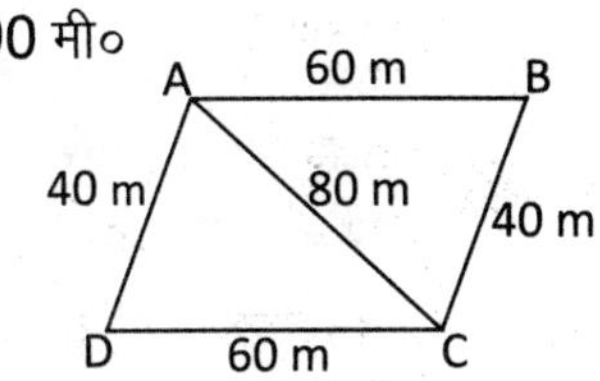

ar ΔADC

$= \sqrt{90(90-40)(90-60)(90-80)}$

$= \sqrt{9 \times 10 \times 5 \times 10 \times 3 \times 10 \times 10}$

$= 3 \times 10 \times 10\sqrt{15} = 300\sqrt{15} =$ मी^{2}

$\therefore$ ABCD का क्षे० $= 2 \times \text{ar}\ \Delta$ ADC

$= 2 \times 300\sqrt{15}$

$= 600\sqrt{15}$ मी^{2}

81. (c) $24 \times 10 = 16 \times h$

$\therefore h = \frac{24 \times 10}{16} = 15$ cm

82. (b) $\pi r^2 = 3850$

$r^2 = 3850 \times \frac{7}{22} = 1225$

r = 35 cm

वर्ग का परिमाप = वृत्त का परिमाप

$4 \times a = \frac{2 \times 22 \times 35}{7}$

$a = \frac{2 \times 22 \times 5}{4} = 55$ cm

$\therefore$ वर्ग का क्षे० $= (55)^2 = 3025$ m^2

83. (d) वृत्त का क्षे० = वर्ग का क्षे०

$\pi r^2 = a^2$

या, $\frac{a^2}{r^2} = \frac{\pi}{1}$

या, $\left(\frac{a}{r}\right)^2 = \frac{\pi}{1}$

$\therefore = \frac{a}{r} = \sqrt{\frac{\pi}{1}} = \frac{\sqrt{\pi}}{1}$

$\therefore \frac{\text{वृत्त का परिमाप}}{\text{वर्ग का परिमाप}} = \frac{2\pi r}{4a}$

$= \frac{\pi \times 1}{2 \times \sqrt{\pi}}$

$= \frac{\sqrt{\pi}}{2}$

84. (b) $a^2 = 784$

$\therefore$ a = 28 cm

अतः एक वृत्त का व्यास, 2r = 14 cm

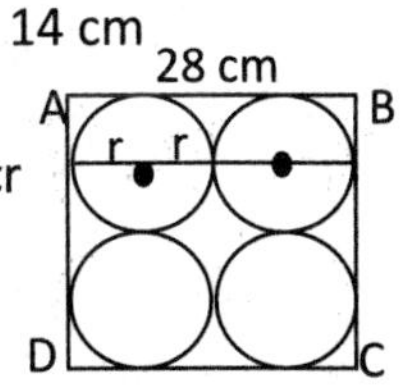

$\therefore$ r = 7 cm

$\therefore$ प्रत्येक वृत्त की परिधि $= 2\pi r$

$= 2 \times \frac{22}{7} \times 7$

= 44 cm

85. (c) $a^2 = 484$

$\therefore$ a = 22 cm

$\because$ वर्गाकार तार को वृत्तीय तार में मोड़ा जाता है अतः वर्ग का परिमाप = वृत्त की परिधि

$4\times22 = 2\times\frac{22}{7}\times r$

$r = 88\times\frac{7}{44}$

r = 14 cm

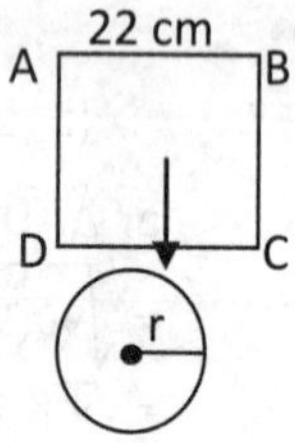

वृत्त का क्षेत्रफल $= \frac{22}{7}\times14\times14$

$= 616\ cm^2$

86. (c) $a^2 = 121$

$\therefore$ a = 11 cm

$\because$ वर्गाकार तार को वृत्त के आकार में मोड़ने से तार की अपरिवर्तित होगी अतः

वर्ग का परिमाप = वृत्त की परिधि

$4\times11 = 2\times\frac{22}{7}\times r$

$\therefore$ r = 7cm

$\therefore$ वृत्त का क्षे०$= \frac{22}{7}\times7\times7 = 154\ cm^2$

87. (b) माना, वृत्त की त्रिज्या = r

$\therefore$ वर्ग की भुजा = r

तब, $\frac{\text{वृत का क्षेत्रफल}}{\text{वर्ग का क्षेत्रफल}} = \frac{\pi r^2}{r^2} = \frac{\pi}{1}$

88. (c)

$\pi r^2 = 9\pi$

$r^2 = 9$

$\therefore$ r = 3 cm

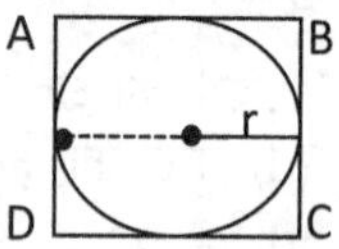

$\therefore$ वर्ग की भुजा = 2r = 6cm

$\therefore$ वर्ग का क्षे० $= (6)^2\ 36\ cm^2$

89. (a) वर्ग के,

अन्तः वृत्त का क्षे० : परिवृत्त का क्षे०

$= \pi r^2 : \pi R^2$

$= r^2 : R^2$ $[r : R = 1 : \sqrt{2}]$

$= (1)^2 : (\sqrt{2})^2$

$= 1 : 2$

90. (a) वर्ग की,

$\frac{\text{अतः त्रिज्या}}{\text{परी त्रिज्या}} = \frac{1}{\sqrt{2}}$

91. (b) अन्तः वृत्त का व्यास,

2r = आयत की चौ० = 14 cm

$\therefore$ r = 7 cm

$\therefore$ वृत्त का क्षे० =

$\frac{22}{7}\times7\times7$

$= 154\ cm^2$

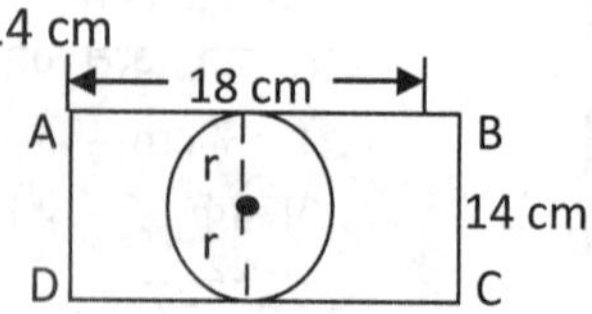

92. (b)

वृत्तीय तार की लं० = आयताकार तार की लं०

$2\times\frac{22}{7}\times21 = 2(6x+5x)$

$66 = 11x$

$\therefore x = 6$

$\therefore$ आयत का क्षे० $= 6x\times5x = 30x^2$

$= 30\times(6)^2$

$= 1080\ cm^2$

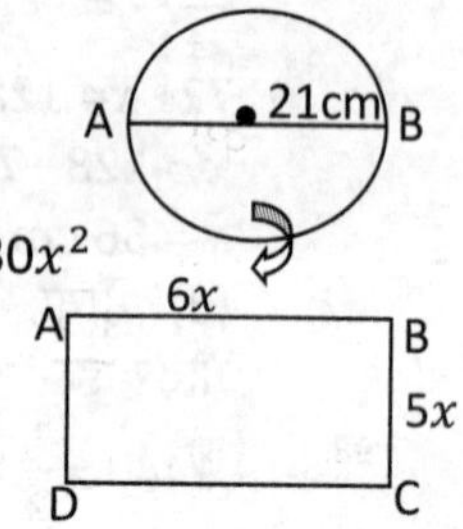

93. (b)

समबाहु Δ के

अन्तः वृत्त की त्रिज्या, $r = \frac{\text{वर्ग की भुजा}}{2\sqrt{3}} = \frac{42}{2\sqrt{3}}$

$r = \frac{21}{2\sqrt{3}}$ cm

$\therefore \pi r^2 = \frac{22}{7}\times\frac{21}{\sqrt{3}}\times\frac{21}{\sqrt{3}} = 462\ cm^2$

94. (b) $r = \frac{8}{2\sqrt{3}} = \frac{4}{\sqrt{3}}$

$R = \frac{8}{\sqrt{3}}$

परिवृत्त का क्षे० – अन्तः वृत्त का क्षे०

$= \pi\left(\frac{8}{\sqrt{3}}\right)^2 - \pi\left(\frac{4}{\sqrt{3}}\right)^2$

$= \frac{64\pi}{3} - \frac{16\pi}{3} = \frac{\pi}{3}\times48$

$= 16\pi = \frac{16\times22}{7} = \frac{352}{7} = 50\frac{2}{7}\ cm^2$

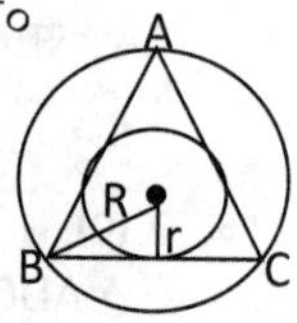

95. (b) समबाहु Δ के,

परिवृत्त का क्षे० : अन्तः वृत्त का क्षे०

$= \pi R^2 : \pi r^2$

$= R^2 : r^2$ $[\because R : r = 2 : 1]$

$= (2)^2 : (1)^2$

$= 4 : 1$

96. (c) समबाहु Δ की,

परित्रिज्या, $R = \frac{a}{\sqrt{3}}$

अन्तः त्रिज्या, $r = \frac{a}{2\sqrt{3}}$

$\therefore \pi R^2 - \pi r^2 = 44$

$\pi\left[\left(\frac{a}{\sqrt{3}}\right)^2 - \left(\frac{a}{\sqrt{3}}\right)^2\right] = 44$

$\frac{a^2}{3} - \frac{a^2}{12} = 44\times\frac{7}{22}$

$\frac{4a^2 - a^2}{12} = 14$

$3a^2 = 14\times12$

$a^2 = 56$

$\therefore a = 2\sqrt{14}$ cm

$\therefore$ त्रिभुज का क्षे० $= \frac{\sqrt{3}}{4}a^2$

$= \frac{\sqrt{3}}{4}\times2\sqrt{14}\times2\sqrt{14}$

$= 14\sqrt{3}\ cm^2$

97. (b)

$2\pi R = 100$

$2R = \frac{100}{\pi}$ cm

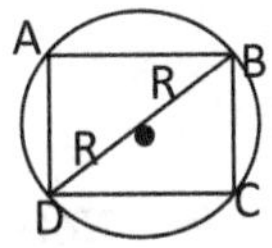

वर्ग का विकर्ण, $a\sqrt{2} = \frac{100}{\pi}$

$\therefore a = \frac{100}{\sqrt{2}\pi} \times \frac{\sqrt{2}}{\sqrt{2}}$

$a = \frac{100\sqrt{2}}{2\pi} = \frac{50\sqrt{2}}{\pi}$ cm

98. (a)

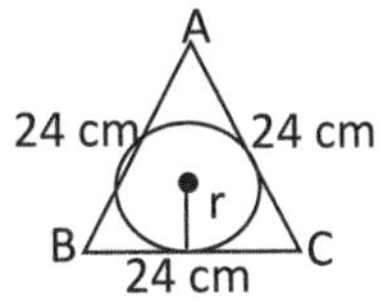

$r = \frac{24}{2\sqrt{3}} \times \frac{\sqrt{3}}{\sqrt{3}}$

$r = \frac{24\sqrt{3}}{6} = 4\sqrt{3}$ cm

Δ के शेष भाग का क्षे० = Δ का क्षे० – वृत्त का क्षे०

$\frac{\sqrt{3}}{4} \times 24 \times 24 - \frac{22}{7} \times 4\sqrt{3} \times 4\sqrt{3}$

= 1·732×6×24–3·14×48

= 249·4 – 150·85

= 98·54 मी^{2}

99. (d)

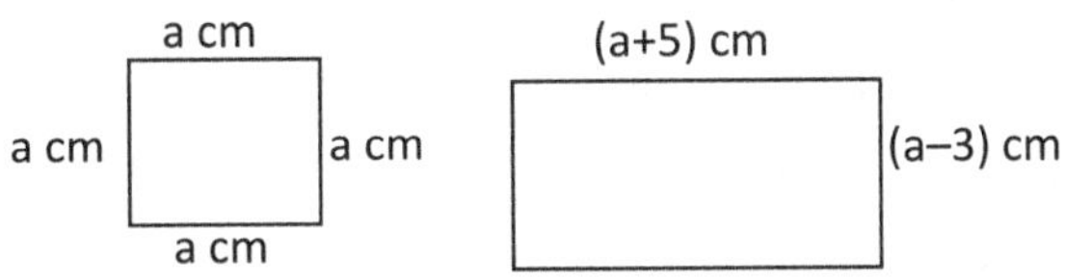

वर्ग का क्षे० = आयत का क्षे०

a^2 = (a+5) (a–3)

$a^2 = a^2 - 3a + 5a - 15$

2a = 15

$\therefore$ आयत का परिमाप 2[a+5+a–3]

= 2[2a+2]

= 2[15+2]

= 34 cm

100. (d) वर्गाकार Tiles की प्रत्येक भुजा

= 1517 व 902 का म०स०

= 41 cm

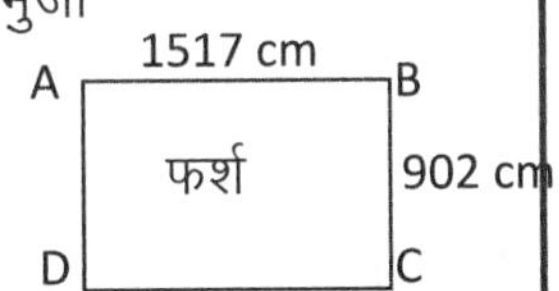

$\therefore$ Tiles की न्यूनतम संख्या

$= \frac{\text{फर्श का क्षेत्रफल}}{1\,tiles \text{ का क्षेत्रफल}} = \frac{1517 \times 902}{41 \times 41}$

= 814

101. (d) वर्ग का परिमाप , 4a = 160

$\therefore$ a= 40 मी०

$\therefore$ वर्ग का क्षेत्रफल = $(40)^2$ =1600 मी^{2}

अतः आयत का क्षेत्रफल = 1600 –100 = 1500 मी^{2}......(i)

$2(l + b) = 160$

$\therefore l + b = 80$

या, $l = (80 - b)$ ....(ii)

$\because lb = 1500$

(80-b).b = 1500

$80b - b^2 = 1500$

या, $b^2 - 80b + 1500 = 0$

या, $b^2 - 50b - 30b + 1500 = 0$

या, b(b–50)–30(b–50) = 0

या, (b–50)(b–30) = 0

या, b = 50 या, 30

अतः आयत की लं० = बड़ी भुजा

= 50meter

102. (a) $2(l + b) = 160$

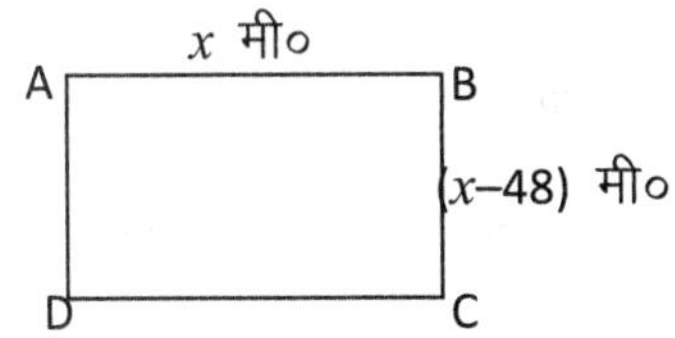

$2(x + x - 48) = 160$

$2x - 48 = 80$

$2x = 128$

x = 64 मी० (लं०)

$\therefore$ आयत की चौ० = 64 – 48 = 16 मी

वर्ग का क्षे० = आयत का क्षेत्रफल

$a^2 = 64 \times 16$

$a = \sqrt{64 \times 16}$

= 8×4 = 32 मी०

103. (d) कुल पत्थरों की संख्या = $\frac{\text{प्रांगण का क्षेत्रफल}}{\text{पत्थर का क्षेत्रफल}}$

$= \frac{30 \times 17{\cdot}5}{2{\cdot}5 \times 2}$

= 15×7 = 105

104. (d) कुल Tiles की संख्या = $\frac{\text{फर्श का क्षेत्रफल}}{1\,Tiles \text{ का क्षेत्रफल}}$

$= \frac{8\text{मी} \times 6\text{मी}}{4 \text{ डेसीमीटर}^2}$

$= \frac{8 \times 10 \times 6 \times 10}{4 \times 4}$

= 300

105. (c) खेत के चरे गये भाग का क्षेत्रफल = अर्द्धवृत्त का क्षे०

$\frac{1}{2} \times \frac{22}{7} \times 7 \times 7$

= 77 मी^{2}

106. (c)

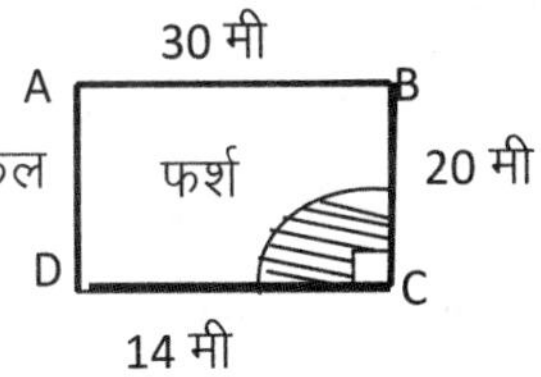

चरे गये भाग का क्षेत्रफल

$= \pi r^2 \times \frac{\theta}{360}$

$= \frac{22}{7} \times 14 \times 14 \times = \frac{90}{360}$

= 154 मी^{2}

107. (b) छायांकित भाग का क्षेत्रफल

= समबाहु Δ का क्षे० – अर्द्धवृत्त का क्षे०

$= \frac{\sqrt{3}}{4} \times (7)^2 - \frac{1}{2} \times \frac{22}{7} \times 3{\cdot}5 \times 3{\cdot}5$

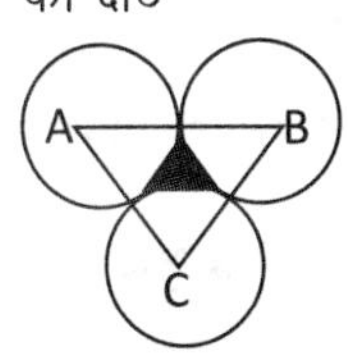

$\frac{1{\cdot}732 \times 49}{4} - 11 \times 0{\cdot}5 \times 3{\cdot}5$

= 21·21–19·25

=1·96 cm^2

108. : c. समबाहु Δ का क्षेत्रफल, $\frac{\sqrt{3}}{4}a^2 = 400\sqrt{3}$

$a^2 = \frac{400\sqrt{3} \times 4}{\sqrt{3}}$

$= 1600 = (40)^2$

∴ a = 40 मीटर

अतः परिमाप = 3a = 3 × 40 = 120 मीटर

109 : a. भुजाओं में अनुपात $= \frac{1}{3} \times 60 : \frac{1}{4} \times 60 : \frac{1}{5} \times 60$

= 20 : 15 : 12

माना, भुजायें क्रमशः $20x$, $15x$ व $12x$ सेमी0 है

∴ परिमाप, $(20x + 15x + 12x) = 94$

$47x = 94$

$x = 2$

∴ सबसे छोटी भुजा = $12x = 12 \times 2 = 24$ सेमी0

110 : b. लाम्बिक लम्बाईयों का योग $(P_1 + P_2 + P_3)$

= समबाहु Δ की ऊँचाई

$\sqrt{3} + 2\sqrt{3} + 5\sqrt{3} = \frac{\sqrt{3}}{2} \times$ भुजा (a)

$\frac{8\sqrt{3} \times 2}{\sqrt{3}} = a$

∴ a = 16 सेमी0

∴ समबाहु Δ का परिमाप = 3a = 3 × 16 = 48 सेमी0

111 : a. a + b + 26 = 60

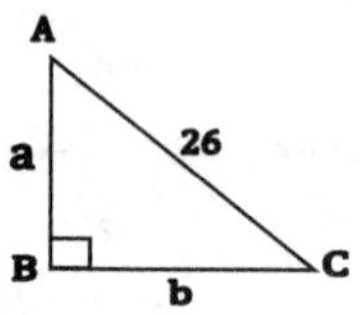

a + b = 34..................(i)

$\because (AB)^2 + (BC)^2 = (AC)^2$

$a^2 + b^2 = (26)^2 = 676$ ....(ii)

$\because (a + b)^2 = a^2 + b^2 + 2ab$

$(34)^2 = 676 + 2ab$

1156 - 676 = 2ab

∴ $ab = \frac{480}{2} = 240$

∴ Δ का क्षेत्रफल $= \frac{1}{2}ab = \frac{1}{2} \times 240 = 120$ सेमी0²

112 : a. Note : समबाहु त्रिभुज की ऊँचाई ही समबाहु त्रिभुज की माध्यिका होती है।

∴ $\frac{\sqrt{3}}{2} \times$ भुजा $= x$

∴ भुजा $= \frac{2x}{\sqrt{3}}$

∴समबाहु Δ का क्षेत्रफल $= \frac{\sqrt{3}}{4} \times$ (भुजा)²

$= \frac{\sqrt{3}}{4} \times \frac{2x}{\sqrt{3}} \times \frac{2x}{\sqrt{3}}$

$= \frac{x^2}{\sqrt{3}} = \frac{\sqrt{3}x^2}{3}$

113 : d. Note : सबसे छोटी शीर्षाभिलम्ब :– किसी Δ में बड़ी भुजा पर सामने वाली शीर्ष से डाला गया अभिलम्ब होता है।

$S = \frac{20 + 21 + 13}{2} = 27cm$

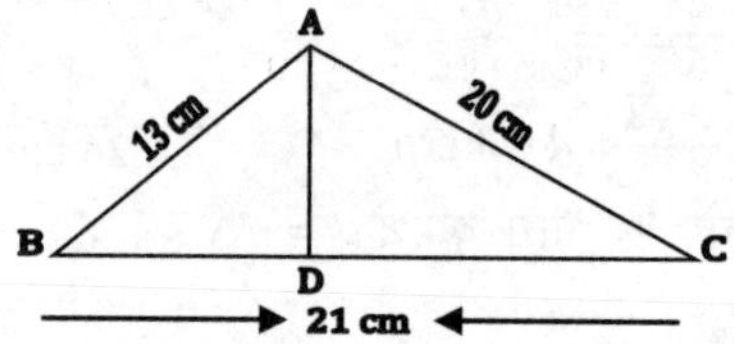

∴Δ ABC का क्षेत्रफल

$= \sqrt{27(27 - 21)(27 - 20)(27 - 13)}$

$= \sqrt{3 \times 3 \times 3 \times 2 \times 3 \times 7 \times 2 \times 7}$

ΔABC का क्षेत्रफल = 2 × 3 × 3 × 7 = 126 सेमी0²

$\frac{1}{2} \times 21 \times AD = 126$

∴ $AD = \frac{126 \times 2}{21} = 12$ सेमी0

114 : a. x - y = 21

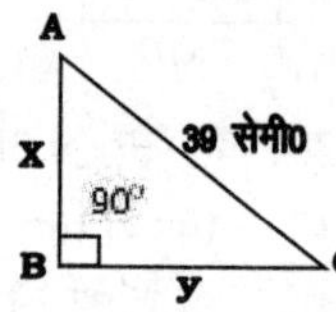

दोनों पक्ष से वर्ग करने पर,

$x^2 + y^2 - 2xy = 441$

$(39)^2 - 2xy = 441$

$x^2 + y^2 = (39)^2$

$1521 - 441 = 2xy$

$xy = \frac{1080}{2} = 540$

∴ त्रिभुज ABC का क्षेत्रफल $= \frac{1}{2}xy = \frac{1}{2} \times 540$

= 270 वर्ग सेमी0

115 : d. ΔABC का क्षेत्रफल $= \frac{1}{2} \times 3 \times 4 = 6$ वर्ग सेमी0

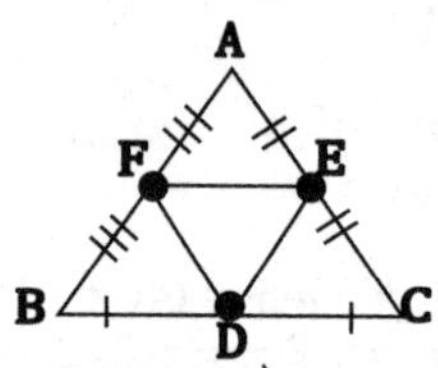

[∵ Δ समकोण है, Triplet Rule से]

∴ भुजाओं के मध्य बिन्दुओं को मिलाने से बने Δ DEF का क्षेत्रफल $= \frac{1}{4} \times \Delta DEF$ का क्षेत्रफल $= \frac{1}{4} \times \Delta ABC$ क क्षेत्रफल $= \frac{1}{4} \times 6 = \frac{3}{2}$ cm²

116 : b. समकोण Δ में, कर्ण^2 = लम्ब^2 + आधार^2

$(x + 2)^2 = (x)^2 + (x - 2)^2$

[∴ सबसे बड़ी भुजा कर्ण होती है।]

$x^2 + 4 + 4x = x^2 + x^2 + 4 - 4x$

या, $x^2 - 8x = 0$

$x (x - 8) = 0$

$\therefore x = 8$ सेमी0 [$\because x = 0$ सम्भव नहीं है]

117 : a. माना, आधार BC = x cm

$\therefore AB = BC = \frac{5x}{6}$

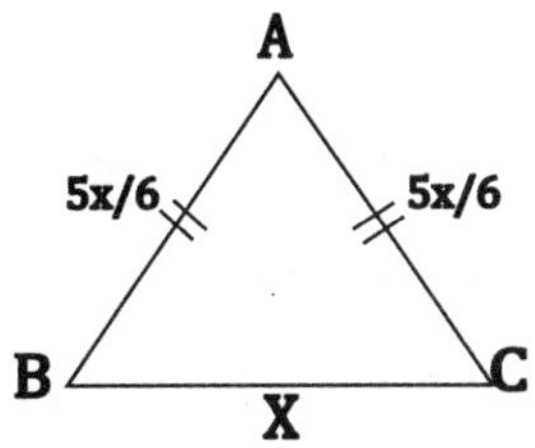

$x + \frac{5x}{6} + \frac{5x}{6} = 544$

$\frac{16x}{6} = 544$

$\therefore x = 204$ सेमी0

$\therefore AB = BC = \frac{5x}{6} = \frac{5 \times 204}{6} = 170$ सेमी0

अतः समद्विबाहु Δ का क्षेत्रफल $= \frac{204}{4}\sqrt{4(170)^2 - (204)^2}$

$= 51 \times \sqrt{4 \times 28900 - 41616}$

$= 51 \times \sqrt{115600 - 41616}$

$= 51 \times \sqrt{73984} = 51 \times 272 = 13872$ cm^2

118 : c. वर्ग का क्षेत्रफल $= \frac{(\text{विकर्ण})^2}{2}$

$= \frac{15\sqrt{2} \times 15\sqrt{2}}{2} = \frac{225 \times 2}{2} = 225$ cm^2

119 : d. माना, वर्ग (ABCD) की प्रत्येक भुजा = a

तब ABCD का विकर्ण $= \sqrt{2}a$

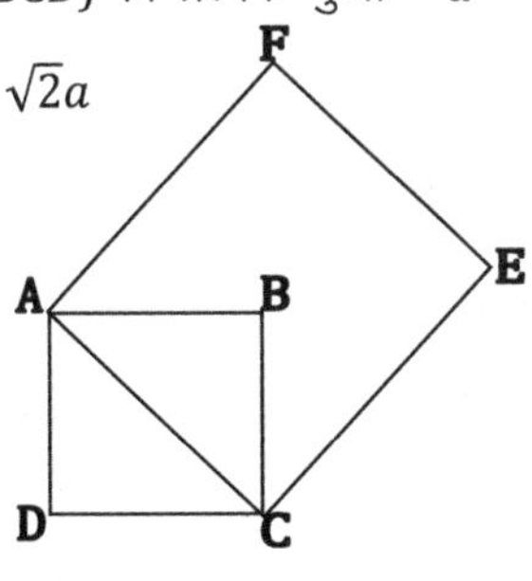

∴ वर्ग (ABCD) का क्षेत्रफल : वर्ग (ACEF) का क्षेत्रफल

$(a)^2 : (\sqrt{2}a)^2 = a^2 : 2a^2 = 1 : 2$

120 : d. पहले वर्ग की भुजा $= \frac{40}{4} = 10$ सेमी0

दूसरे वर्ग की भुजा $= \frac{24}{4} = 6$ सेमी0

∴ तीसरे वर्ग का क्षेत्रफल = दोनों वर्गो के क्षेत्रफल का अन्तर

$= (10)^2 - (6)^2 = 64$ वर्ग सेमी0

∴ तीसरे वर्ग की भुजा $= \sqrt{64} = 8$ सेमी0

∴ तीसरे वर्ग का परिमाप $= 8 \times 4 = 32$ सेमी0

121 : a. वर्ग की प्रत्येक भुजा $= \sqrt{200} = 10\sqrt{2}$ मीटर

∴ विकर्ण $= \sqrt{2} \times$ भुजा $= \sqrt{2} \times 10\sqrt{2} = 20$ मीटर

∴ नये वर्ग का विकर्ण = पहले वर्ग का विकर्ण $\times \sqrt{2}$

$= 20\sqrt{2}$ मीटर

∴ नये वर्ग का क्षेत्रफल $= \frac{(\text{विकर्ण})^2}{2} = \frac{20\sqrt{2} \times 20\sqrt{2}}{2}$

= 400 मीटर^2

122 : d. lb = 120........................(i)

2 (l + b) = 46

∴ (l + b) = 23...........................(ii)

Hit & Trial Method

[l = 15 व b = 8 समी0 को सन्तुष्ट करेगा]

∴ आयत का विकर्ण $= \sqrt{(15)^2 + (8)^2} = \sqrt{225 + 64}$

$= \sqrt{289} = 17$ मीटर

123 : a. (विकर्ण)$^2 = l^2 + b^2$

$\therefore l^2 + b^2 = (25)^2 = 625$ ....(i)

lb = 168.........................(ii)

$\therefore (l + b)^2 = l^2 + b^2 + 2lb = 625 + 2 \times 168 = 625 + 336$

= 961

$\therefore l + b = \sqrt{961} = 31$....................(iii)

तथा $(l - b)^2 = l^2 + b^2 - 2lb = 625 - 336 = 289 = (17)^2$

$\therefore l - b = 17$ ....(iv)

समीकरण (iii) + समीकरण (iv), $2l = 48$

$\therefore l = 24$ सेमी0

124 : d. माना, लम्बाई और चौड़ाई क्रमशः $3x$ व $2x$ सेमी0 है।

$\therefore 2(3x + 2x) = 20$

$10x = 20$

$\therefore x = 2$

अतः आयत का क्षेत्रफल $= 3x \times 2x = 6x^2 = 6(2)^2 = 24$

125 : c. आयताकार मैदान का क्षेत्रफल

$= \frac{\text{खर्च (रुपये)}}{\text{प्रति वर्ग मीटर खर्च(रुपये)}}$

क्षेत्रफल $= \frac{1000}{\frac{1}{4}} = 4000$ वर्ग मीटर

$l \times 50 = 4000$

$\therefore l = 80$ मीटर

20 मीटर वृद्धि पर मैदान की नई लम्बाई = 80 + 20 = 100 मीटर

∴ नया क्षेत्रफल = 100 × 50 = 5000 वर्ग मीटर

∴ अभीष्ट नया खर्च = 5000 × ₹ $\frac{1}{4}$ = ₹ 1250

126 : b. माना, लम्बाई तथा चौड़ाई क्रमशः $7x$ व $4x$ मीटर है।

$416 = 2 \times 4\,(7x + 4x + 2 \times 4)$

$52 = 11x + 8$

$11x = 44$

$x = 4$

∴ मैदान की चौड़ाई $= 4x = 4 \times 4 = 16$ मीटर

127 : c. $4a^2 = d_1^2 + d_2^2$ से,

[$d_1 = 32$ व $d_2 = 24$ सेमी0]

$4a^2 = (32)^2 + (24)^2 = 1024 + 576$

$a^2 = \frac{1600}{4} = 400 = (20)^2$

$a = 20$

∴ समचतुर्भुज का परिमाप = 4a = 4 × 20 = 80 सेमी0

128 : d. समचतुर्भुज का क्षेत्रफल, $\frac{1}{2}d_1d_2 = 150$

$\frac{1}{2} \times 10 \times d_2 = 150$

$\therefore d_2 = \frac{150}{5} = 30$ सेमी0

129 : d. समकोण ΔAEB में,

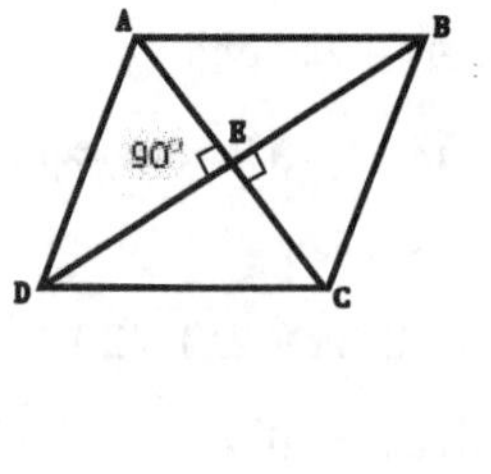

लम्ब, $(AE) = \frac{AC}{2}$

आधार $(BE) = \frac{BD}{2}$

$(AB)^2 = (AE)^2 + (BE)^2$

$(AB)^2 = \left(\frac{AC}{2}\right)^2 + \left(\frac{BD}{2}\right)^2$

$= \frac{(AC)^2 + (BD)^2}{4}$

$\therefore 4(AB)^2 = (AC)^2 + (BD)^2$

130 : d. $4a^2 = d_1^2 + d_2^2$ से,

[a = 10 cm व $d_1 = 16$ सेमी0]

$4(10)^2 = (16)^2 + d_2^2$

$400 - 256 = d_2^2$

$d_2^2 = 144 = (12)^2$

$d_2 = 12$ cm

∴ समचतुर्भुज का क्षेत्रफल $= \frac{1}{2}d_1d_2 = \frac{1}{2} \times 16 \times 12$

$= 96$ cm²

131 : b. Δ ABD में,

$S = \frac{15 + 7 + 20}{2} = 21\,cm$

∴ ΔABD का क्षेत्रफल

$= \sqrt{21(21-15)(21-7)(21-20)}$

$= \sqrt{3 \times 7 \times 2 \times 3 \times 2 \times 7 \times 1}$

$= 2 \times 3 \times 7$

$= 42$ cm²

∴ समान्तर चतुर्भुज (ABCD) का क्षेत्रफल = 2 × ΔABD का क्षेत्रफल

$= 2 \times 42 = 84$ cm²

132 : d. समान्तर चतुर्भुज का क्षेत्रफल = आधार × ऊँचाई

= 15 × 12 = 180 वर्ग सेमी0

अतः 180 = 18 × ऊँचाई

∴ ऊँचाई $= \frac{180}{18} = 10$ सेमी0

133 : d. माना, समान्तर चतुर्भुज की आसन्न भुजायें क्रमशः $5x$ व $4x$ इकाई है।

∵ समान्तर चतुर्भुज का क्षेत्रफल = आधार × ऊँचाई

$1000 = 5x \times 20$ [बड़ी भुजा को आधार लेकर]

$x = 10$

∴ भुजायें क्रमशः 50 व 40 इकाई है।

अब, छोटी भुजा को आधार लेकर, 1000 = 40 × ऊँचाई

∴ ऊँचाई $= \frac{1000}{40} = 25$ इकाई

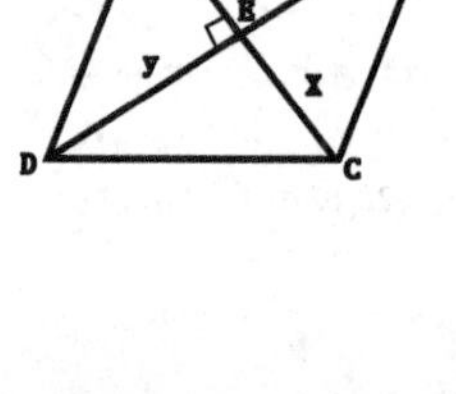

134 : c. परिमाप, 4a = 2p

$\therefore a = \frac{2P}{4} = \frac{P}{2}$ इकाई

माना AE = EC = x
तथा DE = BE = y

AC + BD = m

$2x$ + 2y = m

4a² = $d_1^2 + d_2^2$ से,

$4 \times \left(\frac{p}{2}\right)^2 = (2x)^2 + (2y)^2$

$4 \times \frac{p^2}{4} = 4x^2 + 4y^2$.......................(i)

∴ $2x$ + 2 y = m [वर्ग करने पर]

$4x2 + 4y2 + 8xy = m2$ [समीकरण (i) से,]

$8xy = (m2 - p2)$

अतः $xy = \frac{(m^2 - p^2)}{8}$

∴ क्षेत्रफल $= \frac{1}{2} \times 2x \times 2y = 2xy = 2 \times \frac{(m^2 - p^2)}{8}$

$= \frac{1}{4}$(m² - p²) वर्ग इकाई

135 : b. समलम्ब का क्षेत्रफल $= \frac{1}{2}(6 + 8) \times 4$

= 28 सेमी0²

136 : b. यहाँ AE ⊥ DC तथा BF ⊥ DC खींचा

तब DE = FC = $\frac{(b-a)}{2}$

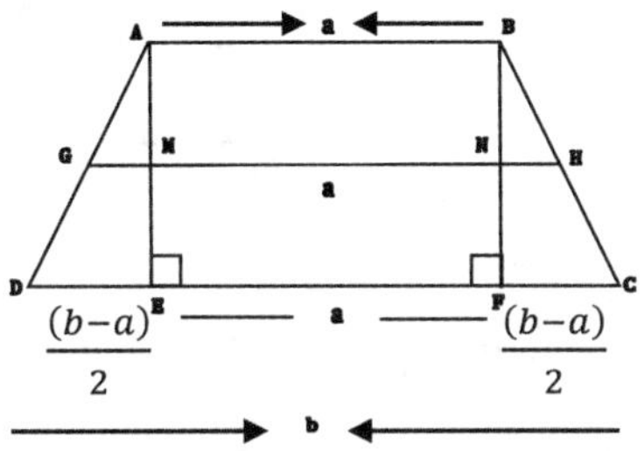

Note : किसी Δ में दो भुजाओं के मध्य बिन्दुओं को मिलाने वाली रेखा तीसरी भुजा के समान्तर और आधी होती है।

तब GM = $\frac{1}{2}$DE = $\frac{1}{2} \times \frac{(b-a)}{2} = \frac{1}{4}(b-a)$

तथा NH = $\frac{1}{2}$FC = $\frac{1}{2} \times \frac{(b-a)}{2} = \frac{1}{4}(b-a)$

∴ GH = GM + NH + MN

$= \frac{1}{4}(b-a) + \frac{1}{4}(b-a) + a$

$= \frac{(b-a)+(b-a)+4a}{4}$

$= \frac{2b+2a}{4}$

$= \frac{2(a+b)}{4} = \frac{(a+b)}{2}$

137 : a. अर्द्धवृत्त का परिमाप, = 144

$\pi r + 2r = 144$

r$\left(\frac{22}{7} + 2\right)$ = 144

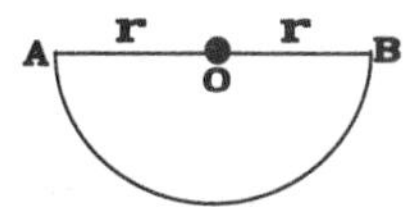

r × $\frac{36}{7}$ = 144

∴ r = $\frac{144 \times 7}{36}$ = 28 मीटर

∴ व्यास = 2r = 2 × 28 = 56 मीटर

138 : a. माना, प्रारम्भिक त्रिज्या = r cm

तब नयी त्रिज्या = (r + 1) cm

∴ π(r + 1)² - πr^2 = 22

$\frac{22}{7}[r^2 + 1 + 2r - r^2]$ = 22

1 + 2r = $\frac{22 \times 7}{22}$ = 7

2r = 6

∴ r = 3cm

139 : c. 2πr = 176

∴ r = 176 × $\frac{1}{2} \times \frac{7}{22}$ = 28 मीटर

∴ सड़क का क्षेत्रफल = बड़े वृत्त का क्षेत्रफल – छोटे वृत्त का क्षेत्रफल

$= \frac{22}{7} \times 35 \times 35 - \frac{22}{7} \times 28 \times 28$

3850 - 2464 = 1386 cm²

140 : a. 2r = 7 मीटर

∴ r = 3·5 मीटर

पहिये द्वारा 1 चक्कर में तय दूरी = $2\pi r = 2 \times \frac{22}{7} \times 3{\cdot}5$

= 22 मीटर

∴ चक्करों की संख्या = $\frac{22 \text{ किलोमीटर}}{22 \text{ मीटर}}$

$= \frac{22 \times 1000 \text{ मीटर}}{22 \text{ मीटर}} = 1000$

141 : d. समकोण ΔODA में,

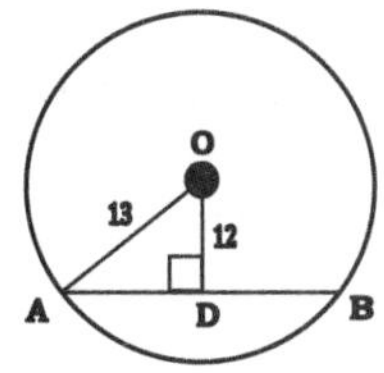

AD = $\sqrt{(OA)^2 - (OD)^2} = \sqrt{(13)^2 - (12)^2}$

= $\sqrt{169 - 144} = 5cm$

∴ जीवा AB की लम्बाई = 2 × AD = 2 × 5 = 10 cm

142 : a. त्रिज्या, r = मिनट वाली सुई की लम्बाई

= 7cm

मिनट वाली सुई द्वारा 30 मिनट में बनाया गया कोण = 180^0

∴ 30 मिनट में क्षेत्रफल = $\pi r^2 \times \frac{\theta}{360}$

= $\frac{22}{7} \times 7 \times 7 \times \frac{180}{360} = 77$ cm^2

143 : d. पहिये की त्रिज्या, $r = \frac{3}{2} = 1{\cdot}5$ मीटर

1 मिनट में तय दूरी = 1 चक्कर में तय दूरी × 28

= $2 \times \frac{22}{7} \times 1{\cdot}5 \times 28 = 264$ मीटर

∴ कुल लगा समय = $\frac{\text{कुल दूरी}}{\text{एक मिनट में चली गई दूरी}}$

= $\frac{5{\cdot}280 \times 1000\ m}{264\ m} = 20$ मिनट

144 : d. परिबद्ध भाग का क्षेत्रफल = समबाहु ΔABC का क्षेत्रफल − 3 × एक त्रिज्य खण्ड का क्षेत्रफल

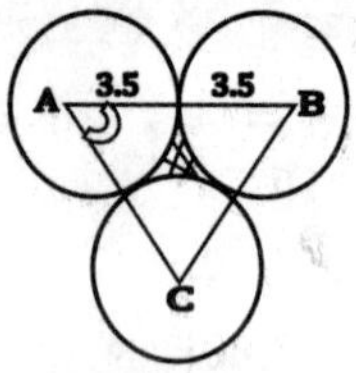

यहाँ, AB = BC = CA = 7 cm

अर्थात् ΔABC समबाहु होगा।

= $\frac{\sqrt{3}}{4} \times 7 \times 7 - 3 \times \frac{22}{7} \times 3{\cdot}5 \times 3{\cdot}5 \times \frac{60}{360}$

= 21·21 - 19·25

= 1·96 cm^2

द्वितीय विधि : ऐसे प्रश्नों में परिबद्ध भाग का क्षेत्रफल = $\left(\frac{2r}{5}\right)^2$

परिबद्ध भाग का क्षेत्रफल = $\left(\frac{2 \times 3{\cdot}5}{5}\right)^2 = \frac{49}{25} = 1{\cdot}96$ cm^2

145 : C. परिबद्ध भाग का क्षेत्रफल

= वर्ग ABCD का क्षेत्रफल − एक वृत्त का क्षेत्रफल

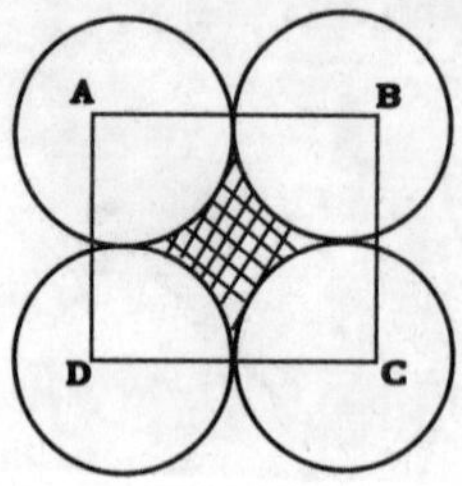

यहाँ AB = BC = CD = AD = 6 सेमी0

अर्थात् ABCD एक वर्ग होगा।

= $(6)^2 - \pi(3)^2$

= $36 - 9\pi$

= $9(4 - \pi)$ वर्ग सेमी0

146 : c. समषट्भुज का क्षेत्रफल = $\frac{3\sqrt{3}}{2}a^2$

$\frac{54\sqrt{3} \times 2}{3\sqrt{3}} = a^2$

∴ $a^2 = 36 = (6)^2$

∴ a = 6 सेमी0

∴ समषट्भुज का परिमाप = 6a = 6 × 6 = 36 सेमी0

147 : a. वृत्त की त्रिज्या = समषट्भुज की भुजा

= 7 cm

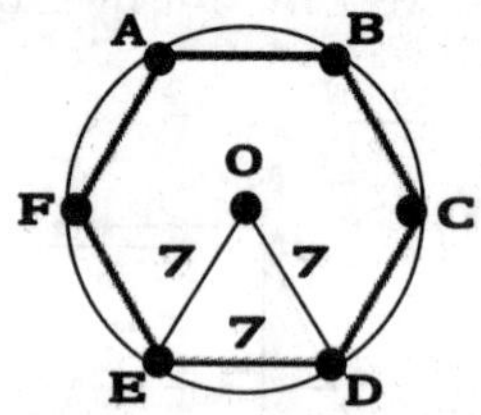

∴ वृत्त का क्षेत्रफल = πr^2

= $\frac{22}{7} \times 7 \times 7 = 154$ cm^2

148 : b. वृत्ताकार मैदान का क्षेत्रफल, $\pi r^2 = 3850$

∴ $r^2 = \frac{3850 \times 7}{22} = 1225 = (35)^2$

∴ r = 35 मीटर

∵ वर्ग का परिमाप = वृत्त का परिमाप

$4 \times a = 2 \times \frac{22}{7} \times 35$

$a = \frac{2 \times 22 \times 5}{4} = 55$ मीटर

∴ वर्ग का क्षेत्रफल = $a^2 = (55)^2 = 3025$ मीटर^2

149 : a. वर्गाकार तार से घिरा क्षेत्रफल, $a^2 = 484 = (22)^2$

∴ a = 22cm [वर्ग की भुजा]

Note : यदि वर्गाकार तार को मोड़कर वृत्ताकार तार बनाया जाये तो दोनों स्थितियों में तार की लम्बाई (परिमाप) अपरिवर्तित होगा अतः

वर्ग का परिमाप = वृत्त का परिमाप

$4 \times 22 = 2 \times \frac{22}{7} \times r$

$\therefore r = \frac{4 \times 22 \times 7}{2 \times 22} = 14\ cm$

$\therefore$ वृत्त का क्षेत्रफल $= \pi r^2 = \frac{22}{7} \times 14 \times 14 = 616\ cm^2$

150 : d. वृत्त की त्रिज्या $= \frac{\text{आयत की चौड़ाई}}{2}$

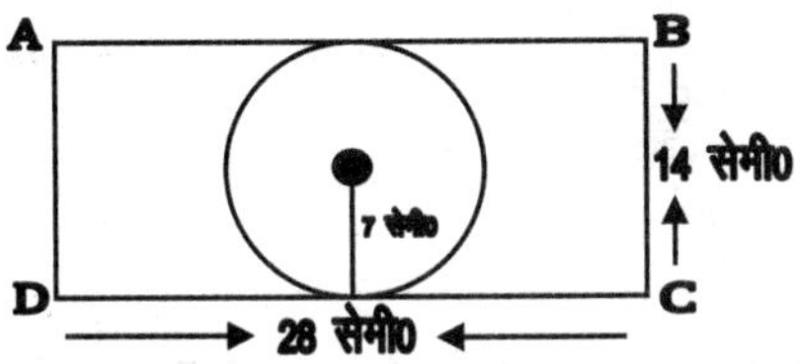

$r = \frac{14}{2} = 7$ cm

$\therefore$ वृत्त का क्षेत्रफल $\pi r^2 = \frac{22}{7} \times 7 \times 7$

$= 154\ cm^2$

151 : b. वर्ग के अन्तर्वृत्त का क्षेत्रफल, $\pi r^2 = 9\pi$

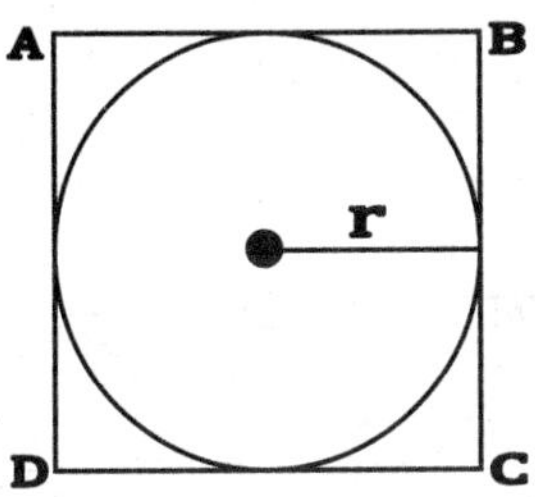

$r^2 = 9 = (3)^2$

$\therefore r = 3$ सेमी0

$\therefore$ वर्ग की भुजा $= 2r$

$= 2 \times 3 = 6$ सेमी0

$\therefore$ वर्ग का क्षेत्रफल $=$ (भुजा)^2

$= (6)^2 = 36$ सेमी0^2

152 : b. गाय द्वारा चरे गये क्षेत्र का क्षेत्रफल

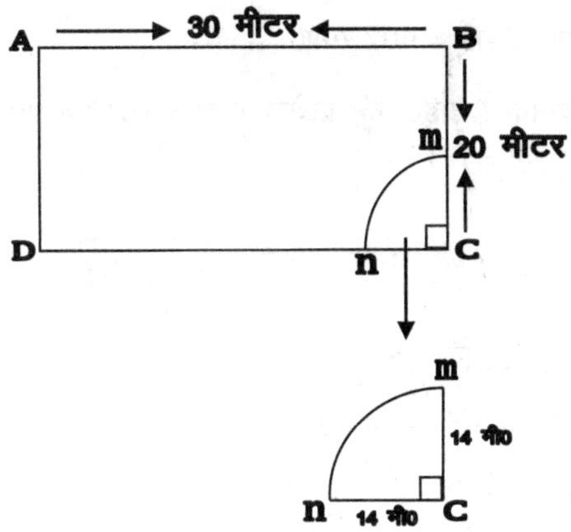

$=$ त्रिज्यखण्ड (Cmn) का क्षेत्रफल $= \pi r^2 \times \frac{\theta}{360}$

$= \frac{22}{7} \times 14 \times 14 \times \frac{90}{360} = 154$ मीटर^2

153 : a. वर्गाकार कागज शीट का क्षेत्रफल, $a^2 = 784$

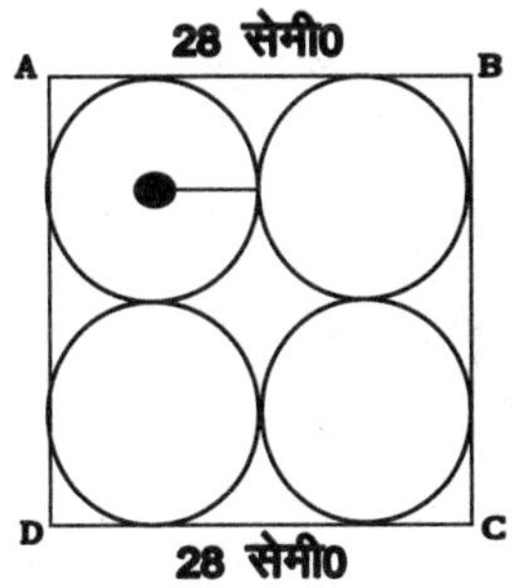

$\therefore a = \sqrt{784} = 28$ सेमी0

$\therefore$ प्रत्येक वृत्त की त्रिज्या, $r = 7$ सेमी0

$\therefore$ प्रत्येक वृत्त का परिमाप $= 2 \times \frac{22}{7} \times 7 = 44$ सेमी0

154 : d. माना, आयत की लम्बाई व चौड़ाई क्रमशः $6x$ व $5x$ सेमी0 है।

$\because$ वृत्ताकार तार को आयताकार तार में मोड़ा जाता है अतः दोनों स्थिति में तार की लम्बाई अर्थात् परिमाप समान होंगे।

$\therefore$ वृत्त का परिमाप = आयत का परिमाप

$2 \times \frac{22}{7} \times 21 = 2\,(6x + 5x)$

$\frac{2 \times 22 \times 3}{2} = 11x$

$\therefore x = \frac{66}{11} = 6$

$\therefore$ आयत का क्षेत्रफल $= lb = 6x \times 5x = 30x^2$

$= 30 \times 36 = 1080\ cm^2$

155 : b. कमरे की लम्बाई = 1517 सेमी0

तथा चौड़ाई = 902 सेमी0

∴वर्गाकार टाइल की प्रत्येक भुजा = 1517 व 902 का म0 स0

= 41 सेमी0

∴ टाइल्स की न्यूनतम संख्या = $\frac{\text{फर्श का क्षेत्रफल}}{\text{1 टाइल्स का छेत्रफल}}$

$= \frac{1517 \times 902}{41 \times 41} = 814$

156 : d. लम्बाई = 8 मीटर = 8 × 10 डेसीमी0

= 80 डेसीमी0

चौड़ाई = 6 मीटर = 6 × 10 डेसीमी0 = 60 डेसीमी0

∴ कुल टाइल की संख्या = $\frac{\text{फर्श का क्षेत्रफल}}{\text{1 टाइल्स का छेत्रफल}}$

$= \frac{80 \times 60}{4 \times 4} = 300$

157 : a. माना, वर्ग की प्रत्येक भुजा = a सेमी0

तब आयत की चौड़ाई = $\frac{3a}{2}$ सेमी0

∵ आयत का क्षेत्रफल = वर्ग का क्षेत्रफल × 3

$20 \times \frac{3a}{2} = a^2 \times 3$

∴ a = 10 सेमी0

158 : c. समबाहु Δ के अन्तर्वृत्त की त्रिज्या,

$r = \frac{a}{2\sqrt{3}} = \frac{6}{2\sqrt{3}} \times \frac{\sqrt{3}}{\sqrt{3}}$

$r = \frac{6\sqrt{3}}{6} = \sqrt{3}$

∴ अन्तर्वृत्त का क्षेत्रफल $= \pi r^2 = \pi(\sqrt{3})^2 = 3\pi$ cm²

159 : b. समबाहु Δ के अन्तर्वृत्त का क्षेत्रफल, $\pi r^2 = 462$

$r^2 = \frac{462 \times 7}{22} = 177$

∴ $r = \sqrt{147} = \sqrt{3 \times 7 \times 7} = 7\sqrt{3}$

समबाहु Δ के अन्तर्वृत्त की त्रिज्या $r = \frac{a}{2\sqrt{3}}$

$7\sqrt{3} = \frac{a}{2\sqrt{3}}$

∴ $a = 7\sqrt{3} \times 2\sqrt{3} = 42$ सेमी0

∴ Δ का परिमाप = 3a = 3 × 42 = 126 सेमी0

160 : c. ∵ समबाहु Δ के परिवृत्त एवं अन्तर्वृत्त की त्रिज्याओं में अनुपात 2 : 1 होता है। अतः

माना, परिवृत्त की त्रिज्या $2x$ एवं अन्तर्वृत्त की त्रिज्या x सेमी0 है।

∴ $\pi(2x)^2 - \pi(x)^2 = 44$

$\frac{22}{7}[4x^2 - x^2] = 44$

∴ $3x^2 = \frac{44 \times 7}{22} = 14$

∴ $x^2 = \frac{14}{3}$

∴ $x = \frac{\sqrt{14}}{\sqrt{13}}$

हम जानते है कि अन्तःवृत्त की त्रिज्या, $r = \frac{a}{2\sqrt{3}}$

∴ $\frac{\sqrt{14}}{\sqrt{13}} = \frac{a}{2\sqrt{3}}$

∴ $a = 2\sqrt{14}$

अतः समबाहु Δ का क्षेत्रफल $= \frac{\sqrt{3}}{4}a^2 = \frac{\sqrt{3}}{4} \times (2\sqrt{14})^2$

$= \frac{\sqrt{3}}{4} \times 4 \times 14$

$= 14\sqrt{3}$ सेमी0²

161 : d. भूखण्ड के चरे गये क्षेत्र का क्षेत्रफल

= अर्द्धवृत्त का क्षेत्रफल

$= \frac{1}{2}\pi r^2 = \frac{1}{2} \times \frac{22}{7} \times 7 \times 7$

= 77 मीटर²

162 : a. AB की लम्बाई $= 2\pi r \times \frac{\theta}{360}$

$88 = 2 \times \frac{22}{7} \times r \times \frac{72}{360}$

$88 \times \frac{1}{2} \times \frac{7}{22} \times 5 = r$

∴ r = 70 मीटर (रस्सी की लम्बाई)

163 : a. व्यास में 8% वृद्धि अर्थात् त्रिज्या में भी 8% की वृद्धि होगी।

∴ क्षेत्रफल में अभीष्ट % वृद्धि $= 8 + 8 + \frac{8 \times 8}{100}$

= 16 + 0·64 = 16·64%

164 : d. अभीष्ट % कमी $= \frac{100x}{100 + x} = \frac{100 \times 10}{100 + 10}$

$= \frac{1000}{110} = 9\frac{1}{11}\%$

165 : a. माना, समबाहु Δ की प्रत्येक भुजा = a

∴ प्रारम्भिक परिमाप = 3a

नया परिमाप $= a \times \frac{120}{100} + a \times \frac{130}{100} + a \times \frac{150}{100}$

$= \frac{6a}{5} + \frac{13a}{10} + \frac{3a}{2}$

$= \frac{12a + 13a + 15a}{10}$

$= \frac{40a}{10} = 4a$

∴ परिमाप में वृद्धि = 4a - 3a = a

∴ अभीष्ट % वृद्धि $= \frac{a \times 100}{3a} = 33\frac{1}{3}\%$

166 : c. समषट्भुज की प्रत्येक भुजा = वृत्त की त्रिज्या = r इकाई

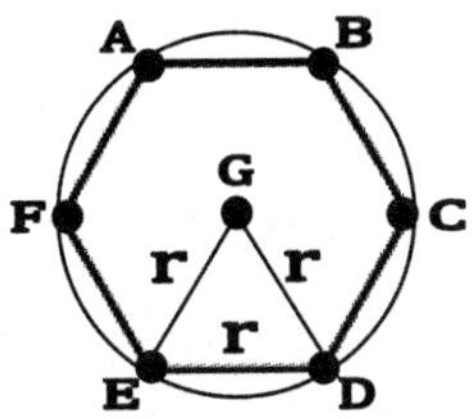

∴ समषट्भुज का परिमाप = 6 × भुजा

= 6r इकाई

167 : b. वृत्त का क्षेत्रफल, $\pi r^2 = 616$

$r^2 = \frac{616 \times 7}{22} = 28 \times 7 = 196 = (14)^2$

∴ r = 14 km

∴ क्षेत्र के चारों ओर 1 चक्कर में तय दूरी $= 2 \times \frac{22}{7} \times 14 =$ 88 km

∴ समय $= \frac{\text{दूरी}}{\text{चाल}}$

$= \frac{88km}{22km/h} = 4$ घण्टा

168 : b. माना, समबाहु Δ की प्रत्येक भुजा = a

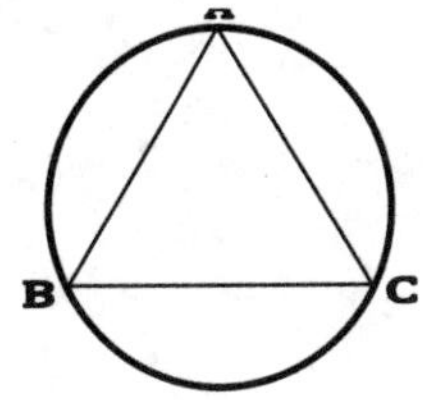

∴ परिवृत्त की त्रिज्या, $R = \frac{a}{\sqrt{3}}$

∴ Δ की भुजा : वृत्त का व्यास

$= a : 2 \times \frac{a}{\sqrt{3}}$

$= \sqrt{3} : 2$

169 : b. सड़क का क्षेत्रफल

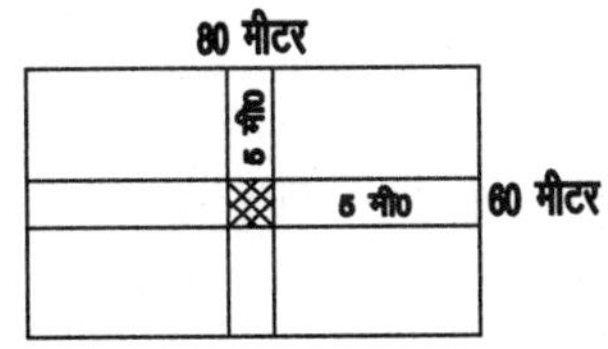

= 5(80 + 60 - 5)

= 5 × 135 = 675 मी0^2

∴ बजरी डालने का खर्च = 675 × 10

= ₹ 6750

170 : c.

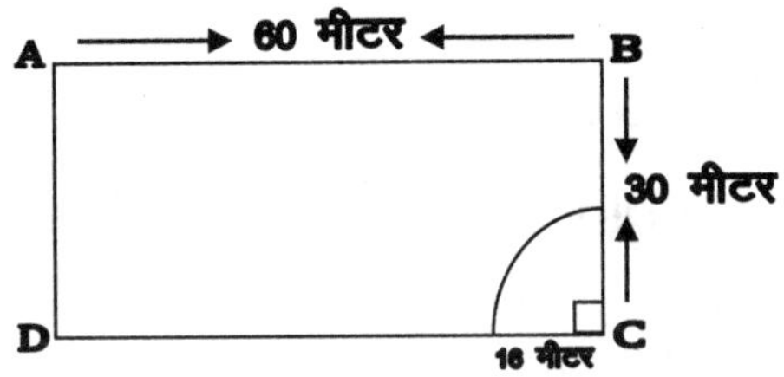

गधे द्वारा चरे गये क्षेत्र का क्षेत्रफल

$= \pi r^2 \times \frac{\theta}{360}$

$= \frac{22}{7} \times 16 \times 16 \times \frac{90}{360} = 201.14$

= 201 मीटर^2 (लगभग)

17 आयतन (Volume)

आयतन (Volume) : इसके अन्तर्गत हम ठोस आकृतियों का अध्ययन करते है।

ठोस आकृति (Solid Figure) :- जिस आकृति में लम्बाई, चौड़ाई एवं मोटाई पायी जाती है, उस आकृति को हम ठोस आकृति कहते है।

Type - 01

घन (Cube) :- वह ठोस जिसका प्रत्येक सतह वर्गाकार हो घन कहलाता है। इसमें लम्बाई, चौड़ाई तथा ऊँचाई समान होती है।

माना, $l = b = h = a$

तब,

(i) घन के सम्पूर्ण पृष्ठ का क्षेत्रफल

= 6 × एक पृष्ठ का क्षेत्रफल = $6a^2$

(ii) घन का आयतन = विमाओं का गुणनफल = $l \times b \times h$

$= a \times a \times a = a^3$

(iii) घन का विकर्ण = $\sqrt{3}a$

Note : एक घन में होती है–

- 6 सतहें / पृष्ठ / फलक (Surface)
- 8 कोनें
- 12 कोर

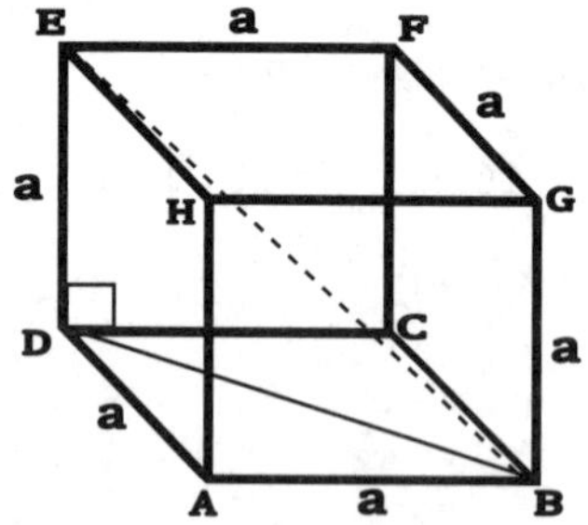

घन का विकर्ण निकालना : चित्र में, समकोण ΔEDB में,

लम्ब, $DE = a$

आधार, BD = वर्ग का विकर्ण $= \sqrt{2}a$

$\therefore$ कर्ण, $BE = \sqrt{(DE)^2 + (BD)^2}$

$= \sqrt{(a)^2 + (\sqrt{2}a)^2}$

$BE = \sqrt{a^2 + 2a^2} = \sqrt{3a^2} = \sqrt{3}a$

$\therefore$ विकर्ण, $BE = \sqrt{3}a$

प्रश्न : एक घन का विकर्ण $\sqrt{108}$ सेमी0 है। तद्नुसार घन का आयतन बताइये ?

हल : घन का विकर्ण, $\sqrt{3}a = \sqrt{108} = 6\sqrt{3}$

$\therefore a = 6$ cm

$\therefore$ घन का आयतन $= a^3 = 6^3 = 216$ सेमी0^3

प्रश्न : एक घन का पूर्ण पृष्ठ 150 cm² है, तो घन का आयतन क्या होगा ?

हल : घन का सम्पूर्ण पृष्ठ, $6a^2 = 150$

$\therefore a^2 = \frac{150}{6} = 25 = (5)^2$

$\therefore a = 5$ सेमी0

$\therefore$ घन का आयतन $= a^3 = (5)^3 = 125$ सेमी0^3

प्रश्न : धातु के बने एक घन की प्रत्येक भुजा 12 सेमी0 है। इसे पिघलाकर तीन छोटे घनों में ढ़ाला गया है। यदि इनमें से दो घनों की भुजायें क्रमशः 6 सेमी0 तथा 8 सेमी0 हो तो तीसरे घन की प्रत्येक भुजा की लम्बाई कितनी होगी ?

हल : माना, तीसरे घन की प्रत्येक भुजा x सेमी0 है।

$\because$ एक बड़े घन को पिघलाकर तीन छोटे घन बनाये जाते है

अतः बड़े घन का आयतन = तीनों छोटे घनों के आयतनों का योग

$(12)^3 = (6)^3 + (8)^3 + (x)^3$

$1728 = 216 + 512 + x^3$

$1728 - 728 = x^3$

$\therefore x^3 = 1000 = (10)^3$

$\therefore x = 10$ सेमी0

प्रश्न : 25 सेमी0 भुजा वाले एक घन को पिघलाकर 5 सेमी0 भुजा वाले कितने घन बनेंगें ?

हल : कुल घनों की संख्या $= \frac{\text{बड़े घन का आयतन}}{\text{छोटे घन का आयतन}}$

$= \frac{25 \times 25 \times 25}{5 \times 5 \times 5} = 125$

प्रश्न : दो घनों के आयतनों का अनुपात 27 : 64 है। इनके सम्पूर्ण पृष्ठों के क्षेत्रफलों का अनुपात क्या होगा ?

हल : माना, दोनों घनों की भुजायें क्रमशः x व y है अतः

$$\frac{x^3}{y^3} = \frac{27}{64}$$

$\therefore \frac{x}{y} = \sqrt[3]{\frac{27}{64}} = \frac{3}{4}$

$\therefore$ सम्पूर्णपृष्ठ के क्षेत्रफलों का अनुपात, $\frac{6x^2}{6y^2} = \frac{(3)^2}{(4)^2} = \frac{9}{16}$

Type - 02

घनाभ (Cuboid) :- वह ठोस जिसका प्रत्येक सतह आयताकार हो घनाभ कहलाता है। इसे आयताकार ठोस भी कहते है।

किसी घनाभ में भी 6 सतहें, 8 कोनें तथा 12 कोर होती है।

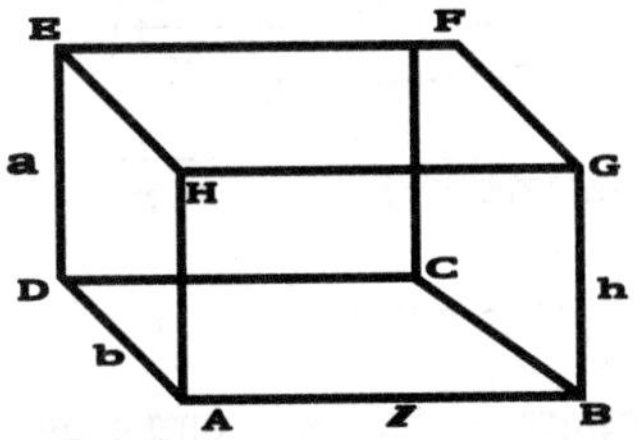

(i) घनाभ का आयतन = विमाओं का गुणनफल = lbh

(ii) घनाभ का सम्पूर्ण पृष्ठ का क्षेत्रफल = $2lb + 2bh + 2lh$

$= 2(lb + bh + lh)$

(iii) घनाभ का विकर्ण = $\sqrt{l^2 + b^2 + h^2}$

(iv) कमरे के चारों दिवारों का क्षेत्रफल = $2bh + 2lh$

$= 2(l + b) \times h$

प्रश्न : 12 मीटर लम्बे, 8 मीटर चौड़े तथा 9 मीटर ऊँचें किसी कमरे में रखने योग्य सबसे लम्बे खम्भें की लम्बाई कितनी हो सकती है ?

हल : सबसे लम्बे खम्भें की लम्बाई = कमरे का विकर्ण

$= \sqrt{(12)^2 + (8)^2 + (9)^2} = \sqrt{144 + 64 + 81}$

$= \sqrt{289} = 17$ मीटर

प्रश्न : किसी घनाभ की भुजाओं का अनुपात 3 : 2 : 1 है। इसका पृष्ठीय क्षेत्रफल 88 सेमी0^2 है। घनाभ का आयतन है–

हल : माना, लम्बाई $= 3x$, चौड़ाई $= 2x$ व ऊँचाई $= x$ है तब

सम्पूर्ण पृष्ठ का क्षेत्रफल $= 2\,(lb + bh + lh)$

$= 2\,(6x^2 + 2x^2 + 3x^2)$

$= 88 = 22x^2$

$\therefore x^2 = 4 = (2)^2$

$\therefore x = 2$

$\therefore$ घनाभ का आयतन $= lbh = 3x \times 2x \times x = 6x^3 = 6(2)^3$

$= 6 \times 8 = 48$ cm^3

प्रश्न : 15 सेमी0 कोर वाले एक घन को एक आयताकार बर्तन में रखे हुये पानी में पूरी तरह डुबो दिया जाता है। यदि बर्तन के आधार की विमा 20 cm × 15 cm हो तो पानी की सतह कितनी ऊपर चढ़ जायेगी ?

हल : बर्तन में बढ़े हुये द्रव का आयतन = घन का आयतन

$20 \times 15 \times h = 15 \times 15 \times 15$

$\therefore h = \frac{15 \times 15 \times 15}{20 \times 15} = \frac{45}{4} = 11.25$ सेमी0

Type - 03

बेलन (Cylinder) :- जब किसी आयताकार कागज को लम्बाई या चौड़ाई के अनुदिश घुमाया जाये तो इस प्रकार बना ठोस बेलन कहलाता है।

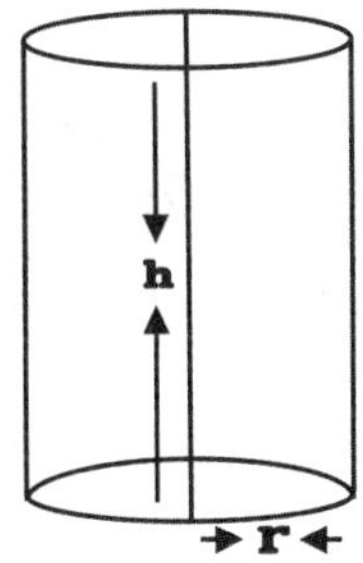

(i) बेलन के वक्रपृष्ठ का क्षेत्रफल = आधार की परिधि × ऊँचाई = $2\pi rh$

(ii) बेलन के सम्पूर्ण पृष्ठ का क्षेत्रफल = वक्रपृष्ठ का क्षेत्रफल + दोनों शिरों का क्षेत्रफल

$= 2\pi rh + 2\pi r^2 = 2\pi r\,(h + r)$

(iii) बेलन का आयतन = आधार का क्षेत्रफल × ऊँचाई

$= \pi r^2 h$

प्रश्न : आधार त्रिज्या 7 सेमी0 और ऊँचाई 20 सेमी0 वाले लम्बवृत्तीय बेलन का कुल पृष्ठीय क्षेत्रफल कितना है ?

हल : $r = 7$ सेमी0, $h = 20$ सेमी0

$\therefore$ सम्पूर्ण पृष्ठीय क्षेत्रफल $= 2\pi r\,(h + r)$

$= 2 \times \frac{22}{7} \times 7\,(20 + 7)$

$= 44 \times 27$

$= 1188$ सेमी0^2

प्रश्न : एक बेलन की त्रिज्या और ऊँचाई का अनुपात 5 : 7 है और इसका आयतन 550 सेमी0^2 है। तद्नुसार उसके वक्रपृष्ठ का क्षेत्रफल कितना है ?

हल : माना, त्रिज्या और ऊँचाई क्रमशः $5x$ व $7x$ है।

आयतन, $\pi r^2 h = 550$

$\frac{22}{7} \times 5x \times 5x \times 7x$

$= 550$

$x^3 = \frac{550}{22 \times 25} = 1$ [$\therefore x = 1$]

$\therefore$ वक्रपृष्ठ का क्षेत्रफल $= 2\pi rh = 2 \times \frac{22}{7} \times 5 \times 7$

= 220 सेमी0^2

प्रश्न : एक 22 सेमी0 × 12 सेमी0 विमा के कागज के आयताकार टुकड़े को बेलनाकार रूप में लम्बाई के अनुदिश लपेटा जाता है। इस प्रकार बने बेलन का आयतन बताइये ?

हल : ∵ कागज के लम्बाई के अनुदिश मोड़ा जाता है, अतः बने बेलन के आधार का परिमाप, $2\pi r$ = कागज की लम्बाई

= 22 cm

$\therefore r = 22 \times \frac{1}{2} \times \frac{7}{22} = 3{\cdot}5$ cm

और, ऊँचाई, h = कागज की चौड़ाई = 12 cm

$\therefore$ आयतन $= \pi r^2 h = \frac{22}{7} \times 3{\cdot}5 \times 3{\cdot}5 \times 12$

$= 462 cm^3$

प्रश्न : समान आयतन के दो बर्तुल बेलनों की ऊँचाई 1 : 2 अनुपात में है। उनकी त्रिज्याओं में अनुपात बताइये ?

हल : $h_1 : h_2 = 1 : 2$ तथा $r_1 : r_2 = ?$

I बेलन का आयतन = II बेलन का आयतन

$\pi r_1^2 h_1 = \pi r_2^2 h_2$

$\frac{r_1^2}{r_2^2} = \frac{\pi h_2}{\pi h_1} = \frac{2}{1}$

$\therefore \frac{r_1}{r_2} = \sqrt{\frac{2}{1}} = \frac{\sqrt{2}}{1}$

प्रश्न : एक ठोस बेलन की कुल सतह का क्षेत्रफल 462 cm^2 है। उसके वक्रीय सतह का क्षेत्रफल कुल सतह के क्षेत्रफल का $\frac{1}{3}$ है। तद्नुसार उस बेलन की त्रिज्या बताइये ?

हल : वक्रीय सतह का क्षेत्रफल $= \frac{1}{3} \times 462$

$= 154$ cm^2

∵ कुल सतह का क्षेत्रफल, $2\pi rh + 2\pi r^2 = 462$

$\therefore 154 + 2\pi r^2 = 462$

$2\pi r^2 = 462 - 154 = 308$

$\therefore r^2 = 308 \times \frac{1}{2} \times \frac{7}{22} = 49$

अतः r = 7cm

Type - 04

शंकु (Cone) : किसी अर्द्धवृत्ताकार कागज की दोनों त्रिज्याओं को घुमाकर आपस में मिला देने से जो ठोस बनता है, उस ठोस को शंकु कहा जाता है।

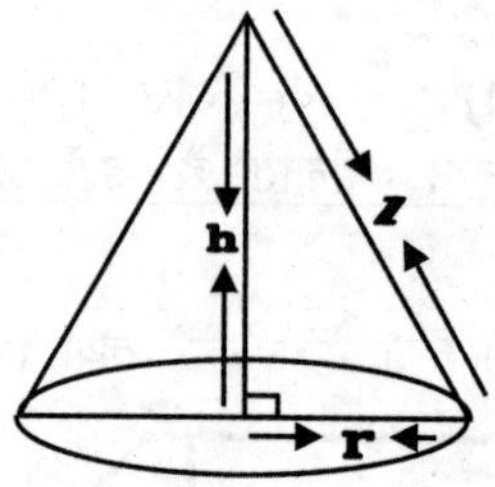

(i) शंकु का तिर्यक ऊँचाई, $l = \sqrt{h^2 + r^2}$

(ii) शंकु का वकपृष्ठ $= \pi r l = \pi r\sqrt{h^2 + r^2}$

(iii) शंकु का वकपृष्ठ = वकपृष्ठ + आधार का क्षेत्रफल

$= \pi r l + \pi r^2 = \pi r (l + r)$

(iv) शंकु का आयतन $= \frac{1}{3}\pi r^2 h$

प्रश्न : यदि 24 सेमी0 ऊँचाई वाले एक लम्बवृत्तीय शंकु का आयतन 1232 सेमी0^3 है। तो उसका वक्रपृष्ठीय क्षेत्रफल बताइये ?

हल : शंकु का आयतन, $\frac{1}{3}\pi r^2 h = 1232$

$\frac{1}{3} \times \frac{22}{7} \times r^2 \times 24 = 1232$

$r^2 = 1232 \times \frac{3}{1} \times \frac{7}{22} \times \frac{1}{24} = 49 = (7)^2$

$\therefore r = 7$ सेमी0

$\therefore$ वक्रपृष्ठीय क्षेत्रफल $= \pi r\sqrt{h^2 + r^2}$

$= \frac{22}{7} \times 7 \times \sqrt{(24)^2 + (7)^2}$

$= 22 \times \sqrt{576 + 49} = 22 \times 25 = 550$ cm^2

प्रश्न : एक शंकु के आधार की त्रिज्या 7 सेमी0 हो और उसका वक्रपृष्ठीय क्षेत्रफल 550 सेमी0^2 हो तो शंकु का आयतन कितना होगा ?

हल : वक्रपृष्ठीय क्षेत्रफल, $\pi r\sqrt{h^2 + r^2} = 550$

$\frac{22}{7} \times 7 \times \sqrt{(h)^2 + (7)^2} = 550$

$\sqrt{(h)^2 + (7)^2} = \frac{550}{22} = 25$

दोनों पक्ष से वर्ग करने पर

$h^2 + 49 = 625$

$h^2 = 625 - 49 = 576 = (24)^2$

h = 24 सेमी0

∴ शंकु का आयतन $= \frac{1}{3}\pi r^2 h$

$= \frac{1}{3} \times \frac{22}{7} \times 7 \times 7 \times 24$

$= 1232\ cm^3$

प्रश्न : दो शंकुओं की त्रिज्याओं का अनुपात 3 : 4 है और उनकी ऊँचाईयों का अनुपात 4 : 3 है। तद्नुसार, उनके आयतनों का अनुपात क्या है ?

हल : $r_1 : r_2 = 3 : 4$ तथा $h_1 : h_2 = 4 : 3$

$\therefore \frac{I \text{ शंकु के आयतन}}{II \text{ शंकु के आयतन}} = \frac{\frac{1}{3}\pi r_1^2 h_1}{\frac{1}{3}\pi r_2^2 h_2}$

$= \frac{(3)^2 \times 4}{(4)^2 \times 3} = \frac{3}{4}$

प्रश्न : एक लम्बवृत्तीय शंकु की ऊँचाई और व्यास में अनुपात 3 : 2 है। और आयतन 1078 घन सेमी0 है, तो उसकी ऊँचाई बताइये ?

हल : माना, ऊँचाई = $3x$ सेमी0 तथा व्यास = $2x$ cm

∴ त्रिज्या = x cm

शंकु का आयतन, $\frac{1}{3}\pi r^2 h = 1078$

$\frac{1}{3} \times \frac{22}{7} \times x^2 \times 3x = 1078$

$\therefore x^3 = \frac{1078 \times 3 \times 7}{22 \times 3}$

$= 343 = (7)^3$

$\therefore x = 7$

∴ ऊँचाई = $3x = 3 \times 7$

= 21 सेमी0

Type - 05

गोला **(Sphere)** :

जब किसी वृत्त को व्यास के अनुदिश घुमाया जाये (अन्दर की Space को बरकरार रखते हुये) तो इससे बना ठोस गोला कहलाता है।

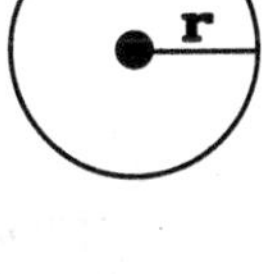

(i) गोले का पृष्ठीय क्षेत्रफल = $4\pi r^2$

(ii) गोले का आयतन = $\frac{4}{3}\pi r^3$

अर्द्धगोला (Hemisphere) : जब गोले को व्यास के अनुदिश समतल द्वारा काटा जाता है, तो प्रत्येक भाग अर्द्धगोला कहलाता है।

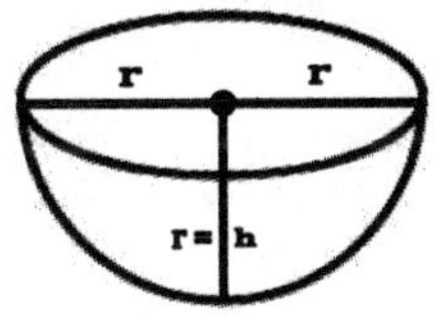

(i) अर्द्धगोले के वक्रपृष्ठ का क्षेत्रफल = $2\pi r^2$

(ii) अर्द्धगोले के सम्पूर्ण पृष्ठ का क्षेत्रफल = $2\pi r^2 + \pi r^2$

= $3\pi r^2$

(iii) अर्द्धगोले का आयतन = $\frac{2}{3}\pi r^3$

प्रश्न : धातु की तीन ठोस गेदों जिनकी त्रिज्यायें 3 सेमी0, 4 सेमी0 और 5 सेमी0 है, को पिघलाकर एक अन्य ठोस गेंद बनायी गयी है। इस नई गेंद की त्रिज्या बताइये ?

हल : माना, नई गेंद की त्रिज्या r है तब–

तीनों गेंदों के आयतनों का योग = नई गेंद का आयतन

$\frac{4}{3}\pi(3)^3 + \frac{4}{3}\pi(4)^3 + \frac{4}{3}\pi(5)^3 = \frac{4}{3}\pi(r)^3$

$\frac{4}{3}\pi[27 + 64 + 125] = \frac{4}{3}\pi(r)^3$

$216 = r^3$

$\therefore r = \sqrt[3]{216} = 6$ cm

प्रश्न : यदि किसी गोले की त्रिज्या में 2 सेमी0 की वृद्धि कर दी जाये तो उसके पृष्ठीय क्षेत्रफल में 352 वर्ग सेमी0 की वृद्धि हो जाती है। परिवर्तन में पहले गोले की त्रिज्या कितनी थी ?

हल : माना, प्रारम्भिक त्रिज्या r cm

∴ नई त्रिज्या = $(r + 2)$ cm है।

$4\pi (r + 2)^2 - 4\pi r^2 = 352$

$4\pi [r^2 + 4 + 4r - r^2] = 352$

$4 + 4r = 352 \times \frac{1}{4} \times \frac{7}{22} = 28$

$\therefore 4r = 28 - 4 = 24$

$\therefore r = \frac{24}{4} = 6$ सेमी0

प्रश्न : यदि किसी गोलार्द्ध का कुल पृष्ठीय क्षेत्रफल 27π वर्ग सेमी0 है, तो गोलार्द्ध के आधार की त्रिज्या बताइये ?

हल : गोलार्द्ध का कुल पृष्ठीय क्षेत्रफल, $3\pi r^2 = 27\pi$

$\therefore r^2 = \frac{27\pi}{3\pi} = 9 = (3)^2$

$\therefore r = 3$ सेमी0

प्रश्न : दो गोले के पृष्ठीय क्षेत्रफल 4 : 9 के अनुपात में है तो उनके आयतनों का अनुपात बताइये ?

हल : माना, दोनों गोले की त्रिज्यायें क्रमशः x व y इकाई है तब –

$$\frac{4\pi(x)^2}{4\pi(y)^2} = \frac{4}{9}$$

$$\therefore\ \frac{x}{y} = \sqrt{\frac{4}{9}} = \frac{2}{3}$$

अतः $\frac{\text{I शंकु के आयतन}}{\text{II शंकु के आयतन}}$

$$= \frac{\frac{4}{3}\pi(2)^3}{\frac{4}{3}\pi(3)^3} = \frac{8}{27}$$

Type - 06

प्रिज्म (Prism) :- ऐसा ठोस जिसके आधार की प्रत्येक भुजाओं पर आयताकार सतहें ऊर्ध्वाधर खड़ी हो तथा आधार के सर्वांगसम आकार की एक सतह ऊपर भी हो तो यह ठोस प्रिज्म कहलाता है।

त्रिभुजाकार आधार वाला प्रिज्म

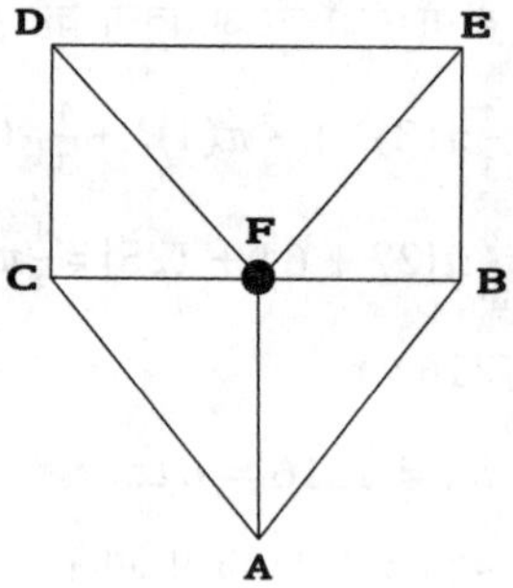

चतुर्भुज आधार वाला प्रिज्म

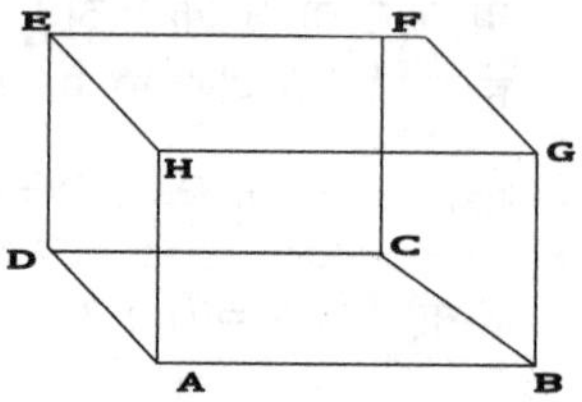

षट्भुज आधार वाला प्रिज्म

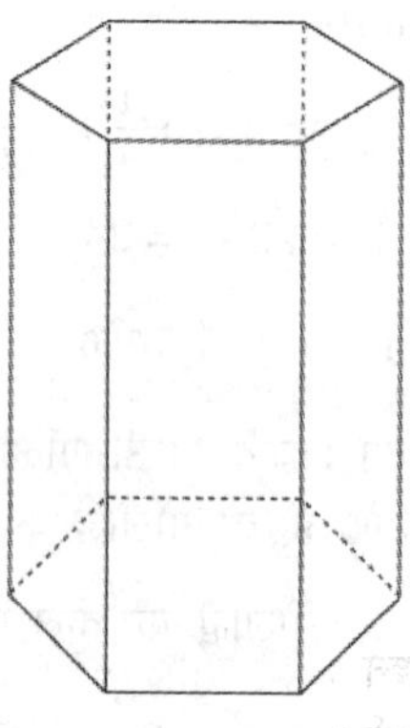

उपर्युक्त चित्रों को देखकर आप निष्कर्ष निकाल सकते हैं कि किसी प्रिज्म में –

(i)पार्श्व पृष्ठों की संख्या = आधार पर भुजाओं की संख्या

(ii)कुल पृष्ठों की संख्या = आधार पर भुजाओं की संख्या + 2

(iii)कुल शीर्षो की संख्या = आधार पर भुजाओं की संख्या ×2

(iv)कुल कोरों की संख्या = आधार पर भुजाओं की संख्या ×3

Note : पार्श्व पृष्ठ : आधार की प्रत्येक भुजाओं पर जो आयताकार फलके ऊर्ध्वाधर खड़ी रहती है उसे ही हम पार्श्व पृष्ठ कहते है।

(v) प्रिज्म के पार्श्वपृष्ठ का क्षेत्रफल = आधार का परिमाप × ऊँचाई

(vi) सम्पूर्ण पृष्ठ का क्षेत्रफल = पार्श्वपृष्ठ का क्षेत्रफल + 2 × आधार का क्षेत्रफल

(vii) आयतन = आधार का क्षेत्रफल × ऊँचाई

प्रश्न : यदि एक समलम्ब प्रिज्म की ऊँचाई 10 सेमी0 और उसका आधार 12 सेमी0 भुजा वाला समबाहु Δ हो तो उसके –

(i) पार्श्व पृष्ठ का क्षेत्रफल बताइये ?

(ii) सम्पूर्ण पृष्ठ का क्षेत्रफल बताइये ?

(iii) आयतन बताइये ?

हल : (i) पार्श्वपृष्ठ का क्षेत्रफल = आधार (समबाहु Δ) का परिमाप × ऊँचाई

$= (3 \times 12) \times 10 = 360$ वर्ग सेमी0

(ii) सम्पूर्ण पृष्ठ का क्षेत्रफल = पार्श्वपृष्ठ का क्षेत्रफल + 2 × आधार (समबाहु Δ का क्षेत्रफल)

$= 360 + 2 \times \left(\frac{\sqrt{3}}{4} \times 12 \times 12\right)$

$= 360 + 72\sqrt{3} = 72\,(5 + \sqrt{3})$ वर्ग सेमी0

(iii) आयतन = आधार (समबाहु Δ) का क्षेत्रफल × ऊँचाई

$= \left(\frac{\sqrt{3}}{4} \times 12 \times 12\right) \times 10 = 360\sqrt{3}$ सेमी0^3

Type - 07

पिरामिड (Pyramid) :

ऐसा ठोस जिसके आधार की प्रत्येक भुजाओं पर त्रिभुजाकार पृष्ठें इस तरह खड़ी की जाये कि सभी त्रिभुजाकार फलक एक बिन्दु पर मिलते हो तो इस प्रकार बना ठोस पिरामिड कहलाता है।

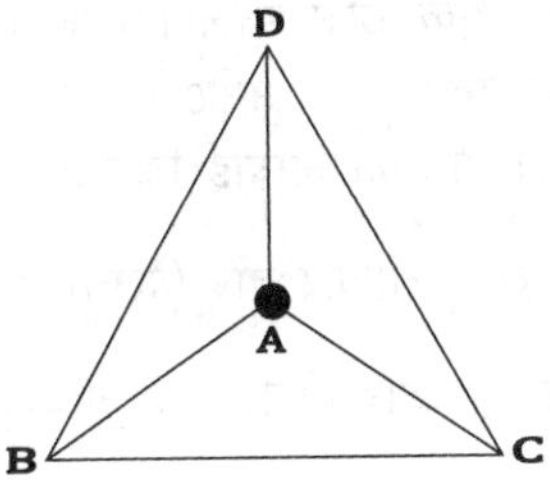

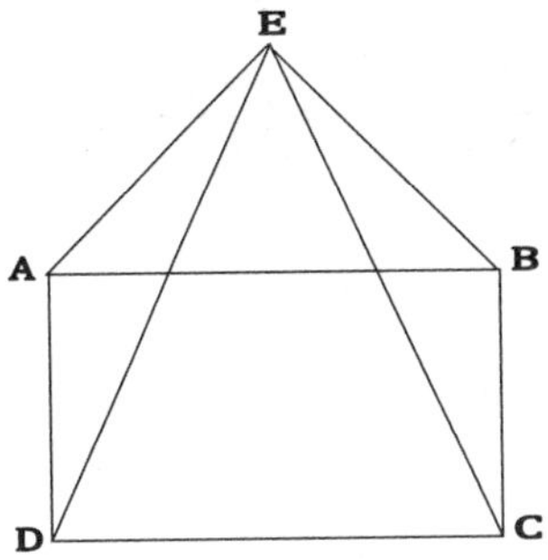

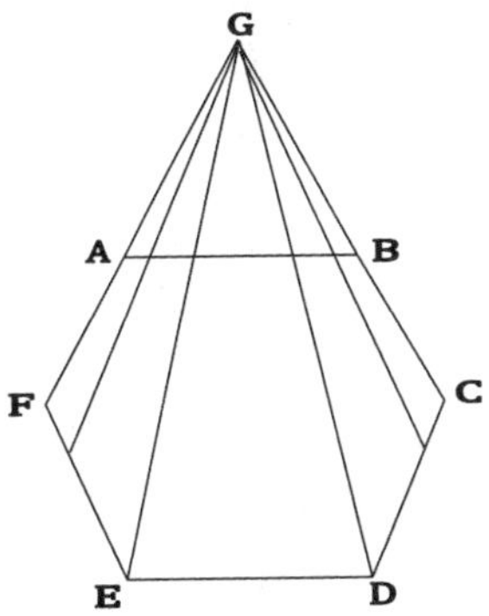

उपर्युक्त चित्रों को देखकर आप निष्कर्ष निकाल सकते है कि किसी पिरामिड में –

(i)तिर्यक पृष्ठों की संख्या = आधार पर भुजाओं की संख्या

(ii)कुल पृष्ठों की संख्या = आधार पर भुजाओं की संख्या + 1

(iii)कुल शीर्षो की संख्या = आधार पर भुजाओं की संख्या +1

(iv)कुल कोरों की संख्या = आधार पर भुजाओं की संख्या ×2

Note : तिर्यक पृष्ठ : आधार की प्रत्येक भुजाओं पर जो त्रिभुजाकार पृष्ठें तिर्यक रूप से खड़ी की जाती है, उसे तिर्यक पृष्ठ कहते है।

(v) पार्श्व/तिर्यक पृष्ठ का क्षेत्रफल = $\frac{1}{2}$ × आधार का परिमाप × तिर्यक ऊँचाई

(vi) आयतन = $\frac{1}{3}$ × आधार का क्षेत्रफल × लम्बवत् ऊँचाई

(vii) सम्पूर्ण पृष्ठ का क्षेत्रफल = पार्श्व/तिर्यक पृष्ठ का क्षेत्रफल + आधार का क्षेत्रफल

Type - 08

प्रतिशत परिवर्तन पर प्रश्न :

प्रश्न : यदि किसी लम्बवृत्ताकार बेलन के त्रिज्या में 50% की कमी तथा इसकी ऊँचाई में 60% की वृद्धि की जाये तो इसके आयतन में कितने % की वृद्धि या कमी होगी ?

हल : बेलन का आयतन = $\pi r^2 h$

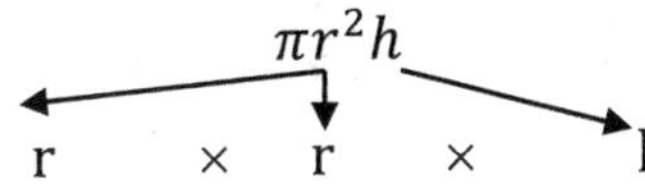

$R = -x - y + \frac{xy}{100}$

$R = -50 - 50 + \frac{50 \times 50}{100} = -75$

$\therefore R' = -R + Z - \frac{RZ}{100} = -75 + 60 - \frac{75 \times 60}{100}$

$R' = -15 - 45 = -60$

∴ आयतन में 60% की कमी होगी।

प्रश्न : यदि एक गोले की त्रिज्या दुगुनी कर दी जाये तो आयतन में वृद्धि का % होगा ?

हल : त्रिज्याओं में अनुपात = 1 : 2

∴ आयतनों में अनुपात = 1 : 8

∴ आयतन में वृद्धि = 8 - 1 = 7

अतः आयतन में अभीष्ट % वृद्धि = $\frac{7 \times 100}{1} = 700\%$

Type - 09

मिश्रित प्रश्न :

प्रश्न : यदि त्रिज्या 30 सेमी0 और ऊँचाई 45 सेमी0 के धातु के एक शंकु को पिघलाकर 5 सेमी0 त्रिज्या वाले गोलों में बनाये जाये तो गोलों की संख्या ज्ञात कीजिए ?

हल : माना, गोलो की अभीष्ट संख्या = n

∴ n गोलों का आयतन = शंकु का आयतन

$n \times \frac{4}{3}\pi (5)^3 = \frac{1}{3}\pi (30)^2 \times 45$

$\therefore n = \frac{\frac{1}{3}\pi \times 30 \times 30 \times 45}{\frac{4}{3}\pi \times 5 \times 5 \times 5} = 81$

प्रश्न : 24 सेमी0 व्यास वाले एक बेलनाकार बर्तन में, जिसमें पर्याप्त पानी भरा है, 6 सेमी0 त्रिज्या वाली एक ठोस गोलाकार

गेंद पूरी तरह डुबा दी जाती है। तद्नुसार पानी के स्तर की ऊँचाईं कितनी बढ़ जायेगी ?

हल : बर्तन में बढ़े हुये द्रव का आयतन = गोले का आयतन

$\pi \times 12 \times 12 \times h = \frac{4}{3}\pi \times 6 \times 6 \times 6$

$h = \frac{\frac{4}{3}\pi \times 6 \times 6 \times 6}{\pi \times 12 \times 12} = 2$ सेमी0

प्रश्न : ताँबें की एक ठोस गोलाकार बॉल को जिसका व्यास 14 सेमी0 है, गलाकार 14 सेमी0 के बराबर व्यास वाले तार में बदला जाता है। तार की लम्बाई कितनी होगी ?

हल : ∵ गोले का गलाकार तार (बेलन) बनाया जाता है अतः

गोले का आयतन = तार (बेलन) का आयतन

$\frac{4}{3}\pi(7)^3 = \pi \times (7)^2 \times h$

$\therefore h = \frac{\frac{4}{3}\pi \times 7 \times 7 \times 7}{\pi \times 7 \times 7} = \frac{28}{3} = 9\frac{1}{3}$ सेमी0

प्रश्नावली

TYPE - 01

1. 3 cm, 4 cm और 5 cm भुजाओं वाले तीन छोटे–छोटे घनों को पिघलाकर एक बड़ा घन बनाया जाता है। तीनों छोटे घनों के पृष्ठीय क्षेत्रफलों के योग और बड़े घन के पृष्ठीय क्षेत्रफल का अनुपात ज्ञात कीजिए।
(a) 9 : 4 (b) 18 : 25
(c) 25 : 18 (d) 27 : 64
RRB NTPC 17-2-2021

2. यदि किसी घन का पृष्ठीय क्षेत्रफल 3750 वर्ग सेमी है तो उसका आयतन ज्ञात कीजिए।
(a) 14255 सेंटीमीटर (b) 16625 सेंटीमीटर
(c) 12225 सेंटीमीटर (d) 15625 सेंटीमीटर
RRB JE – 23-5-2019

3. यदि किसी घन की प्रत्येक भुजा की लम्बाई तीन गुना बढ़ा दी जाती है तो इसका आयतन, वास्तविक आयतन का ....।
(a) 9 गुना हो जाता है
(b) 2 गुना हो जाता है
(c) 3 गुना हो जाता है
(d) 27 गुना हो जाता है
RRB RPF SI – 11-1-2019

4. यदि एक घन के किनारे को 1 सेमी बढ़ाया जाता है, तो आयतन 169 घन सेमी बढ़ जाएगा। घन के प्रत्येक किनारे की लंबाई कितना है–
(a) 8 cm (b) 7 cm
(c) 6 cm (d) 9 cm
RRB Group D 5-10-2018

5. यदि एक घन का विकर्ण $\sqrt{12}$ सेमी० है, तो उसका आयतन (घन सेमी०) क्या है?
(a) 8 (b) 12
(c) 24 (d) $3\sqrt{2}$
SSC CGL Pre Exam 4-7-1999

6. 15 सेमी० भुजावाले किसी घन में से 3 सेमी. भुजावाले कुल कितने घन काटे जा सकते हैं?
(a) 25 (b) 27
(c) 125 (d) 144
SSC CGL Pre Exam 27-2-2000

7. 5 सेमी० किनारे वाले एक घन को 1 सेमी० किनारे वाले घनों में काटा जाता है। छोटे घन के सम्पूर्ण पृष्ठ का बड़े घन के सम्पूर्ण पृष्ठ से अनुपात होगा–
(a) 1 : 125 (b) 1 : 5
(c) 1 : 625 (d) 1 : 25
(SSC CGL Pre Exam 8-2-2004)

8. यदि दो घनों के आयतनों का अनुपात 27 : 64 है, तो उनके सम्पूर्ण पृष्ठीय क्षेत्रफलों का अनुपात है–
(a) 27 : 64 (b) 3 : 4
(c) 9 : 16 (d) 3 : 8
(SSC CGL Pre Exam 24-2-2002)

9. यदि एक घन का प्रत्येक सिरा 50% बढ़ा दिया जाए, तो उसके पृष्ठीय क्षेत्रफल में कितने प्रतिशत वृद्धि हो जाएगी?
(a) 125% (b) 50%
(c) 100% (d) 75%
(SSC Graduate Level Tier-II Exam 20-9-2013)

10. एक घन के प्रत्येक किनारे को दुगुना कर देने पर पार्श्व के सतही क्षेत्रफल में होने वाली वृद्धि प्रतिशतता है
(a) 50% (b) 200%
(c) 150% (d) 300%
(SSC CGL Tier I Exam 9-8-2015)

TYPE - 02

11. किसी घनाभ की भुजाओं का अनुपात 1 : 2 : 3 है। इसका पृष्ठीय क्षेत्रफल 88 सेमी^{2} है। घनाभ का आयतन है–
(a) 120 सेमी.^{3} (b) 64 सेमी.^{3}
(c) 48 सेमी.^{3} (d) 24 सेमी.^{3}
(SSC CGL PRE Exam 4-7-1999)

12. एक कमरा 12 मीटर लम्बा, 9 मीटर चौड़ा तथा 8 मीटर ऊँचा है। इसमें बड़ी से बड़ी कितनी लम्बी छड़ रखी जा सकती है?
(a) 29 मीटर (b) 17 मीटर
(c) 15 मीटर (d) 21 मीटर
REET (VI-VIII)24-7-2022

13. किसी कमरे की चारों दीवारां का क्षेत्रफल 660 m^2 है तथा लम्बाई उसकी चौड़ाई की दुगुनी है। यदि कमरे की ऊँचाई 11 m है, तो उसकी छत का क्षेत्रफल है–
(a) 100 m^2 (b) 150 m^2
(c) 200 m^2 (d) 75 m^2
(UP TET (I-V 23-1-2022)

14. एक घनाभ के तीन संलग्न फलकों के क्षेत्रफल x,y,z हैं। यदि उसका आयतन V है, तो V^2 का मान क्या होगा:
(a) $\frac{xy}{z}$ (b) $\frac{yz}{x^2}$
(c) $\frac{x^2y^2}{z^2}$ (d) xyz
(CG TET (VI-VIII2016)

15. किसी घनाभ की तीन संलग्न फलके क्रमशः x, y और z हैं तो घनाभ का आयतन होगा–
(a) xyz (b) $x^2y^2z^2$
(c) $\sqrt{xyz}$ (d) उपरोक्त मे से कोई नहीं
CGTET (VI-VIII-2016)

16. बिस्किट के एक छोटे पैकेट का आकार 12 से.मी. × 5 से.मी. × 3 सेमी. है। एक थोक विक्रेता ऐसे छोटे पैकेट को एक बड़े बक्से में पैक करना

चाहता है जिसका आंतरिक मापन 0.5 मीटर 0.25 मीटर × 18 सेमी. है। इस बक्से मे कितने बिस्किट के पैकेट आ सकते हैं?

(a) 100 (b) 125
(c) 225 (d) 200
(CTET (I-V)24-2-2021

17. किसी घनाभ का कुल पृष्ठीय क्षेत्रफल 194 m^2 है। यदि इसकी लम्बाई 8 m तथा चौड़ाई 6 m है, तो इसका आयतन (m^3 में)है–

(a) 126 (b) 168
(c) 224 (d) 112
(CTET Class VI-VIII 7 July 2019)

18. किसी घनाभाकार बक्से की लंबाई, चौड़ाई और ऊँचाई 6 : 4 : 3 के अनुपात में है और इसका आयतन 4608 cm^3 है इसका पार्श्व पृष्ठीय क्षेत्रफल (cm^2 में)है:

(a) 1152 (b) 1246
(c) 1104 (d) 960
(CTET VI-VIII17-1-2022)

19. किसी घनाभ की लम्बाई चौड़ाई तथा ऊँचाई का योग 24 cm तथा विकर्ण की लम्बाई 15 cm है। सम्पूर्ण पृष्ठ क्षेत्रफल ज्ञात करें?

(a) 256 cm^2 (b) 265 cm^2
(c)315 cm^2 (d) 351 cm^2
(SSC CHSL 2017)

20. एक घनाभ के आकार वाले कमरे की आंतरिक लंबाई 12 मी., चौड़ाई 8 मी. और ऊँचाई 10 मी. है। यदि सफेदी कराने की लागत रू. 25 प्रति मी.^{2} है, तो कमरे की केवल चारों दीवारों की सफेदी कराने की कुल लागत (रू. में) ज्ञात करे।

(a) 12,600 (b) 11,400
(c) 10,000 (d) 18,000
SSC CPO (2020)

21. किसी घनाभ की लम्बाई, चौड़ाई तथा ऊँचाई का अनुपात 3 : 4 : 6 तथा आयतन 576 सेमी.^{3} है। घनाभ का सम्पूर्ण पृष्ठ क्षेत्रफल ज्ञात करें?

(a) 216 cm^2 (b) 324 cm^2
(c) 432 cm^2 (d) 460 cm^2
(SSC CGL Pre Exam 2017)

22. किसी आयताकार बक्से की तीन भुजाओं का योग 12 सेमी. तथा सम्पूर्ण पृष्ठ क्षेत्रफल 94 सेमी.^{2} है। उस बक्से में रखी जाने वाली लम्बी से लम्बी छड़ की लम्बाई ज्ञात करें?

(a) $5\sqrt{2}$ cm (b) 5 cm
(c) 6 cm (d) $2\sqrt{5}$ cm
(SSC MTS Exam 2017)

TYPE - 03

23. किसी लंब वृत्तीय बेलन का कुल पृष्ठीय क्षेत्रफल 748 cm^2 है तथा उसके आधार की परिधि 44 cm है। इस बेलन का आयतन है

$\left(\pi = \frac{22}{7}\right)$

(a) 1540 cm^3 (b) 2260 cm^3
(c) 2310 cm^3 (d) 3080 cm^3
(CTET (VI-VIII)11-1-2022)

24. किसी लम्ब वृत्तीय बेलन के आधार का परिमाप 44 cm है तथा उसकी ऊँचाई 8 cm है। तब, उस बेलन का आयतन

$\left(\pi = \frac{22}{7}\right)$ लीजिए है:

(a) 1212 cm^3 (b) 1232 cm^3
(c) 1412 cm^3 (d) 1432 cm^3
(CTET VI-VIII 5-1-2022)

25. एक लम्ब वृत्तीय बेलन का आयतन 7392 cm^3 है और इसकी ऊँचाई 12 cm है। बेलन के आधार का क्षेत्रफल (cm^2 में) $\left(\pi = \frac{22}{7}\right)$ लीजिए है

(a) 528 (b) 572
(c) 616 (d) 660
(CTET VI-VIII 21-1-2022)

26. एक बेलन की त्रिज्या और ऊँचाई का अनुपात 4 : 7 है और इसका आयतन 2816 सेमी.^{3} है। इसकी त्रिज्या ज्ञात कीजिए।

$\left(\pi = \frac{22}{7}\right)$ लीजिए है

(a) 5 cm/सेमी. (b) 7 cm/सेमी.
(c) 8 cm/सेमी. (d) 6 cm/सेमी.
(SSC CGL Mains Exam (2020.

27. किसी बेलन का सम्पूर्ण पृष्ठ क्षेत्रफल 462 सेमी.^{2} है। यदि तिर्यक पृष्ठ क्षेत्रफल, सम्पूर्ण पृष्ठ क्षेत्रफल का एक–तिहाई है। बेलन की त्रिज्या ज्ञात करें?

(a) 7 cm (b) 3.5 cm
(c) 9 cm (d) 11 cm
(SSC MTS 2017)

28. एक बेलनाकार स्तम्भ का वक्रपृष्ठ 264 वर्ग मी. हैं तथा उसका आयतन 924 घन मीटर हैं। $\left(\pi = \frac{22}{7}\right)$ मानते हुये, इसके व्यास का इसकी ऊँचाई से अनुपात ज्ञात कीजिए।

(a) 7 : 6 (b) 6 : 7
(c) 3 : 7 (d) 7 : 3
(SSC CPO 2017)

29. यदि किसी ठोस बेलन की त्रिज्या और ऊँचाई का जोड़ 20 सेमी हो और उसका कुल पृष्ठीय क्षेत्रफल 880 सेमी^{2} हो तो उसका आयतन क्या होगा?

(a) 1760 cm^3 (b) 8800 cm^3
(c) 2002 cm^3 (d) 4804 cm^3
(SSC CHSL Exam 2018)

30. किसी ठोस बेलन का कुल पृष्ठीय क्षेत्रफल 231 सेमी. है। यदि उसका वक्र पृष्ठीय क्षेत्रफल उसके

कुल पृष्ठीय क्षेत्रफल का 2/3 हो तो बेलन का आयतन क्या है?

(a) 154 cu.cm/घन सेमी
(b) 308 cu.cm/घन सेमी
(c) 269.5 cu.cm/घन सेमी
(d) 370 cu.cm/घन सेमी

(SSC CHSL 2018)

31. 88 cm × 10 cm माप वाले एक आयताकार कागज के टुकड़े को बिना अतिव्यापन किए, मोड़कर एक 10 cmऊँचाई का बेलन बनाया जाता है। बेलन की धारिता (लीटर में) क्या है?$\left(\pi = \frac{22}{7}\right)$लीजिए

(a) 7.392 (b) 8.624
(c) 5.54 (d) 6.16

(CTET (VI-VIII 31-12021)

32. एक बेलन के वक्र पृष्ठीय क्षेत्रफल का 4 गुना उसके आधारों के क्षेत्रफलों के योगफल के 6 गुने के बराबर है। यदि इस बेलन की ऊँचाई 12 सेमी है, तो इसका आयतन (सेमी^{3}) में है

(a) 48π (b) 384π
(c) 546π (d) 768π

(CTET (Class VI-VIII 2017))

33. दो बेलनों के आयतन बराबर हैं और उनकी ऊँचाइयों का अनुपात 1 : 3 है। उनकी त्रिज्याओं का अनुपात होगा

(a) 1 : 3 (b) 3 : 1
(c) $\sqrt{3}$: 3 (d) 3: $\sqrt{3}$

(UP TET Class VI-VIII 2014)

34. दो लम्ब वृत्तीय बेलनों के आधारों की त्रिज्याओं में 3 : 4 का अनुपात है और उनकी ऊँचाइयों में 4 : 5 का अनुपात है। उनके वक्र पृष्ठ क्षेत्रफल का अनुपात है:

(a) 4 : 9 (b) 3 : 5
(c) 5 :12 (d) 7 : 12

(CTET VI-VIII 23-12-2021)

TYPE - 04

35. एक शंकु की ऊँचाई और तियर्क ऊँचाई क्रमशः 21 सेमी और 28 सेमी है। इसका आयतन होगा–

(a) 7456 सेमी^{3} (b) 7654 सेमी^{3}
(c) 7546 सेमी^{3} (d) 7746 सेमी^{3}

(Haryana TET (I-V)11-11-2019)

36. किसी लम्ब–वृत्तीय शंकु के आधार पर अर्द्धव्यास तथा उसकी ऊँचाई 5 : 12 के अनुपात में है। यदि शंकु का आयतन 314 $\frac{2}{7}$ सेमी^{3} हो, तो शंकु की तिर्यक ऊँचाई सेमी. में) होगी–

(a) 12 (b) 13
(c) 15 (d) 17

(SSC Data entry Operator exam 2-8-2009)

37. एक लम्ब–वृत्तीय शंकु के आधार का व्यास 4 सेमी. तथा उसकी ऊँचाई $2\sqrt{3}$ सेमी. है। शंकु की तिर्यक ऊँचाई होगी–

(a) 5सेमी (b) 4सेमी
(c) $2\sqrt{3}$ सेमी (d) 3 सेमी

(SSC Data entry Operator and LDC Exam 28-11-2010)

38. दो शंकुओं की त्रिज्याओं का अनुपात 3 : 4 है और उनकी ऊँचाइयो का अनुपात 4 : 3 है। तदनुसार उनके आयतनों का अनुपात क्या होगा?

(a) 3 : 4 (b) 4 : 3
(c) 9 : 16 (d) 16 : 9

(SSC 10+2 Data entry Operator Exam 4-12-2011)

39. एक लम्ब वृत्तीय शंकु की ऊँचाई और व्यास का अनुपात 3 : 2 है और आयतन 1078 घन सेमी है: तो उसकी ऊँचाई है:

$\left(\pi = \frac{22}{7}\right)$ लीजिए है

(a) 7 सेमी. (b) 14 सेमी.
(c) 21 सेमी. (d) 28 सेमी.

(SSC 10+2 Data Entry Operator exam 11-12-2011)

40. एक शंक्वाकार तंबू के आधार की त्रिज्या 16 मीटर है। तदनुसार यदि उस तंबू को बनाने में 427 $\frac{3}{7}$ वर्ग मीटर कैन्वस की आवश्यकता पड़ी हो, तो उस तंबू की तिरछी ऊँचाई

$\left(\pi = \frac{22}{7}\right)$लीजिए कितनी रही होगी?

(a) 17मीटर (b) 15मीटर
(c) 19मीटर (d) 8.5मीटर

(SSC 10+2 Data Entry Operator Exam 11-12-2011)

41. एक लंब वृत्तीय शंकु का आयतन 1232 सेमी^{3} है, और उसकी ऊर्ध्वाधर ऊँचाई 24 सेमी हैं तदनुसार, उसके वक्राकार पृष्ठ का क्षेत्रफल कितना है?

(a) 154 सेमी^{2} (b) 550 सेमी^{2}
(c) 604 सेमी^{2} (d) 704 सेमी^{2}

(SSC Graduate Level Exam 16-9-2012)

42. 16 सेमी ऊँचाई वाले एक ठोस शंकु के आधार की परिधि 33 सेमी है। तदनुसार उस शंकु का आयतन कितने सेमी^{3} है?

(a) 1028 (b) 616
(c) 462 (d) 828

(SSC 10+2 Data Entry Operator Exam 4-11-2012)

43. एक शाकव तंबू का आयतन 1232 घन मीटर है और उसके आधार का क्षेत्रफल 154 वर्ग मीटर है। तदनुसार उस तंबू को बनाने के लिए आवश्यक कैन्वास की लंबाई ज्ञात कीजिए , यदि उपलब्ध कैन्वास केवल 2 मीटर चौड़ा हो।

(a) 270मीटर (b) 272मीटर
(c) 276मीटर (d) 275मीटर

(SSC Graduate Level Exam Tier-II 29-9-2013)

44. एक लंब वृत्तीय शंकु के आधार का परिमाप 8 सेमी है। यदि उस शंकु की ऊँचाई 21 सेमी हो, तो उसका आयतन कितना होगा?

(a) 108 π सेमी^{3} (b) $\frac{112}{\pi}$ सेमी^{3}

(c) 112 π सेमी^{3} (d) $\frac{108}{\pi}$ सेमी^{3}

(SSC Graduate Level Exam 21-4-2013)

45. यदि दो शंकुओं के आयतनों का अनुपात 2 : 3 है और उनके आधारों की त्रिज्याओं का अनुपात 1 : 2 है तो उनकी ऊँचाईयों का क्रमशः अनुपात होगाः

(a) 8 : 3 (b) 3 : 8

(c) 4 : 3 (d) 3 : 4

(SSC CGL Pre exam 27-4-2014)

46. एक शंकुनुमा तंबू के आधार की त्रिज्या 12 मीटर है। तंबू 9 मीटर ऊँचा ई। तंबू बनाने के लिए अपेक्षित कैनवास की लागत ज्ञात कीजिए, यदि कैनवास के एक वर्ग मीटर की कीमत ₹ 120 है। (π= 3.14 लें)

(a) ₹ 67,830 (b) ₹ 67,800

(c) ₹ 67,820 (d) ₹ 67,824

(SSC CGL Pre Exam 27-7-2014)

47. एक लंब–वृत्तीय शकुं के आधार और ऊँचाई को दुगुना कर दिया गया है। शंकू का आयतन क्या होगा?

(a) पूर्व आयतन का 8 गुना

(b) पूर्व आयतन का 3 गुना

(c) पूर्व आयतन का $3\sqrt{2}$ गुना

(d) पूर्व आयतन का 6 गुना

(SSC CGL Tier Pre Exam 20-7-2014)

TYPE - 05

48. यदि किसी गोले की त्रिज्या में 2 सेमी० की वृद्धि की जाए तो उसके पृष्ठीय क्षेत्रफल में 352 सेमी०^2 की वृद्धि हो जाती है। परिवर्तन से पहले गोले की त्रिज्या थी–

$\left(\pi = \frac{22}{7}\right)$ लीजिए है

(a) 3सेमी० (b) 4सेमी०

(c) 5सेमी० (d) 6सेमी०

(SSC CGL Pre exam 4-7-1999)

49. धातु के तीन ठोस गोलो जिनकी त्रिज्याएँ 1 सेमी०, 6 सेमी०, 8 सेमी० है, को पिघलाकर एक अन्य ठोस गोला बनाया जाता है। इस नए गोले की त्रिज्या ज्ञात कीजिएः

(a) 10.5 सेमी० (b) 9.5 सेमी०

(c) 10 सेमी० (d) 9 सेमी०

(SSC CGL Pre exam 24-2-2002)

50. गेला A और B की त्रिज्याएँ क्रमशः 40 सेमी० और 10 सेमी० है। A के पृष्ठीय क्षेत्रफल का B के पृष्ठीय क्षेत्रफल से अनुपात है–

(a) 1 : 16 (b) 4 : 1

(c) 1 : 4 (d) 16 : 1

SSC CGL PRE Exam 11-5-2003

51. 12 सेमी० व्यास वाले सीसे के एक ठोस गोले को पिघलाकर तीन छोटे आकार के गोले बनाए गए हैं, जिनके व्यासों का अनुपात 3 : 4 : 5 है। सबसे छोटे गोले की त्रिज्या (सेमी० में) होगी।

(a) 3 (b) 6

(c) 1.5 (d) 4

(SSC CGL Pre Exam 13-11-2005)

52. यदि एक गोले की अर्द्ध व्यास को दुगुना कर दिया जाए, तो इसका आयतन हो जाएगा–

(a) दुगुना (b) चार गुना

(c) छः गुना (d) आठ गुना

(SSC CGL Pre Exam 4-2-2007)

53. 8 सेमी० अर्द्ध व्यास वाले एक ठोस धातु के गोले को पिघला कर 64 बराबर छोटे ठोस गोले बनाए गए है। इस गोले के पृष्ठीय क्षेत्रफल का एक छोटे गोले के पृष्ठीय क्षेत्रफल से अनुपात होगा–

(a) 4 : 1 (b) 1 : 16

(c)16 : 1 (d) 1 : 4

(SSC CGL Pre exam 27-7-2008)

54. दो गोलों के पृष्ठीय क्षेत्रफल 4 : 9 के अनुपात में है। उनके आयतनों का अनुपात होगा–

(a) 2 : 3 (b) 4 : 9

(c) 8 : 27 (d) 64 : 729

(SSC Data Entry Operator exam 31-8-2008)

55. यदि किसी गोलक की त्रिज्या दुगुनी कर दी जाए, तो उसका पृष्ठ–क्षेत्रफल कितने गुना हो जाएगा?

(a) दुगुना (b) तीन गुना

(c) चार गुना (d) उक्त में कोई नहीं

(SSC 10+2 Data Entry Operator Exam 28-10-2012)

56. यदि एक गोले की सतह का क्षेत्रफल S और आयतन V हो, तो $\frac{S^3}{V^2}$का मान कितना होगा?

(a) 36 एकक (b) 9 एकक

(c) 18 एकक (d) 27 एकक

(SSC FCI Assistant Grade III Exam 7-4-2013)

57. यदि किसी गोलार्ध का कुल पृष्ठीय क्षेत्रफल 27π वर्ग सेमी है तो गोलार्ध के आधार की त्रिज्या है–

(a) $9\sqrt{3}$ सेमी (b) 3 सेमी

(c) $3\sqrt{3}$ सेमी (d) 9 सेमी

(SSC Graduate Level Exam 19-5-2013)

58. एक गोलक का कुल पृष्ठीय क्षेत्रफल 8π वर्ग एकक है। गोलक का आयतन है–

(a) $\frac{8\sqrt{2}}{3}\pi$ घन एकक

(b) $\frac{8}{3}\pi$ घन एकक

(c) $8\sqrt{3}\pi$ घन एकक

(d) $\frac{8\sqrt{3}}{5}\pi$ घन एकक

(SSC Graduate Level Tier 19-5-2013)

59. यदि एक गोलार्ध को गलाकर समान आयतन के चार गोलक बनाए जाते है, तो प्रत्येक गोलक की त्रिज्या किसके बराबर होगी?

(a) गोलार्ध की त्रिज्या का $\frac{1}{4}$

(b) गोलार्ध की त्रिज्या के बराबर

(c) गोलार्ध की त्रिज्या का $\frac{1}{2}$

(d) गोलार्ध की त्रिज्या का $\frac{1}{6}$

(SSC CGL Tier – Exam 25-10-2015)

TYPE - 06

60. एक शंक्वाकार बर्तन जिसके अन्दर की त्रिज्या 12 सेमी० है और ऊँचाई 50 सेमी० है, किसी तरल पदार्थ से भरा हुआ है। इस तरल पदार्थ को एक बेलनाकार बर्तन में जिसका अन्दर का अर्धव्यास 10 सेमी० है, उलट दिया जाता है। बेलनाकार बर्तन में तरल पदार्थ की ऊँचाई होगी–

(a) 25 सेमी० (b) 20 सेमी०

(c) 24 सेमी० (d) 22 सेमी०

SSC CGL PRE Exam 4-7-1999

61. एंक सर्कस का तबूं 3 मीटर की ऊँचाई तक बेलनाकार है और उसके ऊपर शंक्वाकार। यदि उसका व्यास 105 मीटर है और शंक्वाकार भाग की तिरछी ऊँचाई 63 मीटर है तो तम्बू बनाने के लिए अपेक्षित कैन्वस का कुल क्षेत्रफल है $\left(\pi = \frac{22}{7}\right)$ लीजिए है

(a) 11385 वर्ग मीटर (b) 10395 वर्ग मीटर

(c) 9900 वर्ग मीटर (d) 990 वर्ग मीटर

(SSC 10+2 Data Entry Operator Exam 11-12-2011)

62. 10 सेमी. त्रिज्या और 21 सेमी. ऊँचाई वाले एक लम्ब–वृत्तीय बेलन से उसी आधार त्रिज्यावाला एक लम्बवृत्तीय शंकु निकाला गया है। यदि शेष भाग का आयतन 4400 सेमी^{3} है, तो निकाले गए शंकु की ऊँचाई है

:$\left(\pi = \frac{22}{7}\right)$ लीजिए

(a) 15 सेमी. (b) 18 सेमी.

(c) 21 सेमी. (d) 24 सेमी.

(SSC 10+2 Data Entry Operator Exam 11-12-2011)

63. 10 सेमी ऊँचाई और 6 सेमी. त्रिज्या के आधार वाले एक ठोस बेलन से उसी ऊँचाई और उसी जैसा आधार वाला एक शंकु निकाल लिया गया है। तदनुसार शेष बचे ठोस का आयतन कितना रह गया है?

(a) 240 π घन सेमी (b) 5280 घन सेमी

(c) 620 π घन सेमी (d) 360 π घन सेमी

(SSC (10+2 Data Entry Exam 11-12-2011)

64. 28 सेमी. व्यास और 30 सेमी. ऊँचाई वाले एक शंकु लोहे के टुकड़े को एक बेलनाकार पात्र क `जल में पूर्णतया डुबो दिया जाता है जिसके परिणामस्वरूप जल का स्तर 6.4 सेमी. बढ़ जाता है। पात्र का व्यास, सेमी. में कितना है?

(a) 3.5 (b) $\frac{35}{2}$

(c) 32 (d) 35

(SSC CGL Tier Exam 16-8-2015)

65. एक लम्ब वृत्तीय बेलन और एक शंकु के आधार की त्रिज्या और ऊँचाई बराबर हैं। यदि उनके वक्र पृष्ठ 8 : 5 के अनुपात में हो, तो आधार की त्रिज्या और ऊँचाई का अनुपात है:

(a) 2 : 3 (b) 4 : 3

(c) 3 : 4 (d) 3 : 2

(SSC 10+2 Data Entry Operator Exam)

TYPE - 07

66. 24 सेमी व्यास वाले एक बेलनाकार बर्तन में, जिसमें पर्याप्त पानी भरा है, 6 सेमी त्रिज्या वाली एक ठोस गोलनाकार गेंद पूरी तरह डुबा दी जाती है। तदनुसार पानी के स्तर की ऊँचाई कितनी बढ़ जाएगी?

(a) 1.5 सेमी. (b) 2सेमी.

(c) 3 सेमी (d) 42 सेमी

(FCI Assistant Grade III Exam 5-2-2012)

67. एक ठोस बेलन, जिसके आधार का व्यास 16 सेमी. तथा ऊँचाई 2 सेमी. है, को पिघलाकर समान साइज के 12 गोले बनाए गए हैं। प्रत्येक गोले के व्यास की लम्बाई होगी–

(a) 2 सेमी (b) 4 सेमी

(c) 3 सेमी (d) $\sqrt{3}$

(SSC CGL Pre Exam 13-11-2005)

68. समान अर्धव्यास वाले एक लम्ब–वृत्तीय बेलन तथा एक गोले के आयतन बराबर हैं। गोले के व्यास का बेलन की ऊँचाई से अनुपात होगा–

(a) 3 : 2 (b) 2 : 3

(c) 1 : 2 (d) 2 : 1

(SSC CGL Pre exam 4-2-2007)

69. व्यास 6 सेमी. वाली दो लोहे की गोलियाँ एक 6 सेमी. अर्द्ध व्यास वाले एक बेलनाकार बरतन में डाले गए पानी में डुबाई जाती है। बरतन में पानी का तल कितना ऊपर उठेगा?

(a) 1 सेमी. (b) 2सेमी.

(c) 3सेमी. (d) 4 सेमी.

(SSC CGL Pre exam 27-7-2008)

70. एक लम्ब–वृत्तीय बेलन एक अर्द्धगोले के परिगत इस प्रकार है कि उनके आधार उभयनिष्ठ हैं।उनके आयतनों में अनुपात होगा::

(a) 1 : 3 (b) 1 : 2
(c) 2 : 3 (d) 3 : 4
(SSC Graduate Level Exam 1-8-2010)

71. एक लंब वृतीय बेलन और एक गोले की त्रिज्या बराबर है और आयतन बराबर है। उनके पृष्ठ क्षेत्रफल का अनुपात है
(a) 8 : 3 (b) 9 : 4
(c) 4 : 3 (d) 7 : 6
(SSC 10+2 Data Entry Operator exam4-11-2012)

72. आंशिक रूप से पानी से भरे एक लंब वृत्तीय बेलनाकार बरतन 6 सेमी व्यास के एक गोले को डुबोया गया है। उस बेलनाकार बर्तन का व्यास 12 सेमी है। तदुनसार, यदि वह गोला पूरी तरह डूब जाए, तो उस बेलनाकार बर्तन का पानी कितना ऊँचा बढ़ जाएगा?
(a) 2सेमी. (b) 1सेमी.
(c) 3सेमी. (d) 4सेमी.
(SSC Graduate Level exam 19-5-2013)

73. एक अर्धगोले का आयतन, उस लंब वृत्तीय बेलन के आयतन के बराबर है, जिसके आधार की त्रिज्या, उक्त अर्धगोले की त्रिज्या के बराबर है। तदनुसार, उस लंब वृत्तीय बेलन की ऊँचाई तथा आधार की त्रिज्या का अनुपात कितना होगा?
(a) 2 : 3 (b) 3 : 2
(c) 1 : 3 (d) 1 : 2
(SSC 10+2 Data Entry Operator and LDC Exam 27-10-2013)

74. तंबे के एक गोले को खींचकर जिसका व्यास 18 सेमी. है, 4 मिमी व्यास वाले एक तार में ढाला गया है। तदुनसार, उस तार की लंबाई कितने मीटर होगी?
(a) 2.43 (b) 243
(c) 2430 (d) 24.3
(SSC CAPF SI & CISF ASI Exam 23-6-2013)

75. यदि S_1 तथा S_2 क्रमशः एक गोले का पृष्ठ तथा उसके परिगत बेलन का वक्रपृष्ठ प्रदर्शित करते हों, तो S_1 बराबर होगा
(a) $\frac{3}{4}S_2$ (b) $\frac{1}{2}S_2$
(c) $\frac{2}{3}S_2$ (d) S_2
(SSC CGL Pre Exam 27-7-2008)

TYPE - 08

76. 9 सेमी ऊँचाई और 18 सेमी व्यास का ठोस शंकु, 9 सेमी त्रिज्या वाले एक ठोस लकड़ी के गोले को काटकर बनाया गया है। तदनुसार नष्ट की गई लकड़ी कितने प्रतिशत है?
(a) 25 (b) 30
(c) 50 (d) 75
(FCI Assistant Grade III exam 5-2-2012)

77. यदि त्रिज्या 30 सेमी. और ऊँचाई 45 सेमी. के धातु के एक शंकु को पिघला कर 5 सेमी. त्रिज्या वाले गोलों मे बनाया जाए तो गोलों की संख्या ज्ञात कीजिए।
(a) 81 (b) 41
(c) 80 (d) 40
(SSC Graduate Level Exam Tier I Exam21-4-2013)

78. दो लंब वृत्ताकार शंकु, जिनकी ऊँचाई एकसमान है और जिनके आधारों की त्रिज्याएं 3 सेमी. तथा 4 सेमी है, एक साथ पिघलाकर 5 सेमी त्रिज्या वाले एक ठोस गोले में ढाल दिए जाते हैं। तदनुसार एक शंकु की ऊँचाई कितनी होगी?
(a) 10 सेमी (b) 20 सेमी
(c) 30 सेमी (d) 40 सेमी
(SSC 10+2 Data Entry Operator and LDC Exam 27-10-2013)

79. 10.5 सेमी त्रिज्या का एक धातु का गोला पिघलाकर, 3.5 सेमी त्रिज्या तथा 3 सेमी. ऊँचाई वाले कई छोटे शंकुओं में ढाल दिया गया है। तदनुसार, इस प्रकार बने शंकुओं की संख्या कितनी होगी?
(a) 140 (b) 132
(c) 112 (d) 126
(SSC 10+2 Data Entry Operator and LDC Exam 10-11-2013)

80. एक ठोस गोले को गलाया जाता है और लम्ब वृत्ताकार शंकु में ढाला जाता है, जिसकी आधार त्रिज्या गोले की त्रिज्या के बराबर होगी। इस प्रकार बनाए गए शंकु की ऊँचाई और त्रिज्या का अनुपात क्या होगा?
(a) 4 : 3 (b) 2 : 3
(c) 3 : 4 (d) 4 : 1
(SSC Constable Exam 12-5-2013)

TYPE - 09

81. एक घन और एक ठोस गोले के आयतनों का अनुपात 363 : 49 है। तदनुसार उस घन के एक सिरे की लम्बाई और गोले की त्रिज्या का अनुपात कितना होगा?
$\left(\pi = \frac{22}{7}\right)$ मानकर
(a) 7 : 11 (b) 22 : 7
(c) 11 : 7 (d) 7 : 22

82. एक आयताकार कागज का साइज 100 सेमी × 44 सेमी है। कागज को इसकी लम्बाई के अनुदिश मोड़कर एक बेलन बनाया जाता है। बेलन का आयतन है
(a) 4400 सेमी^{3} (b) 15400 सेमी^{3}
(c) 35000 सेमी^{3} (d) 144 सेमी^{3}
(SSC CGL Pre exam 4-2-2007)

83. एक घन के आयतन का उस गोले, जो घन में पूर्णतया फिट किया जा सकेगा, के आयतन से अनुपात होगा–

(a) $\pi : 6$ (b) $6 : \pi$
(c) $6 : \pi$ (d) $\pi : 3$
(SSC CGL Pre exam 13-11-2005)

84. एक घन तथा गोले के सम्पूर्ण पृष्ठ क्षेत्र बराबर हैं। उनके आयतनों में अनुपात होगा–

(a) $\pi : 6$ (b) $\sqrt{\pi} : \sqrt{6}$
(c) $\sqrt{6} : \sqrt{\pi}$ (d) $6 : \pi$
(SSC Data Entry Operator Exam 20-2-2011)

85. एक 8 मीटर × 7 मीटर × 6 मीटर विमा के लकड़ी के बक्से में 8 से.मी. × 7 से.मी. × 6 से.मी., विमा के आयताकार डिब्बों को ले जाया जाना है। लकड़ी के बक्से में, अधिकतम, कितने डिब्बे ले जाए जा सकते हैं?

(a) 7500000 (b) 9800000
(c) 1200000 (d) 1000000
(SSC CAPFs Si CISF ASI and Delhi Police Si Exam 22-6-2014)

86. एक साबुन की टिक्की का माप 8 सेमी. × 5 सेमी. × 4 सेमी. है। एक बॉक्स जिसका माप 56 सेमी. × 35 सेमी. × 28 सेमी. हैं, में ऐसी जितनी टिक्कियाँ पैक की जा सकती हैं, उनकी संख्या होगी।

(a) 49 (b) 196
(c) 243 (d) 343

TYPE - 10

87. एक लम्ब पिरामिड का आधार 40 सेमी. लंबी भुजा वाला वर्ग है। यदि पिरामिड का आयतन 8000 सेमी.^{3} है तो उसकी ऊँचाई है:

(a) 5 सेमी. (b) 10 सेमी.
(c) 15 सेमी. (d) 20 सेमी.
(SSC 10+2 Data Entry Operator and LDC Exam 11-12-2011)

88. किसी समलंब पिरामिड का आधार 16 सेमी लंबी भुजा वाला वर्ग है। यदि उसकी ऊँचाई 15 सेमी हो, तो उस पिरामिड के पार्श्व पृष्ठ का क्षेत्रफल कितने वर्ग सेमी होगा?

(a) 136 (b) 544
(c) 800 (d) 1280
(SSC 10+2 Data Entry Operator Exam 11-12-2011)

89. एक लम्ब पिरामिड का आधार वर्गाकार है, आधार के विकर्ण की लंबाई $24\sqrt{2}$ मी. है। यदि पिरामिड का आयतन 1728 घन मी. है, तो उसकी ऊँचाई है– .

(a) 7 मी. (b) 8 मी.
(c) 9मी. (d) 10मी.
(SSC CHSL Data Entry and LDC Exam 2011)

90. एक लंब पिरामिड का आधार एक $10\sqrt{3}$ सेमी. भुजा वाले समबाहु त्रिकोण पर है। यदि पिरैमिड का कुल पृष्ठीय क्षेत्रफल $270\sqrt{3}$ वर्ग सेमी है, तो उसकी ऊँचाई है– .

(a) $12\sqrt{3}$ सेमी (b) 10 सेमी
(c) $10\sqrt{3}$ सेमी (d) 12 सेमी
(SSC 10+2 Data Entry Operator Exam 20-10-2013)

91. यदि एक समलंब पिरामिड का आधार 5 सेमी, 12 सेमी तथा 13 सेमी भुजाओं वाला त्रिभुज हों और उसका आयतन 330 सेमी^{3} हो, तो उसकी ऊँचाई कितने सेमी होगी?

(a) 33 (b) 32
(c) 11 (d) 22
(SSC 10+2 Data Entry Operator Exam 27-10-2013)

92. एक लम्ब प्रिज्म का आधार 6 सेमी भुजा वाला समबाहु त्रिभुज है। यदि प्रिज्म का आयतन $108\sqrt{3}$ घन सेमी है, तो उसकी ऊँचाई है–

(a) 9 सेमी. (b) 10 सेमी.
(c) 11 सेमी. (d) 12 सेमी.
(SSC Graduate Level Tier-II Exam 4-9-2011)

93. एक लंब प्रिज्म का आधार, 8 सेमी लंबी भुजाओं वाला एक समबाहु त्रिभुज है और उस प्रिज्म की ऊँचाई 10 सेमी है। तदनुसार, उस प्रिज्म का आयतन कितना है?

(a) $320\sqrt{3}$ घन सेमी. (b) $160\sqrt{3}$ घन सेमी.
(c) $150\sqrt{3}$ घन सेमी. (d) $300\sqrt{3}$ घन सेमी.
(SSC CHSL DEO and LDC Exam 19-8-2012)

TYPE - 11

94. यदि किसी लम्ब वृत्ताकार बेलन के आधार की त्रिज्या तथा उसकी ऊँचाई दोनों में 20% की वृद्धि की जाए, तो उसके आयतन में कितनी वृद्धि होगी?

(a) 20% (b) 40%
(c) 60% (d) 72%
(SSC CGL Pre exam 8-2-2004)

95. यदि किसी लम्ब वृत्ताकार बेलन के अर्द्धव्यास में 50% की कमी तथा इसकी ऊँचाई में 60% की वृद्धि की जाए, तो इसके आयतन में कमी हो जायेगी

(a) 10% (b) 60%
(c) 40% (d) 20%
(SSC CGL Pre Exam 4-2-2007)

96. एक घनाभ की लम्बाई, चौड़ाई तथा ऊँचाई 1 : 2 : 3 के अनुपात में हैं। यदि इनमें क्रमशः 100%, 200% तथा ट200% की वृद्धि की जाय, तो आरंभिक आयतन की तुलना में, घनाभ के आयतन में कितनी वृद्धि होगी?

(a) 5 गुनी (b) 18गुनी
(c) 12 गुनी (d) 17 गुनी
(SSC CGL Pre exam 4-2-2007)

97. यदि किसी शंकु की ऊँचाई में 100% की वृद्धि की जाए, तो इसके आयतन में वृद्धि होगी:

(a) 100% (b) 200%
(c) 300% (d) 400%
(SSC Data Entry Operator exam 27-11-2010)

98. यदि एक घन के प्रत्येक सिरे में 40% की वृद्धि कर दी जाए, तो उसके पृष्ठतल के क्षेत्रफल में कितने प्रतिशत वृद्धि हो जाएगी?
(a) 40 (b) 60
(c) 80 (d) 96
(SSC MTS Exam 10-3-2013

Revision Series

99. यदि किसी घन के विकर्ण की लम्बाई $8\sqrt{3}$ सेमी0 है, तो उसका पृष्ठीय क्षेत्रफल है–
(a)384 सेमी0^2 (b)512 सेमी0^2
(c)768 सेमी0^2 (d)192 सेमी0^2

100. एक घनाकार कमरे में फर्श का क्षेत्रफल 48 वर्ग मीटर है। उस कमरे में कितनी लम्बाई की सबसे बड़ी छड़ रखी जा सकती है ?
(a)9 मी0 (b)6 मी0
(c)12 मी0 (d)18 मी0

101. 1 मीटर कोर वाले एक घनाकृति बॉक्स में 10 सेमी0 कोरों वाले कितने छोटे घन रखे जा सकते है ?
(a)10 (b)1000
(c)100 (d)10000

102. यदि धातु से बने तीन घनों जिनकी एक भुजा क्रमशः 30 सेमी0, 40 सेमी0, और 50 सेमी0 है, को पिघलाकर एक घन बनाया जाता है, तो नये बने घन की सभी सतहों का कुल क्षेत्रफल क्या है ?
(a)2 मी0^2 (b)2160 सेमी0^2
(c)2·15 मी0^2 (d)21600 वर्ग सेमी0

103. लोहे के तीन ठोस घन, जिनकी भुजायें 4 सेमी0, 5 सेमी0 तथा 6 सेमी0 की है। एक साथ पिघलाकर एक नये घन में ढाले गये है। इस प्रकिया में खराब प्रबंधन के कारण 62 सेमी0^3 पिघली हुई धातु गुम हो गयी। तद्नुसार नये बने घन का कुल पृष्ठीय क्षेत्रफल कितने सेमी0^2 होगा ?
(a)125 (b)343
(c)216 (d)294

104. एक षट्फलक (घनाभ) की लम्बाई, चौड़ाई और ऊँचाई 3 : 4 : 6 के अनुपात में है और इसका आयतन 576 सेमी0^3 है। षट्फलक का सम्पूर्ण पृष्ठीय क्षेत्रफल है–
(a)432 सेमी0^2 (b)216 सेमी0^2
(c)324 सेमी0^2 (d)460 सेमी0^2

105. एक घनाभ के तीन संलग्न तलों के क्षेत्रफल क्रमशः x, y, z वर्ग इकाई है। यदि घनाभ का आयतन V घन इकाई हो तो V, x, y, z में सही सम्बन्ध होगा ?
(a)$V^2 = xyz$ (b)$V^3 = x^2y^2z^2$
(c)$V^3 = xyz$ (d)$V^2 = x^3y^3z^3$

106. किसी घनाभ के तीन संलग्न तलों के पृष्ठीय क्षेत्रफल p, q ,r उसका आयतन होगा ?
(a)$(\sqrt{pq}+\sqrt{qr}+\sqrt{rp})(p^2+q^2+r^2)$
(b)$\sqrt{pq^2+qr^2+rp^2}$
(c)$\sqrt{pqr}$
(d)$\left(\sqrt{(p^2+q^2+r^2)(p+q+r)}\right)$

107. किसी कमरे में वायु का आयतन 204 घन मीटर है। कमरे की ऊँचाई 6 मीटर है। कमरे के फर्श का क्षेत्रफल क्या है ?
(a)32 वर्ग मी0 (b)34 वर्ग मी0
(c)44 वर्ग मी0 (d)46 मी0^2

108. एक घनाभ की लम्बाई, चौड़ाई और ऊँचाई क्रमशः a, b, c है। इसका आयतन v घन इकाई तथा इसके सम्पूर्ण पृष्ठों का क्षेत्रफल s वर्ग इकाई है तब, $\frac{1}{v} = ?$
(a)$\frac{2s}{(a+b+c)}$ (b)2s (a + b + c)
(c)$\frac{2}{s}\left(\frac{1}{a}+\frac{1}{b}+\frac{1}{c}\right)$ (d)$\frac{1}{2}$s (a + b + c)

109. एक साबुन की टिक्की की माप 8 सेमी0 × 5 सेमी0 × 4 सेमी0 है। एक बॉक्स जिसका माप 56 सेमी0 × 35 सेमी0 × 28 सेमी0 है। में ऐसी कितनी टिक्कियाँ पैक की जा सकती है, उनकी संख्या होगी ?
(a)49 (b)343
(c)243 (d)196

110. एक लम्बवृत्तीय बेलन की ऊँचाई 14 सेमी0 है तथा इसका वक्रपृष्ठीय क्षेत्रफल 88 वर्ग सेमी0 है। इसके आधार की त्रिज्या कितनी है–
(a) 1 सेमी0 (b)2 सेमी0
(c)4 सेमी0 (d)8 सेमी0

111. एक आयताकार कागज की साईज 100 सेमी0 × 44 सेमी0 है। इस कागज को इसके लम्बाई के अनुदिश मोड़कर एक बेलन बनाया जाता है। बेलन का आयतन कितना है ?

(a)4400 cm^3 (b)35000 cm^3

(c)15400 cm^3 (d)144 cm^3

112. एक ठोस बेलन के आधार की त्रिज्या तथा ऊँचाईं का योगफल 37 मीटर है। यदि इसके सम्पूर्ण पृष्ठ का क्षेत्रफल 1628 मी0^2 हो तो इस बेलन का आयतन बताइये ?

(a)4680 मी0^3 (b)5200 मी0^3

(c)3100 मी0^3 (d)4620 मी0^3

113. एक बेलनाकार स्तम्भ का वक्रपृष्ठ 264 मी0^2 और इसका आयतन 924 मी^{3} है, तो इसके व्यास का इसके ऊँचाई से अनुपात बताइये ?

(a)7 : 6 (b)6 : 7

(c)7 : 3 (d)3 : 7

114. एक बेलनाकार पाइप की धातु का आयतन 748 cm^3 है। पाइप की लम्बाई 14 सेमी0 तथा इसका बाहरी अर्द्धव्यास 9 सेमी0 है। इसकी मोटाई होगी –

(a)1 सेमी0 (b)3·7 सेमी0

(c)2·3 सेमी0 (d)5·2 सेमी0

115. एक बेलन के आधार की त्रिज्या r है और ऊँचाई h है। उससे दुगुने आयतन परन्तु उतनी ही ऊँचाई वाले किसी अन्य बेलन के आधार की त्रिज्या होगी ?

(a)$\frac{r}{\sqrt{2}}$ (b)$\sqrt{2r}$

(c)2r (d)r$\sqrt{2}$

116. एक लम्बवृत्तीय बेलन के आधार का परिमाप a एकक है। यदि उस बेलन का आयतन v घन एकक हो तो बेलन की ऊँचाई कितनी होगी ?

(a)$\frac{4a^2V}{\pi}$ एकक (b)$\frac{4\pi a^2}{V}$ एकक

(c)$\frac{4\pi V}{a^2}$ एकक (d)$\frac{\pi a^2 V}{4}$ एकक

117. एक लम्बवृत्तीय बेलन के आधार की त्रिज्या और वक्रसतह का क्षेत्रफल क्रमशः r यूनिट और 4πrh वर्ग यूनिट है, तो बेलन की ऊँचाई क्या है–

(a)$\frac{h}{2}$ यूनिट (b)h यूनिट

(c)4h यूनिट (d)2h यूनिट

118. एक लम्बवृत्तीय शंकु की ऊँचाई और व्यास का अनुपात 3 : 2 है और आयतन 1078 घन सेमी0 है, तो उसकी ऊँचाई है–

(a)7 सेमी0 (b)21 सेमी0

(c)14 सेमी0 (d)28 सेमी0

119. एक शांकव तम्बू का आयतन 1232 घन मीटर है और उसके आधार का क्षेत्रफल 154 वर्गमीटर है, तो उस तम्बू को बनाने के लिये आवश्यक कैनवास की लम्बाई ज्ञात कीजिए, यदि उपलब्ध कैनवास केवल 2 मीटर चौड़ा हो ?

(a)270 मी0 (b)272 मी0

(c)275 मी0 (d)276 मी0

120. दो लम्ब वृत्ताकार शंकुओं के आयतन 4 : 1 अनुपात में है और उसके व्यास 5 : 4 अनुपात में है। तद्नुसार उनकी ऊँचाईंयों का अनुपात क्या होगा ?

(a)25 : 16 (b)16 : 25

(c)25 : 64 (d)64 : 25

121. किसी लम्बवृत्तीय शंकु के आधार पर अर्द्धव्यास तथा उसकी ऊँचाई 5 : 12 के अनुपात में है यदि शंकु का आयतन $314\frac{2}{7}$ सेमी0^3 हो तो शंकु की तिर्यक ऊँचाई (सेमी0 में) होगी –

(a)12 (b)15

(c)17 (d)13

122. एक लम्बवृत्तीय शंकु के आधार और ऊँचाई को दुगुना कर दिया गया है शंकु का आयतन होगा ?

(a)पूर्व आयतन का 8 गुना

(b)पूर्व आयतन का 3 गुना

(c)पूर्व आयतन का 6 गुना

(d)पूर्व आयतन का $3\sqrt{2}$ गुना

123. सीसे की एक गोलाकार गेंद को जिसकी त्रिज्या 10 सेमी0 है, पिघलाकर 5 मिमी0 त्रिज्या वाली सीसे की छोटी गेंद बना दी गई है। उन छोटी गेंदों की सम्भावित संख्या कितनी है ?

(a)800 (b)125

(c)400 (d)8000

124. एक गोले का पृष्ठीय क्षेत्रफल 616 सेमी0^2 है। गोले का आयतन कितना होगा ?

(a)2500 सेमी0^3 (b)2100 सेमी0^3

(c)$1225\frac{3}{5}$ सेमी0^3 (d)$1437\frac{1}{3}$ सेमी0^3

125. यदि किसी गोलक की त्रिज्या दुगुनी कर दी जाये तो उसका पृष्ठ क्षेत्रफल कितना गुना हो जायेगा ?

(a)दुगुना (b)4 गुना

(c)3 गुना (d)8 गुना

126. 12 सेमी0 व्यास वाले सीसे के एक ठोस गोले को पिघलाकर तीन छोटे आकार के गोले बनाये गये है, जिनके व्यास का अनुपात 3 : 4 : 5 है। सबसे छोटे गोले की त्रिज्या (सेमी0 में) होगी ?

(a)3 (b)4

(c)6 (d)1·5

127. 8 सेमी0 अर्द्धव्यास वाले एक ठोस धातु के गोले को पिघलाकर 64 बराबर छोटे ठोस गोले बनाये गये है। इस गोले के पृष्ठीय क्षेत्रफल का एक छोटे गोले के पृष्ठीय क्षेत्रफल से अनुपात होगा ?

(a)4 : 1 (b)16 : 1

(c)1 : 4 (d)1 : 16

128. गोले A और B की त्रिज्यायें क्रमशः 40 सेमी0 और 10 सेमी0 है। A के पृष्ठीय क्षेत्रफल का B के पृष्ठीय क्षेत्रफल से अनुपात है –

(a)1 : 4 (b)4 : 1

(c)16 : 1 (d)1 : 16

129. 8 सेमी0 आधार त्रिज्या और 2 सेमी0 ऊँचाई वाले बेलन को 6 सेमी0 ऊँचा शंकु बनाने के लिए गलाया जाता है। शंकु की त्रिज्या क्या होगी ?

(a)4 सेमी0 (b)5 सेमी0

(c)6 सेमी0 (d)8 सेमी0

130. एक शंक्वाकार बर्तन जिसके अन्दर की त्रिज्या 12 सेमी0 है और ऊँचाई 50 सेमी0 है, किसी तरल पदार्थ से भरा हुआ है। इस तरल पदार्थ को एक बेलनाकार बर्तन में, जिसके अन्दर का अर्द्धव्यास 10 सेमी0 है उलट दिया जाता है। बेलनाकार बर्तन में तरल पदार्थ की ऊँचाई क्या होगी ?

(a)20 सेमी0 (b)22 सेमी0

(c)24 सेमी0 (d)25 सेमी0

131. एक सर्कस का तम्बू 3 मीटर ऊँचाईं तक बेलनाकार है और उसके ऊपर शंक्वाकार यदि उसका व्यास 105 मीटर है। और शंक्वाकार भाग की तिरछी ऊँचाई 63 मीटर है तो तम्बू बनाने के लिए अपेक्षित कैन्वस की कुल क्षेत्रफल है–

(a)11385 वर्ग मीटर (b)9900 वर्ग मीटर

(c)990 वर्ग मीटर (d)10395 वर्ग मीटर

132. 10 सेमी0 त्रिज्या और 21 सेमी0 ऊँचाईं वाले एक लम्बवृत्तीय बेलन से उसी आधार त्रिज्या वाला एक लम्बवृत्तीय शंकु निकाला गया है। यदि शेष भाग का आयतन 4400 सेमी0^2 है तो निकाले गये शंकु की ऊँचाई होगी–

(a)15 cm (b)18 cm

(c)24 cm (d)21 cm

133. एक गोलक और एक बेलन का आयतन एक समान है और उनका अर्द्धव्यास भी एक समान है। तदनुसार उस बेलन और गोलक की वक्राकार सतहों के क्षेत्रफलों का अनुपात कितना होगा ?

(a)4 : 3 (b)3 : 4

(c)3 : 2 (d)2 : 3

134. एक ठोस बेलन जिसके आधार का व्यास 16 सेमी0 तथा ऊँचाई 2 सेमी0 है को पिघलाकर समान साइज के 12 गोले बनाये गये है। प्रत्येक गोले के व्यास की लम्बाई होगी–

(a)2 सेमी0 (b)3 सेमी0

(c)4 सेमी0 (d)$\sqrt{3}$ सेमी0

135. समान अर्द्धव्यास वाले एक लम्बवृत्तीय बेलन तथा एक गोले के आयतन बराबर है। गोले के व्यास का बेलन की ऊँचाई से अनुपात होगा–

(a)3 : 2 (b)2 : 3

(c)2 : 1 (d)1 : 2

136. 9 सेमी0 ऊँचाईं और 18 सेमी0 व्यास का ठोस शंकु, 9 सेमी0 त्रिज्या वाले एक ठोस लकड़ी के गोले को काटकर बनाया गया है। तदनुसार, नष्ट की गई लकड़ी कितने प्रतिशत है ?

(a)25 (b)50

(c)30 (d)75

137. ताँबें के एक गोले का व्यास 18 सेमी0 है। उस गोले को पिघलाकर एक लम्बे एक समान वृत्ताकार तार में बदल दिया गया है। यदि उस तार की लम्बाई 108 मीटर की हो, तो उस तार का व्यास कितना होगा ?

(a)1 सेमी0 (b)0·3 सेमी0

(c)0·6 सेमी0 (d)0·9 सेमी0

138. 10·5 सेमी0 त्रिज्या का एक धातु का गोला पिघलाकर 3·5 सेमी0 त्रिज्या तथा 3 सेमी0 ऊँचाईं वाले कई छोटे शंकुओं में ढाल दिया गया है। इस प्रकार बने शंकुओं की संख्या कितनी होगी ?

(a)140 (b)126

(c)132 (d)112

139. किसी त्रिभुजाकार प्रिज्म में कुल शीर्षो की संख्या कितनी होगी ?

(a)3 (b)5

(c)6 (d)9

140. एक लम्ब प्रिज्म का आधार 8 सेमी0 लम्बी भुजाओं वाला एक समबाहु त्रिभुज है और उस प्रिज्म की ऊँचाई 10 सेमी0 है तो उस प्रिज्म का आयतन कितना है ?

(a)$320\sqrt{3}$ घन सेमी0 (b)$150\sqrt{3}$ घन सेमी0

(c)$160\sqrt{3}$ घन सेमी0 (d)$300\sqrt{3}$ घन सेमी0

141. एक वर्गाकार आधार वाले एक लम्ब प्रिज्म की ऊँचाई 15 सेमी0 है। तद्नुसार, यदि उस प्रिज्म का कुल पृष्ठीय क्षेत्रफल 608 वर्ग सेमी0 हो तो उसका आयतन कितना है ?

(a)960 सेमी0^3 (b)910 सेमी0^3

(c)980 सेमी0^3 (d)920 सेमी0^3

142. किसी समलम्ब पिरामिड का आधार 16 सेमी0 लम्बी भुजा वाला एक वर्ग है। यदि उसकी ऊँचाई 15 सेमी0 हो तो उस पिरामिड के पार्श्वपृष्ठ का क्षेत्रफल कितने वर्ग सेमी0 होगा ?

(a) 136 (b)1280

(c) 544 (d) 800

143. यदि एक समलम्ब पिरामिड का आधार 5 सेमी0, 12 सेमी0 तथा 13 सेमी0 भुजाओं वाला त्रिभुज हो और उसका आयतन 330 सेमी0^3 हो तो उसकी ऊँचाई कितने सेमी0 होगी ?

(a)33 (b)11

(c)22 (d)32

144. एक लम्बवृत्तीय शंकु की ऊँचाई में 200 % की वृद्धि तथा उसके आधार के अर्द्धव्यास में 50 % की कमी करने पर शंकु के आयतन में क्या परिवर्तन होगा ?

(a)25% की कमी (b)25% की वृद्धि

(c)50% की कमी (d)50 % की वृद्धि

145. यदि एक बेलन की ऊँचाई में 15% वृद्धि तथा इसके आधार के अर्द्धव्यास में 10% कमी कर दी जाये तो उसके वक्रपृष्ठ में कितना परिवर्तन होगा ?

(a)3·5 % (b)5 % कमी

(c)5 % वृद्धि (d)3·5 % वृद्धि

146. 3 सेमी0 त्रिज्या वाले ताँबे के एक गोले को पीट–पीट कर 0·2 सेमी0 व्यास की एक तार में बदलें, तो उस तार की लम्बाई कितनी होगी ?

(a)9 मीटर (b)36 मीटर

(c)18 मीटर (d)12 मीटर

147. 3 सेमी0 व्यास वाले धातु के ठोस गोले कितने पिघलाये जाये कि इनमें एक ठोस बेलन बन सके जिसका व्यास 4 सेमी0 तथा ऊँचाई 54 सेमी0 हो ?

(a)36 (b)24

(c)16 (d)48

148. किसी गोले के आयतन और उसके परिगत बने बेलन के आयतन में अनुपात बताइये ?

(a)2 : 3 (b)3 : 2

(c)1 : 3 (d)3 : 1

ANSWER

1.	c	35.	c	69.	b	103.	d	137.	c
2.	d	36.	b	70.	c	104.	a	138.	b
3.	d	37.	b	71.	d	105.	a	139.	c
4.	b	38.	a	72.	b	106.	c	140.	c
5.	a	39.	c	73.	a	107.	b	141.	a
6.	c	40.	d	74.	b	108.	c	142.	c
7.	d	41.	b	75.	d	109.	b	143.	a
8.	c	42.	c	76.	d	110.	a	144.	a
9.	a	43.	d	77.	a	111.	c	145.	d
10.	d	44.	b	78.	b	112.	d	146.	b
11.	c	45.	a	79.	d	113.	c	147.	d
12.	b	46.	d	80.	d	114.	a	148.	a
13.	c	47.	a	81.	b	115.	d		
14.	d	48.	d	82.	b	116.	c		
15.	c	49.	d	83.	b	117.	d		
16.	b	50.	d	84.	b	118.	b		
17.	b	51.	b	85.	d	119.	c		
18.	d	52.	d	86.	d	120.	d		
19.	d	53.	c	87.	c	121.	d		
20.	c	54.	c	88.	b	122.	a		
21.	c	55.	c	89.	c	123.	d		
22.	a	56.	a	90.	d	124.	d		
23.	a	57.	b	91.	a	125.	b		
24.	b	58.	a	92.	d	126.	c		
25.	c	59.	c	93.	b	127.	b		
26.	c	60.	c	94.	d	128.	c		
27.	a	61.	a	95.	b	129.	d		
28.	d	62.	c	96.	b	130.	c		
29.	c	63.	a	97.	a	131.	a		
30.	c	64.	d	98.	d	132.	d		
31.	d	65.	c	99.	a	133.	d		
32.	d	66.	b	100.	c	134.	a		
33.	d	67.	a	101.	b	135.	a		
34.	b	68.	a	102.	d	136.	d		

Explanatory Notes

1. (c) बड़े घन का आयतन = तीनो छोटे घनों के आयतनों का योग

$a^3 = 3^3+4^3+5^3$

$a^3 = 27+64+125$

$a^3 = 216$

a = 6cm

∴ तीनों छोटे घनों के पृष्ठीय क्षेत्रफल का योग : बड़े घन का पृष्ठीय क्षेत्रफल

$= 6(3)^2+6(4)^2+6(5)^2 : 6(6)^2$

= 6[9+16+25] : 6×36

= 50 : 36

= 25 : 18

2. (d) $6a^2 = 3750$

$a^2 = 625$

∴ a = 25 cm

∴ घन का आयतन = $(25)^3 = 15625\ cm^3$

3. (d)

	पुराना घन	:	नया घन
भुजा →	1	:	3
आयतन →	$(1)^3$	:	$(3)^3$

= 1 : 27

∴ नया आयतन, वास्तविक आयतन का 27 गुना होगा

4. (b) माना, प्रारम्भिक कोर = x cm

∴ नया कोर = $(x+1)$ cm

$(x+1)^3 - x^3 = 169$

या, $x^3+1+3x(x+1) - x^3 = 169$

या, $1+3x^2+3x = 169$

या, $3x^2+3x - 168 = 0$

या, $x^2+x - 56 = 0$

या, $x^2+8x - 7x - 56 = 0$

या, $x(x+8) - 7(x+8) = 0$

$(x+8)(x-7) = 0$

∴ x = 7 cm

5. (a) $a\sqrt{3} = \sqrt{12} = 2\sqrt{3}$

∴ a = 2 cm

∴ आयतन = $a^3 = (2)^3$

= $8\ cm^3$

6. (c) कुल छोटे घन = $\frac{\text{बड़े घन का आयतन}}{\text{छोटे घन का आयतन}}$

$= \frac{15\times15\times15}{3\times3\times3}$

= 5 × 5 × 5

= 125

7. (d) $\frac{\text{छोटे घन का TSA}}{\text{बड़े घन का TSA}}$

$= \frac{6(1)^2}{6(5)^2} = \frac{1}{25}$

8. (c) $\frac{a_1^3}{a_2^3} = \frac{27}{64}$

या, $\left(\frac{a_1}{a_2}\right)^3 = \left(\frac{3}{4}\right)^3$

∴ $\frac{a_1}{a_2} = \frac{3}{4}$

तब, $\frac{S_1}{S_2} = \frac{6a_1^2}{6a_2^2} = \frac{3^2}{4^2} = \frac{9}{16}$

9. (a) $R = +50+50+\frac{50\times50}{100}$

R = 100+25 = 125% वृद्धि

10. (d)

	पुराना घन		नया घन
भुजा →	1	:	2
TSA →	$6(1)^2$	:	$6(2)^2$
	= 1 : 4		

∴ TSA में वृद्धि = 4 − 1 = 3

% वृद्धि $= \frac{3\times100}{1} = 300\%$

11. (c) माना भुजायें क्रमशः x , $2x$ और $3x$ सेमी है

$88 = 2(x\times2x + 2x\times3x + 3x\times x)$

$44 = 2x^2+6x^2+3x^2$

$11x^2 = 44$

$x^2 = 4$

$x = 2$

∴ घनाभ का आयतन = lbh

$= x\times2x\times3x$

$= 6x^3 = 6(2)^3 = 48\ cm^3$

12. (b) सबसे बड़ी छड़ की लम्बाई = घनाभ का विकर्ण

$= \sqrt{(12)^2+(9)^2+(8)^2}$

$= \sqrt{144+81+64}$

$= \sqrt{289}$ = 17 मीटर

13. (c) माना, कमरे की चौड़ाई = x मी०

∴ लम्बाई = $2x$मी

$660 = 2(2x+x)\times11$

$\frac{660}{22} = 3x$

या $3x = 30$

∴ $x = 10$

∴छत का क्षे० = lb

$= x\times2x = 2x^2$

$= 2(10)^2 = 200$ मी²

14. (d)

गुणा करने पर

$lb = x$ ....(i)

$bh = y$ ....(ii)

$lh = z$ ....(iii)

$l^2.b^2.h^2 = xyz$

या, $(lbh)^2 = xyz$

या, $v^2 = xyz$

15. (c)

$$lb = x \;\ldots\ldots(i)$$

गुणा करने पर

$$bh = y \;\ldots\ldots(ii)$$

$$hl = z \;\ldots\ldots(iii)$$

$$l^2.b^2.h^2 = xyz$$

या, $(lbh)^2 = xyz$

या, $lbh = \sqrt{xyz}$

16. (b) कुल पैकेट की संख्या = $\frac{\text{बक्से का आयतन}}{\text{1छोटे पैकेट का आयतन}}$

$= \frac{0{\cdot}5m \times 0{\cdot}25m \times 18cm}{12cm \times 5cm \times 3cm}$

$= \frac{50cm \times 25cm \times 18cm}{12cm \times 5cm \times 3cm}$

= 125

17. (b) माना, ऊँचाई = hमी०

194 = 2(8×6+6×h+h ×8)

97 = 48+14h

14h = 49

$h = \frac{49}{14} = 3{\cdot}5$ मी०

∴ आयतन = 8×6×3·5

= 168 मी.^{3}

18. (d) माना, लम्बाई, चौड़ाई और ऊँचाई क्रमशः $6x, 4x,$व $3x,$सेमी है

$6x \times 4x \times 3x = 4608$

$72x^3 = 4608$

$x^3 = \frac{4608}{72} = 64$

∴ $x = 4$

∴ पार्श्व पृष्ठ का क्षे० = चारो दिवारों का क्षे०

= $2(6x+4x)\times 3x$

= $2\times10x\times 3x = 60x^2$

= $60(4)^2$

= 60×16 = 960 cm^2

19. (d) $l + b + h$ = 24 ------(i)

$l^2 + b^2 + h^2 = (15)^2 = 225$ ------(ii)

समी० (i) का वर्ग करने पर

$l^2 + b^2 + h^2 + 2(lb + bh + lh) = 576$

225 + TSA = 576

∴ TSA = 576 – 225 = 351 cm^2

20. (c) चारों दिवारो का क्षे० = 2(12+8)×10

= 400 मी^{2}

∵ 1 मी^{2} पर लागत = ₹25

∴400 मी2 पर लागत = 25×400

= ₹10000

21. (c) माना, लम्बाई, चौड़ाई और ऊँचाई क्रमशः $3x, 4x,$व $6x,$सेमी. है

$3x \times 4x \times 6x = 576$

$72x^3 = 576$

$x^3 = \frac{576}{72} = 8$

∴ $x = 2$

∴ TSA = $2(3x\times4x+4x\times6x+6x\times3x)$

= $2(12x^2+24x^2+18x^2)$

= $2\times54x^2 = 108x^2$

= $108(2)^2 = 108\times4 = 432$ cm^2

22. (a) $l+ b+ h$ = 12------(i)

$2(lb+ bh +lh)$= 94 -----(ii)

समी० (i) का वर्ग करने पर

$l^2+ b^2+ h^2+ 2(lb+bh+lh) = 144$

$l^2+ b^2+ h^2+ 94 = 144$

∴ $l^2+ b^2+ h^2 = 144 - 94 = 50$

$d^2 = 50$

∴ $d = \sqrt{2 \times 5 \times 5} = 5\sqrt{2}$ cm

23. (a) $2\pi r = 44$

$r = 44\times\frac{1}{2}\times\frac{7}{22}$ = 7cm

$2\pi r\,(h+r) = 748$

$2\times\frac{22}{7}\times 7\,(h+r) = 748$

$(h+7) = \frac{748}{44} = 17$

∴ h= 17–7 = 10 cm

∴ आयतन = $\frac{22}{7}\times7\times7\times10$ = 1540 cm^3

24. (b) $2\pi r = 44$

$x = 44\times\frac{1}{2}\times\frac{7}{22}$ = 7 cm

∴ आयतन = $\frac{22}{7}\times7\times7\times8$ = 1232 cm^3

25. (c) $\pi r^2h = 7392$

$\pi r^2 \times 12 = 7392$

∴ $\pi r^2 = \frac{7292}{12}$ = 616 cm^2

26. (c)माना, बेलन की त्रिज्या तथा ऊँचाई क्रमशः $4x$ व $7x$ सेमी० है

πr^2h =2816

$\frac{22}{7}\times4x\times 4x\times7x = 2816$

$x^3 = \frac{2816}{22\times4\times4} = 8$

∴ $x = 2$

अतः त्रिज्या = $4x$ = 8 cm

27. (a) $2\pi r(h+r) = 462$ -----(i)

तिर्यक पृष्ठ का क्षे० = $\frac{1}{3}$ सम्पूर्ण पृष्ठ का क्षे०

$2\pi rh = \frac{1}{3}\times 2\pi r(h+r)$

$3h = h + r$

या $r = 2h$

या, $h = \frac{r}{2}$ यह मान समी० (i) में रखने पर

$2\pi r\left(\frac{r}{2} + r\right) = 462$

$2\pi r\left(\frac{r}{2} + r\right) = 462$

$\frac{2\pi\times3r^2}{2} = 462$

$r^2 = 462\times\frac{7}{22}\times\frac{1}{3} = 49$

$\therefore r = 7cm$

28. (d) $2\pi rh = 264$

या, $\pi rh = 132$ -----(i)

$\pi r^2 h = 924$-----(ii)

समी० (ii) ÷ समी० (i)

$\frac{\pi r^2 h}{\pi rh} = \frac{924}{132}$

r = 7 यह मान समी० (i) में रखने पर

$\frac{22}{7} \times 7 \times h = 132$

$h = \frac{132}{22} = 6$

$\therefore 2r : h = 14 : 6 = 7 : 3$

29. (c) $r + h = 20$ -----(i)

$2\pi r(h+r) = 880$

$2 \times \frac{22}{7} \times r \times 20 = 880$

$r = \frac{880 \times 7}{880} = 7$ cm

$\therefore h = 13$ cm

अतः आयतन $= \frac{22}{7} \times 7 \times 7 \times 13$

$= 2002$ cm^3

30. (c) $2\pi r(h+r) = 231$ ------(i)

बेलन का पृष्ठीय क्षे० = कुल पृष्ठीय क्षे० $\times \frac{2}{3}$

$2\pi rh = 2\pi r(h+r) \times \frac{2}{3}$

या $h = (h+r) \times \frac{2}{3}$

या, $3h = 2h + 2r$

या, $h = 2r$ यह मान समी० (i) में रखने पर

$2\pi r(2r+r) = 231$

$\pi \times 6r^2 = 231$

$r^2 = 231 \times \frac{7}{22} \times \frac{1}{6} = \frac{49}{4}$

$\therefore r = \frac{7}{2}$ cm

$\therefore h = 2r = 2 \times \frac{7}{2} = 7$ cm

अतः आयतन $= \frac{22}{7} \times \frac{7}{2} \times \frac{7}{2} \times 7 = 269.5$ cm^3

31. (d) बने बेलन के,

आधार का परिमाप, $2\pi r = 88$

$r = 88 \times \frac{1}{2} \times \frac{7}{22} = 14$ cm

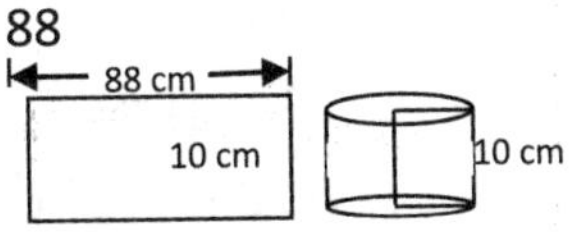

$\therefore$

बेलन की धारिता $= \frac{22}{7} \times 14 \times 14 \times 10 = 6160$ cm^3

$\therefore 1000$ cm^3 = 1 लीटर

$\because$धारिता (ली० में) $= \frac{6160}{1000} = 6.16$

32. (d) वक्रपृष्ठ × 4 = आधार के क्षेत्रफलों के योग × 6

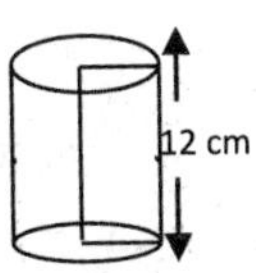

$2\pi r \times 12 \times 4 = (\pi r^2 + \pi r^2) \times 6$

$96\pi r = 12\pi r^2$

$\therefore r = 8$ cm

$\therefore$ आयतन $= \pi \times 8 \times 8 \times 12 = 768\pi$cm^3

33. (d)

I बेलन का आयतन = II बेलन का आयतन

$\pi r_1^2 h_1 = \pi r_2^2 h_2$

या, $r_1^2 \times 1 = r_2^2 \times 3$ $[\therefore h_1 : h_2 = 1 : 3]$

या, $\left(\frac{r_1}{r_2}\right)^2 = \frac{3}{1}$

$\frac{r_1}{r_2} = \frac{\sqrt{3}}{1} \times \frac{\sqrt{3}}{\sqrt{3}} = \frac{3}{\sqrt{3}}$

34. (b) $\frac{\text{I बेलन का वक्रपृष्ठ}}{\text{II बेलन का वक्रपृष्ठ}} = \frac{2\pi r_1 h_1}{2\pi r_2 h_2} = \frac{3 \times 4}{4 \times 5} = \frac{3}{5}$

$[\because r_1 : r_2 = 3 : 4, h_1 : h_2 = 4 : 5]$

35. (c) समकोण Δ ADC में,

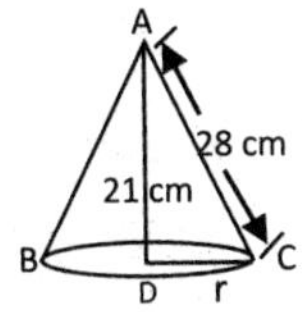

$r^2 = (28)^2 - (21)^2$

$r^2 = 784 - 441$

$r^2 = 343$

$\therefore$शंकु का आयतन $= \frac{1}{3} \times \frac{22}{7} \times 343 \times 21$

$= 7546$cm^3

36. (b) माना, शंकु की त्रिज्या और ऊँचाई क्रमशः $5x$ व $12x$ सेमी है

तिर्यक ऊँचाई, $l = \sqrt{(5x)^2 + (12x)^2}$

$= \sqrt{25x^2 + 144x^2}$

$= \sqrt{169x^2} = 13x$

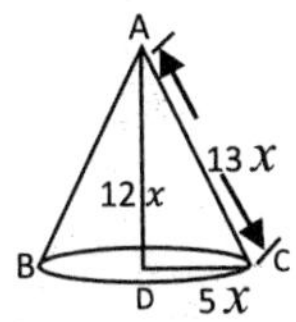

$\frac{1}{3} \times \frac{22}{7} \times 5x \times 5x \times 12x = \frac{2200}{7}$

$x^3 = \frac{2200}{7} \times \frac{3}{1} \times \frac{7}{22} \times \frac{1}{5} \times \frac{1}{5} \times \frac{1}{12}$

$x^3 = 1$

$x = 1$

$\therefore$ तिर्यक ऊँचाई, $l = 13x = 13$ cm

37. (b)

तिर्यक ऊँचाई, $l = \sqrt{\left(2\sqrt{3}\right)^2 + (2)^2}$

$= \sqrt{12 + 4}$

$= \sqrt{16} = 4$ cm

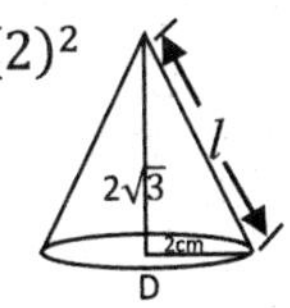

38. (a) $r_1 : r_2 = 3 : 4$

$h_1 : h_2 = 4 : 3$

$\frac{\text{I शंकु का आयतन}}{\text{II शंकु का आयतन}} = \frac{\frac{1}{3}\pi r_1^2 h_1}{\frac{1}{3}\pi r_2^2 h_2}$

$\frac{(3)^2 \times 4}{(4)^2 \times 3} = \frac{9 \times 4}{16 \times 3} = \frac{3}{4}$

39. (c) माना, शंकु की ऊँचाई, $h = 3x$ cm

तथा व्यास, $2r = 2x$ cm

$\therefore$ त्रिज्या $r = x$ cm

$\frac{1}{3}\pi \times x \times x \times 3x = 1078$

$x^3 = 1078 \times \frac{7}{22} = 343$

$x = 7$ अतः ऊँचाई , $h = 3x$

$= 21$ cm

40. (d) तंबू बनाने में लगे कपड़े का क्षे० = शंकु का वक्रपृष्ठ = $\frac{2992}{7}$

$= \frac{22}{7} \times 16 \times l = \frac{2992}{7}$

$\therefore l = \frac{2992}{22\times16} = 8.5$ मीटर

41. (b) शंकु का आयतन = 1232

$\frac{1}{3} \times \frac{22}{7} \times r^2 \times 24 = 1232$

$r^2 = \frac{1232\times21}{22\times24} = 49$

$\therefore r = 7$ cm

$\therefore$ वक्रपृष्ठ का क्षे० $= \pi r l$

$= \frac{22}{7} \times 7 \times \sqrt{(24)^2+(7)^2}$

$= 22 \times \sqrt{576+49}$

$= 22 \times \sqrt{625}$

$= 22\times25 = 550$ cm^3

42. (c) $2\pi r = 33$

$r = 33 \times \frac{1}{2} \times \frac{7}{22} = \frac{21}{4}$ cm

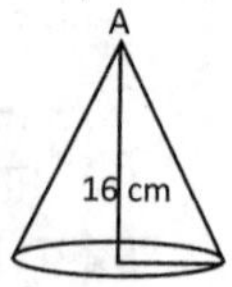

$\therefore$ आयतन $= \frac{1}{3} \times \frac{22}{7} \times \frac{21}{4} \times \frac{21}{4} \times 16$

$= 462$ cm^3

43. (d) आधार का क्षे०, $\pi r^2 = 154$

$r^2 = 154 \times \frac{7}{22} = 7^2$

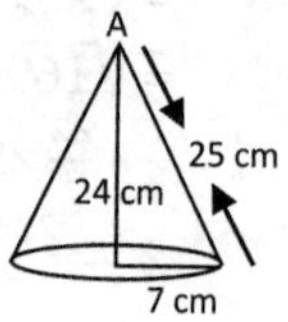

आयतन $= \frac{1}{3} \times \frac{22}{7} \times 7 \times 7h = 1232$

$h = \frac{1232\times21}{22\times7\times7} = 24$ cm

समकोण Triplet, 7 : 24 : 25 से

तिर्यक ऊँचाई, $l = 25\ cm$

$\therefore$ टेन्ट बनाने में लगे कपड़े का क्षे० $= \pi r l$

कपड़े का क्षे० $= \frac{22}{7} \times 7 \times 25 = 550$ मी^{2}

$\therefore$ लम्बाई $\times 2 = 550$

$\therefore$ लम्बाई = 275 मीटर

44. (b) आधार का परिमाप, $2\pi r = 8$

$\therefore r = \frac{4}{\pi} cm$

$\therefore$ शंकु का आयतन $= \frac{1}{3} \pi \times \frac{4}{\pi} \times \frac{4}{\pi} \times 21 = \frac{112}{\pi}$ cm^3

45. (a) $\frac{\text{I शंकु का आयतन}}{\text{II शंकु का आयतन}} = \frac{2}{3}$

$\frac{\frac{1}{3}\pi r_1^2 h_1}{\frac{1}{3}\pi r_2^2 h_2} = \frac{2}{3}$

$\frac{(1)^2\times h_1}{(2)^2\times h_2} = \frac{2}{3}$ $[\because r_1 : r_2 = 1 : 2]$

$\therefore \frac{h_1}{h_2} = \frac{2}{3} \times \frac{4}{1} = \frac{8}{3}$

46. (d) तिर्यक ऊँचाई , $l = \sqrt{(12)^2+(9)^2}$

$\sqrt{144+81} = \sqrt{225} = 15$ मीटर

$\therefore$ Tent बनाने में लगे कैनवास का क्षे० $= \pi r l$

$\frac{22}{7} \times 12 \times 15$

$= 3.14 \times 12 \times 15$

$= 565.2$ मी^{2}

$\therefore$ कैनवास पर खर्च $= 565.2 \times 120$

= ₹67824

47. (a) माना, शंकु के आधार की त्रिज्या और ऊँचाई क्रमशः r और h है

$\therefore$ नयी त्रिज्या और ऊँचाई क्रमशः $2r$ तथा $2h$ होगी।

तब प्रारम्भिक आयतन $= \frac{1}{3}\pi r^2 h$

नया आयतन $= \frac{1}{3}\pi(2r)^2 \times 2h$

$= \frac{1}{3}\pi 4r^2 \times 2h = 8 \times \frac{1}{3}\pi r^2 h$

अतः नया आयतन, पूर्व आयतन का 8 गुना होगा।

48. (d) माना गोले की प्रारम्भिक त्रिज्या $= r\ cm$

$\therefore$ नयी त्रिज्या $= (r+2)cm$

$4\pi(r+2)^2 - 4\pi r^2 = 352$

$4\pi[r^2+4+4r-r^2] = 352$

$4+4r = 352 \times \frac{1}{4} \times \frac{7}{22} = 28$

$4r = 28-4 = 24$

$\therefore r = \frac{24}{4} = 6$ cm

49. (d) नये गोले का आयतन = तीनों गोले के आयतनों का योग

$\frac{4}{3}\pi r^3 = \frac{4}{3}\pi[(1)^3+(6)^3+(8)^3]$

$r^3 = 1+216+512 = 729$

$r^3 = 9^3$

$\therefore r = 9\ cm$

50. (d) $\frac{\text{गोले(A) का पृष्ठीय क्षेत्रफल}}{\text{गोले (B)का पृष्ठीय क्षेत्रफल}} = \frac{4\pi(40)^2}{4\pi(10)^2}$

$= \frac{1600}{100} = \frac{16}{1}$

51. (b) तीनों छोटे गोले की त्रिज्याओं का अनुपात = व्यास का अनुपात = 3 : 4 : 5

माना, तीनों गोले की त्रिज्याये क्रमशः $3x, 4x$ और $5x\ cm$ है

बड़े गोले का $v =$ तीनों छोटे गोले के v का योग

$\frac{4}{3}\pi(12)^3 = \frac{4}{3}\pi[(3x)^3+(4x)^3+(5x)^3]$

$1728 = 27x^3+64x^3+125x^3$

$1728 = 216\ x^3$

$x^3 = \frac{1728}{216} = 8$

$\therefore x = 2$

$\therefore$ छोटे गोले की त्रिज्या $= 3x = 6cm$

52. (d)

	पुराना गोला	:	नया गोला
त्रिज्या→	1	:	2
आयतन→	$(1)^3$	:	$(2)^3$

= 1 : 8

$\therefore$ नया आयतन, पूर्व आयतन का 8 गुना होगा

53. (c) बड़े गोले का आयतन = 64×1 छोटे गोले का आयतन

$\frac{4}{3}\pi\ (8)^3 = 64\left[\frac{4}{3}\pi r^3\right]$

$\frac{512}{64} = r^3$

$r^3 = 8$

r = 2 cm

$\therefore \frac{\text{बड़े गोले का पृष्ठीय क्षेत्रफल}}{\text{छोटे गोले का पृष्ठीय क्षेत्रफल}} = \frac{4\pi(8)^2}{4\pi(2)^2}$

$\frac{64}{4} = \frac{16}{1}$

54. (c) $\frac{4\pi r_1^2}{4\pi r_2^2} = \frac{4}{9}$

या, $\left(\frac{r_1}{r_2}\right)^2 = \left(\frac{2}{3}\right)^2$

$\therefore \frac{r_1}{r_2} = \frac{2}{3}$

अतः आयतनों का अनुपात = $(2)^3 : (3)^3 = 8 : 27$

55. (c)

	पुराना गोला : नया गोला
त्रिज्या	1 : 2
पृष्ठीय क्षे०	$(1)^2 : (2)^2$ = 1 : 4

नया पृष्ठीय क्षेत्रफल, पूर्व का 4 गुना हो जायेगा।

56. (a) $s = 4\pi r^2$--------(i)

$v = \frac{4}{3}\pi r^3$ ----(ii)

$\frac{s^3}{v^2} = \frac{(4\pi r^2)^3}{(\frac{4}{3}\pi r^3)^2}$

$= \frac{64\pi^3 r^6}{\frac{16}{9}\pi^2 r^6}$

$= \frac{4\times9\pi}{1} = 36\pi$ unit

57. (b) अर्द्धगोले का कुल पृष्ठीय क्षे०, $3\pi r^2 = 27\pi$

$r^2 = 9$

$\therefore$ r = 3 cm

58. (a) गोले का कुल पृष्ठीय क्षे०, $4\pi r^2 = 8\pi$

$r^2 = 2$

$r = \sqrt{2}$

$\therefore$ गोले का आयतन $= \frac{4}{3}\pi(\sqrt{2})^3$

$= \frac{4}{3}\pi \times 2\sqrt{2} = \frac{8\sqrt{2}}{3}\pi$ घन इकाई

59. (c) अर्द्धगोले का आयतन = 4 गोले का आयतन

माना, अर्द्धगोले की त्रिज्या 'r' तथा गोले की त्रिज्या 'x' है

$\frac{2}{3}\pi r^3 = 4 \times \frac{4}{3}\pi x^3$

या, $r^3 = 8x^3$

या, $x^3 = \frac{r^3}{8}$

$\therefore x = \frac{r}{2}$

60. (c) शंक्वाकार बर्तन में द्रव का आयतन = बेलनाकार बर्तन में द्रव का आयतन

$\frac{1}{3}\pi \times 12 \times 12 \times 50 = \pi \times 10 \times 10 \times h$

$\therefore h = 24\ cm$

61. (a) Tent बनाने में लगे कपड़े का क्षे०

= बेलन का वक्रपृष्ठ + शंकु का वक्रपृष्ठ

$= 2\times\frac{22}{7} \times \frac{105}{2} \times 3 + \frac{22}{7} \times \frac{105}{2} \times 63$

990+10395

= 11385 मी²

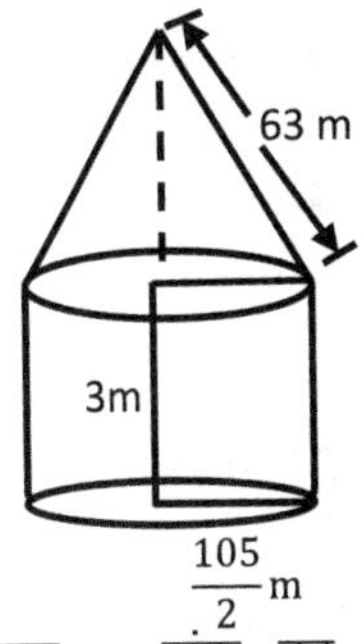

62. (c)बेलन का आयतन – शंकु का आयतन = 4400

$\pi \times 10 \times 10 \times 21 - \frac{1}{3}\pi \times 10 \times 10 \times h$

$= 4400$

$100\pi\left[21 - \frac{h}{3}\right] = 4400$

$\frac{63-h}{3} = 44 \times \frac{7}{22}$

$63 - h = 14 \times 3$

$= h = 63 - 42 = 21\ cm$

63. (a) शेष बचे ठोस का आयतन

= बेलन का आयतन – शंकु का आयतन

$= \pi(6)^2 \times 10 - \frac{1}{3}\pi \times (6)^2 \times 10$

$= 360\pi - \frac{1}{3}\pi \times 36 \times 10$

$= 360\pi - 120\pi$

$= 240\pi$ घन सेमी

64. (d) बेलनाकार बर्तन में,

बढ़े द्रव का आयतन = शंकु का आयतन

$\pi r^2 \times 6.4 = \frac{1}{3}\pi \times 14 \times 14 \times 30$

$r^2 = \frac{14\times10\times10}{6.4}$

$r = \sqrt{\frac{14\times14\times10}{64}}$

$r = \frac{14\times10}{8} = \frac{35}{2}$

$\therefore$ व्यास $2r = \frac{35}{2} \times 2$

$= 35\ cm$

65. (c) माना, बेलन और शंकु दोनों की त्रिज्या 'r' तथा ऊँचाढ़ 'h' है।

$\frac{\text{बेलन का वक्र पृष्ठ}}{\text{शंकु का वक्र पृष्ठ}} = \frac{8}{5}$

$\frac{2\pi rh}{\pi rl} = \frac{8}{5}$

$\frac{h}{l} = \frac{4}{5}$

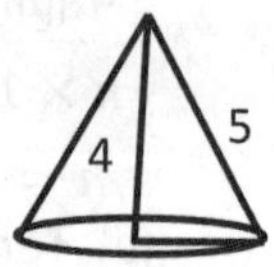

$\therefore r = \sqrt{l^2 - h^2}$

$r = \sqrt{5^2 - 4^2} = \sqrt{9} = 3$

$\therefore r : h = 3 : 4$

66. (b) बेलनाकार बर्तन में,
बढ़े द्रव का आयतन = गेंद का आयतन

$\pi \times 12 \times 12 \times h = \frac{4}{3} \pi \times (6)^3$

$h = \frac{4}{3} \times 216 \times \frac{1}{12} \times \frac{1}{12} = 2cm$

67. (a) बेलन का आयतन = 12 गोले का आयतन

$\pi \times 8 \times 8 \times 2 = 12 \times \frac{4}{3}\pi \times r^3$

$r^3 = \frac{8 \times 8 \times 2 \times 3}{12 \times 4} = 8$

$\therefore r = 2$ cm

68. (a) माना, दोनों की त्रिज्या 'r' तथा बेलन की ऊँचाई $'h'$ है

बेलन का आयतन = गोले का आयतन

$\pi r^2 h = \frac{4}{3}\pi r^3$

या, $r = \frac{3h}{4}$

या, $4r = 3h$

$\therefore \frac{r}{h} = \frac{3}{4}$

$\therefore$ गोले का व्यास : बेलन की ऊचाई $= 2r : h$

$= 2 \times 3 : 4$

$= 3 : 2$

69. (b) बेलनाकार बर्तन में,
बढ़े द्रव आयतन = दो गोलियों का आयतन

$\pi(6)^2 \times h = 2 \times \frac{4}{3}\pi(3)^3$

$h = \frac{8}{3} \times 27 \times \frac{1}{36}$

$h = 2\ cm$

70. (c) माना, अर्द्धगोले की त्रिज्या = r

$\therefore$ बेलन की त्रिज्या = r

बेलन की ऊँ०, $h = r$

$\therefore \frac{\text{अर्ध गोले का आयतन}}{\text{बेलन का आयतन}} = \frac{\frac{2}{3}\pi r^3}{\pi r^2 \times r} = \frac{2}{3}$

71. (d) माना, दोनों की त्रिज्या $'r'$ तथा बेलन की ऊँ० $'h'$ है।

बेलन का आयतन = गोले का आयतन

$\pi r^2 h = \frac{4}{3} \pi r^3$

या, $h = \frac{4}{3} r$

या, $h = \frac{4}{3} r$

या, $3h = 4r$

या, $\frac{h}{r} = \frac{4}{3}$

$\therefore \frac{\text{बेलन का पृष्ठीय क्षेत्रफल}}{\text{गोले का पृष्ठीय क्षेत्रफल}} = \frac{2\pi rh + 2\pi r^2}{4\pi r^2}$

$= \frac{2\pi rh}{4\pi r^2} + \frac{2\pi r^2}{4\pi r^2}$

$= \frac{h}{2r} + \frac{1}{2} = \frac{4}{6} + \frac{1}{2} = \frac{7}{6}$

72. (b) बेलनाकार बर्तन में,
बढ़े द्रव का आयतन = गोले का आयतन

$\pi.(6)^2.h = \frac{4}{3}\pi(3)^3$

$36h = \frac{4}{3} \times 27$

$\therefore h = \frac{4 \times 9}{36} = 1$ cm

73. (a) माना, दोनों की त्रिज्या $'r'$ तथा बेलन की ऊँ० $'h'$ है।

अर्द्धगोले का आयतन = बेलन का आयतन

$\frac{2}{3}\pi r^3 = \pi r^2 \times h$

$h = \frac{2}{3} r$

या, $\frac{h}{r} = \frac{2}{3}$

74. (b) $\because$ गोले को खींचकर तार बनाया गया है अतः गोले का आयतन = तार (बेलन) का आयतन

$\frac{4}{3}\pi(9)^3 = \pi \times \frac{2}{10} \times \frac{2}{10} \times h$

$\frac{4}{3} \times 729 = \frac{1}{25} \times h$

$4 \times 243 \times 25 = h$

$\therefore h = 24300\ cm$

या $h = 243$ मीटर

75. (d) माना, गोले की त्रिज्या $= r$

$\therefore$ बेलन की त्रिज्या $= r$

बेलन की ऊँ०, $h = 2r$

गोले का वक्रपृष्ठ $(S_1) = 4\pi r^2$

बेलन का वक्रपृष्ठ $(S_2) = 2\pi r \times 2r$

$= 4\pi r^2$

$\therefore S_1 = S_2$

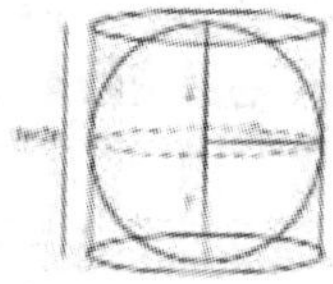

76. (d) गोले का आयतन : शंकु का आयतन

$= \frac{4}{3}\pi(9)^3 : \frac{1}{3}\pi(9)^2 \times 9$

$= 4 : 1$

$\therefore$ नष्ट लकड़ी = 4 – 1 = 3 unit

नष्ट लकड़ी का % = $\frac{3 \times 100}{4}$ = 75%

77. (a) गोलो की संख्या = $\frac{\text{शंकु का आयतन}}{\text{गोले का आयतन}}$

$\frac{\frac{1}{3}\pi \times 30 \times 30 \times 45}{\frac{4}{3}\pi \times 5 \times 5 \times 5} = 81$

78. (b) माना, दोनों शंकु की ऊँचाई = h

गोले का आयतन = दोनों शंकुओं के आयतन का योग

$\frac{4}{3}\pi(5)^3 = \frac{1}{3}\pi[(3)^2 \times h + (4)^2 \times h]$

$4\times125 = 9h + 16h$

$500 = 25h$

$\therefore h = \frac{500}{25} = 20$ cm

79. (d) कुल शंकुओं की संख्या = $\frac{\text{गोले का आयतन}}{\text{शंकु का आयतन}}$

$= \frac{\frac{4}{3}\pi \times 10.5 \times 10.5 \times 10.5}{\frac{1}{3}\pi \times 3.5 \times 3.5 \times 3.5}$

$= 4\times3\times10.5$

$= 126$

80. (d) माना, दोनों की त्रिज्यायें x इकाई है तथा शंकु की ऊँ० $'h'$ है।

गोले का आयतन = शंकु का आयतन

$\frac{4}{3}\pi x^3 = \frac{1}{3}\pi x^2 h$

या, $4x = h$

$\therefore \frac{h}{x} = \frac{4}{1}$

81. (b) $\frac{\text{घन का आयतन}}{\text{गोले का आयतन}} = \frac{363}{49}$

$\frac{a^3}{\frac{4}{3}\pi r^3} = \frac{363}{49}$

$\frac{a^3\times3\times7}{4\times22\times r^3} = \frac{363}{49}$

$\frac{a^3}{r^3} = \frac{363}{49} \times \frac{88}{21} = \frac{11\times11\times11\times8}{7\times7\times7}$

या, $\left(\frac{a}{r}\right)^3 = \left(\frac{22}{7}\right)^3$

$\therefore \frac{a}{r} = \frac{22}{7}$

82. (b) बेलन के आधार का परिमाप, $2\pi r = 44$

$\therefore r = 44 \times \frac{1}{2} \times \frac{7}{22} = 7\ cm$

बेलन की ऊँ०, $h = 100cm$

$\therefore$ बेलन का आयतन $= \frac{22}{7} \times 7 \times 7 \times 100$

$= 15400\text{cm}^3$

83. (b) माना, गोले की त्रिज्या $= r$

$\therefore$ घन की भुजा $= 2r$

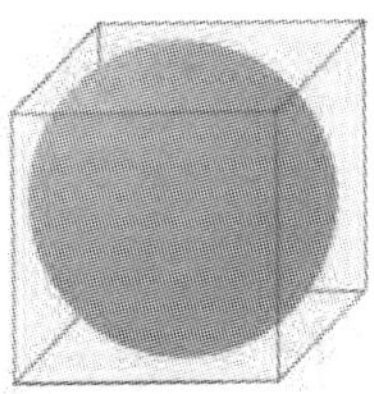

$\frac{\text{घन का आयतन}}{\text{गोले का आयतन}} = \frac{(2r)^3}{\frac{4}{3}\pi r^3}$

$= \frac{8r^3\times3}{4\times\pi\times r^3} = \frac{6}{\pi}$

84. (b) घन का सम्पूर्ण पृष्ठ = गोले का सम्पूर्ण पृष्ठ

$6a^2 = 4\pi r^2$

$\frac{a^2}{r^2} = \frac{4\pi}{6}$

$\therefore \frac{a}{r} = \sqrt{\frac{4\pi}{6}} = \frac{2\sqrt{\pi}}{\sqrt{6}}$

$\therefore \frac{\text{घन का आयतन}}{\text{गोले का आयतन}} = \frac{(2\sqrt{\pi})^3\times3}{4\pi(\sqrt{6})^3}$

$= \frac{8\pi\sqrt{\pi}\times3}{4\pi\times6\sqrt{6}} = \frac{\sqrt{\pi}}{\sqrt{6}}$

85. (d) कुल डिब्बों की संख्या $= \frac{\text{बक्से का आयतन}}{\text{1 डिब्बे का आयतन}}$

$\frac{800\times700\times600cm^3}{8\times7\times6cm^3}$

$= 1000000$

86. (d) कुल टिक्कियों की संख्या $= \frac{\text{बक्से का आयतन}}{\text{1 टिक्की का आयतन}}$

$= \frac{56\times35\times28\times cm^3}{8\times5\times4cm^3} = 343$

87. (c) आधार (ABCD) का क्षे० = $(40)^2$ = 1600cm^2

पिरामिड का आयतन = $\frac{1}{3}\times$ आधार का क्षे०$\times$ ऊँ0

$8000 = \frac{1}{3} \times 1600 \times h$

$\therefore h = \frac{8000\times3}{1600} = 15$ cm

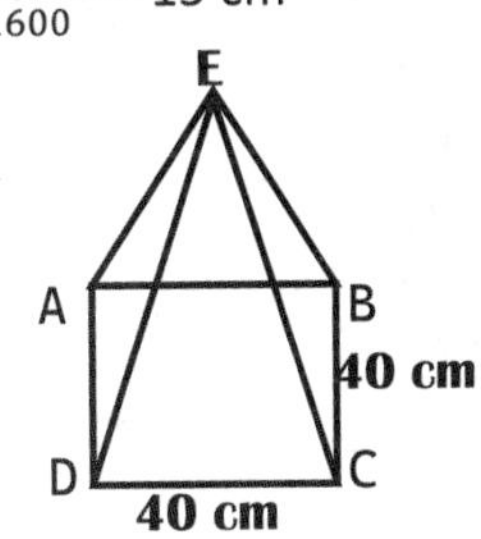

88. (b) आधार का परिमाप = 4 × भुजा = 4×16 = 64 cm

समकोण Δ EFG में

लम्ब, EF = 15 cm

आधार, GF = 8 cm

तिर्यक ऊँ०, GE = $\sqrt{15^2 + 8^2}$

$= \sqrt{225 + 64} = = \sqrt{289} = 17$ cm

$\therefore$ पार्श्व पृष्ठ का क्षेत्रफल $= \frac{1}{2} \times 64 \times 17$

$= 32 \times 17 = 544\ cm^2$

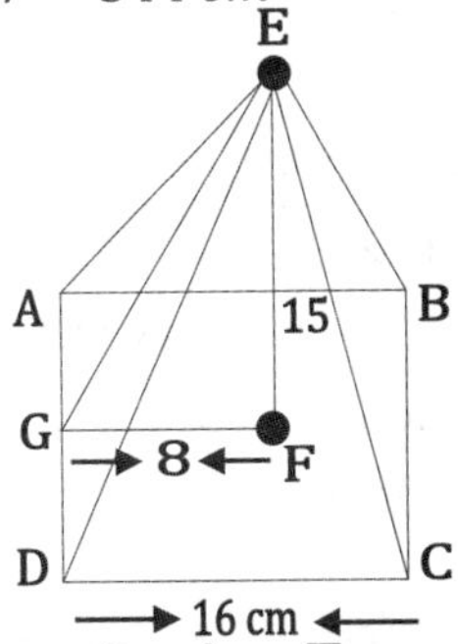

89. (c) आधार का विकर्ण, $a\sqrt{2} = 24\sqrt{2}$

$\therefore$ a = 24 मी

$\therefore$ आधार (वर्ग) का क्षे० = $(24)^2$= 576 मी^{2}

$1728 = \frac{1}{3}\times576\times h$

$1728 = 192 \times h$

$\therefore h = \frac{1728}{192} = 9$ मी०

90. (d) CF = $\frac{\sqrt{3}}{2} \times 10\sqrt{3}$ = 15 cm

∵ CF, Δ ABC की माध्यिका है।

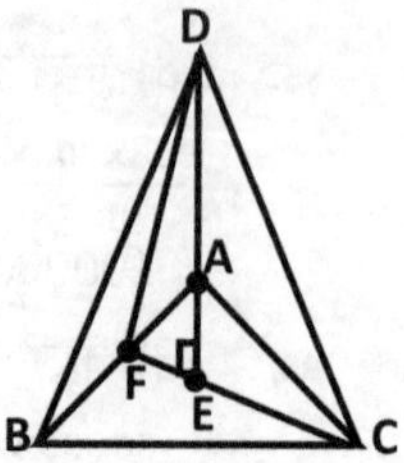

∴ CE : EF = 2 : 1

अनुपाती योग = 3

∴EF = $\frac{1}{3} \times 15$ = 5 cm

समकोण Δ DEF में,

तिर्यक ऊँ०, DF = $\sqrt{h^2 + 5^2}$

कुल पृष्ठीय क्षे० = $\frac{1}{2} \times$ आधार का परिमाप × तिर्यक ऊँ० + आधार का क्षे०

$270\sqrt{3} = \frac{1}{2} \times (3 \times 10\sqrt{3}) \times \sqrt{h^2 + 25} + \frac{\sqrt{3}}{4} \times 10\sqrt{3} \times 10\sqrt{3}$

$270\sqrt{3} = 15\sqrt{3} \times \sqrt{h^2 + 25} + 75\sqrt{3}$

$270\sqrt{3} = 15\sqrt{3} \times (\sqrt{h^2 + 25} + 5)$

$18 = \sqrt{h^2 + 25} + 5$

या, $\sqrt{h^2 + 25} = 13$

या, $h^2 + 25 = 169$

या, $h^2 = 144$

$\therefore h = 12\ cm$

91. (a) आधार (Δ) का क्षेत्रफल = $\frac{1}{2} \times 5 \times 12 = 30 cm^3$

[∵ Δ, समकोण त्रिभुज है]

∴ आयतन = $\frac{1}{3} \times$ आधार का क्षे० × ऊँचाई

$330 = \frac{1}{3} \times 30 \times h$

$\therefore h = 33 cm$

92. (d) आधार का क्षेत्रफल

$= \frac{\sqrt{3}}{4} \times 6 \times 6 = 9\sqrt{3} cm^2$

∴ प्रिज्म का आयतन = आधार का क्षे०× ऊँचाई

$108\sqrt{3} = 9\sqrt{3} \times h$

$h = \frac{108\sqrt{3}}{9\sqrt{3}}$

$= 12\ cm$

93. (b) आधार का क्षेत्रफल

$= \frac{\sqrt{3}}{4} \times 8 \times 8 = 16\sqrt{3} cm^3$

प्रिज्म का आयतन = आधार का क्षे० × ऊँचाई

$= 16\sqrt{3} \times 10$

$= 160\sqrt{3} cm^3$

94. (d)

बेलन का आयतन = $\pi r^2 h$

$r \times r \times h$

20%(+)20%(+)20%(+)

$R = 20 + 20 + \frac{20 \times 20}{100} = 44\%$

अतः $R' = 44 + 20 + \frac{44 \times 20}{100}$

R' = 64+8·8 = 72·8%

= 72% लगभग

95. (d)

बेलन का आयतन = $\pi r^2 h$

$r \times r \times h$

20%(−)50%(−)60%(+)

$R = -50 - 50 + \frac{50 \times 50}{100}$

R = −75%

अतः $R' = -75 + 60 - \frac{75 \times 60}{100}$

R' = −15−45 = −60

अतः आयतन में 60% कमी होगी

96. (b)

$l \times b \times h$ = आयतन

प्रारम्भिक → $x \times 2x \times 3x = 6x^3$

नया → $2x \times 6x \times 9x = 108x^3$

अतः नया आयतन प्रारम्भिक आयतन का 18 गुना होगा।

97. (a) शंकु का आयतन, $v = \frac{1}{3}\pi r^2 h$

शंकु की नयी ऊँचाई = $h \times \frac{200}{100} = 2h$

∴ नया आयतन = $\frac{1}{3}\pi r^2 (2h)$

$= 2 \times \frac{1}{3}\pi r^2 h$

$= 2v$

∴ आयतन में % वृद्धि = $\frac{2v - v}{v} \times 100$ = 100%

98. (d) घन के पृष्ठीय क्षेत्रफल में % वृद्धि = $40 + 40 + \frac{40 \times 40}{100}$

= 80+16

= 96%

99. (a) घन का विकर्ण $\sqrt{3}a = 8\sqrt{3}$

$a = 8$ सेमी0

∴ घन का पृष्ठीय क्षेत्रफल = $6a^2 = 6(8)^2$

= 6 × 64

= 384 सेमी0

100. (c) घनाकार कमरे के फर्श का क्षेत्रफल, $a^2 = 48$

$\therefore a = \sqrt{2 \times 2 \times 2 \times 2 \times 3} = 4\sqrt{3}$ मीटर

अतः सबसे बड़े छड़ की लम्बाई = कमरे का विकर्ण $= \sqrt{3}a = \sqrt{3} \times 4\sqrt{3} = 12$ मीटर

101. (b) कुल छोटे घनों की संख्या $= \frac{\text{बड़े घन का आयतन}}{\text{1 छोटे घन का आयतन}}$

$= \frac{100\text{सेमी}\times 100\text{ सेमी}\times 100\text{ सेमी}}{10\text{ सेमी}\times 10\text{ सेमी}\times 10\text{ सेमी}} = 1000$

102. (d) तीन घनों को पिघलाकर एक बड़ा घन बनाया जाता है अतः बड़े घन का आयतन = तीनों छोटे घनों के आयतनों का योग

$a^2 = (30)^3 + (40)^3 + (50)^3 = 27000 + 64000 + 125000$

$a^3 = 216000$

$a^3 = 3\sqrt{216000} = 60\ cm$

नये घन का सम्पूर्ण पृष्ठीय क्षेत्रफल $= 6(60)^2$

$= 6 \times 3600 = 216000$ सेमी0

103. (d) नये घन का आयतन = तीनों घनों के आयतनों का योग − 62

$a^3 = [(4)^3 + (5)^3 + (6)^3] - 62$

$a^3 = 405 - 62 = 343 = (7)^3$

$\therefore a = 7$ सेमी0

नये घन का कुल पृष्ठीय क्षेत्रफल $= 6a^2 = 6(7)^2$

$= 6 \times 49 = 294$ सेमी0

104. (a) माना, घनाभ की लम्बाई, चौड़ाई और ऊँचाई क्रमशः $3x, 4x,$ व $6x$ सेमी0 है।

$\therefore 3x \times 4x \times 6x = 576$

$72x^3 = 576$

$x^3 = \frac{576}{72}$

$= 8 = (2)^3$

$\therefore x = 2$

घनाभ के सम्पूर्ण पृष्ठ का क्षेत्रफल $= 2(lb + bh + lh)$

$= 2(3x \times 4x + 4x \times 6x + 6x \times 3x)$

$= 2 \times 54x^2 = 108 \times (2)^2$

$= 108 \times 4$

$= 432\ cm^2$

105. (a) माना, घनाभ की विमायें क्रमशः l, b व h है तब,

$lb = x$ ------------- (i)

$bh = y$ ------------- (ii)

$hl = z$ -------------- (iii) गुणा करने पर,

$l^2.b^2.h^2 = xyz$

$\therefore (lbh)^2 = xyz$

$v^2 = xyz$

106. (c) माना, विमायें क्रमशः l, b व h है तब,

$lb = p$ --------- (i)

$bh = q$ -------- (ii)

$hl = r$ --------- (iii) गुणा करने पर,

$l^2.b^2.h^2 = pqr$

$lbh = \sqrt{pqr}$

107. (b) वायु का आयतन $lbh = 204$

$lb \times 6 = 204$

$\therefore lb = \frac{204}{6} = 34$ वर्ग मीटर

108. (c) $\frac{1}{v} = \frac{1}{v} \times \frac{s}{s} = \frac{1}{s}\left[\frac{2(lb+bh+lh)}{lbh}\right]$

$= \frac{2}{s}\left[\frac{lb}{lbh} + \frac{bh}{lbh} + \frac{lh}{lbh}\right]$

$= \frac{2}{s}\left[\frac{1}{h} + \frac{1}{l} + \frac{1}{b}\right]$

$= \frac{2}{s}\left(\frac{1}{l} + \frac{1}{b} + \frac{1}{h}\right)$

109. (b) कुल पैक टिक्कियों की संख्या

$= \frac{\text{बॉक्स का आयतन}}{\text{साबुन की 1 टिक्की का आयतन}}$

$= \frac{56\times 35\times 28\text{सेमी}^3}{8\times 5\times 4\text{ सेमी}^3}$

$= 7 \times 7 \times 7 = 343$

110. (a) बेलन के वक्रपृष्ठ का क्षेत्रफल, $2\pi rh = 88$

$2 \times \frac{22}{7} \times r \times 14 = 88$

$\therefore \text{r} = 88 \times \frac{1}{2} \times \frac{7}{22} \times \frac{1}{14} = 1\ cm$

111. (c) $2\pi r = 44$

$\therefore r = 44 \times \frac{1}{2} \times \frac{7}{22} = 7\ cm$

तथा ऊँचाई, $h = 100\ cm$

$\therefore$ बने बेलन का आयतन $= \pi r^2 h = \frac{22}{7} \times 7 \times 7 \times 100$

$= 15400 cm^3$

112. (d) माना, बेलन की त्रिज्या r और ऊँचाई h है तब

$r + h = 37$ ---------- (i)

सम्पूर्ण पृष्ठ का क्षेत्रफल, $2\pi r(h + r) = 1628$

$2 \times \frac{22}{7} \times r \times 37 = 1628$

$\therefore r = 1628 \times \frac{1}{2} \times \frac{7}{22} \times \frac{1}{37} = 7\ m$

$\therefore h = 37 - 7 = 30\ m$

बेलन का आयतन= $\pi r^2 h = \frac{22}{7} \times 7 \times 7 \times 30 = 4620\ m^3$

113. (c) माना, बेलन की त्रिज्या r तथा ऊँचाई h है तब,

$\therefore 2\pi rh = 264$ ------ (i)

तथा, $\pi r^2 h = 924$ ------ (ii)

समी0 (i) में समी0 (ii) से भाग देने पर

$\frac{\pi r^2 h}{2\pi rh} = \frac{924}{264} = 3{\cdot}5$

$\frac{r}{2} = 3{\cdot}5$ अतः $r = 7\,m.$ यह मान समी0 (i) में रखने पर

$2 \times \frac{22}{7} \times 7 \times h = 264$

$\therefore h = \frac{264}{44} = 6m.$

व्यास : ऊँचाई $= 2r : h = 2 \times 7 : 6 = 14 : 6 = 7 : 3$

114. (a) माना, पाइप की मोटाई $= x$ सेमी0

बाह्य त्रिज्यायें $= 9\ cm.$

अन्त : त्रिज्या, $r = (9 - x)\ cm.$

आयतन, $\pi(R^2 - r^2)h = 748$

$\pi(R + r)(R - r).h = 748$

$\frac{22}{7}(9 + 9 - x)(9 - 9 + x) \times 14 = 748$

$44 \times (18 - x) \times x = 748$

$18x - x^2 = \frac{748}{44} = 17$

$\therefore x^2 - 18x + 17 = 0$

$x^2 - 17x - x + 17 = 0$

$x(x - 17) - 1(x - 17) = 0$

$(x - 17)(x - 1) = 0$

$\therefore x = 17$ सम्भव नहीं है क्योंकि $17 >$ बाहरी त्रिज्या

$\therefore x = 1\ cm.$

115. (d) माना, नये बेलन की त्रिज्या 'R' है

$\because$ नये बेलन का आयतन = 2 × प्रारम्भिक बेलन का आयतन

$\pi R^2 h = 2 \times \pi r^2 h$

[$\because$ दोनों स्थितियों में ऊँचाई समान है]

$R^2 = 2r^2$

$\therefore R = \sqrt{2r^2} = r\sqrt{2}$

116. (c) माना, बेलन की त्रिज्या 'r' तथा ऊँचाई h है तब,

आधार का परिमाप, $2\pi r = a$

$\therefore r = \frac{a}{2\pi}$ एकक

बेलन का आयतन, $\pi r^2 h = v$

$\pi\left(\frac{a}{2\pi}\right)^2 \times h = v$

$\pi\frac{a^2}{4\pi^2} \times h = v$

$\therefore h = \frac{4\pi v}{a^2}$ एकक

117. (d) माना, बेलन की ऊँचाई H है

तब, वक्रपृष्ठ का क्षेत्रफल, $2\pi rH = 4\pi rh$

$\therefore H = \frac{4\pi rh}{2\pi r} = 2h$ यूनिट

118.(b) माना शंकु की ऊँचाई, h = $3x$ सेमी0

तथा व्यास, 2r = $2x$ सेमी0

त्रिज्या, $r = x$ सेमी0

$\because$ शंकु का आयतन, $\frac{1}{3}\pi r^2 h = 1078$

$\frac{1}{3} \times \frac{22}{7} \times x^2 \times 3x = 1078$

$\therefore x^3 = \frac{1078 \times 7}{22} = 343 = (7)^3$

$\therefore x = 7$

$\therefore$ शंकु की ऊँचाई, $h = 3x\ cm$

$= 3 \times 7 = 21\ cm$

119. (c) माना, शंकु की त्रिज्या 'r' तथा ऊँचाई h है।

आयतन, $\frac{1}{3}\pi r^2 h = 1232$ --------- (i)

तथा आधार का क्षेत्रफल, $\pi r^2 = 154$

$\therefore r^2 = \frac{154 \times 7}{22} = 49 = (7)^2$

$\therefore r = 7$ यह मान समीकरण (i) में रखने पर

$\frac{1}{3} \times \frac{22}{7} \times 7 \times 7 \times h = 1232$

$h = \frac{1232 \times 3}{22 \times 7} = 24\ m$

तम्बू बनाने में लगे आवश्यक कैनवास का क्षेत्रफल

$= \pi r(\sqrt{h^2 + r^2})$

कैनवास का क्षेत्रफल $= 22 \times 25 = 550\ m^2$

$\therefore$ लम्बाई $= \frac{550}{2} = 275\ m$

120. (d) माना, दोनों शंकु की ऊँचाईयाँ क्रमशः h_1 व h_2 है।

$\frac{\text{I शंकु का आयतन}}{\text{II शंकु का आयतन}} = \frac{4}{1}$

$\frac{\frac{1}{3}\pi(5)^2 h_1}{\frac{1}{3}\pi(4)^2 h_2} = \frac{4}{1}$

$\therefore \frac{h_1}{h_2} = \frac{4}{1} \times \frac{16}{25} = \frac{64}{25}$

121. (d) माना, त्रिज्या व ऊँचाई क्रमशः $5x$ व $12x$ सेमी0 है।

$\therefore$ आयतन, $\frac{1}{3}\pi r^2 h = \frac{2200}{7}$

$\frac{1}{3}\pi(5x)^2 \times 12x = \frac{2200}{7}$

$x^3 = \frac{2200}{7} \times \frac{3}{1} \times \frac{7}{22} \times \frac{1}{25} \times \frac{1}{2} = 1$

$\therefore x = 1$

$\therefore$ त्रिज्या व ऊँचाई क्रमशः 5 सेमी0 व 12 सेमी0 है।

$\therefore$ तिर्यक ऊँचाई, $l = \sqrt{h^2 + r^2} = \sqrt{(12)^2 + (5)^2}$

= 13 सेमी0

122. (a) माना, आधार की त्रिज्या r व ऊँचाई h है तब,

शंकु का प्रारम्भिक आयतन $= \frac{1}{3}\pi r^2 h$

अब नयी त्रिज्या $= 2x$ तथा नई ऊँचाई = 2h है तब

शंकु का नया आयतन $= \frac{1}{3}\pi(2x)^2 \times 2h$

$= \frac{1}{3}\pi r^2 h \times 8$

अतः नया आयतन, प्रारम्भिक आयतन का 8 गुना हो जायेगा।

123. (d) गोलाकार गेंद की त्रिज्या, r = 10 सेमी0

= 100 मिमी0

छोटी गेंदों की सम्भावित संख्या $= \frac{\text{बड़ी गेंद का आयतन}}{\text{छोटी गेंद का आयतन}}$

$\frac{\frac{4}{3}\pi(100)^3}{\frac{4}{3}\pi(5)^3} = \frac{100 \times 100 \times 100}{5 \times 5 \times 5}$

= 8000

124. (d) गोले का पृष्ठीय क्षेत्रफल, $4\pi r^2 = 616$

$\therefore r^2 = 616 \times \frac{1}{4} \times \frac{7}{22} = 49 = (7)^2$

$\therefore$ r = 7 सेमी0

125. (b) माना, गोले की त्रिज्या r है।

तब गोले का प्रारम्भिक पृष्ठीय क्षेत्रफल $= 4\pi r^2$

अब, नई त्रिज्या = 2r

$\therefore$ नये गोले का पृष्ठीय क्षेत्रफल $= 4\pi(2r)^2$

$= 4\pi(r)^2 \times 4$

अतः पृष्ठीय क्षेत्रफल पहले का 4 गुना हो जायेगा।

126. (c) माना, तीनों गोले की त्रिज्यायें क्रमशः $3x$, $4x$ व $5x$ सेमी0 है।

बड़े गोले का आयतन = तीनों छोटे गोले के आयतनों का योग

$\frac{4}{3}\pi(12)^3 = \frac{4}{3}\pi[(3x)^3 + (4x)^3 + (5x)^3]$

$1728 = 216\, x^3$

$\therefore x^3 = \frac{1728}{216} = 8 = (2)^3$

$\therefore x = 2$

अतः सबसे छोटे गोले की त्रिज्या $= 3x$

= 3 × 2 सेमी0 = 6 सेमी0

127. (b) माना, प्रत्येक छोटे गोले की त्रिज्या r सेमी0 है।

बड़े गोले का आयतन = 64 छोटे गोले का आयतन

$\frac{4}{3}\pi(8)^3 = 64 \times \frac{4}{3}\pi(r)^3$

$\therefore r^3 = \frac{8 \times 8 \times 8}{64} = 8 = (2)^3$

अतः बड़े गोले का पृष्ठीय क्षेत्रफल : छोटे गोले का पृष्ठीय क्षेत्रफल $= 4\pi(8)^2 : 4\pi(2)^2$

= 64 : 4 = 16 : 1

128. (c) गोले A व B की त्रिज्यायें का अनुपात = 40 : 10

= 4 : 1

$\therefore$ गोले A व B के पृष्ठीय क्षेत्रफलों का अनुपात = 16 : 1

129. (d) माना, शंकु की त्रिज्या r सेमी0 है

$\therefore$ बेलन का आयतन = शंकु का आयतन

$\pi(8)^2 \times 2 = \frac{1}{3}\pi r^2 \times 6$

$r^2 = \frac{64 \times 2}{2} = 64 = (8)^2$

$\therefore$ r = 8 सेमी0

130. (c) माना, बेलनाकार बर्तन में तरल पदार्थ की ऊँचाईं h सेमी0 है।

∴ शंक्वाकार बर्तन में द्रव का आयतन = बेलनाकार बर्तन में द्रव का आयतन

$\frac{1}{3}\pi(12)^2 \times 50 = \pi(10)^2 \times h$

$h = \frac{\frac{1}{3}\times12\times12\times50}{10\times10} = 24$ सेमी0

131. (a) आधार की त्रिज्या, $r = \frac{105}{2}$ मीटर

∴ कैनवस का क्षेत्रफल = बेलनाकार भाग में लगे कपड़े का क्षेत्रफल + शंक्वाकार भाग में लगे कपड़े का क्षेत्रफल

$= 2\pi rh + \pi rl$

$= \pi r(2h + l) = \frac{22}{7} \times \frac{105}{2}(2 \times 3 + 63)$

$= \frac{22}{7} \times \frac{105}{2} \times 69$

= 11385 वर्ग मीटर

132.(d) बेलन का आयतन, $\pi r^2 h = \frac{22}{7} \times 10 \times 10 \times 21$

= 6600 सेमी0³

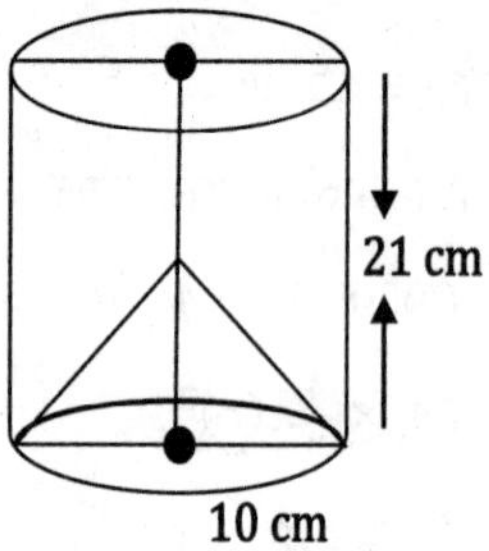

∴ शंकु का आयतन = 6600 - 4400

= 2200 सेमी0³

$\frac{1}{3}\pi(10)^2 \times h = 2200$

$h = 2200 \times \frac{3}{1} \times \frac{1}{100} \times \frac{7}{22}$

= 21 सेमी0

133. (d) माना, गोले और बेलन दोनों की त्रिज्या r है तथा बेलन की ऊँचाईं h है।

गोले का आयतन = बेलन का आयतन

$\frac{4}{3}\pi r^3 = \pi r^2 h$

$\therefore h = \frac{4}{3}r$

∴ बेलन का वक्रपृष्ठ : गोले का वक्रपृष्ठ = $2\pi rh : 4\pi r^2$

$= h : 2r$

$= \frac{4}{3}r : 2r = 2 : 3$

134. (a) माना, प्रत्येक गोले की त्रिज्या r सेमी0 है।

बेलन का आयतन = 12 गोले का आयतन

$\pi (8)^2 \times 2 = 12 \times \frac{4}{3}\pi r^3$

$64 \times 2 \times \frac{1}{12} \times \frac{3}{4} = r^3$

$r^3 = 8 = (2)^3$

∴ r = 2 सेमी0

135. (a) माना, बेलन तथा गोला प्रत्येक की त्रिज्या r तथा बेलन की ऊँचाईं h है।

बेलन का आयतन = गोले का आयतन

$\pi r^2 h = \frac{4}{3}\pi r^3$

$h = \frac{\frac{4}{3}\pi r^3}{\pi r^2} = \frac{4}{3}r$

∴ गोले का व्यास : बेलन की ऊँचाईं = 2r : h

$= 2r : \frac{4r}{3} = 3 : 2$

136. (d) गोले का आयतन $= \frac{4}{3}\pi(9)^3 = 972\pi$ सेमी0³

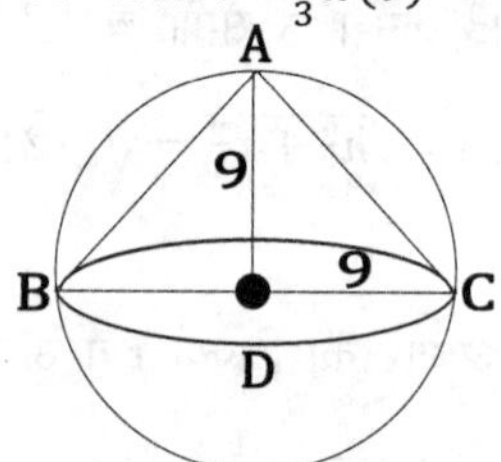

शंकु का आयतन $= \frac{1}{3}\pi(9)^2 \times 9 = 243\pi$ सेमी0³

∴ नष्ट लकड़ी = 972π - 243π = 729π cm³

अतः नष्ट लकड़ी का अभीष्ट % $= \frac{729\pi \times 100}{972\pi} = 75\%$

137. (c) माना, तार (बेलन) की त्रिज्या r है।

$\frac{4}{3}\pi(9)^3 = \pi(r)^2 \times 108 \times 100$

$r^2 = \frac{\frac{4}{3}\pi \times 9 \times 9 \times 9}{\pi \times 108 \times 100} = 0{\cdot}09 = (0{\cdot}3)^2$

∴ r = 0·3

∴ तार का व्यास = 2r = 2 × 0·3 = 0·6 सेमी0

138. (b) माना, इस प्रकार n शंकु बनेंगे

∴ n शंकु का आयतन = गोले का आयतन

$n \times \frac{1}{3}\pi \times (3{\cdot}5)^2 \times 3 = \frac{4}{3}\pi \times (10{\cdot}5)^3$

$\therefore n = \frac{\frac{4}{3}\pi \times 10{\cdot}5 \times 10{\cdot}5 \times 10{\cdot}5}{\frac{1}{3}\pi \times 3{\cdot}5 \times 3{\cdot}5 \times 3} = 126$

139. (c) त्रिभुजाकार प्रिज्म में कुल शीर्षो की संख्या = आधार (त्रिभुज) में भुजाओं की संख्या × 2

$= 3 \times 2 = 6$

140. (c) आधार (समबाहु Δ) का क्षेत्रफल = $\frac{\sqrt{3}}{4}$ × भुजा²

$= \frac{\sqrt{3}}{4} \times 8 \times 8$

$= 16\sqrt{3}$ सेमी0²

∴ प्रिज्म का आयतन = आधार का क्षेत्रफल × ऊँचाई

$= 16\sqrt{3} \times 10 = 160\sqrt{3}$ सेमी0²

141. (a) प्रिज्म का कुल पृष्ठीय क्षेत्रफल = आधार (वर्ग) का परिमाप × ऊँचाई + 2 × आधार (वर्ग) का क्षेत्रफल

$608 = 4x \times 15 + 2x^2$

$x^2 + 30x - 304 = 0$

$x^2 + 38x - 8x - 304 = 0$

$x(x + 38) - 8(x + 38) = 0$

$(x - 8)(x + 38) = 0$

$\therefore x = 8$

अतः प्रिज्म का आयतन = आधार (वर्ग) का क्षेत्रफल × ऊँचाई

$8 \times 8 \times 15 = 960$ सेमी0³

142. (c) समकोण ΔEFG में,

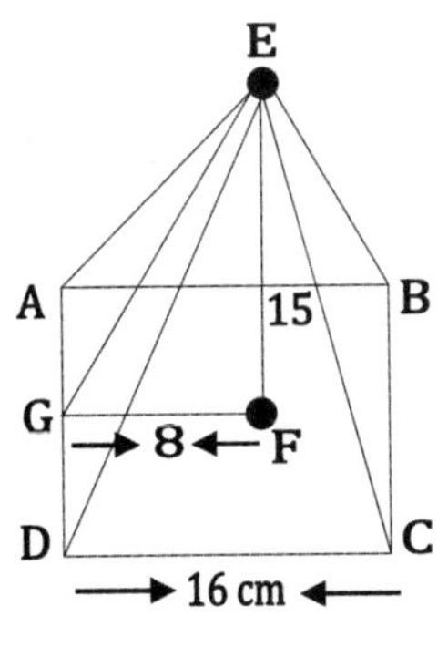

लम्ब, EF = 15cm

आधार, GF = 8cm

∴ तिर्यक ऊँचाई, $EG = \sqrt{(15)^2 + (8)^2}$

$= \sqrt{289} = 17$ सेमी0

∴ पिरामिड के पार्श्व पृष्ठ का क्षेत्रफल = $\frac{1}{2}$ आधार (वर्ग) का परिमाप × तिर्यक ऊँचाई

$= \frac{(4 \times 16) \times 17}{2} = 544$ वर्ग सेमी0

143. (a) आयतन = $\frac{1}{3}$ × आधार (समकोण Δ) का क्षेत्रफल × लम्बवत् ऊँचाई

$330 = \frac{1}{3} \times \left(\frac{1}{2} \times 5 \times 12\right) \times h$

$\therefore h = \frac{330}{10} = 33$ सेमी0

144. (a) शंकु का आयतन = $\frac{1}{3}\pi r^2 h$

r	× r	× h
50%(-),	50%(-),	200%(+)
x	y	z

$R = -x - y + \frac{xy}{100} = -50 - 50 + \frac{50 \times 50}{100} = -75$

$\therefore R' = -R + Z - \frac{RZ}{100} = -75 + 200 - \frac{75 \times 200}{100}$

R' = 125 - 150 = -25

∴ आयतन में 25% की कमी होगी।

145. (d) बेलन का वक्रपृष्ठ = 2πrh

r	h
10%(-),	15%(+)

$\therefore R = -x + y - \frac{xy}{100} = -10 + 15 - \frac{10 \times 15}{100}$

$= 5 - 1{\cdot}5 = 3{\cdot}5$

अतः वक्रपृष्ठीय क्षेत्रफल में 3·5% की वृद्धि होगी।

146. (b) गोले का आयतन = तार (बेलन) का आयतन

$\frac{4}{3}\pi(3)^3 = \pi \times \frac{1}{10} \times \frac{1}{10} \times h$

[∵ r = 0·1 सेमी0 = 1/10 सेमी0]

∴ h = 3600 सेमी0 = 36 मीटर

147. (d) माना, n गोले पिघलायें जायें।

∴ n गोले का आयतन = बेलन का आयतन

$n \times \frac{4}{3}\pi \times \left(\frac{3}{2}\right)^3 = \pi(2)^2 \times 54$

$\therefore n = \frac{4 \times 54}{\frac{4}{3} \times \frac{3}{2} \times \frac{3}{2} \times \frac{3}{2}} = 48$

148. (d) माना, गोले की त्रिज्या = r

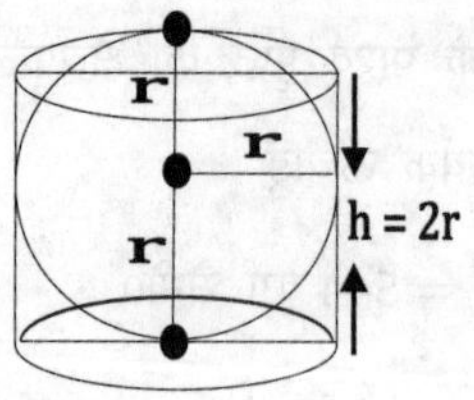

∴ बेलन की त्रिज्या = r

∴ बेलन की ऊँचाई, h = 2r

∴ गोले का आयतन : बेलन का आयतन

$= \frac{4}{3}\pi r^3 : \pi r^2(2r)$ [∵ h = 2r]

$= \frac{2}{3} : 1$

= 2 : 3

18 रेखा, कोण एवं बहुभुज (Line, Angle and Polygon)

बहुभुज (Polygon) : किसी सरल रेखाओं से घिरी बन्द आकृति को बहुभुज कहते है।

किसी बहुभुज में सभी अन्तःकोणों का योग कैसे ज्ञात करें :–
किसी बहुभुज में सभी अन्तः कोणों का योग ज्ञात करने के लिए सर्वप्रथम बहुभुज में स्वतंत्र त्रिभुजों की रचना करें, जितने स्वतंत्र त्रिभुज बनें हों उसमें 180^0 से गुणा करके अभीष्ट अन्तः कोणों का योग प्राप्त करे लें।

चित्र देखें–

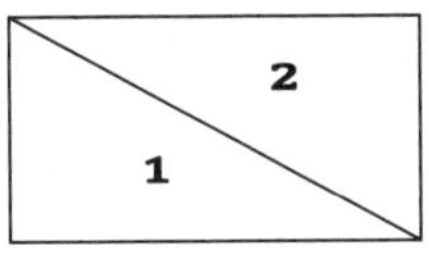

$= 2 \times 180 = 360^0$

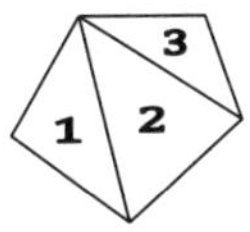

$= 3 \times 180 = 540^0$

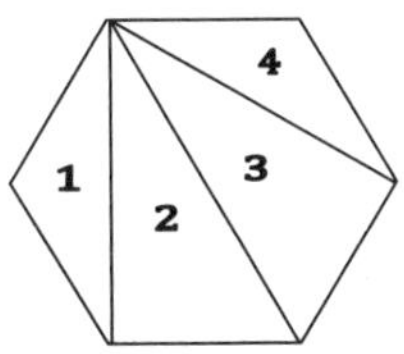

$= 4 \times 180 = 720^0$

उपर्युक्त चित्रों में स्पष्ट होता है कि किसी बहुभुज में बने स्वतंत्र त्रिभुजों की संख्या भुजाओं की संख्या से सदैव 'दो' कम होता है।

(i) किसी n बहुभुज के सभी अन्तः कोणों का योगफल

= स्वतंत्र त्रिभुजों की संख्या × 180 = $(n - 2) \times 180^0$

(ii) किसी n समबहुभुज के प्रत्येक अन्तः कोण का मान

$= \frac{\text{सभी अंतः कोणों का योगफल}}{\text{बहुभुज में भुजाओं की संख्या}} = \frac{(n-2) \times 180}{n}$

Note : किसी समबहुभुज के प्रत्येक अन्तः कोण और प्रत्येक बहिष्य कोणों का योगफल सदैव 180^0 होता है अतः

(iii) किसी n समबहुभुज के प्रत्येक बहिष्य कोण का मान

= 180 - प्रत्येक अन्तःकोण का मान

$= 180 - \frac{(n-2) \times 180}{n} = \frac{180n - 180n + 360}{n}$

$= \frac{360}{n}$ या

$n = \frac{360}{\text{प्रत्येक बाहिष्य कोण}}$

(iv) किसी n बहुभुज के सभी बहिष्य कोणों का योगफल

= प्रत्येक बहिष्य कोण का मान × बहुभुज में भुजाओं की संख्या

$= \frac{360}{n} \times n = 360^0$

किसी एक शीर्ष से खींचे गये विकर्ण :–

चित्र देखें –

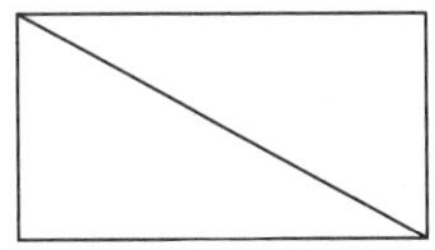

$(4 - 3) = 1$

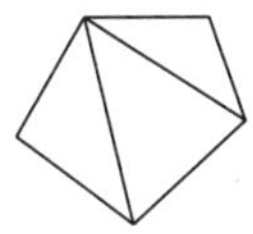

$(5 - 3) = 2$

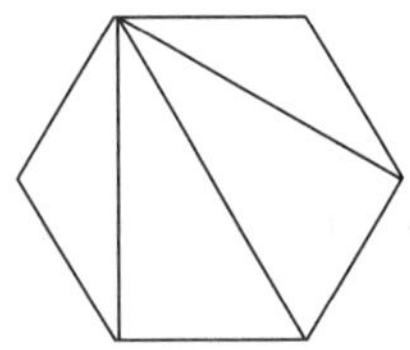

$(6 - 3) = 3$

उपर्युक्त चित्रों से स्पष्ट है कि किसी बहुभुज में किसी एक शीर्ष से खींचे गये विकर्णो की संख्या भुजाओं की संख्या से सदैव 'तीन' कम होती है।

(v) किसी n बहुभुज में किसी एक शीर्ष से खींचे गये विकर्णो की संख्या = (n - 3)

(vi)किसी n बहुभुज में कुल विकर्णो की संख्या ज्ञात करना :–

∴ बहुभुज का एक विकर्ण या एक भुजा बहुभुज के दो शीर्षो को मिलने से बनता है अत :

बहुभुज में कुल विकर्णो की संख्या + बहुभुज में कुल भुजाओं की संख्या = n_{C_2}

∴ कुल विकर्णो की संख्या = $n_{C_2} - n$

$= \frac{n!}{2!\,(n-2)!} - n$

$\frac{n(n-1)(n-2)!}{2 \times (n-2)!} - n$

$\frac{n(n-1) - 2n}{2} = \frac{n^2 - n - 2n}{2}$

$= \frac{n^2 - 3n}{2} = \frac{n(n-3)}{2}$

∴ कुल विकर्णो की संख्या $= \frac{n(n-3)}{2}$

प्रश्न : किसी अष्टभुज के सभी अन्तः कोणों का योग कितना है ?

हल : सभी अन्तःकोणों का योग = (n - 2) × 180

= (8 - 2) × 180 = 1080

प्रश्न : एक समबहुभुज के आन्तरिक कोणों का योग 1440^0 है। भुजाओं की संख्या कितनी है ?

हल : अन्तः कोणों का योग, $(n - 2) \times 180^0 = 1440^0$

$\therefore (n - 2) = \frac{1440}{180} = 8$

$\therefore n = 8 + 2 = 10$

प्रश्न : किसी समबहुभुज के प्रत्येक बहिष्य कोण का मान 24^0 है तो बहुभुज में भुजाओं की संख्या बताइये ?

हल : $\because n = \frac{360}{\text{प्रत्येक बाहिष्य कोण}}$

$\therefore n = \frac{360}{24} = 15$

प्रश्न : किसी समबहुभुज का प्रत्येक अन्तःकोण 150^0 है। इसकी भुजाओं की संख्या कितनी है।

हल : प्रत्येक अन्तः कोण = 150^0

∴ प्रत्येक बहिष्य कोण = $180^0 - 150^0 = 30^0$

अतः $n = \frac{360}{30} = 12$

प्रश्न : एक समबहुभुज का प्रत्येक आन्तरिक कोण, उसके बाह्य कोण का तिगुना है। तदनुसार, उस समबहुभुज की कितनी भुजायें है ?

हल : प्रत्येक अन्तःकोण = प्रत्येक बाह्य कोण × 3

$\frac{(n-2)\times180}{n} = \frac{360}{n} \times 3$

$(n - 2) = \frac{360 \times 3}{180} = 6$

$\therefore n = 6 + 2 = 8$

द्वितीय विधि : माना, प्रत्येक बाह्य कोण = x

∴ प्रत्येक अन्तः कोण = $3x$

∴ हम जानते है कि, प्रत्येक अन्तःकोण और प्रत्येक बहिष्य कोण का योग 180^0 होता है अतः

$x + 3x = 180$

$4x = 180$

$\therefore x = \frac{180}{4} = 45$

$\therefore n = \frac{360}{45} = 8$

प्रश्न : किसी समबहुभुज के प्रत्येक अन्तःकोण और प्रत्येक बहिष्य कोण का अनुपात 7 : 2 है तो बहुभुज में भुजाओं की संख्या बताइये ?

हल : $\frac{\text{प्रत्येक अंतः कोण}}{\text{प्रत्येक बहिष्य कोण}} = \frac{7}{2}$

$\frac{\frac{(n-2)\times180}{n}}{\frac{360}{n}} = \frac{7}{2}$

$\frac{(n-2)\times180}{n} \times \frac{n}{360} = \frac{7}{2}$

$\therefore (n - 2) = 7$

$\therefore n = 7 + 2 = 9$

द्वितीय विधि : माना, प्रत्येक अन्तःकोण = $7x$

तथा प्रत्येक बहिष्य कोण = $2x$

$\because 7x + 2x = 180$

$9x = 180$

$\therefore x = 20$

अतः प्रत्येक बहिष्य कोण = $2x = 2 \times 20 = 40$

$\therefore n = \frac{360}{40} = 9$

प्रश्न : किसी समबहुभुज के प्रत्येक अन्तःकोण तथा प्रत्येक बाह्यकोण का अन्तर 60^0 है, तो बहुभुज में भुजाओं की संख्या बताइये ?

हल : $\frac{(n-2)\times180}{n} - \frac{360}{n} = 60^0$

$\frac{180n-360-360}{n} = 60$

$180n - 720 = 60n$

$180n - 60n = 720$

$\therefore n = \frac{720}{120} = 6$

द्वितीय विधि : माना, प्रत्येक अन्तःकोण x तथा प्रत्येक बहिष्य कोण y है।

$x + y = 180$..................(i)

$x - y = 60$.....................(ii)

$-\quad +\quad -$

$2y = 120$

$\therefore y = 60^0$

अतः $n = \frac{360}{60} = 6$

प्रश्न : किसी अष्टभुज में कितने विकर्ण होते है ?

हल : कुल विकर्णो की संख्या = $(n - 3) \times \frac{n}{2}$

$= (8 - 3) \times \frac{8}{2}$

$= 5 \times 4$

$= 20$

रेखा और कोण

रेखा (Line) : जिस ज्यामिती आकृति में केवल लम्बाई आती है। [इसमें न तो चौड़ाई और न ही मोटाई होती है] उसे रेखा कहते है। इसकी लम्बाई असीमित होती है अतः रेखा एक अपरिभाषित पद है।

सरल रेखा (Straight Line) : समतल पर स्थित किन्ही दो बिन्दुओं से होकर जाने वाली रेखा को सरल रेखा कहते है।

Note : (i) एक बिन्दु से होकर अनन्त रेखायें खींची जा सकती है।

(ii) किसी सरल रेखा पर असंख्य बिन्दु होते है।

(iii) समतल पर स्थित दो बिन्दुओं से केवल एक रेखा खींची जा सकती है।

(iv) समतल पर स्थित तीन असंरेख बिन्दुओं से तीन रेखायें खींची जा सकती है।

कोण (Angle) : जब दो रेखायें एक–दूसरे को प्रतिच्छेद करती है तो इनके बीच के झुकाव को कोण कहते है।

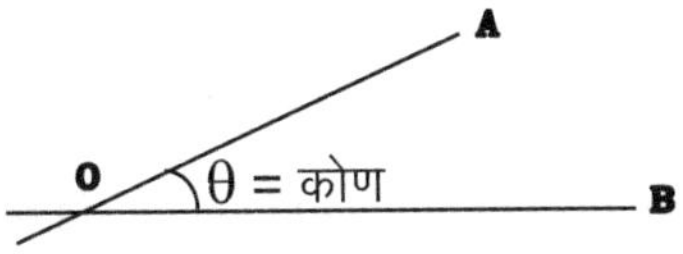

कोण के भेद : (Types of Angle) :

(i) न्यून कोण (Acute Angle) : वह कोण जिसका माप 90^0 से कम हो, न्यूनकोण कहलाता है।

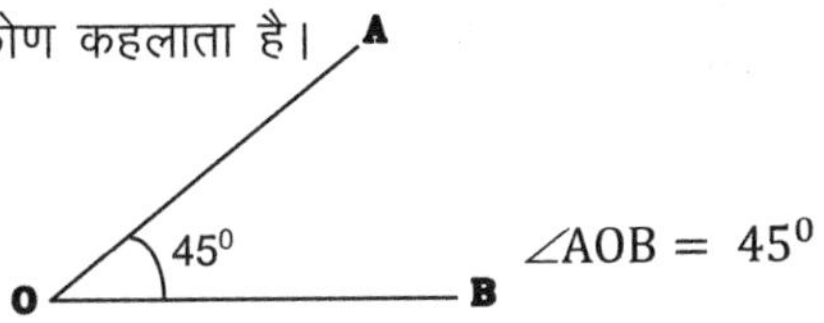

(ii) समकोण (Right Angle) : वह कोण जिसका माप 90^0 हो समकोण कहलाता है।

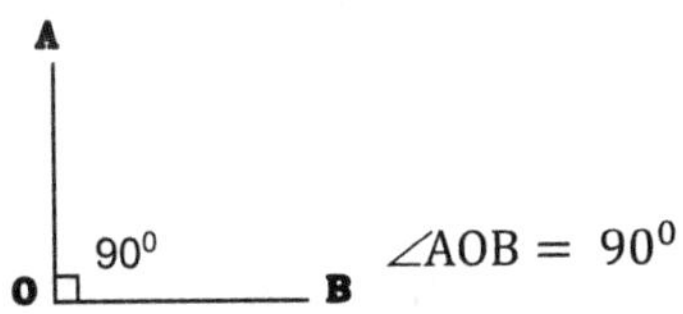

(iii) अधिक कोण (Obtuse Angle) : वह कोण जिसका माप 90^0 से अधिक किन्तु 180^0 से कम हो, अधिक कोण कहलाता है।

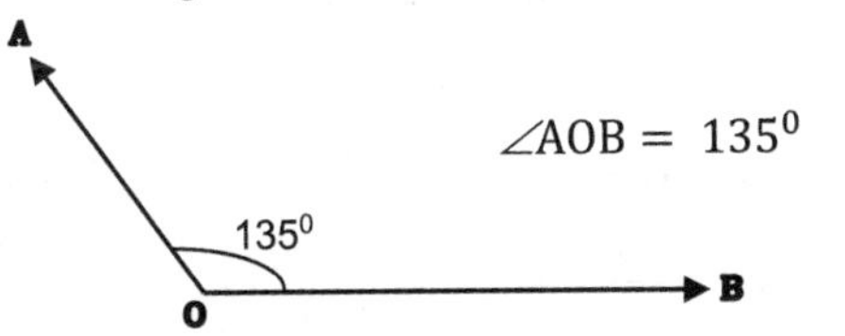

(iv) ऋजु कोण (Straight Angle) : वह कोण जिसका माप 180^0 हो, सरल कोण कहलाता है।

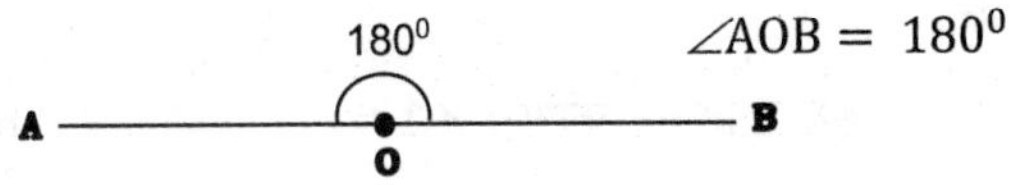

(v) प्रतिवर्ती कोण (Reflex Angle) : वह कोण जिसका माप 180^0 से अधिक किन्तु 360^0 से कम हो, प्रतिवर्ती कोण कहलाते है।

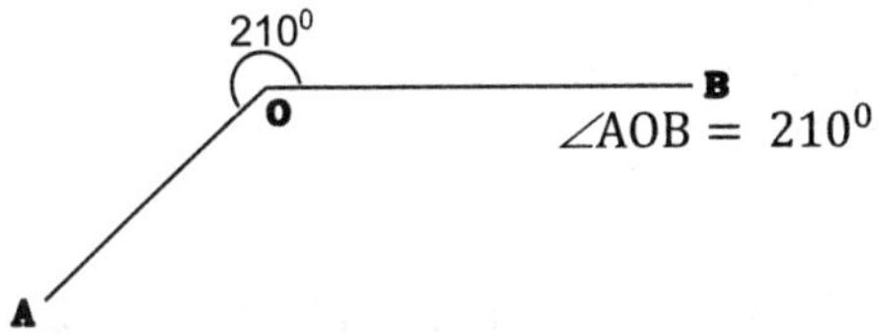

(vi) पूरक/कोटिपूरक कोण (Complimentary Angle) : ऐसे दो कोण जिनका योगफल 90^0 हो, परस्पर पूरक कोण कहलाते है।

माना, कोण = θ

तब पूरक कोण = $(90 - \theta)$

(vii) सम्पूरक कोण (Supplementory Angle) : ऐसे दो कोण जिनका योगफल 180^0 हो वे परस्पर सम्पूरक कोण कहलाते है।

माना कोण = θ

तब सम्पूरक कोण = $(180 - \theta)$

❖ **अन्तः कोण, बहिष्य कोण, संगत कोण और समान्तर कोण (Interior Angle, Exterior Angle, Corresponding Angle and Alternate Angle) :-**

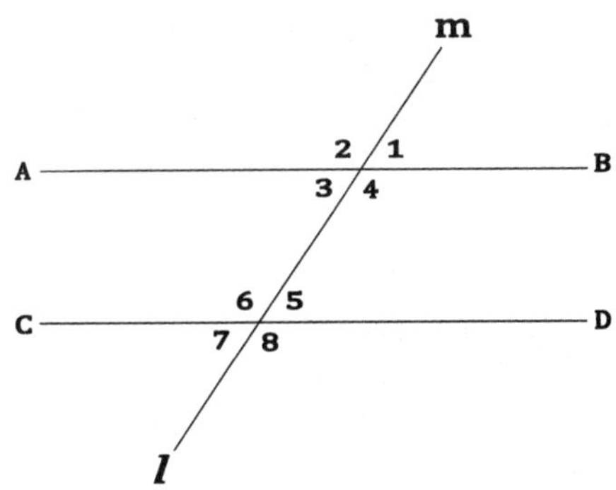

चित्र में $AB \parallel CD$ जबकि lm दोनों समान्तर रेखाओं को प्रतिच्छेद करती है तब –

(i) जब दो समान्तर रेखाओं को कोई तिर्यक रेखा प्रतिच्छेद करें तो संगत कोण आपस में बराबर होता है।

$\angle 1 = \angle 5$, $\angle 2 = \angle 6$

$\angle 4 = \angle 8$, $\angle 3 = \angle 7$

(ii) जब दो समान्तर रेखाओं को कोई तिर्यक रेखा प्रतिच्छेद करें तो एकान्तर कोण का प्रत्येक जोड़ा आपस में बराबर होता है।

(A) बाह्य एकान्तर कोण : $\angle 1 = \angle 7$, $\angle 2 = \angle 8$

(B) अन्तः एकान्तर कोण : $\angle 4 = \angle 6$, $\angle 3 = \angle 5$

(iii) जब दो समान्तर रेखाओं को कोई तिर्यक रेखा प्रतिच्छेद करे तो एक ही ओर के अन्तःकोणों का योगफल 180⁰ होता है।

$\angle 4 + \angle 5 = 180^0$

$\angle 3 = \angle 6 = 180^0$

शीर्षाभिमुख कोण (Vertically Opposite Angle) : जब दो रेखायें एक–दूसरे को प्रतिच्छेद करती है तो आमने–सामने के कोण आपस में बराबर होते है।

$\angle 1 = \angle 3$ तथा $\angle 2 = \angle 4$

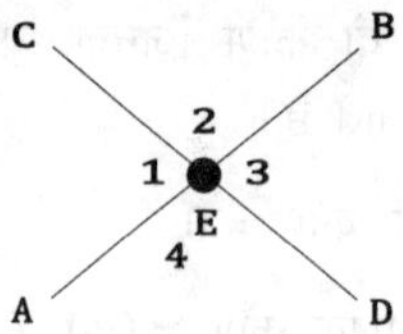

प्रश्न : दो पूरक कोणों में अन्तर 20⁰ है, तो उनमें से बड़ा कोण बताइये ?

हल : माना, दोनों कोण x और y है।

$x + y = 90^0$

$x - y = 20^0$ जोड़ने पर

$2x = 110$

$x = \frac{110}{2} = 55^0$ (बड़ा कोण)

$\therefore y = 90 - 55 = 35^0$

प्रश्न : कोई कोण अपने कोटिपूरक कोण का 4 गुना है, तो वह कोण बताइये ?

हल : माना कोण $= x$

$\therefore$ पूरक कोण $= (90 - x)$

कोण = पूरक कोण × 4

$x = (90 - x) \times 4$

$x = 360 - 4x$

$5x = 360$

$\therefore x = \frac{360}{5} = 72^0$

प्रश्न : उस कोण का मान बताइये जो अपने सम्पूरक कोण के 4 गुने के बराबर है ?

हल : माना, कोण $= x$

$\therefore$ सम्पूरक कोण $= (180 - x)$

कोण = सम्पूरक कोण × 4

$x = (180 - x) \times 4$

$x = 720 - 4x$

$5x = 720$

$\therefore x = \frac{720}{5} = 144^0$

प्रश्न : दो सम्पूरक कोण 2 : 3 के अनुपात में है, तो बड़े कोण का मान बताइये ?

हल : माना कोण क्रमशः $2x$ और $3x$ है।

$2x + 3x = 180^0$

$5x = 180^0$

$x = \frac{180}{5} = 36^0$

$\therefore$ बड़ा कोण $= 3x$

$= 3 \times 36$

$= 108^0$

प्रश्न : उस कोण का माप क्या है जिसका सम्पूरक कोण इसके पूरक कोण के 3 गुना जितना बड़ा है ?

हल : माना, कोण $= x$

सम्पूरक कोण = पूरक कोण × 3

$(180 - x) = (90 - x) \times 3$

$180 - x = 270 - 3x$

$2x = 90^0$

$\therefore x = 45^0$

प्रश्न : किसी कोण के कोटिपूरक कोण का 6 गुना, उसके सम्पूरक कोण के दो गुने से 12⁰ अधिक है, कोण का मान बताइये ?

हल : माना, कोण $= x^0$

कोटिपूरक कोण × 6 = सम्पूरक कोण × 2 + 12⁰

$(90 - x) \times 6 = (180 - x) \times 2 + 12^0$

$540 - 6x = 360 - 2x + 12$

$540 - 372 = -2x + 6x$

$4x = 168$

$\therefore x = \frac{168}{4}$

$= 42^0$

प्रश्न : दिये गये चित्र में x का मान ज्ञात कीजिए ?

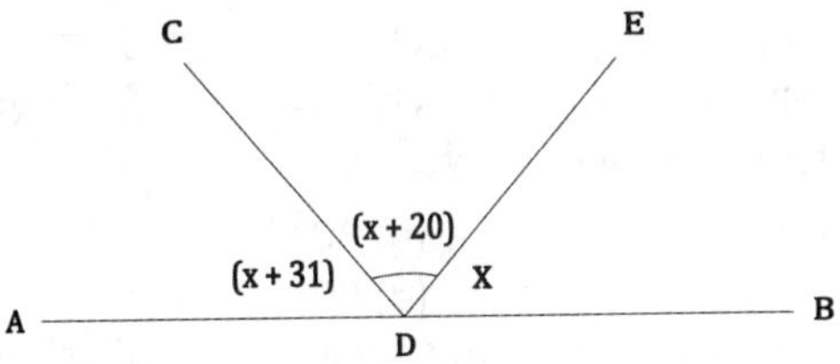

हल : $\angle CDA + \angle CDE + \angle EDB = 180^0$

$(x + 31^0) + (x + 20^0) + x^0 = 180$

$3x + 51 = 180$

$3x = 180 - 51 = 129^0$

$x = \frac{129}{3} = 43^0$

प्रश्न : AB तथा CD समान्तर है, तो x का मान ज्ञात कीजिए ?

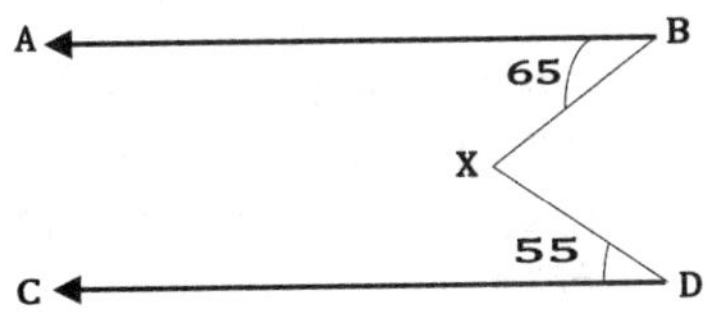

हल :

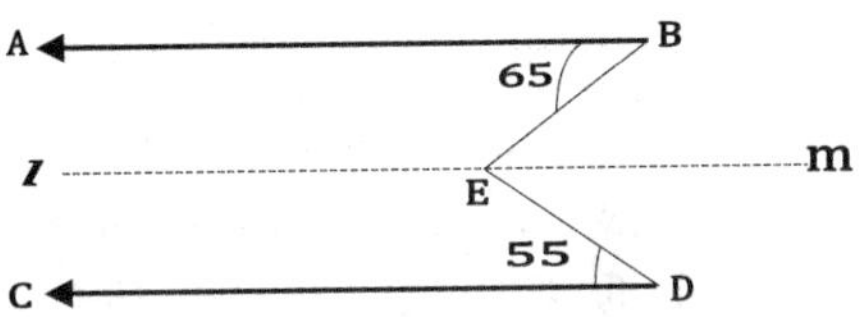

AB तथा CD के समान्तर एक काल्पनिक रेखा lm खींचा

$\because AB || lm$ अतः $\angle ABE = \angle BEM = 65^0$ [एकान्तर कोण]

$\because CD || lm$ अतः $\angle CDE = \angle DEM = 55^0$

$\therefore \angle BEM + \angle DEM = 65 + 55 = 120^0$

$\therefore x = 360^0 - 120^0 = 240^0$

प्रश्न : AB तथा CD समान्तर है तो x का मान बताइये ?

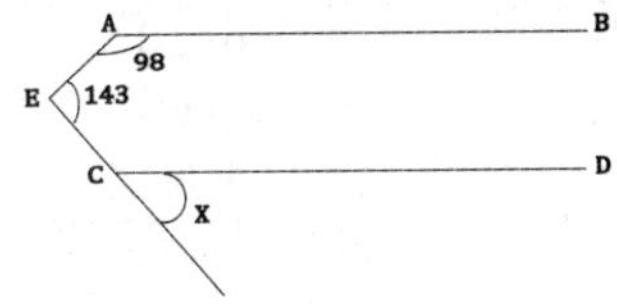

हल :

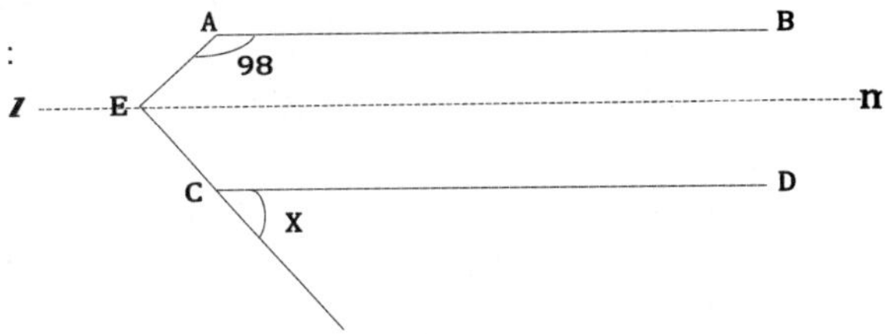

AB तथा CD के समान्तर एक काल्पनिक रेखा lm खींचा

$\because AB || lm$

$\therefore 98^0 + \angle AEM = 180^0$ [एक ही ओर के अन्तः कोण]

$\therefore \angle AEM = 180^0 - 98^0 = 82^0$

$\therefore \angle AEC = 143^0$

$\therefore \angle mEC = 143^0 - 82 = 61^0$

$\therefore CD || Em$ अतः $\angle mEC = x^0 = 61^0$ [संगत कोण]

$\therefore x = 61^0$

प्रश्नावली

TYPE - 01

1. एक सम बहुभुज के आंतरिक कोणों का योग 1440° है। भुजाओं की संख्या कितनी है?
(a) 8 (b) 10
(c) 12 (d) 6
(SSC CGL Tier II Exam 12-4-20115)

2. यदि एक समबहुभुज का प्रत्येक आंतरिक कोण 144º हो, तो उस बहुभुज की कुल भुजाएं कितनी होंगी?
(a) 10 (b) 20
(c) 24 (d) 36
(SSC CHSL Deo and LDC Exam 4-2-2011)

3. एक समबहुभुज का प्रत्येक आंतरिक कोण उसके बाह्म कोण का तिगुना है। तदनुसार उस सम बहुभुज की भुजाएँ कितनी हैं?
(a) 9 (b) 8
(c) 10 (d) 7
(SSC FCI Assistant Grade Exam 2012)

4. यदि एक सम बहुभुज के आंतरिक कोणों का योगफल 1080° हो, तो उस बहुभुज में कितनी भुजाएँ होंगी?
(a) 6 (b) 8
(c) 10 (d) 12
(SSC 10+2 Data Enty Operator exam 4-12-2011)

5. वह माप कौन–सा है, जो किसी सम बहुभुज के प्रत्येक आंतरिक कोण का माप कभी नहीं हो सकता?
(a) 150° (b) 105°
(c) 108° (d) 144°
(SSC 10+2Data Entry Operator exam 11-12-2011

6. यदि किसी सम बहुभुज का प्रत्येक कोण दो समकोणों के $\frac{3}{5}$गुणा के बराबर है, तो भुजाओं की संख्या है–
(a) 3 (b) 5
(c) 6 (d) 8
(SSC Graduate Level Exam 4-9-2011)

7. एक सम बहुभुज के सभी आंतरिक कोणों का योग, उसके सभी बाह्म कोणों के योग का दुगुना है। तदनुसार, उस बहुभुज की भुजाएँ कितनी हैं?
(a) 10 (b) 8
(c) 12 (d) 6
(SSC Graduate Level Tier II Exam27-10-2013)

8. यदि एक सम बहुभुज का प्रत्येक आंतरिक कोण 150° हो, तो उसकी भुजाओं की संख्या कितनी होगी?
(a) 8 (b) 10
(c) 15 (d) इनमें से कोई नहीं
(SSC 10+2 Data Entry Operator Exam10-11-2013)

9. यदि पाँच भुजाओं वाले किसी बहुभुज के अंतः कोण 2 : 3 : 3 : 5 : 5 के अनुपात में है, तो सबसे छोटे कोण का माप है–
(a) 20° (b) 30°
(c) 60° (d) 90°

10. यदि एक सम बहुभुज में इसका आंतरिक कोण उसके बाह्म कोण से 132° बड़ा है, तो उस बहुभुज की भुजाओं की संख्या है–
(a) 14 (b) 12
(c) 15 (d) 16
(SSC CHSL 10+2 DEO & LDC Exam 2-11-2014)

11. यदि एक सम बहुभुज के बहिष्कोण और अंतः कोण का अनुपात 1 : 17 है, तो सम बहुभुज की भुजाओ की संख्या क्या होगी?
(a) 20 (b) 18
(c) 36 (d) 12
(SSC CHSL 10+2 DEO& LDC Exam 16-11-2014)

12. कोणो 30°, 36°, 45°, 50° में से एक कोण किसी सम बहुभुज का बाह्म कोण नहीं हो सकता। वह कोण है:
(a) 30° (b) 36°
(c) 45° (d) 50°
(SSC CGL Pre Exam 27-4-2014)

13. यदि एक सम बहुभुज के आंतरिक कोणों का योग उस बहुभुज के बाहरी कोणों के योग से दुगुने के बराबर हो, तो उस बहुभुज की भुजाओं की संख्या कितनी होगी?
(a) 5 (b) 6
(c) 7 (d) 8
(SSC CGL Tier Exam 19-10-2014)

14. एक समबहुभुज का आंतरिक कोण बाह्म कोण से 5 गुणा है। समबहुभुज की भुजाओं की संख्या बताइए।
(a) 14 (b) 16
(c) 12 (d) 18
(SSC CGL Tier Pre Exam 21-9-2014)

15. एक सम बहुभुज के प्रत्येक आंतरिक कोण का प्रत्येक बहिष्कोण से अनुपात 3 : 1 है। बहुभुज की कितनी भुजाएँ हैं?
(a) 9 (b) 7
(c) 6 (d) 8
(SSC CGL Tier I Exam 9-8-2015)

16. एक सम बहुभुज का अंतःकोण उसके बाह्म कोण से 108° अधिक है। बहुभुज की भुजाओं की संख्या कितनी है?
(a) 12 (b) 16
(c) 14 (d) 10
(SSC CGL Tier II Exam 25-10-2015)

17. एक सम बहुभुज का आंतरिक कोण 140° है। उस बहुभुज की भुजाओं की संख्या कितनी है?

(a) 9 (b) 8
(c) 7 (d) 6
(SSC CGL Tier exam 19-10-2014)

18. ऐसे सम बहुभुज के सभी अंतः कोणों का योगफल क्या होगा जिसका एक बहिः कोण 20° हो?
(a) 6400° (b) 3200°
(c) 2880° (d) 1440°
(SSC CHSL 10+2 DEO & LDC Exam 16-11-2014)

19. एक सम षट्भुज के प्रत्येक आंतरिक कोण का माप है:
(a) 100° (b) 60°
(c) 45° (d) 120°
(SSC CHSL 10+2 LDC & DEO Exam 15-11-2015)

20. यदि किसी सम–बहुभुज के सभी अंतः कोणों का योगफल 14 समकोण हो तो उसकी भुजाओं की संख्या बताइए।
(a) 8 (b) 9
(c) 7 (d) 6
(SSC CHSL 10+2 LDC & DEO Exam 20-12-2015)

21. दो सम बहुभुजों में भुजाओं की संख्या का अनुपात 5 : 6 है और प्रत्येक आंतरिक कोणों का अनुपात 24 : 25 है। तदनुसार उन बहुभुजों की भुजाओं की संख्या वास्तव में कितनी है?
(a) 20, 24 (b) 15, 18
(c) 10,12 (d) 5, 6
(SSC 10+2 Data Entry Operator Exam 11-12-2011)

22. किसी सम बहुभुज के बाह्म कोण और अंतः कोण का अनुपात 1 : 4 है। उस बहुभुज मे कितनी भुजाएँ हैं?
(a) 6 (b) 8
(c) 9 (d) 10
(CTET VI-VIII 31-12-2021)

23. यदि किसी कोण x के संपूरक और पूरक कोणों का योग 240° है, तो $3x–20^o$ का मान है:
(a) 15° (b) 30°
(c) 25° (d) 50°
(CTET VI-VIII 6-1-2022)

24. पूरक कोणों के एक युग्म में एक कोण दूसरे कोण का दो–तिहाई है। छोटे कोण का संपूरक क्या है?
(a) 126° (b) 135°
(c) 144° (d) 153°
(CTET (VI-VIII Exam 12-1-2022)

25. दो संपूरक कोणों की माप क्रमशः $(2a+b)^o$ और $(3a–b)^o$ तब 3a का मान है–
(a) 54 (b) 108
(c) 72 (d) 84
(CTET VI-VIII Exam 3-1-2022)

26. मान लीजिए कि x एक ऐसा कोण (डिग्री में) है, जो अपने संपूरक से 34° कम है और y एक ऐसा कोण (डिग्री में) है, जो अपने पूरक से 38° अधिक है। तब, (2x–y)बराबर है:
(a) 78 (b) 79
(c) 81 (d) 82
(CTET (VI-VIII Exam 4-1-2022)

27. किसी कोण की माप उसके संपूरक कोण की माप की दुगुनी है। तब, उसकी माप है:
(a) 120° (b) 60°
(c) 100° (d) 90°
(CTET VI-VIII 29-12-2021)

28. x और y दो सम्पूरक कोण इस प्रकार हैं कि $x > y$ है। यदि इन कोणों का अन्तर 40° है, तो 3x–4y का मान है?
(a) 50° (b) 70°
(c) 100° (d) 140°
(CTET VI-VIII Exam 27-12-2021)

29. उस कोण की माप क्या होगी, जिसका सम्पूरक कोण उसके कोटिपूरक कोण का तीन गुना है?
(a) 30° (b) 45°
(c) 60° (d) 75°
(Uttarakhand TET Exam 2020)

30. मान लिजिए कि x एक ऐसा कोण है, जो अपने पूरक के समान है और y एक ऐसा कोण है, जो अपने संपूरक के समान है। तब 2x+3y बराबर है।
(a) 180° (b) 360°
(c) 135° (d) 270°
(C TET Class VI-VIII 18-9-2016)

31. यदि दो कोटिपूरक कोणों में अनुपात 2 : 3 है, तो वे कोण होंगे
(a) 25°, 25° (b) 108°, 72°
(c) 36°, 54° (d) 40°, 60°
(UP TET (Class VI-VIII 21 Feb 2016)

32. 138° के सम्पूरक का कोटिपूरक हैं–
(a) 42° (b) 48°
(c) 38° (d) 90°
(UPTET Class I-V 19-12-2016)

33. किसी कोण x के पूरक और संपूरक कोणों का योग 140° है। तब, $2x–10^o$ का मान है:
(a) 130° (b) 140°
(c) 110° (d) 120°
(CTET (VI-VIII 5-1-2022)

34. दिये गये चित्र में OP ∥ RS $\angle OPQ = 100^o$ तथा $\angle QRS = 140^o$, तो $\angle PQR$ बराबर होगा

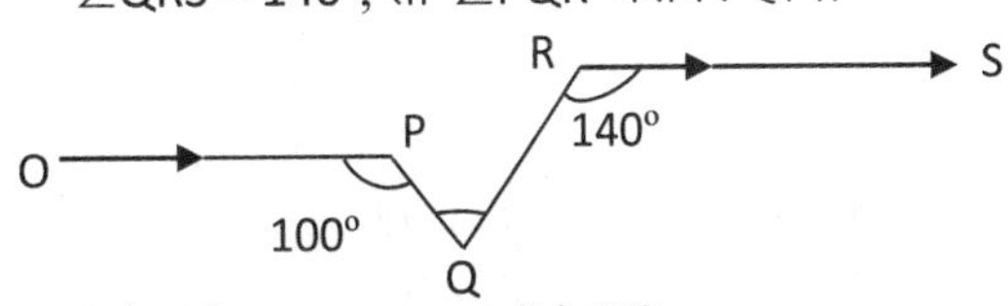

(a) 80° (b) 60°
(c) 70° (d) 50°

(REET I-V exam 2021)

35. AB एक रेखा है तथा P उस पर स्थिति कोई बिंदु है। AB के एक ही ओर दो किरणें PC और PD इस प्रकार है। कि किरण PC किरणों PB और PD के बीच में स्थित है। यदि $\angle APD = 80^o$ है तथा कोंणों CPD और BPC का अनुपात 2 : 3 है, तो $3\angle CPD + 2\angle BPC$ बराबर है:

(a) 240° (b) 200°
(c) 120° (d) 100°

(CTET (VI-VIII 8-1-2022)

36. नीचे दिए गए चित्र में AB ||CD है, तो $\angle BGE$ का मान है–

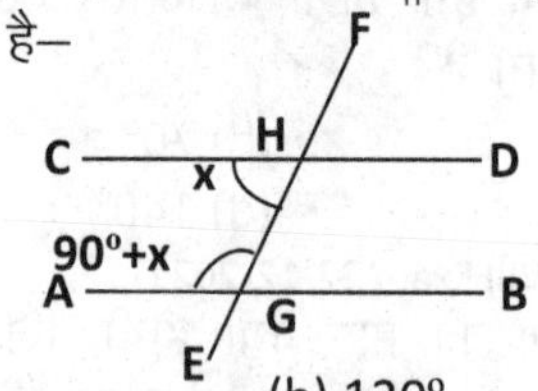

(a) 45° (b) 120°
(c) 135° (d) 270°

37. निम्न चित्र में यदि $\phi = 5\theta$, तो θ =

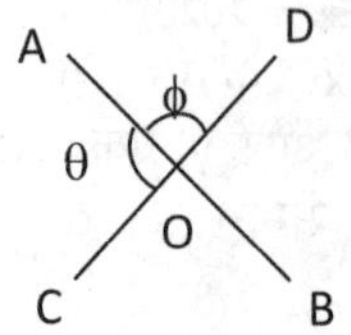

(a) 30° (b) 40°
(c) 60° (d) इनमे से कोई नहीं

38. दिये गये चित्र में, यदि AB, CD के समानान्तर है, $\angle APQ = 50^o$ तथा $\angle PRD = 127^o$, तो x तथा y का मान है–

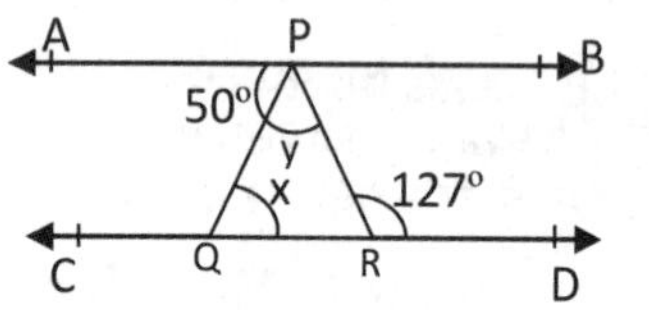

(a) $50^o, 77^o$ (b) $40^o, 67^o$
(c) $55^o, 72^o$ (d) इनमें से कोई नहीं

(CGTET VI-VIII 2017)

39. दिए गए चित्र में AB || CD तब $y^o - x^o$ का मान है

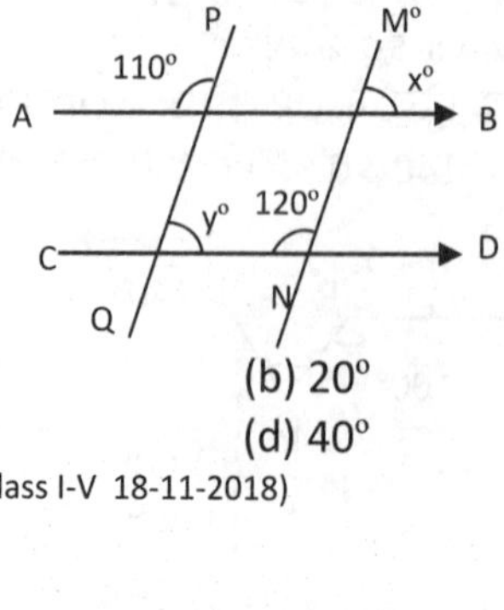

(a) 10° (b) 20°
(c) 30° (d) 40°

UPTET (Class I-V 18-11-2018)

40. दिए गए समान्तर चतुर्भुज ABCD में, x और y के मान बराबर हैं।

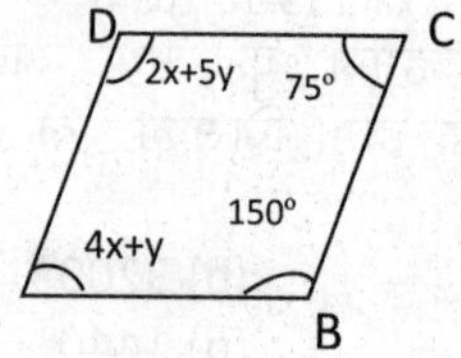

(a) $x = 25^o; y = 12.5^o$
(b) $x = 12.5^o ; y = 25^o$
(c) $x = 15^o; y = 30^o$
(d) $x = 30^o; y = 15^o$

REET (I-V)2017

41. समांतर चतुर्भुज ABCD के विकर्ण AC और BD एक –दूसरे को बिन्दु O पर काटते हैं। यदि $\angle DAC = 32^o$, $\angle AOB = 70^o$, तब $\angle DBC$ का मान है–

(a) 24° (b) 86°
(c) 38° (d) 32°

(UPTET (Class VI-VIII 19-10-2016)

42. दिए गए चित्र में यदि $l \parallel m$ तब x का मान है।

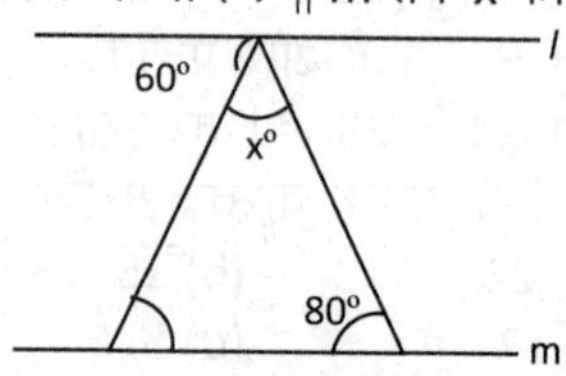

(a) 60° (b) 80°
(c) 40° (d) 140°

UP TET (Class VI-VIII)23-2- 2014

Revision Series

43. यदि एक समबहुभुज का प्रत्येक आन्तरिक कोण 144^0 है, तो उस बहुभुज की कुल कितनी भुजायें हैं?

(a)10 **(b)24**

(c)20 **(d)36**

44. एक सम बहुभुज में कुल 15 भुजायें हैं। उसके प्रत्येक अन्तः कोण का मान बताइये?

(a)24^0 **(b)36^0**

(c)165^0 **(d)156^0**

45. एक पंचभुज का एक कोण 140^0 है। शेष 4 कोणों का अनुपात 1 : 2 : 3 : 4 है, तो पंचभुज के सबसे बड़े कोण का मान बताइये?

(a)150^0 **(b)160^0**

(c)170^0 **(d)145^0**

46. यदि एक समबहुभुज के आन्तरिक कोणों का योगफल 1080^0 है, तो उस बहुभुज में कितनी भुजायें होंगी?

(a)8 (b)6

(c)12 (d)10

47. एक n भुजाओं वाले बहुभुज की भुजाओं को एक ही क्रम में बढ़ाने से बने बहिष्य कोणों का योग कितना है?

(a) (2n- 4) समकोण (b) n समकोण

(c) 4 समकोण (d) 2n समकोण

48. यदि किसी उत्तल समबहुभुज के एक अन्तः कोणों की माप $\frac{5\pi}{6}$ हो तो यह है–

(a)षट्भुज (b)अष्टभुज

(c)दशभुज (d)द्वादशभुज

49. एक समबहुभुज का आन्तरिक कोण, वाह्यकोण से 5 गुना है। समबहुभुज के भुजाओं की संख्या बताइये?

(a)12 (b)14

(c)16 (d)18

50. एक समबहुभुज के सभी आन्तरिक कोणों का योग, उसके सभी वाह्यकोणों के योग का दुगुना है। उस बहुभुज की भुजायें कितनी हैं ?

(a)6 (b)8

(c)10 (d)12

51. यदि एक समबहुभुज के बहिस्य कोण और अन्तः कोण का अनुपात 1 : 17 है, तो समबहुभुज की भुजाओं की संख्या बताइये ?

(a)20 (b)36

(c)18 (d)12

52. एक समबहुभुज का अन्तः कोण, उसके वाह्यकोण से 108^0 अधिक है। बहुभुज के भुजाओं की संख्या कितनी है?

(a)10 (b)12

(c)14 (d)16

53. यदि एक समबहुभुज में प्रत्येक अन्तः कोण और प्रत्येक वहिष्य कोण में 132^0 अन्तर है, तो उस बहुभुज में भुजाओं की संख्या कितनी है?

(a)14 (b)12

(c)16 (d)15

54. एक समबहुभुज के अन्तः कोणों का योग 1800 है तो इस बहुभुज में कुल कितने विकर्ण हैं?

(a)35 (b)54

(c)72 (d)90

55. किसी बहुभुज में विकर्णों की संख्या 27 है, तो उस बहुभुज में भुजाओं की संख्या बताइये?

(a)9 (b)11

(c)10 (d)12

56. दो समबहुभुज जिसमें भुजाओं की संख्या क्रमशः (N-1) तथा (N+2) के वाह्य कोणों का अन्तर 6^0 है, तो N=?

(a)13 (b)12

(c)11 (d)10

57. दो समबहुभुजों की भुजाओं की संख्याओं के बीच का अनुपात 1 : 2 है और उनके आन्तरिक कोणों के बीच का अनुपात 2 : 3 है, तो उन दोनों बहुभुजों की भुजाओं की संख्या क्रमशः कितनी है?

(a)6, 12 (b)4, 8

(c)7, 14 (d)5, 10

58. दो समबहुभुजों में भुजाओं की संख्या 5 : 4 के अनुपात में है और बहुभुजों के हर अन्तः कोण में अन्तर 6^0 है, तो भुजाओं की संख्या है–

(a)15, 12 (b)10, 8

(c)5, 4 (d)20, 16

59. वह माप कौन सा है, जो किसी समबहुभुज के प्रत्येक आन्तरिक कोण का माप कभी नहीं हो सकता–

(a)150^0 (b)108^0

(c)105^0 (d)144^0

रेखा और कोण

60. एक कोण और उसके कोटिपूरक कोण का अनुपात 2: 3 है, वह कोण बताइये?

(a)36^0 (b)72^0

(c)18^0 (d)90^0

61. दो सम्पूरक कोण 2: 3 के अनुपात में है। कोण कितने डिग्री के हैं ?

(a)36^0, 54^0 (b)33^0, 57^0

(c)72^0, 108^0 (d)66^0, 114^0

62. यदि दो सम्पूरक कोणों में 44^0 का अन्तर है तो उनमें से एक कोण है–

(a)68^0 (b)102^0

(c)72^0 (d)65^0

63. एक कोण अपने सम्पूरक कोण का $\frac{2}{3}$ है, वह कोण बताइये?

(a)72^0 (b)36^0

(c)90^0 (d)60^0

64. यदि किसी कोण का पूरक कोण उसके सम्पूरक कोण का एक– चौथाई हो तो वह कोण बताइये?

(a)30^0 (b)60^0

(c)90^0 (d)120^0

65. किसी कोण का सम्पूरक कोण, उसके पूरक कोण का 4 गुना है तो वह कोण बताइये?

(a)45^0 (b)90^0

(c)60^0 (d)इनमें से कोई नहीं

66. $113^0\ 25'\ 39''$ का सम्पूरक कोण कितना है?

(a)$66^0\ 34'\ 20''$ (b)$67^0\ 35'\ 19''$

(c)$66^0\ 34'\ 21''$ (d)इनमें से कोई नहीं

67. एक कोण अपने कोटिपूरक कोण से $15^0\ 05'\ 10''$ बड़ा है, उस कोण का मान बताइये–

(a)$25^0\ 32'\ 35''$ (b)$52^0\ 32'\ 35''$

(c)$52^0\ 54'\ 49''$ (d)इनमें से कोई नहीं

68. AB, CD तथा EF समान्तर है तो x^0 तथा y^0 का मान ज्ञात कीजिये–

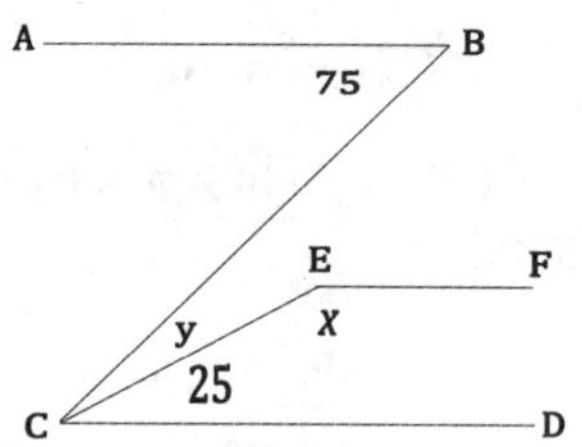

(a)145^0, 60^0 (b)50^0, 155^0

(c)155^0, 50^0 (d)45^0, 165^0

69. दिए गये चित्र में AOB एक सरल रेखा है तो x का मान बताइये–

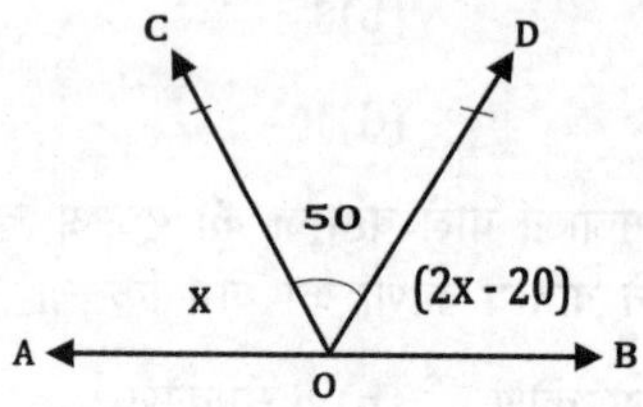

(a)40^0 (b)50^0

(c)60^0 (d)70^0

70. नीचे दिये चित्र में रेखायें k और *l* समान्तर है। $a^0 + b^0$ का मान है–

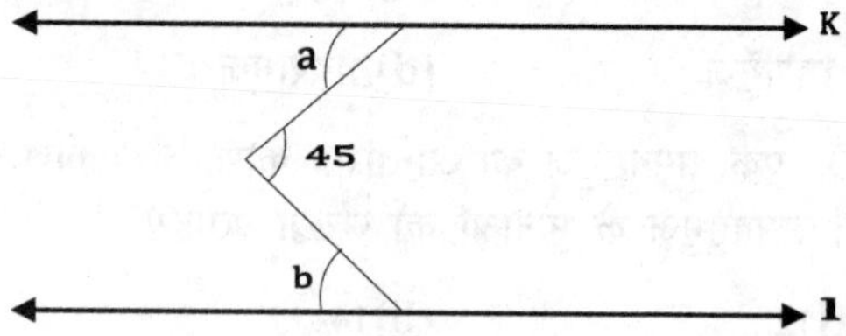

(a)100^0 (b)45^0

(c)180^0 (d)360^0

71. उस चाप के केन्द्रिय कोण का माप क्या होगा जिसकी लम्बाई 11 सेमी. है और वृत्त की त्रिज्या 14 सेमी. है?

(a)45^0 (b)60^0

(c)90^0 (d)75^0

72. AC तथा DE समान्तर है, तो x^0 का मान ज्ञात कीजिए–

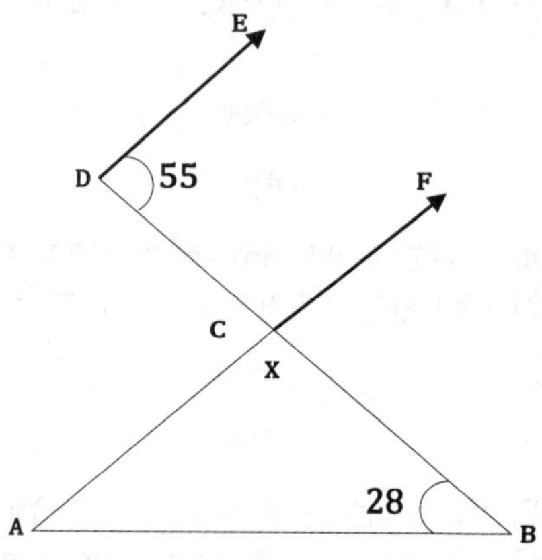

(a)60^0 (b)120^0

(c)135^0 (d)125^0

ANSWER

1.	b	2.	a	3.	b	4.	b	5.	b
6.	b	7.	d	8.	d	9.	c	10.	c
11.	c	12.	d	13.	b	14.	c	15.	d
16.	d	17.	a	18.	c	19.	d	20.	b
21.	c	22.	d	23.	a	24.	c	25.	b
26.	d	27.	a	28.	a	29.	b	30.	b
31.	c	32.	b	33.	d	34.	c	35.	a
36.	c	37.	a	38.	a	39.	a	40.	b
41.	c	42.	c	43.	a	44.	d	45.	b
46.	a	47.	c	48.	d	49.	a	50.	a
51.	b	52.	a	53.	d	54.	b	55.	a
56.	a	57.	b	58.	a	59.	c	60.	a
61.	c	62.	a	63.	b	64.	b	65.	c
66.	c	67.	b	68.	c	69.	b	70.	b
71.	a	72.	c						

Explanatory Notes

1. Sol^n : b. $(n-2)\times180 = 1440$

$(n-2) = \frac{1440}{180} = 8$

$\therefore n = 8 + 2 = 10$

2. Sol^n : a. प्रत्येक बहिष्य कोण $= 180 - 144 = 36$

$\therefore n = \frac{360}{36} = 10$

3. Sol^n : b. माना प्रत्येक बाह्य कोण $= x$

$\therefore$ प्रत्येक अन्तः कोण $= 3x$

$3x + x = 180$

$4x = 180$

$\therefore x = 45$

अतः $n = \frac{360}{45} = 8$

4. Sol^n : b. $(n-2)\times 180 = 1080$

$(n-2) = \frac{1080}{180} = 6$

$\therefore n = 6 + 2 = 8$

5. Sol^n : b. विकल्प (a) से,

प्रत्येक बाह्यकोण $= 180 - 150 = 30$

$n = \frac{360}{30} = 12$

$\therefore$ 150 प्रत्येक अन्तः कोण का माप हो सकता है विकल्प (b) से,

प्रत्येक बाह्य कोण $= 180 - 105 = 75$

$\therefore n = \frac{360}{75}$ [पूर्णतः विभक्त नहीं है]

अतः 105 प्रत्येक अन्तः कोण का माप कभी नहीं हो सकता।

6. Sol^n : b. प्रत्येक अन्तः कोण $= (2\times 90)\times\frac{3}{5} = 08$

$\therefore$ प्रत्येक बाह्य कोण $= 180 - 108 = 72$

$\therefore n = \frac{360}{72} = 5$

7. Sol^n : d. सभी अन्तः कोणों का योग $=$ सभी बाह्यकोण का योग $\times 2$

$(n-2)\times 180 = 360\times 2$

$(n-2) = 4$

$\therefore n = 4 + 2 = 6$

8. Sol^n : d. प्रत्येक बाह्य कोण $= 180 - 150 = 30$

$\therefore n = \frac{360}{30} = 12$

9. Sol^n : c. पंचभुज के सभी अन्तः कोणों का योग?

$= (5-2)\times 180 = 540$

$(2+3+3+5+5)unit = 540$

$18\,unit = 540$

$1\text{ unit} = \frac{540}{18} = 30^0$

$\therefore$ सबसे छोटा कोण

$= 2\,unit = 2\times 30 = 60^0$

10. Sol^n : माना, प्रत्येक अन्तः कोण $= \text{I}$

तथा प्रत्येक बाह्य कोण $= \text{E}$

$\text{I} = \text{E} + 132$

या, $\text{I} - \text{E} = 132$ ______(i)

$\text{I} + \text{E} = 180$ ______(ii)

$2\text{I} = 312$

$\therefore \text{I} = 156^0$

$\therefore \text{E} = 180 - 156 = 24^0$

अन्तः $\therefore n = \frac{360}{24} = 15$

11. Sol^n : c. माना, प्रत्येक बहिष्य कोण $= x$

तथा प्रत्येक अन्तः कोण $= 17x$

$x + 17x = 180$

$18x = 180$

$x = 10$

$\therefore n = \frac{360}{10} = 36$

12. Sol^n : d. $\because n = \frac{360}{\text{प्रत्येक बहिष्य कोण}}$

अतः प्रत्येक बाह्य कोण 360 का पूर्ण भाजक होना चाहिये अतः 50^0 प्रत्येक बाह्य कोण का माप कभी नहीं हो सकता

13. Sol^n : b. आन्तरिक कोणों का योग $=$ बाह्य कोणों का योग $\times 2$

$(n-2)\times 180 = 360\times 2$

$(n-2) = 4$

$\therefore n = 4 + 2 = 6$

14. Sol^n : c. माना, प्रत्येक बाह्य कोण $= x^0$

$\therefore$ प्रत्येक अन्तः कोण $= 5x^0$

$x + 5x = 180$

$6x = 180$

$x = 30$

अतः $n = \frac{360}{30} = 12$

15. Sol^n : d. $\text{I} + \text{E} = 180$

$3x + x = 180$

$4x = 180$

$x = 45$ (प्रत्येक बाह्य कोण)

अतः $n = \frac{360}{45} = 8$

16. Sol^n : d. $I = E + 108^0$

या $I - E = 108$ ____(i)

$I + E = 180$ ____(ii)

$2I = 288$

$I = 144$

$\therefore E = 180 - 144 = 36^0$ (प्रत्येक बहिष्य कोण)

अतः $n = \frac{360}{36} = 10$

17. Sol^n : a. प्रत्येक बाह्य कोण $= 180 - 140 = 40^0$

अतः $n = \frac{360}{40} = 9$

18. Sol^n : b. $n = \frac{360}{20} = 18$

$\therefore$ सभी अन्तः कोणों का योग

$= (18 - 2) \times 180$

$= 16 \times 180$

$= 2880^0$

19. Sol^n : d. प्रत्येक अन्तः कोण $= \frac{(6-2)\times 180}{6}$

$= 4 \times 30 = 120^0$

20. Sol^n : b. सभी अन्तः कोणों का योग $= 14 \times 90$

$(n-2) \times 180 = 14 \times 90$

$(n-2) = \frac{14\times 90}{180} = 7$

$\therefore n = 7 + 2 = 9$

21. Sol^n : c. माना, दोनों प्रकार के बहुभुज में क्रमशः $5x$ और $6x$ भुजायें हैं

$\frac{(5x-2)\times 180}{5x} : \frac{(6x-2)\times 180}{6x} = 24 : 25$

$\frac{(5x-2)\times 180}{5x} \times 25 = \frac{(6x-2)\times 180}{6x} \times 24$

$25x - 10 = 24x - 8$

$25x - 24x = -8 + 10$

$x = 2$

$\therefore$दोनों बहुभुज में क्रमशः 10 और 12 भुजायें हैं।

22. Sol^n : d. माना, बाह्यकोण $= x$

तथा अन्तः कोण $= 4x$

$x + 4x = 180$

$5x = 180$

$x = 36$

$\therefore n = \frac{360}{36} = 10$

23. Sol^n : a. कोण $= x$ (दिया है)

सम्पूरक कोण + पूरक कोण $= 240$

$(180 - x) + (90 - x) = 240$

या, $270 - 2x = 240$

या, $2x = 30$

$x = 15$

24. Sol^n : c. माना, दोनों कोण क्रमशः x तथा $\frac{2x}{3}$ है।

$x + \frac{2x}{3} = 90$

$\frac{5x}{3} = 90$

$x = 90 \times \frac{3}{5} = 54$

$\therefore$ छोटे कोण $= \frac{2x}{3} = \frac{2\times 54}{3} = 36^0$

अतः छोटे कोण का सम्पूरक कोण $180 - 36 = 144^0$

25. Sol^n : b. $(2a + b) + (3a - b) = 180$

$5a = 180$

$a = 36$

$\therefore 3a = 3 \times 36 = 108^0$

26. Sol^n : d. $x =$ अपने सम्पूरक कोण $- 34$

$x = (180 - x) - 34$

या $2x = 146$

$\therefore x = 73$

तथा $y =$ अपने पूरक कोण $+ 38$

$y = 90 - y + 38$

या $2y = 128$

$\therefore y = 64$

अतः $2x - y = 2 \times 73 - 64$

$= 146 - 64 = 82$

27. Sol^n : a. कोण $=$ सम्पूरक कोण $\times 2$

$x = (180 - x) \times 2$

या $x = 360 - 2x$

या $3x = 360$

$\therefore x = 120^0$

28. Sol^n : a. $x + y = 180$ ____(i)

$x - y = 40$ ____(ii)

$2x = 220$

$x = 110$

$\therefore y = 70^0$

अतः $3x - 4y = 3 \times 110 - 4 \times 70$

$= 330 - 280 = 50^0$

29. Sol^n : b. माना, कोण $= x$

सम्पूरक कोण $=$ कोटिपूरक कोण $\times 3$

$180 - x = (90 - x) \times 3$

$180 - x = 270 - 3x$

$-x + 3x = 270 - 180$

$2x = 90$

$\therefore x = 45^0$

30. Solⁿ : b. $x = x$ का पूरक कोण

$x = 90 - x$

$2x = 90$

$\therefore x = 45^0$

तथा, $y = y$ का सम्पूरक कोण

$y = 180 - y$

$2y = 180$

$\therefore y = 90^0$

अतः $2x + 3y = 2 \times 45 + 3 \times 90$

$= 90 + 270 = 360$

31. Solⁿ : c. माना, दोनों कोण क्रमशः $2x$ तथा $3x$ है

$2x + 3x = 90$

$5x = 90$

$x = 18^0$

दोनों कोण क्रमशः 36^0 तथा 54^0 है।

32. Solⁿ : b. 138^0 का सम्पूरक कोण

$= 180 - 138 = 42^0$

अतः 42^0 का कोटिपूरक

कोण $= 90 - 42 = 48^0$

33. Solⁿ : d. कोण $= x$ (दिया है)

पूरक कोण + सम्पूरक कोण $= 140$

$(90 - x) + (180 - x) = 140^0$

$270 - 2x = 140$

या, $2x = 270 - 140 = 130$

अतः $2x - 10 = 130 - 10 = 120$

34. Solⁿ : c.

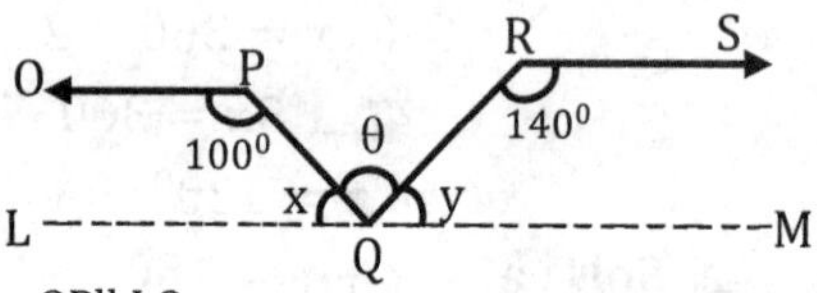

$\therefore$ OPll LQ

$\therefore 110 + x = 180$

$x = 70$

तथा RSllQM

$\therefore 140 + Y = 180$

$y = 40^0$

$\therefore x + \theta + y = 180$

$70 + \theta + 40 = 180$

$\therefore \theta = 180 - 110 = 70^0$

35. Solⁿ : a. चित्र से,

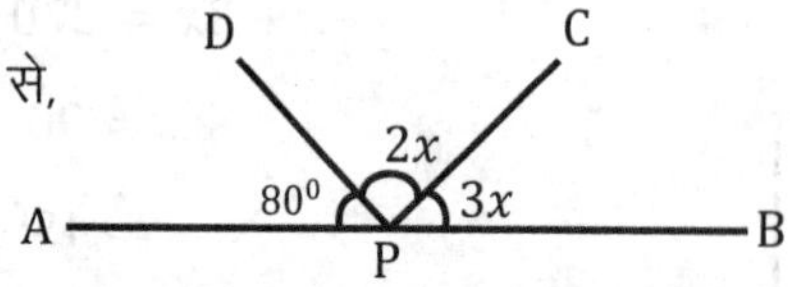

$80 + 2x + 3x = 180$

$5x = 100$

$x = 20^0$

$\therefore 3\angle CPD + 2\angle BPC$

$= 3 \times (2 \times 20) + 2 \times (3 \times 20)$

$= 120 + 120 = 240^0$

36. Solⁿ : c. $\because$ ABllCD

$\therefore x + 90 + x = 180$

$2x = 90$

$x = 45$

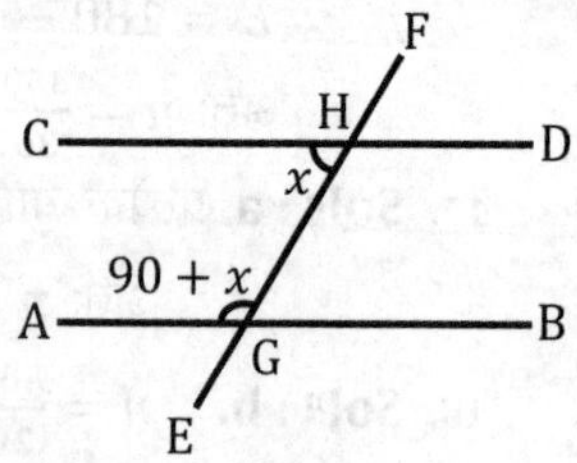

$\therefore \angle BGE = \angle AGH = 90 + x$ (शीर्षाभिमुख कोण)

$\therefore \angle BGE = 90 + 45^0 = 135^0$

37. Solⁿ : a. $\therefore \emptyset = 5\theta$ (दिया है)

$\therefore \theta + \emptyset = 180$

$\theta + 5\theta = 180$

$6\theta = 180$

$\theta = 30^0$

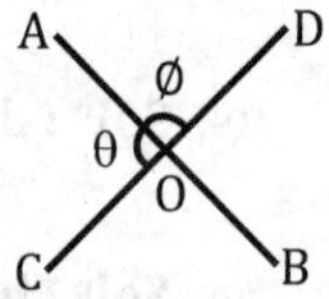

38. Solⁿ : a. चित्र से,

$x = 50$ (एकान्तर कोण से)

तथा $\angle PRQ = 180 - 127 = 53^0$

ΔPQR में,

$y + x + \angle PRQ = 180$

$y + 50 + 53 = 180$

$\therefore y = 180 - 103 = 77^0$

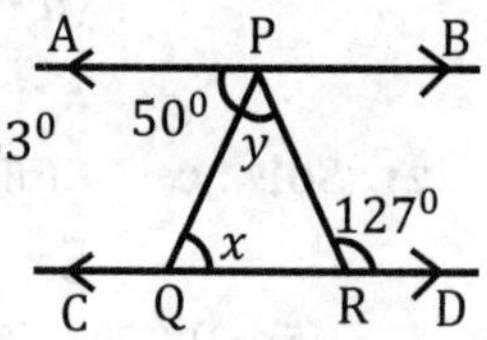

39. Solⁿ : a. चित्र से,

$Q = 180 - 110 = 70^0$

$\because$ ABllCD

$\therefore \theta = y = 70^0$ (संगत कोण)

तथा $K = 180 - 120 = 60^0$

$\because$ABllCD

$\therefore K = x = 60^0$ (संगत कोण)

$\therefore y - x = 70 - 60 = 10^0$

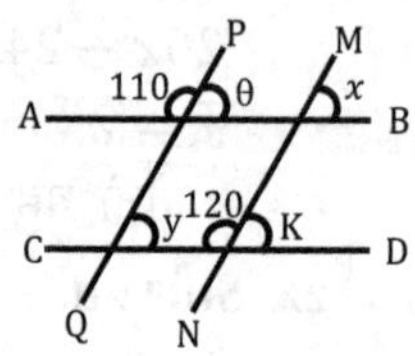

40. Solⁿ : b. समान्तर चतुर्भुज के सम्मुख कोण आपस में बराबर होते हैं।

$\therefore 2x + 5y = 150$ ______ (i)

तथा $4x + y = 75$ ______ (ii)

समी० (i) में 2 से गुणा करने पर

$4x + 10y = 300$ ______ (iii)

समी० (iii) में से समी० (ii) घटाने पर

$9y = 225$

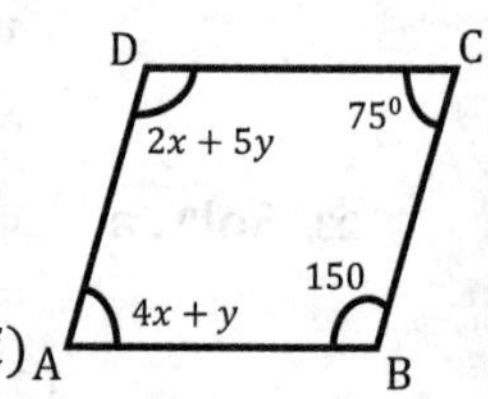

$y = 25^0$ यह मान समी० (i) में रखने पर

$2x + 5 \times 25 = 150$

$2x = 150 - 125 = 25$

$\therefore x = 12.5$

41. **Sol^n : c.** $\because$ ABCD समान्तर चतुर्भुज है

$\therefore$ AB||CD तथा AD||BC

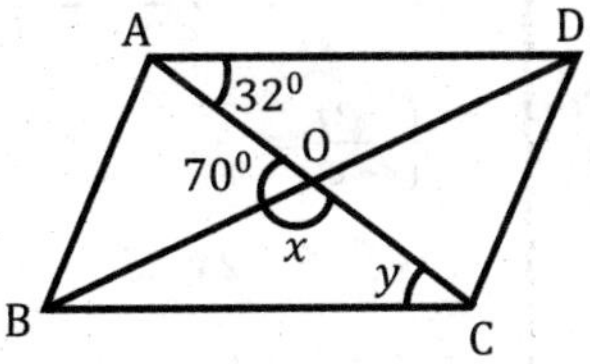

चित्र से,

$x = 180 - 70 = 110^0$

तथा $y = 32^0$ [एकान्तर कोण

$\therefore \Delta OBC$ में,

$x + y + \angle OBC = 180$

$110 + 32 + \angle OBC = 180$

$\angle OBC = 180 - 142 = 38^0$

$\therefore \angle DBC = \angle OBC = 38^0$

42. **Sol^n : c.** $\therefore$ L||M

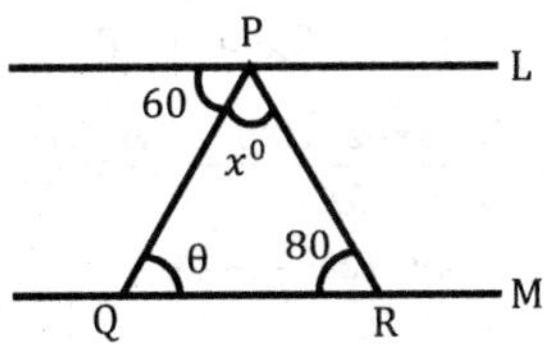

$\therefore \theta = 60$ (एकान्तर कोण)

ΔPQR में

$x + \theta + 80 = 180$

$x + 60 + 80 = 180$

$x = 180 - 140 = 40^0$

43 : a. प्रत्येक अन्तःकोण, $\frac{(n-2)\times180}{n} = 144$

180 - 360 = 144n

180n - 144n = 360

36n = 360

$\therefore$ n = $\frac{360}{36} = 10$

44 : d. प्रत्येक अन्तःकोण = $\frac{(n-2)\times180}{n}$

= $\frac{(15-2)\times180}{15} = 13 \times 12 = 156^0$

45 : b. माना, शेष चारों कोण क्रमशः $x^0, 2x^0, 3x^0$ व $4x^0$ है।

$\because$ पंचभुज के सभी अन्तःकोणों का योग = (5 - 2) × 180

= 540^0

$\therefore 140^0 + x^0 + 2x^0 + 3x^0 + 4x^0 = 540^0$

$10x$ = 540 - 140 = 400

$\therefore x = \frac{400}{10} = 40$

सबसे बड़ा कोण = $4x^0 = 4 \times 40 = 160^0$

46 : a. सभी अन्तः कोणों का योग, (n - 2) × 180^0

= 1080

$\therefore$ (n - 2) = $\frac{1080}{180} = 6$

$\therefore$ n = 6 + 2 = 8

47 : c. $\because$ सभी बहिष्य कोणों का योग = 360^0

$\therefore$ कुल समकोण = $\frac{360}{90}$ = 4 समकोण

48 : d. प्रत्येक अन्तः कोण का मान,

$\frac{(n-2)\times180}{n} = \frac{5\pi}{6}$

$= \frac{5\times180}{6} = 150^0$

$\therefore$ 180n - 360 = 150n

180n - 150n = 360

30n = 360

$\therefore$ n = $\frac{360}{30} = 12$

49 : a. अन्तःकोण = बाह्य कोण × 5

$\frac{(n-2)\times180}{n} = \frac{360}{n} \times 5$

(n - 2) = $\frac{360}{n} \times 5 \times \frac{n}{180} = 10$

$\therefore$ n = 10 + 2 = 12

50 : a. सभी अन्तः कोणों का योग = सभी बाह्य कोण का योग × 2

(n - 2) × 180 = 360 × 2

(n - 2) = $\frac{360\times2}{180} = 4$

$\therefore$ n = 4 + 2 = 6

51 : b. $\frac{\text{प्रत्येक बहिष्य कोण}}{\text{प्रत्येक अंतः कोण}} = \frac{1}{17}$

$\frac{360}{n} \times \frac{n}{(n-2)\times180} = \frac{1}{17}$

$\frac{2}{(n-2)} = \frac{1}{17}$

n - 2 = 34

$\therefore$ n = 34 + 2 = 36

52 : a. अन्तः कोण – बाह्य कोण = 108^0

$\frac{(n-2)\times180}{n} - \frac{360}{n} = 108$

$\frac{180n-360-360}{n} = 108$

180n - 720 = 108n

180n - 108n = 720

72n = 720

$\therefore$ n = $\frac{720}{72} = 10$

53 : d. प्रत्येक अन्तःकोण – प्रत्येक बहिष्य कोण

= 132

$\frac{(n-2)\times180}{n} - \frac{360}{n} = 132$

$\frac{180n-360-360}{n} = 132$

180n - 720 = 132n

180n - 132n = 720

48n = 720

n = $\frac{720}{48} = 15$

54 : b. सभी अन्तःकोणों का योग, (n - 2) × 180

= 1800

(n-2) = $\frac{1800}{180} = 10$

∴ n = 10 + 2 = 12

अतः कुल विकर्णों की संख्या = (n - 3) × $\frac{n}{2}$

= (12 - 3) × $\frac{12}{2}$

= 9 × 6 = 54

55 : a. कुल विकर्णो की संख्या, (n - 3) × $\frac{n}{2} = 27$

Option से, n = 9 रखने पर

(9 - 3) × $\frac{9}{2} = 6 \times \frac{9}{2} = 27$ समीकरण को सन्तुष्ट करता है अतः n = 9

56 : a. समबहुभुज के बाह्य कोणों का अन्तर = 6^0

$\frac{360}{(N-1)} - \frac{360}{(N+2)} = 6$

$360\left[\frac{N+2-N+1}{(N-1)(N+2)}\right] = 6$

$\frac{3}{N^2+2N-N-2} = \frac{6}{360} = \frac{1}{60}$

$N^2 + N - 2 = 180$

$N^2 + N - 182 = 0$

$N^2 + 14N - 13N - 182 = 0$

$N(N + 14) - 13(N + 14) = 0$

$(N - 13)(N + 14) = 0$

अतः N = 13

57 : B. माना, दोनों प्रकार के बहुभुज में भुजाओं की संख्या क्रमशः x और $2x$ है।

$\frac{\text{पहले बहुभुज का प्रत्येक अंतः कोण}}{\text{दूसरे बहुभुज का प्रत्येक अंतः कोण}} = \frac{2}{3}$

$\frac{\frac{(x-2)\times180}{x}}{\frac{(2x-2)\times180}{2x}} = \frac{2}{3}$

$\frac{(x-2)\times180}{x} \times \frac{2x}{2(x-1)\times180} = \frac{2}{3}$

$\frac{(x-2)}{(x-1)} = \frac{2}{3}$

$3x - 6 = 2x - 2$

$x = -2 + 6 = 4$

∴ प्रत्येक प्रकार के बहुभुज में भुजाओं की संख्या क्रमशः 4 और 8 है।

58 : a. माना, दोनों प्रकार के बहुभुज में भुजाओं की संख्या क्रमशः $5x$ व $4x$ है।

$\frac{(5x-2)\times180}{5x} - \frac{(4x-2)\times180}{4x} = 6$

$\frac{180}{x}\left[\frac{20x-8-20x+10}{20}\right] = 6$

$\frac{2}{20} = \frac{6\times x}{180}$

$60x = 180$

$x = 3$

∴ प्रत्येक प्रकार के बहुभुज में भुजाओं की संख्या क्रमशः 15 और 12 है।

59 : c. प्रत्येक अन्तःकोण, $\frac{(n-2)\times180}{n} = 105$

$180n - 360 = 105n$

$75n = 360$

$n = \frac{360}{75} = \frac{24}{5}$ [यह संभव नहीं है]

60 : a. माना, कोण और उसका पूरक कोण क्रमशः $2x$ व $3x$ है।

∴ $2x + 3x = 90$

$5x = 90$

$x = \frac{90}{5} = 18$

∴ वह कोण = $2x = 2 \times 18 = 36^0$

61 : c. माना, दोनों कोण क्रमशः $2x$ व $3x$ है।

∴ $2x + 3x = 180$

$5x = 180$

$x = \frac{180}{5} = 36$

∴ दोनों कोण क्रमशः 72^0 व 108^0 है।

62 : a. माना, कोण क्रमशः x व y है।

∴ $x + y = 180$ ....(i)

$x - y = 44$ ....(ii) जोड़ने पर

$2x = 224$

$\therefore x = 112^0$

अतः $y = 180 - 112 = 68^0$

63 : b. कोण = अपने पूरक कोण × $\frac{2}{3}$

$x = (90-x) \times \frac{2}{3}$ [माना, कोण = x]

$3x = 180 - 2x$

$5x = 180$

$\therefore x = \frac{180}{5} = 36^0$

64 : b. माना, वह कोण = x^0

पूरक कोण = सम्पूरक कोण × $\frac{1}{4}$

$(90 - x) = (180 - x) \times \frac{1}{4}$

$360 - 4x = 180 - x$

$360 - 180 = -x + 4x$

$3x = 180$

$x = \frac{180}{3} = 60^0$

65 : c. माना, वह कोण = x^0

पूरक कोण = सम्पूरक कोण × 4

$(180 - x) = (90 - x) \times 4$

$180 - x = 360 - 4x$

$-x + 4x = 360 - 180$

$3x = 180$

$x = \frac{180}{3} = 60^0$

66 : c. सम्पूरक कोण = 180 - वह कोण

सम्पूरक कोण = $180 - 113^0 25' 39''$

$= 179^0 59' 60'' - 113^0 25' 39''$

$66^0 34' 21''$

ध्यान दें –:

$1^0 = 60'$ $1' = 60''$
अतः $180^0 = 179^0 + 1^0$
$= 179^0 + 59' + 1'$
$180^0 = 179^0 + 59' + 60''$

67 : b. माना, कोण = x^0

कोण = अपने कोटिपूरक कोण + $15^0\ 05'\ 10''$

$x = (90 - x) + 15^0\ 05'\ 10''$

$x + x = 89^0\ 59'\ 60'' + 15^0\ 05'\ 10''$

$2x = 104^0\ 64'\ 70''$

$\therefore x = \frac{104^0 64' 70''}{2} = 52^0\ 32'\ 35''$

68 : c.

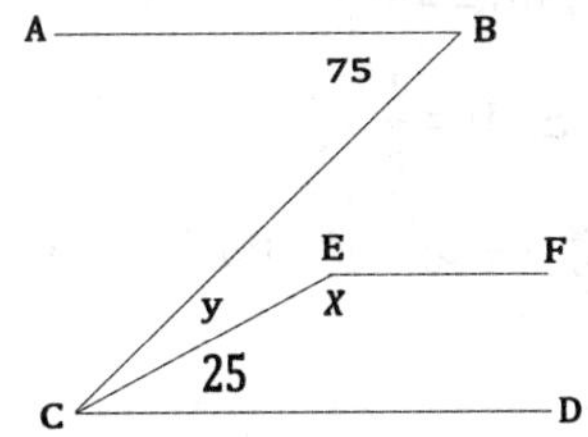

∵ AB || CD ∴ ∠ABC = ∠BCD = 75^0 [एकान्तर कोण]

∠BCE + $25^0 = 75^0$

∴ ∠BCE = 75 - 25 = 50^0

∴ y = 50^0

∵ EF || CD अतः $25 + x = 180$

$\therefore x = 180 - 25 = 155^0$

69 : b.

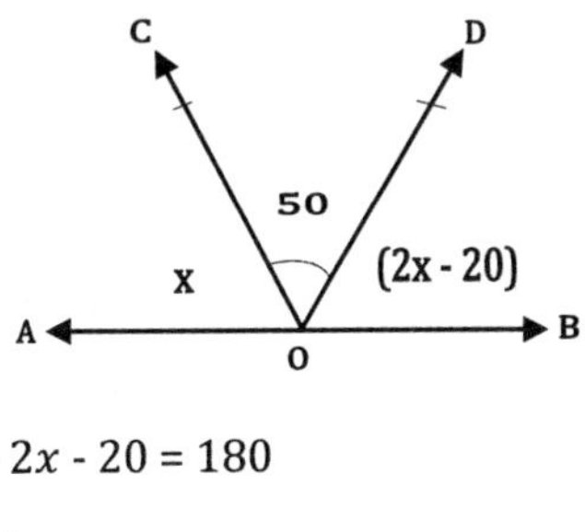

यहाँ, $x + 50 + 2x - 20 = 180$

$3x + 30 = 180$

$3x = 180 - 30 = 150$

$\therefore x = \frac{150}{3} = 50$

70 : b.

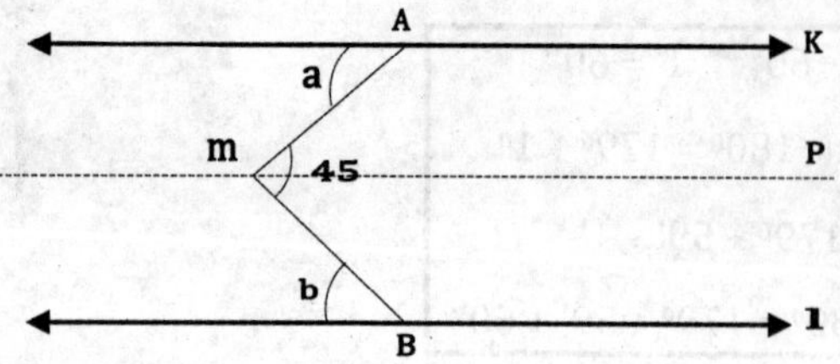

K // l // P

$\angle AmB = 45^0$

$\angle AmP = a^0$ [एकान्तर कोण]

$\angle BmP = b^0$ [एकान्तर कोण]

$\therefore \angle AmB = \angle AmP + \angle BmP = a^0 + b^0$

$\therefore 45^0 = a^0 + b^0$

$\because \angle AmB = 45^0$

71 : a. $\theta = \frac{l}{r}$

[जहाँ, l = चाप की लम्बाई तथा r = त्रिज्या]

$\theta = \frac{11}{14}$ रेडियन $= \frac{11}{14} \times \frac{180}{\pi}$

$= \frac{11}{14} \times 180 \times \frac{7}{22}$

$= 45^0$

72 : c.

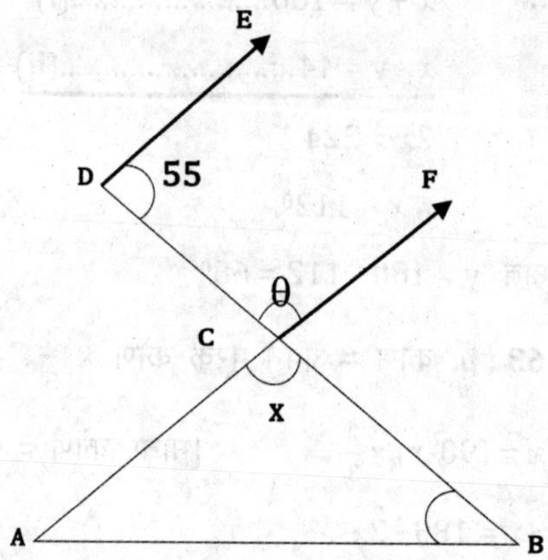

$\because$ DE || AC

$\therefore 55^0 + \theta = 180$ [एक ही ओर के अन्तःकोण]

$\therefore \theta = 180 - 55 = 125^0$

$\therefore \theta = x = 125^0$

$\therefore x = 125^0$

19 त्रिभुज एवं वृत्त (Triangle & Circle)

इस Section के अन्तर्गत हम त्रिभुज और वृत्त के सामान्य सिद्धान्तों की चर्चा करेंगे। त्रिभुज और वृत्त के ज्यामितीय अवधारणाओं में हम केवल महत्वपूर्ण परिणामों का अध्ययन करेंगे जो आपकी परीक्षाओं के लिये महत्वपूर्ण है या जिस व्यवहार के प्रश्न पूँछे जाते रहे है। यहाँ परिणामों के साध्य (Proof) की विशेष आवश्यकता नहीं है।

पाठ्यक्रम का सामान्य परिचय

(1) त्रिभुज (Triangle) :

- ❖ त्रिभुज
- ❖ त्रिभुज के प्रकार
- ❖ त्रिभुज से कुछ महत्वपूर्ण स्मरणीय तथ्य
- ❖ त्रिभुज की प्रकृति
- ❖ त्रिभुज की सर्वांगसमता एवं समरूपता
- ❖ त्रिभुज की सर्वांगसमता एवं समरूपता में सम्बन्ध
- ❖ त्रिभुज की भुजाओं पर स्थित मध्य बिन्दुओं के निष्कर्ष
- ❖ त्रिभुज के केन्द्र –
  - (i) केन्द्रक / गुरूत्वाकेन्द्र (Centroid)
  - (ii) अन्तःकेन्द्र (Incentre)
  - (iii) लम्ब केन्द्र (Orthocentre)
  - (iv) परिकेन्द्र (Circumcentre)

(2) वृत्त (Circle) :

- ❖ वृत्त
- ❖ वृत्त की जीवा
- ❖ वृत्त की स्पर्श रेखा
- ❖ दो वृत्तों में उभयनिष्ठ स्पर्श रेखा
- ❖ महत्वपूर्ण प्रमेय / सिद्धान्त / परिणाम

(1) त्रिभुज (Triangle) : तीन रेखाखण्डों से घिरे हुये क्षेत्र को त्रिभुज कहते है।

त्रिभुज के प्रकार (Types of Triangle) :

भुजाओं के आधार पर त्रिभुज तीन प्रकार के होते है।

(i) समबाहु त्रिभुज (Equilateral Triangle) : जब किसी त्रिभुज की तीनों भुजायें समान हो, तो वह त्रिभुज समबाहु त्रिभुज होता है। इसका प्रत्येक अन्तःकोण 60^0 का होता है।

(ii) समद्विबाहु त्रिभुज (Isoscales Triangle) : जब किसी त्रिभुज की केवल दो भुजायें बराबर हो तो उसे समद्विबाहु त्रिभुज कहते है।

(iii) विषमबाहु त्रिभुज (Scalene Triangle) : जब किसी त्रिभुज की तीनों भुजायें असमान हो तो उसे विषमबाहु त्रिभुज कहते है। इसके तीनों कोण भी असमान होते है।

कोणों के आधार पर त्रिभुज तीन प्रकार के होते है।

(i) न्यूनकोण (Acute Angled Triangle) : ऐसा त्रिभुज जिसका प्रत्येक कोण न्यूनकाणे (0^0 से बड़ा और 90^0 से छोटा) हो, न्यूकोण त्रिभुज कहलाता है।

(ii) समकोण त्रिभुज (Right Angled Triangle) : ऐसा त्रिभुज जिसका एक कोण समकोण (90^0) हो, समकोण त्रिभुज कहलाता है।

(iii) अधिक कोण त्रिभुज (Obtus Angled Triangle) : ऐसा त्रिभुज जिसका कोई एक अधिक कोण (90^0 से बड़ा और 180^0 से छोटा) हो अधिक कोणीय त्रिभुज कहलाता है।

✓ त्रिभुज से कुछ महत्पूर्ण स्मरणीय तथ्य :

(i) किसी त्रिभुज के सभी कोणों का योग 180^0 होता है।

(ii) किसी त्रिभुज के दो भुजाओं का योग तीसरी भुजा से बड़ा होता है।

(iii) किसी त्रिभुज की दो भुजाओं का अन्तर तीसरी भुजा से कम होता है।

(v) किसी त्रिभुज में कम से कम दो न्यूनकोण अवश्य होते है।

(vi) यदि किसी त्रिभुज के शीर्ष कोणों का अर्द्धक आधार पर लम्ब हो तो वह त्रिभुज समबाहु त्रिभुज होगा।

(vi) यदि किसी त्रिभुज के शीर्ष से डाला गया लम्ब सामने वाली भुजा को समद्विभाजित करें तो वह त्रिभुज समद्विबाहु त्रिभुज होगा।

(vii) किसी Δ में बराबर भुजा के सम्मुख कोण आपस में बराबर होते है।

❖ त्रिभुज की प्रकृति :

भुजाओं के आधार पर त्रिभुज की प्रकृति :

(i) यदि किसी त्रिभुज के दो भुजाओं (छोटी भुजायें) की लम्बाई के वर्गो का योग तीसरी भुजा (बड़ी भुजा) की लम्बाई के वर्ग के बराबर हो तो त्रिभुज समकोण त्रिभुज होगा। $[a^2 + b^2 = c^2]$

Ex : 5 सेमी0, 12 सेमी0 और 13 सेमी0 भुजा वाले त्रिभुज की प्रकृति बताइये ?

हल : $(5)^2 + (12)^2 = (13)^2$

$169 = 169$

∴ त्रिभुज समकोण त्रिभुज होगा।

(ii) यदि किसी त्रिभुज के दो भुजाओं (छोटी भुजायें) की लम्बाई के वर्गो का योग तीसरी भुजा (बड़ी भुजा) की लम्बाई के वर्ग से बड़ा हो तो त्रिभुज न्यूनकोण त्रिभुज होगा। $[a^2 + b^2 > c^2]$

Ex : 5 सेमी0, 6 सेमी0 और 7 सेमी0 भुजा वाले त्रिभुज की प्रकृति बताइयें ?

हल : $(5)^2 + (6)^2 > (7)^2$

$(25 + 36) > 49$

$61 > 49$

∴ त्रिभुज, न्यूनकोण त्रिभुज होगा।

(iii) यदि किसी त्रिभुज के दो भुजाओं की लम्बाई के वर्गो का योग तीसरी भुजा की लम्बाई के वर्ग से छोटा हो तो त्रिभुज अधिक कोण त्रिभुज होगा। $[(a^2 + b^2) < c^2]$

Ex : 5 सेमी0, 6 सेमी0 और 9 सेमी0 भुजा वाले त्रिभुज की प्रकृति बताइये ?

हल : $(5)^2 + (6)^2 < (9)^2$

$61 < 81$

∴ अतः त्रिभुज, अधिक कोण त्रिभुज होगा।

✓ **कोणों के आधार पर त्रिभुज की प्रकृति :**

(i) यदि किसी त्रिभुज का प्रत्येक कोण शेष दो कोणों के योग से कम हो तो त्रिभुज न्यूनकोण त्रिभुज होगा।

(ii) यदि किसी त्रिभुज का एक कोण, शेष दोनों कोणों के योग के बराबर हो तो त्रिभुज समकोण त्रिभुज होगा।

(iii) यदि किसी त्रिभुज का एक कोण शेष दोनों कोण के योग से बड़ा हो तो त्रिभुज अधिक कोण त्रिभुज होगा।

त्रिभुज की सर्वांगसमता एवं समरूपता

(Congruency and Similarity of Triangle)

❖ **त्रिभुज की सर्वांगसमता (Congruency of Triangle) :** दो त्रिभुज सर्वांगसमता कहें जायेंगे केवल और केवल तब जब एक त्रिभुज, दूसरे त्रिभुज को पूर्ण रूप से ढक लें। अर्थात् जब दो त्रिभुज समान आकार के हो और उनके तीनों भुजाओं की लम्बाई तथा तीनों कोण की माप बराबर हो तो त्रिभुज सर्वांगसमता कहे जायेंगे।

त्रिभुजों की सर्वांगसमता से सम्बन्धित प्रतिबन्ध :

(i) S - A - S [Side - Angle - Side] शर्त :– यदि किसी त्रिभुज की दो भुजायें और उनके बीच का कोण तथा दूसरे त्रिभुज के संगत दोनों भुजायें और उनके बीच के कोण समान हो तो दोनों त्रिभुज परस्पर सर्वांगसम होंगे।

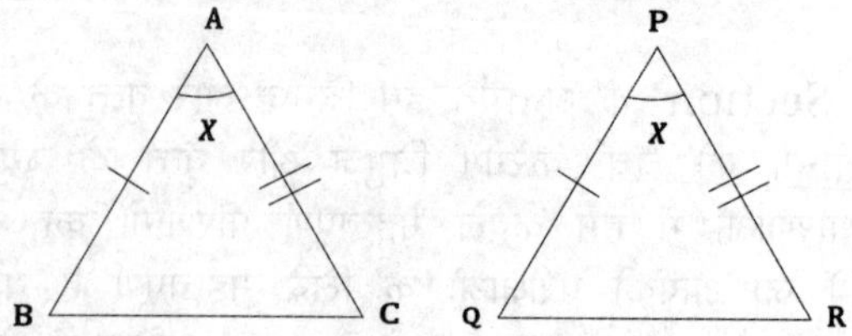

यहाँ $AB = PQ$, $AC = PR$,

तथा $\angle A = \angle P$

$\therefore \Delta ABC \cong \Delta PQR$

(ii) A-S-A [Angle - Side - Angle] शर्त :– यदि किसी त्रिभुज के दो कोण और उनके बीच की भुजा तथा दूसरे त्रिभुज के संगत दोनों कोण और उनके बीच की भुजा बराबर हो तो त्रिभुज सर्वांगसम होंगे।

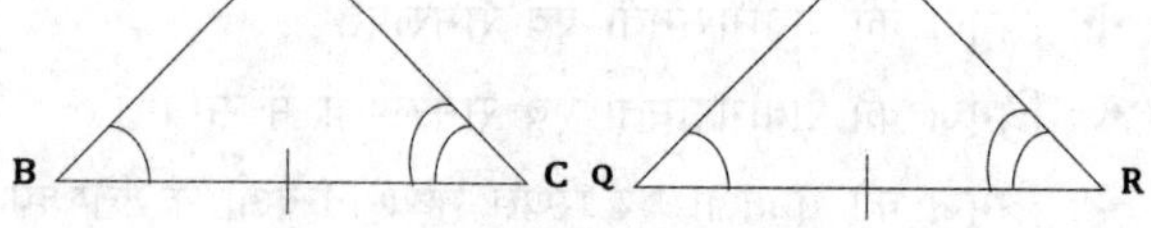

यहाँ $\angle B = \angle Q$, $\angle C = \angle R$ तथा $BC = QR$

$\Delta ABC \cong \Delta PQR$

(iii) R- H -S शर्त :– यदि किसी समकोण त्रिभुज का कर्ण और एक भुजा दूसरे समकोण त्रिभुज के कर्ण और संगत उस भुजा के बराबर हो तो दोनों समकोण त्रिभुज सर्वांगसम होंगे।

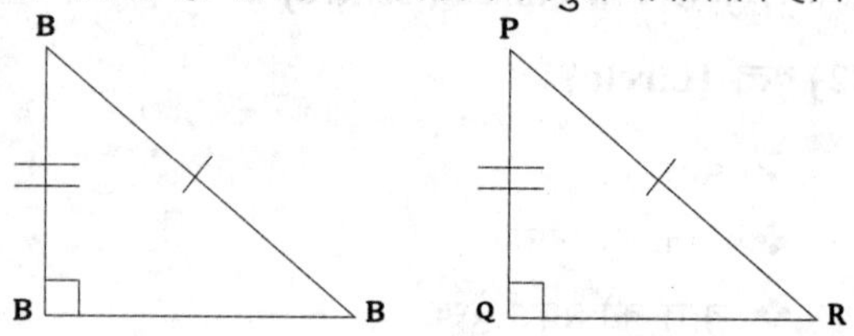

(iv) S - S - S शर्त :– यदि किसी त्रिभुज की तीनों भुजायें दूसरे त्रिभुज की संगत तीनों भुजायें के बराबर हो तो दोनों त्रिभुज सर्वांगसम होंगे।

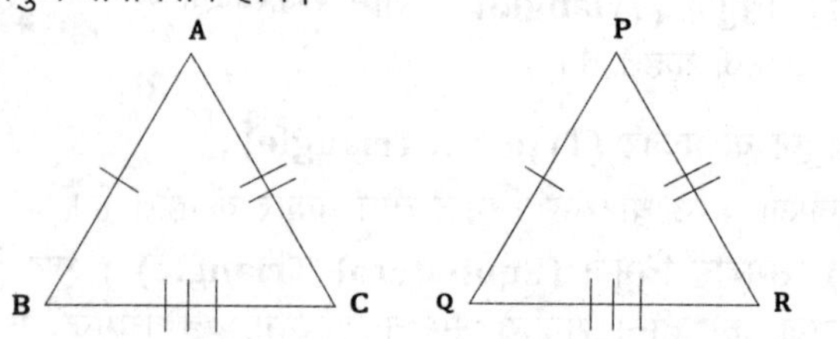

यहाँ, $AB = PQ$, $AC = PR$ तथा $BC = QR$

$\therefore \Delta ABC \cong \Delta PQR$

❖ **त्रिभुज की समरूपता (Similarity of Tirangle) :** किसी त्रिभुज के तीनों कोण किसी दूसरे त्रिभुज के संगत तीनों कोणों के बराबर हो (अर्थात् A - A - A शर्त) तो दोनों त्रिभुज समरूप होंगे।

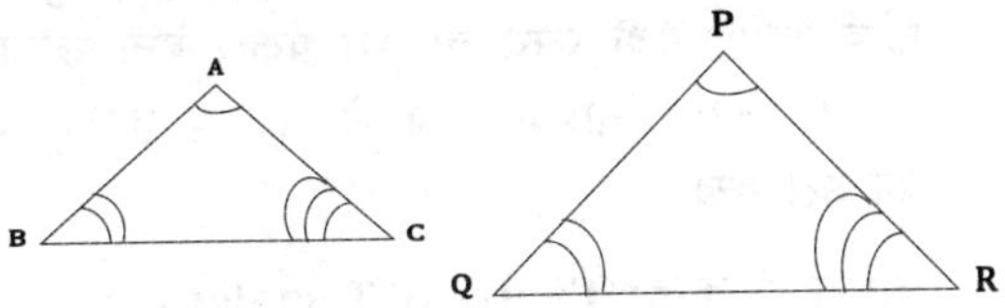

यहाँ, $\angle A = \angle P$, $\angle B = \angle Q$ तथा $\angle C = \angle R$

$\therefore \Delta ABC \sim \Delta PQR$

Note : त्रिभुज के समरूप होने पर इनकी संगत भुजा का अनुपात आपस में बराबर होता है। अर्थात्

$$\frac{AB}{PQ} = \frac{AC}{PR} = \frac{BC}{QR}$$

त्रिभुज की सर्वांगसमता और समरूपता में सम्बन्ध :

(i) प्रत्येक सर्वांगसम त्रिभुज समरूप होते हैं परन्तु प्रत्येक समरूप त्रिभुज सर्वांगसम हो यह जरूरी नही ।

(ii) प्रत्येक सर्वांगसम त्रिभुज के क्षेत्रफल आपस में बराबर होते है परन्तु बराबर क्षेत्रफल वाले त्रिभुज सर्वांगसम हो यह आवश्यक नही।

(iii) दो समरूप त्रिभुज सर्वांगसम हो सकते है केवल और केवल तब जब उनके क्षेत्रफल भी आपस में बराबर हों।

त्रिभुज की भुजाओं पर स्थित मध्य बिन्दुओं के निष्कर्ष :

निष्कर्ष निकालने से पहले यह जान लेना आवश्यक है कि–

किसी त्रिभुज में दो भुजाओं के मध्य बिन्दुओं को मिलाने वाली रेखा तीसरी भुजा के समान्तर और आधी होती है।

यहाँ $DE || BC$ तथा $DE = \frac{1}{2}BC$

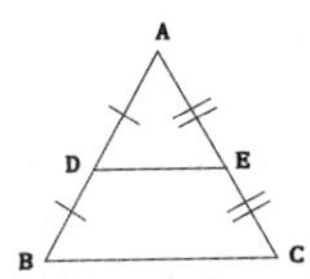

अब ध्यान दें, माना ΔABC में भुजा BC, AC और AB के मध्य बिन्दु क्रमशः D, E और F है तब–

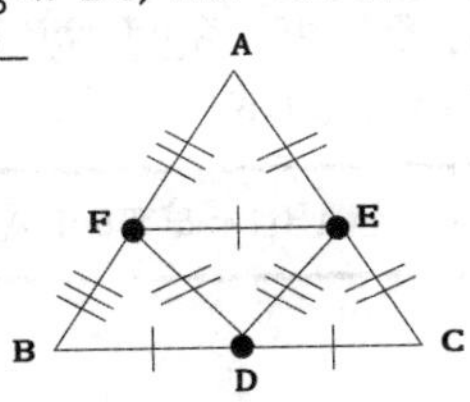

$EF || BC$ तथा $EF = \frac{1}{2}BC$

$DE || AB$ तथा $DE = \frac{1}{2}AB$

$DF || AC$ तथा $DF = \frac{1}{2}AC$

अब हम कह सकते हैं कि –

$\Delta DEF \cong \Delta AEF \cong \Delta FBD \cong \Delta EDC$ [S-S-S से]

$\because$ हम जानते है कि सर्वांगसम त्रिभुजों के क्षेत्रफल भी आपस में बराबर होते है अतः

ΔDEF का क्षेत्रफल = ΔAEF का क्षेत्रफल = ΔFBD का क्षेत्रफल = ΔEDC का क्षेत्रफल = $\frac{1}{4}\Delta ABC$ का क्षेत्रफल

दो समरूप त्रिभुजों के निष्कर्ष :

दो समरूप Δ के क्षेत्रफल का अनुपात :–

(i)इनके संगत भुजाओं के अनुपात के वर्ग के बराबर होता है।

(ii)इनके परिमाप के अनुपात के वर्ग के बराबर होता है।

(iii)इनके संगत ऊँचाईयों (माध्यिका / कोण समद्विभाजक / ऊँचाई) के अनुपात के वर्ग के बराबर होता है।

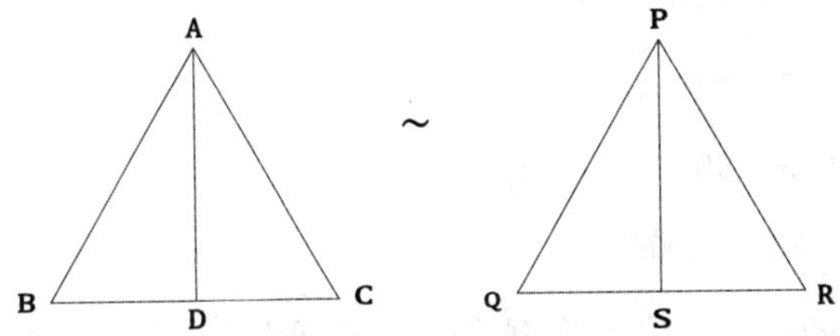

$$\frac{Area\ (\Delta ABC)}{Area\ (\Delta PQR)} = \left(\frac{AB}{PQ}\right)^2 = \left(\frac{AC}{PR}\right)^2 = \left(\frac{BC}{QR}\right)^2$$

$$= \left(\frac{\text{परिमाप}\ \Delta ABC}{\text{परिमाप}\ \Delta PQR}\right)^2 = \left(\frac{AD}{PS}\right)^2$$

दो समरूप Δ के परिमाप का अनुपात –

(i) संगत भुजाओं के अनुपात के बराबर होता है।

(ii) संगत ऊँचाईं के अनुपात के बराबर होता है।

$$\frac{\text{परिमाप}\ \Delta ABC}{\text{परिमाप}\ \Delta PQR} = \frac{AB}{PQ} = \frac{AC}{PR} = \frac{BC}{QR} = \frac{AD}{PS}$$

प्रश्न : दो समरूप त्रिभुजों ABC तथा DEF के क्षेत्रफल क्रमशः 20 सेमी0² तथा 45 सेमी0² है। यदि AB = 5 सेमी0 हो, तो DE किसके बराबर होगा ?

हल :

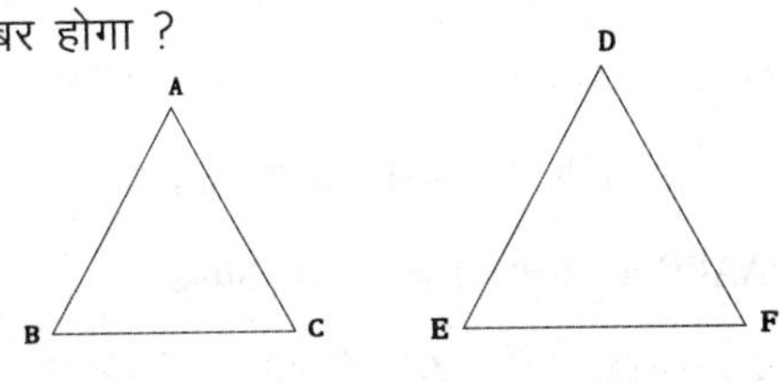

$\because \Delta ABC \sim \Delta DEF$

अतः $\frac{Area\ (\Delta ABC)}{Area\ (\Delta PQR)} = \left(\frac{AB}{DE}\right)^2$

$\frac{20}{45} = \left(\frac{5}{DE}\right)^2$

$\therefore \frac{5}{DE} = \sqrt{\frac{4}{9}} = \frac{2}{3}$

2DE = 15

$\therefore$ DE = $\frac{15}{2} = 7.5$ सेमी0

प्रश्न : दो समरूप त्रिकोणों ΔABC और ΔPQR के परिमाप क्रमशः 36 सेमी0 और 24 सेमी0 है। यदि PQ = 10 सेमी0, तो AB = ?

हल :

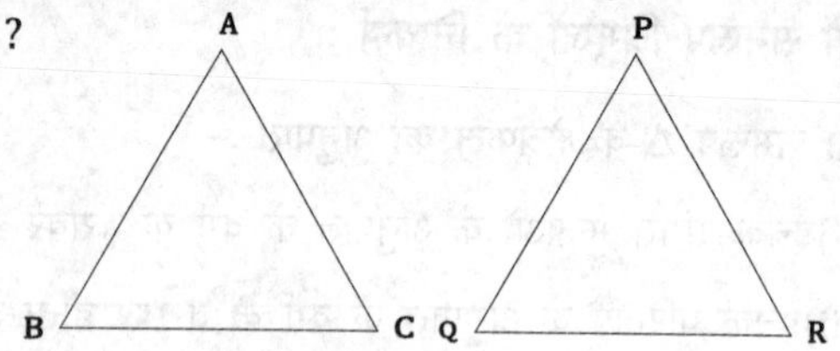

∵ΔABC ~ ΔPQR

$\therefore \frac{\text{परिमाप } \Delta ABC}{\text{परिमाप } \Delta PQR} = \frac{AB}{PQ}$

$\frac{AB}{10} = \frac{36}{24} = \frac{3}{2}$

2AB = 30

∴ AB = 15 सेमी0

प्रश्न : ΔABC में D और E क्रमशः AB और AC पर दो ऐसे बिन्दु है कि DE || BC | DE, ΔABC को दो समान क्षेत्रफलों में द्विभाजित करता है तो DB : AB बताइये ?

हल :

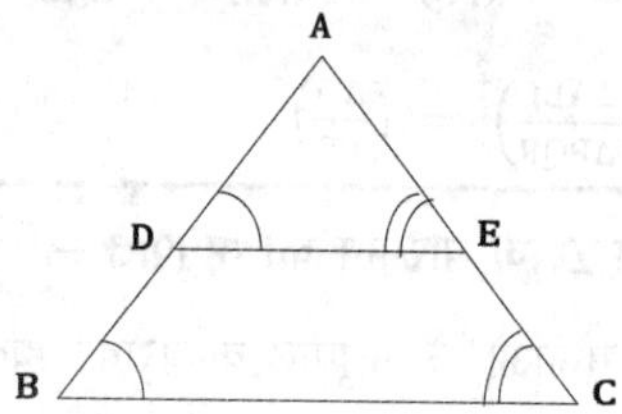

∵ DE || BC

अतः ΔADE और ΔABC में,

∠D = ∠B और ∠E = ∠C तथा ∠A = ∠A

∴ A - A - A Rule से,

ΔADE ~ ΔABC

माना, ΔADE का क्षेत्रफल = x वर्ग इकाई

∴ ΔABC का क्षेत्रफल = $2x$ वर्ग इकाई

अब, $\frac{Area\ (\Delta ADE)}{Area\ (\Delta ABC)} = \left(\frac{AD}{AB}\right)^2$

$\sqrt{\frac{x}{2x}} = \frac{AD}{AB}$

$\therefore \frac{AD}{AB} = \frac{1}{\sqrt{2}}$

अतः $\frac{DB}{AB} = \frac{AB-AD}{AB} = \frac{\sqrt{2}-1}{\sqrt{2}}$ या $\frac{2-\sqrt{2}}{2}$

ध्यान दे : यदि किसी त्रिभुज में किसी एक भुजा के समान्तर कोई रेखा खींची जाये तो इस प्रकार बना छोटा त्रिभुज और सम्पूर्ण त्रिभुज निश्चित रूप से समरूप होंगे। [उपर्युक्त प्रश्न का हल देखें]

त्रिभुज के केन्द्र (Centre of Trianlge) :

(i) केन्द्रक / गुरुत्वकेन्द्र (Centroid) :-

त्रिभुज की माध्यिकायें जिस बिन्दु पर मिलती है। गुरुत्वकेन्द्र कहलाता है।

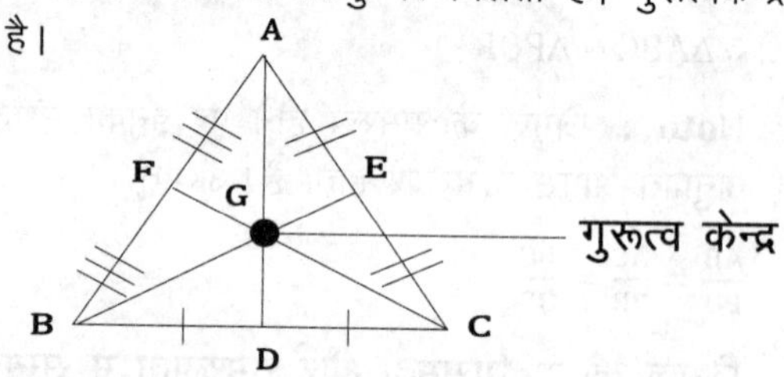

माध्यिका : भुजा के मध्य बिन्दु को सामने वाली शीर्ष से मिलाने वाली रेखा माध्यिका कहलाती है।

Properties of Centroid :

(i) गुरुत्वकेन्द्र माध्यिका को शीर्ष से 2 : 1 के अनुपात में विभक्त करती है।

$$\frac{AG}{GD} = \frac{BG}{BE} = \frac{CG}{CF} = \frac{2}{1}$$

प्रश्न : AD एक त्रिभुज ABC की माध्यिका है। 'O' उसका केन्द्रक है और AO = 10 सेमी0 हो तो OD की लम्बाई बताइये ?

हल : ∵ $\frac{AO}{OD} = \frac{2}{1}$

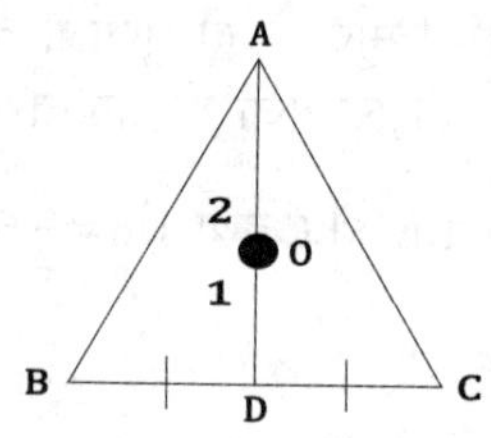

$\frac{10}{OD} = \frac{2}{1}$

2 × OD = 10

∴ OD = $\frac{10}{2} = 5$ सेमी0

(ii) माध्यिका त्रिभुज को दो बराबर क्षेत्रफल वाले भागों में विभक्त करती है।

क्षेत्रफल ΔABD = क्षेत्रफल ΔACD = $\frac{1}{2}$ क्षेत्रफल ΔABC

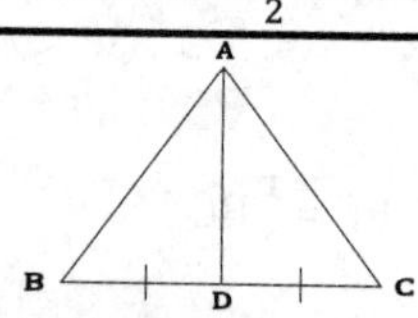

(iii) गुरूत्वकेन्द्र से शीर्ष को मिलाने वाली रेखा त्रिभुज को तीन बराबर क्षेत्रफल में विभक्त करती है।

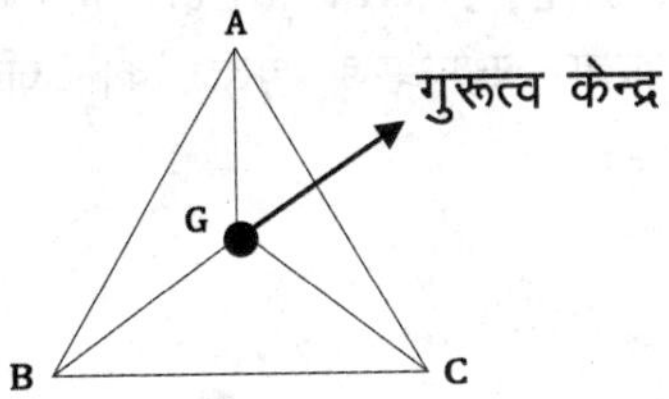

क्षेत्रफल ΔAGB = क्षेत्रफल ΔBGC = क्षेत्रफल ΔAGC $= \frac{1}{3}$ क्षेत्रफल ΔABC

Note : यदि ΔABC की माध्यिकायें AD, BE और CF हो तथा गुरूत्वकेन्द्र 'G' हो तो –

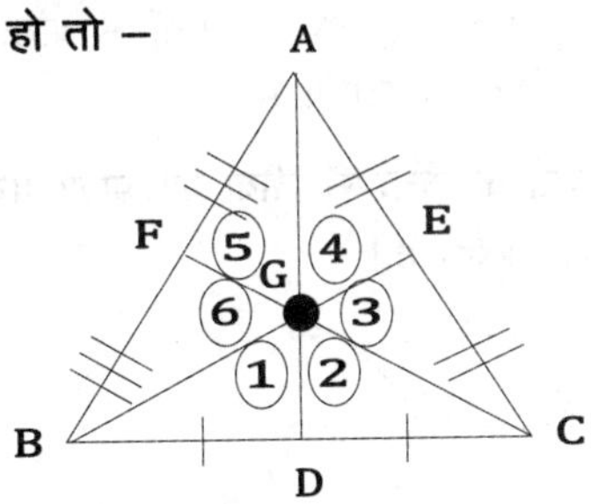

क्षेत्रफल ΔBGD = क्षेत्रफल ΔCGD = क्षेत्रफल ΔCGE = क्षेत्रफल ΔAGE = क्षेत्रफल ΔAFG = क्षेत्रफल $\Delta BGF = \frac{1}{6}$ क्षेत्रफल ΔABC

प्रश्न : यदि 72 वर्ग सेमी0 क्षेत्रफल वाले ΔABC का केन्द्रक G हो और AD, BE, CF उसकी तीन माध्यिकायें हो तो त्रिभुज BDG का क्षेत्रफल बताइये ?

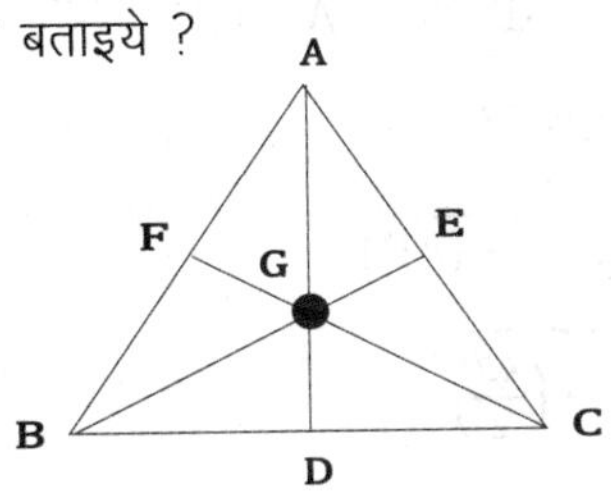

हल : ΔBDG का क्षेत्रफल $= \frac{1}{6}\Delta ABC$ का क्षेत्रफल

$= \frac{1}{6} \times 72 = 12$ वर्ग सेमी0

(ii) अन्तःकेन्द्र (Incentre) : किसी त्रिभुज के सभी कोणों का आन्तरिक समद्विभाजक जिस बिन्दु पर प्रतिच्छेद करते हैं, त्रिभुज का अन्तःकेन्द्र कहलाता है।

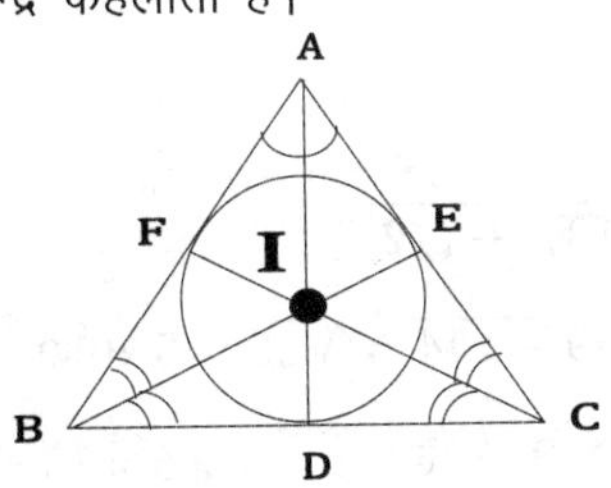

❖ अन्तः केन्द्र (I) त्रिभुज में स्थित वह बिन्दु होता है जिसे केन्द्र मानकर त्रिभुज की भुजाओं को स्पर्श करता हुआ वृत्त खींचा जा सकता है।

❖ त्रिभुज के अन्तःवृत्त की त्रिज्या, $r = \frac{\Delta}{s}$ जहाँ,

Δ = त्रिभुज का क्षेत्रफल

S = त्रिभुज का अर्द्धपरिमाप

❖ समबाहु त्रिभुज के अन्तःवृत्त की त्रिज्या, $r = \frac{a}{2\sqrt{3}}$

जहाँ, a ⟶ Δ की भुजा

❖ किसी त्रिभुज में दो कोणों के अन्तःसमद्विभाजक द्वारा बनाया गया कोण समकोण और तीसरे कोण के आधे के योग के बराबर होता है।

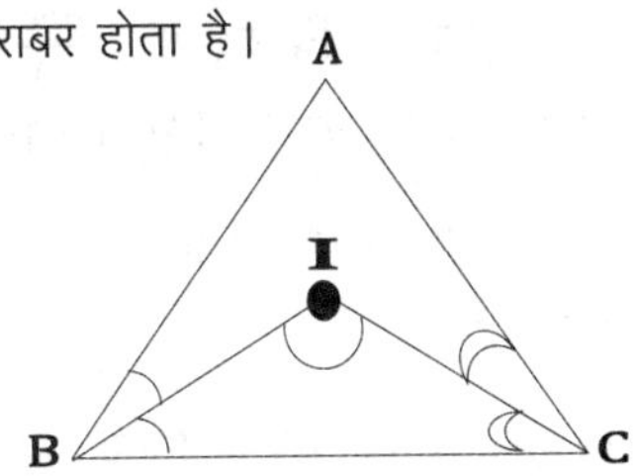

$\angle BIC = 90^0 + \frac{\angle A}{2}$

प्रश्न : यदि I एक त्रिभुज ABC का अन्तःकेन्द्र हो और $\angle A = 60^0$ हो तो $\angle BIC$ कितना होगा ?

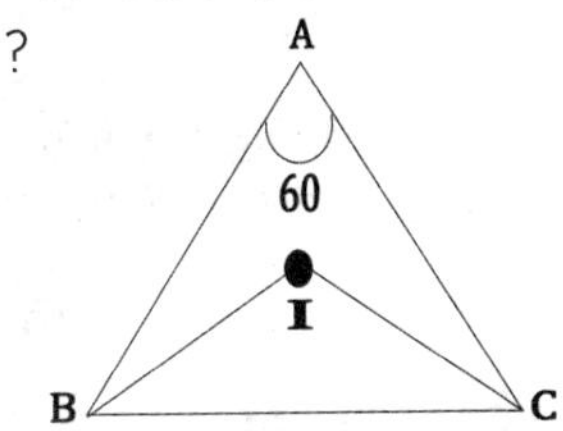

हल : $\angle BIC = 90^0 + \frac{\angle A}{2}$

$= 90 + \frac{60}{2} = 120^0$

(ii) लम्ब केन्द्र (Orthocentre) : किसी त्रिभुज के शीर्षो से सामने वाली भुजा पर डाला गया लम्ब जिस बिन्दु पर मिलता है त्रिभुज का लम्ब केन्द्र कहलाता है।

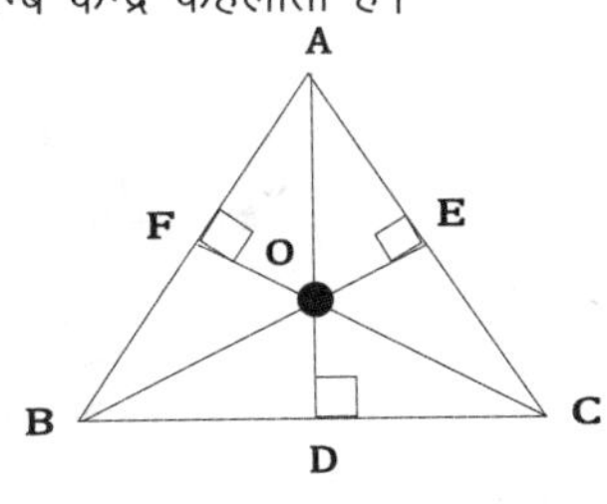

❖ किसी न्यूनकोण त्रिभुज का लम्ब केन्द्र त्रिभुज के अन्दर बनता है।

❖ किसी समकोण त्रिभुज का लम्ब केन्द्र समकोण वाला शीर्ष होता है।

❖ किसी अधिक कोणीय त्रिभुज का लम्ब केन्द्र, त्रिभुज के बाहर बनता है।

(iv) परिकेन्द्र (Circumcentre) : किसी त्रिभुज की भुजाओं के लम्ब समद्विभाजक जिस बिन्दु पर मिलता है। त्रिभुज का परिकेन्द्र कहलाता है।

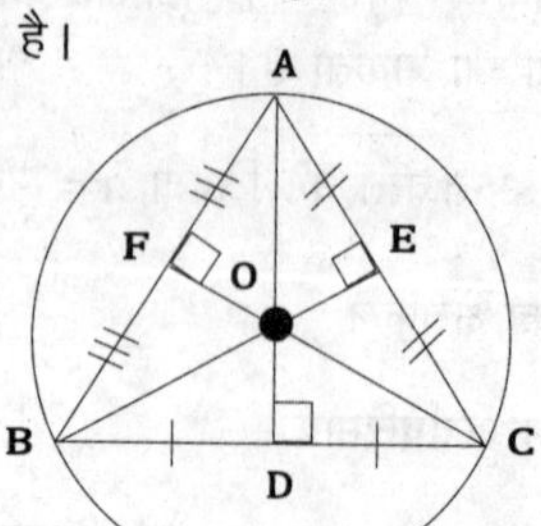

❖ परिकेन्द्र (O) वह बिन्दु होता है जिसे केन्द्र मानकर त्रिभुज की शीर्षो को स्पर्श करता हुआ वृत्त खींचा जा सकता है। [AO = BO = CO = R]

❖ त्रिभुज के परिवृत्त की त्रिज्या, $R = \frac{abc}{4\Delta}$ जहाँ, a, b व c त्रिभुज की भुजायें है तथा 'Δ' त्रिभुज का क्षेत्रफल है।

❖ समबाहु त्रिभुज की परित्रिज्या $R = \frac{a}{\sqrt{3}}$ जहाँ, a समबाहु Δ की भुजा है।

❖ किसी समकोण त्रिभुज का परिकेन्द्र कर्ण का मध्य बिन्दु होता है अर्थात् समकोण त्रिभुज की परित्रिज्या = $\frac{\text{कर्ण}}{2}$

❖ किसी अधिक कोण त्रिभुज का परिकेन्द्र, त्रिभुज के बाहर बनता है।

Note : समबाहु त्रिभुज में सभी केन्द्र (गुरूत्व केन्द्र, अन्तःकेन्द्र लम्ब केन्द्र और परिकेन्द्र) एक ही बिन्दु पर होते है।

वृत्त (Circle)

वृत्त (Circle) : वृत्त उन सभी बिन्दुओं का बिन्दुपथ (Locus) होता है जो समतल में एक स्थिर बिन्दु से एक अचर (समान) दूरी पर होता है। स्थिर बिन्दु वृत्त का केन्द्र होता है।

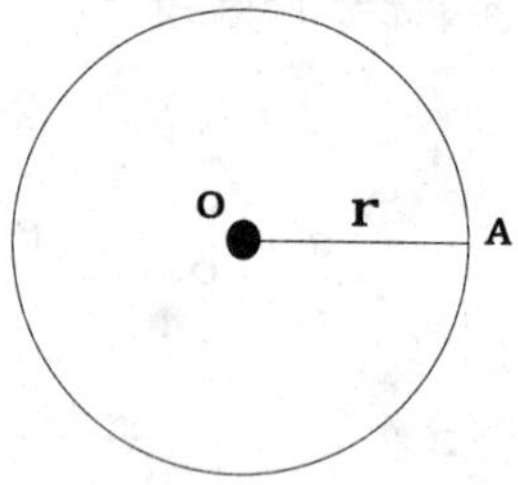

❖ 'O' से वृत्त पर स्थित किसी बिन्दु A की दूरी OA वृत्त की त्रिज्या कहलाती है।

❖ एक ही वृत्त के व्यास या त्रिज्यायें समान लम्बाई की होती है।

व्यास (Diameter) : किसी वृत्त की त्रिज्या की दुगुनी लम्बाई का चापकर्ण व्यास कहलाता है अर्थात् वह रेखाखण्ड (जीवा) जो वृत्त के केन्द्र से गुजरते हुये किन्दी दो बिन्दुओं पर स्पर्श करता है, वह वृत्त का व्यास कहलाता है।

जीवा (Chord) : किसी वृत्त के किन्ही दो बिन्दुओं को स्पर्श करने वाला रेखाखण्ड वृत्त की जीवा कहलाता है। जीवा = AB

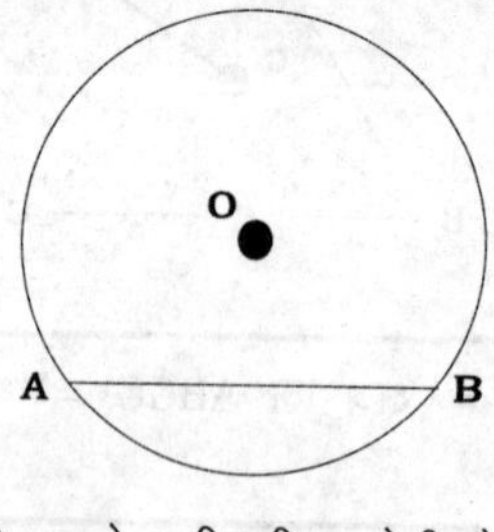

❖ व्यास वृत्त की सबसे बड़ी जीवा होती है।

❖ व्यास वृत्त को दो बराबर भागों में बांटता है और प्रत्येक भाग अर्द्धवृत्त कहलाता है।

Note : वृत्त के केन्द्र से जीवा पर डाला गया लम्ब जीवा को समद्विभाजित करता है।

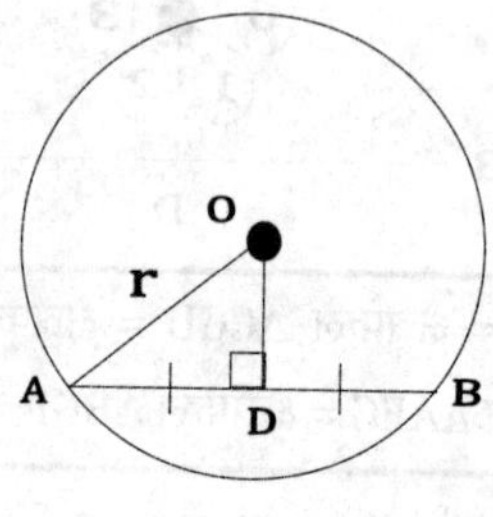

माना, वृत्त का केन्द्र 'O' त्रिज्या, 'r' तथा वृत्त की जीवा AB है जिसमें $OD \perp AB$ तब – $AD = DB = \frac{AB}{2}$

समकोण ΔODA में –

$OD = \sqrt{(OA)^2 - (AD)^2}$

$OD = \sqrt{r^2 - \left(\frac{AB}{2}\right)^2}$

प्रश्न : एक वृत्त की त्रिज्या 13 सेमी० है और XY एक ऐसी जीवा है, जिसकी केन्द्र से दूरी 12 सेमी० है, तो उस जीवा की लम्बाई कितनी होगी ?

हल : समकोण ΔODX में,

[यहाँ XD = XY]

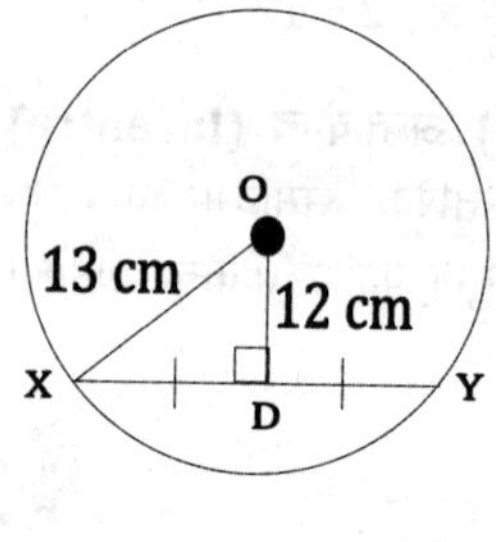

$XD = \sqrt{(13)^2 - (12)^2}$

$XD = \sqrt{169 - 144} = \sqrt{25} = 5$ सेमी०

$\therefore$ जीवा (XY) की लम्बाई $= 2 \times 5 = 10$ सेमी०

वृत्त की स्पर्श रेखा (Tangent to a circle) : जब कोई सरल रेखा वृत्त को किसी बिन्दु पर स्पर्श करती है, तो वह वृत्त की स्पर्श रेखा कहलाती है तथा वह बिन्दु स्पर्श बिन्दु (Point of Contact) कहलाता है।

❖ किसी वृत्त की स्पर्श रेखा, स्पर्श बिन्दु से होकर जाने वाली त्रिज्या पर लम्ब होती है।

यहाँ 'O' केन्द्र वाली वृत्त की स्पर्श रेखा ADB है तो $OD \perp AB$

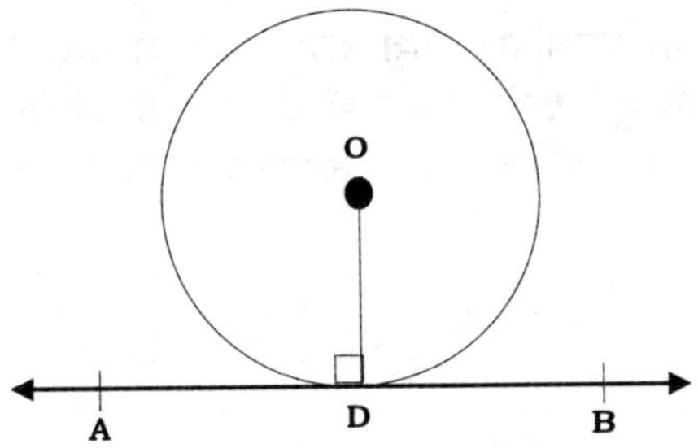

❖ किसी बाह्य बिन्दु से किसी वृत्त पर खींची गई स्पर्श रेखाओं की लम्बाईयाँ समान होती है।

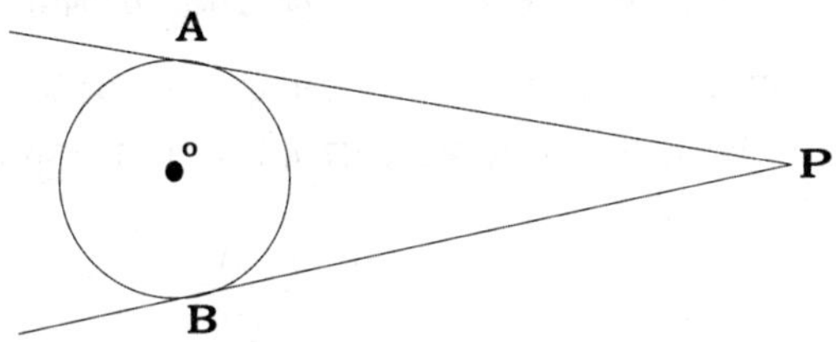

यहाँ AP = BP

❖ 'O' केन्द्र वाले एक वृत्त के बाहर बिन्दु 'P' से वृत्त पर खींची गई स्पर्श रेखा PA और PB है तब निम्न निष्कर्ष निकाले जा सकते है।

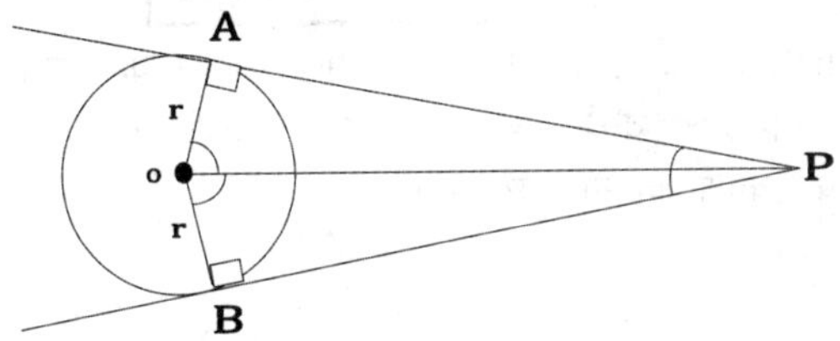

समकोण ΔOAP तथा OBP में

AP = BP

OA = OB = r

तथा OP = OP [उभयनिष्ठ है]

अतः S-S-S शर्त से,

$\Delta OAP \cong \Delta OBP$

❖ चतुर्भुज OAPB में,

$\angle OAP + \angle OBP + \angle AOB + \angle APB = 360^0$

$90^0 + 90^0 + \angle AOB + \angle APB = 360^0$

$\therefore \angle AOB + \angle APB = 180^0$

❖ सर्वांगसम त्रिभुज समरूप भी होते है और समरूप त्रिभुजों में संगत कोण बराबर होते है अतः –

$\angle AOP = \angle BOP$ तथा $\angle APO = \angle BPO$

प्रश्न : 4 सेमी0 त्रिज्या वाले एक वृत्त पर उसके केन्द्र से 5 सेमी0 दूरी के एक बिन्दु से खींची गई स्पर्श रेखा की लम्बाई बताइये ?

हल :

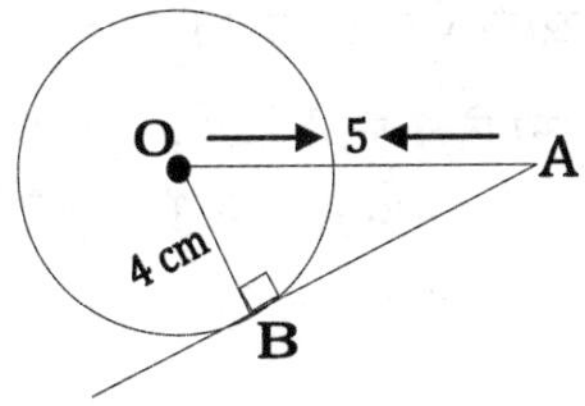

OA = 5 सेमी0

OB = 4 सेमी0

AB = ?

समकोण ΔOBA से,

$AB = \sqrt{(5)^2 - (4)^2}$

$AB = \sqrt{25 - 16} = \sqrt{9} = 3$सेमी0

प्रश्न : 'O' केन्द्र वाले एक वृत्त के A तथा B बिन्दुओं पर खींची गई स्पर्श रेखायें P पर मिलती है। यदि $\angle AOB = 120^0$ हो तो $\angle APB : \angle APO$ बताइये ?

हल : ∵ हम जानते है कि –

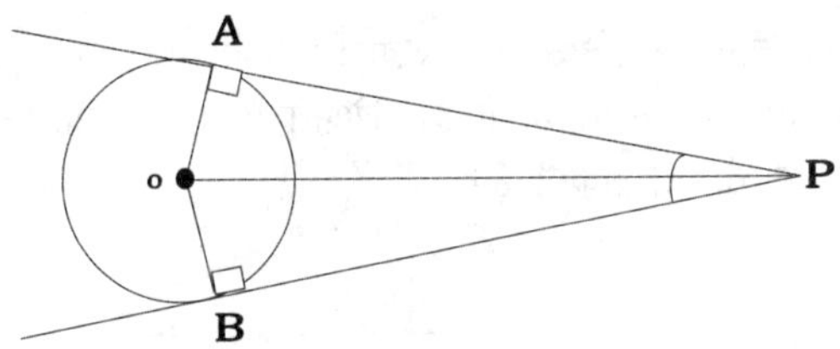

$\angle AOB + \angle APB = 180$

$120 + \angle APB = 180$

$\therefore \angle APB = 180 - 120 = 60^0$

$\therefore \angle APO = \frac{\angle APB}{2} = \frac{60}{2} = 30$

अतः $\angle APB : \angle APO = 60 : 30 = 2 : 1$

जब एक वृत्त की जीवा दूसरे वृत्त की स्पर्श रेखा हो :–

प्रश्न : 5 सेमी0 और 3 सेमी0 त्रिज्या वाले दो वृत्त संकेन्द्री है। बड़े वृत्त की जीवा छोटे वृत्त की स्पर्श रेखा है। जीवा की लम्बाई बताइये ?

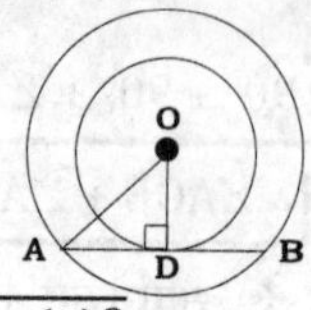

हल : चित्र में, OA (R) = 5 सेमी0

OD(r) = 3 सेमी0

समकोण, ΔODA में, AD (आधार) = $\sqrt{(5)^2 - (3)^2}$

AD = 4 सेमी0

अतः जीवा (AB) = 2AD = 2 × 4 = 8 सेमी0

दो वृत्तों की उभयनिष्ठ स्पर्श रेखा :

Note : दो वृत्तों में अधिकतम '4' और न्यूनतम '0' उभयनिष्ठ स्पर्श रेखा खींची जा सकती है।

(i) शून्य उभयनिष्ठ स्पर्श रेखा : जब दो वृत्त संकेन्द्री हो ($r_1 \neq r_2$) तो इस स्थिति में एक भी उभयनिष्ठ स्पर्श रेखा नहीं खींची जा सकती है।

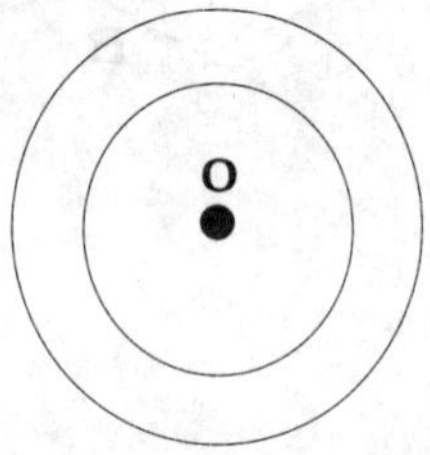

(ii) एक उभयनिष्ठ स्पर्श रेखा : जब दो वृत्त एक दूसरे को अन्तः स्पर्श करते है तो इस स्थिति में एक उभयनिष्ठ स्पर्श रेखा खींची जा सकती है।

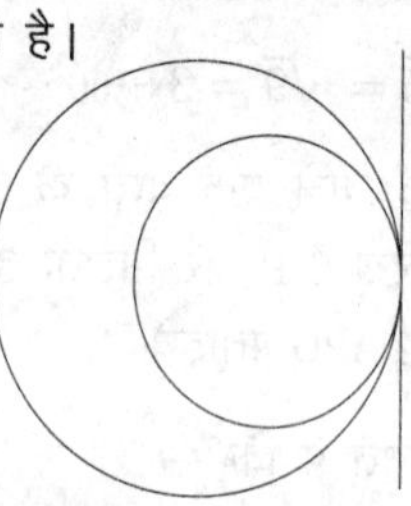

(iii) तीन उभयनिष्ठ स्पर्श रेखा : जब दो वृत्त एक दूसरे को बाह्यतः स्पर्श करते है तो इस स्थिति में तीन उभयनिष्ठ स्पर्श रेखा खींची जा सकती है।

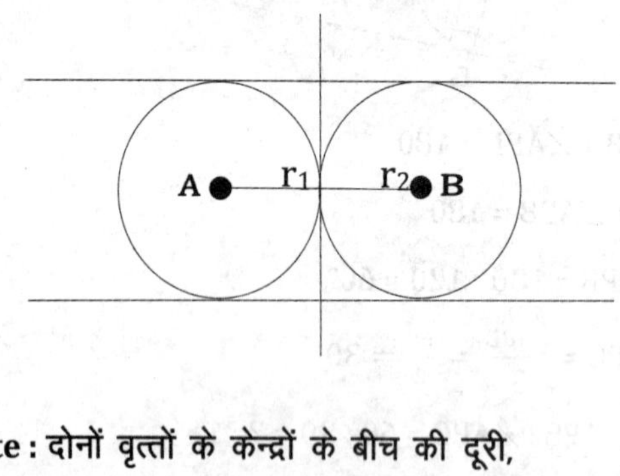

Note : दोनों वृत्तों के केन्द्रों के बीच की दूरी,

AB (d) = ($r_1 + r_2$)

(iv) दो उभयनिष्ठ स्पर्श रेखा : जब दो वृत्त एक–दूसरे को दो बिन्दुओं पर प्रतिच्छेद करते हैं तो इस स्थिति में अधिकतम दो उभयनिष्ठ स्पर्श रेखा खींची जा सकती है।

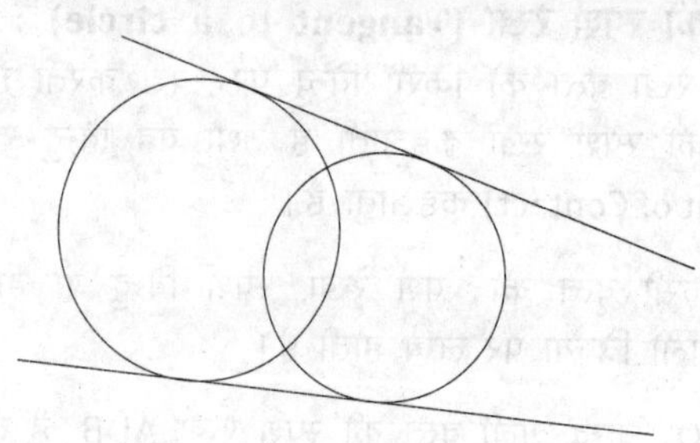

(v) चार उभयनिष्ठ स्पर्श रेखा : जब दो वृत्तों के केन्द्रों के बीच की दूरी उनके त्रिज्याओं के योग से अधिक हो तो इस स्थिति में अधिकतम चार उभयनिष्ठ स्पर्श रेखा खींची जा सकती है।

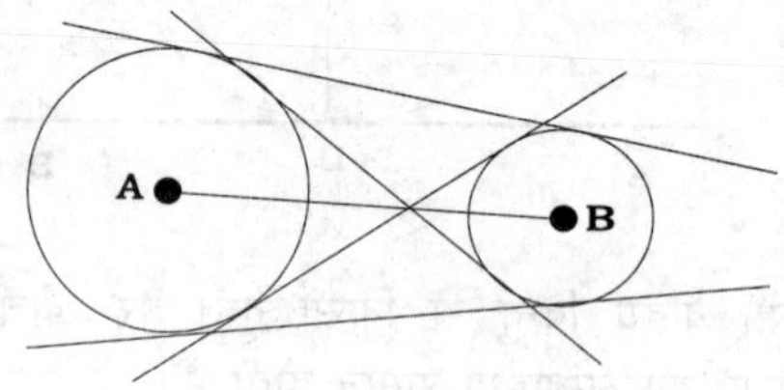

वृत्त से सम्बन्धित कुछ महत्वपूर्ण प्रमेय/परिणाम

प्रमेय : किसी जीवा द्वारा वृत्त के केन्द्र पर बना कोण उसी जीवा द्वारा वृत्त के परिधि पर बने कोण का दुगुना होता है।

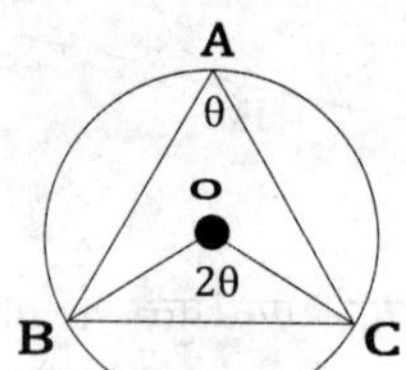

$\angle BOC = 2 \times \angle BAC$

प्रश्न : एक वृत्त की जीवा उसके त्रिज्या के बराबर है। उस जीवा द्वारा दीर्घ खण्ड में वृत्त के परिधि के किसी बिन्दु पर बने कोण का माप क्या होगा ?

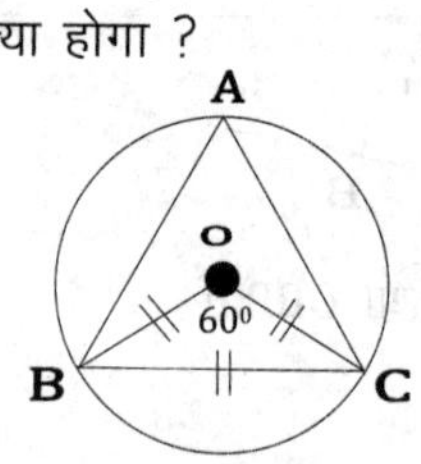

$\because$ जीवा (BC) = OB = OC = r

$\therefore \Delta BOC$ = समबाहु Δ होगा

$\therefore$ जीवा (BC) द्वारा परिधि पर बना कोण,

$\angle BAC = \frac{1}{2}\angle BOC$

$\angle BAC = \frac{1}{2} \times 60 = 30^0$

प्रमेय : अर्द्धवृत्त पर बना कोण समकोण होता है।

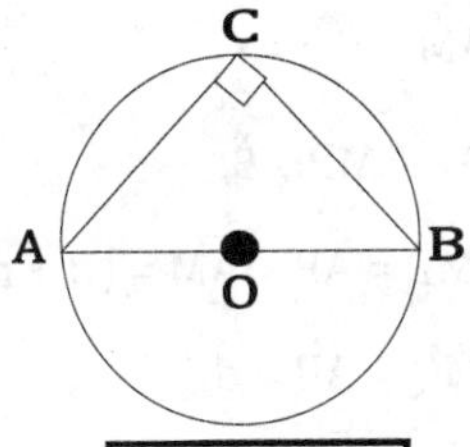

$\angle ACB = 90^0$

प्रमेय : समान आधार या जीवा द्वारा एक ही खण्ड पर बना कोण समान होता है।

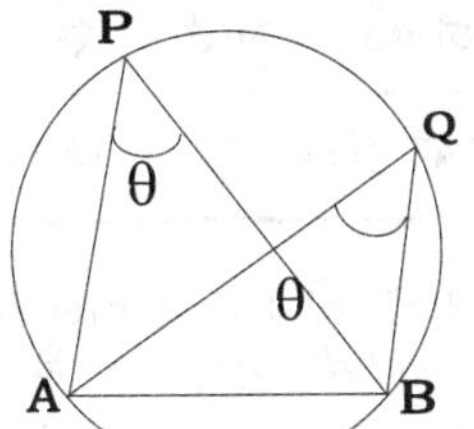

$\angle APB = \angle AQB = \theta$

प्रमेय : यदि किसी वृत्त की छेदक रेखा PAB वृत्त को A तथा B बिन्दुओं पर काटती है तथा PT उस वृत्त की स्पर्श रेखा है तब–

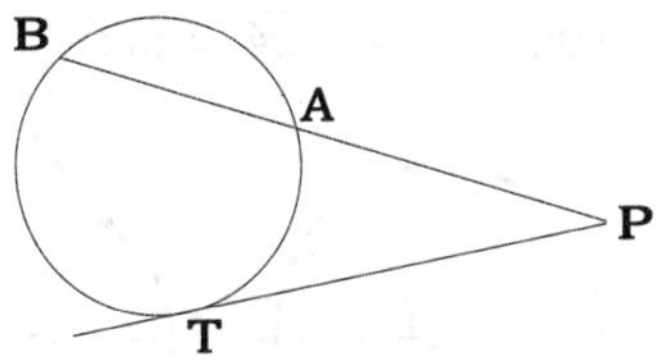

$(PT)^2 = PA \times PB$

प्रमेय : यदि किसी वृत्त की दो जीवायें बढ़ाने पर बाहर किसी बिन्दु पर प्रतिच्छेद करें तो –

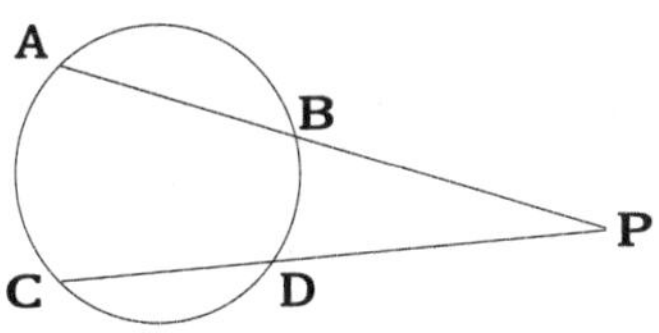

$PA \times PB = PC \times PD$

प्रश्न : दो जीवाये AB तथा CD एक वृत्त को एक बिन्दु P पर काटती हो जो वृत्त के बाहर है। यदि AB = 5 सेमी0, PB = 3 सेमी0, PD = 2 सेमी0 हो तो CD का मान बताइये ?

हल :

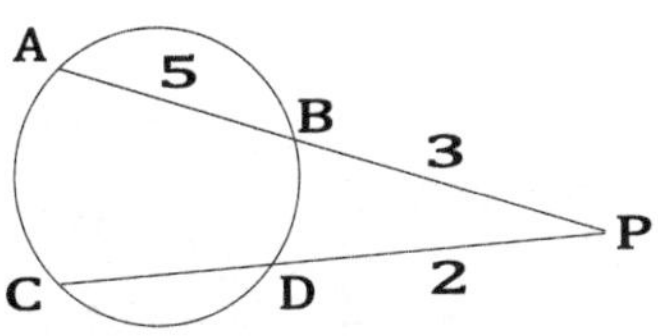

$PA \times PB = PC \times PD$

$(AB + PB) \times PB = (CD + PD) \times PD$

$(5 + 3) \times 3 = (CD + 2) \times 2$

$\frac{24}{2} = CD + 2$

$\therefore$ CD = 12 - 2 = 10 सेमी0

प्रमेय : यदि किसी वृत्त की दो जीवायें वृत्त के अन्दर किसी बिन्दु पर प्रतिच्छेद करे तो–

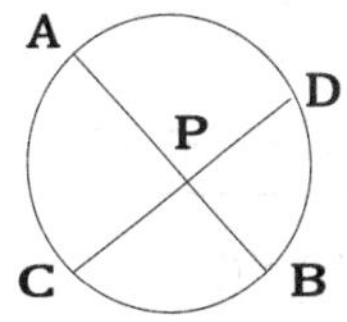

$PA \times PB = PC \times PD$

दो वृत्तों की सीधी उभयनिष्ठ स्पर्श रेखा / उभयनिष्ठ अनुस्पर्श रेखा (Direct Common Tangent Line of Two Circle) : -

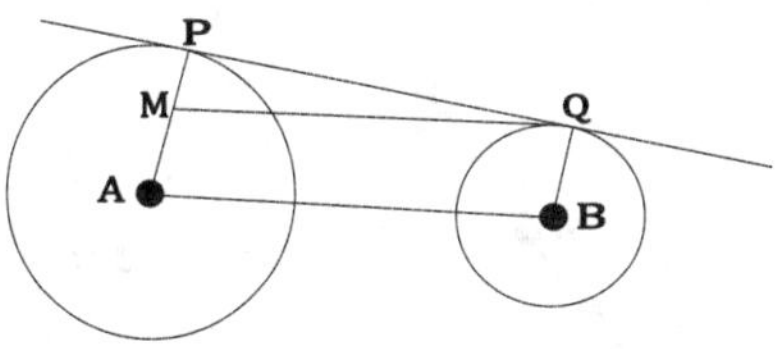

व्याख्या : माना AP = R

BP = r

तथा AB = d

चित्र में, ABQM समान्तर चतुर्भुज है।

अतः AB = MQ = d

तथा AM = BQ = r

समकोण ΔMPQ में,

लम्ब, MP = AP - AM = (R - r)

कर्ण, MQ = AB = d

$\therefore$ $PQ = \sqrt{(MQ)^2 - (MP)^2}$

$PQ = \sqrt{(d)^2 - (R - r)^2}$

सीधी उभयनिष्ठ स्पर्श रेखा की लम्बाई = $\sqrt{\text{केंद्रों के बीच की दूरी का वर्ग} - \text{त्रिज्याओं के अंतर का वर्ग}}$

नोट : उपर्युक्त प्राप्त सूत्र तब भी सत्य होगा जब दो वृत्त एक–दूसरे को वाह्यतः स्पर्श करे या दो वृत्त एक–दूसरे को प्रतिच्छेद करे।

उदाहरण : 8 सेमी. और 3 सेमी. की त्रिज्या वाले दो वृत्तों के केंन्द्रों के बीच दूरी 13 सेमी. है। दो वृत्तों की सरल सार्व स्पर्श रेखाओं की लंबाई (सेमी.मे)कितनी होगी?

हल :

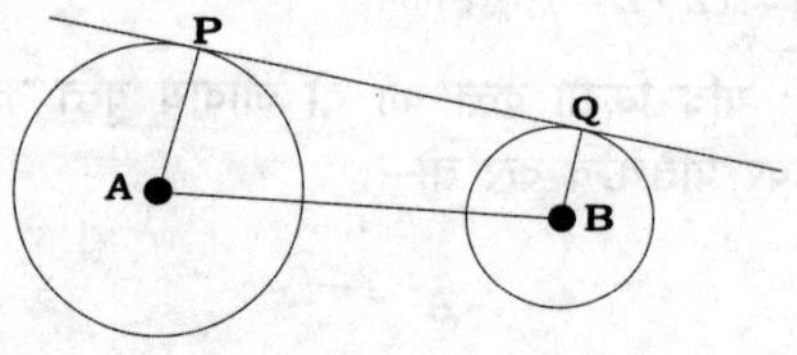

सरल स्पर्श रेखा की लम्बाई,

$$PQ = \sqrt{d^2-(r_1-r_2)^2}$$

$$= \sqrt{(13)^2-(8-3)^2}$$

$$= \sqrt{169-25} = \sqrt{144} = 12cm$$

दो वृत्तों की तिर्यक उभयनिष्ठ स्पर्श रेखा / उभयनिष्ठ अनुप्रस्थ स्पर्श रेखा (Transverse Common Tangent Line of Two Circle) : -

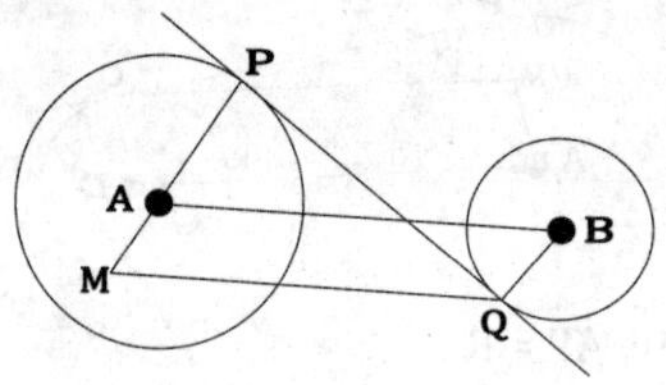

व्याख्या : माना AP = R

BP = r

तथा AB = d

चित्र में, ABQM समान्तर चतुर्भुज है।

अतः AB = MQ = d

तथा AM = BQ = r

समकोण ΔMPQ में,

लम्ब, MP = AP + AM = (R + r)

कर्ण, MQ = AB = d

$$\therefore PQ = \sqrt{(MQ)^2-(MP)^2}$$

$$PQ = \sqrt{(d)^2-(R+r)^2}$$

सीधी उभयनिष्ठ स्पर्श रेखा की लम्बाई = $\sqrt{\text{केंद्रों के बीच की दूरी का वर्ग} - \text{त्रिज्याओं के योग का वर्ग}}$

उदाहरण : 3 सेमी की त्रिज्या वाले दो एकसमान वृत्तों के केंद्रों के बीच की दूरी 10 सेमी है। तदनुसार, उनकी अनुप्रस्थ स्पर्शरेखा की लंबाई कितनी होगी?

हल :

अनुप्रस्थ स्पर्श रेखा की लम्बाई,

$$= PQ = \sqrt{d^2-(r_1+r_2)^2}$$

$$= \sqrt{(10)^2-(3+3)^2}$$

$$= \sqrt{100-36} = \sqrt{64} = 8cm$$

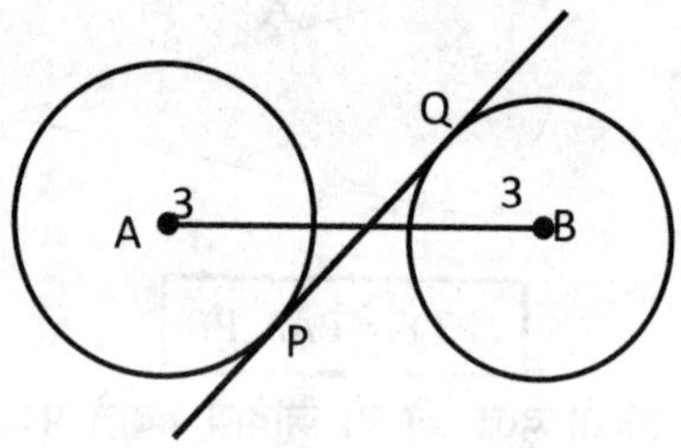

$$d = AB = 10cm$$

प्रश्नावली

TYPE - 01

1. ΔABC में $\angle A + \frac{1}{2}\angle B + \angle C = 140^\circ$ है, तब $\angle B$ है।
(a) 50° (b) 80°
(c) 40° (d) 60°
(SSC CHSL DEO & LDC 2017)

2. यदि एक त्रिभुज के तीनों कोण $(x+15)^\circ$, $\left(\frac{6x}{5}+6\right)$ù और, $\left(\frac{2x}{3}+30\right)$ù तो त्रिभुज क्या हैं।
(a) समद्विबाहु (b) समबाहु
(c) समकोण (d) विषमबाहु
(SSC CGL Tier-I2017)

3. यदि एक त्रिभुज के कोण $(2x-8)^\circ$, $(2x+18)^\circ$ तथा $6x^\circ$ हैं। 3x का मान (डिग्री में) क्या होगा?
(a) 17° (b) 34°
(c) 51° (d) 60°

4. एक त्रिभुज के कोण $(x+5)^\circ$,$(2x-3)^\circ$ और $(3x+4)^\circ$ है। x का मान है–
(a) 30 (b) 31
(c) 29 (d) 28
(SSC FCI Assistant Grade Exam 2012)

5. Δ ABC में, $\angle A + \angle B = 70^\circ$ और $\angle B + \angle C = 130^\circ$, तो $\angle A$ का मान है–
(a) 20° (b) 50°
(c) 110° (d) 30°
(SSC CHSL 10+2 DEO& LD 2-11-20141C Exam)

6. Δ ABC में, $2\angle A = 3\angle B = 6\angle C$ है, तो $\angle C$ है, तो $\angle B$ का मान है–
(a) 60° (b) 30°
(c) 45° (d) 90°
(SSC CHSL 10+2 DEO& LD 2-11-20141C Exam)

7. यदि एक त्रिभुज में एक कोण 50° का है तथा शेष दोनों कोणों का अन्तर 30° है, तो दोनों में से छोटे कोण का मान है–
(a) 40° (b) 80°
(c) 50° (d) 60°
(HTET (I-V 19-12-2021)

8. यदि किसी त्रिभुज के कोणों का माप, डिग्री में, x, 3x+20 तथा 6x है, तो त्रिभुज अवश्य ही होगा–
(a) न्यूनकोण त्रिभुज (b) समकोण त्रिभुज
(c) समद्विबाहु त्रिभुज (d) अधिककोण त्रिभुज
(CTET (Class VI-VIII 7 july 2019)

9. किसी त्रिभुज के अन्तःकोणों का अनुपात 1 : 2 : 3 है। सबसे बड़े कोण का रेडियन में मान होगा–
(a) $\frac{\pi}{2}$ (b) $\frac{2\pi}{3}$
(c) $\frac{\pi}{3}$ (d) $\frac{3\pi}{2}$
(Uttrakhand TET (Class I-V 29 Jan 2011)

TYPE - 02

10. यदि किसी त्रिभुज में AB = AC तथा $\angle B$, $\angle A$ का दोगुना है, तो $\angle C$ का मान होगा:
(a) 36° (b) 72°
(c) 60° (d) 48°
(HTET (I-V 2020)

11. एक त्रिभुज ABC में AB = AC, $\angle BAC = 40^\circ$ है, तो B पर बाह्य कोण कितना होगा?
(a) 90° (b) 70°
(c) 110° (d) 80°
(SSC Graudate Level Exam 21-4-2013)

12. किसी Δ ABC में, AB = BC, $\angle B = x^\circ$ और $\angle A = (2x-20)^\circ$ तो $\angle$ B का मान क्या होगा?
(a) 54° (b) 30°
(c) 40° (d) 44°
(SSC CGL Tier-I Exam 20-7-2014)

TYPE - 03

13. निम्नलिखित में से तीन भुजाओं वाले कौन–से सेट से त्रिभुज नहीं बन सकता है?
(a) 5 cm, 6cm, 7 cm
(b) 5 cm, 8cm, 15 cm
(c) 8 cm, 15cm, 18 cm
(d) 6 cm, 7cm, 11 cm

14. एक त्रिभुज की दो भुजाओं की लंबाइयाँ 5 सेमी और 1.5 सेमी हैं। इस त्रिभुज की तीसरी भुजा की लंबाई निम्नलिखित नहीं हो सकती–
(a) 3.4 सेमी (b) 3.6 सेमी
(c) 3.8 सेमी (d) 4.1 सेमी
(CGTET (VI-VIII 9-1-2022)

15. निम्नलिखित में से कौन 3 मापों को लेकर कुल कितने त्रिभुज बनाये जा सकते हैं? भुजा की माप 1.2 सेमी. 4.2 सेमी, 5.9 सेमी और 8.1 सेमी है।
(a) दो (b) तीन
(c) चार (d) एक
(UPTET Class I-V 8 Jan 2020)

16. भुजाओं (2P–1) cm (2P+2) cm और 13 सेमी. वाले एक त्रिभुज की रचना की जाती है। इस त्रिभुज की रचना के लिए P को हमेशा–
(a) 3 से अधिक होना चाहिए
(b) 2.5 से अधिक होना चाहिए
(c) 6 से अधिक होना चाहिए
(d) 5 से अधिक होना चाहिए

17. किसी त्रिकोण की तीन भुजाएँ 5 सेमी, 9 सेमी और x सेमी है। x का न्यूनतम पूर्ण मान बताइये?
(a) 2 (b) 3
(c) 4 (d) 6

TYPE - 04

18. निम्नलिखित में से कौन–सा कथन सही नहीं है?

(a) त्रिभुज के सभी न्यून कोण हो सकते है।
(b) किसी त्रिभुज की किन्ही दो भुजाओं का योग तीसरी भुजा से बड़ा होता है।
(c) एक त्रिभुज में केवल एक ही अधिक कोण हो सकता है।
(d) किसी त्रिभुज के दो कोणों का योग तीसरे कोण से बड़ा होता है।

19. निम्नलिखित में से त्रिभुज के कोणों के बारे में कौन–सा कथन सही है?
(a) त्रिभुज के सभी कोणों का योग 360° होता है।
(b) एक विषमबाहु त्रिभुज के सभी कोणों का योग समबाहु त्रिभुज के सभी कोणों के योग से कम होता है।
(c) एक विषमबाहु त्रिभुज के सभी कोणों का योग समबाहु त्रिभुज के सभी कोणों के योग से अधिक होता है।
(d) त्रिभुज के सभी कोणों का योग 180° होता है

TYPE - 05

20. त्रिभुज ABC में AB = AC है तथा भुजा AB को D तक इस प्रकार बढ़ाया गया है कि $\angle$ CBD = 150° हैं। तब, $\angle$ BAC बराबर है:
(a) 30° (b) 60°
(c) 90° (d) 120°
(CTET (VI-VIII 30-12-2021)

21. किसी त्रिभुज ABC की भुजा BC को D तक बढ़ाया जाता है। यदि $\angle A$ 40° और AC = BC है, $2\angle ACD + 3\angle B$ तो बराबर है:
(a) 280° (b) 260°
(c) 240° (d) 220°
(CTET (VI-VIII 1-1-2022)

22. त्रिभुज ABC की भुजा BC को D तक बढ़ा दिया जाता है। यदि $\angle ACD = 120^o$ और $\angle ABC = \frac{1}{2}$ $\angle CAB$, तो $\angle ABC$ का मान क्या होगा?
(a) 80° (b) 40°
(c) 60° (d) 20°
(SSC CHSL 10+2 DEO & LDC Exam 16-11-2014)

23. ABC एक समद्विबाहु त्रिभुज है, जिसमें AB = AC है। उसमें भुजा BA को D तक बढ़ाया गया है ताकि AB = AD हो जाए। तदनुसार, यदि $\angle ABC = 30^o$ हो, तो $\angle$ BCD किसके बराबर होगा?
(a) 45° (b) 90°
(c) 30° (d) 60°
(SSC 10+2 Data Entry Operator Exam 10-11-2013)

24. ΔABC की BC भुजा D तक बढ़ाई गई है। तदनुसार, यदि $\angle ACD = 108^o$ और $\angle B = \frac{1}{2}\angle A$ हो, तो $\angle$ A कितना होगा?
(a) 36° (b) 72°
(c) 108° (d) 59°
(SSC CGL Tier-I Exam 2012)

25. ΔABC में, $\angle A = (2x-5)^o$, $\angle B = (5x+5)^o$ और $\angle C = (3x+50)^o$ है। भुजा BC को D बढ़ाया जाता है और CE, $\angle ACD$ का समद्विभाजक है। $\angle ECD$ की माप है
(a) 45° (b) $45\frac{1}{2}^o$
(c) 44° (d) $44\frac{1}{2}^o$
(CTET (VI-VIII 21-1-2022)

TYPE - 06

26. ΔABC के $\angle$ B और $\angle$ C के आंतरिक द्विभाजक O पर प्रतिच्छेद करते हैं। यदि $\angle A = 100^o$ है तो $\angle BOC$ का माप है:
(a) 140° (b) 120°
(c) 110° (d) 130°
(SSC CGL Tier-Exam 16-8-2015)

27. एक त्रिभुज के दो कोणों $\angle$ B तथा $\angle$ C के अंतर्द्धकों के बीच का कोण 120° है, तो $\angle$ A का मान है–
(a) 20° (b) 30°
(c) 60° (d) 90°
(SSC CGL Pre Exam 27-7-2014)

28. यदि बिन्दु ΔABC का अंतःकेंद्र हो और $\angle B = 70^o$ और $\angle C = 50^o$, तो $\angle BIC$ का परिमाण है :
(a) 130° (b) 60°
(c) 120° (d) 105°
(SSC CGL Tier-1 Exam 27-4-2014)

29. एक त्रिभुज ABC के $\angle B$ तथा $\angle C$ के आंतरिक द्विभाजक O पर मिलते है। तदनुसार, यदि $\angle BAC = 80^0$ हो तो $\angle BAC$ का मान क्या होगा?
(a) 120° (b) 140°
(c) 110° (d) 130°
(SSC Delhi police Exam 19-8-2012)

30. यदि किसी त्रिभुज का एक कोण 110° है, तो इसके अन्य दो कोणों के समद्विभाजकों के बीच बने कोण की माप है :
(a) 110° (b) 145°
(c) 90° (d) 100°
(CTET (Class VI-VIII Exam 21-2-2016)

31. ΔABC में, $\angle B$ और $\angle C$ के समद्विभाजक एक बिंदु P पर मिलते हैं। यदि $\angle BPC = 102^o$ है, तो $\angle$ A की माप है :
(a) 22° (b) 24°
(c) 28° (d) 32°
(CTET (VI-VIII 17-1-2022)

TYPE- 07

32. ΔABC की भुजाओं AB और AC को क्रमशः D और E तक बढ़ाया जाता है। यदि कोणों DBC और ECB के समद्विभाजक O पर मिलते हैं तथा $\angle BOC = 85^\circ$ है, तो $\angle BAC$ = की क्या माप है?
(a) 10° (b) 15°
(c) 20° (d) 25°
(CTET (VI-VIII) 29-9-2021)

33. ΔABC में, कोण $\angle B$ और $\angle C$ के बाह्य द्विभाजक बिंदु O पर मिलते हैं। यदि $\angle A = 70^\circ$ है,, तो $\angle BOC$ का माप क्या होगा?
(a) 55° (b) 75°
(c) 60° (d) 50°
(SSC CHSL 10+2 LDC, DEO Exam 15-11-2015)

34. ABC एक त्रिभुज है। आंतरिक कोण $\angle B$ और बाह्म कोण $\angle C$ के अर्द्धक बिन्दु D पर कटते हैं। यदि $\angle BDC = 50^\circ$ तो $\angle A$ कितना होगा?
(a) 100° (b) 90°
(c) 120° (d) 60°
(SSC Graduate Level Tier I Exam 21-4-2013)

TYPE - 08

35. मान लें $\Delta ABC \sim \Delta RPQ$ और $\frac{ar(\Delta ABC)}{ar(\Delta PQR)} = \frac{4}{9}$ है। यदि AB = 3cm, BC = 4 cm और AC = 5cm है। तो RP (cm में)का मान ज्ञात करें।
(a) 12 (b) 6
(c) 5 (d) 4.5
(SSC CPO 2020)

36. ΔABC में, DE, BC के समानांतर है, AD = 3 cm, AE = 4 cm और AC = 10 cm है, तो (सेंटीमीटर में) BD का मान ज्ञात करें।
(a) 3.5 (b) 7.5
(c) 4.5 (d) 5.5

37. दो त्रिभुज ABC तथा DEF समरूप है जिनमें AB = 10 सेमी. DE = 8 सेमी.। त्रिभुज ABC और DEF के क्षेत्रफल का अनुपात है–
(a) 4 : 5 (b) 25 : 16
(c) 64 : 125 (d) 4 : 7
(SSC 10+2 Data Entry Operator Exam 4-11-2012)

38. यदि Δ ABC, Δ DEF के समरूप हो और BC = 3 सेमी, EF = 4 सेमी तथा Δ ABC का क्षेत्रफल = 54 सेमी^{2} हो तो Δ DEF का क्षेत्रफल कितना होगा?
(a) 66 सेमी^{2} (b) 78 सेमी^{2}
(c) 96 सेमी^{2} (d) 54 सेमी^{2}
(SSC Graduate Level Tier-I Exam 21-4-2013)

39. दो समरूप त्रिभुजों ABC तथा DEF के क्षेत्रफल क्रमशः 20सेमी^{2} तथा 45सेमी^{2} हैं। तदनुसार, यदि AB = 5 सेमी हो, तो DE किसके बराबर होगा?
(a) 6.5 सेमी (b) 7.5 सेमी
(c) 8.5 सेमी (d) 5.5 सेमी
(SSC CAPF SI & CISF ASI exam 23-6-2013)

40. दो समरूप त्रिभुजों के क्षेत्रफल 360 वर्ग सेमी और 250 वर्ग सेमी हैं। यदि पहले त्रिभुज की एक भुजा की लंबाई 8 सेमी है, तो दूसरे त्रिभुज की संगत भुजा की लंबाई है–
(a) $6\frac{1}{5}$ सेमी (b) $6\frac{1}{3}$ सेमी
(c) $6\frac{2}{3}$ सेमी (d) 6 सेमी
(SSC 10+2 Data Entry Operator Exam 20-10-2013)

41. ΔABC में, D तथा E क्रमशः AB तथा AC पर दो ऐसे बिन्दु है, कि DE $\parallel$ BC है, और DE, त्रिभुज ABC को दो बराबर क्षेत्रफल वाले भागों में विभाजित कर देती है। तदनुसार AD तथा BD का अनुपात कितना है?
(a) 1 : 1 (b) $1 : \sqrt{2} - 1$
(c) $1 : \sqrt{2}$ (d) $1 : \sqrt{2} + 1$
(SSC Graduate Level Exam Tier-II 16-9-2012)

42. ΔABC में, D और E क्रमशः AB और AC पर ऐसे दो बिन्दु हैं कि DE$\parallel$ BC DE, ΔABC को दो समान क्षेत्रफलों में द्विभाजित करता है। तो अनुपात DB : AB है
(a) $1 : \sqrt{2}$ (b) 1 : 2
(c) $(\sqrt{2} - 1) : \sqrt{2}$ (d) $\sqrt{2} : 1$
(SSC CAPFs SI, CISF ASI Exam 22-6-2014)

43. ABC और DEF दो त्रिभुज इस प्रकार हैं कि AB = 5cm, BC = 6cm, AC= 4cm, DE= 6cm, EF = 4cm और DF = 5 cm है। तब, निम्नलिखित में कौन सत्य है?
(a) $\Delta ABC \cong \Delta EDF$ (b) $\Delta ABC \cong \Delta DEF$
(c) $\Delta ABC \cong \Delta DFE$ (d) $\Delta ABC \cong \Delta FDE$
(CTET (VI-VIII)12-1-2022)

44. SAS सर्वागसमता नियम द्वारा $\Delta ABC \cong \Delta PRQ$ सिद्ध करने के लिए, AB = PR और BC = QR के अतिरिक्त हमें दर्शाना है कि
(a) $\angle A = \angle P$ (b) $\angle C = \angle Q$
(c) $\angle B = \angle R$ (d) $\angle A = \angle R$
(CTET (VI-VIII 22-12-2021)

45. किसी त्रिभुज ABC की भुजा BC पर D एक बिंदु इस प्रकार है कि $AD \perp BC$ और BD = DC तब,
(a) $\Delta ABD \cong \Delta ACD$ (RHS द्वारा)
(b) $\Delta ABD \cong \Delta DAC$ (RHS द्वारा)
(c) $\Delta ABD \cong \Delta ACD$ (SAS द्वारा)
(d) $\Delta ABD \cong \Delta DAC$ (SAS द्वारा)
(CTET VI-VIII 30-12-2021)

TYPE - 09

46. ΔABC के मध्य बिन्दु क्रमशः D, E, F हैं। ज्ञात कीजिए निम्न में से कौन–सा कथन सत्य है?

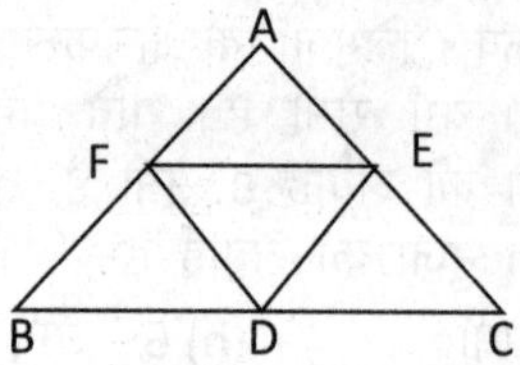

(a) ΔDEF का क्षेत्रफल $= \frac{1}{3}\,\Delta ABC$ का क्षेत्रफल
(b) ΔDEF का क्षेत्रफल $= \frac{1}{2}\,\Delta ABC$ का क्षेत्रफल
(c) ΔDEF का क्षेत्रफल $= \Delta ABC$ का क्षेत्रफल
(d) ΔDEF का क्षेत्रफल $= \frac{1}{4}\,\Delta ABC$ का क्षेत्रफल

47. एक त्रिभुज ABC के लिए D, E, F उसकी भुजाओं के मध्य बिंदु हैं। यदि $\Delta ABC = 24$ वर्ग यूनिट तो ΔDEF है–
(a) 4 वर्ग यूनिट (b) 6 वर्ग यूनिट
(c) 8वर्ग यूनिट (d) 12वर्ग यूनिट
(SSC CGL Tier-I Exam 27-4-2014)

TYPE - 10

48. ΔABC में, AD माध्यिका है, और $AD = \frac{1}{2}$ BC तदनुसार यदि $\angle BAD = 30^o$ हो, तो $\angle ACB$ का माप कितना होगा?
(a) 90° (b) 45°
(c) 30° (d) 60°
(SSC CGL Tier I Exam 2012)

49. यदि 72 वर्ग सेमी क्षेत्रफल वाले त्रिभुज ABC का केन्द्रक G हो और AD, BE, CF उसकी तीन माध्यिकाएँ हो, तो त्रिभुज BDG का क्षेत्रफल कितना होगा?
(a) 12सेमी^{2} (b) 16सेमी^{2}
(c) 24सेमी^{2} (d) 8सेमी^{2}
(SSC CGL Tier-I exam2012)

50. ΔABC में O केंद्रक है और AD, BE, CF तीन माध्यिकाएँ है और ΔAOE का क्षेत्रफल = 15 सेमी॰^{2} तो चतुर्भुज BDOF का क्षेत्रफल है
(a) 20 सेमी॰^{2} (b) 30 सेमी॰^{2}
(c) 40 सेमी॰^{2} (d) 25 सेमी॰^{2}
(SSC CHSL DEO and LDC Exam 2011)

51. यदि किसी त्रिभुज का लंबकेंद्र तथा केंद्रक एक समान हों, तो वह त्रिभुज किस प्रकार का होगा?
(a) विषमबाहु (b) लंब कोणीय
(c) समबाहु (d) अधिक कोणीय
(SSC 10+2 Data Entry Operator Exam 21-10-2012)

52. एक त्रिभुज मे, यदि तीन शीर्षलंब बराबर हो, तो त्रिभुज होती है–
(a) अधिक कोण (b) समबाहु
(c) समकोण (d) समद्विबाहु
(SSC Graduate Level Tier-I Exam 19-5-2013)

53. AD एक त्रिभुज ABC की माध्यिका है, O उसका केन्द्रक है और AO = 10 सेमी. तो OD की लंबाई सेमी में है–
(a) 4 (b) 5
(c) 6 (d) 8
(SSC FCI Assistant Grade Exam 2012)

54. यदि एक समबाहु त्रिभुज की परित्रिज्या 10 सेमी. हो, तो उसकी अंतः त्रिज्या की माप कितनी होगी?
(a) 5 सेमी. (b) 10 सेमी.
(c) 20 सेमी. (d) 15 सेमी.
(SSC 10+2 Data Entry Operator exam 11-12-2011)

55. एक समत्रिबाहु त्रिभुज की आंतरिक त्रिज्या 3 सेमी है। तदनुसार उस त्रिभुज की प्रत्येक माध्यिका की लम्बाई कितनी होगी?
(a) 12 सेमी. (b) $\frac{9}{2}$ सेमी.
(c) 4 सेमी. (d) 9 सेमी
(SSC 10+2 Data Entry Operator Exam 11-12-2011)

56. समकोण त्रिभुज का लंब केंद्र होता है –
(a) त्रिभुज के बाहर (b) समकोणीय शीर्ष पर
(c) उसके कर्ण पर (d) त्रिभुज के भीतर
(SSC FCI Assistant Grade Exam 2012)

57. ABC एक त्रिभुज है। माध्यिकाएँ CD और BE एक दूसरी को O पर काटती हैं। तो $\Delta ODE : \Delta ABC$ है:
(a) 1 : 3 (b) 1 : 4
(c) 1 : 6 (d) 1 : 12
(SSC CGL Tier-I exam 4-12-2011)

TYPE - 11

58. एक वृत्त की त्रिज्या 6 सेमी है तथा P कोई बिन्दु है जो केन्द्र से 10 सेमी दूर है। P से वृत्त पर खींची गई स्पर्शरेखा की लम्बाई होगी:
(a) 6 सेमी (b) 12 सेमी
(c) 8 सेमी (d) 10 सेमी
(REET (VI-VIII 23-7-2022)

59. एक वृत्त के बाहरी बिंदु से स्पर्शज्या की लंबाई $5\sqrt{3}$ यूनिट हैं। यदि वृत्त की त्रिज्या 5 यूनिट है, तो वृत्त से बिंदु की दूरी कितनी होगी?
(a) 5 यूनिट (b) 15 यूनिट
(c) –5 यूनिट (d) –15 यूनिट
(SSC CGL Tier-I Exam 19-10-2014)

60. एक वृत्त की त्रिज्या 13 सेमी है, और XY एक ऐसी जीवा है, जिसकी केन्द्र से दूरी 12 सेमी है। तदनुसार, उस जीवा की लम्बाई कितनी होगी?
(a) 15 सेमी (b) 12 सेमी
(c) 10 सेमी (d) 20 सेमी
(SSC CGL Tier-I Exam 2012)

61. 10 सेमी. व्यास वाले एक वृत्त में प्रत्येक 8 सेमी. लंबी, दो समानांतर जीवाओं के बीच की दूरी किनती होगी?

(a) 6 सेमी. (b) 7 सेमी.
(c) 8 सेमी. (d) 5.5 सेमी.
(SSC 10+2 Data Entry Operator Exam 4-12-2011)

62. यदि किसी वृत्त के केंद्र से 12 सेमी की दूरी पर जीवा की लंबाई 10 सेमी है, तो वृत्त का व्यास है–
(a) 13 सेमी (b) 15 सेमी
(c) 26 सेमी (d) 30 सेमी
(SSC Graduate Level Tier-II exam 4-9-2011)

63. 8 सेमी लंबी एक जीवा, अपने वृत्त के केंद्र से 3 सेमी की दूरी पर है। तदनुसार, उस वृत्त की त्रिज्या कितनी है?
(a) $\sqrt{73}$ सेमी (b) $\sqrt{55}$ सेमी
(c) 5 सेमी (d) 10 सेमी
(SSC 10+2 Data Entry Operator Exam 28-10-2012)

64. 30 सेमीं लंबी एक जीवा, एक वृत्त के केंद्र से 8 सेमी. दूर है। तदनुसार, उस वृत्त की त्रिज्या कितनी है?
(a) 17 (b) 23
(c) 21 (d) 19
(SSC Graduate Tier-I Exam 21-4-2013)

65. 17 सेमी की त्रिज्या वाले वृत्त में 30 सेमी. और 16 सेमी लंबाई की दो समांतर जीवाएं खींची गई हैं। यदि दोनों जीवाएं केन्द्र की एक ही ओर हों तो जीवाओं के बीच की दूरी क्या होगी?
(a) 9 सेमी (b) 7 सेमी
(c) 23 सेमी (d) 11 सेमी
(SSC Graduate Tier-I Exam 21-4-2013)

66. AB = 8 सेमी. तथा CD = 6 सेमी. लम्बी दो ऐसी समानांतर जीवाएं है जो किसी वृत्त के केन्द्र के एक ओर ही है। उनके बीच की दूरी 1 सेमी. हैं। तदनुसार उस वृत्त की त्रिज्या कितनी है?
(a) 5 सेमी. (b) 5 सेमी..
(c) 3 सेमी. (d) 2 सेमी.
(SSC 10+2 Data Entry Operator Exam 4-12-2011)

67. AB तथा CD दो समांतर जीवाएँ है, जो अपने समांतर व्यास की दो विपरीत दिशाओं में खीची गई है। इनमें AB = 6 सेमी तथा CD = 8 सेमी है। तदनुसार, यदि वृत्त की त्रिज्या 5 सेमी. हो, तो उन जीवाओं के बीच की दूरी, सेमी में, कितनी होगी?
(a) 7 (b) 8
(c) 5 (d) 3
(SSC CGL Tier-I Pre exam2012)

68. 10 cm त्रिज्या वाले वृत्त में, PQ और RS क्रमशः 16 cm और 12 cm लंबाई वाली दो समानांतर जीवाएं हैं। यदि वे केंद्र से विपरीत दो स्थानों पर स्थित हों, तो जीवाओं के बीच की दूरी ज्ञात करें।
(a) 6 cm (b) 8 cm
(c) 14 cm (d) 2 cm
(CHSL - 2020)

69. AB तथा CD एक वृत्त की दो समांतर जीवाएँ हैं जो केन्द्र के विपरीत दिशाओं में है और दोनों के बीच की दूरी 17 सेमी. है AB तथा CD की लम्बाई क्रमशः 10 सेमी. तथा 24 सेमी. है, तो वृत्त की त्रिज्या ज्ञात करें।
(a) 13 (b) 18
(c) 9 (d) 15
(SSC CGL Tier –I 2017)

TYPE - 12

70. एक वृत्त की जीवा उसकी त्रिज्या के बराबर है। वृत्त के लघु चाप पर इस जीवा द्वारा अंतरित कोण कितना होगा?
(a) 75° (b) 60°
(c) 150° (d) 120°
(SSC CAPFs SI, CISF ASI and Delhi Police exam 21-6-2015)

71. एक वृत्त की जीवा उसकी त्रिज्या के बराबर है। उस जीवा द्वारा दीर्घ खंड में वृत्त की परिधि के किसी बिन्दु पर बनाए कोण का माप क्या होगा?
(a) 60° (b) 120°
(c) 90° (d) 30°
(SSC FCI Assistant Grade-III exam11-11-2012)

72. A, B तथा C एक वृत्त पर तीन ऐसे बिंदु हैं कि AB तथा AC जीवाओं द्वारा केंद्र O पर बने कोण क्रमशः 90° तथा 110° हैं। तदुनसार, $\angle$ BAC किसके बराबर है?
(a) 70° (b) 80°
(c) 90° (d) 100°
(SSC Graduate Level Tier-I 19-5-2013)

73. एक वृत्त पर चार बिन्दु A, B, C, D हैं। AC और BD एक बिन्दु E पर प्रतिच्छेद करते हैं और $\angle$BEC =130° तथा $\angle$ECD = 20° । $\angle$BAC है–
(a) 120° (b) 90°
(c) 100° (d) 110°
(SSC Graduate Level Tier-I Exam 19-5-2013)

TYPE - 13

74. O केंद्र वाले किसी वृत्त के बाहर स्थित बिंदु A से, दो स्पर्श रेखाएँ AP और AQ खींची जाती हैं। यदि $\angle$PAQ = 80° है, तो $\angle$POQ का मान ज्ञात कीजिए।
(a) 90° (b) 80°
(c) 70° (d) 100°
(CHSL - 2020)

75. दो स्पर्श रेखाएं AP और AQ एक बाहरी बिंदु A से O केंद्र वाले वृत्त से खींचे जाते हैं, जहां P और Q बिंदु वृत्त पर हैं। यदि $\angle$PAQ =70° है तो $\angle$AOP किसके बराबर है?

(a) 50° (b) 45°
(c) 55° (d) 60°
(CHSL 2020)

76. O वृत्त का केन्द्र है तथा बिंदु P से इस वृत्त पर दो स्पर्श रेखाएँ बिंदु A तथा B पर खींची गई यदि $\angle AOP = 50^\circ$ है तो $\angle APB$ मान (डिग्री में) क्या होगा?
(a) 60° (b) 80°
(c) 90° (d) 100°

77. केंद्र O वाले वृत्त पर स्थित बिंदु A तथा B से स्पर्श रेखाएँ खींचीं जाती है, जो बिंदु P पर मिलती है। यदि AOB = 120° तथा AP = 6 सेमी. है तो त्रिभुज APB का क्षेत्रफल (सेमी^{2} में) क्या है?
(a) $6\sqrt{3}$ (b) $8\sqrt{3}$
(c) 9 (d) $9\sqrt{3}$

TYPE - 14

78. दो संकेंद्री वृत्तों की त्रिज्याएँ 9 cm और 15 cm है। यदि बड़े वृत्त की जीवा छोटे वृत्त की स्पर्श रेखा हो तो उस जीवा की लंबाई है–
(a) 24 cm (b) 12 cm
(c) 30 cm (d) 18 cm
(SSC CHSL DEO and LDC Exam 2011)

79. 13 cm और 5 cm त्रिज्या के दो सकेंद्रीय वृत्त हैं। बड़े वृत्त के जीवा की लंबाई ज्ञात करें, जो छोटे वृत्त को स्पर्श करती है।
(a) 24 cm (b) 15 cm
(c) 13 cm (d) 10 cm
(CHSL - 2020)

TYPE - 15

80. एक वृत्त की जीवाएँ AB तथा CD एक–दूसरे को वृत्त के बाहर P पर काटती हैं। तदनुसार, यदि AB = 6 सेमी, CD = 3 सेमी तथा PD = 5 सेमी हो, तो PB की लंबाई कितनी होगी?
(a) 5 सेमी (b) 7.35 सेमी
(c) 6 सेमी (d) 4 सेमी
(SSC Delhi Police SI exam 19-8-2012)

81. PAB और PCD एक वृत्त पर दो छेदन रेखाएं हैं। यदि PA = 10 सेमी, AB = 12 सेमी. तथा PC = 11 सेमी. हो तो PD का मान (सेमी. में) क्या है?
(a) 18 (b) 9
(c) 20 (d) 12
(SSC MTS 2019)

82. किसी वृत्त की जीवाएँ (chords) AB और CD को बढाने पर वृत्त से बाहर बिंदु P पर मिलती है। यदि AB = 6 cm, PB = 5 और PD = 4cm है तो CD बराबर है:
(a) 8.25 cm (b) 7.5 cm
(c) 9.75 cm (d) 7.75 cm
(SSC MTS 2021)

83. एक वृत्त का केन्द्र O है और PT,T पर स्पर्शी रेखा है। BC वृत्त का व्यास है। BC को बढाए जाने पर, यह स्पर्शरेखा PT से P पर मिलती है। दिया गया है कि PC = 4 सेमी. और PT = 8 सेमी. है। वृत्त की त्रिज्या ज्ञात करें
(a) 5 cm (b) 6 cm
(c) 7 cm (d) 4 cm

84. दी गई आकृति में, TB केन्द्र O से गुजरती है। वृत्त की त्रिज्या क्या है?

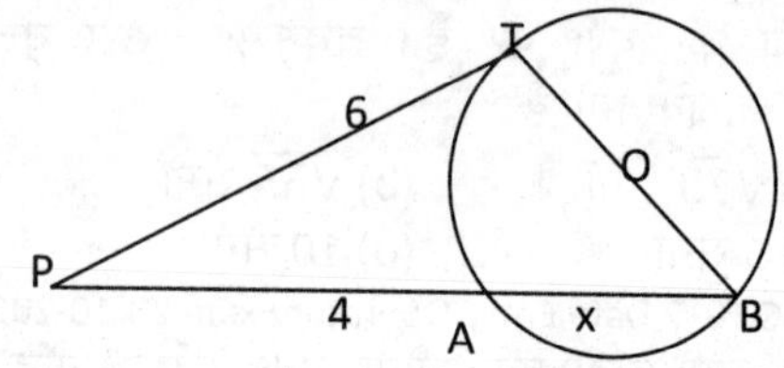

(a) $(2\sqrt{5})/3$ (b) $(3\sqrt{2})/5$
(c) $(3\sqrt{5})/2$ (d) $(2\sqrt{3})/5$

85. एक वृत्त के बाहर किसी बिंदु P पर PAB एक छेदक रेखा (Secant)है और PT वृत्त की स्पर्श रेखा (tangent)है जहां A, B और T वृत्त पर बिंदु हैं। यदि PT = 5 cm, PA = 4 cm और AB = x cm तो x किसके बराबर होगा?
(a) 2.25 cm (b) 2.75 cm
(c) 2.45 cm (d) 1.75 cm
(SSC MTS 2021)

TYPE - 16

86. O केन्द्र वाले एक वृत्त की दो जीवाए AB तथा CD, P बिन्दु पर मिलती हैं और $\angle AOC = 50^\circ$, $\angle BOD = 40^\circ$, है। तदनुसार $\angle BPD$ का मान कितना होगा?
(a) 60° (b) 40°
(c) 45° (d) 75°
(SSC 10+2 Level Data Entry Operator exam 4-12-2011)

87. O केन्द्र वाले एक वृत्त की दो जीवाए AB, CD एक–दूसरी को P पर प्रतिच्छेद करती हैं। $\angle ADP = 23^\circ$, और $\angle APC = 70^\circ$ तो $\angle BCD$ है
(a) 45° (b) 47°
(c) 57° (d) 67°
(SSC Graduate Level tier-I exam 21-4-2013)

TYPE - 17

88. 25 सेमी. और 9 सेमी.त्रिज्या के दो वृत्त बाह्म रूप से एक–दूसरे को स्पर्श करते हैं। उभयनिष्ठ अनुस्पर्श रेखा की लम्बाई है
(a) 34 सेमी. (b) 30 सेमी.
(c) 36 सेमी. (d) 32 सेमी.

(SSC CAPFs SI, CISF ASI, Delhi Police SI Exam 22-6-2014)

89. दो वृत्तों की, जब दोनों वृत्त बाहर से स्पर्श करते हों, सामान्य स्पर्शज्या की न्यूनतम संख्याएँ कितनी होंगी?

(a) 1 (b) 2
(c) 3 (d) 0

(SSC CGL Tier-I Pre Exam 27-4-2014)

90. एक वृत्त की त्रिज्या 6 सेमी है। केन्द्र से वृत्त के बाहर पड़ने वाले बिन्दु की दूरी 10 सेमी है। वृत्त के बाहरी बिन्दु से खींची गई स्पर्शज्या की लंबाई कितनी होगी?

(a) 5 सेमी. (b) 6 सेमी.
(c) 7 सेमी. (d) 8 सेमी.

(SSC CGL Tier-II Exam 21-9-2014)

91. 8 सेमी. और 3 सेमी. की त्रिज्या वाले दो वृत्तों के केंन्द्रों के बीच दूरी 13 सेमी. है। दो वृत्तों की सरल सार्व स्पर्श रेखाओं की लंबाई (सेमी. मे)कितनी होगी?

(a) 15 (b) 16
(c) 18 (d) 12

(SSC CGL Tier-II Exam 12-4-2015)

92. 6 सेमी त्रिज्या वाले तीन वृत्त बाहर से एक–दूसरे को स्पर्श करते हैं तो एक वृत्त के केन्द्र की अन्य दो वृत्तों के केंद्रों को जोड़ने वाली रेखा से दूरी कितनी होगी?

(a) $6\sqrt{5}$ सेमी. (b) $6\sqrt{3}$ सेमी.
(c) $6\sqrt{2}$ सेमी. (d) $6\sqrt{7}$ सेमी.

(SSC CGL Tier-II exam 12-4-2015)

93. 3 सेमी की त्रिज्या वाले दो एकसमान वृत्तों के केंद्रों के बीच की दूरी 10 सेमी है। तदनुसार, उनकी अनुप्रस्थ स्पर्शरेखा की लंबाई कितनी होगी?

(a) 4 सेमी (b) 6 सेमी
(c) 8 सेमी (d) 10 सेमी

(SSC 10+2 Data Entry Operator exam 28-10-2012)

94. दो वृत्तो की त्रिज्याएँ 5 सेमी तथा 3 सेमी हैं और उनके केंद्रों के बीच की दूरी 24 सेमी है। तदनुसार उनकी अनुप्रस्थ उभयनिष्ठ स्पर्श रेखा की लंबाई कितनी होगी?

(a) 16 सेमी (b) $15\sqrt{2}$ सेमी
(c) $16\sqrt{2}$ सेमी (d) 15 सेमी

(SSC Delhi Police SI Exam 19-8-2012)

TYPE - 18

95. संलग्न चित्र में रेखा PAQ वृत्त को बिन्दु A पर स्पर्श करती है तथा ABCD एक चक्रीय चतुर्भुज है।

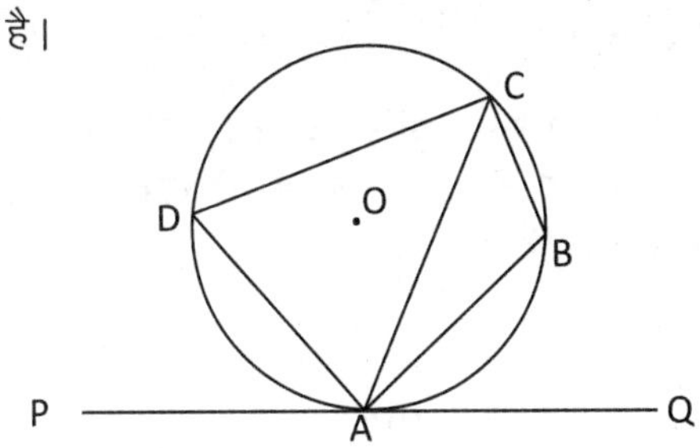

यदि $\angle CAQ = 70^o$ है, तो $\angle ABC$ है

(a) 70° (b) 80°
(c) 110° (d) 90°

(UPTET (Class I-V Exam 18-11-2018)

96. दिये गये त्रिभुज ABC में, AP, $\angle BAC$ का समद्विभाजक है तथा AQ, BC पर लम्ब है, तो $\angle PAQ$ बराबर है

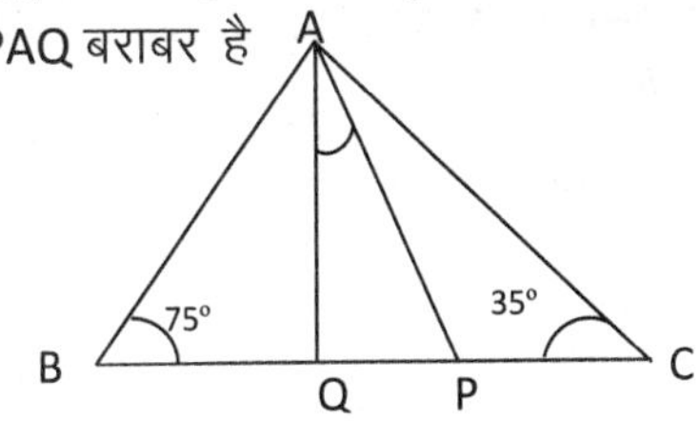

(a) 20° (b) 40°
(c) 15° (d) 25°

(REET (I-V Exam 2017)

97. यदि O केंद्र वाले एक वृत्त का व्यास AB है और CD इस तरह की जीवा (chord) है जिससे ABCD समलंब बनता है। यदि $\angle BAC = 28^o$ है, तो $\angle CAD$ किसके बराबर होगा?

(a) 34° (b) 28°
(c) 62° (d) 32°

(SSC CHSL 2021)

98. यदि O केंद्र वाले एक वृत्त का व्यास AB है और CD इस तरह की जीवा (chord)है जिससे ABCD समलंब (trapezium)बनता है। यदि $\angle BAC = 40^o$ है, तो $\angle CAD$ किसके बराबर होगा?

(a) 15° (b) 20°
(c) 50° (d) 10°

Revision Series

99. किसी त्रिभुज के कोण $(x + 5)^0$, $(2x - 3)^0$ और $(3x + 4)^0$ है तो x का मान बताइये–

(a)28 **(b)29**

(c)30 **(d)31**

100. किसी त्रिभुज में हो सकते हैं–

(a)दो समकोण

(b)दो न्यूनकोण

(c)प्रत्येक कोण 60^0 से अधिक

(d)इनमें से कोई नहीं

101. 2 सेमी०, 3 सेमी०, 5 सेमी० और 6 सेमी० लम्बाई वाले खण्डों में से किन्ही तीन रेखा खण्डों को लेकर कितने त्रिभुज बनाये जा सकते हैं?

(a)2 (b)1

(c)3 (d)4

102. किसी त्रिभुज के तीनों कोणों का अनुपात 2 : 3 : 4 है तो त्रिभुज के सबसे बड़े कोण का मान है?

(a)60^0 (b)40^0

(c)90^0 (d)80^0

103. किसी त्रिभुज के लिये निम्नलिखित में से कौन सा कथन असत्य है?

(a)सभी कोण न्यूनकोण हो सकते हैं।

(b)एक समकोण तथा दो न्यूनकोण हो सकते है।

(c)दो अधिक कोण एवं एक न्यूनकोण हो सकते हैं।

(d)एक अधिक कोण एवं दो न्यूनकोण हो सकते हैं।

104. एक त्रिभुज के शीर्ष से डाला गया लम्ब आधार को समद्विभाजित करता है तो यह त्रिभुज है–

(a)एक समकोण त्रिभुज

(b)एक समद्विबाहु त्रिभुज

(c)एक अधिक कोण त्रिभुज

(d)एक विषमबाहु त्रिभुज

105. किसी त्रिभुज की तीनों माध्यिकाओं का प्रतिच्छेद बिन्दु कहलाता है–

(a)अन्तः केन्द्र (b)परिकेन्द्र

(c)लम्बकेन्द्र (d)केन्द्रक

106. किसी त्रिभुज के तीनों शीर्षों से खींचा गया कोण समद्विभाजक जिस बिन्दु पर मिलता है, कहलाता है–

(a)अन्तः केन्द्र (b)लम्ब केन्द्र

(c)परिकेन्द्र (d)केन्द्रक

107. किसी त्रिभुज के तीनों शीर्षों से सामने वाली भुजा पर डाला गया लम्ब जिस बिन्दु पर प्रतिच्छेद करता है, कहलाता है–

(a)अन्तः केन्द्र (b)लम्ब केन्द्र

(c)परिकेन्द्र (d)केन्द्रक

108. किसी त्रिभुज की भुजाओं के तीनों लम्ब अर्द्धकों का प्रतिच्छेद बिन्दु कहलाता है–

(a)अन्तः केन्द्र (b)लम्ब केन्द्र

(c)परिकेन्द्र (d)केन्द्रक

109. किसी त्रिभुज में वह बिन्दु जो तीनों शीर्ष बिन्दुओं से बराबर दूरी पर हो, उसे कहते हैं?

(a)केन्द्रक (b)लम्ब केन्द्र

(c)अन्तः केन्द्र (d)परिकेन्द्र

110. हम एक त्रिभुज की रचना नहीं कर सकते हैं यदि हमें दिया गया है–

(a)दो कोण और एक भुजा

(b)केवल तीन भुजाये

(c)केवल तीन कोण

(d)दो भुजा और उनके मध्य का कोण

111. किसी त्रिभुज की भुजायें 3 : 4 : 6 के अनुपात में है। यह त्रिभुज है–

(a)न्यूनकोणीय (b)समकोणीय

(c)अधिक कोणीय (d)इनमें से कोई नहीं

112. एक समकोण त्रिभुज की समकोण बनाने वाली दो भुजाओं की लम्बाई 6 सेमी० तथा 8 सेमी० है तो उसकी परित्रिज्या की लम्बाई कितनी है?

(a)5 सेमी० (b)6 सेमी०

(c)7 सेमी० (d)10 सेमी०

113. एक त्रिभुज ABC में $\angle A + \angle B = 118^0$, $\angle A + \angle C = 96^0$ तो $\angle A$ का मान ज्ञात कीजिये?

(a)36^0 (b)34^0

(c)30^0 (d)40^0

114. एक त्रिभुज ABC में $\angle A + \frac{1}{2}\angle B + \angle C = 140^0$ तो $\angle B$ कितना होगा ?

(a)40^0 (b)50^0

(c)60^0 (d)80^0

115. एक त्रिभुज के दो कोणों की माप का अनुपात 4 : 5 है। यदि इन दोनों मापों का योग तीसरे कोण के माप के बराबर है तो लघुतम कोण ज्ञात करें।

(a)10 (b)40

(c)50 (d)90

116. यदि ABC एक समबाहु त्रिभुज है और P, Q, R क्रमशः AB, BC, CA की मध्य बिन्दुओं को दर्शाते हों तो,

(a)PQR समबाहु त्रिभुज होगा

(b)PQ + QR +RP = AB

(c) PQ + QR +RP = 2AB

(d) PQR समकोण त्रिभुज होगा

117. एक त्रिभुज ABC के लिए D, E, F उसकी भुजाओं के मध्य बिन्दु हैं। यदि $\Delta ABC = 24$ वर्ग यूनिट हो तो ΔDEF है–

(a)4 वर्ग यूनिट (b)6 वर्ग यूनिट

(c)12 वर्ग यूनिट (d)इनमें से कोई नहीं

118. किसी ΔABC में AB = BC, $\angle B = x^0$ और $\angle A = (2x - 20)^0$ तो $\angle B$ का मान क्या होगा?

(a)40^0 (b)30^0

(c)54^0 (d)44^0

119. समबाहु त्रिभुज जिसकी प्रत्येक भुजा 6 सेमी० है के अन्तर्वृत्त की त्रिज्या है–

(a)$6\sqrt{3}$ सेमी० (b) $2\sqrt{3}$ सेमी०

(c) 2 सेमी० (d) $\sqrt{3}$ सेमी०

120. ΔABC में 'O' केन्द्रक है और AD, BE, CF तीन माध्यिकायें हैं और त्रिभुज AOE का क्षेत्रफल 15 सेमी^{2} तो चतुर्भुज BDOF का क्षेत्रफल है–

(a)40 सेमी^{2}० (b) 25 सेमी^{2}०

(c) 30 सेमी^{2}० (d) 20 सेमी^{2}०

121. किसी त्रिभुज ABC में आधार BC को दोनों ओर बढ़ा दिया जाये तो B तथा C पर वाह्य कोणों का योगफल होगा–

(a)π - A (b)$\frac{\pi}{2}$ + A

(c)$\pi - \frac{\pi}{2}$ (d)π + A

122. ΔABC का अन्तः केन्द्र 'I' है। $\angle ABC = 60^0$ और $\angle ACB = 50^0$ तो $\angle BIC$ है–

(a)55^0 (b)70^0

(c)65^0 (d)125^0

123. ΔABC में $\angle ABC$ तथा $\angle ACB$ के आन्तरिक द्विभाजक I पर मिलते हैं और उसमें $\angle BAC = 50^0$ है तो $\angle BIC$ का माप कितना होगा–

(a)115^0 (b)125^0

(c)130^0 (d)105^0

124. $\Delta ABC, \Delta DEF$ के समरूप है और BC = 3 सेमी EF = 4 सेमी तथा ΔABC का क्षेत्रफल 54 सेमी^{2} हो तो ΔDEF का क्षेत्रफल कितना होगा?

(a)78 सेमी^{2} (b)66 सेमी^{2}

(c)54 सेमी^{2} (d)96 सेमी^{2}

125. ΔABC में D तथा E क्रमशः AB तथा AC पर दो ऐसे बिन्दु हैं कि DE || BC है, और DE, ΔABC को दो बराबर क्षेत्रफल वाले भागों में विभाजित कर देती है तो AD : BD कितना है?

(a)1 : 1 (b)1 : $\sqrt{2}$

(c)1 : ($\sqrt{2}$ + 1) (d)1 : ($\sqrt{2}$ - 1)

126. दो समरूप त्रिभुजों के क्षेत्रफलों का अनुपात 9 : 16 है तो उनकी संगत भुजाओं का अनुपात क्या होगा?

(a)4 : 5 (b)3 : 5

(c)3 : 4 (d)4 : 3

127. ΔABC में यदि $2\angle A = 3\angle B = 6\angle C$ है, तो $\angle B$ का मान है–

(a)60^0 (b)45^0

(c)30^0 (d)90^0

128. दो समरूप त्रिभुजों ΔABC और ΔPQR के परिमाप क्रमशः 36 सेमी० और 24 सेमी० है यदि PQ = 10 सेमी० तो AB क्या होगा?

(a)14 सेमी० (b)15 सेमी०

(c)26 सेमी० (d)12 सेमी०

129. एक समबाहु ΔABC में यदि $AD \perp BC$ हो, तो निम्नलिखित में से कौन सा कथन सत्य होगा?

(a)$4 AB^2 = 3 AD^2$ (b) $3 AB^2 = 4 AD^2$

(c) $2 AB^2 = 4 AD^2$ (d) $3 AB^2 = 2 AD^2$

130. ΔABC की BC भुजा D तक बढ़ायी गई है। यदि $\angle ACD = 108^0$ और $\angle B = \frac{1}{2}\angle A$ हो तो $\angle A$ कितना होगा?

(a)72^0 (b)36^0

(c)59^0 (d)108^0

131. ΔABC की भुजा BC को D तक बढ़ा दिया जाता है। यदि $\angle ACD = 120^0$ और $\angle ABC = \frac{1}{2}\angle CAB$ तो $\angle ABC$ का मान क्या होगा?

(a) 80^0 (b) 40^0

(c) 60^0 (d) 20^0

132. दिये गये चित्र में ΔABC में भुजा BC को दोनों ओर बढ़ाया गया है जिसमें $\angle ABD = 110^0$ तथा $\angle ACE = 120^0$ तो $\angle BAC$ =?

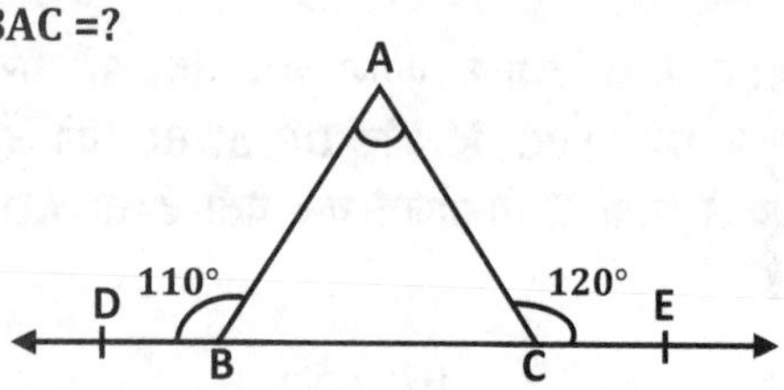

(a) 60^0 (b) 70^0

(c) 50^0 (d) 65^0

133. दी गई आकृति में AM ⊥ BC है तथा $\angle A$ का समद्विभाजक AN है। यदि $\angle ABC = 70^0$ तथा $\angle ACB = 30^0$ तो $\angle MAN$ =?

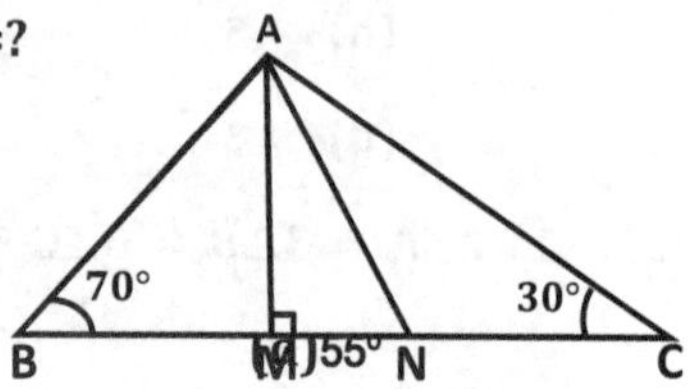

(a) 20^0

(c) 40^0

134. 30 सेमी० लम्बी एक जीवा एक वृत्त के केन्द्र से 8 सेमी० दूर है तो उस वृत्त की त्रिज्या कितनी है?

(a) 17 सेमी० (b) 21 सेमी०

(c) 23 सेमी० (d) 19 सेमी०

135. 10 सेमी ब्यास वाले एक वृत्त में प्रत्येक 8 सेमी०लम्बी दो समानान्तर जीवाओं के बीच की दूरी बताइये?

(a) 5·5 सेमी० (b) 6 सेमी०

(c) 7 सेमी० (d) 8 सेमी०

136. AB तथा CD दो समान्तर जीवायें हैं जो अपने समान्तर ब्यास की दो विपरीत दिशाओं में खींची गई है। इनमें AB = 6 सेमी० तथा CD = 8 सेमी० है, यदि वृत्त की त्रिज्या 5 सेमी० हो तो उन जीवाओं के बीच की दूरी (सेमी० में) कितनी है?

(a) 3 (b) 5

(c) 7 (d) 8

137. एक वृत्त की त्रिज्या 13 सेमी० है और XY एक ऐसी जीवा है, जिसकी केन्द्र से दूरी 12 सेमी० है, तो उस जीवा की लम्बाई कितनी होगी?

(a) 10 सेमी० (b) 12 सेमी०

(c) 15 सेमी० (d) 20 सेमी०

138. 30 सेमी० ब्यास वाले एक वृत्त में दो समान्तर जीवायें बनाई गई हैं। उनमें एक जीवा 24 सेमी० लम्बी है और दोनों जीवाओं के बीच की दूरी 21 सेमी० है, तो दूसरी जीवा की लम्बाई क्या होगी?

(a) 16 सेमी० (b) 10 सेमी०

(c) 12 सेमी० (d) 18 सेमी०

139. दो संकेन्द्री वृत्तों की त्रिज्यायें 9 सेमी० और 15 सेमी० है। यदि बड़े वृत्त की जीवा छोटे वृत्त की स्पर्श रेखा हो तो उस जीवा की लम्बाई है–

(a) 12 सेमी० (b) 18 सेमी०

(c) 24 सेमी० (d) 30 सेमी०

140. 10 सेमी० और 6 सेमी० ब्यास वाले दो वृत्तों का एक ही केन्द्र है। बड़े वृत्त की जीवा छोटे वृत्त की स्पर्शज्या है। जीवा की लम्बाई कितनी है?

(a) 4 सेमी० (b) 10 सेमी०

(c) 8 सेमी० (d) 6 सेमी०

141. एक वृत्त की जीवा की लम्बाई वृत्त की त्रिज्या के बराबर है। इस जीवा द्वारा वृत्त के दीर्घखण्ड में बनाया जाने वाला कोण है–

(a) 30^0 (b) 60^0

(c) 90^0 (d) 45^0

142. एक वृत्त की जीवा उसकी त्रिज्या के बराबर है। वृत्त के लघु चाप पर इस जीवा द्वारा अन्तरित कोण कितना होगा?

(a) 60^0 (b) 75^0

(c) 120^0 (d) 150^0

143. एक वृत्त की त्रिज्या 6 सेमी० है। केन्द्र से वृत्त के बाहर पड़ने वाले बिन्दु की दूरी 10 सेमी० है। वृत्त के बाहरी बिन्दु से खींची गई स्पर्शज्या की लम्बाई कितनी होगी?

(a) 5 सेमी० (b) 6 सेमी०

(c) 7 सेमी० (d) 8 सेमी०

144. एक वृत्त के बाहरी बिन्दु से स्पर्शज्या की लम्बाई $5\sqrt{3}$ यूनिट है। यदि वृत्त की त्रिज्या 5 यूनिट है तो वृत्त से बिन्दु की दूरी क्या होगी?

(a) 5 यूनिट (b) –5 यूनिट

(c) 15 यूनिट (d) –15 यूनिट

145. दो वृत्तों की, जब दोनों वृत्त बाहर से स्पर्श करते हों, सामान्य स्पर्शज्या की न्यूनतम संख्यायें कितनी होगी?

(a)1 (b)0
(c)2 (d)3

146. 20 सेमी० ब्यास के एक वृत्त की दो समान्तर जीवायें 12 सेमी० और 16 सेमी० लम्बी है। यदि जीवायें केन्द्र के एक ही तरफ हो तो उनके बीच की दूरी कितनी होगी?

(a)4 सेमी० (b)28 सेमी०
(c)2 सेमी० (d)8 सेमी०

147. एक वृत्त की दो जीवायें AB तथा CD एक दूसरे को वृत्त के बाहर P पर काटती है। यदि AB = 6 सेमी०, CD = 3 सेमी०, तथा PD = 5 सेमी० तो PB की लम्बाई कितनी होगी?

(a)5 सेमी० (b)4 सेमी०
(c)6 सेमी० (d)7·35 सेमी०

148. किसी वृत्त की PQ तथा RS जीवायें जब बढ़ायी जाती है तो 'O' बिन्दु पर मिलती हैं। यदि PQ = 6 सेमी०, OQ = 8 सेमी०, और OS = 7 सेमी० तो जीवा RS की लम्बाई (सेमी० में) क्या होगी?

(a)9 (b)10
(c)12 (d)16

149. एक वृत्त की AB और CD जीवायें E पर काटती हैं। यदि AE = 9 सेमी०, BE = 12 सेमी०, और CE = 3DE तो DE की लम्बाई (सेमी० में) कितनी है?

(a)4 (b)7
(c)6 (d)$\frac{9}{4}$

150. किसी वृत्त की दो जीवायें AB तथा CD एक दूसरे को बिन्दु E पर काटती है। यदि AE = 4 सेमी०, EB = 6 सेमी०, तथा CE = 5 सेमी०, हो तो ED का माप कितना होगा?

(a)7 सेमी० (b)7·5 सेमी०
(c)6·3 सेमी० (d)4·8 सेमी०

151. यदि PA और PB एक वृत्त जिसका केन्द्र O है की दो स्पर्श रेखायें इस प्रकार है जिसमें केन्द्र O है जिससे ∠AOB = 110° है तो ∠APB है–

(a)60° (b)90°
(c)55° (d)70°

152. एक वृत्त के बिन्दु A तथा B पर एक बिन्दु P से दो स्पर्श रेखायें खींची गई है। 'O' उस वृत्त का केन्द्र है। यदि ∠AOP = 60° हो तो ∠APB कितना होगा?

(a)60° (b)120°
(c)30° (d)90°

153. 'O' केन्द्र वाले एक वृत्त के A तथा B बिन्दुओं पर खीचीं गई स्पर्श रेखायें P पर मिलती है, यदि ∠AOB = 120° हो, तो ∠APB : ∠APO कितना होगा ?

(a)2 : 5 (b)4 : 1
(c)3 : 2 (d)2 : 1

154. दी गई आकृति में 'O' वृत्त का केन्द्र है। यदि ∠OAB = 35° हो तथा C वृत्त पर कोई बिन्दु लिया गया हो तो ∠ACB =?

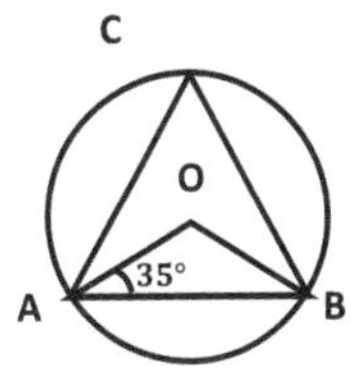

(a)70° (b)45°
(c)35° (d)55°

155. दी गई आकृति में O वृत्त का केन्द्र है। AOB वृत्त का ब्यास है तथा CD || AB है। यदि ∠BAC = 30° तो ∠CAD का मान है–

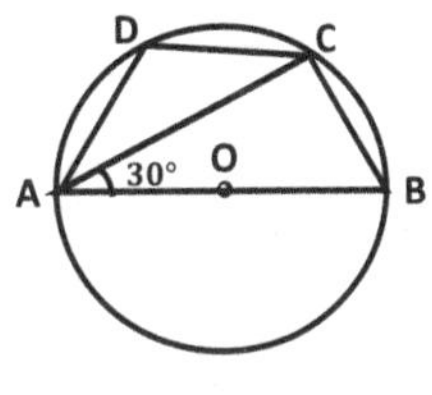

(a)60° (b)45°
(c)30° (d)50°

156. दी गई आकृति में वृत्त का केन्द्र O है। यदि ∠OAC = 40° हो तो ∠BOD = ?

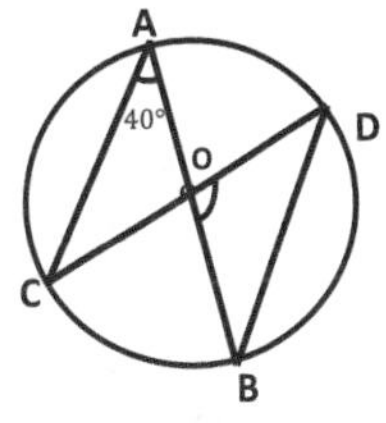

(a)90° (b)100°
(c)120° (d)80°

157. दी गई आकृति में वृत्त का केन्द्र O है। यदि $\angle AOC = 130^0$ तब $\angle ABC$ है–

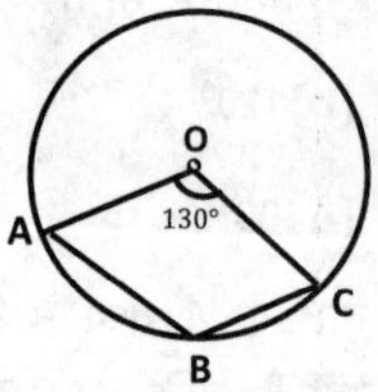

(a) 115^0 (b) 65^0

(c) 100^0 (d) 130^0

158. दी गई आकृति में ΔABC तथा BDC का परिवृत्त खींचा गया है जो इस प्रकार है कि $\angle BAC = 50^0$ तथा $\angle DBC = 60^0$ तब $\angle BCD$ =?

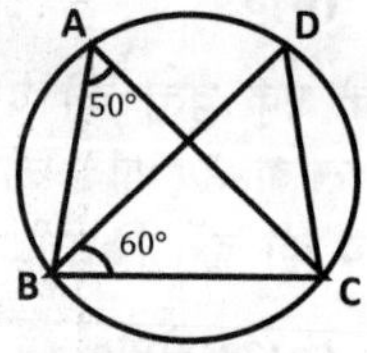

(a) 80^0 (b) 70^0

(c) 50^0 (d) 60^0

ANSWER

1.	b	35.	d	69.	a	103.	d	137.	a
2.	b	36.	c	70.	c	104.	b	138.	d
3.	c	37.	b	71.	d	105.	d	139.	c
4.	c	38.	c	72.	b	106.	a	140.	c
5.	b	39.	b	73.	d	107.	b	141.	a
6.	a	40.	c	74.	d	108.	c	142.	d
7.	c	41.	b	75.	c	109.	d	143.	d
8.	d	42.	c	76.	b	110.	c	144.	a
9.	a	43.	d	77.	d	111.	c	145.	d
10.	b	44.	c	78.	a	112.	a	146.	c
11.	c	45.	c	79.	a	113.	b	147.	b
12.	d	46.	d	80.	d	114.	d	148.	a
13.	b	47.	b	81.	c	115.	b	149.	c
14.	a	48.	d	82.	c	116.	a	150.	d
15.	d	49.	a	83.	b	117.	b	151.	d
16.	a	50.	b	84.	c	118.	d	152.	a
17.	d	51.	c	85.	a	119.	d	153.	d
18.	d	52.	b	86.	c	120.	c	154.	d
19.	d	53.	b	87.	b	121.	d	155.	c
20.	d	54.	a	88.	b	122.	d	156.	b
21.	a	55.	d	89.	c	123.	a	157.	a
22.	b	56.	b	90.	d	124.	d	158.	b
23.	b	57.	d	91.	d	125.	d		
24.	b	58.	c	92.	b	126.	c		
25.	b	59.	a	93.	c	127.	a		
26.	a	60.	c	94.	c	128.	b		
27.	c	61.	a	95.	c	129.	b		
28.	c	62.	c	96.	a	130.	a		
29.	d	63.	c	97.	a	131.	b		
30.	b	64.	a	98.	d	132.	c		
31.	b	65.	b	99.	b	133.	c		
32.	a	66.	b	100.	b	134.	a		
33.	a	67.	a	101.	a	135.	b		
34.	a	68.	c	102.	d	136.	c		

Explanatory Notes

1. Solⁿ : b. $\angle A + \angle B + \angle C = 180^0$____$(i)$

घटाने पर $\angle A + \frac{1}{2}\angle B + \angle C = 140^0$____$(ii)$

$\frac{1}{2}\angle B = 40$

$\angle B = 40 \times 2 = 80^0$

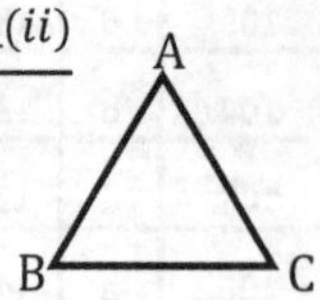

2. Solⁿ : b. $(x + 15) + \left(\frac{6x}{5} + 6\right) + \left(\frac{2x}{3} + 30\right) = 180$

$x + \frac{6x}{5} + \frac{2x}{3} = 180 - 51 = 129$

$\frac{15x + 18x + 10x}{15} = 129$

$43x = 129 \times 15$

$x = 3 \times 15 = 45^0$

I कोण $= x + 15 = 45 + 15 = 60$

II कोण $= \frac{6 \times 45}{5} + 6 = 54 + 6 = 60$

∴ त्रिभुज, समबाहु Δ होगा।

3. Solⁿ : c. $(2x - 8) + (2x + 18) + 6x = 180$

$10x + 10 = 180$

$10x = 170$

$x = 17$

$\therefore 3x = 3 \times 17 = 51$

4. Solⁿ : c. $(x + 5) + (2x - 3) + (3x + 4) = 180$

$6x + 6 = 180$

$6x = 174$

$x = \frac{174}{6}$

$= 29^0$

5. Solⁿ : b.

$\angle A + \angle B = 70$_______(i)

जोड़ने पर $\angle B + \angle C = 130^0$______$(ii)$

$\angle A + \angle B + \angle C + \angle B = 200$

$180 + \angle B = 200$

$\angle B = 200 - 180 = 20^0$

समी० (i) से $\angle A + 20 = 70$

$\therefore \angle A = 50^0$

6. Solⁿ : a. $2\angle A = 3\angle B = 6\angle C$

Hidden method से,

$\angle A : \angle B : \angle C = 3 \times 6 : 2 \times 6 : 2 \times 3$

$= 18 : 12 : 6$

$= 3 : 2 : 1$

$(3 + 2 + 1)unit = 180^0$

$6\,unit = 180^0$

$\therefore 1\,unit = 30^0$

$\therefore \angle B = 2\,unit = 2 \times 30$

$= 60^0$

7. Solⁿ : c. $50 + x + y = 180$

$\therefore x + y = 130$_______(i)

$x - y = 30$_______(ii)

$2x = 160^0$

$x = 80^0$

समी० (i) से, $80 + y = 130$

$y = 50^0$

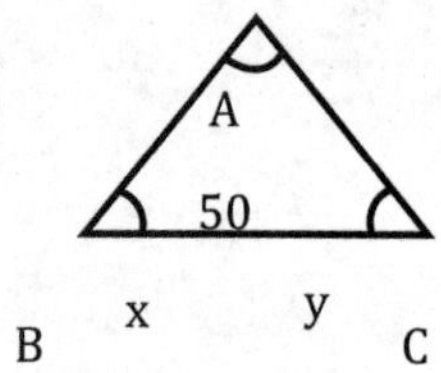

8. Solⁿ : d. $x + (3x + 20) + 6x = 180$

$10x + 20 = 180$

$10x = 160$

$x = 16$

$\therefore 6x = 6 \times 16 = 96^0$

अतः त्रिभुज अवश्य ही अधिक कोण त्रिभुज होगा।

9. Solⁿ : a. $(1 + 2 + 3)unit = 180^0$

$6\,unit = 180$

$1\,unit = 30^0$

सबसे बड़ा कोण $= 3\,unit = 3 \times 30 = 90^0$

$= 90 \times \frac{\pi}{180}$ रेडियन $\frac{\pi}{2}$ रेडियन

10. Solⁿ : b. $\therefore AB = AC$

$\angle C = \angle B = x$ (माना)

∵ बराबर भुजा के सम्मुख कोण बराबर होते हैं।

$\because \angle B = 2\angle A$

$x = 2\angle A \;\therefore\; \angle A = \frac{x}{2}$

$\angle A + \angle B + \angle C = 180$

$\frac{x}{2} + x + x = 180$

$\frac{x}{2} + 2x = 180$

$\frac{5x}{2} = 180$

$\therefore x = 180 \times \frac{2}{5} = 72^0$

$\therefore \angle C = x = 72^0$

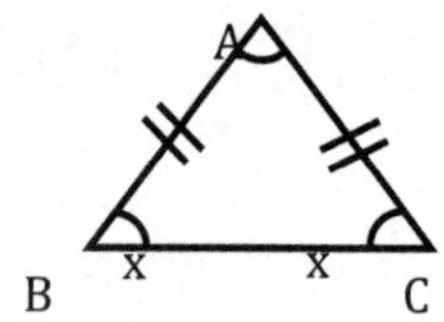

11. Solⁿ : c. $AB = AC$

$\angle C = \angle B = x$ (माना)

$\therefore 40 + x + x = 180^0$

$2x = 140$

$x = 70$

$\therefore \angle B$ पर बाह्य कोण $= 180 - x$

$= 180 - 70 = 110$

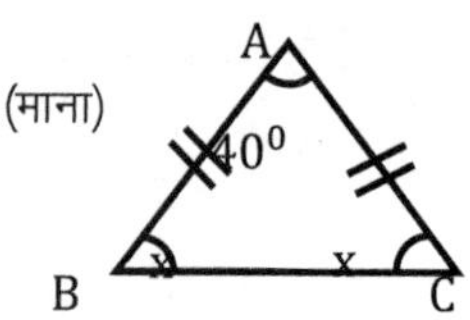

12. Solⁿ : d. $AB = BC$

$\angle C = \angle A = (2x - 20)^0$

$\therefore \angle A + \angle B + \angle C = 180$

$(2x - 20) + x + (2x - 20) = 180$

$5x - 40 = 180$

$5x = 220$

$x = \frac{220}{5} = 44^0$

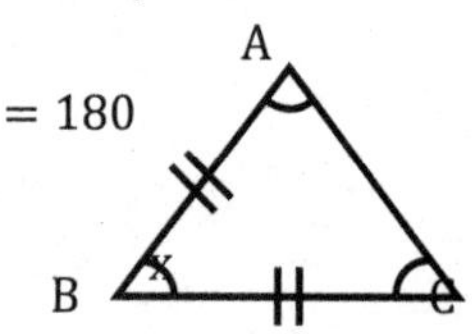

$\therefore \angle B = x = 44^0$

13. **Sol^n : b.** ∵ त्रिभुज में दो भुजाओं का योग, तीसरी भुजा से बड़ा होता है परन्तु विकल्प (b) में

$(5 + 8) < 15$

अतः इस स्थिति में त्रिभुज बनना सम्भव नहीं है।

14. **Sol^n : a.** ∵ त्रिभुज में दो भुजाओं का योग, तीसरी भुजा से बड़ा होता है

∴ तीसरी भुजा 3.4 cm नहीं हो सकता

क्योंकि $(1.5 + 3.4) < 5$

$4.9 < 5$

अतः इस स्थिति में त्रिभुज बनना सम्भव नहीं है।

15. **Sol^n : d.** दी गई भुजा निम्न है–

1.2 सेमी, 4.2 सेमी. 5.9 सेमी तथा 8.1 सेमी.

I स्थिति : $(4.2 + 5.9) > 8.1$

शेष अन्य स्थितियों से Δ नहीं बन सकता

क्योंकि $(1.2 + 4.2) < 5.9$ [अतः Δ सम्भव नही है]

$(1.2 + 5.9) < 8.1$ [अतः Δ सम्भव नही है]

$(1.2 + 4.2) < 8.1$ [अतः Δ सम्भव नही है]

16. **Sol^n : a.** ∵ त्रिभुज में दो भुजाओं का योग, तीसरी भुजा से बड़ा होता है–

$\therefore (2P - 1) + (2P + 2) > 13$

$4P + 1 > 13$

$4P > 12$

$\therefore P > 3$

17. **Sol^n : d.** त्रिभुज में दो भुजाओं का योग तीसरी भुजा से बड़ा होता है।

∴ दिये गये भुजाओं (5 सेमी0, 9 सेमी0) में त्रिभुज की रचना के लिये तीसरी भुजा 6 सेमी होना चाहिये।

18. **Sol^n : d.** किसी त्रिभुज में दो कोणों का योग तीसरे कोण से बड़ा होता है यह कथन असत्य है।

क्योंकि Δ में दो कोणों का योग, तीसरे कोण के बराबर या तीसरे कोण से कम या तीसरे कोण से अधिक हो सकता है।

19. **Sol^n : d.** त्रिभुज के सभी कोणों का योग 180^0 होता है अतः केवल कथन (d) सत्य है, शेष सभी कथन असत्य है

20. **Sol^n : d.** $\angle B = 180 - 150 = 30^0$

$\therefore AB = AC$

$\angle C = \angle B = 30^0$

$\therefore$ ΔABC में,

$\angle BAC + 30 + 30 = 180^0$

$\angle BAC = 180 - 60 = 120^0$

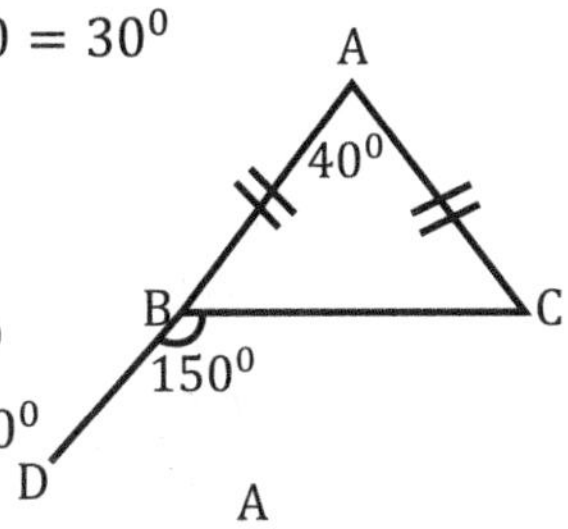

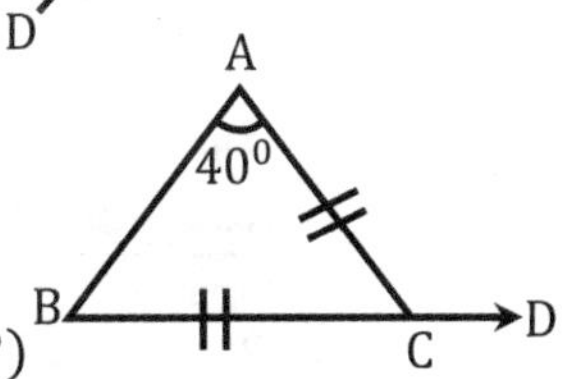

21. **Sol^n : a.** $AC = BC$

अतः $\angle B = \angle A = 40^0$

$\therefore \angle C = 180 - (\angle A + \angle B)$

$\angle C = 180 - (40 + 40) = 100$

$\therefore \angle ACD = 180 - 100 = 80$

अतः $2\angle ACD + 3\angle B$

$= 2 \times 80 + 3 \times 40 = 160 + 120 = 280^0$

22. **Sol^n : b.** $\angle ABC = \frac{1}{2} \angle CAB$

या, $\frac{\angle ABC}{\angle CAB} = \frac{1}{2}$

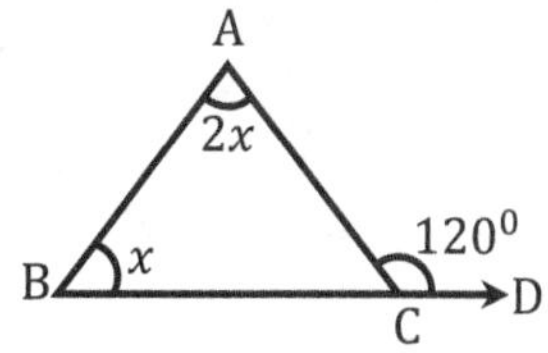

माना, $\angle ABC = x$

तथा $\angle CAB = 2x$

$x + 2x = 120$

$3x = 120$

$x = 40^0$

$\therefore \angle ABC = x = 40^0$

23. **Sol^n : b.** ΔABC में,

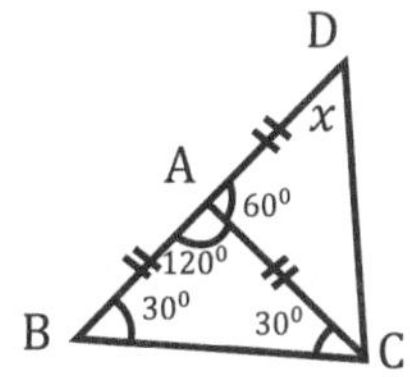

$AB = AC$

अतः $\angle C = \angle B = 30$

$\therefore \angle A = 180 - (30 + 30)$

$\angle A = 120$

$\angle CAD = 180 - 120 = 60^0$

ΔADC में, $AC = AD$

$\angle D = \angle ACD = x$ (माना)

$60 + x + x = 180$

$\therefore 2x = 120$

$x = 60$

$\therefore \angle BCD = 30 + x = 30 + 60 = 90^0$

24. **Sol^n : b.** $\angle B = \frac{1}{2}\angle A$

$\therefore \frac{\angle B}{\angle A} = \frac{1}{2}$

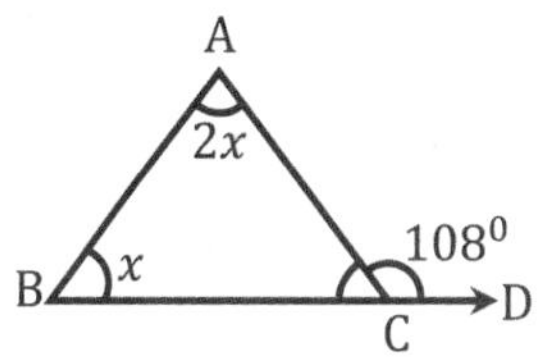

माना, $\angle B = x$

तथा $\angle A = 2x$

$x + 2x = 108$

$3x = 108$

$x = 36^0$

$\therefore \angle A = 2x = 2 \times 36 = 72^0$

25. **Sol^n : b.** ΔABC में

$(2x - 5) + (5x + 5) + (3x + 50) = 180^0$

$10x + 50 = 180$

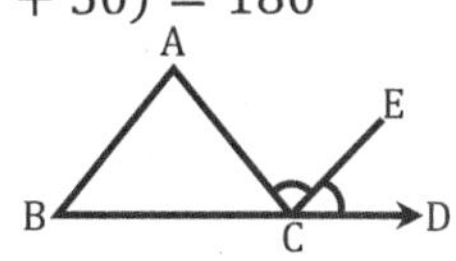

$10x = 130$

$x = 13$

$\angle C = 3x + 50 = 3 \times 13 + 50$

$\angle C = 89^0$

$\angle ACD = 180 - 89 = 91^0$

$\therefore \angle ECD = \frac{1}{2}\angle ACD = \frac{91}{2} = 45\frac{1}{2}^0$

26. **Sol^n : a.** $\angle BOC = 90 + \frac{\angle A}{2}$

$= 90 + \frac{100}{2}$

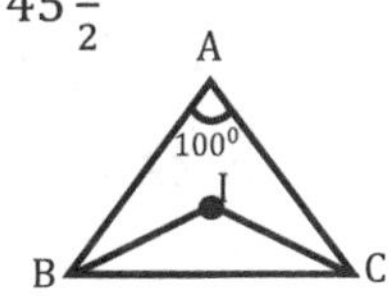

$= 90 + 50 = 140^0$

27. Sol^n : c. $\angle BIC = 90 + \frac{\angle A}{2}$

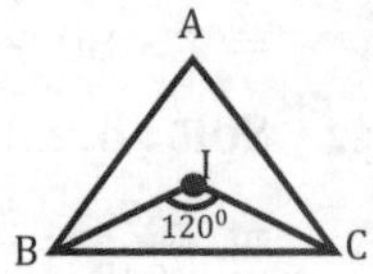

$120 = 90 + \frac{\angle A}{2}$

या, $\frac{\angle A}{2} = 120 - 90 = 30$

$\therefore \angle A = 30 \times 2 = 60^0$

28. Sol^n : c. $\angle A = 180 - (70 + 50$

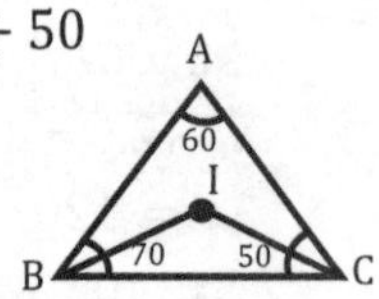

$\angle A = 60^0$

$\angle BIC = 90 + \frac{\angle A}{2}$

$= 90 + \frac{60}{2} = 120^0$

29. Sol^n : d. $\angle BOC = 90 + \frac{\angle A}{2}$

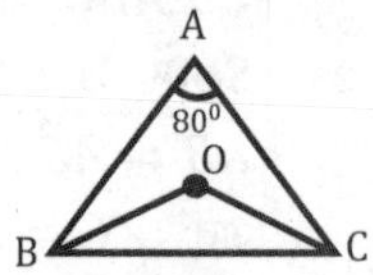

$= 90 + \frac{80}{2}$

$= 90 + 40 = 130^0$

30. Sol^n : b. $\angle BIC = 90 + \frac{\angle A}{2}$

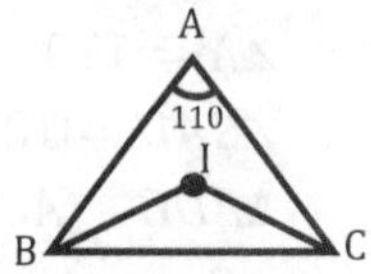

$= 90 + \frac{110}{2}$

$=90 + 55$

$=145^0$

31. Sol^n : b. $\angle BPC = 90 + \frac{\angle A}{2}$

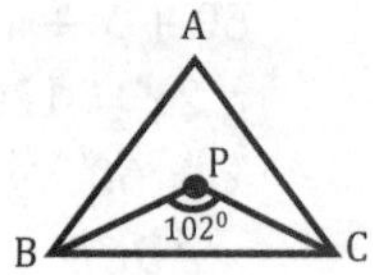

$102 = 90 + \frac{\angle A}{2}$

या, $\frac{\angle A}{2} = 102 - 90$

$\therefore \angle A = 12 \times 2 = 24^0$

32. Sol^n : a. $\angle BOC = 90 - \frac{\angle A}{2}$

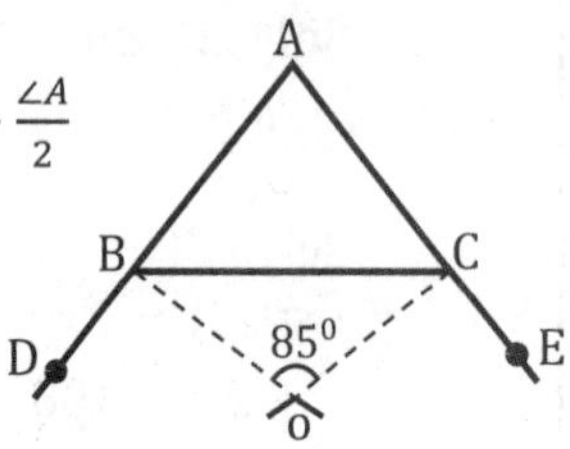

$85 = 90 - \frac{\angle A}{2}$

या, $\frac{\angle A}{2} = 90 - 85 = 5$

$\therefore \angle A = 5 \times 2 = 10^0$

Note : किसी त्रिभुज में दो कोणों के बाह्य समद्विभाजक से बना कोण समकोण और तीसरे कोण के आधे के अन्तर के समान होता है।

33. Sol^n : a. $\angle BOC = 90 - \frac{\angle A}{2}$

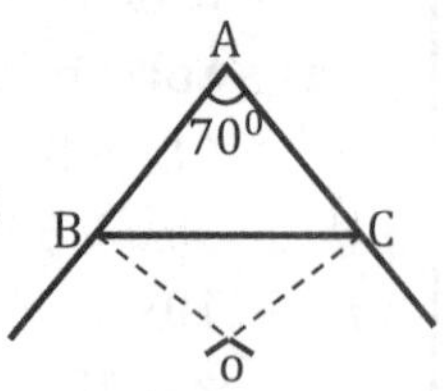

$\angle BOC = 90 - \frac{70}{2} = 90 - 35$

$\angle BOC = 55$

34. Sol^n : a. Note : किसी Δ में एक कोण के अन्तः समद्विभाजक और दूसरे कोण के बाह्य समद्विभाजक से बना कोण तीसरे कोण का आधा होता है।

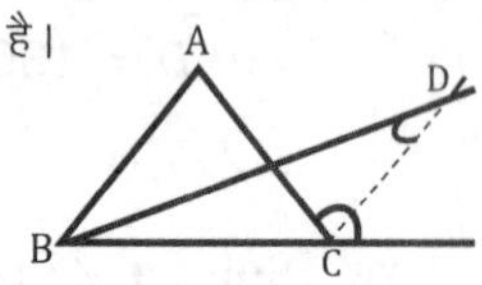

$\therefore \angle BDC = \frac{1}{2}\angle A$

$50 = \frac{1}{2}\angle A$

$\therefore \angle A = 50 \times 2 = 100^0$

35. Sol^n : d. Note : दो समरूप Δ के क्षेत्रफल का अनुपात इनके संगत भुजा के अनुपात के वर्ग के बराबर होता है

$\therefore \frac{ar\Delta ABC}{ar\Delta RPQ} = \frac{4}{9}$

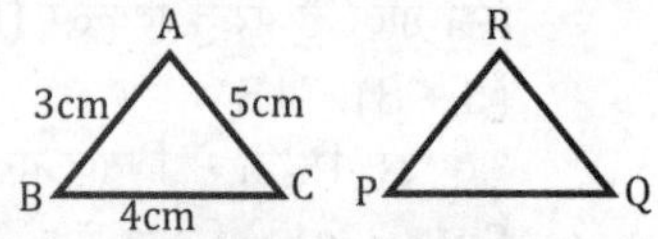

$\Delta ABC \sim \Delta RPQ$

$\left(\frac{AB}{RP}\right)^2 = \left(\frac{4}{9}\right)$

$\frac{3}{RP} = \sqrt{\frac{4}{9}} = \frac{2}{3}$

$\therefore 2RP = 3 \times 3$

$\therefore RP = \frac{9}{2} = 4.5\ cm$

36. Sol^n : c. $\Delta ADE \sim \Delta ABC$

$\because \angle A = \angle A\ Common$

$\angle ADE = \angle ABC$ (संगत कोण)

$\angle AED = \angle ACB$ (संगत कोण)

$\because$ दो समरूप त्रिभुज में संगत भुजायें समानुपाती होती है

अतः $\frac{AD}{AB} = \frac{AE}{AC}$

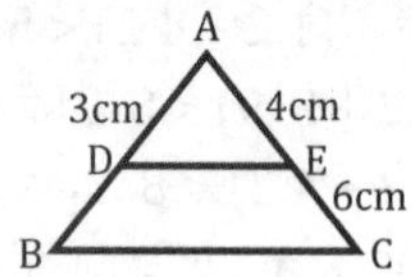

$\frac{3}{x} = \frac{4}{10}$

$4x = 30$

$\therefore x = 7.5\ cm$

$\therefore BD = AB - AD$

$= x - 3 = 7.5 - 3 = 4.5\ cm$

37. Sol^n : b. $\Delta ABC \sim \Delta DEF$

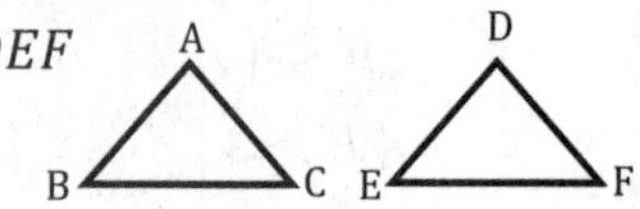

$\therefore \frac{ar\Delta ABC}{ar\Delta DEF} = \left(\frac{AB}{DE}\right)^2$

$\therefore \frac{ar\Delta ABC}{ar\Delta DEF} = \left(\frac{10}{8}\right)^2 = \left(\frac{5}{4}\right)^2 = \frac{25}{16}$

38. Sol^n : c. $\Delta ABC \sim \Delta DEF$

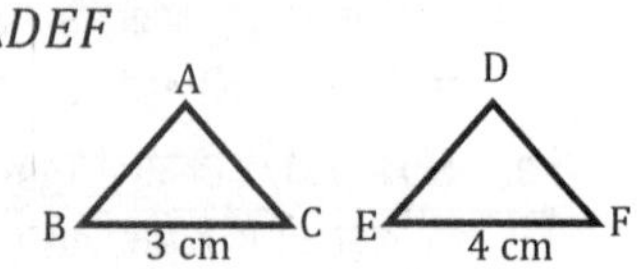

$\frac{ar\Delta ABC}{ar\Delta DEF} = \left(\frac{BC}{EF}\right)^2$

$\frac{54}{ar\Delta DEF} = \left(\frac{3}{4}\right)^2 \frac{9}{16}$

$9 \times ar\Delta DEF = 16 \times 54$

$\therefore ar\Delta DEF = 16 \times 6 = 96\ cm^2$

39. Sol^n : b. $\frac{ar\Delta ABC}{ar\Delta DEF} = \left(\frac{AB}{DE}\right)^2$

$\frac{20}{45} = \left(\frac{5}{DE}\right)^2 = \frac{25}{(DE)^2}$

$20 \times (DE)^2 = 25 \times 45$

$(DE)^2 = \frac{25\times45}{20} = \frac{225}{4}$

$\therefore DE = \sqrt{\frac{225}{4}} = \frac{15}{2} = 7.5\ cm$

40. Sol^n : c. दो समरूप Δ के क्षेत्रफल का अनुपात इनके संगत भुजा के अनुपात के वर्ग के बराबर होता है अतः

$\frac{\text{I त्रिभुज का क्षे0}}{\text{II त्रिभुज का क्षे0}} = \left(\frac{8}{x}\right)^2$

$\frac{360}{250} = \frac{64}{x^2}$

$36 \times x^2 = 64 \times 25$

$x^2 = \frac{64 \times 25}{36}$

$x = \sqrt{\frac{64 \times 25}{36}} = \frac{8 \times 5}{6} = \frac{20}{3}$

$x = 6\frac{2}{3}$ सेमी0

41. **Sol^n : b.** माना, $ar\Delta ADE = x$ वर्ग इकाई

$\therefore ar\Delta ABC = 2x$ वर्ग इकाई

$\frac{ar\Delta ADE}{ar\Delta ABC} = \left(\frac{AD}{AB}\right)^2$

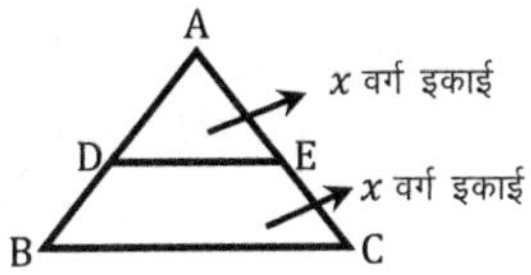

$ar\Delta ABC = x + x = 2x$ वर्ग इकाई

$\sqrt{\frac{x}{2x}} = \frac{AD}{AB}$

$\therefore \frac{AD}{AB} = \frac{1}{\sqrt{2}}$

$\therefore \frac{AD}{BD} = \frac{AD}{AB-AD} = \frac{1}{\sqrt{2}-1}$

42. **Sol^n : c.** $\Delta ADE \sim \Delta ABC$

माना, $ar\Delta ADE = x$ वर्ग इकाई

$\therefore ar\ \Delta ABC = 2x$ वर्ग इकाई

$\frac{ar\Delta ADE}{ar\Delta ABC} = \left(\frac{AD}{AB}\right)^2$

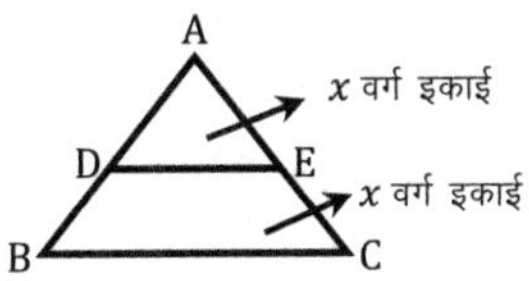

$\sqrt{\frac{x}{2x}} = \frac{AD}{AB}$

या, $\frac{AD}{AB} = \frac{1}{\sqrt{2}}$

$\frac{DB}{AB} = \frac{AB-AD}{AB} = \frac{\sqrt{2}-1}{\sqrt{2}}$

43. **Sol^n : d.** $\Delta ABC \sim \Delta FDE$

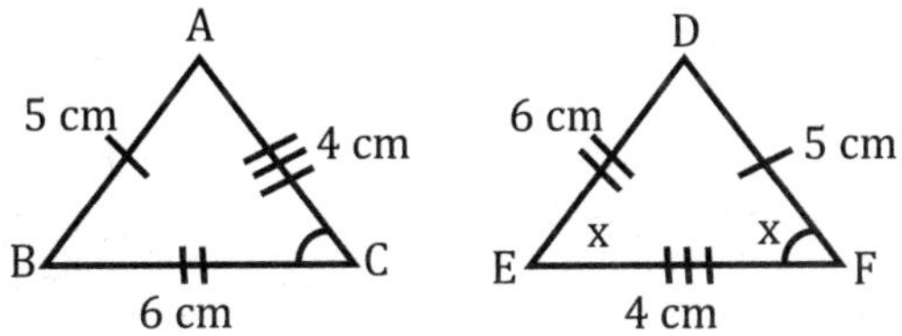

पुनः चित्र का अवलोकन करें

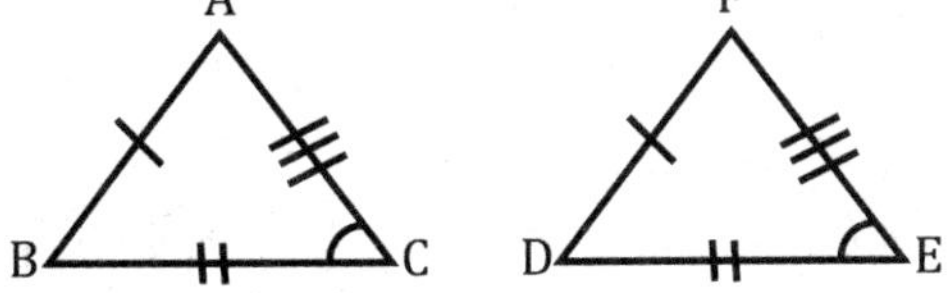

44. **Sol^n : c.**

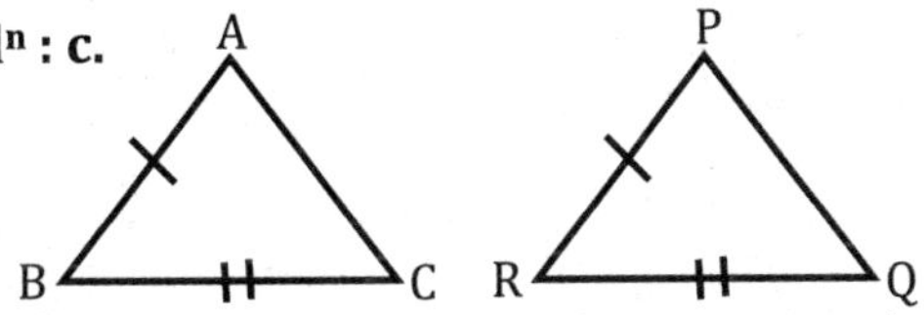

यदि दो त्रिभुजों की कोई दो भुजा और उनके बीच अन्तरित कोण बराबर हो तो Δ त्रिभुज S-A-S नियम से सर्वांगसम होंगे

अतः $\left.\begin{matrix} AB = PR \\ BC = RQ \end{matrix}\right\}$ दिया है

$\therefore \angle B = \angle R$ आवश्यक होगा

45. **Sol^n : c.** ΔABD तथा ΔACD में

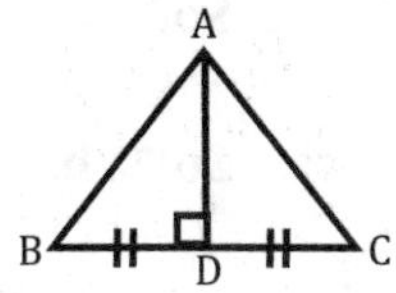

$AD \perp BC$

$\angle ADB = \angle ADC = 90^0$

$BD = CD$ (दिया है)

तथा $AD = AD = Common$ भुजा

$\therefore \Delta ABD \cong \Delta ACD (S - A - S$से)

46. **Sol^n : d.** $\because$ D, E और F क्रमशः भुजा BC, AC और AB के मध्य बिन्दु है अतः

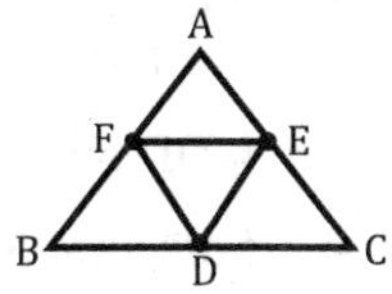

$ar\Delta DEF = \frac{1}{4} ar\Delta ABC$

47. **Sol^n : b.** $\therefore$ D, E और F क्रमशः भुजा BC, AC और AB के मध्य बिन्दु है अतः

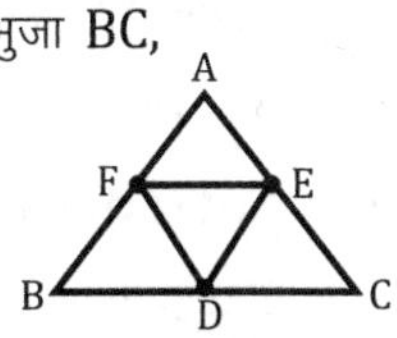

$ar\Delta DEF = \frac{1}{4} ar\Delta ABC$

$= \frac{1}{4} \times 24 = 6cm^2$

48. **Sol^n : d.** $\because AD, BC$ का आधा है

अतः BD = CD = AD

ΔABD में

$\angle ABD = \angle BAD = 30^0$

(बराबर भुजा के सम्मुख कोण)

$\therefore \angle ADB = 180 - (2 \times 30) = 120^0$

$\therefore \angle ADC = 180 - 120 = 60^0$

ΔADC में, $AD = CD$

$\therefore \angle ACD = \angle CAD = x$ (माना)

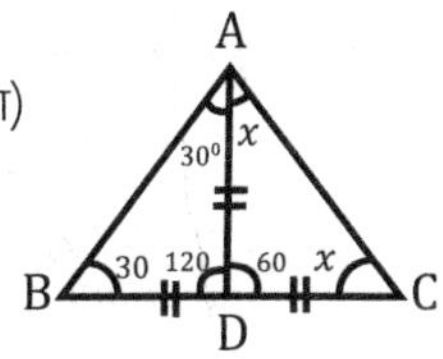

$\therefore x + x + 60 = 180$

$2x = 120$

$x = 60^0$

$\therefore \angle ACD = x = 60^0$

49. **Sol^n : a.** $\because \Delta ABC$ में 'G' गुरूत्व केन्द्र तथा माध्यिकायें क्रमशः AD, BE व CF है।

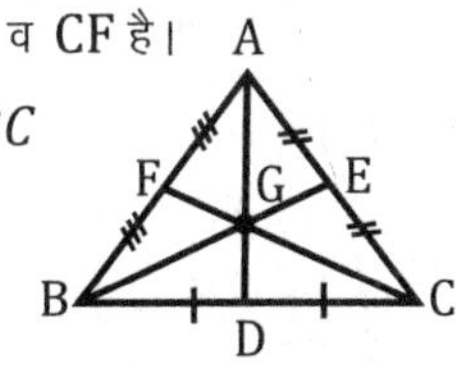

अतः $ar\Delta BDG = \frac{1}{6}\ ar\Delta ABC$

$= \frac{1}{6} \times 72$

$= 12cm^2$

50. **Sol^n : b.** $\because \Delta ABC$ की माध्यिकायें AD, BE और CF है तथा गुरूत्वकेन्द्र 'O' है

अतः चित्र में सभी (6) त्रिभुजों के क्षेत्रफल समान होंगे

$\therefore ar\Delta BOD = ar\Delta COD = ar\Delta COE = ar\Delta AOE$

$= ar\Delta AOF = ar\Delta BOF = 15cm^2$

$\therefore$ चतुर्भुज BDOF का क्षेत्रफल =2×15

$= 30cm^2$

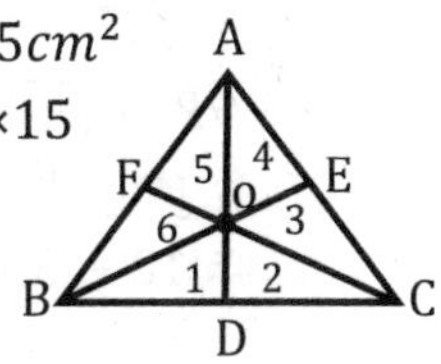

51. **Sol^n : c.** समबाहु त्रिभुज का लम्बकेन्द्र तथा केन्द्रक एक ही बिन्दु पर होता हैं।

52. **Sol^n : b.** समबाहु त्रिभुज के तीनों शीर्षाभिलम्ब बराबर होते हैं।

53. **Sol^n : b.** $\frac{AO}{OD} = \frac{2}{1}$

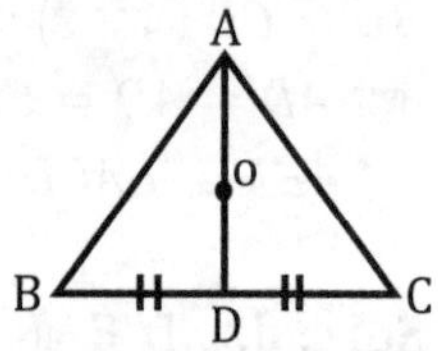

$\frac{10}{OD} = \frac{2}{1}$

$2 \times OD = 10$

$\therefore OD = \frac{10}{2} = 5cm$

54. **Sol^n : a.** समबाहु Δ की, परित्रिज्या (R) : अन्तः त्रिज्या (r)

$= \frac{a}{\sqrt{3}} : \frac{a}{2\sqrt{3}} = 1 : \frac{1}{2} = 2 : 1$

$\therefore$ अन्त त्रिज्या, परित्रिज्या का आधा होता है।

अतः अन्तः त्रिज्या (r) $= \frac{1}{2} \times 10 = 5\ cm$

55. **Sol^n : d.** समबाहु Δ की अन्तः त्रिज्या, $r = \frac{a}{2\sqrt{3}}$

$\frac{a}{2\sqrt{3}} = 3$

$\therefore a = 3 \times 2\sqrt{3} = 6\sqrt{3}$

$\therefore$ समबाहु Δ की माध्यिका $= \Delta$ की ऊँचाई

$= \frac{\sqrt{3}}{2} \times 6\sqrt{3} = 3 \times 3 = 9cm$

56. **Sol^n : b.** समकोण Δ का लम्बकेन्द्र, समकोण वाले शीर्ष पर बनता है।

57. **Sol^n : d.** DE//BC एवं DE $= \frac{1}{2}$ BC

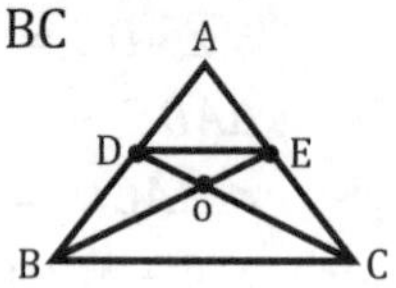

या $\frac{DE}{BC} = \frac{1}{2}$

$\therefore \Delta ODE \sim \Delta OBC$

$\therefore \frac{ar\Delta ODE}{ar\Delta OBC} = \left(\frac{DE}{BC}\right)^2 = \left(\frac{1}{2}\right)^2 = \frac{1}{4}$

चित्र में, $ar\Delta OBC = \frac{1}{3}\ ar\Delta ABC$

$4 \times ar\Delta ODE = \frac{1}{3}\ ar\Delta ABC$

$\frac{ar\Delta ODE}{ar\Delta ABC} = \frac{1}{3} \times \frac{1}{4} = \frac{1}{12}$

58. **Sol^n : c.** समकोण Δ OQP में

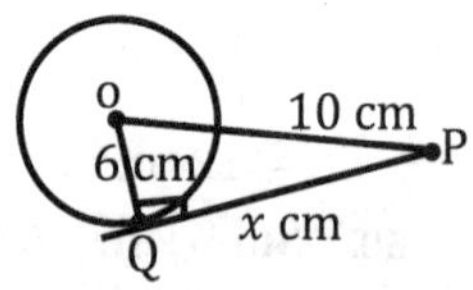

$(10)^2 = (6)^2 + x^2$

या, $x^2 = 100 - 36 = 64$

$\therefore x = 8cm$

59. **Sol^n : a.** समकोण $\Delta\ OQP$ में,

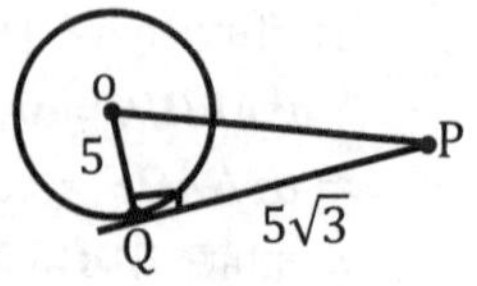

$OP = \sqrt{5^2 + \left(5\sqrt{3}\right)^2}$

$= \sqrt{25 + 75}$

$OP = \sqrt{100} = 10\ unit$

$\therefore$ वृत्त से बिन्दु की दूरी = OP- त्रिज्या

$= 10 - 5 = 5\ unit$

60. **Sol^n : c.** समकोण $\Delta\ OPX$ में,

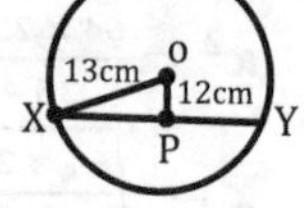

$XP = \sqrt{(OX)^2 - (OP)^2}$

$\sqrt{(13)^2 - (12)^2}$

$= \sqrt{169 - 144} = \sqrt{25} = 5cm$

$\therefore$ जीवा XY $= 2 \times 5 = 10$ cm

61. **Sol^n : a.** समकोण $\Delta\ OEA$ में

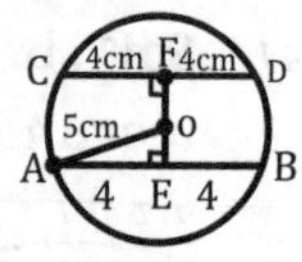

$OE = \sqrt{(5)^2 - (4)^2}$

$OE = \sqrt{25 - 16} = \sqrt{9} = 3cm$

$\therefore OE = OF = 3cm$

$\therefore$ जीवाओं के बीच की दूरी, EF = OE + OF

$= 3 + 3 = 6cm$

62. **Sol^n : c.** समकोण ΔOPA में

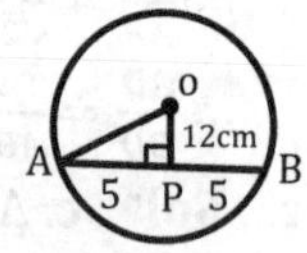

$OA = \sqrt{12^2 + 5^2}$

$OA = \sqrt{169} = 13cm$

$\therefore$ व्यास $= 2 \times OA = 2 \times 13 = 26cm$

63. **Sol^n : c.** समकोण ΔOPA में

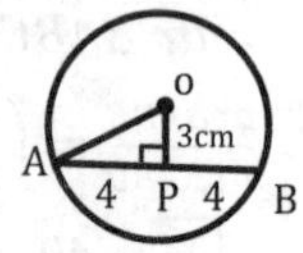

$OA = \sqrt{3^2 + 4^2}$

$OA = \sqrt{25} = 5cm$

64. **Sol^n : a.** समकोण ΔOPA में

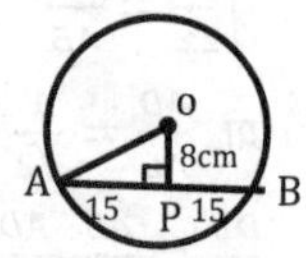

$OA = \sqrt{8^2 + 15^2}$

$= \sqrt{64 + 225} = \sqrt{289}$

$OA = 17cm$

$AP = PB = \frac{30}{2} = 15cm$

65. **Sol^n : b.** $AE = EB = \frac{30}{2} = 15cm$

$CF = FD = \frac{16}{2} = 8cm$

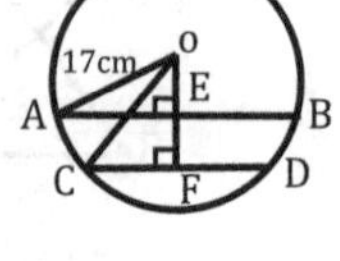

समकोण $\Delta\ OEA$ में,

$OE = \sqrt{(17)^2 - (15)^2}$

$OE = \sqrt{289 - 225} = \sqrt{64} = 8cm$

समकोण ΔOFC में,

$OF = \sqrt{(17)^2 - (8)^2}$

$OF = \sqrt{289 - 64} = \sqrt{225} = 15cm$

$\therefore$ जीवाओं के बीच की दूरी EF = OF – OE

$= 15 - 8 = 7cm$

66. **Sol^n : b.** AE = EB $= \frac{8}{2} = 4\ cm$

CF = FD $= \frac{6}{2} = 3cm$

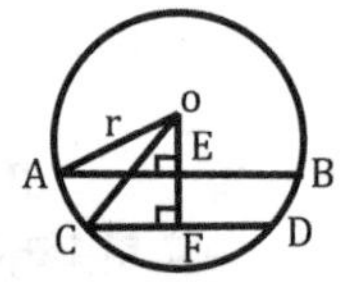

माना, OE $= x\ cm$

तब OF = OE + EF $= (x + 1)cm$

समकोण ΔOEA में, $r = \sqrt{x^2 + 4^2} - (i)$

समकोण ΔOEA में, $r = \sqrt{(x+1)^2 + 3^2} - (ii)$

$\therefore \sqrt{x^2 + 16} = \sqrt{x^2 + 1 + 2x + 9}$

या, $x^2 + 16 = x^2 + 2x + 10$
या, $2x = 16 - 10 = 6$
$\therefore x = 3cm$ यह मान समी० (i) में रखने पर
$r = \sqrt{3^2 + 4^2} = \sqrt{25} = 5cm$

67. **Sol^n : a.** $CE = ED = \frac{8}{2} = 4cm$

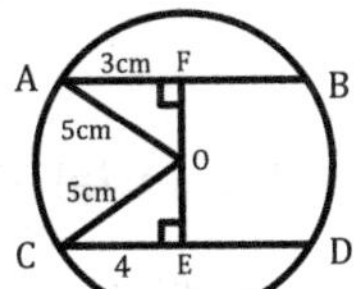

$AF = FB = \frac{6}{2} = 3cm$
समकोण ΔOFA में,
$OE = \sqrt{5^2 - 3^2} = \sqrt{16} = 4cm$
$\therefore$ जीवाओं के बीच की दूरी, EF = OE + OF
$= 3 + 4 = 7cm$

68. **Sol^n : c.** $PE = EQ = \frac{16}{2} = 8cm$

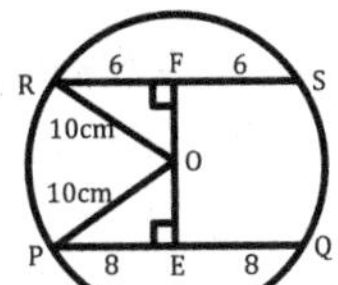

$RF = FS = \frac{12}{2} = 6cm$
समकोण $\Delta\, OEP$ में,
$OE = \sqrt{(10)^2 - 8^2} = \sqrt{36} = 6cm$
समकोण $\Delta\, OFR$ में,
$OF = \sqrt{10^2 - 6^2} = \sqrt{64} = 8cm$
$\therefore$ जीवाओं के बीच की दूरी, EF = OE + OF
$= 6 + 8 = 14\ cm$

69. (a)$CE = ED = \frac{24}{2} = 12cm$
$AF = FB = \frac{10}{2} = 5cm$
$\because EF = 17cm$
$\therefore$माना, $OE = xcm$
तब $OF = (17 - x)$
समकोण Δ OEC में, $r = \sqrt{x^2 + 12^2}$ ----(i)
समकोण Δ OFC में, $r = \sqrt{(17-x)^2 + 5^2}$ ...(ii)
$\sqrt{x^2 + 144} = \sqrt{289 + x^3 - 34x + 25}$
$x^2 + 144 = x^2 - 34x + 314$
$34x = 314 - 144$
$x = \frac{170}{34} = 5$ यह मान (i) में रखने पर
$r = \sqrt{5^2 + 12^2} = \sqrt{169} = 13\ cm$

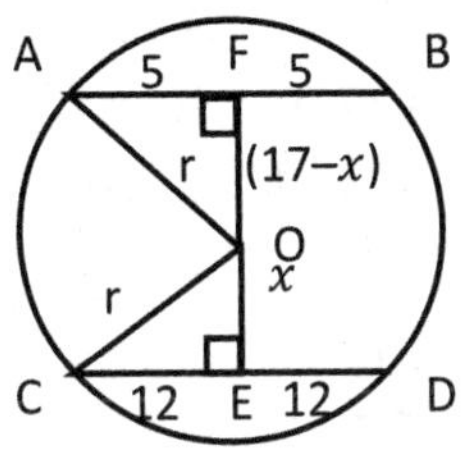

70. (c)$AB = OA = OB = r$
$\therefore \Delta\, OAB$ समबाहु Δ है।
$\angle$ APB = $\frac{1}{2} \times 60 = 30^o$
लघुचाप पर बना कोण $\angle AQB = ?$
$AQBP$ चक्रीय चतुर्भुज है
$\therefore \angle APB + \angle AQB = 180ù$
$30 + \angle AQB = 180$
$\therefore \angle AQB = 150ù$

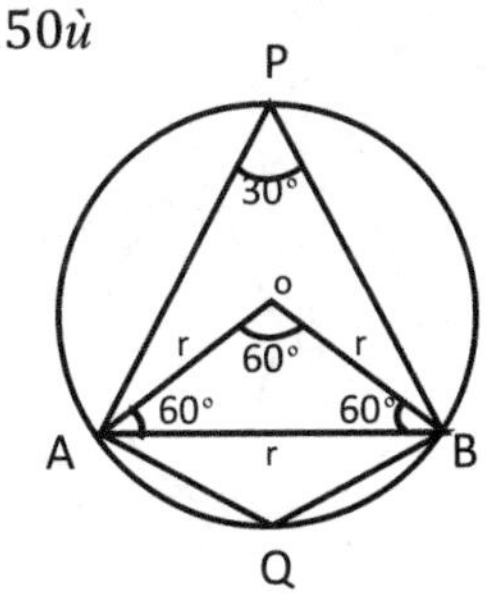

71. (d) $AB = OA = OB = r$
$\therefore \Delta OAB$ समबाहु त्रिभुज है
$\therefore$ दीर्घखण्ड में बना कोण
$\angle$ APB = $\frac{1}{2} \times \angle$ AOB
$= \frac{1}{2} \times 60 = 30ù$

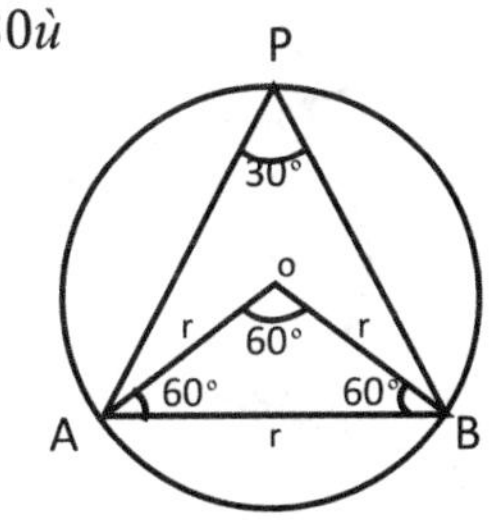

72. (b) जीवा, AB द्वारा केन्द्र पर बना कोण = 90°
$\therefore$ AB द्वारा परिधि पर कोण,
$\angle$ BCA = $\frac{1}{2} \times 90 = 45^o$
जीवा, AC द्वारा केन्द्र पर बना कोण = 110°
AC द्वारा परिधि पर कोण ,
$\angle$ CBA = $\frac{1}{2} \times 110 = 55ù$
ΔABC में,
$55 + 45 + \angle BAC = 180$
$\angle$ BAC = 180–100 = 80°

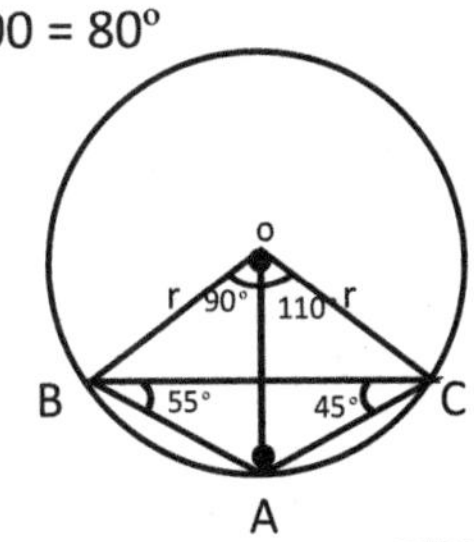

73. (d)

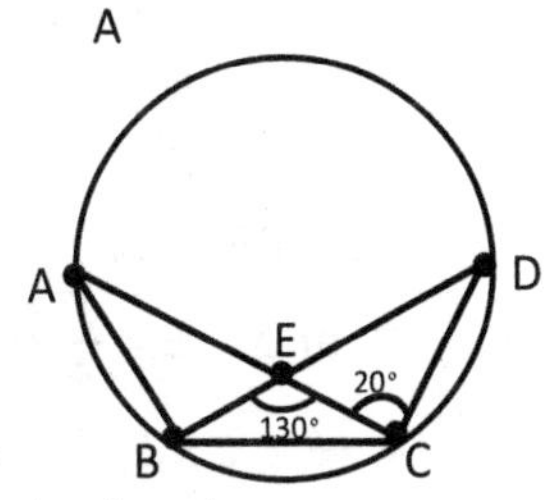

$\angle$DEC = 180 –130 = 50°
Δ ECD में,
50+20+$\angle$CDE = 180
$\angle$CDE = 110°
$\angle$ BAE = $\angle$ CDE = 110°
($\because$ एक ही चाप BC द्वारा बने कोण हैं)

74. (d) POQB एक चतुर्भुज है अत:

$90 + 90 + \angle POQ + 80 = 360$

$\angle POQ = 360 - 260$

$\angle POQ = 100^o$

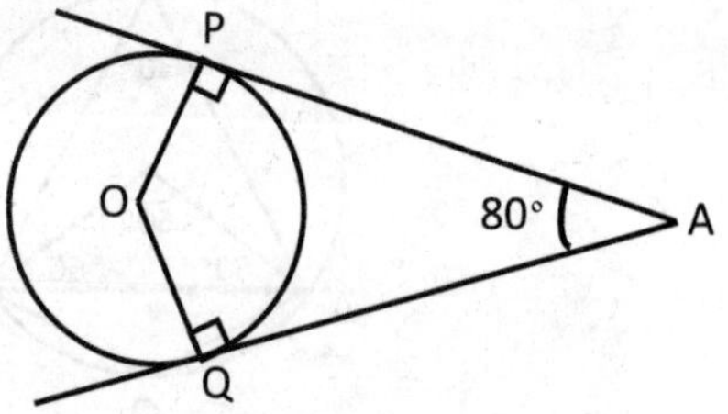

75. (c) $\angle POQ + \angle PAQ = 180$

$\angle POQ + 70 = 180$

$\angle POQ = 110^o$

$\angle AOP = \frac{1}{2} \angle POQ$

$= \frac{1}{2} \times 110 = 55^o$

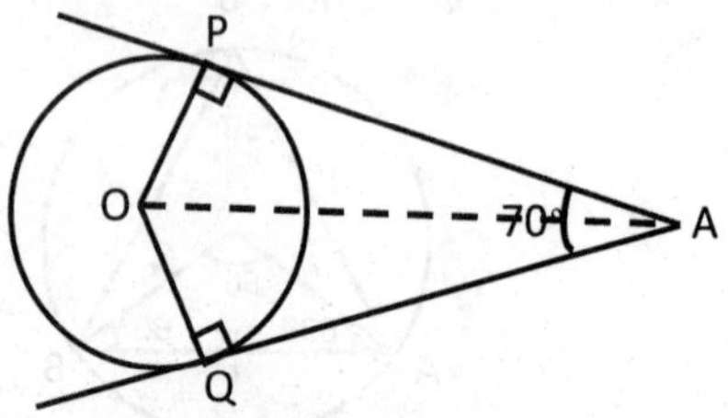

76. (b) $\angle AOB = 2\times50 = 100^o$

$\angle AOB + \angle APB = 180$

$100 + \angle APB = 180$

$\angle APB = 80^o$

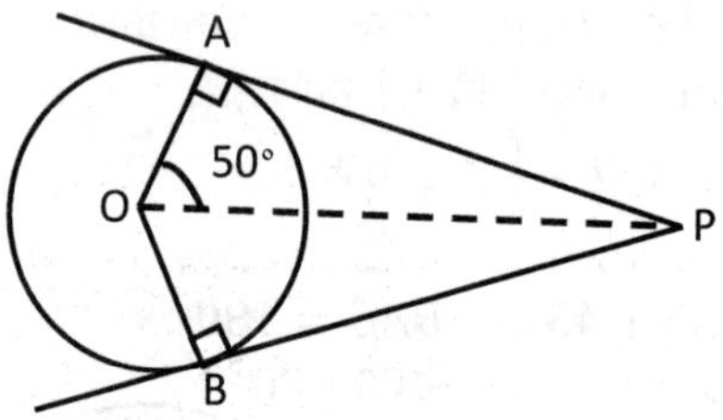

77. (d) ΔOAB में

$OA = OB = r$

$\therefore 120 + x + x = 180$

$2x = 60$

$x = 30$

$\therefore \angle PAB = 90 - 30 = 60^o$

$\angle PBA = 90 - 30 = 60^o$

$\angle APB = 180 - 120 = 60^o$

$\therefore \Delta APB$ समबाहु Δ है।

$\therefore$ ar $\Delta APB = \frac{\sqrt{3}}{4} \times$ भुजा^{2}

$= \frac{\sqrt{3}}{4} \times 6 \times 6$

$= 9\sqrt{3} cm^2$

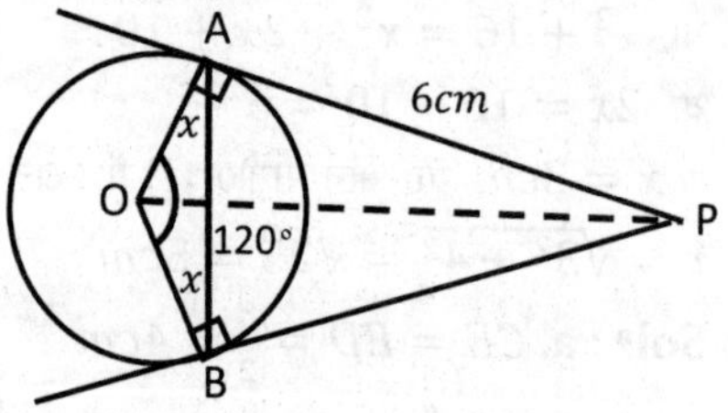

78. (a) समकोण Δ OPA में

$AP = \sqrt{(15)^2 - (9)^2}$

$AP = \sqrt{225 - 81} = \sqrt{144}$

$AP = 12$ cm

$\therefore$ जीवा, $AB = 2\times AP = 2\times12 = 24$ cm

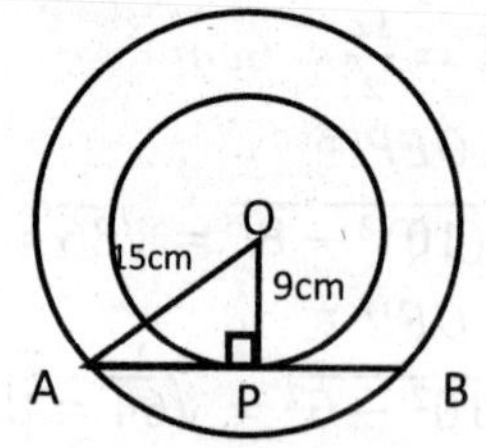

79. (a) समकोण Δ OPA में

$AP = \sqrt{(13)^2 - (5)^2}$

$AP = \sqrt{169 - 25} = \sqrt{144} = 12$cm

$\therefore$ जीवा, $AB = 2\times AP = 2\times12 = 24$ cm

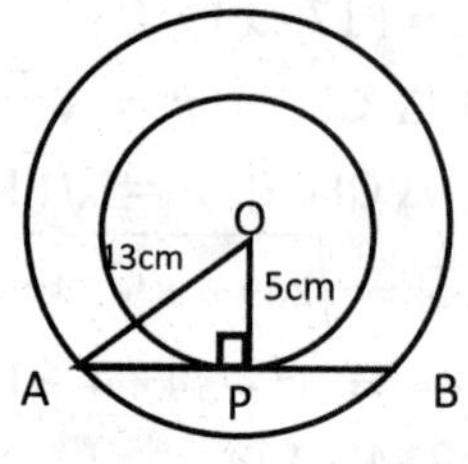

80. (d) $PA \times PB = PC \times PD$

$(6 + x) \times x = 8 \times 5$

$6x + x^2 = 40$

या, $x^2 + 6x - 40 = 0$

या, $x^2 + 10x - 4x - 40 = 0$

या, $x(x + 10) - 4(x + 10) = 0$

या, $(x + 10)(x - 4) = 0$

$\therefore x = 4cm$

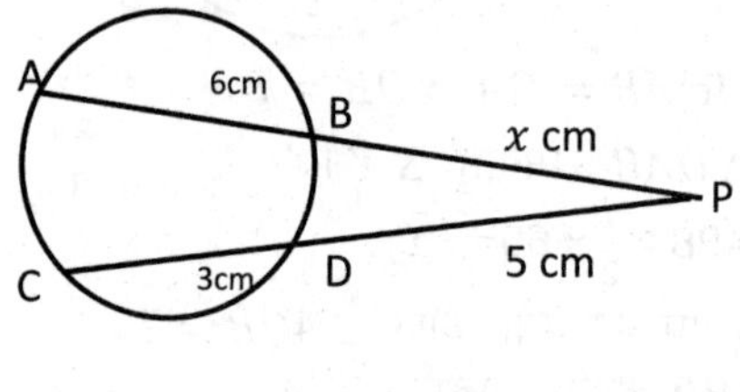

81. (c) $PB \times PA = PD \times PC$

$22 \times 10 = (x + 11) \times 11$

$(x + 11) = \frac{22\times10}{11} = 20$

$\therefore x = 20 - 11 = 9cm$

$\therefore PD = (11 + x) = 11 + 9 = 20cm$

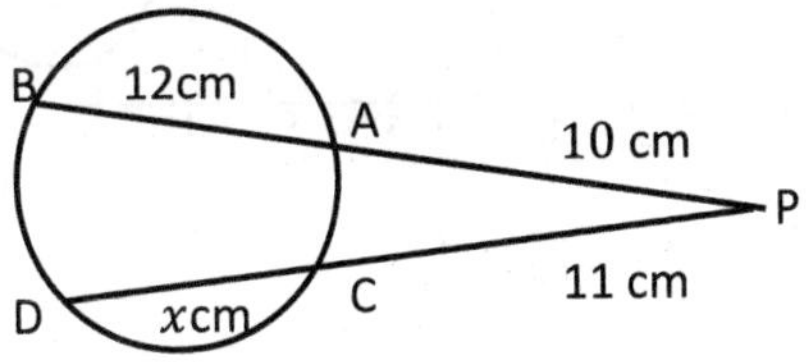

82. (c)$PA \times PB = PC \times PD$

$11 \times 5 = (x + 4) \times 4$

$(x + 4) = \frac{55}{4} = 13{\cdot}75$

$\therefore x = 13{\cdot}75 - 4 = 9{\cdot}75\ cm$

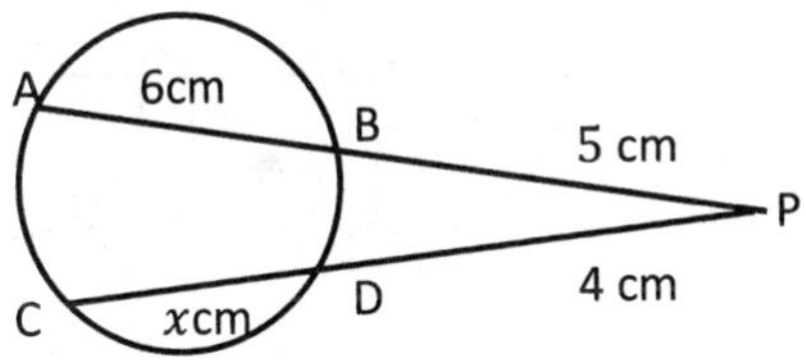

83. (b)$(PT)^2 = PC \times PB$

$(8)^2 = 4 \times (2r + 4)$

$\frac{64}{4} = 2r + 4$

$2r + 4 = 16$

$2r = 12$

$r = 6cm$

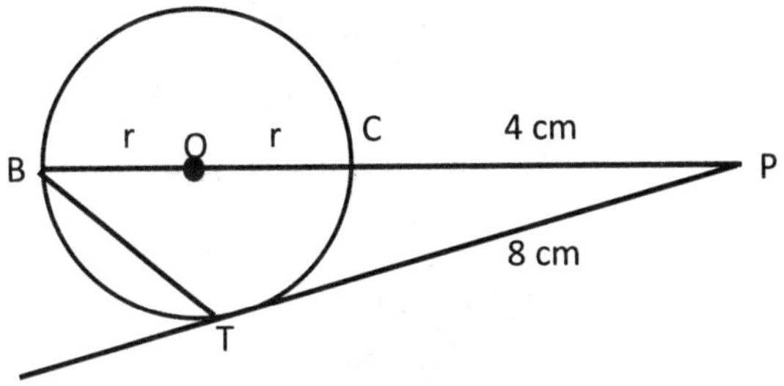

84. (c) $(PT)^2 = PA \times PB$

$(6)^2 = 4 \times (4 + x)$

$\frac{36}{4} = (4 + x)$

$4 + x = 9$

$\therefore x = 5$

समकोण Δ BTP में,

$BT = \sqrt{(4+5)^2 - 6^2}$

$= \sqrt{81 - 36} = \sqrt{45} = 3\sqrt{5}$

$\therefore OB = \frac{BT}{2} = \frac{3\sqrt{5}}{2}$

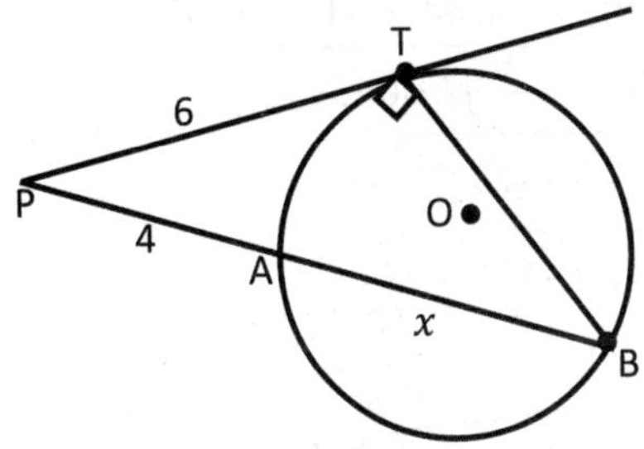

85. (a) $(PT)^2 = PA \times PB$

$(5)^2 = 4 \times (4 + x)$

$25 = 16 + 4x$

$4x = 9$

$x = \frac{9}{4} = 2{\cdot}25cm$

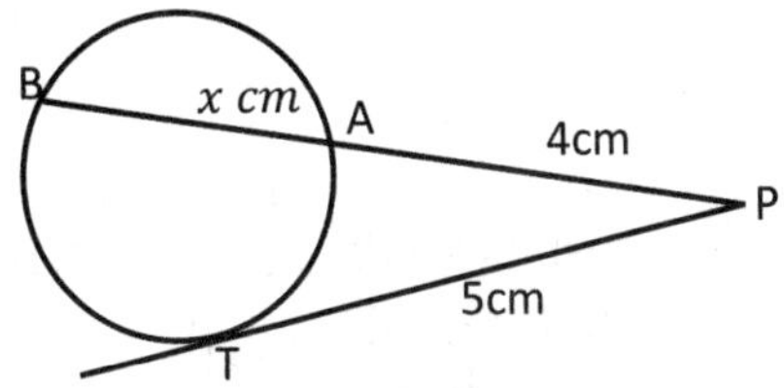

86. (c) जीवा AC द्वारा केन्द्र पर बना कोण, $\angle AOC = 50^o$

AC द्वारा परिधि पर कोण, $\angle ABC = 25^o$

जीवा BD द्वारा केन्द्र केन्द्र पर कोण, $\angle BOD = 40^o$

$\therefore$ BD द्वारा परिधि पर कोण, $\angle BCD = 20^o$

ΔCPB में,

$20 + 25 + \angle CPB = 180$

$\angle CPB = 180 - 45 = 135^o$

$\therefore \angle BPD = 180 - 135 = 45^o$

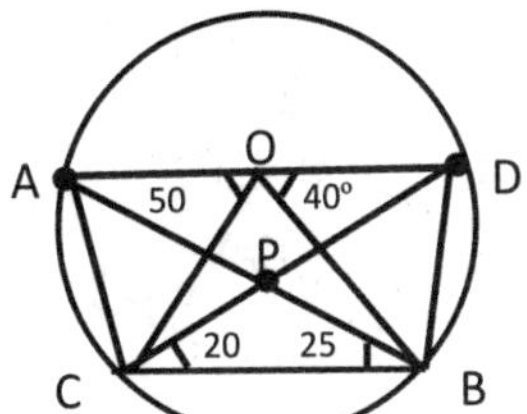

87. (b) $\angle APC = 70^o$

$\therefore \angle APD = 180 - 70 =$ 110ù

$\therefore \angle BPC = \angle APD = 110$ (शीर्षाभिमुख कोण

$\angle ADC = \angle ABC =$ 23ù

$\therefore \angle BCD = 180 - (110 + 23)$

$= 47$

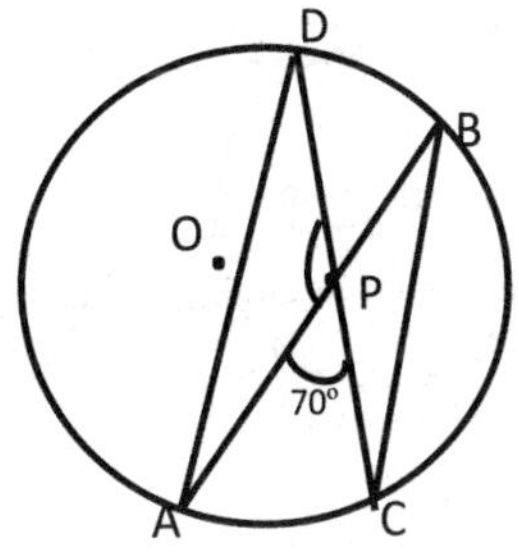

88. (b) उभयनिष्ठ स्पर्श रेखा की लम्बाई, $PQ = \sqrt{d^2 - (r_1 - r_2)^2}$

$= \sqrt{(34)^2 - (25-9)^2}$

$= \sqrt{1156 - 256}$

$= \sqrt{900}$

$= 30cm$

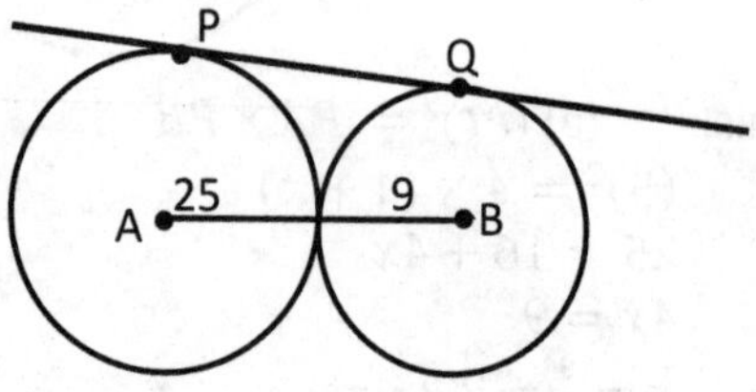

$d = AB = 25 + 9 = 34cm$

89. (c) जब दो वृत्त एक–दूसरे को बाह्यत: स्पर्श करते हों तो सामान्य स्पर्श रेखाओं की संख्या 3 होगी।

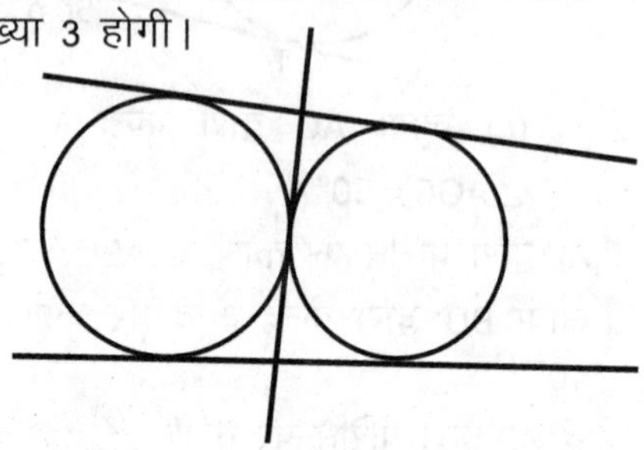

90. (d) समकोण Δ OQP में

$PQ = \sqrt{(10)^2 - (6)^2}$

$= \sqrt{100 - 36} = \sqrt{64} = 8cm$

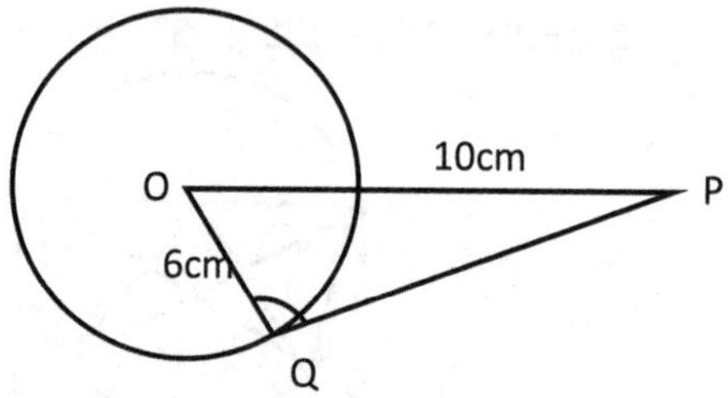

91. (d) सरल स्पर्श रेखा की लम्बाई,

$PQ = \sqrt{d^2 - (r_1 - r_2)^2}$

$= \sqrt{(13)^2 - (8-3)^2}$

$= \sqrt{169 - 25} = \sqrt{144} = 12cm$

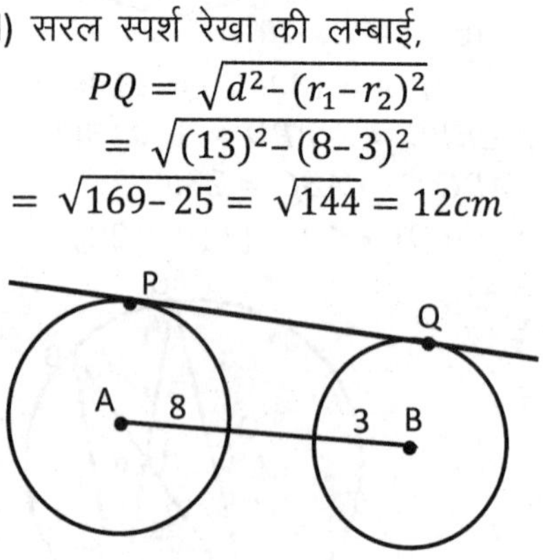

$d = AB = 13cm$

92. (b) $AB = BC = CA = 12cm$

$\therefore \Delta$ ABC, समबाहु त्रिभुज है

$\therefore AD$ की लम्बाई $=?$

अत: $AD = \frac{\sqrt{3}}{2} \times 12$

$6\sqrt{3}\ cm$

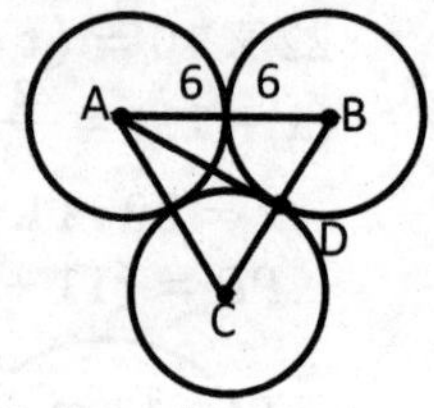

93. (c) अनुप्रस्थ स्पर्श रेखा की लम्बाई,

$= PQ = \sqrt{d^2 - (r_1 + r_2)^2}$

$= \sqrt{(10)^2 - (3+3)^2}$

$= \sqrt{100 - 36} = \sqrt{64} = 8cm$

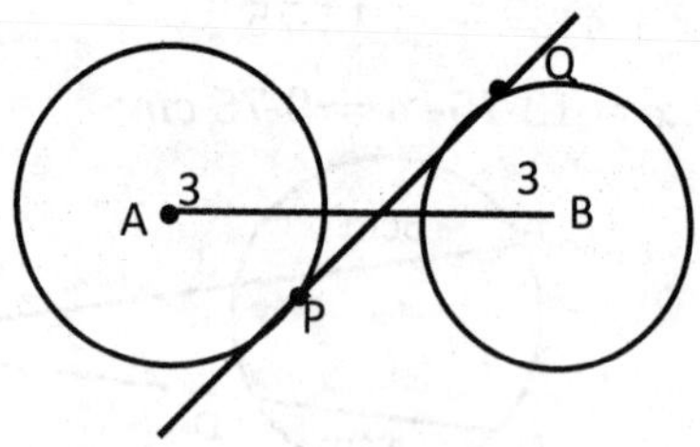

$d = AB = 10cm$

94. (c) उभयनिष्ठ अनुप्रस्थ स्पर्श रेखा की लम्बाई,

$PQ = \sqrt{d^2 - (r_1 + r_2)^2}$

$= \sqrt{(24)^2 - (5+3)^2}$

$= \sqrt{576 - 64}$

$\sqrt{512}$

$= 16\sqrt{2}\ cm$

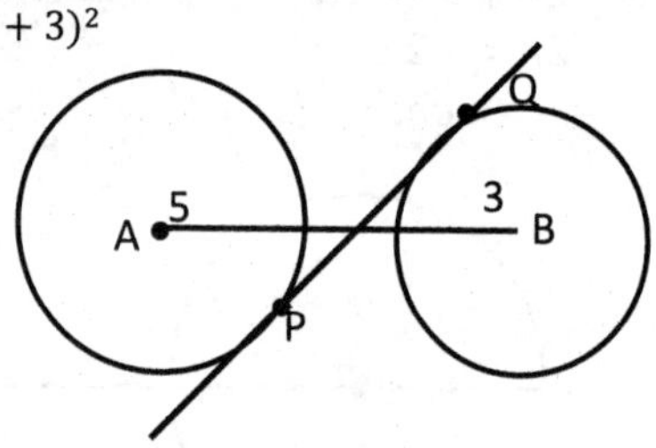

$d = AB = 24cm$

95. (C) $\angle CAQ = 70$ù

$\therefore \angle ADC = \angle CAQ = 70$ù

$\because ABCD$ चक्रीय चतुर्भुज है

अत: $\angle ADC + \angle ABC = 180$

$70 + \angle ABC = 180$

$\therefore \angle ABC = 110$ù

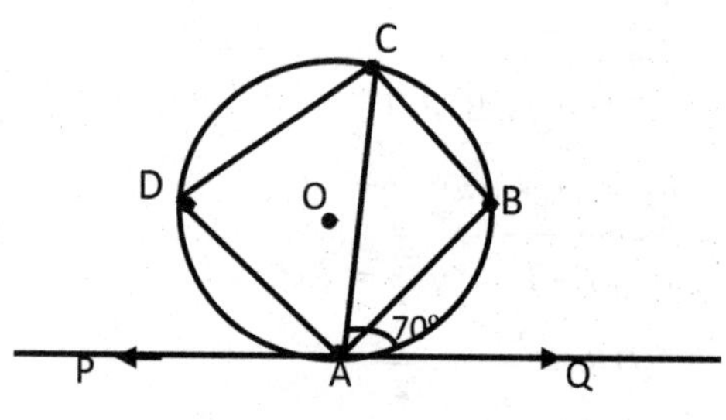

96. (a) $\angle PAQ = \frac{1}{2}(\angle B - \angle C)$

$= \frac{1}{2}(75 - 35)$

$= \frac{1}{2} \times 40$

= 20ù

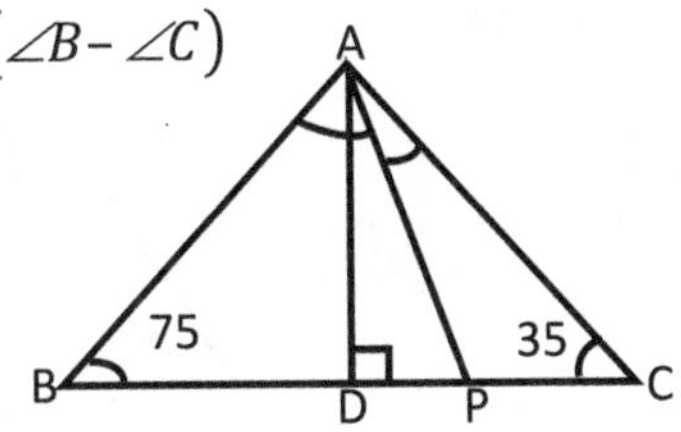

97. (a) $\angle CAB = \angle ACD = 28$ù

(एकान्तर कोण)

$\angle BAD + \angle BCD = 180$

$(28 + x) + (90 + 28) = 180$

$x + 146 = 180$

$x = 180 - 146 = 34$ù

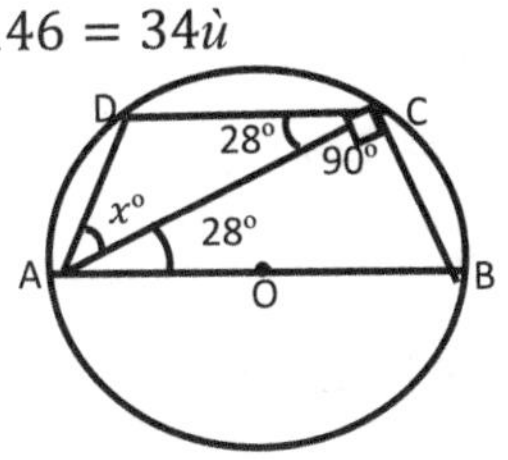

98. (d)$\angle BAC = \angle ACD = 40$

(एकान्तर कोण)

$\angle DAB + \angle BCD = 180$

$(x + 40) + (40 + 90) = 180$

$x + 170 = 180$

$x = 180 - 170 = 10$ù

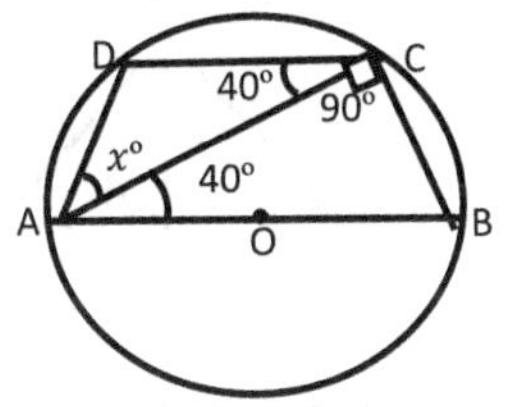

99. (b) ∴ त्रिभुज के तीनों कोणों का योग 180^0 होता है

अतः $(x + 5)° + (2x - 3)° + (3x + 4)° = 180$

$6x + 6 = 180$

$6x = 180 - 6 = 174$

$x = \frac{174}{6} = 29^0$

100. (b) ∵ किसी त्रिभुज में दो न्यूनकोण हो सकते है।

101. (a) ∴ किसी Δ में दो भुजाओं का योग, तीसरी भुजा से बड़ी होती है।

अतः (3, 5, 6) और (2, 5, 6) [केवल दो त्रिभुज]

102. (d) माना, तीनों कोण क्रमशः $2x, 3x$ व $4x$ है।

$\therefore 2x + 3x + 4x = 180$

$9x = 180$

$\therefore x = \frac{180}{9}$

$= 20$

अतः सबसे बड़ा कोण $= 4x = 4 \times 20$

$= 80°$

103. (d)

104.(b) एक समबाहु त्रिभुज

105.(d) तीनों माध्यिकाओं का प्रतिच्छेद बिन्दु केन्द्रक कहलाता है।

106.(a) कोण समद्विभाजक जिस बिन्दु पर मिलता है उसे हम अन्तःकेन्द्र कहते है।

107.(b) तीनों शीर्षो से सामने वाली भुजा पर डाला गया लम्ब जिस बिन्दु पर प्रतिच्छेद करता है, लम्बकेन्द्र कहलाता है।

108.(c)लम्ब अर्द्धकों का प्रतिच्छेद बिन्दु परिकेन्द्र कहलाता है।

109.(d) परिकेन्द्र पर वह बिन्दु होता है, जो त्रिभुज की तीनों शीर्षों से बराबर दूरी पर होता है।

110.(c) जब त्रिभुज के तीनों कोण दिया हो तो उस स्थिति में हम त्रिभुजों की रचना नहीं कर सकते।

111.(c) $[(3)^2 + (4)^2] < (6)^2$

$25 < 36\ [\because (a^2 + b^2) < c^2]$

अतः त्रिभुज, अधिक कोणीय त्रिभुज होगा,

112.(a) समकोण त्रिभुज का कर्ण

$= \sqrt{(6)^2 + (8)^2}$

$= \sqrt{36 + 64}$

$= \sqrt{100}$

$= 10\ cm.$

∴ समकोण त्रिभुज की परित्रिज्या, कर्ण का मध्य बिन्दु होता है।

अतः परित्रिज्या = $\frac{\text{कर्ण}}{2} = \frac{10}{2} = 5\ cm$

113. (b)

$\angle A + \angle B = 118° - - - - - (i)$

$\angle A + \angle C = 96°$---------- (ii) जोड़ने पर

$2\angle A + \angle B + \angle C = 214°$--------- (iii)

$\because \angle A + \angle B + \angle C = 180°$-------- (iv)

समीकरण (iii) में से समीकरण (iv) को घटाने पर

$\angle A = 34°$

114. (d)

$\because \angle A + \angle B + \angle C = 180° - - (i)$

$\angle A + \frac{1}{2}\angle B + \angle C = 140°$----- (ii) घटाने पर

$\frac{1}{2}\angle B = 40°$

$\therefore \angle B = 80°$

115. (b) माना, दोनों कोण क्रमशः $4x^0$ व $5x^0$ है।

$\therefore$ तीसरा कोण $= 4x + 5x = 9x$

$\therefore 4x + 5x + 9x = 180$

$18x = 180$

$\therefore x = 10$

$\therefore$लघुत्तम कोण $= 4x = 4 \times 10 = 40°$

116. (a) यहाँ $PR = \frac{1}{2}BC = \frac{a}{2}$

$PQ = \frac{1}{2}AC = \frac{a}{2}$

तथा $QR = \frac{1}{2}AB = \frac{a}{2}$

$\therefore PR = PQ = QR = \frac{a}{2}$ अतः ΔPQR समबाहू त्रिभुज होगा

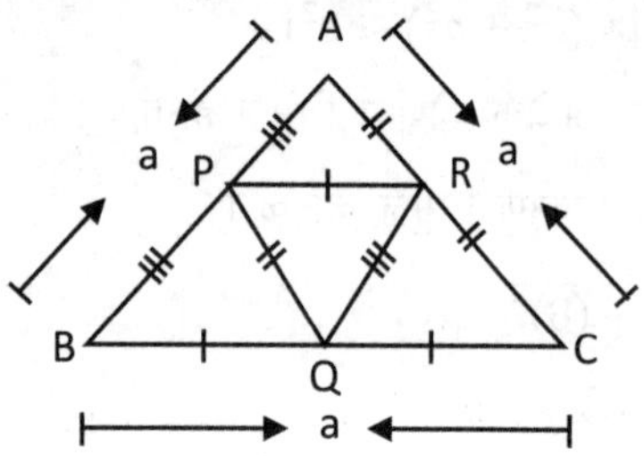

117. (b)

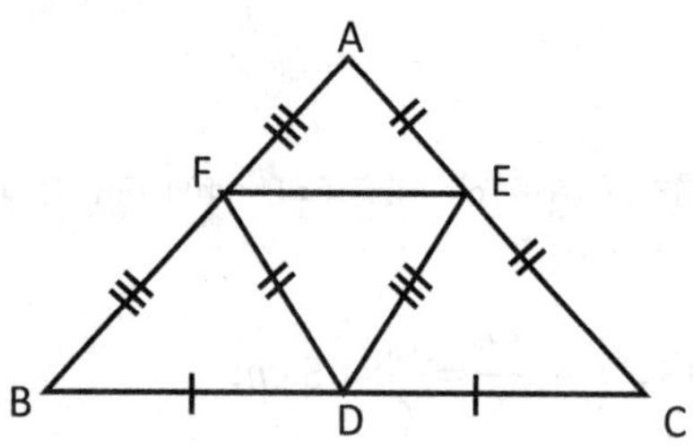

A

$\because$ D, E, F ΔABC की भुजाओं के मध्य बिन्दु है अतः

ΔDEF का क्षेत्रफल $= \frac{1}{4}$ΔABC का क्षेत्रफल

$= \frac{1}{4} \times 24 = 6$ वर्ग यूनिट

118. (d)

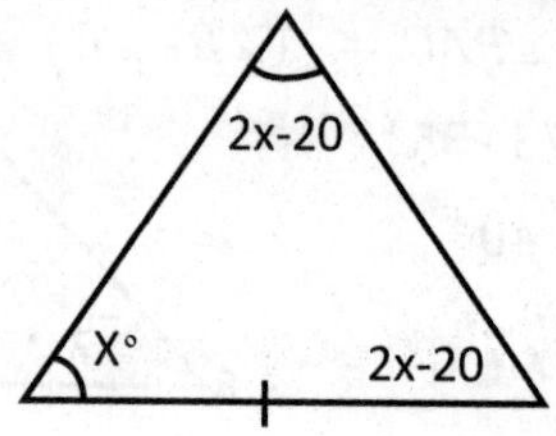

$\because AB = BC$

$\therefore \angle ACB = \angle BAC = (2x - 20)$

अतः $x + (2x - 20) + (2x - 20) = 180$

$5x - 40 = 180$

$5x = 180 + 40 = 220$

$\therefore x = \frac{220}{5} = 44°$

अतः $\angle B = x = 44°$

119. (d) समबाहु त्रिभुज के अन्तवृत्त की त्रिज्या, $r = \frac{a}{2\sqrt{3}}$

$r = \frac{6}{2\sqrt{3}} \times \frac{\sqrt{3}}{\sqrt{3}}$

$= \frac{6\sqrt{3}}{6} = \sqrt{3}cm$

120. (c)

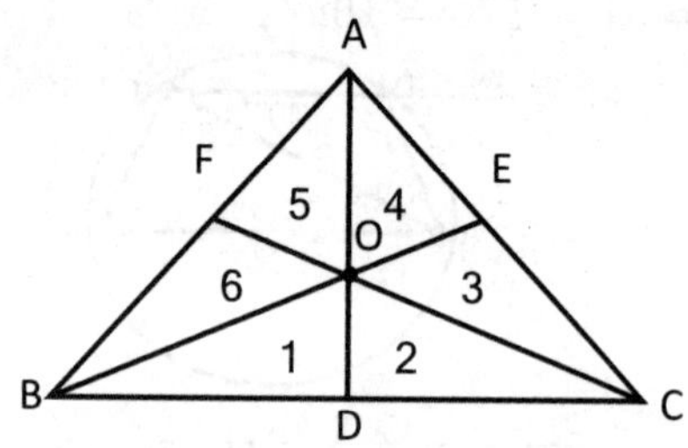

यहाँ प्रत्येक (6) त्रिभुजों का क्षेत्रफल बराबर होगा

$\because$चतुर्भुज BDOF, कुल दो त्रिभुजों से मिलकर बना है अतः चतुर्भुज BDOF का क्षेत्रफल $= 15 \times 2 = 30cm^2$

121. (d)

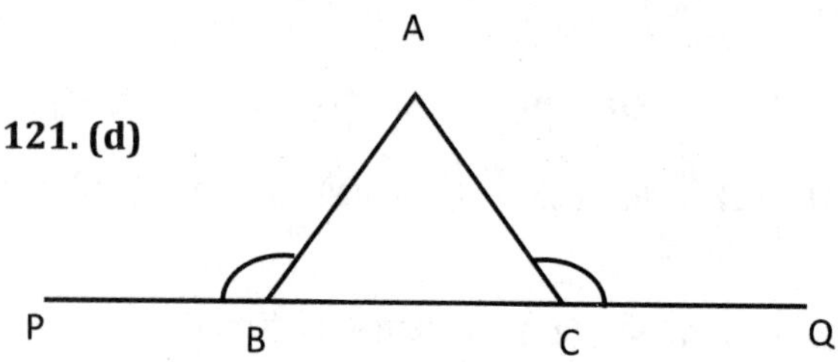

$\angle ABP = \angle A + \angle C$ ---------- (i)

$\angle ACQ = \angle A + \angle B$ ---------- (ii)

अतः $\angle B$ तथा $\angle C$ पर बाह्य कोणों का योगफल,

$\angle ABP + \angle ACQ = \angle A + \angle C + \angle A + \angle B$

$= \angle A + \angle B + \angle C + \angle A$

$180° + \angle A$

$\pi + \angle A$

122. (d)

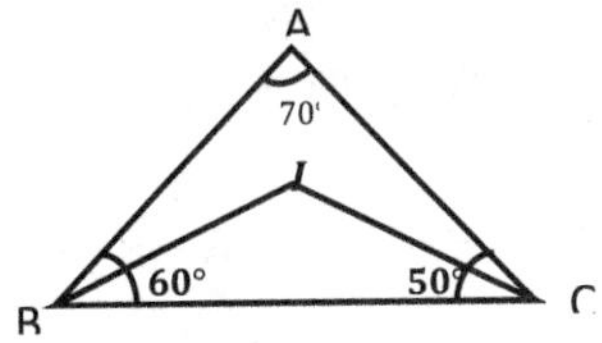

यहाँ $\angle BAC = 180 - (60 + 50)$

$= 70°$

$\angle BIC = 90° + \frac{\angle A}{2}$

$\angle BIC = 90° + \frac{70}{2} = 125°$

123. (a)

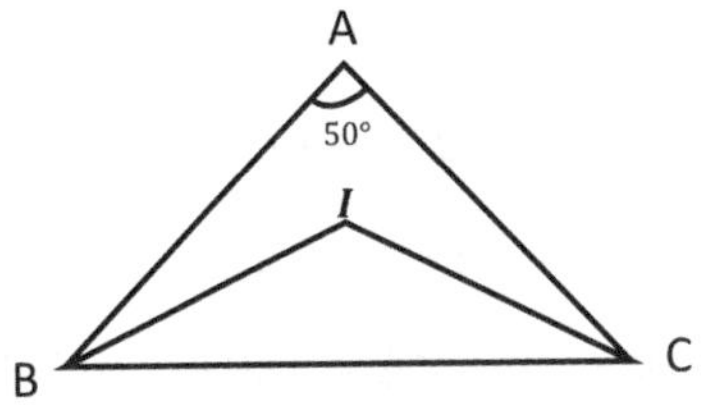

$\angle BIC = 90 + \frac{\angle BAC}{2}$

$\angle BIC = 90 + \frac{50}{2} = 115°$

124. (d)

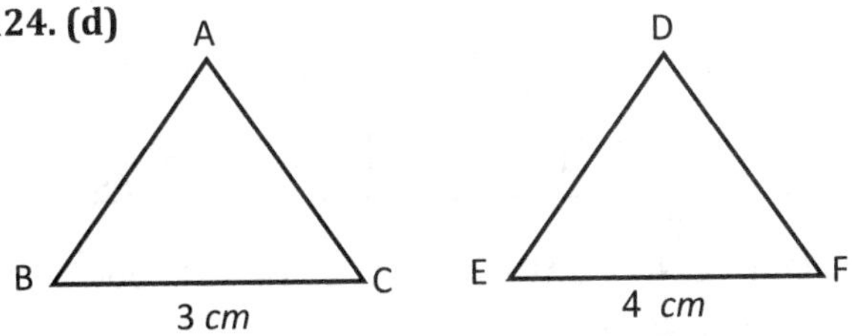

$\frac{ar\Delta ABC}{ar\Delta DEF} = \left(\frac{BC}{EF}\right)^2$

$\frac{54}{ar\Delta DEF} = \left(\frac{3}{4}\right)^2$

$\frac{54}{ar\Delta DEF} = \frac{9}{16}$

$9 \times ar\Delta DEF = 54 \times 16$

$\therefore ar\Delta DEF = \frac{54\times16}{9} = 96\ cm^2$

125. (d)

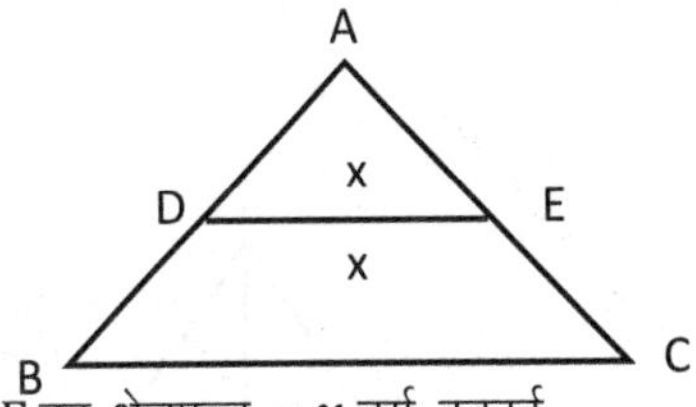

माना, ΔADE का क्षेत्रफल $= x$ वर्ग इकाई

$\therefore \Delta ABC$ का क्षेत्रफल $= 2x$ वर्ग इकाई

$\because DE // BC$

अतः $\therefore \Delta ADE \sim \Delta ABC$

$\frac{ar\Delta ADE}{ar\Delta ABC} = \left(\frac{AD}{AB}\right)^2$

$\sqrt{\frac{x}{2x}} = \frac{AD}{AB}$

$\therefore \frac{AD}{AB} = \frac{1}{\sqrt{2}}$

अतः $\frac{AD}{BD} = \frac{AD}{AB-AD} = \frac{1}{\sqrt{2}-1}$

$\therefore AD : BD = 1 : (\sqrt{2} - 1)$

126. (c)$\because$ दो समरूप Δ के क्षेत्रफलों का अनुपात इनकी संगत भुजाओं के अनुपात के वर्ग के बराबर होता है।

$\frac{I\Delta \text{की संगत भुजा}}{II\Delta \text{की संगत भुजा}} = \sqrt{\frac{9}{16}}$

$= \frac{3}{4}$

127. (a)$2\angle A = 3\angle B = 6\angle C = K$ [माना]

$\angle A = \frac{K}{2}, \angle B = \frac{K}{3}$ तथा $\angle C = \frac{K}{6}$

$\therefore \angle A : \angle B : \angle C = \frac{K}{2} : \frac{K}{3} : \frac{K}{6}$

$\angle A : \angle B : \angle C = \frac{1}{2} \times 6 : \frac{1}{3} \times 6 : \frac{1}{6} \times 6$

$= 3 : 2 : 1$

अनुपाती योग $= 6$

$\therefore \angle B = \frac{2}{6} \times 180$

$= 60$

128. (b) $\frac{\text{परिमाप } \Delta ABC}{\text{परिमाप } \Delta PQR} = \left(\frac{AB}{PQ}\right)$

($\because$ दो समरूप Δ के परिमाप का अनुपात इनके संगत भुजा के अनुपात के बराबर होता है।)

$\frac{36}{24} = \frac{AB}{10}$

$\frac{AB}{10} = \frac{3}{2}$

$AB = \frac{3}{2} \times 10$

$= 15cm.$

129. (b)

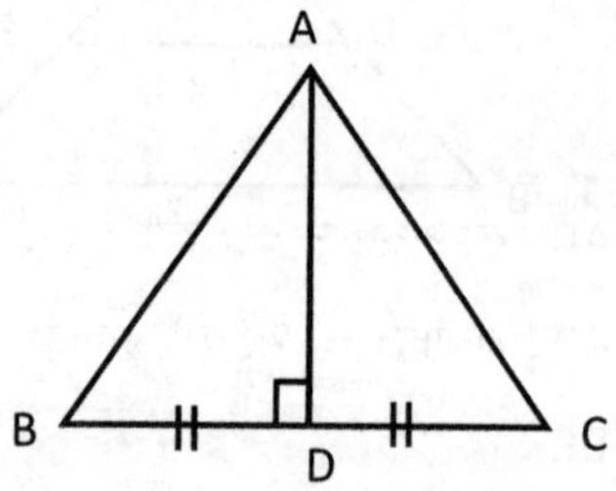

$\left[\because AB = BC = CA \text{ तथा } BD = \frac{BC}{2} = \frac{AB}{2}\right]$

समकोण Δ ADB में,

$AB^2 = AD^2 + BD^2$

$AB^2 = AD^2 + \frac{AB^2}{4}$

$AB^2 - \frac{AB^2}{4} = AD^2$

$\frac{3AB^2}{4} = AD^2$

$3AB^2 = 4AD^2$

130. (a)

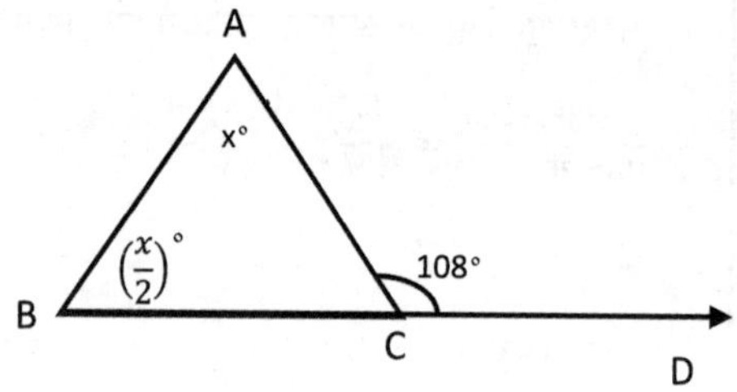

माना, $\angle A = x°$

$\therefore \angle B = \frac{1}{2}\angle A = \left(\frac{x}{2}\right)°$

$\because \angle ACD = \angle A + \angle B$

$108 = x + \frac{x}{2}$

$= \frac{3x}{2}$

$x = \frac{108 \times 2}{3}$

$= 72°$

$\therefore \angle A = x° = 72°$

131. (b)

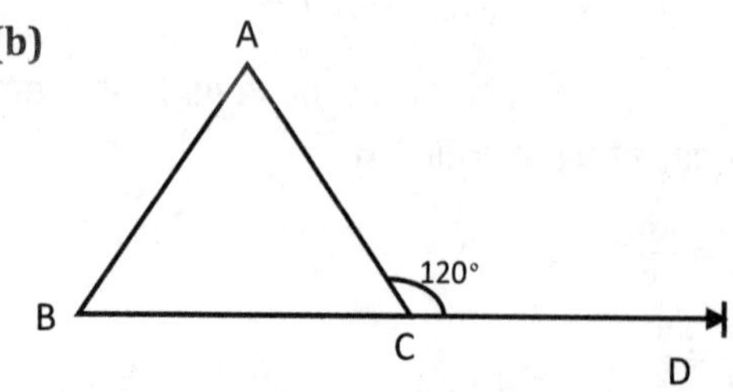

माना, $\angle CAB = x°$

$\therefore \angle ABC = \left(\frac{x}{2}\right)°$

$\therefore \angle ACD = \angle CAB + \angle ABC$

$120 = x + \frac{x}{2} = \frac{3x}{2}$

$\therefore x = \frac{120 \times 2}{3} = 80°$

$\therefore \angle ABC = \left(\frac{x}{2}\right)° = \frac{80}{2} = 40°$

132. (c)

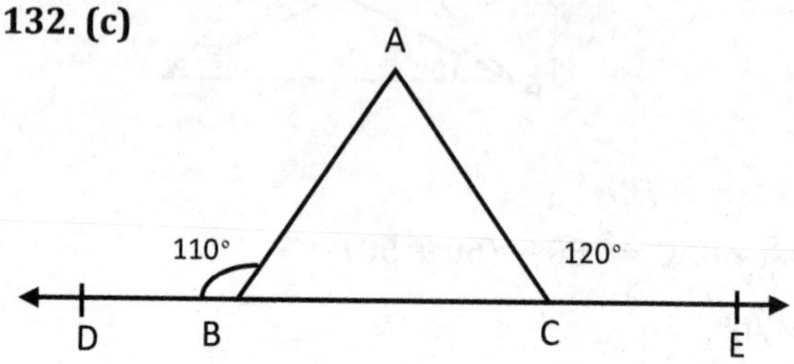

$\because \angle ACE = \angle A + \angle B$

$\therefore \angle A + \angle B = 120°$ --------- (i)

तथा, $\angle ABD = \angle A + \angle C$

$\therefore \angle A + \angle C = 110°$ -------- (ii)

समीकरण (i) + समीकरण (ii) से,

$\angle A + \angle B + \angle C + \angle A = 120 + 110 = 230°$

$180° + \angle A = 230°$

$\therefore \angle A = 230 - 180 = 50$

$\therefore \angle BAC = 50°$

133. (c)

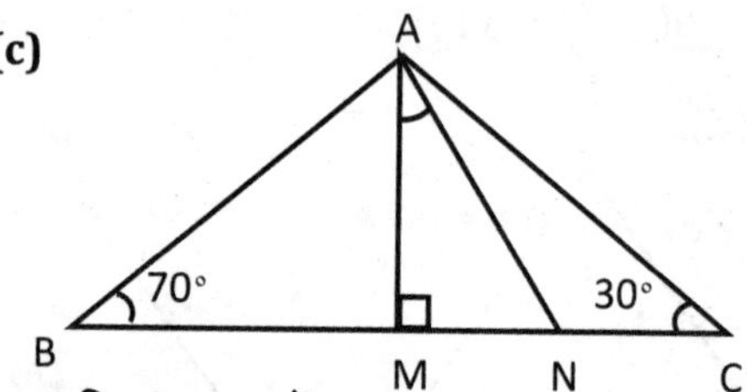

प्रमेय :- यदि ΔABC में $AM \perp BC$ तथा AN, $\angle A$ का समद्विभाजक हो तो,

$\angle \mathbf{MAN} = \frac{1}{2}(\angle \mathbf{B} - \angle \mathbf{C})$

यह परिणाम याद रखें

$\therefore \angle MAN = \frac{1}{2}(70° - 30°)$

$\angle MAN = \frac{1}{2} \times 40 = 20°$

134. (a)

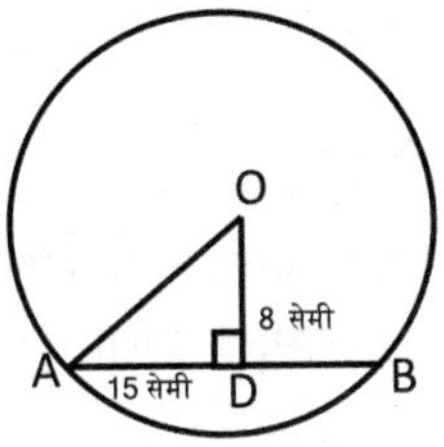

जीवा, $AB = 30\ cm$

$OD \perp AB$ अतः

$AD = BD = \frac{30}{2} = 15\ cm$

समकोण ΔODA में,

$OA = \sqrt{(OD)^2 + (AD)^2}$

$OA(r) = \sqrt{(8)^2 + (15)^2} = \sqrt{64 + 225}$

$r = \sqrt{289} = 17\ cm$

135. (b)

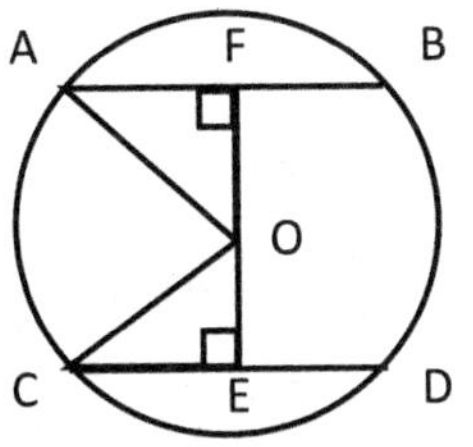

$OA = OC = r = 5\ cm$

तथा $AF = CE = \frac{8}{2} = 4\ cm$

समकोण ΔOFA में, $OF = \sqrt{(5)^2 - (4)^2} = \sqrt{9} = 3\ cm$

तथा समकोण ΔOEC में, $OE = \sqrt{(5)^2 - (4)^2} = \sqrt{9}$

$= 3\ cm$

∴ दोनों जीवाओं के बीच की दूरी = OF + OE = 3 + 3 = 6 सेमी0

136. (c)

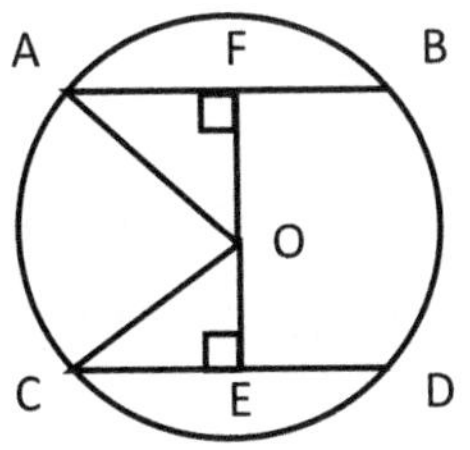

$CE = \frac{CD}{2} = \frac{8}{2} = 4\ cm$

$AF = \frac{AB}{2} = \frac{6}{2} = 3\ cm$

$OA = OC = r = 5\ cm$

समकोण ΔOFA में, $OF = \sqrt{(5)^2 - (3)^2} = 4\ cm$

समकोण ΔOEC में, $OE = \sqrt{(5)^2 - (4)^2} = 3\ cm$

∴ दोनों जीवाओं के बीच की दूरी = OF + OE = 4 + 3 = 7 सेमी0

137. (a)

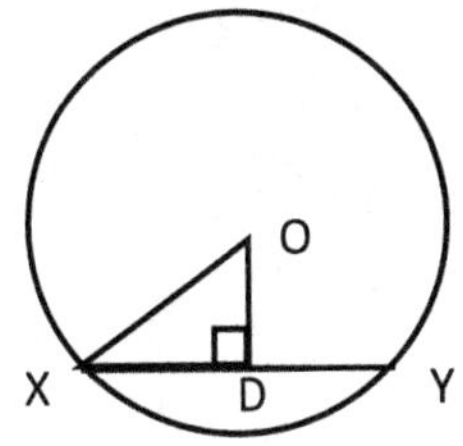

XD = DY

$OD = 12\ cm$

$OX = 13\ cm$

समकोण, ΔODX में, $XD = \sqrt{(13)^2 - (12)^2}$

$XD = 5\ cm$

अतः जीवा $XY = 2 \times 5 = 10\ cm$

138. (d)

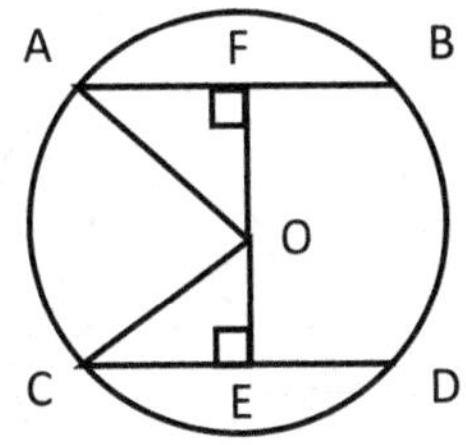

जीवा, $AB = 24\ cm$

$\therefore AE = BE = \frac{24}{2} = 12$

$OA = r = 15\ cm$

समकोण ΔOEA में, $OE = \sqrt{(15)^2 - (12)^2}$

$OE = \sqrt{225 - 144}$

$= \sqrt{81} = 9\ cm$

∴ जीवा $CD = 2 \times CF = 2 \times 9 = 18\ cm$

139. (c)

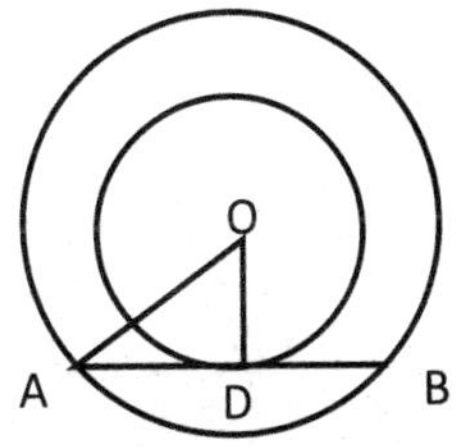

$OA(R) = 15\ cm$

$OD(r) = 9\ cm$

समकोण ΔODA में,

$AD = \sqrt{(15)^2 - (9)^2} = \sqrt{225 - 81}$

$AD = \sqrt{144} = 12\ cm$

$\therefore$ जीवा, $AB = 2 \times 12 = 24\ cm$

140. (c)

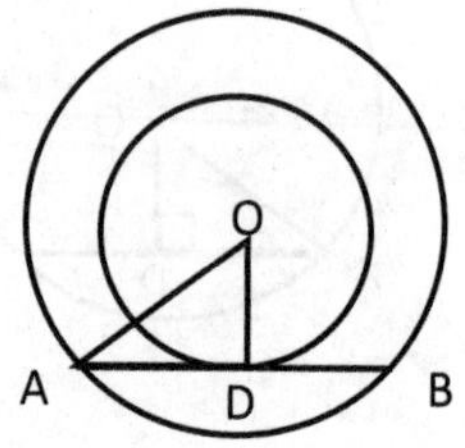

$OA(R) = 5\ cm$

$OD(r) = 3\ cm$

समकोण, ΔODA में,

$AD = \sqrt{(5)^2 - (3)^2} = 4\ cm$

$\therefore$ जीवा, $AB = 2 \times AD = 2 \times 4 = 8\ cm$

141. (a)

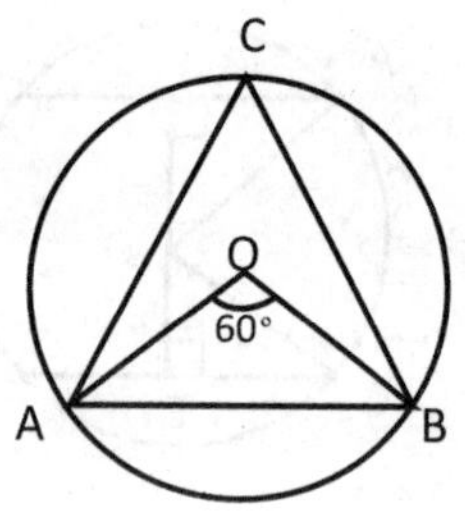

जीवा = त्रिज्या

$\therefore OA = OB = AB = r$

$\therefore \Delta OAB$ समबाहु Δ होगा।

$\therefore$दीर्घ खण्ड में बना कोण, $\angle ACB = \frac{1}{2}\angle AOB$

$= \frac{1}{2} \times 60 = 30°$

142. (d)

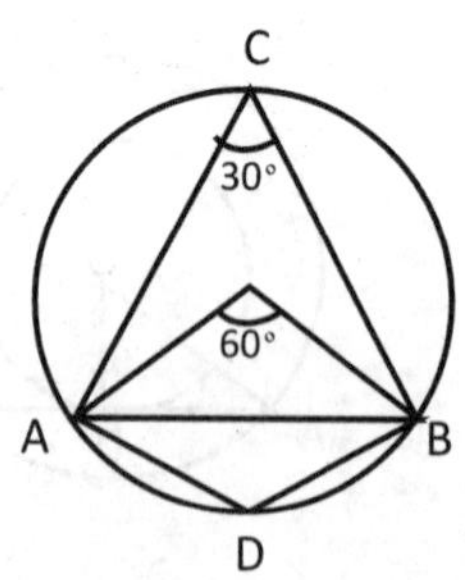

$\therefore OA = OB = AB = r$

$\therefore \Delta AOB$ समबाहु Δ होगा।

$\therefore \angle ACB = \frac{1}{2} \times 60 = 30°$

$\because$ ABCD चक्रीय चतुर्भुज है और हम सभी जानते हैं कि चक्रीय चतुर्भुज के सम्मुख कोणों का योग 180^0 होता है अतः, लघु चाप पर बना कोण

$\angle ADB = 180^0 - 30^0 = 150^0$

143. (d)

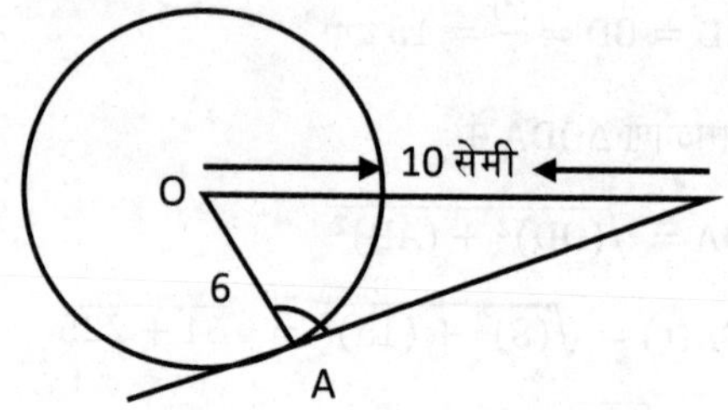

$OP = 10cm$

$OA = r = 6cm$

$\therefore$ समकोण ΔOAP में,

$AP = \sqrt{(10)^2 - (6)^2} = 8\ cm$

144. (a)

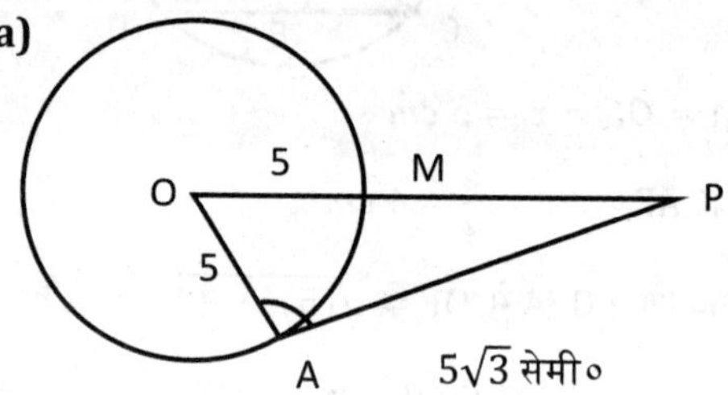

$\therefore$ समकोण ΔOAP में,

केन्द्र (o) से (P) की दूरी,

$OP = \sqrt{(5)^2 + (5\sqrt{3})^2}$

$OP = \sqrt{25 + 75} = \sqrt{100} = 10\ cm$

अतः वृत्त से P की दूरी, $MP = OP - OM$

$= 10 - 5 = 5\ cm$

145. (d)

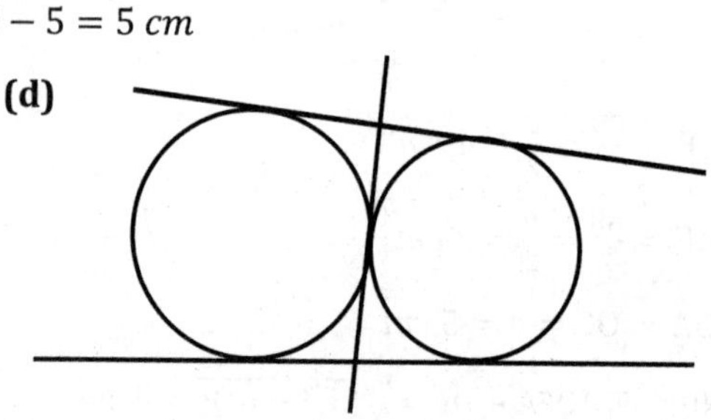

जब दो वृत्त बाहर से स्पर्श करें तो उस स्थिति में सामान्यतः तीन स्पर्श रेखा खींची जा सकती है।

146. (c)

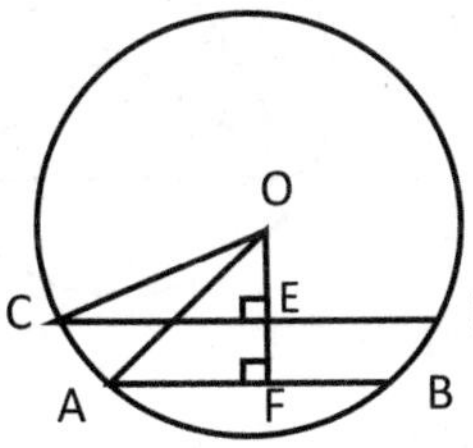

$OC = OA = r = \frac{20}{2} = 10\ cm$

$CE = ED = \frac{16}{2} = 8\ cm$

$AF = FB = \frac{12}{2} = 6\ cm$

समकोण ΔOEC में,

$OE = \sqrt{(10)^2 - (8)^2} = 6\ cm$

समकोण ΔOFA में,

$OF = \sqrt{(10)^2 - (6)^2} = 8\ cm$

$\therefore$ दोनों जीवाओं के बीच की दूरी, $EF = OF - OE$

$= 8 - 6 = 2\ cm$

147. (b)

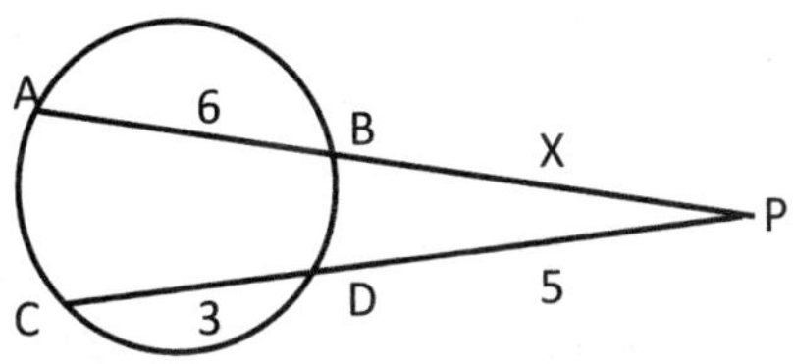

वृत्त प्रमेय से,

$PA \times PB = PC \times PD$

$(6 + x) \times x = (3 + 5) \times 5$

$6x + x^2 = 40$

$x^2 + 6x - 40 = 0$

$x^2 + 10x - 4x - 40 = 0$

$x(x + 10) - 4(x + 10) = 0$

$(x - 4)(x + 10) = 0$

$\therefore x = 4\ cm$

148. (a)

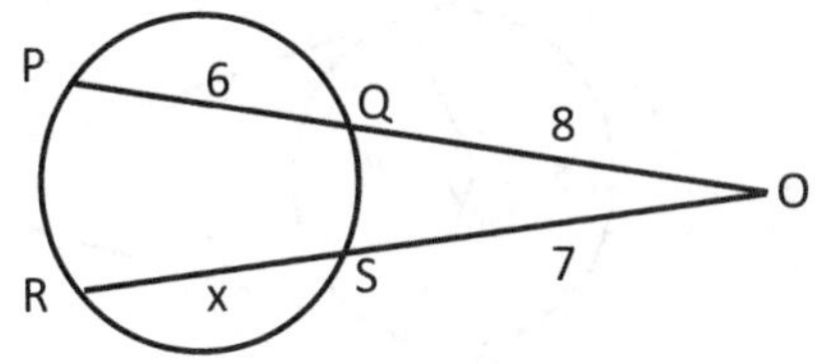

$OP \times OQ = OR \times OS$ से,

$(6 + 8) \times 8 = (x + 7) \times 7$

$112 = 7x + 49$

$7x = 63$

$\therefore x = \frac{63}{7}$

$= 9\ cm$

149. (c)

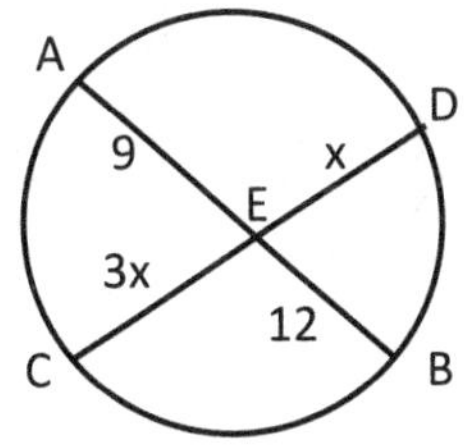

माना, $DE = x$

$\therefore CE = 3x$

वृत्त प्रमेय $AE \times EB = CE \times ED$ से,

$9 \times 12 = 3x \times x$

$\therefore x^2 = \frac{9 \times 12}{3} = 36 = (6)^2$

$\therefore x = 6\ cm$

150. (d)

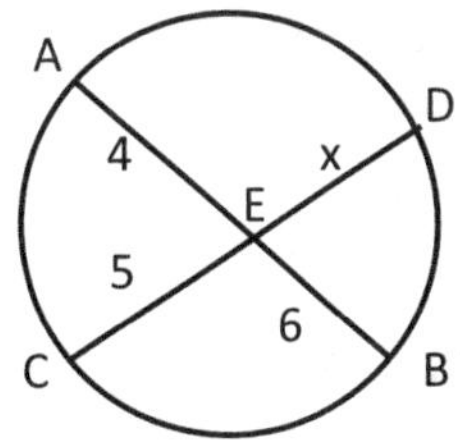

$AE \times EB = CE \times ED$ से,

$4 \times 6 = 5 \times x$

$\therefore x = \frac{24}{5} = 4{\cdot}8\ cm$

151. (d)

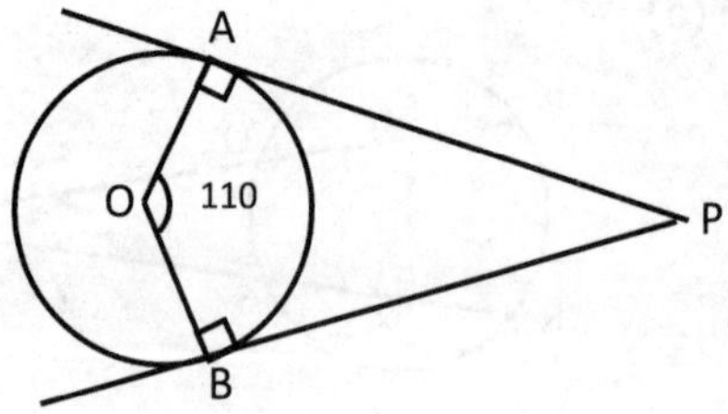

$\therefore \angle AOB + \angle APB = 180$

$110° + \angle APB = 180$

$\therefore \angle APB = 180 - 110 = 70°$

152. (a)

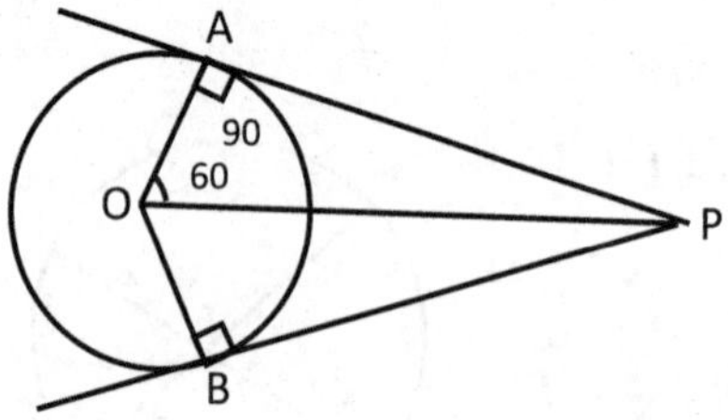

समकोण ΔOAP में,

$\angle APO = 180 - (90 + 60) = 30$

$\therefore \angle APO = 2 \times 30 = 60°$

153. (d)

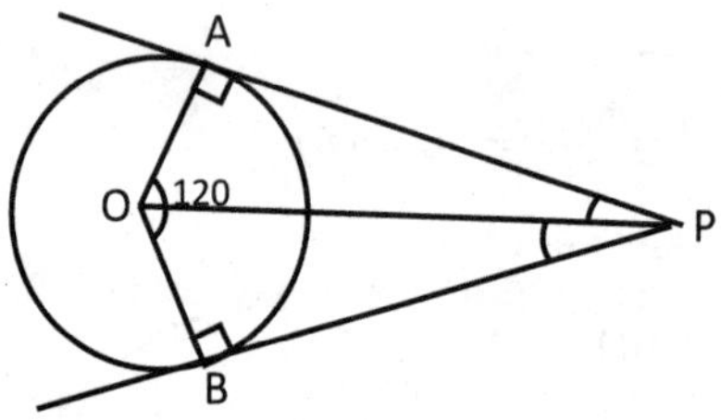

$\therefore \angle AOB + \angle APB = 180°$

$120 + \angle APB = 180°$

$\therefore \angle APB = 60°$

$\therefore \angle APB : \angle APO = 60° : \frac{60}{2}$

$= 60 : 30 = 2 : 1$

154. (d)

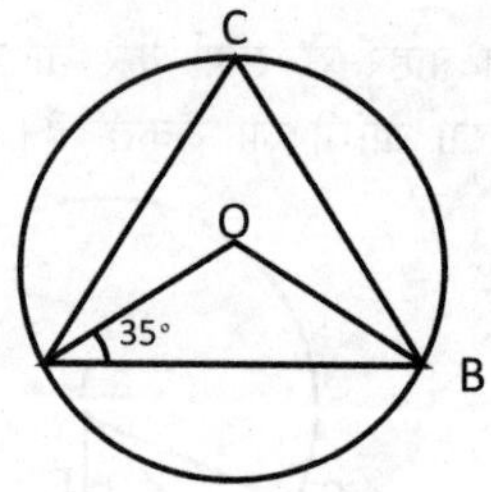

$\because OA = OB = r$

$\therefore \angle OAB = \angle OAB = 35$

अतः $\angle AOB = 180 - (35 + 35) = 110°$

$\therefore \angle ACB = \frac{1}{2}\angle AOB = \frac{1}{2} \times 110 = 55°$

155. (c)

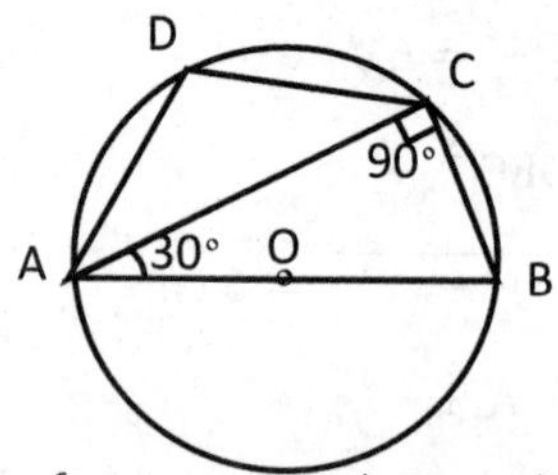

$\angle ACB = 90°$ [अर्द्धवृत्त पर बना कोण समकोण होता है।]

ΔACB में,

$\therefore \angle CBA = 180 - (90 + 30) = 60°$

$\angle CBA + \angle ADC = 180°$ [सम्मुख कोणों का योग 180^0 होगा]

$60 + \angle ADC = 180°$

$\therefore \angle ADC = 120°$

$\angle ACD = \angle BAC = 30°$ [$\because AB // CD$]

ΔADC में, $\angle CAD + \angle ACD + \angle ADC = 180°$

$\angle CAD + 30° + 120° = 180°$

$\angle CAD = 30°$

156. (b) $\angle ODB = \angle OAC = 40°$

[एक ही वृत्त खण्ड पर बने कोण बराबर होते है]

$\therefore OD = OB$

$\therefore \angle OBD = \angle ODB = 40°$

[बराबर भुजा के सम्मुख कोण बराबर होते है।]

$\therefore \angle BOD = 180 - (40 + 40) = 100°$

157. (a)

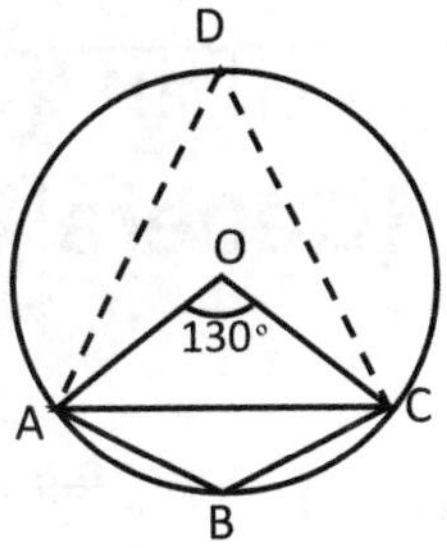

$\angle ADC = \frac{1}{2}\angle AOC = \frac{1}{2} \times 130$

$\angle ADC = 65°$

∴ चतुर्भुज ADCB चक्रीय चतुर्भुज है।

अतः $\angle ADC + \angle ABC = 180°$

$65° + \angle ABC = 180°$

$\therefore \angle ABC = 180 - 65 = 115°$

158. (b)

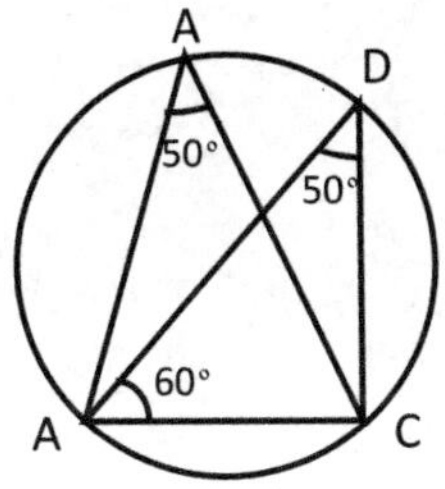

$\angle BAC = \angle CDB = 50°$

[एक ही वृत्त खण्ड के कोण]

ΔBDC में,

$\angle DBC + \angle BDC + \angle BCD = 180°$

$60 + 50 + \angle BCD = 180°$

$\therefore \angle BCD = 180 - 110 = 70$

20 सामान्य सांख्यिकी (General Statistics)

सांख्यिकी का उद्गम (Origin of Statistics) :

''Statistics'' शब्द का प्रयोग सर्वप्रथम 1749 ई0 में जर्मनी के विद्वान गाटफ्रायड एकेनवाल (Gottfried Achenwall) ने किया।

इन्हें ''सांख्यिकी का जन्मदाता कहा जाता है।

'Statistics' अंग्रेजी शब्द है। यह लैटिन भाषा के 'Status' एवं इटेलियन भाषा के 'Statista' से उदधृत है। इन सभी शब्दों का अर्थ ''राज्य (State)" से है।

प्राचीनकाल में सांख्यिकी की उत्पत्ति ''राजाओं के विज्ञान (Science of the Kings)" के रूप में हुई थी परन्तु अब यह सर्वव्यापी विज्ञान हो गया है। व्यावहारिक जीवन और ज्ञान विज्ञान की सभी शाखाओं में आजकल इस विज्ञान के नियमों एवं विधियों का व्यापक प्रयोग किया जाता है। जैसे मूल्य बृद्धि,बढती जनसंख्या, बेरोजगारी, निर्धनता आदि के विश्लेषण में हम सांख्यिकी का अधिकाधिक प्रयोग कर रहे है।

अर्थ और परिभाषा (Meaning and Definition)

सांख्यिकी शब्द का प्रयोग दो अर्थों में प्रयोग किया जाता है–

1. बहुवचन में

2. एकवचन में

1. बहुवचन में सांख्यिकी का तात्पर्य समंको या ऑकड़ों (Statistical data) से होता है जो किसी क्षेत्र से सम्बन्धित संख्यात्मक विवरण होते हैं। जैसे जनसंख्या के समंक, मूल्यस्तर के समंक, रास्ट्रीय आय के समंक, अपराध सम्बन्धी समंक आदि।

2. एक वचन में 'Statistics' का अर्थ सांख्यिकी विज्ञान है जिसमें ऑकड़ो के संग्रह, विश्लेषण और निर्वचन से सम्बन्धित कियाओं अर्थात् सांख्यिकी विधियों का विधियों का विधिवत अध्ययन किया जाता है।

❖ कैन्डाल तथा वकलैण्ड ने 'Statistics' शब्द की निम्न रूप से व्याख्या की है।

Statistics

↓

बहुवचन	एकवचन
➜ व्यक्तिगत इकाईयों के समूह से सम्बन्धित संख्यात्मक तथ्य	➜ आंकडों के संग्रह, विश्लेषण व निर्वचन का विज्ञान

आंकड़ा / समंक (Data) :- किसी निश्चित उद्देश्य से एकत्रित किये गये तथ्यों / संख्याओं को ऑकड़ा कहते है।

वालिस एवं रॉबर्टस के अनुसार 'समंक तथ्यों के परिणात्मक पहलुओं के संख्यात्मक विवरण है जो मदो की गिनती या माप के रूप में व्यक्त होते है।

सांख्यिकी के आधुनिक मत की परिभाषा :–

काक्सटन तथा काउडेन लिखते है, ''सांख्यिकी को संख्यात्मक तथ्यों के संग्रहण, प्रस्तुतीकरण, विश्लेषण तथा निर्वचन से सम्बन्धित विज्ञान को कहा जाता है।

सांख्यिक के कार्य (Function of Statistician)

रोड्स के अनुसार सांख्यिक के कार्यों को उचित रूप से तीन भागों में बाँटा जा सकता है। प्रथम, सांख्यिकीय तथ्यों का संग्रहण। दूसरा, उनका विश्लेषण और तीसरा, विश्लेषण के परिणामों का निर्वचन।

1. समंकों का संग्रहण (Collection) : सर्वप्रथम सांख्यिक एक स्पष्ट योजना बनाकर यह निश्चित कर लेता है कि उसे किस क्षेत्र में किस उद्देश्य से तथा किस पद्धति द्वारा समंकों का संग्रह करना है।

2. विश्लेषण (Analysis) :- विश्लेषण के अन्तर्गत सांख्यिक को अनेक कियायें करनी पड़ती है। वह संकलित आँकड़ों को निश्चित आधार पर भिन्न–भिन्न वर्गों में बाँटता है और उन्हे सारणियों में प्रस्तुत करता है। फिर वह ऑकडो की केन्द्रीय प्रवृत्ति ज्ञात करने, उनकी तुलना करने तथा सह–सम्बन्ध आदि स्थापित करने का प्रयोग करता है।

3. निर्वचन (Interpretation) :- ऑकडों का संकलन व विश्लेषण करने के बाद सांख्यिक को उनके तर्कपूर्ण और निष्पक्ष निष्कर्ष निकालने पड़ते है।

ध्यान दे :– यथार्थ तथ्य, अस्पष्ट कथनों का अपेक्षा अधिक विश्वसनीय होते है।

जैसे भूकम्प के दौरान 275 लोगों की मौत हुई यह तथ्यात्मक है अतः यह सांख्यिकीय आँकड़ा है, परन्तु यह कहना कि सैकड़ो लोगों की मौत हुई यह तथ्यात्मक नही है अतः यह सांख्यिकीय आँकड़ा नही है।

सांख्यिकी का क्षेत्र अत्यन्त व्यापक है। वैसे हमारे पाठ्यक्रम में ''सामान्य सांख्यिकी'' की चर्चा की गई है, जिसके अन्तर्गत हम कुछ संख्यात्मक मापों (जैसे –माध्य, माध्यिका, बहुलक, परिसर आदि) के बारे में पढेंगे।

आँकड़ों के आलेखीय निरूपण में प्रयुक्त शब्द

बारम्बारता (Frequency) : आँकड़ों के संकलन (Collection) में कोई आँकड़ा जितनी बार आता है, उसे आँकड़ों की बारम्बारता कहते है।

संचयी बारम्बारता (Cumulative Frequency) : किसी वर्ग अन्तराल की संचयी बारम्बारता उस वर्ग अन्तराल की बारम्बारता तथा इस वर्ग अन्तराल से पहले जितने वर्ग अन्तराल होते है। उन सभी की बारम्बारताओं का योग होता है।

वर्ग अन्तराल (Class-Interval) :- जब आँकड़ों को समूहों या वर्गो में बांटा जाता है तो इसे वर्ग अन्तराल कहते है। यह दो प्रकार का होता है। इस श्रेणी को सतत् श्रेणी भी कहते है।

(i) **समावेशिक विधि (Non-Overlapping Method) :** समावेशिक विधि में वर्ग अन्तराल इस प्रकार होते है कि एक वर्ग–अन्तराल जिस अंक पर समाप्त होता है, उसके अगले अंक से अगला वर्ग अन्तराल प्रारम्भ होता है।

जैसे : 0 – 9, 10 – 19, 20 – 29 आदि।

(ii) **अपवर्जी विधि (Overlapping Method) :** इस विधि में वर्ग–अन्तराल इस प्रकार से होते है कि एक वर्ग अन्तराल जिस अंक पर समाप्त होता है उसी अंक से दूसरा वर्ग अन्तराल प्रारम्भ होता है। इसमें उपरी सीमा को छोड़ दिया जाता है।

जैसे : 0 – 5, 5 – 10, 10 – 15, 15 – 20 आदि।

केन्द्रिय प्रवृत्ति के माप

(Measurment of Central Tendency)

केन्द्रीय प्रवृत्ति के माप आँकड़ों की संक्षिप्त रूप में व्याख्या करने की संख्यात्मक विधि है।

केन्द्रीय प्रवृत्ति या औसतों के कई सांख्यिकीय माप है जिनमें तीन सर्वाधिक प्रचलित औसत निम्न है।

(1) समान्तर माध्य (Arithmetic Mean)

[यह केन्द्रीय प्रवृत्ति का अंक गणितीय माध्य होता है]

(2) माध्यिका (Median) }
(3) बहुलक (Mode) } [यह दोनों केन्द्रीय प्रवृत्ति के स्थिति माध्य होते है]

समान्तर माध्य (Arithmetic Mean) : यह आँकड़ों की केन्द्रीय प्रवृत्ति की एक गणितीय माप है। इसे हम प्रायः औसत या माध्य कहते है किन्तु जब इसे दूसरे प्रकार के माध्यों (जैसे – ज्यामितीय माध्य या हरात्मक माध्य) से अलग करते हुये देखना हो तो इसे समान्तर माध्य कहते है।

सभी प्रेक्षणों के मूल्यों के योग को उनकी कुल संख्याओं से भाग देने पर जो भागफल प्राप्त होता है, समान्तर माध्य कहलाता है। इसे $\bar{x}$ से प्रदर्शित किया जाता है।

यदि $x_1, x_2, x_3, \ldots\ldots, x_n$ आदि कुल n प्रेक्षण है तो –

समान्तर माध्य $\bar{x} = \frac{x_1+x_2+x_3+\cdots\ldots+x_n}{n}$

$\bar{x} = \frac{\sum x}{n}$

जहाँ $\sum x =$ सभी प्रेक्षणों का योग

$n =$ प्रेक्षणों की कुल संख्या

Note : यहाँ माध्य ज्ञात करने के लिये हम केवल प्रत्यक्ष विधि की चर्चा करेंगे।

(i). व्यक्तिगत श्रेणी का माध्य ज्ञात करना –

समान्तर माध्य $\bar{x} = \frac{\sum x}{n}$ प्रत्यक्ष विधि (Direct Method)

प्रश्न : एक विद्यार्थी के पांच विषयों के प्राप्तांकों का माध्य 65 है। उसके पांचों विषयों में प्राप्त अंक क्रमशः 45, 67, x, 73 और 55 हो तो x का मान बताइये ?

हल : $65 = \frac{45+67+x+73+55}{5}$

$65 \times 5 = 240 + x$

$\therefore x = 325 - 240 = 85$

(ii). खण्डित श्रेणी का माध्य ज्ञात करना–

विविक्त श्रृंखला :– यदि श्रृंखला विविक्त है, तो प्रत्येक प्रेक्षण की बारम्बारता को प्रेक्षण के मान से गुणा करके प्राप्त गुणनफल में बारम्बारताओं की कुल संख्या से भाग देते है।

$\bar{x} = \frac{\sum fx}{\sum f}$ प्रत्यक्ष विधि **(Direct Method)**

जहाँ, $\sum \mapsto$ योगफल

$f \mapsto$ बारम्बारता

$x \mapsto$ चर

प्रश्न : 50 विद्यार्थियों का भार नीचे सारणी में दिया गया है, तो दिये गये आँकड़ों का माध्य बताइये ?

विद्यार्थी (संख्या)	8	12	7	13	4	6
भार (किग्रा0 में)	35	45	40	30	50	55

हल :

चर	बारम्बारता (f)	संचयी बारम्बारता (cf)
35	8	35 × 8 = 280
45	12	45 × 12 = 540
40	7	40 × 7 = 280
30	13	30 × 13 = 390
50	4	50 × 4 = 200
55	6	55 × 6 = 330
	$\sum f = 50$	$\sum fx = 2020$

अतः $\bar{x} = \frac{\sum fx}{\sum f} = \frac{2020}{50} = 40.4$ किग्रा0

(iii) सतत श्रृंखला : इस श्रृंखला में वर्ग–अन्तराल दिये गये होते है। इस श्रृंखला में भी समान्तर माध्य ठीक वैसे ही ज्ञात करते है जैसे कि विविक्त श्रृंखला में, बस अन्तर केवल इतना है कि भिन्न वर्ग–अन्तरालों के मध्य बिन्दु लेने पड़ते है।

सतत श्रृंखला के लिए समान्तर माध्य कैसे ज्ञात करें–

Step : (1) सर्वप्रथम प्रत्येक वर्ग के लिए मध्यमान m ज्ञात करें।

$m = \frac{L.L+U.L.}{2}$

जहाँ – L.L. = Lower Limit

U.L. = Upper Limit

Step : (2) प्रत्येक वर्ग में बारम्बारता (f) का मध्यमान (m) के साथ गुणा करें।

Step (3) $\bar{x} = \frac{\Sigma fm}{\Sigma f}$ प्रत्यक्ष विधि

प्रश्न : दिये गये आँकड़ों का समान्तर माध्य ज्ञात कीजिये ?

वर्ग–अन्तराल(C.I.)	0-10	10-20	20-30	30-40	40-50	50-60
बारम्बारता (f)	5	8	12	15	6	4

हल :

वर्ग–अन्तराल (C.I.)	बारम्बारता (f)	मध्य बिन्दु (m)	Fm
0 - 10	5	5	5 × 5 = 25
10 - 20	8	15	8 × 15 = 120
20 - 30	12	25	12 × 25 = 300
30 - 40	15	35	15 × 35 = 525
40 - 50	6	45	6 × 45 = 270
50 - 60	4	55	4 × 55 = 220
	$\sum f = 50$		$\sum fm = 1460$

$\bar{x} = \frac{\Sigma fm}{\Sigma f} = \frac{1460}{50} = 29{\cdot}2$

(2) माध्यिका (Median) : माध्यिका उस चर का स्थितिक मान है, जो वितरण को दो समान भागों में बांट देता है। पहले भाग के अन्तर्गत सभी मान माध्यिका मान से कम या बराबर होते है तथा दूसरे भाग के सभी मान माध्यिका मान से अधिक या उसके बराबर होते है। अर्थात्

दिये गये आँकड़ों के आरोही या अवरोही कम में रखने के बाद वह पद जिसके ठीक पहले जितने पद हो, उसके ठीक बाद में भी उतने ही पद हो दिये गये आँकड़ों की माध्यिका कहलाता है।

❖ माध्यिका केन्द्रीय प्रवृत्ति का स्थिति माध्य होता है। इसका प्रयोग गुणात्मक तथ्यों के लिये किया जाता है। जैसे–ईमानदारी, सुन्दरता आदि।

❖ माध्यिका का बीजीय विवेचन सम्भव नहीं है।

❖ माध्यिका चरम मूल्यों (Extreme Values) से प्रभावित नहीं होती है।

Type - 01

व्यक्तिगत श्रेणी में माध्यिका ज्ञात करना :

(i) जब पदों की संख्या (n), विषम में हो तो –

माध्यिक $= \frac{(n+1)}{2}$ वें पद का मान

(ii) जब पदों की संख्या (n), सम में हो तो–

माध्यिका $= \frac{1}{2}\left[\frac{n}{2}\text{वां पद} + \left(\frac{n}{2}+1\right)\text{वां पद}\right]$

प्रश्न : दिये गये आँकड़ों की माध्यिका बताइये ?

15, 18, 10, 9, 13, 6, 11, 34 और 60

हल : पदों को आरोही क्रम (Ascending Order) में रखने पर –

6, 9, 10, 11, 13, 15, 18, 20, 34

माध्यिका = 13

या,

n = 9 [विषम]

∴ माध्यिका $= \frac{9+1}{2}$ वें पद का मान

= 5 वें पद का मान

= 13

प्रश्न : दिये गये आँकड़ों की माध्यिका बताइये ?

24, 18, 30, 6, 11, 20, 9, 25, 5 और 15

हल : पदों की आरोही क्रम में रखने पर

5, 6, 9, 11, 15, 18, 20, 24, 25, 30

n = 10

∴ माध्यिका $= \frac{1}{2}\left[\frac{10}{2}\text{वां पद} + \left(\frac{10}{2}+1\right)\text{वां पद}\right]$

= [5 वां पद + 6 वां पद]

$= \frac{1}{2}$ [15 + 18]

$= \frac{33}{2} = 16{\cdot}5$

प्रश्न : किसी परीक्षा में 10 विद्यार्थी सम्मिलित हुये। 3 विद्यार्थी परीक्षा में फेल हो गये जबकि शेष 7 विद्यार्थियों के प्राप्तांक 48,

39, 52, 56, 33, 43 और 40 है तो इनके प्राप्तांकों की माध्यिका बताइये ?

हल : प्राप्तांकों को आरोही क्रम में रखने पर,

x_1, x_2, x_3, 33, 39, 40, 43, 48, 52, 56

$\because n = 10$ (सम)

$\therefore$ माध्यिका $= \frac{1}{2}\left[\frac{10}{2}\text{वां पद} + \left(\frac{10}{2}+1\right)\text{वां पद}\right]$

$= \frac{1}{2}[5 \text{ वां पद} + 6 \text{ वां पद}]$

$= \frac{1}{2}[39 + 40]$

$= \frac{79}{2} = 39{\cdot}5$

Type - 02

खण्डित श्रेणी का माध्यिका ज्ञात करना :– जब प्रश्न में बारम्बारता दी गई हो तो ऐसी श्रेणी खण्डित श्रेणी के अन्तर्गत होगी।

❖ **खण्डित श्रेणी की माध्यिका कैसे ज्ञात करें–**

Step (1) : दी गई बारम्बारता की संचयी बारम्बारता ज्ञात करें।

Step (2) : बारम्बारता का योग $(\sum f)$, पदों की संख्या (n) होगी।

Step (3) : माध्यिका $= \frac{n}{2}$ संचयी बारम्बारता का संगत चर

प्रश्न : नीचे दिये गये आँकड़ों की माध्यिका ज्ञात कीजिये ?

चर (x)	10	7	11	5	8	6	9
बारम्बारता (f)	6	8	15	12	4	7	16

हल : दिये गये चर को आरोही क्रम में रखने पर–

चर	बारम्बारता (f)	संचयी बारम्बारता (cf)
5	12	12
6	7	12 + 7 = 19
7	8	19 + 8 = 27
8	4	27 + 4 = 31
9	16	31 + 16 = 47
10	6	47 + 6 = 53
11	15	53 + 15 = 68
	$\sum f = n = 68$	

माध्यिका $= \frac{n}{2}$ संचयी बारम्बारता का संगत चर

$= \frac{68}{2}$

= 34 संचयी बारम्बारता का संगत चर

सारणी देखे, 34 संचयी बारम्बारता 31 संचयी बारम्बारता के ठीक बाद 47 संचयी बारम्बारता में होगी।

$\therefore$ माध्यिका = 47 संचयी बारम्बारता का संगत चर = 9

Type - 03

सतत् श्रेणी की माध्यिका ज्ञात करना :– जब प्रश्न में वर्ग–अन्तराल दिया गया हो तो वह श्रेणी सतत् श्रेणी होगी।

$$\text{माध्यिका} = l_1 + \frac{i}{f}(m - c)$$

यहाँ, l_1 = माध्यिका वर्ग की निम्न सीमा

i = माध्यिका वर्ग के वर्ग–अन्तराल का Interval

f = माध्यिका वर्ग की बारम्बारता

m (माध्यिका) $= \frac{N}{2}$ [जहाँ $N = \sum f$]

c = माध्यिका वर्ग के पहले वर्ग–अन्तराल की संचयी बारम्बारता

प्रश्न : निम्न आँकड़ों की माध्यिका ज्ञात करें ?

वर्ग–अन्तराल	0-10	10-20	20-30	30-40	40-50
बारम्बारता	20	10	35	15	30

हल :

वर्ग–अन्तराल	बारम्बारता (f)	संचयी बारम्बारता
0 - 10	20	20
10 - 20	10	20 + 10 = 30(C)
20(l_1) - 30(l_2)	**35(f)**	**30 + 35 = 65**
30 - 40	15	65 + 15 = 80
40 - 50	30	80 + 30 = 110
	$\sum f = N = 110$	

$m = \frac{N}{2} = \frac{110}{2} = 55$

$\because$ 55 से बड़ी संचयी बारम्बारता 65 है जिसमें 55 आयेगा तथा इसका वर्ग–अन्तराल 20 – 30 होगा। अतः

$l_1 = 20$, i = 10, F = 35, m = 55 व C = 30

अतः माध्यिका $= 20 + \frac{10}{35} \times (55 - 30)$

$= 20 + \frac{2}{7} \times 25$

$= 20 + \frac{50}{7} = 27{\cdot}14$ (लगभग)

बहुलक (Mode) : दिये गये आँकड़ों में जिस पद की आवृत्ति सर्वाधिक बार होती है, वह दिये गये आँकड़ों का बहुलक कहलाता है।

- ❖ बहुलक केन्द्रीय प्रवृत्ति का स्थिति माप होता है।
- ❖ बहुलक चरम मानों से अप्रभावित होता है अतः इसका बीजीय विवेचन सम्भव नहीं है अर्थात् इसका मान निश्चित नहीं होता।
- ❖ बहुलक का प्रयोग व्यापारिक क्षेत्र में किसी वस्तु की लोकप्रियता दिखाने में किया जाता है।
- ❖ इसका प्रयोग पूर्वानुमान या भाविष्यवाणी करने में भी किया जाता है।
- ❖ बहुलक शब्द फ्रेंच भाषा के शब्द 'ला मोड' (La Mode) से लिया गया है। जिसका अर्थ Fashionable या Stylish होता है।

Type - 01

व्यक्तिगत श्रेणी में बहुलक ज्ञात करना :–

बहुलक (Z) = जिस पद की आवृत्ति सर्वाधिक बार हो

प्रश्न : दिये गये आँकड़ो का बहुलक बताइये ?

18, 6, 3, 5, 6, 3, 11, 6, 5, 3, 18, 10, 13, 6 और 5

हल : दिये गये आँकड़ों में 6 की आवृत्ति सर्वाधिक 4 बार है अतः आँकड़ों का बहुलक (Z) = 6

Type - 02

खण्डित श्रेणी में बहुलक ज्ञात करना :–

बहुलक (Z) = जिसकी बारम्बारता सर्वाधिक बार हो

प्रश्न : दिये गये आँकड़ों का बहुलक बताइये ?

चर (x)	18	20	25	28	30	35	40
बारम्बारता (f)	3	10	11	15	18	10	13

हल : बहुलक = जिस चर की बारम्बारता सर्वाधिक हो

= 30

[∵ सर्वाधिक बारम्बारता 18 है जिसका संगत चर 30 है।]

Type - 03

सतत् श्रेणी में बहुलक ज्ञात करना :–

$$\text{बहुलक (Z)} = l_1 + \frac{f_1 - f_0}{2f_1 - f_0 - f_2} \times i$$

l_1 = बहुलक वर्ग की निम्न सीमा

f_1 = बहुलक वर्ग की बारम्बारता

f_0 = बहुलक वर्ग से पहले वर्ग अन्तराल की बारम्बारता

f_2 = बहुलक वर्ग के बाद वाले वर्ग अन्तराल की बारम्बारता

i = बहुलक वर्ग के वर्ग अन्तराल का Interval

प्रश्न : निम्न आँकड़ों का बहुलक ज्ञात कीजिए –

वर्ग–अन्तराल	0-20	20-40	40-60	60-80	80-100	100-120
बारम्बारता	3	4	8	15	12	5

हल : ∵ बारम्बारता सबसे अधिक 15 है जिसका वर्ग अन्तराल (l_1)60 - 80 है। अतः

$l_1 = 60,\quad f_1 = 15,\quad f_0 = 8,\quad f_2 = 12,\quad i = 20$

बहुलक (Z) = $l_1 + \frac{f_1 - f_0}{2f_1 - f_0 - f_2} \times i$ से,

$= 60 + \frac{15-8}{2\times15-8-12} \times 20$

$= 60 + \frac{7}{30-20} \times 20$

$= 60 + \frac{7}{10} \times 20$

$= 60 + 14 = 74$

❖ **माध्य $(\bar{x})$, माध्यिका (m) और बहुलक (Z) में सम्बन्ध :–**

$$\text{बहुलक (Z)} = 3 \times \text{माध्यिका (m)} - 2 \times \text{माध्य } (\bar{x})$$

Note : यदि $\bar{x} > m > Z$ या $\bar{x} < m < z$ तब इस स्थिति में माध्यिका सदैव समान्तर माध्य और बहुलक के बीच में होता है।

प्रश्न : किसी आँकड़े का बहुलक 24 तथा माध्य 12 है तो उस आँकड़ों की माध्यिका बताइये ?

हल : बहुलक = 3 × माध्यिका – 2 × माध्य

24 = 3 × माध्यिका – 2 × 12

∴ 3 × माध्यिका = 24 + 24 = 48

∴ माध्यिका = $\frac{48}{3} = 16$

प्रश्नावली

TYPE - 01

1. पांच प्रेक्षणो x+1,x+2,x+3, x+6, x+8 का माध्य 11 है। बीच के तीन प्रेक्षणों का माध्य होगा

(a) 11 (b) 10

(c) $\frac{32}{3}$ (d) 12

(CTET (VI-VIII 23-12-2021)

2. यदि प्रेक्षणों x, x+3, x+6, x+9, और x+12 का माध्य 15 है, तो पहले तीन प्रेक्षणों का माध्य है:

(a) 11 (b) 12

(c) 15.5 (d) 11.2

(CTET (VI-VIII 22-12-2021)

3. यदि प्रेक्षणों 14,22,16,24,12,8,4,18,12,10 में से प्रत्येक में 10 की वृद्धि कर दी जाए, तो इनका नया माध्य कितना होगा?

(a) 16 (b) 26

(c) 14 (d) 24

(RRB NTPC Stage-2)16-6-2022

4. यदि संख्याओं 33, x, 47, 83 और 109 का माध्य 67 है, तो 50,64,100,126 और x का माध्य कितना होगा?

(a) 84 (b) 81.8

(c) 80.6 (d) 80

(RRB NTPC Stage- 2 (15-6-2022))

5. यदि x > 0 के लिए, 22.5, 56, 42.5, 2x+1, x–2, 3x, 36 का माध्य 30 है, तो x का मान ज्ञात कीजिए।

(a) 6 (b) 7

(c) 4 (d) 9

(RRB Group D 26-8-2022)

6. X+77, x+7, x+5, x+3 और x–2 का माध्य ज्ञात कीजिए

(a) x+18 (b) x+8

(c) x–3 (d) x–8

(RRB NTPC 8-4-2021)

7. X प्रेक्षणों का समान्तर माध्य m है। यदि दो प्रेक्षणों, 0 और m को इनके साथ शामिल किया जाता है, तो नया माध्य ज्ञात कीजिए।

(a) $\frac{mx}{x+1}$ (b) m

(c) $\frac{m}{x+1}$ (d) $\frac{m(x+1)}{x+2}$

(RRB NTPC 12-1-2021)

8. आंकड़ो 2, x, 7, 3, y, 9, 6 का माध्य 6 है जहाँ x और y नियतांक है। यदि x को 3x+1 और y को y + 3 द्वारा प्रतिस्थापित किया जाता है, तो माध्य 2 बढ़ जाता है। x का मान ज्ञात करें–

(a) 7 (b) 8

(c) 10 (d) 5

(RRB Group D 20-9-2018)

9. यदि अवलोकन सेट $x_1, x_2.......x_{10}$ का माध्य 20 है, तो $x_1+4, x_2+8........x_{10}+40$ का माध्य है:

(a) 34 (b) 32

(c) 42 (d) 52

RRB Group D 15-11-2018

10. निम्नलिखित बंटन का माध्य ज्ञात कीजिए।

अंक	10	30	50	70	90
विद्यार्थियों की संख्या	17	28	32	24	19

[संदर्भ : Marks – अंक Number of student- विद्यार्थियों की संख्या]

(a) 52.4 (b) 50

(c) 51 (d) 49.2

RRB Group –D 9-9-2022

11. दिए गए बारंबारता बंटन का समांतर माध्य ज्ञात कीजिए।

अंक	बारम्बारता
50	3
28	4
85	6
40	7

(a) 52.6 (b) 56.2

(c) 40.95 (d) 50.5

(RRB Group D – 30-9-2022)

12. दिए गए आँकड़ों का समांतर माध्य ज्ञात कीजिए।

x	60	100	180	240	300	360
f	40	30	40	20	10	10

(a) 17 (b) 12

(c) 16 (d) 13

(RRB Group D- 29-9-2022)

13. यदि निम्नलिखित आँकड़ों का माध्य 15 है, तो k का मान ज्ञात कीजिए?

x	5	10	15	20	25
f	6	k	6	10	5

(a) 6 (b) 10

(c) 8 (d) 7

RRB NTPC 13-1-2021

14. निम्नलिखित बंटन का माध्य 8 है, तो इसमें अनुपस्थित बारंबारता (p) का मान ज्ञात कीजिए।

x:	3	5	7	9	11	13
f:	6	8	15	p	8	4

(a) 18 (b) 12

(c) 10 (d) 25

RRB NTPC 16-1-2021

15. नीचे दिए गए बंटन का माध्य 26 है, तो k का मान ज्ञात कीजिए

वर्ग	0-10	10-20	20-30	30-40	40-50
बारंबारता	8	10	k	6	12

(a) 10 (b) 1
(c) 4 (d) 8
RRB NTPC 8-4-2021

16. इस आंकड़े में अनुपस्थित बारंबारता 'x' को ज्ञात करें, दिया गया है कि समान्तर माध्य 28 है।

लाभ%	0-10	10-20	20-30	30-40	40-50	50-60
दुकानों की संख्या	12	18	27	x	17	6

(a) 20 (b) 15
(c) 12 (d) 24
RRB JE – 30-5-2019

TYPE - 02

17. निम्नलिखित आँकड़ों की माध्यिका है:
25,34,31,23,22,26,35,28,20,32
(a) 27 (b) 28
(c) 26 (d) 25
(HTET (I-V)2020)

18. माना कि आँकड़ों
13,8,15,14,17,9,14,16,13,17,14,15,16,15,14 का माध्यक x है। यदि 8 के स्थान पर 18 कर दिया जाए, तो आँकड़ों का माध्यक y है। x तथा y के मानों का योग क्या है?
(a) 28 (b) 29
(c) 30 (d) 27
(CTET (Class VI-VIII 7 July 2019)

19. मान लीजिए कि निम्न आँकड़ों का माध्यक x है–
13,14,15,11,9,9,8,7,16,15,5,6,16,25,16,
23,28,17
यदि इन आँकड़ों में 6 को 19 तथा 13 को 31 से विस्थापित कर दिया जाए, तो इस प्रकार प्राप्त आँकड़ों का माध्यक y है। (3x–y)का क्या मान है?
(a) 26 (b) 27
(c) 28 (d) 29
CTET (VI-VIII 20-12-2021)

20. दस प्रेक्षणों 5, 9,14, 15, x+1, 2x–13, 26, 30, 32, 34 को आरोही क्रम में व्यवस्थित किया जाता है। इन आँकड़ों का माध्यिका 24 है। x का मान है
(a) 19 (b) 20
(c) 21 (d) 16
(UPTET VI-VIII 23-1-2022)

21. यदि अवरोही क्रम में रखे गए आँकड़ों के दोनों छोरों से प्रेक्षण हटाए जाते हैं, तो केन्द्रीय प्रवृत्ति के कौन–से मापक प्रभावित होते हैं?
(a) माध्य और बहुलक
(b) माध्य, माध्यक और बहुलक
(c) माध्य और माध्यक
(d) बहुलक और माध्यक
(UP TET (I-V 23-1-2022)

22. 12 प्रेक्षण आरोही क्रम में सजाकर रखे गए हैं। छठें और सातवें प्रेक्षण का मान क्रमशः 14 और 15 हैं। समस्त 12 प्रेक्षण की माध्यिका होगी–
(a) 29 (b) 14.5
(c) 15 (d) इनमें से कोई नहीं
(UP TET Class VI-VIII 19-12-2016)

23. निम्नलिखित प्रेक्षणों को आरोही क्रम में व्यवस्थित किया गया है।
29, 32, 48, 50, x, x+2 72, 78, 84, 95, यदि माध्यिका 63 है, तो x का मान क्या है?
(a) 31 (b) 62
(c) 50 (d) 63
RRB Group D Exam 19-9-2022

24. दिए गए आंकड़ो को आरोही क्रम में व्यवस्थित किया गया है और इनकी माध्यिका 17 हैं। x का मान ज्ञात कीजिए।
8,10,12,15,x, x+2, 20, 25, 30, 32
(a) 16 (b) 18
(c) 19 (d) 17
RRB NTPC 30-1-2021

25. दिए गए आंकड़ों में यदि 30 के स्थान पर 100 कर दिया जाए, तो दोनों माध्यिकाओं का अंतर ज्ञात कीजिए।
80,90,40,30,20,10,70,60,50,
(a) 60 (b) 50
(c) 10 (d) 40
RRB NTPC 28-1-2021

26. इन आँकड़ों के लिए माध्यिका की गणना कीजिए।

दैनिक आय रू. में	10-14	15-19	20-24	25-29	30-34	35-39
कर्मचारियों की संख्या	5	10	15	20	10	5

(a) 20 (b) 12.33
(c) 26.4 (d) 25.13
RRB JE- 30-5-2019

TYPE - 03

27. किसी वर्ग की ऊपरी सीमा तथा निम्न सीमा का अन्तर कहलाता है:
(a) बारम्बारता (b) बहुलक
(c) वर्ग माप (d) इनमें से कोई नहीं
(REET VI-VIII 23-7-2022,23)

28. आवृत्ति बहुभुज के अवलोकन से निम्नलिखित में से क्या ज्ञात किया जा सकता है?
(a) बहुलक (b) माध्यिका
(c) माध्य (d) मानक विचलन

(REET VI-VIII 24-7-2022)

29. किसी श्रेणी का बहुलक मूल्य होता है:
(a) मध्यवर्ती मूल्य
(b) सर्वाधिक बारम्बारता मूल्य
(c) न्यूनतम बारम्बारता मूल्य
(d) सीमान्त मूल्य
(REET (VI-VIII 24-7-2022)

30. निम्न बारंबारता बंटन वर्गीकृत है:

x	5	15	38	47	68
f	2	4	9	3	1

(a) सापेक्ष बारंबारता बंटन
(b) सतत बारंबारता बंटन
(c) प्रतिशत बारंबारता बंटन
(d) विविक्त बारंबारता बंटन

31. श्रेणी–

भार पाउंड	15-20	20-25	25-30	30-35	35-40
वस्तुओं की संख्या	10	15	30	10	5

कैसे वर्गीकृत है?
(a) सतत श्रेणी में (b) विविक्त श्रेणी में
(c) समय श्रेणी में (d) गुणोत्तर श्रेणी में
(CGTET VI-VIII 2016)

32. व्यक्तिगत चर मानों पर आधारित बारंबारता बंटन कहलाता है:
(a) विविक्त बारंबारता बंटन
(b) संचयी बारंबारता बंटन
(c) प्रतिशत बारंबारता बंटन
(d) सतत बारंबारता बंटन
(CGTET VI-VIII 2016)

TYPE - 04

33. संख्याओं 5,7,9,12,10,15,7,8,7,25 का बहुलक क्या होगा?
(a) 5 (b) 7
(c) 9 (d) 12
(Haryana TET (I-V)2016)

34. x के किस मान के लिए निम्न ऑंकड़ों का बहुलक 27 है?
25,26,27,23,27,26,24,x,27,26,25,25
(a) 24 (b) 27
(c) 25 (d) 26
UPTET (VI-VIII 23-1-2022)

35. यदि निम्न आंकड़ो का बहुलक 12 है, तो k का मान ज्ञात करें।
11,15,8,9,k,11,12,12,15,14
(a) 11 (b) 13
(c) 15 (d) 12
RRB NTPC 9-1-2021

36. इस बंटन का बहुलक ज्ञात कीजिए।

वर्ग अन्तराल	0-10	10-20	20-30	30-40	40-50	50-60
बारम्बारता	3	16	26	31	16	8

(a) 34.5 (b) 35
(c) 42 (d) 32.5
RRB JE – 27-6-2019

37. छात्रो के एक समूह द्वारा एक स्थानीय क्षेत्र के 20 घरों पर किए गए एक सर्वेक्षण में घरेलू परिवार के सदस्यों की संख्या से संबंधित निम्नलिखित आवृत्ति सारणी के परिणाम प्राप्त हुए हैं–

परिवार का आकार	परिवारों की संख्या
1-3	7
3-5	9
5-7	2
7-9	1
9-11	1

इन आंकड़ों का बहुलक ज्ञात कीजिए।
(a) 3.571 (b) 3.444
(c) 3.628 (d) 3.286
(RRB Group D 20-9-2018)

38. बैंक से कर्ज लेने वाले व्यक्तियों की संख्या का विवरण उनके आयु वर्ग के अन्तराल के आधार पर नीचे दिया गया है।

आयु वर्ग	20-30	30-40	40-50	50-60	60-70
व्यक्तियों की संख्या	37	38	70	42	13

बहुलक ज्ञात करें।
(a) 45.33 (b) 44.89
(c) 45.67 (d) 45.12
RRB Group D- 15-11-2018

39. नीचे, कक्षा में उपस्थित 100 विद्यार्थियों का विवरण उनकी उपस्थिति (दिन) के आधार पर दिया गया है।

उपस्थिति के दिनों की संख्या	6-10	10-14	14-18	18-22	22-26
विद्यार्थियों की संख्या	9	28	34	18	11

बहुलक ज्ञात करें।
(a) 15.09 (b) 15.01
(c) 14.71 (d) 15.04
RRB Group D- 12-11-2018

TYPE - 05

40. यदि कुछ प्रेक्षणों के माध्य और बहुलक का अंतर 69 है, तो माध्य और माध्यिका का अंतर कितना होगा?

(a) 24 (b) 21
(c) 23 (d) 22
(RRB NTPC Exam 15-6-2022)

41. यदि बहुलक और माध्यिका का अंतर 2 है, तो अनुभवजन्य संबंध (empirical relation)का उपयोग करते हुए माध्यिका और माध्य का अंतर (दिए गए क्रम में) ज्ञात कीजिए।
(a) 1 (b) 2
(c) 4 (d) 3
RRB NTPC Stage-2 Exam 14-6-2022

42. किन्हीं दिए गए आंकड़ो के लिए, यदि माध्य और बहुलक क्रमशः 42 और 60 है, तो प्रयोगसिद्ध संबंध (empirical relation) का उपयोग करते हुए उन आंकड़ों की माध्यिका ज्ञात कीजिए।
(a) 50 (b) 44
(c) 46 (d) 48
RRB Group D 26-8-2022

43. निम्नलिखित में से कौन–सा विकल्प, आंकड़ों के एक समुच्चय के माध्य, माध्यिका और बहुलक के बीच सही प्रयोगसिद्ध संबंध को दर्शाता है?
(a) माध्य + बहुलक = 3 (माध्य + माध्यिका)
(b) माध्य – बहुलक = 3 (माध्य + माध्यिका)
(c) माध्य + बहुलक = 3 (माध्य – माध्यिका)
(d) माध्य – बहुलक = 3 (माध्य – माध्यिका)
(RRB Group D- 29-9-2022)

44. निम्न में से कौन –सा सही मूलानुपाती सूत्र है?
(a) 3(बहुलक–माध्य) = माध्यिका–माध्य
(b) $\frac{2}{3}$(बहुलक–माध्य) = माध्यिका–माध्य
(c) बहुलक–माध्य / 3×2 = माध्यिका–माध्य
(d) बहुलक–माध्य / 3 = माध्यिका–माध्य
RRB Group D 24-8-2022

45. प्रेक्षणों की एक निश्चित संख्या की माध्यिका 55 और माध्य 58 है। बहुलक ज्ञात कीजिए।
(a) 50 (b) 52
(c) 49 (d) 51
RRB Group D- 19-9-2022

TYPE - 06

46. मान लीजिये कि p, q और r क्रमशः नीचे दिये आँकड़ों के माध्य, माध्यक और बहुलक है–
11,12,16,3,7,9,13,16,26,23,25,19 तो (p+2q–r) का मान क्या है?
(a) 17 (b) 22
(c) 25 (d) 28
(CTET VI-VIII27-12-2021)

47. मान लीजिए कि आंकड़ों 20,11,14,8,7,18,20,27,23,53,42,15 के बहुलक, माध्यक और परिसर क्रमशः x, y और z हैं। (2x+y–z) का मान क्या है?
(a) 11 (b) 13
(c) 14 (d) 17
CTET (VI-VIII 5-1-2022)

48. आंकड़ो 12,7,13,3,16,15,18,19,27,18,34,29,के परिसर, बहुलक और माध्यक का माध्य क्या है?
(a) 19 (b) 20
(c) 21 (d) 22
(CTET VI-VIII 4-1-2022)

49. निम्न आंकड़ों के लिए, परिसर, माध्यक और बहुलक का माध्य क्या है?
18,7,5,10,8,12,6,8,12,14,8,18,15,9,6,
(a) 9 (b) 9.5
(c) 10 (d) 10.3
CTET (VI-VIII 21-1-2022)

50. दिये गए अंको के माध्य और माध्यिका के लिए निम्नलिखित में से कौन सा कथन सत्य है:
15,8,13,1,23,15,20,1
(a) माध्य माध्यिका से अधिक है
(b) माध्यिका माध्य से अधिक है
(c) माध्य और माध्यिका दोनों समान है
(d) माध्यिका को ज्ञात नहीं किया जा सकता क्योंकि अंको की संख्या सम है
(CTET I-V 4-1-2022)

51. क्रमागत श्रेणी की माध्यिका ज्ञात करने के लिए सूत्र, माध्यिका = $l + \frac{\frac{N}{2} - c}{f} \times i$ का प्रयोग करते हैं, यहां c इंगित करता है
(a) माध्यिका वर्ग की संचयी आवृत्ति
(b) माध्यिका वर्ग की आवृत्ति
(c) माध्यिका वर्ग के पूर्ववर्ती वर्ग की संचयी आवृत्ति
(d) माध्यिका वर्ग के पूर्ववर्ती वर्ग की आवृत्ति
Punjab TET Class VI-VIII 2011

52. यदि किसी दिये गये आँकड़े का समान्तर माध्य = A, ज्यामितीय माध्य = G तथा हरात्मक माध्य = H हो, तो–
(a) A ≥ G ≥ H (b) A ≤ G ≤ H
(c) A ≤ G ≥ H (d) A ≥ H ≥ G
UP TET (I-V 23-1-2022)

Revision Series

53. निम्नलिखित में से कौन–सा अंकगणितीय माध्य नहीं है–
(a) समान्तर माध्य **(b) हरात्मक माध्य**
(c) माध्यिका **(d) गुणोत्तर माध्य**

54. सांख्यिकी की जन्मदाता कहे जाते हैं–
(a) फ्राइड एकेनवॉल **(b) बाउले**
(c) कौटिल्य **(d) कार्ल पियर्सन**

55. एक वचन रूप में सांख्यिकी का आशय है–

(a) आँकड़ों (b) समंकों

(c) सांख्यिकी विधियों (d) उपरोक्त सभी

56. बहुवचन रूप में सांख्यिकी से तात्पर्य है–

(a) आँकड़ों (b) संकलन

(c) विश्लेषण (d) सांख्यिकीय विधियों

57. सांख्यिकी है–

(a) गणित (b) कला

(c) विज्ञान (d) कला और विज्ञान

58. माध्यिका और बहुलक किस प्रकार के माध्य हैं–

(a) अंकगणितीय माध्य (b) स्थिति माध्य

(c) गुणोत्तर माध्य (d) इनमें से कोई नहीं

59. एक आयतचित्र (Histogram) में किसी आयत की ऊँचाई दर्शाती है–

(a) वर्ग– अन्तराल (b) परिसर

(c) माध्यिका (d) उस वर्ग की बारम्बारता

60. निम्नलिखित में से कौन सा केन्द्रीय प्रवृत्ति का माप नहीं है–

(a) माध्य (b) मानक विचलन

(c) माध्यिका (d) बहुलक

61. सर्वाधिक फैशन का सम्बन्ध है–

(a) बहुलक (b) माध्य

(c) माध्यिका (d) गुणोत्तर माध्य

62. बहुलक का मूल्य ज्ञात किया जा सकता है–

(a) आवृत्ति आयत चित्र (b) निरीक्षण विधि

(c) समूहन विधि (d) उपरोक्त सभी

63. निम्नलिखित में से किसका बीजगणितीय विवेचन सम्भव नहीं है–

(a) समान्तर माध्य (b) बहुलक

(c) माध्यिका (d) b और c

64. प्रेक्षण समूह 8, 13, 5, 24 और 10 का माध्य होगा–

(a) 10 (b) 60

(c) 12 (d) 15

65. एक विद्यार्थी के 5 विषयों के प्राप्तांकों का माध्य 72 है। यदि उसके पाँचों विषय में प्राप्त अंक क्रमशः 63, 55, x, 72 और 80 हो तो x का मान बताइये?

(a) 70 (b) 90

(c) 60 (d) 80

66. 10 प्रेक्षणों का माध्य 45 है। यदि प्रथम 5 प्रेक्षणों का माध्य 42 और अन्तिम 4 प्रेक्षणों का माध्य 47 हो तो 6 वें प्रेक्षण का मान बताइये?

(a) 52 (b) 51

(c) 50 (d) 60

67. 40 प्रेक्षणों का माध्य 60 है। यदि प्रथम 23 प्रेक्षणों का माध्य 62 और अन्तिम 18 प्रेक्षणों का माध्य 58 हो तो 23वें प्रेक्षण का मान बताइये?

(a) 60 (b) 70

(c) 65 (d) 75

68. पाँच प्रेक्षणों $x, x+2, x+4, x+6$ और $x+8$ का माध्य 11 है। तब पहले तीन प्रेक्षणों का माध्य बताइये?

(a) 2 (b) 4

(c) 9 (d) 8

69. यदि आँकड़ों के तीन समूह का 6, 4 और 5 परीक्षणों के आधार पर उनका माध्य क्रमशः 15, 22·5 और 24 है, तो तीनों समूहों का सम्मिलित माध्य बताइये–

(a) 20 (b) 20·5

(c) 24 (d) 22·5

70. 3, 5, 7 और 9 संख्याओं की क्रमशः बारम्बारता $(x-2)$, $(x+2)$, $(x-3)$ और $(x+3)$ है। यदि समान्तर माध्य 6·5 है, तो x का मान बताइये?

(a) 3 (b) 4

(c) 5 (d) 6

71. निम्न आँकड़ों का माध्य 13·5 है तब x का मान है–

x	5	10	15	20	25
f	10	10	P	2	8

(a) 21 (b) 15

(c) 10 (d) 18

72. निम्न आँकड़ों का समान्तर माध्य होगा–

चर (x)	15	20	25	40	30
बारम्बारता	8	10	12	6	4

(a) 24 (b) 24·5

(c) 25 (d) 30

73. 60 विद्यार्थियों का भार नीचे सारणी में दिया गया है तो दिये गये आँकड़ों का माध्य बताइये?

विद्यार्थी की संख्या	20	15	5	6	4	10
भार (kg में)	35	40	30	45	50	55

(a) 40 (b) 41

(c) 41·6 (d) 41·16

74. दिये गये आँकड़ों का समान्तर माध्य ज्ञात कीजिये–

वर्ग– अन्तराल	0- 10	10- 20	20- 30	30- 40	40- 50	50- 60
बारम्बारता	7	5	15	13	6	4

(a) 28·6 (b) 28

(c) 27·6 (d) 27

75. दिये गये आँकड़ों का माध्य बताइये?

वर्ग– अन्तराल	0- 5	5- 10	10- 15	15- 20	20-25
बारम्बारता	3	7	12	6	2

(a) 10 (b) 11

(c) 12 (d) 15

76. आँकड़े 13, 7, 15, 6, 25, 18, 24, 30, 7, 10 और 23 की माध्यिका बताइये?

(a) 13 (b) 15

(c) 18 (d) 23

77. आँकड़े 24, 30, 18, 5, 20, 17, 35, 48, 12 और 16 की माध्यिका बताइये?

(a) 18 (b) 19

(c) 20 (d) 24

78. 12 प्रेक्षण आरोही क्रम में सजाकर रखे गये हैं। छठवें और सातवें प्रेक्षण का मान क्रमशः 14 और 15 है। समस्त 12 प्रेक्षणों की माध्यिका होगी–

(a) 29 (b) 14·5

(c) 15 (d) इनमें से कोई नहीं

79. किसी परीक्षा में 12 विद्यार्थी सम्मिलित हुये जिसमें 4 विद्यार्थी फेल हो गये। यदि शेष 8 विद्यार्थियों के प्राप्तांक 45, 39, 50, 48, 36, 63, 55 और 61 हो तो इन सभी विद्यार्थियों के प्राप्तांकों की माध्यिका बताइये?

(a) 41 (b) 42

(c) 39 (d) 45

80. निम्न संख्याओं का माध्यम ज्ञात कीजिये?

10, 8, 5, 3, 9, 6, 12, 14, 13, 7, 1

(a) 8 (b) 10

(c) 9 (d) 14

81. आँकड़ों के एक समूह को आरोही क्रम में सजाकर रखा गया है। यदि इसके दोनों छोर से चरम मान (Extreme value) को हटा दिया जाये तो निम्न में से क्या प्रभावित होगा?

(a) माध्य और माध्यक (b) माध्य, माध्यक और बहुलक

(c) माध्य और बहुलक (d) माध्यक और बहुलक

82. निम्नलिखित का मध्यांक बताइये–

चर (x)	5	6	7	8	10	12
बारम्बारता (f)	4	5	6	4	3	2

(a) 7 (b) 4·65

(c) 7·45 (d) 6·5

83. निम्नलिखित की माध्यिका होगी–

चर (x)	21	15	12	7	4
आवृत्ति (f)	2	6	7	3	2

(a) 12 (b) 12·21

(c)23 (d) 10

84. निम्नलिखित की माध्यिका बताइये–

वर्ग– अन्तराल	0- 5	5- 10	10- 15	15- 20	20- 25	25- 30
बारम्बारता	3	6	8	12	10	6

(a) 16 (b) 16·5

(c) 16·79 (d)इनमें से कोई नहीं

85. बहुलक होता है–

(a) मध्य मूल्य (b) मध्य सर्वाधिक मूल्य

(c) सर्वाधिक आवृत्ति मूल्य(d) इनमें से कोई नहीं

86. बहुलक की गणना के लिये कौन सा ग्राफ उपयुक्त है–

(a) स्तम्भाकृति (Histogram)

(b)संचयी आवृत्ति वक्र(Cumulative Frequency curve)

(c) आवृत्ति बहुभुज (Frequency polygon)

(d) z वक्र (z- curve)

87. बहुलक ज्ञात करने का सूत्र है–

(a) 3 माध्यिका + 2 माध्य (b) 3 माध्यिका × 2 माध्य

(c) 3 माध्यिका − 2 माध्य **(d)** 2 माध्य - 3 माध्यिका

88. दिये गये आँकड़ों का बहुलक बताइये–

3, 8, 11, 3, 5, 8, 17, 3, 5, 14, 17, 5, 3 और 20

(a) 5 **(b)** 8

(c) 3 **(d)** 17

89. निम्नलिखित का बहुलक बताइये–

चर	23	20	18	15	11	8
बारम्बारता	2	4	6	8	5	1

(a) 18 **(b)** 11

(c) 20 **(d)** 15

90. निम्नलिखित का बहुलक बताइये–

वर्ग– अन्तराल	0- 5	5- 10	10- 15	15- 20	20- 25	25- 30
बारम्बारता	3	6	8	12	10	6

(a) 16·38 **(b)** 17·36

(c) 17·83 **(d)** इनमें से कोई नहीं

91. किसी आँकड़े का बहुलक 24 तथा समान्तर माध्य 6 है, तो आँकड़े की माध्यिका बताइये?

(a) 12 **(b)** 18

(c) 36 **(d)** 24

92. किसी आँकड़े की माध्यिका 8 तथा समान्तर माध्य 5 है तो आँकड़े का बहुलक हो सकता है–

(a) 14 **(b)** 24

(c) 10 **(d)** 18

93. किसी प्रेक्षण के अधिकतम तथा न्यूनतम मान के अन्तर को कहा जाता है–

(a) माध्य **(b)** माध्यिका

(c) बहुलक **(d)** परिसर

94. किसी कार्यालय के कुछ कर्मचारियों के उम्र (वर्षों में) निम्न है– 38, 27, 45, 36, 41, 28, 23 और 32 तो इनके उम्रों का परिसर बताइये?

(a) 20 वर्ष **(b)** 21 वर्ष

(c) 22 वर्ष **(d)** 23 वर्ष

95. आँकड़ों 7, 6, 7, 9, 8, 8, 10, 8 के माध्यिका और बहुलक का माध्य है–

(a) 8·5 **(b)** 9

(c) 5·5 **(d)** 8

96. आँकड़ों 4, 3, 2, 2, 7, 2, 2, 0, 3, 4, 4 के परिसर, बहुलक और माध्यिका का माध्य है–

(a) 4 **(b)** 3

(c) 5 **(d)** 2

97. दिये हुए आँकड़ों 10, 6, 15, 50, 120, 80, 100, 15, 10, 8, 15 का माध्य, बहुलक और माध्यिका क्रमशः है–

(a) 39, 15, 17 **(b)** 15, 15, 39

(c) 39, 15, 15 **(d)** 37, 15, 15

98. 2, 1, 2, 3, 3, 6, 4, 8, 14, 9, 4, 8, 4 उपर्युक्त आँकड़ों के बहुलक, माध्यक और परिसर का माध्य है–

(a) 7 **(b)** 9

(c) 4 **(d)** 6

99. निम्नलिखित आँकड़ों के लिये कौन–सा एक सही है?

–2, 2, 1, 0, 5, 4, 5, 7, 5, 11, 12

(a) माध्य = माध्यिका = बहुलक **(b)** माध्यिका = बहुलक

(c) माध्य = 5 **(d)** माध्य = बहुलक

100. अवर्गीकृत आँकड़ों का बराबर चौड़ाई, भिन्न ऊँचाई और बराबर दूरी पर स्थिर स्तम्भों द्वारा प्रदर्शित करने का तरीका कहलाता है–

(a) आयत चित्र **(b)** दण्ड चित्र

(c) पाई चित्र **(d)** इनमें से कोई नहीं

101. चिन्ह 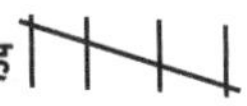 कहलाता है–

(a) टैली चिन्ह **(b)** पाई चिन्ह

(c) बारम्बारता **(d)** दण्ड चिन्ह

102. आयत चित्र प्रदर्शित करता है–

(a) असमान वर्गीकृत बारम्बारता बंटन

(b) अवर्गीकृत बारम्बारता बंटन

(c) सतत वर्गीकृत बारम्बारता बंटन

(d) इनमें से सभी

ANSWER

1.	c	35.	d	69.	a
2.	b	36.	d	70.	c
3.	d	37.	b	71.	c
4.	c	38.	a	72.	b
5.	d	39.	a	73.	d
6.	a	40.	c	74.	a
7.	d	41.	a	75.	c
8.	d	42.	d	76.	b
9.	c	43.	d	77.	b
10.	b	44.	d	78.	b
11.	a	45.	c	79.	b
12.	c	46.	d	80.	a
13.	c	47.	b	81.	c
14.	d	48.	d	82.	a
15.	c	49.	c	83.	a
16.	a	50.	b	84.	d
17.	a	51.	c	85.	c
18.	b	52.	a	86.	a
19.	c	53.	c	87.	c
20.	b	54.	a	88.	c
21.	a	55.	c	89.	d
22.	b	56.	a	90.	d
23.	b	57.	d	91.	a
24.	a	58.	b	92.	c
25.	c	59.	d	93.	d
26.	d	60.	b	94.	c
27.	c	61.	a	95.	d
28.	a	62.	d	96.	a
29.	b	63.	d	97.	c
30.	d	64.	c	98.	a
31.	a	65.	b	99.	b
32.	a	66.	a	100.	b
33.	b	67.	b	101.	a
34.	b	68.	c	102.	c

Explanatory Notes

1. (c) $11 = \frac{(x+1)+(x+2)+(x+3)+(x+6)+(x+8)}{5}$

$11 \times 5 = 5x + 20$

या, $5x = 55 - 20 = 35$

$\therefore x = 7$

$\therefore$ बीच के तीन प्रेक्षण का माध्य $= \frac{(x+2)+(x+3+(x+6)}{3}$

$= \frac{3x+11}{3} = \frac{3\times7+11}{3} = \frac{32}{3}$

2. (b) $15 = \frac{x+(x+3)+(x+6)+(x+9)+(x+12)}{5}$

$15 \times 5 = 5x + 30$

या, $5x = 75 - 30 = 45$

$\therefore x = 9$

$\therefore$ प्रथम तीन प्रेक्षण का माध्य $= \frac{x+(x+3)+(x+6)}{3}$

$\frac{3x+9}{3} = \frac{3(x+3)}{3}$

$= x + 3 = 9 + 3 = 12$

3. (d) माध्य $= \frac{14+22+16+24+12+8+4+18+12+10}{10}$

$= \frac{140}{10} = 14$

$\therefore$ प्रत्येक में 10% की वृद्धि करने से,

नया माध्य $= 14 + 10 = 24$

4. (c) $67 = \frac{33+x+47+83+109}{5}$

या, $67 \times 5 = 272 + x$

$\therefore x = 335 - 272 = 63$

अतः 50,64,100,126 और x का

माध्य$= \frac{50+64+100+126+63}{5}$

$= \frac{403}{5} = 80{\cdot}6$

5. (d) $30 = \frac{22{\cdot}5+56+42{\cdot}5+(2x+1)+(x-2)+3x+36}{7}$

$30 \times 7 = 157 + 2x + 1 + x - 2 + 3x$

या, $6x = 210 - 156$

या, $6x = 54$

$\therefore x = 9$

6. (a) $\bar{x} = \frac{(x-2)+(x+3)+(x+5)+(x+7)+(x+77)}{5}$

$\frac{5x+90}{5} = \frac{5(x+18)}{5}\ x + 18$

7. (d) x प्रेक्षणों का योग = माध्य × प्रेक्षणों की संख्या

$= mx$

O और m शामिल कर लेने से,

नया माध्य $= \frac{mx+o+m}{x+2}$

$= \frac{m(x+1)}{(x+2)}$

8. (d) $6 = \frac{2+x+7+3+y+9+6}{7}$

$42 = x + y + 27$

$\therefore x + y = 15)$......(i)

x को $(3x+1)$ तथा y को $(y+3)$ से प्रतिस्थापित करने पर.......

$(6+2) = \frac{2+(3x+1)+7+3+(y+3)+9+6}{7}$

या, $56 = 31 + 3x + y$

या, $3x + y = 25$ ... . (ii)

घटाने पर $x + y = 15$ .... (i)

$2x = 10$

$\therefore x = 5$

9. (c) $\frac{x_1+x_2+x_3......+x_{10}}{10}$ = 20-----(i)

अब,

$\frac{(x_1+4)+(x_2+8)+(x_3+12)+\cdots..+(x_{10}+40)}{10}$

$\frac{x_1+x_2+x_3+\cdots+x_{10}}{10} + \frac{4+8+12+\cdots+40}{10}$

$= 20 + \frac{4(1+2+3+\cdots10)}{10}$

$20 + \frac{\frac{4\times(1+10)}{2}\times10}{10}$

$= 20 + \frac{4\times11\times5}{10}$

$= 20 + 22 = 42$

10. (b)

अंक(x)	10	30	50	70	90
विद्यार्थी(f)	17	28	32	24	19
(fx)	170	840	1600	1680	1710

$\Sigma fx = 6000, \Sigma fx = 120$

$\therefore \bar{x} = \frac{\Sigma fx}{\Sigma f} = \frac{6000}{120} = 50$

11. (a)

अंकx	बारम्बारता(f)	fx
50	3	150
28	4	112
85	6	510
40	7	280
	Σfx = 20	Σfx = 1052

$\therefore \bar{x} = \frac{1052}{20} = 52{\cdot}6$

12. (c)

x	(f)	fx
6	4	24
10	3	30
18	4	72
24	2	48
30	1	30
36	1	36
	Σfx = 15	Σfx = 240

$\therefore \bar{x} = \frac{240}{15} = 16$

13. (c)

x	(f)	fx
5	6	30
10	k	$10k$
15	6	90
20	10	200
25	5	125
	$\Sigma f = (27+k)$	$\Sigma fx =$ (445+10k)

$\therefore 15 = \frac{445+10k}{27+k}$

$15(27+k) = 445 + 10k$

$405 + 15k = 445 + 10k$

$15k - 10k = 445 - 405$

$5k = 40$

$\therefore k = 8$

14. (c)

x	(f)	fx
3	6	18
5	8	40
7	15	105
9	P	$9P$
11	8	88
13	4	52
	Σf = (41+P)	Σfx = (303+9P)

$8 = \frac{303+9P}{(41+P)}$

$8(41 + P) = 303 + 9P$

$328 + 8P = 303 + 9P$

$P = 25$

15. (c)

CI	m	f	fm
$0-10$	5	8	40
$10-20$	15	10	150
$20-30$	25	k	$25k$
$30-40$	35	6	210
$40-50$	45	12	540
		Σf = 36+k	Σfm = 940+25k

$26 = \frac{940+25k}{(36+k)}$

$26(36+k) = 940 + 25k$

$936 + 26k = 940 + 25k$

$k = 4$

16. (a)

लाभ %	m	दुकान की सं०f	fm
$0-10$	5	12	60
$10-20$	15	18	270
$20-30$	25	27	675
$30-40$	35	x	$35x$
$40-50$	45	17	765
$50-60$	55	6	330
		$\Sigma f = 80 + x$	$\Sigma fm = 2100 + 35x$

$28 = \frac{2100+35x}{80+x}$

$2240 + 28x = 2100 + 35x$

$7x = 140$

$x = 20$

17. (a) आँकड़ो को आरोही क्रम में रखने पर
20,22,23,25,**26,28** 31,32,34,35

$\therefore$ माध्यिका $= \frac{26+28}{2} = \frac{54}{2} = 27$

18. (b) आँकड़े को आरोही क्रम में रखने पर–
8,9,13,13,14,14,14,**14**,15,15,15,16,16,17,17,

$\therefore$ माध्यिका $= x = 14$

अब 8 को 18 से प्रतिस्थापित करने पर
9,13,13,14,14,14,14,**15**,15,15,16,16,17,17,18

$\therefore$ माध्यिका $= y = 15$

अतः $x + y = 14 + 15 = 29$

19. (c) आँकड़े को आरोही क्रम में रखने पर
5,6,7,8,9,9,11,13,**14,15**,15,16,16,16,17,23,25,28

$\therefore$ माध्यिका $x = \frac{14+15}{2} = \frac{29}{2} = 14{\cdot}5$

अब, 6 को 19 तथा 13 को 31 से विस्थापित करने पर–
5,7,8,9,9,11,14,15,**15,16**,16,16,17,19,23,25,28,31

$\therefore$ माध्यिका , $y = \frac{15+16}{2} = \frac{31}{2} = 15{\cdot}5$

$\therefore 3x - y = 3 \times 14.5 - 15.5$

$43.5 - 15.5$

$= 28$

20. (b) 5,9,14,15, $(x+1), (2x-13)$, 26,30,32,34

माध्यिका $= \frac{(x+1)+(2x-13)}{2}$

$24 = \frac{3x-12}{2}$

$48 = 3x - 12$

या, $3x = 60$

$\therefore x = 20$

21. (a) माध्यिका चरम मूल्यों (extreme values) से प्रभावित नहीं होता अर्थात आँकड़े को आरोही/अवरोही क्रम में रखने के बाद यदि उसके दोनों छोरों से चरम मूल्यों को हटा दिया जाये तो माध्यिका प्रभावित नहीं होता।
अतः प्रभावित होने वाले मापक 'माध्य और बहुलक' होगा।

22. (b) $\because$ 12 प्रेक्षणों को आरोही क्रम में रखा गया है

अतः माध्यिका $= \frac{6 \text{ प्रेक्षण} + 7 \text{ प्रेक्षण}}{2}$

$= \frac{14+15}{2}$

$= \frac{99}{2} = 14{\cdot}5$

23. (b) आँकड़े–
29,32,48,50, x, $(x+2)$, 72,78,84,95

$\therefore$ माध्यिका $= \frac{x+(x+2)}{2}$

$63 = \frac{2x+2}{2}$

$63 = \frac{2(x+1)}{2}$

या, $x + 1 = 63$

$\therefore x = 62$

24. (a) आँकड़े –

8,10,12,15, $x, (x+2)$, 20,25,30,32

$\therefore$ माध्यिका = $\frac{x+(x+2)}{2}$

$17 = \frac{2(x+1)}{2}$

या, $x + 1 = 17$

$\therefore x = 1$

25. (c) आँकड़े को आरोही क्रम में रखनें पर–

10,20,30,40,50,60,70,80,90

$\therefore$ माध्यिका = 50

अब, 30 को 100 से प्रतिस्थापित करने पर–

10,20,40,50,60,70,80,90,100

माध्यिका = 60

$\therefore$ दोनों माध्यिकाओं का अन्तर = 60– 50 = 10

26. (d)

दैनिक आय $(C.I)$	कर्मचारी (f)	संचयी बारम्बारता $(c.f)$
9·5– 14·5	5	5
14·5– 19·5	10	15
19·5– 24·5	15	30 (c)
24·5– 29·5	20(f)	50
29·5– 34·5	10	60
34·5– 39·5	5	65
	$n = \Sigma f = 65$	

$m = \frac{65}{2} = 32{\cdot}5$

माध्यिका $= l_1 + \frac{i}{f}(m - c)$

$l_1 = 24{\cdot}5, i = 5, f = 20, c = 30$

माध्यिका $= 24{\cdot}5 + \frac{5}{20}(32{\cdot}5 - 30)$

$= 24{\cdot}5 + \frac{2{\cdot}5}{4}$

$= 24{\cdot}5 + 0{\cdot}625$

$= 25{\cdot}125 \approx 25{\cdot}13$

27. (c) वर्गमाप = ऊपरी सीमा – निम्न सीमा

28. (a) आवृत्ति बहुभुज के आवलोकन से बहुलक ज्ञात किया जाता है

29. (b) बहुलक मूल्य = सर्वाधिक बारम्बारता मूल्य

$\therefore$ बहुलक (z) = जिस पद की आवृत्ति (Frequence) सर्वाधिक हो

30. (d) जब प्रश्न में चर (x) तथा बारम्बारता (f) दिया हो तो इस प्रकार की श्रेणी को हम विविक्त बारम्बारता बंटन या खण्डित श्रेणी कहते है।

31. (a)जब प्रश्न में वर्ग –अन्तराल (Class-Interval) तथा बारम्बारता (Frequency)दिया हो तो इस प्रकार की श्रेणी को हम सतत श्रेणी के अन्तर्गत वर्गीकृत करते है।

32. (a) व्यक्तिगत चर मानों पर आधारित बारम्बारता बंटन को विविक्त बारम्बारता बंटन कहते है।

33. (b) आँकड़े 5,7,9,12,10,15,7,8,7,25 का बहुलक = ?

बहुलक (z) = जिस पद की आवृत्ति सर्वाधिक हो = 7

34. (b)

25,26,27,23,27,26,24, x, 27,26,25,25 में

25 की आवृत्ति = 3

27 की आवृत्ति = 3

अतः बहुलक 27 प्राप्त करनें के लिये 27 की आवृत्ति सर्वाधिक होना चाहिए।

$\therefore x = 27$

35. (d) 11,15,8,9, k, 11,12,12,15,14 में–

दिये गये आंकड़ों में 11, 12 और 15 की आवृत्ति 2-2 बार है अतः बहुलक 12 प्राप्त करने के लिए 12 की आवृत्ति सर्वाधिक होना चाहियें

$\therefore k = 12$

36. (d)

$CI.$	0-10	10-20	20-30	30-40	40-50	50-60
F	3	16	26	31	16	8

बहुलक वर्ग 30-40 में होगा क्योंकि इस वर्ग की आवृत्ति सर्वाधिक है

$\therefore l_1 = 30, f_1 = 31, f_0 = 26, f_2 = 16, l = 10$

$z = l_1 + \frac{f_1 - f_0}{2f_1 - f_0 - f_2} \times i$ से,

$z = 30 + \frac{31-26}{2\times31-26-16} \times 10$

$z = 30 + \frac{5}{62-42} \times 10$

$= 30 + \frac{50}{20}$

$= 30 + 2{\cdot}5 = 32{\cdot}5$

37. (b)

परिवार का आकार (CI)	1 – 3	3 – 5	5 – 7	7 – 9	9 – 11
बारम्बारता(f)	7	9	2	1	1

बहुलक वर्ग 3-5 में होगा क्योंकि इस वर्ग की आवृत्ति सर्वाधिक है।

$l_1 = 3, f_1 = 9, f_0 = 7, f_2 = 2, i = 2$

$z = l_1 + \frac{f_1 - f_0}{2f_1 - f_0 - f_2} \times i$ से

$z = 3 + \frac{9-7}{2\times9-7-2} \times 2$

$z = 3 + \frac{2}{9} \times 2 = 3 + \frac{4}{9} = \frac{31}{9} = 3{\cdot}444$

38. (a)

आयु वर्ग (CI)	20 – 30	30 – 40	40 – 50	50 – 60	60 – 70
बारम्बारता(f)	37	38	70	42	13

बहुलक वर्ग 40-50 में होगा क्योंकि इस वर्ग की आवृत्ति सर्वाधिक है।

$l_1 = 40, f_1 = 70, f_0 = 38, f_2 = 42, i = 10$

$z = 40 + \frac{70-38}{2\times70-38-42} \times 10$

$= 40 + \frac{32}{140-80} \times 10$

$z = 40 + \frac{32 \times 10}{60} = 40 + 5{\cdot}33 = 45{\cdot}33$

39. (a)

दिनों की संख्या (C.I)	6 – 10	10 – 14	14 – 18	18 – 22	22 – 26
विद्यार्थी की संख्या(f)	9	28	34	18	11

बहुलक वर्ग 14-18 में होगा क्योंकि इस वर्ग की आवृत्ति सर्वाधिक है

$l_1 = 14, f_1 = 34, f_0 = 28, f_2 = 18, i = 4$

$z = 14 + \frac{34-28}{2\times34-28-18} \times 4$ से

$= 14 + \frac{6}{68-46} \times 4$

$14 + \frac{24}{22} = 14 + \frac{12}{11}$

$= 14 + 1{\cdot}09$

$15{\cdot}09$

40. (c) $\bar{x} - z = 69$

या, $z = \bar{x} - 69$ यह मान सूत्र $z = 3m - 2\bar{x}$ में रखने पर

$\bar{x} - 69 = 3m - 2\bar{x}$

या, $3\bar{x} - 3m = 69$

या, $3(\bar{x} - m) = 69$

या, $\bar{x} - m = \frac{69}{3} = 23$

41. (a) $z - m = 2$

या, $z = (2 + m)$ यह मान सूत्र

$z = 3m - 2\bar{x}$ में रखने पर

$2 + m = 3m - 2\bar{x}$

या, $2 = 2m - 2\bar{x}$

या, $2(m - \bar{x}) = 2$

या, $m - \bar{x} = 1$

42. (d) बहुलक $= 3 \times$ माध्यिका $-2\times$माध्य से,

$60 = 3 \times$ माध्यिका $- 2\times42$

$60+84 = 3\times$ माध्यिका

$\therefore$ माध्यिका $= \frac{144}{3} = 48$

43. (d) माध्य – बहुलक $= 3$ (माध्य–माध्यिका) सही है क्योंकि–

माध्य–बहुलक = 3 माध्य –3 माध्यिका

या, 3 माध्यिका + माध्य – 3 माध्य = बहुलक

या, 3 माध्यिका – 2 माध्य = बहुलक

44. (d) $\frac{\text{बहुलक} - \text{माध्य}}{3}$ = माध्यिका – माध्य, सही है क्योंकि–

बहुलक – माध्य = 3 माध्यिका – 3 माध्य

बहुलक = 3 माध्यिका – 3 माध्य + माध्य

बहुलक = 3 माध्यिका – 2 माध्य

45. (c) बहुलक $= 3 \times$ माध्यिका $- 2 \times$ माध्य से,

बहुलक $= 3 \times 55 - 2 \times 58$

$= 165 - 116$

$= 49$

46. (d) आँकड़े को आरोही क्रम में रखने पर–

3,7,9,11,12,13,16,16,19,23,25,26

माध्य

$= \frac{3+7+9+11+12+13+16+16+19+23+25+26}{12}$

$P = \frac{180}{12} = 15$

माध्यक $(q) = \frac{13+16}{2} = \frac{29}{2} = 14{\cdot}5$

बहुलक $(r) = 16$

$\therefore P + 2q - r = 15 + 2 \times 14{\cdot}5 - 16$

$= 15 + 29 - 16 = 28$

47. (b) आँकड़े को आरोही क्रम में रखने पर–

7,8,11,14,15,18,20,20,23,27,42,53

बहुलक$(x) = 20$

माध्यक$(y) = \frac{18+20}{2} = \frac{38}{2} = 19$

परिसर$(z) = 53 - 7 = 46$

$\therefore 2x + y - z = 2 \times 20 + 19 - 46$

$= 59 - 46 = 13$

48. (d) आँकड़े को आरोही क्रम में रखने पर

3,7,12,13,15,16,18,18,19,27,29,34

परिसर $= 34 - 3 = 31$

बहुलक $= 18$

माध्यक $= \frac{16+18}{2} = \frac{34}{2} = 17$

$\therefore$ इन तीनों का माध्य $= \frac{31+18+17}{3} = \frac{66}{3} = 22$

49. (c) आँकड़े को आरोही क्रम में रखने पर–

5,6,6,7,8,8,8,9,10,12,12,14,15,18,18

परिसर $= 18 - 5 = 13$

माध्यक $= 9$

बहुलक $= 8$

$\therefore$ इन तीनों का माध्य $= \frac{13+9+8}{3} = \frac{30}{3} = 10$

50. (b) आँकड़े को आरोही क्रम में रखने पर

1,1,8,13,15,,15,20,23

$\therefore$ माध्यिका $= \frac{13+15}{2} = \frac{28}{2} = 14$

माध्य $= \frac{1+1+8+13+15+15+20+23}{8}$

$= \frac{96}{8} = 12$

अतः माध्यिका, माध्य से अधिक हैं।

51. (c) दिये गये सूत्र में 'C', माध्यिका वर्ग के पूर्ववर्ती वर्ग की संचयी आवृत्ति को प्रदर्शित करता है।

52. (a) आँकड़ा 4 तथा 9 लेने पर–

समान्तर माध्य $(A) = \frac{a+b}{2} = \frac{4+9}{2} = 6{\cdot}5$

ज्यामितीय माध्य $(G) = \sqrt{ab} = \sqrt{4 \times 9} = 6$

हरात्मक माध्य $(H) = \frac{2ab}{a+b} = \frac{2\times4\times9}{4+9}$

$= \frac{72}{13} = 5{\cdot}5$

अतः स्पष्टतः $A \geq G \geq H$

53. (c) समान्तर माध्य, हरात्मक माध्य तथा गुणोत्तर माध्य केन्द्रीय प्रवृत्ति का अंकगणितीय माध्य है। जबकि माध्यिका केन्द्रीय प्रवृत्ति का स्थिति माध्य होता है।

54. (a) 'Statistics' का प्रयोग सर्वप्रथम 1749 ई० में जर्मनी के विद्वान गॉटफ्रायड इकेनवॉल ने किया। इन्हें ही 'सांख्यिकी का जन्मदाता' कहा जाता है।

55. (c) एकवचन में Statistics का अर्थ सांख्यिकी विज्ञान है। जिसमें आँकड़ों के संग्रहण, विश्लेषण और निर्वचन से सम्बन्धित क्रियाओं अर्थात् सांख्यिकी विधियों का विधिवत अध्ययन किया जाता है।

56. (a) बहुवचन में सांख्यिकी का तात्पर्य समंको या आँकड़ों (Statistical data) से होता है।

57. (d) सांख्यिकी कला और विज्ञान दोनों है।

58. (b) माध्यिका और बहुलक दोनों केन्द्रीय प्रवृत्ति का स्थिति माध्य होता है, जबकि समान्तर माध्य केन्द्रीय प्रवृत्ति का अंकगणितीय माध्य है।

59. (d) एक आयतचित्र (Histogram) में किसी आयत की ऊँचाई– उस वर्ग की बारम्बारता को दर्शाती है।

60. (b) माध्य, माध्यिका और बहुलक केन्द्रीय प्रवृत्ति का माप है, जबकि मानक विचलन (Standard Deviation) विचलनों का मापन है।

61. (a) बहुलक को अंग्रेजी में Mode कहा जाता है। Mode शब्द फ्रेंच भाषा के 'La Mode' से बना है जिसका अर्थ Fashion या रिवाज होता है। जिस वस्तु का Fashion अधिक होता है, वह वस्तु अधिक लोकप्रिय होता है अर्थात् अधिकांशतः व्यक्ति उसी वस्तु का उपभोग करते हैं।

62. (d) बहुलक का मूल्य आवृत्ति आयत चित्र, निरीक्षण विधि तथा समूहन विधि इन सभी से ज्ञात किया जा सकता है।

63. (d) बहुलक और माध्यिका केन्द्रीय प्रवृत्ति का स्थिति माध्य होता है अतः इन दोनों का बीजगणितीय विवेचन सम्भव नहीं है।

64. (c) माध्य $(\bar{x}) = \frac{8+13+5+24+10}{5}$

$= \frac{60}{5} = 12$

65. (b) $72 = \frac{63+55+x+72+80}{5}$

$72 \times 5 = 270 + x$

$x = 360 - 270$

$x = 90$

66. (a) 10 प्रेक्षणों का कुल योग $= 45 \times 10 = 450$

प्रथम 5 प्रेक्षणों का कुल योग $= 42 \times 5 = 210$

अन्तिम 4 प्रेक्षणों का कुल योग $= 47 \times 4 = 188$

∴ 6वें प्रेक्षण का मान = 10 प्रेक्षणों का योग – (5 + 4) प्रेक्षणों का योग

$= 450 - (210 + 188)$

$= 450 - 398$

$= 52$

67. (b) 40 प्रेक्षणों का योग $= 60 \times 40 = 2400$

प्रथम 23 प्रेक्षणों का योग $= 62 \times 23 = 1426$

अन्तिम 18 प्रेक्षणों का योग $= 58 \times 18 = 1044$

∴ 23वें प्रेक्षण का मान = (23 + 18) प्रेक्षणों का योग – 40 प्रेक्षणों का योग

$= (1426 + 1044) - 2400$

$= 2470 - 2400$

$= 70$

68. (c) $11 = \frac{x + (x+2) + (x+4) + (x+6) + (x+8)}{5}$

$55 = 5x + 20$

$\therefore x = 7$

अतः प्रथम तीन प्रेक्षण क्रमशः 7, 9 व 11 है।

∴ प्रथम तीन प्रेक्षणों का माध्य $= \frac{7+9+11}{3}$

$= \frac{27}{3} = 9$

69. (a) तीनों समूहों का सम्मिलित माध्य

$= \frac{6 \times 15 + 4 \times 22{\cdot}5 + 5 \times 24}{6+4+5}$

$= \frac{90 + 90 + 120}{15}$

$= \frac{300}{15} = 20$

70. (c)

चर (x)	बारम्बारता (f)	f × x
3	x - 2	$3x$ - 6
5	x + 2	$5x + 10$
7	x - 3	$7x$ - 21
9	x + 3	$9x + 27$
	$\sum f = 4x$	$\sum f\text{x} = 24x + 10$

$\bar{x} = \frac{\Sigma fx}{\Sigma f}$

$6{\cdot}5 = \frac{24x + 10}{4x}$

$6{\cdot}5 \times 4x = 24x + 10$

$26x - 24x = 10$

$2x = 10$

$\therefore x = 5$

71. (c)

X	f	f × x
5	10	50
10	10	100
15	P	15P
20	2	40
25	8	200
	$\sum f = 30 + \text{P}$	390 + 15P

$13{\cdot}5 = \frac{390 + 15P}{30 + P}$

$405 + 13{\cdot}5\text{P} = 390 + 15\text{P}$

$15 = 1{\cdot}5\text{P}$

$\text{P} = \frac{15}{1{\cdot}5}$

$= 10$

72. (b)

चर (x)	बारम्बारता (f)	f × x
15	8	120
20	10	200
25	12	300
40	6	240
30	4	120
	$\sum f = 40$	$\sum f\,\text{x} = 980$

$\therefore\ \bar{x} = \frac{980}{40}$

$= 24{\cdot}5$

73. (d)

विद्यार्थियों की संख्या (f)	भार (kg में) (x)	f × x
20	35	700
15	40	600
5	30	150
6	45	270
4	50	200
10	55	550
$\sum f = 60$		$\sum f\,x = 2470$

$\therefore \bar{x} = \frac{2470}{60} = 41{\cdot}16$

74. (a)

वर्ग–अन्तराल	बारम्बारता (f)	मध्य बिन्दु (m)	f × m
0-10	7	5	35
10-20	5	15	75
20-30	15	25	375
30-40	13	35	455
40-50	6	45	270
50-60	4	55	220
	$\sum f = 50$		$\sum f\,m = 1430$

$\therefore\ \bar{x} = \frac{\Sigma fm}{\Sigma f} = \frac{1430}{50} = 28{\cdot}6$

75. (c)

वर्ग–अन्तराल (C.I.)	बारम्बारता (f)	मध्य बिन्दु (m)	f × m
0-5	3	2·5	7·5
5-10	7	7·5	52·5
10-15	12	12·5	150·0
15-20	6	17·5	105·0
20-25	2	22·5	45·0
	$\sum f = 30$		$\sum f\,m = 360$

$\therefore \bar{x} = \frac{360}{30} = 12$

76. (b) आँकड़ों को आरोही क्रम (Ascending Order) में रखने पर–

$\underbrace{6,\ 7,\ 7,\ 10,\ 13},\ 15,\ \underbrace{18,\ 23,\ 24,\ 25,\ 30}$

अतः माध्यिका = 15

77. (b) आँकड़ों को आरोही क्रम में रखने पर –

5, 12, 16, 17, 18, 20, 24, 30, 35, 48

अतः माध्यिका $= \frac{18+20}{2} = \frac{38}{2} = 19$

78. (b)

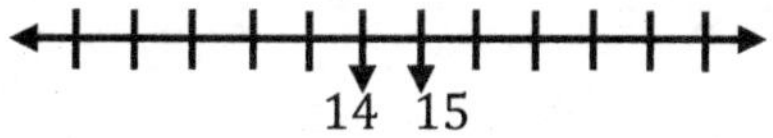

समस्त 12 प्रेक्षणों का माध्य $= \frac{\text{6 वां प्रेक्षण} + \text{7 वां प्रेक्षण}}{2}$

$= \frac{14+15}{2} = \frac{29}{2} = 14{\cdot}5$

79. (b)आँकड़ों को (प्राप्तांकों को) आरोही क्रम में रखने पर–

$$x_1, x_2, x_3, x_4, 36, 39, 45, 48, 50, 55, 61, 63$$

$\therefore$ माध्यिका $= \frac{39+45}{2} = \frac{84}{2} = 42$

80. (a)संख्याओं को आरोही क्रम में रखने पर–

1, 3, 5, 6, 7, 8, 9, 10, 12, 13, 14

$\therefore$ माध्यिका = 8

81. (c) Note : यदि दिये गये आँकड़ों को आरोही/अवरोही क्रम में रखकर इसके दोनों छोरों से चरम मूल्यों (Extreme Values) को हटा दिया जाये तो माध्यिका प्रभावित नहीं होगी। अतः दिये गये विकल्पों से स्पष्ट होता है कि माध्य और बहुलक प्रभावित होगा।

82. (a)

चर (x)	बारम्बारता (f)	संचयी बारम्बारता (c. f.)
5	4	4
6	5	4 + 5 = 9
7	6	9 + 6 = 15
8	4	15 + 4 = 19
10	3	19 + 3 = 22
12	2	22 + 2 = 24
	$\sum f = n = 24$	

माध्यिका $= \frac{n}{2}$ संचयी बारम्बारता का संगत चर

$= \frac{24}{2}$

= 12 संचयी बारम्बारता का संगत–चर

$\because$ 12 संचयी बारम्बारता 9 संचयी बारम्बारता के ठीक बाद 15 संचयी बारम्बारता में होगी।

अतः माध्यिका = 15 संचयी बारम्बारता का संगत चर = 7

83. (a)

चर (x)	बारम्बारता (f)	संचयी बारम्बारता (c. f.)
21	2	2
15	6	2 + 6 = 8
12	7	8 + 7 = 15
7	3	15 + 3 = 18
4	2	18 + 2 = 20
	$\sum f = n = 20$	

माध्यिका $= \frac{20}{2} = 10$ संचयी बारम्बारता का संगत चर

$\because$ 10 संचयी बारम्बारता, 8 संचयी बारम्बारता के ठीक बाद 15 वें संचयी बारम्बारता में होगी।

अतः माध्यिका = 15 संचयी बारम्बारता का संगत चर = 12

84. (d)

वर्ग–अन्तराल	बारम्बारता (f)	संचयी बारम्बारता (c. f.)
0-5	3	3
5-10	6	3 + 6 = 9
10-15	8	9 + 8 = 17 (c)
15-20	**12 (f)**	**17 + 12 = 29**
20-25	10	29 + 10 = 39
25-30	6	39 + 6 = 45
	$\sum f = 45$	

$M = \frac{n}{2} = \frac{45}{2} = 22{\cdot}5$

$l_1 = 15, i = 5, f = 12, M = 22{\cdot}5$ व $C = 17$

$\therefore$ माध्यिका $= l_1 + \frac{i}{f}(M - C)$

माध्यिका $= 15 + \frac{5}{12}(22{\cdot}5 - 17)$

$= 15 + \frac{5}{12} \times 5{\cdot}5$

$= 15 + \frac{27{\cdot}5}{12}$

$= 15 + 2{\cdot}29$

$= 17{\cdot}29$

85. (c) आँकड़ों में जिस मूल्य की आवृत्ति सर्वाधिक हो आँकड़ों का बहुलक कहलाता है अतः –

बहुलक = सर्वाधिक आवृत्ति मूल्य

86. (a) स्तम्भाकृति (Histogram) सतत् वर्गीकृत बारम्बारता वाले आँकड़ों को सांख्यिकीय रूप से प्रदर्शित करने तथा बहुलक ज्ञात करने का एक प्रचलित माध्यम है।

87. ()

बहुलक = 3 × माध्यिका − 2 × माध्य

88. (c) 3, 8, 11, 3, 5, 8, 17, 3, 5, 14, 17, 5, 3 और 20 का बहुलक = सर्वाधिक आवृत्ति मूल्य

= 3 [∵ 3 की आवृत्ति सर्वाधिक 4 बार है।]

89. (d)

चर (x)	बारम्बारता (f)
23	2
20	4
18	6
15	8
11	5
8	1

बहुलक = जिस चर की बारम्बारता सर्वाधिक हो

= 15

[∵ सर्वाधिक बारम्बारता 8 है जिसका संगत चर 15 है।]

90. (d)

वर्ग–अन्तराल	0-5	5-10	10-15	15-20	20-25	25-30
बारम्बारता	3	6	8	12	10	6

∵बारम्बारता सबसे अधिक 12 है जिसका वर्ग अन्तराल 15–20 है।

अतः $l_1 = 15, f_1 = 12, f_0 = 8, f_2 = 10, i= 5$

$\therefore Z = l_1 + \frac{f_1 - f_0}{2f_1 - f_0 - f_2} \times i$

$= 15 + \frac{12-8}{2\times12-8-10} \times 5$

$= 15 + \frac{4}{6} \times 5$

$= 15 + \frac{10}{3}$

$= 15 + 3{\cdot}33$

$= 18{\cdot}33$

91. (a) बहुलक = 3 माध्यिका − 2 माध्य

24 = 3 माध्यिका − 2 × 6

3 माध्यिका = 36

∴ माध्यिका $= \frac{36}{3} = 12$

92. (c) बहुलक = 3 माध्यिका − 2 माध्य

$= 3 \times 8 - 2 \times 5$

$= 14$

93. (d) किसी प्रेक्षण के अधिकतम तथा न्यूनतम मान के अन्तर को परिसर कहा जाता है।

94. (c) परिसर = अधिकतम मान − न्यूनतम मान

= 45 - 23

= 22

95. (d)आँकड़े 7, 6, 7, 9, 8, 8, 10, व 8 को आरोही क्रम में रखने पर –

6, 7, 7, 8, 8, 8, 9, 10

माध्यिका $= \frac{8+8}{2} = \frac{16}{2} = 8$

बहुलक = 8

∴ माध्यिका तथा बहुलक का माध्य $= \frac{\text{माध्यिका + बहुलक}}{2}$

$= \frac{8+8}{2} = \frac{16}{2} = 8$

96. (a) आँकड़ों को आरोही क्रम में रखने पर –

0, 2, 2, 2, 2, 3, 3, 4, 4, 4, 7

परिसर = 7 - 0 = 7

बहुलक = 2

माध्यिका = 3

∴ माध्य $= \frac{7+2+3}{3} = \frac{12}{3} = 4$

97. (c) आँकड़ों को आरोही क्रम में रखने पर –

6, 8, 10, 10, 15, 15, 15, 50, 80, 100, 120

माध्य $= \frac{6+8+10+10+15+15+15+50+80+100+120}{11}$

माध्य $= \frac{429}{11} = 39$

बहुलक = 15

माध्यिक = 15

98. (a) आँकड़ों को आरोही क्रम में रखने पर –

1, 2, 2, 3, 3, 4, 4, 4, 6, 8, 8, 9, 14

बहुलक = 4

माध्यिका = 4

परिसर = 14 - 1 = 13

$\therefore$ माध्य $= \frac{4+4+13}{3} = \frac{21}{3} = 7$

99. (b) आँकड़ों को आरोही क्रम में रखने पर –

−2, 0, 1, 2, 4, 5, 5, 5, 7, 11, 12

माध्य $= \frac{50}{11}$

माध्यिका = 5

बहुलक = 5

अतः माध्यिका = बहुलक

100. (b) अवर्गीकृत आँकड़ों के लिए बराबर चौड़ाई और भिन्न ऊँचाई का बराबर दूरी पर बना स्तम्भ दण्ड चित्र कहलाता है।

101. (a) टैली चिन्ह्

102. (c) आयत चित्र (Histogram) सतत् वर्गीकृत बारम्बारता वाले आँकड़ों को सांख्यिकी रूप से प्रदर्शित करने तथा बहुलक ज्ञात करने का प्रचलित माध्यम है।

21 सामान्य बीजगणित (Basic Algebra)

सामान्यतः सामान्य बीजगणित से शिक्षक भर्ती परीक्षाओं में 1–2 प्रश्न पूछे जाने की सम्भावना रहती है। प्रश्न का स्तर 10वीं कक्षा तकके तारात्म्य प्रकार के प्रश्न एवं अन्य व्यवहारिक क्षमता के प्रश्न हो सकते हैं। इस अध्याय से सम्बन्धित बनने वाले प्रश्नों को विभिन्न प्रकार में बाँटकर तथ्यात्मक एवं वर्णनात्मक रूप से हल करेंगे।

Type - 01

बीजगणित तारात्म्य (Algebric Identity) पर प्रश्न

Point : यदि $x+\frac{1}{x}=a$ हो तो,

$(i) x^2+\frac{1}{x^2}$

$(ii) x^3+\frac{1}{x^3}$

$(iii) x^4+\frac{1}{x^4}$

$(iv) x^5+\frac{1}{x^5}$ का मान ज्ञात करें?

Derivation :

$$\text{(i)} \because \quad x+\frac{1}{x}=a$$

दोनों पक्षों का वर्ग करने पर

$$x^2+\frac{1}{x^2}+2\times x\times\frac{1}{x}=a^2$$

$$\therefore \boldsymbol{x^2+\frac{1}{x^2}=a^2-2}$$

$$\text{(ii)} \because \quad x+\frac{1}{x}=a$$

दोनों पक्षों का घन करने पर

$$x^3+\frac{1}{x^3}+3\times x\times\frac{1}{x}\left(x+\frac{1}{x}\right)=a^3$$

$$x^3+\frac{1}{x^3}+3a=a^3\left[\because \quad x+\frac{1}{x}=a\right]$$

$$\therefore \boldsymbol{x^3+\frac{1}{x^3}=a^3-3a}$$

(iii) $\because \quad x^2+\frac{1}{x^2}=a^2-2$ [समीकरण (i) से]

दोनों पक्षों का वर्ग करने पर

$$x^4+\frac{1}{x^4}+2\times x^2\times\frac{1}{x^2}=a^4+4-4a^2$$

$$\therefore \boldsymbol{x^4+\frac{1}{x^4}=a^4-4a^2+2}$$

$$\text{(iv)} \because \left(x^2+\frac{1}{x^2}\right)\left(x^3+\frac{1}{x^3}\right)=(a^2-2)(a^3-3a)$$

[समीकरण(i) × समीकरण (ii)]

$$x^5+\frac{1}{x}+x+\frac{1}{x^5}=a^5-3a^3-2a^3+6a$$

$$x^5+\frac{1}{x^5}+a=a^5-5a^3+6a$$

$$\therefore \boldsymbol{x^5+\frac{1}{x^5}=a^5-5a^3+5a}$$

प्रश्न : यदि $x+\frac{1}{x}=3$ हो, तो

(i) $x^2+\frac{1}{x^2}$ का मान बताइये?

(ii) $x^5+\frac{1}{x^5}$ का मान बताइये?

हल (i) $x^2+\frac{1}{x^2}=(3)^2-2=7 Ans.$

(ii) $x^5+\frac{1}{x^5}=(3)^5-5(3)^3+5(3)$

$=243-135+15$

$=123\ Ans.$

प्रश्न : यदि $x^2-5x+1=0$ हो तो,

(i) $x+\frac{1}{x}$ का मान बताइये?

(ii) $x^2+\frac{1}{x^2}$ का मान बताइये?

हल : $x^2-5x+1=0$

दोनों पक्षो में x से भाग देने पर

$$x-5+\frac{1}{x}=0$$

$\therefore$ (i) $x+\frac{1}{x}=5$

(ii) $x^2+\frac{1}{x^2}=(5)^2-2=23\ Ans.$

Type - 02

जब $x^2+\frac{1}{x^2}$ का मान दिया हो :

Note : यदि $x^2+\frac{1}{x^2}=n$ हो तो $x+\frac{1}{x}=\sqrt{n+2}$

यदि $x^2+\frac{1}{x^2}=n$ हो तो $x-\frac{1}{x}=\sqrt{n-2}$

प्रश्न : यदि $x^2+\frac{1}{x^2}=23$ हो तो $x+\frac{1}{x}$ का मान बताइये?

हल : $x+\frac{1}{x}=\sqrt{23+2}=5$

प्रश्न : यदि $x^2+\frac{1}{x^2}=11$ हो तो $x-\frac{1}{x}$ का मान बताइये?

हल : $x-\frac{1}{x}=\sqrt{11-2}=3$

Type - 03

जब $x^4+\frac{1}{x^4}$ का मान दिया हो :

<table>
<tr><td rowspan="2">Note :</td><td>यदि $x^4+\frac{1}{x^4}=a$ हो तो
Step (i) $x^2+\frac{1}{x^2}=\sqrt{a+2}=n$
Step (ii) $x+\frac{1}{x}=\sqrt{n+2}$</td></tr>
<tr><td>यदि $x^4+\frac{1}{x^4}=a$ हो तो
Step (i) $x^2+\frac{1}{x^2}=\sqrt{a+2}=n$
Step (ii) $x-\frac{1}{x}=\sqrt{n-2}$</td></tr>
</table>

प्रश्न :यदि $x^4+\frac{1}{x^4}=194$ हो तो $x+\frac{1}{x}$ का मान बताइये?

हल : Step (i) $x^2+\frac{1}{x^2}=\sqrt{194+2}=14$

Step (ii) $x+\frac{1}{x}=\sqrt{14+2}=4$

प्रश्न :यदि $x^4+\frac{1}{x^4}=119$ हो तो $x-\frac{1}{x}$ का मान बताइये?

हल : Step (i) $x^2+\frac{1}{x^2}=\sqrt{119+2}=11$

Step (ii) $x-\frac{1}{x}=\sqrt{11-2}=3$

Type - 04

जब प्रश्न की बनावट 2, −2या 1 हो तो,

(i) यदि $x+\frac{1}{x}=2$ हो तो दिये गये व्यंजक का मान ज्ञात करने के लिये $x=1$ रखकर प्रश्न हल करें।

प्रमाण :$x+\frac{1}{x}=2$

या,$\frac{x^2+1}{x}=2$

या,$x^2+1=2x$

या,$x^2+1-2x=0$

या,$(x-1)^2=0$

$\therefore x=1$

प्रश्न :यदि$x+\frac{1}{x}=2$ हो तो $x^{13}+\frac{1}{x^{18}}$ का मान बताइये?

हल : $\because$ $x+\frac{1}{x}=2$ अतः $x=1$ से

$$x^{13}+\frac{1}{x^{18}}=(1)^{13}+\frac{1}{(1)^{18}}=1+1=2$$

(ii) यदि $x+\frac{1}{x}=-2$ हो तो दिये गये व्यंजक का मान ज्ञात करने के लिये $x=-1$ रखकर प्रश्न हल करें।

प्रश्न : यदि$x+\frac{1}{x}=-2$ हो तो $x^{32}+\frac{1}{x^{47}}$का मान बताइये?

हल : $\because$ $x+\frac{1}{x}=-2$ अतः $x=-1$ से

$$x^{32}+\frac{1}{x^{47}}=(-1)^{32}+\frac{1}{(-1)^{47}}=1+(-1)=0$$

(iii) यदि$x+\frac{1}{x}=1$ हो तो $x^3+1=0$ होगा।

प्रमाण :$x+\frac{1}{x}=1$

या, $x^2+1=x$

$$x^2+1-x=0$$

अतः $x^3+1^3=(x+1)(x^2+1-x)$

$$x^3+1=(x+1)\times 0$$

$\therefore x^3+1=0$

अतः जब $x+\frac{1}{x}=1$ दिया हो तो दिये गये व्यंजक का मान ज्ञात करने के लिए $x^3+1=0$या $x^3=-1$रखकर प्रश्न हल करें।

प्रश्न :यदि$x+\frac{1}{x}=1$ हो तो x^6+x^3+1 का मान बताइये?

हल : $x^6+x^3+1=x^3(x^3+1)+1$

$=x^3\times 0+1=1\ Ans.$

प्रश्न : यदि $x+\frac{1}{x}=1$ हो तो $x^8+x^5+x^3+1$ का मान बताइये?

हल : $x^8+x^5+x^3+1=x^5(x^3+1)+1(x^3+1)$

$=x^5\times 0+1\times 0$

$=0\ Ans.$

प्रश्न : यदि$x+\frac{1}{x}=1$ हो तो $x^{15}+\frac{1}{x^{12}}$ का मान बताइये?

हल : $x^{15}+\frac{1}{x^{12}}=(x^3)^5+\frac{1}{(x^3)^4}=(-1)^5+\frac{1}{(-1)^4}=-1+1=0$

Type - 05

जब$a+b+c+=0$ हो तो व्यंजक का मान ज्ञात करना :–

प्रश्न : यदि $a+b+c=0$ हो तो $\frac{1}{bc}+\frac{1}{ac}+\frac{1}{ab}$ का मान बताइये?

हल : $\frac{1}{bc}+\frac{1}{ac}+\frac{1}{ab}=\frac{a+b+c}{abc}=\frac{0}{abc}=0$ *Ans.*

प्रश्न : यदि $x+y+z=0$ हो तो $\frac{xyz}{(x+y)(y+z)(z+x)}$ का मान ज्ञात करें?

हल : $\because x+y+z=0$

अतः $x+y=-z,\ y+z=-x$ तथा $z+x=-y$ से,

$$\frac{xyz}{(x+y)(y+z)(z+x)}=\frac{xyz}{(-z)(-x)(-y)}$$

$$=\frac{xyz}{-xyz}=-1$$

प्रश्न : यदि $a+b+c=0$ है, तो $\left(\frac{a+b}{c}+\frac{b+c}{a}+\frac{c+a}{b}\right)\left(\frac{a}{b+c}+\frac{b}{c+a}+\frac{c}{a+b}\right)$ का मान ज्ञात करें?

हल : $\because a+b+c=0$

अतः $a+b=-c,\ b+c=-a$ तथा $c+a=-b$

दिये गये व्यंजक से,

$$\left(\frac{-c}{c}+\frac{-a}{a}+\frac{-b}{b}\right)\left(\frac{a}{-a}+\frac{b}{-b}+\frac{c}{-c}\right)$$

$$=(-1-1-1)(-1-1-1)$$

$$=(-3)(-3)$$

$$=9\ Ans.$$

Type - 06

शेषफल प्रमेय (Remainder Theorem) पर प्रश्न :

Note यदि दिया गया व्यंजक $ax^n+bx^{n-1}+cx^{n-2}+\cdots\ldots\ldots+K$, $(x-y)$ से पूर्णतः विभक्त हो, तो $x=y$ मान रखने पर शेषफल शून्य प्राप्त होगा।

प्रश्न : यदि $x^6+3x^4-2x^2+3x+2$ को $x-1$ से भाग दें तो शेषफल क्या प्राप्त होगा?

हल : $x-1=0$ तो $x=1$ मान व्यंजक में रखने पर

शेष $=(1)^6+3(1)^4-2(1)^2+3(1)+2$

$$=1+3-2+3+2$$

$$=7\ Ans.$$

प्रश्न : यदि व्यंजक $3x^3-2x^2y-13xy^2+10y^3$ को $x-2y$ से भाग दें तो शेषफल कितना बचेगा?

हल : $x-2y=0$ तब $x=2y$ मान व्यंजक में रखने पर

शेष $=3(2y)^3-2(2y)^2.y-13.2y.y^2+10y^3$

$$=24y^3-8y^3-26y^3+10y^3$$

$$=34y^3-34y^3$$

$$=0\ Ans.$$

प्रश्न : यदि x^3+3x^2-Kx+4 में $(x-2)$ से भाग दें तो शेषफल k बचता है तो k का मान बताइये?

हल $x-2=0$ तब $x=2$ मान व्यंजक में रखने पर,

शेष $=(2)^3+3(2)^2-K(2)+4$

$$K=8+12-2K+4$$

$$3K=24$$

$$K=8$$

Type - 07

जब प्रश्न की बनावट $(a\pm x)^2+(b\pm y)^2=0$ हो :

प्रश्न : यदि $(a-2)^2+(b+3)^2+(c-4)^2=0$ हो तो $a-b+c$ का मान बताइये?

हल : $a=2,\ b=-3$ तथा $c=4$ रखने पर समीकरण संतुष्ट होता है।

अतः $a-b+c=2-(-3)+4=9$

प्रश्न : यदि $x^2+y^2+4x+4y+8=0$ हो, तो $x-y$ का मान बताइये?

हल : $(x^2+4x+4)+(y^2+4y+4)=0$

$$(x+2)^2+(y+2)^2=0$$

$\therefore x=-2$ तथा $y=-2$ रखने पर समीकरण संतुष्ट होता है

अतः $x-y=-2-(-2)$

$$=-2+2=0$$

प्रश्न : यदि $a^2+b^2+c^2=2(a-b-c)-3$ हो, तो $(a-b+c)$ का मान बताइये?

हल : $a^2+b^2+c^2=2a-2b-2c-1-1-1$

या $(a^2-2a+1)+(b^2+2b+1)+(c^2+2c+1)=0$

या $(a-1)^2+(b+1)^2+(c+1)^2=0$

$\therefore a=1,\ b=-1$ तथा $c=-1$ रखने पर समीकरण संतुष्ट होता है

अतः $a-b+c=1-(-1)+(-1)$

$$=1+1-1$$

$$=1$$

Type - 08

$a^2+b^2+c^2-ab-bc-ca=[a^2+b^2+c^2-ab-bc-ca]$

$a^2+b^2+c^2-ab-bc-ca$

$$=\frac{1}{2}\times 2\,[a^2+b^2+c^2-ab-bc-ca]$$

$$=\frac{1}{2}\times[2a^2+2b^2+2c^2-2ab-2bc-2ca]$$

$a^2+b^2+c^2-ab-bc-ca=\frac{1}{2}\times 2[(a-b)^2+(b-c)^2+(c-a)^2]$

(ii) $a^3+b^3+c^3-3abc=(a+b+c)[a^2+b^2+c^2-ab-bc-ca]$

या $a^3+b^3+c^3-3abc=\frac{1}{2}(a+b+c)[(a-b)^2+(b-c)^2+(c-a)^2]$

Note :यदि $a+b+c=0$ हो तब $a^3+b^3+c^3-3abc=0$

प्रश्न : यदि $a=997, b=998$ और $c=999$ हो, तो $a^2+b^2+c^2-ab-bc-ca$ का मान बताइये?

हल : $a^2+b^2+c^2-ab-bc-ca$

$$=\frac{1}{2}[(997-998)^2+(998-999)^2+(999-997)^2]$$

$$=\frac{1}{2}[(1)^2+(-1)^2+(2)^2]$$

$$=\frac{1}{2}\times 6$$

$$=3$$

प्रश्न : यदि $x=34$ और $y=z=33$ हो, तो $x^3+y^3+z^3-3xyz$ का मान बताइये?

हल : $x^3+y^3+z^3-3xyz$

$$=\frac{1}{2}(34+33+33)[(34-33)^2+(33-33)^2+(33-34)^2]$$

$$=\frac{1}{2}\times 100[1+0+1]$$

$$=100$$

प्रश्न : यदि $a-b=3, b-c=5$ और $c-a=1$ हो, तो $\frac{a^3+b^3+c^3-3abc}{(a+b+c)}$ का मान बताइये?

हल : $\frac{a^3+b^3+c^3-3abc}{(a+b+c)}$

$$=\frac{\frac{1}{2}\times(a+b+c)[(a-b)^2+(b-c)^2+(c-a)^2]}{(a+b+c)}$$

$$=\frac{1}{2}\times[3^2+5^2+1^2]$$

$$=\frac{1}{2}\times 35$$

$$=17.5$$

Type - 09

दो चर वाले युगपद समीकरण (Simultaneous linear equations in two variables) :- दो चर वाले दो रैखिक समीकरण को एकसाथ युगपद समीकरण कहते हैं।

जैसे–:$3x+2y=6$ तथा $x+y=1$ युगपद समीकरण।

समीकरण $a_1x+b_1y+c_1=0$ तथा $a_2x+b_2y+c_2=0$ के लिए संगत तथा असंगत समीकरण निकाय :–

(i) $\frac{a_1}{a_2}\neq\frac{b_1}{b_2}$(अद्वितीय हल होगा)

(ii) $\frac{a_1}{a_2}=\frac{b_1}{b_2}=\frac{c_1}{c_2}$(अनगिनत हल होंगे)

(iii) $\frac{a_1}{a_2}=\frac{b_1}{b_2}\neq\frac{c_1}{c_2}$(इसका एक भी हल नहीं निकलेगा)

प्रश्न : K के किस मान के लिए समीकरण निकाय $6x-2y=10$ तथा $kx-y=5$का अद्वितीय हल होगा ?

हल : यहां, $a_1=6, b_1=2$

$$a_2=k, b_2=-1$$

अतः अद्वितीय हल होगा जब $\frac{a_1}{a_2}\neq\frac{b_1}{b_2}$

$$\frac{6}{k}\neq\frac{-2}{-1}$$

$$k\neq 3$$

प्रश्न : K के किस मान के लिए समीकरण निकाय $2x+3y+5=0$ तथा $4x+ky+10=0$ के अनन्त हल होंगे?

हल : यहां, $a_1=2, b_1=3$तथा $c_1=5$

$a_2=4, b_2=K$तथा$c_2=10$

अतः अनन्त हल होगा जब, $\frac{a_1}{a_2}=\frac{b_1}{b_2}=\frac{c_1}{c_2}$

$$\frac{2}{4}=\frac{3}{K}=\frac{5}{10}$$

या, $\frac{1}{2}=\frac{3}{K}=\frac{1}{2}$

या, $\frac{1}{2}=\frac{3}{K}$

$\therefore K=6$

प्रश्न : K के किस मान के लिए समीकरण निकाय $x + 2y = 5$, तथा $3x + ky + 15 = 0$ का कोई हल नहीं होगा?

हल : यहाँ, $a_1 = 1,\ b_1 = 2$ तथा $c_1 = -5$

$a_2 = 3, b_2 = K$तथा$c_2 = 15$

अतः कोई हल होगा जब, $\frac{a_1}{a_2} = \frac{b_1}{b_2} \neq \frac{c_1}{c_2}$

$$\frac{1}{3} = \frac{2}{K} \neq \frac{-5}{15}$$

$\frac{1}{3} = \frac{2}{K}$तथा, $\frac{2}{k} \neq \frac{-5}{15}$

$\therefore k = 6$तथा$k \neq 6$

अतः k का मान 6 होगा।

Type - 10

द्विघात समीकरण (Quadratic Equations) :- द्विघात समीकरण का मानक रूप $ax^2 + bx + c = 0$ होता है।

द्विघात समीकरण का गुण (Properties of Quadratic Equation) :-

(1) द्विघात समीकरण $ax^2 + bx + c = 0$ के हल में

$x = \frac{-b\pm\sqrt{b^2-4ac}}{2a}$केदो मूल होंगे।

(i)$\alpha = \frac{-b+\sqrt{b^2-4ac}}{2a}$

और (ii)$\beta = \frac{-b-\sqrt{b^2-4ac}}{2a}$

अतः मूलों का योग $\alpha + \beta = \frac{-b}{a}$

तथा मूलों का गुणनफल $\alpha.\beta = \frac{c}{a}$

(2)यदि $ax^2 + bx + c = 0$ के मूल α तथा β हो तो समीकरण $x^2 - (\alpha + \beta)x + \alpha\beta = 0$होगा।

(3)विवेचक(Discriminant) :- $D = b^2 - 4ac$ यह द्विघात समीकरण के मूलों की प्रकृति बताती है।

(i)यदि D=0 हो, तो समीकरण के मूल समान तथा वास्तविक होंगे।

(ii)यदिD > 0हो, तो समीकरण के मूल असमान तथा वास्तविक होंगे।

(iii)यदिD<0 हो, **तो समीकरण के मूल असमान तथा काल्पनिक होंगे।**

प्रश्न : द्विघात समीकरण $x^2 - x - 240 = 0$ के मूल होंगे?

हल : $x^2 - x - 240 = 0$

या,$x^2 - 16x + 15x - 240 = 0$

या,$x(x - 16) + 15(x - 16) = 0$

या,$(x - 16)(x + 15) = 0$

$\therefore x = 16$या-15

प्रश्न : यदि$x^2 - x + 7 = 0$ के मूल α तथा β हो, तो–

(i)$\alpha^2 + \beta^2 =?$

(ii)$\frac{\alpha}{\beta} + \frac{\beta}{\alpha} =?$

हल : यहाँ, $a = 1, b = -1$ व $c = 7$

तब$\alpha + \beta = \frac{-b}{a} = \frac{-(-1)}{1} = 1$

और$\alpha.\beta = \frac{c}{a} = \frac{7}{1} = 7$

अतः (i)$\alpha^2 + \beta^2 = (\alpha + \beta)^2 - 2\alpha\beta$

$= (1)^2 - 2 \times 7$

$= -13\ Ans.$

(ii)$\frac{\alpha}{\beta} + \frac{\beta}{\alpha} = \frac{\alpha^2+\beta^2}{\alpha\beta}$

$= \frac{-13}{7}\ Ans.$

प्रश्न : समीकरण $2x^2 + kx + 2$ के किस मान के लिये समीकरण के मूल वास्तविक तथा समान होंगे?

हल : मूल वास्तविक तथा समान होंगे जब D = 0

याb^2-4ac=0

$$(k)^2 - 4 \times 2 \times 2 = 0$$

या,$k^2 = 16$

या$k = \pm 4$

प्रश्न : द्विघात समीकरण ज्ञात कीजिए जिसके मूलों का योग -2 तथा तथा गुणनफल -4 है?

हल : दिया है $\alpha + \beta = -2,\ \alpha.\beta = -4$

अतः द्विघात समीकरण $x^2 - (\alpha + \beta)x + \alpha\beta = 0$

$$x^2 - (-2)x + (-4) = 0$$

$$x^2 + 2x - 4 = 0$$

Type - 11

चिन्ह निर्धारण (Sign Scheme) : समीकरण$x^2 + x - 20 < 0$ में x के लिए Sign Scheme क्या होगा?

(a) $-4 < x < -3$ **(b)** $-5 < x < 4$

(c) $-5 > x\ or\ 4 > x$ **(d)** $-4 < x < 5$

Step (i) सर्वप्रथम समीकरण हल करें

$$x^2 + x - 20 = 0$$

(दिये गये समीकरण का संगत समीकरण होगा)

$$x^2 + 5x - 4x - 20 = 0$$

$$x(x+5) - 4(x+5) = 0$$

$$(x+5)(x-4) = 0$$

$$x = -5 \ or\ 4$$

Step - II

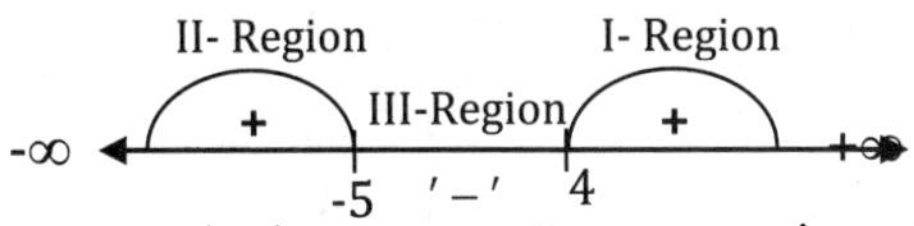

यदि $\alpha < x < \beta$ हो तो व्यंजक $ax^2 + bx + c$ और a के चिन्ह एक–दूसरे के विपरीत होंगे।

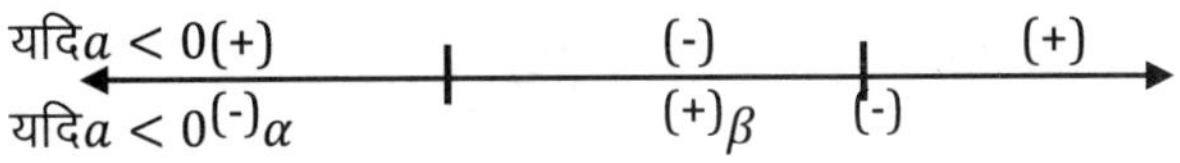

Step (iii) $x^2 + x - 20 < 0$ है अतः x का मान '–' Region में होगा।

$$\boxed{-5 < x < 4}$$

प्रश्न : x के किस मान के लिए $2x^2 + 14x + 24 > 0$ संतुष्ट होगा?

हल : $2x^2 + 14x + 24 = 0$ (दिये गये समीकरण का संगत समीकरण होगा)

या $x^2 + 7x + 12 = 0$

$$x^2 + 4x + 3x + 12 = 0$$

$$x(x+4) + 3(x+4) = 0$$

$$(x+4)(x+3) = 0$$

$$\therefore x = -4 \ or -3$$

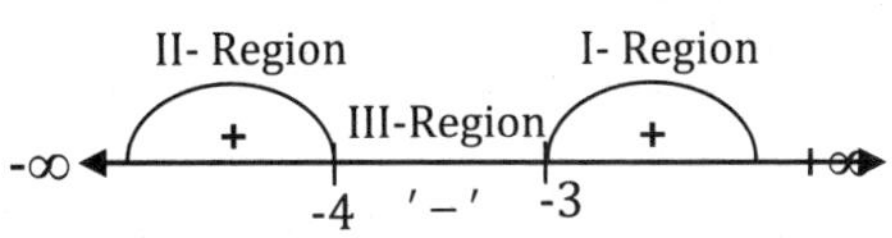

$\because 2x^2 + 14x + 24 > 0$ है अतः x को $+$Region में ले जाने पर

$$\boxed{x < -4 \ or\ x > -3}$$

प्रश्न : x के किस मान के लिए $6x^2 - 5x + 1 > 0$ को संतुष्ट करेगा?

(a) $x < \frac{1}{2}$ **(b)** $\frac{1}{3} < x < \frac{1}{2}$

(c) $x > \frac{1}{3}$ **(d)** $x < \frac{1}{3} \ or\ x > \frac{1}{2}$

हल : $(2x-1)(3x-1) = 0$

$$\therefore x = \frac{1}{3} \ or\ \frac{1}{2}$$

Step - II

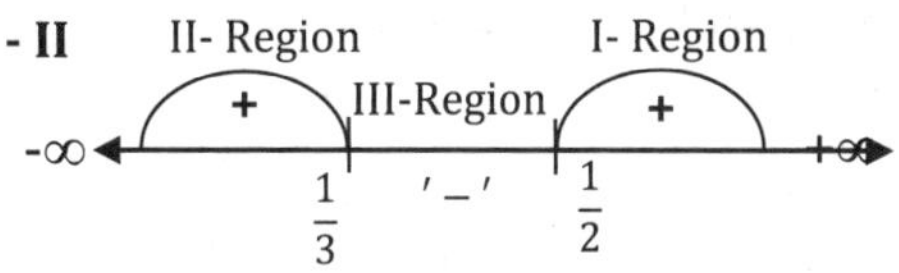

$\because 6x^2 - 5x + 1 > 0$ है अतः x का मान+ Region में होगा।

$$\boxed{x < \frac{1}{3} \ or\ x > \frac{1}{2}}$$

प्रश्न : x के किस मान के लिए $2x^2 - 9x < 35$ को संतुष्ट करेगा?

(a) $x > \frac{-5}{2} \ or\ x > 7$

(b) $x < 7 \ or\ x < \frac{-5}{2}$

(c) $\frac{-5}{2} < x < 7$

(d) $x > 7 \ or\ x < \frac{-5}{2}$

हल : $2x^2 - 9x - 35 < 0$ के संगत समीकरण $2x^2 - 9x - 35 = 0$ होगा

या $(2x+5)(x-7) = 0$

$$\therefore x = \frac{-5}{2} \ or\ 7$$

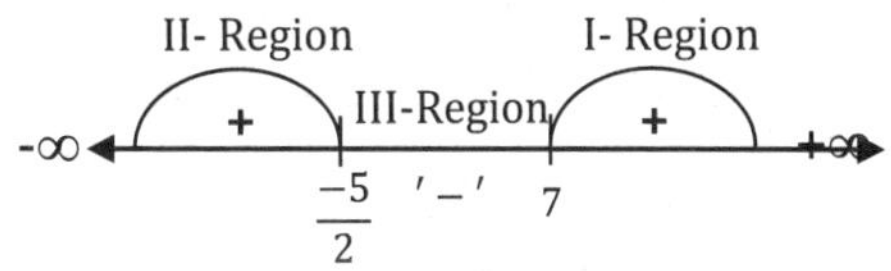

$$\boxed{\therefore \frac{-5}{2} < x > 7}$$

प्रश्नावली

TYPE - 01

1. यदि $\left(x+\frac{1}{x}\right)^2 = 3$ हो, तो $\left(x^3+\frac{1}{x^3}\right)$ बराबर होगा :
(a) 3 (b)2
(c) 1 (d) 0
(SSC Graduate Level Exam 1-8-2010)

2. यदि $m + \frac{1}{m-2} = 4$ हो, तो $(m-2)^2 + \frac{1}{(m-2)^2}$ का मान ज्ञात कीजिए
(a) –2 (b) 0
(c) 2 (d) 4
(SSC CHSL DEO and LDC Exam 2011)

3. यदि $x + \frac{1}{4x} = \frac{3}{2}$ हो, तो $8x^3 + \frac{1}{8x^3}$ का मान कितना होगा?
(a) 18 (b) 36
(c) 24 (d) 16
(SSC CHSL DEO and LDC Exam 2011)

4. यदि $x + \frac{1}{16x} = 1$, तो $64x^3 + \frac{1}{64x^3}$ का मान है–
(a) 4 (b) 52
(c) 64 (d) 76
SSC Graduate Level Tier II 4-9-2011

5. यदि $x + \frac{1}{2x} = 2$, तो $8x^3 + \frac{1}{x^3}$ का मान है–
(a) 48 (b) 88
(c) 40 (d) 44
(SSC CHSL DEO and LDC Exam 2011)

6. यदि $x^2+3x+1 = 0$, तो $x^3+\frac{1}{x^3}$ का मान है–
(a) –18 (b) 18
(c) 36 (d) –36
(SSC Graduate Level Tier -II Exam 4-9-2011)

7. यदि $2x + \frac{2}{x} = 1$, हो, तो $x^3+\frac{1}{x^3}$ का मान है–
(a) $\frac{13}{8}$ (b) $-\frac{11}{8}$
(c) $\frac{11}{8}$ (d) $-\frac{13}{8}$
SSC Graduate Level Tier II Exam 1-8-2010

8. यदि $2x + \frac{1}{3x} = 6$, तो $3x + \frac{1}{2x}$ बराबर होगा:
(a) 4 (b) 8
(c) 9 (d) 12
(SSC Graduate Level Tier -II Exam 1-8-2010)

9. यदि $x - \frac{1}{x} = 5$, तो $x^2 + \frac{1}{x^2}$ का मान क्या होगा?–
(a) 5 (b) 25
(c) 27 (d) 23
(FCI Assistant Grade III Exam 5-2-2012)

10. यदि $x^2 - 3x+1 = 0$ हो, तो $x + \frac{1}{x}$ का मान क्या होगा?–
(a) 0 (b) 1
(c) 2 (d) 3
(SSC CGL Pre Exam 4-2-2007)

TYPE - 02

11. यदि $x^4 + \frac{1}{x^4} = 119$, हो और $x > 1$, हो, तो $x^3 - \frac{1}{x^3}$ का मान क्या होगा?
(a) 54 (b) 18
(c) 72 (d) 36
(SSC 10+2 Data Entry Operator Exam)

12. यदि $x^4 + \frac{1}{x^4} = 23$, हो, तो $\left(x - \frac{1}{x}\right)^2$ का मान क्या होगा?
(a) 7 (b) –7
(c) –3 (d) 3
(SSC CGL Tier-I exam 2012)

13. यदि $x + \frac{1}{x+1} = 1$ हो, तो $(x+1)^5 + \frac{1}{(x+1)^5}$ किसके बराबर होगा?
(a) 1 (b) 2
(c) 4 (d) 8
(SSC 10+2 Data Entry Operator Exam 10-11-2013)

TYPE - 03

14. यदि $x + \frac{1}{x} = 2$, तो $\left(x^2+\frac{1}{x^2}\right).\left(x^3+\frac{1}{x^3}\right)$ का मान है–
(a) 20 (b) 4
(c) 8 (d) 16
(SSC CGL Tier -I Exam 27-7-2014)

15. यदि $x + \frac{1}{x} = 2$ हो, तो $\left(\sqrt{x}+\frac{1}{\sqrt{x}}\right)$ का मान होगा–
(a) $\sqrt{2}$ (b) 2
(c) $\sqrt{2+1}$ (d) 1
(SSC (SAS)Exam 27-6-2010)

16. यदि $x + \frac{1}{x} = 2$ हो, तो $\frac{2x^2+2}{3x^2+5x+3}$ का मान होगा–
(a) $\frac{4}{11}$ (b) $\frac{1}{2}$
(c) $1\frac{3}{4}$ (d) $2\frac{1}{3}$
(SSC लेखा सेवा प्रशिक्षु (SAS)Exam 27-6-2010)

17. यदि $x + \frac{1}{x} = 2$ हो, तो $x^{100} + \frac{1}{x^{100}}$
(a) 2 (b) 0
(c) 1 (d) –2
SSC Graduate Level Tier-II exam 1-8-2010

TYPE - 04

18. यदि $\frac{x}{2x^2+5x+2}=\frac{1}{6}$ तो $\left(x+\frac{1}{x}\right)$ का मान है:

(a) 2 (b) $\frac{1}{2}$

(c) $-\frac{1}{2}$ (d) –2

(SSC Data entry Operator Exam 2011)

19. यदि $x+\frac{1}{x}=1$ है, तो $\frac{x^2+3x+1}{x^2+7x+1}$ का मान है?

(a) 1 (b) $\frac{3}{7}$

(c) $\frac{1}{2}$ (d) 2

(SSC CGL Tier-I Exam 9-8-2015)

20. यदि $x+\frac{1}{x}=5$ हो, तो $\frac{2x}{3x^2-5x+3}$ कितना होगा?

(a) 5 (b) $\frac{1}{5}$

(c) 3 (d) $\frac{1}{3}$

(SSC 10+2 Data Entry Operator and LDC Exam 11-12-2011)

21. यदि $2x+\frac{1}{3x}=5$ हो, तो $\frac{5x}{6x^2+20x+1}$ का मान ज्ञात कीजिए?

(a) $\frac{1}{4}$ (b) $\frac{1}{6}$

(c) $\frac{1}{5}$ (d) $\frac{1}{7}$

(SSC 10+2 Data Entry Operator and LDC Exam 4-12-2011)

TYPE - 05

22. यदि $a^2+b^2+c^2=2(a-b-c)-3$, तो (a–b+c)का मान है–

(a) –1 (b) 3

(c) 1 (d) –2

(SSC Graduate Level Tier-II Exam 4-9-2011)

23. यदि $a^2+b^2+c^2+3=2(a-b-c)$ हो, तो 2a – b+c का मान कितना होगा?

(a) 3 (b) 4

(c) 0 (d) 2

(SSC Graduate Level Tier- I exam 21-4-2013)

24. यदि $a^2+b^2+4c^2=2(a+b-2c)-3$ और a, b, c वास्तविक हैं, तो $(a^2+b^2+c^2)$ का मान है

(a) 3 (b) $8\frac{1}{4}$

(c) 2 (d) $2\frac{1}{4}$

(SSC Graduate Level Tier- I Exam 19-5-2013)

25. यदि x, y तथा z ऐसी वास्तविक संख्याएं हो, ताकि $(x-3)^2+(y-4)^2+(z-5)^2=0$ हो, तो $(x+y+z)$बराबर होगा–

(a) –12 (b) 0

(c) 8 (d) 12

(SSC Data Entry Operator Exam 31-8-2008)

26. यदि $(a-1)^2+(b+2)^2+(c+1)^2=0$, हो, तो 2a–3b +7c का मान क्या होगा?

(a) 12 (b) 3

(c) –11 (d) 1

(SSC 10+2 Data Entry Operator Exam 4-12-2011)

27. वास्तविक a,b,cके लिए यदि $a^2+b^2+c^2=ab+bc+ca$ तो $\frac{a+c}{b}$ का मान है–

(a) 1 (b) 2

(c) 3 (d) 0

(SSC 10+2 Data Entry Operator Exam 11-12-2011)

28. यदि $(3a+1)^2+(b-1)^2+(2c-3)^2=0$ तो(3a+b+2c)का मान है:

(a) 3 (b) –1

(c) 2 (d) 5

(SSC 10+2 Data Entry Operator Exam 11-12-2011)

TYPE - 06

29. यदि $x=z=225$और $y=226$तो निम्नलिखित का मान है:

$x^2+y^3+z^3-3xyz$

(a) 765 (b) 676

(c) 576 (d) 674

(SSC CGL Tier- I exam 16-8-2015)

30. यदि $x+y+z=13$तथा $x^2+y^2+z^2=69$ हो, तो $xy+z(x+y)$ का मान कितना होगा?

(a) 70 (b) 40

(c) 50 (d) 60

(SSC 10+2 Data Entry Operator Exam 10-11-2013)

31. यदि a+b+c = 0, तो$\left(\frac{a^2}{bc}+\frac{b^2}{ca}+\frac{c^2}{ab}\right)$ का मान है:

(a) 2 (b) 3

(c) 4 (d) 5

(SSC CPO SI &Assistant exam 2012)

32. यदि a = 331, b = 336 और c = –667 हो तो $a^3+b^3+c^3-3abc$ का मान है

(a) 1 (b) 6

(c) 3 (d) 0

(SSC CAPFs SI, CISF ASI Exam 22-6-2024)

33. यदि $x=332$, $y=333$, $z=335$है, तो $x^3+y^3+z^3-3xyz$का मान क्या है?

(a) 10000 (b) 7000

(c) 8000 (d) 9000

(SSC CGL Tier-I Exam 9-8-2015)

34. यदि a+b+c = 9 और $a^2+b^2+c^2=29$ है, तो $a^3+b^3+c^3-3abc$का मान ज्ञात कीजिए।

(a) 9 (b) 27

(c) 3 (d) 81

(RRB Group D – 31-10-2018)

35. $\frac{(a-b)^3+(b-c)^3+(c-a)^3}{3(a-b)(b-c)(c-a)}$ =? उपरोक्त व्यंजक का मान क्या है?

(a) 1 (b) 4

(c) 0 (d) 2

(RRB Group D- 17-9-2018)

36. यदि a+b+c= 17, abc = 168 और ab+bc+ca= 94है, तो $a^3+b^3+c^3$का मान ज्ञात कीजिए।
(a) 621 (b) 623
(c) 620 (d) 622
(RRB NTPC 1-3-2021)

37. यदि $x+ y+ z = 0$ है, तो $\frac{x^2}{yz}+\frac{y^2}{zx}+\frac{z^2}{xy}$ का मान ज्ञात कीजिए।
(a) 3 (b) $\frac{x^2y^2z^2}{x}$
(c) $\frac{3x^2+3y^2+3z^2}{x}$ (d) $x^2+y^2+z^2$
(RRB NTPC 2-2-2021)

TYPE - 07

38. यदि $2x^m+x^3-3x^2-26$ को $x-2$से विभाजित करने पर शेष 994 बचता है, तो 'm' का मान ज्ञात कीजिए।
(a) 10 (b) 9
(c) 11 (d) 8
(RRB RPF Constable 20-1-2019)

39. यदि $4x^3-2x^2+5x-8$ को $(x-2)$ से विभाजित किया जाए तो शेष क्या होगा?
(a) 16 (b) 26
(c) 42 (d) 81
(RRB Group D- 16-10-2018)

40. यदि $2x^2+ax+2b$, को जब $x-1$ से विभाजित किया जाता है तो 16 शेष बचता है और जब $x^2+bx+2a$को $x+1$ से विभाजित किया जाता है तो –1 शेष बचता है, तो a+bकिसके बराबर है?
(a) –8 (b) –14
(c) 14 (d) 8
(RRB Group D- 26-9-2018)

41. $2x^2+ax+b$ को $x-3$ से विभाजित करने पर 31 और x^2+bx+a को $x-3$ से विभाजित करने पर 24 शेष बचता है। तो a+b का मान कितने के बराबर होगा?
(a) –7 (b) 23
(c) –23 (d) 7
RRB Group D- 19-9-2018

42. यदि व्यंजक $x^2-2ax+a^2$को $x+ a$ से भाग दिया जाए, तो 4 शेष बचता है तो aका मान है–
(a) 0 (b) ± 1
(c) ± 2 (d) ± 3
(UPTET Class I-V 27-6-2013)

43. बहुपद ax^3+bx^2+x-6 का एक गुणनखण्ड $(x+2)$ है और जब इस बहुपद में $(x-2)$से भाग करते हैं, तो शेषफल 4 प्राप्त होता है। a और b का मान ज्ञात कीजिए।
(a) a = 0, b = 2 (b) a = 2, b = 0
(c) a = 1, b = 1 (d) a = 7, b = 5
(UPTET Class VI-VIII 18-11-2018)

44. $3x^2+2ax+4b$को जब $x+3$ से विभाजित किया जाता है, तो 15 शेष आता है, और $2x^2+3bx+5a$ को जब $x-3$ से विभाजित किया जाता है, तो 65 शेष आता है, तो a+b का मान क्या है?
(a) 9 (b) 6
(c) 7 (d) 11
(RRB Group D- 30-10-2018)

45. यदि $(x-1)$ और $(x+3)$, x^2+ax+b के गुणनखण्ड हैं, तो क्रमशः a और b के मान ज्ञात कीजिए।
(a) 2,3 (b) 2,–3
(c) –2,–3 (d) –2,3
(RRB JE 25-5-2019)

46. यदि $(x+1)$ और $(x+2)$,ax^3+3x^2+bx के गुणनखण्ड हैं, तो a और b के मान ज्ञात कीजिए।
(a) a= 2 और b = 3 (b) a= 3 और b = 2
(c) a= 2 और b = 1 (d) a= 1 और b = 2
(RRB NTPC 3-3-2021)

47. यदि $(x^4-2x^3+3x^2-x+k)$,$(x-3)$ का गुणज है तो k का मान ज्ञात कीजिए?
(a) 51 (b) –51
(c) 165 (d) –165
(RRB NTPC 10-1-2021)

48. यदि $(2x-1)$, $2x^4-7x^3+x+k$ का एक गुणनखण्ड है, तो k का मान ज्ञात कीजिए?
(a) $\frac{1}{4}$ (b) $-\frac{5}{12}$
(c) 0 (d) $-\frac{1}{4}$
RRB NTPC 9-1-2021

TYPE - 08

49. इनमें से किस समीकरण के मूल –2 और 3 हैं?
(a) $x^2-x+6 = 0$ (b) $x^2-x-6 = 0$
(c) $x^2-5x+6 = 0$ (d) $x^2+3x-6 = 0$
RRB NTPC 22-2-2021

50. यदि समीकरण $(4+m)x^2+(m+1)x+1 = 0$ के मूल बराबर हैं, तो mका मान ज्ञात कीजिए।
(a) m= 0,5 (b) m = –1, –3
(c) m = 2,3 (d) m= 5, –3
(RRB NTPC 12-1-2021)

51. यदि बहुपद $x^2+8x+15k$ के मूलों के वर्गो का योग 34 है, तो k मान ज्ञात कीजिए।
(a) 1 (b) 2
(c) –1 (d) 3

52. यदि α और β बहुपद x^2-5x+mके ऐसे मूल हैं कि $\alpha-\beta= 1$, तब m का मान कितना होगा?
(a) 3 (b) 6
(c) 10 (d) 2
RRB NTPC 12-1-2021

53. यदि द्विघात समीकरण के दो मूल α और β हैं, जहाँ $\alpha+\beta= 8$ और $\alpha-\beta= 2$ तो समीकरण है:
(a) $x^2-8x+15= 0$ (b) $x^2+8x-15= 0$

(c) $x^2-8x-15=0$ (d) $x^2+8x+15=0$
RRB JE- 23-5-2019

54. 'K' के किस मान के लिए समीकरण $kx(x-2)+6=0$ के मूल समान हैं?
(a) 6 (b) 0,6
(c) 3,2 (d) –2
RRB JE-27-5-2019

55. द्विघात समीकरण $x^2-4x+k=0$ का एक मूल $x=3$ है। दूसरा मूल ज्ञात करें।
(a) $x=-1$ (b) $x=-4$
(c) $x=1$ (d) $x=4$
RRB ALP & Tec.(14-8-2018)

56. यदि द्विघात समीकरण $(2-P)x^2+2Px-(P+1)=0$ के मूल समान है, तो P का मान........है।
(a) 2 (b) 1
(c) –1 (d) –2
RRB Group D 29-8-2022

57. यदि समीकरण $2x^2-3x+k=0$ के मूलों का अनुपात 1 : 2 है, तो k का मान ज्ञात कीजिए।
(a) 2 (b) 1
(c) –1 (d) –2
RRB NTPC Exam 17-6-2022

58. यदि समीकरण $x^2-px+54=0$ के मूल 2 : 3 के अनुपात में है, तो p का मान है–
(a) 21 (b) 18
(c) –21 (d) 15
(UPTET VI-VIII 23-1-2022)

59. यदि $3x^2+kx+k=0$ का कोई समाधान नहीं है तो k का मान निम्नलिखित में से किसके अनुसार होगा?
(a) $k>12$ (b) $k<12$
(c) $k>-12$ (d) $0<k<12$
RRB ALP & Tec. (31-8-02018)

60. यदि $x^2+kx+k=0$ का कोई हल नहीं हो तो k का मान निम्न में से किसका अनुसरण करेगा?
(a) $k>4$ (b) $0<k<4$
(c) $k<4$ (d) $k>-4$
RRB ALP & Tec. (17-8-2018)

TYPE - 09

61. यदि समीकरण $6x-5y+11=0$ और $15x+ky-9=0$ का कोई हल न हो तो k का मान कितना है?
(a) –18 (b) 12.5
(c) –12.5 (d) 18
RRB ALP & Tec (21-8-2018)

62. रेखीय समीकरणों $3x+y=1$ और $px+2y=5$ के जोड़े का कोई परिमित हल नहीं होगा, यदि
(a) $0<p<6$ (b) $P=6$
(c) $P=0$ (d) $p\ge 6$
RRB ALP &Tec(17-8-2018)

63. रेखीय समीकरणों $x+2y-8=0$ और $2x+4y=16$ के जोड़े के हलो की संख्या है:
(a) 0 (b) 1
(c) अनंत (d) 2
RRB ALP & Tec (10-8-2018)

64. यदि समीकरण $20x+5y+11=0$ तथा $50x-ky-9=0$ का कोई समाधान नहीं है, तो K का मान है।
(a) 12.5 (b) –12.5
(c) 18 (d) –18
RRB Group D 10-12-2018

65. यदि समीकरणों $4x+3y+5=0$ और $10x-ky-7=0$ का कोई हल संभव नहीं है, तो k का मान कितना होगा?
(a) –8 (b) 7.5
(c) 8 (d) –7.5
RRB Group D- 8-10-2018

TYPE - 10

66. यदि $x=a(b-c)$. $y=b(c-a)$ और $z=c(a-b)$, तो $\left(\frac{x}{a}\right)^3+\left(\frac{y}{b}\right)^3+\left(\frac{z}{c}\right)^3=$
(a) $\frac{xyz}{3abc}$ (b) $3xyzabc$
(c) $\frac{3xyz}{abc}$ (d) $\frac{xyz}{abc}$
(SSC 10+2 Data Entry Operator Exam 11-12-2011)

67. यदि $xy(x+y)=1$ हो, तो $\frac{1}{x^3y^3}-x^3-y^3$ का मान है:
(a) 0 (b) 1
(c) 3 (d) –2
(SSC (10+2)Data Entry Operator Exam 11-12-2011)

68. यदि $a^3+b^3=9$ और $a+b=3$ है, तो $\frac{1}{a}+\frac{1}{b}$ का मान है–
(a) $\frac{1}{2}$ (b) $\frac{3}{2}$
(c) $\frac{5}{2}$ (d) –1
(SSC CHSL 10+2 DEO&LDC Exam2-11-2014)

69. यदि $\frac{3-5x}{2x}+\frac{3-5y}{2y}+\frac{3-5z}{2z}=0$ तो $\frac{2}{x}+\frac{2}{y}+\frac{2}{z}$ का मान क्या है?
(a) 20 (b) 5
(c) 10 (d) 15
SSC CGL Tier-II Exam 12-4-2015

70. यदि $\frac{5x-3}{x}+\frac{5y-3}{y}+\frac{5z-3}{z}=0$ तो $\frac{1}{x}+\frac{1}{y}+\frac{1}{z}$ का मान क्या है?
(a) 5 (b) 10
(c) 15 (d) 3
(SSC CPO SI & Assistant exam 2012)

71. यदि समीकरण $2x^2-7x+12 = 0$ के दो मूल α और β है, तो $\frac{\alpha}{\beta}+\frac{\beta}{\alpha}$ का मान क्या होगा?

(a) $\frac{7}{2}$ (b) $\frac{1}{24}$

(c) $\frac{7}{24}$ (d) $\frac{97}{24}$

(SSC CGL Tier-I Exam 20-7-2014)

Revision Series

72. यदि $x+\frac{1}{x}=4$ हो, तो $x^4+\frac{1}{x^4}$ का मान कितना होगा ?

(a) 64 (b) 194

(c) 81 (d) 124

73. यदि $x-\frac{1}{x}=2$ हो, तो $x^3-\frac{1}{x^3}$ का मान क्या होगा ?

(a) 15 (b) 2

(c) 14 (d) 11

74. $x-\frac{1}{x}=4$ हो, तो $x+\frac{1}{x}$ का मान बराबर है ?

(a) $5\sqrt{2}$ (b) $4\sqrt{5}$

(c) $2\sqrt{5}$ (d) $4\sqrt{2}$

75. यदि $x-\frac{1}{x}=5$ हो, तो $x^2+\frac{1}{x^2}$ का मान क्या होगा ?

(a) 15 (b) 25

(c) 27 (d) 23

76. यदि $x^2-3x+1=0$ हो, तो $x^3+\frac{1}{x^3}$ का मान क्या होगा ?

(a) 9 (b) 18

(c) 27 (d) 1

77. यदि $m+\frac{1}{m-2}=4$ हो, तो $(m-2)^3+\frac{1}{(m-2)^3}$ का मान ज्ञात कीजिए ?

(a) 2 (b) 0

(c) -2 (d) 4

78. यदि $x+\frac{1}{16x}=1$ हो, तो $64x^3+\frac{1}{64x^3}$ का मान है ?

(a) 4 (b) 52

(c) 64 (d) 76

79. यदि $3x+\frac{1}{2x}=5$ हो, तो $8x^3+\frac{1}{27x^3}$ का मान कितना होगा ?

(a) $118\frac{1}{2}$ (b) $30\frac{10}{27}$

(c) 0 (d) 1

80. यदि $x+\frac{1}{2x}=2$ हो, तो $8x^3+\frac{1}{x^3}$ का मान कितना होगा ?

(a) 40 (b) 88

(c) 48 (d) 44

81. यदि $x^4+\frac{1}{x^4}=119$ हो, $x>1$ और हो, तो $x^3-\frac{1}{x^3}$ का मान कितना होगा ?

(a) 54 (b) 18

(c) 72 (d) 36

82. यदि $x+\frac{1}{x}=2, x\neq 0$ हो, तो $x^2+\frac{1}{x^3}$ का मान है ?

(a) 2 (b) 1

(c) 3 (d) 4

83. यदि $x+\frac{1}{x}=2$ हो, तो $x^{100}+\frac{1}{x^{100}}$ का मान है ?

(a) -2 (b) 0

(c) 1 (d) 2

84. यदि $a+\frac{1}{a}+2=0$ हो, तो $a^{37}-\frac{1}{a^{100}}$ का मान है ?

(a) 0 (b) -2

(c) 2 (d) 1

85. यदि $x^2+1=2x$ हो, तो $\frac{x^4+\frac{1}{x^2}}{x^2-3x+1}$ का मान क्या होगा ?

(a) 0 (b) 1

(c) 3 (d) -2

86. यदि $x+\frac{1}{x}=5$ हो, तो $\frac{2x}{3x^2-5x+3}$ कितना होगा ?

(a) $\frac{1}{5}$ (b) 5

(c) 3 (d) $\frac{1}{3}$

87. यदि $a+b+c=0$ हो, तो $\left(\frac{a^2}{bc}+\frac{b^2}{ca}+\frac{c^2}{ab}\right)$ का मान है–

(a) 2 (b) 4

(c) 3 (d) 5

88. यदि $a+b+c=0$ हो, तो $\frac{1}{(a+b)(b+c)}+\frac{1}{(a+c)(b+a)}+\frac{1}{(c+a)(c+b)}$ का मान बताइये ?

(a) 0 (b) 1

(c) 2 (d) 4

89. यदि $a+b+c=0$ हो, तो $\frac{a^2+b^2+c^2}{(bc+ca+ab)}$ का मान है–

(a) -2 (b) 2
(c) 3 (d) -4

90. यदि $x + y + z = 0$ हो, तो $\frac{xyz}{(x+y)(y+z)(z+x)}$ का मान है–

(a) 1 (b) -1
(c) 2 (d) -2

91. यदि बहुपद $x^4 - 8x^3 + x^2 + 3x - 6$ को $(x+2)$ से भाग दिया जाये तो शेषफल होगा–

(a) 45 (b) 50
(c) 48 (d) 72

92. यदि $x^2 + kx + 12$ का एक गुणनफल $(x + 3)$ हो, तो k किसके बराबर है–

(a) 8 (b) 6
(c) 7 (d) 5

93. जब $x^3 + 3x^2 - kx + 4$ में $(x - 2)$ से भाग दिया जाये तो शेष k बचता है। k का मान बताइये ?

(a) 6 (b) 2
(c) 4 (d) 8

94. $(x - 2)$ से $x^3 + ax^2 + bx + 6$ पूर्णतः विभाजित होता है। यदि $(x-3)$ से उसी बहुपद में भाग दिया जाता है तो शेष 3 प्राप्त होता है तो a तथा b का मान निम्नलिखित में से कौन–सा होगा–

(a) (-1, -1) (b) (-2, 2)
(c) (-3, -3) (d) (-3, -1)

95. यदि $(x - 3)^2 + (y - 5)^2 + (z - 4)^2 = 0$ हो, तो $\frac{x^2}{9} + \frac{y^2}{25} + \frac{z^2}{16}$ का मान क्या होगा ?

(a) 3 (b) 1
(c) 9 (d) 12

96. यदि x, y तथा z ऐसी वास्तविक संख्याये हों ताकि $(x - 3)^2 + (y - 4)^2 + (z - 5)^2 = 0$ हो, तो $(x + y + z)$ बराबर होगा ?

(a) 0 (b) -12
(c) 8 (d) 12

97. यदि $a^2 + b^2 + c^2 = 2(a - b - c) - 3$ हो, तो $4a - 3b + 5c$ का मान क्या होगा ?

(a) 2 (b) 6
(c) 5 (d) 3

98. $a + b + c = 0$ हो, तो $\frac{a^2+b^2+c^2}{a^2-bc}$ का मान क्या होगा ?

(a) 0 (b) 1
(c) 2 (d) 3

99. यदि $a^2 + b^2 + 2b + 4a + 5 = 0$ हो, तो $\frac{a-b}{a+b}$ का मान क्या होगा ?

(a) 3 (b) -3
(c) $\frac{1}{3}$ (d) $-\frac{1}{3}$

100. यदि $x = y = 333$ और $z = 334$ हो, तो $x^3 + y^3 + z^3 - 3xyz$ का मान क्या होगा–

(a) 0 (b) 667
(c) 1000 (d) 2334

101. यदि $a = x + y$, $b = x - y$ व $c = x + 2y$ हो, तो $a^2 + b^2 + c^2 - ab - bc - ca$ का मान है–

(a) $7y^2$ (b) $5y^2$
(c) $7y$ (d) $5y$

102. यदि $a = 1{\cdot}21$, $b = 2{\cdot}12$ और $c = -3{\cdot}33$ हो तो $a^3 + b^3 + c^3 - 3abc$ का मान है–

(a) 0 (b) 1
(c) 2 (d) 3

103. यदि $x + y + z = 6$ और $x^2 + y^2 + z^2 = 20$ हो, तो $x^3 + y^3 + z^3 - 3xyz$ का मान क्या होगा ?

(a) 64 (b) 72
(c) 70 (d) 76

104. यदि $a + b + c = 6$, $a^2 + b^2 + c^2 = 14$ और $a^3 + b^3 + c^3 = 36$ हो, तो abc का मान क्या होगा ?

(a) 3 (b) 6
(c) 9 (d) 12

105. दो धनात्मक संख्यायें a तथा b के लिये यदि $a^2 + b^2 = 24$ तथा $ab = 6$ है, तो $(a^3 + b^3)$ बराबर होगा –

(a) 96 (b) 100
(c) 102 (d) 108

106. यदि $x + y + z = 13$ तथा $x^2 + y^2 + z^2 = 69$ हो, तो $xy + zx + zy$ का मान कितना होगा ?

(a) 70 (b) 40
(c) 60 (d) 50

107. यदि $a + b = 5$, $a^2 + b^2 = 13$ हो, तो $(a - b)$(जहाँ $a > b$) का मान है–

(a)1 (b)-1

(c)2 (d)-2

108. यदि $x - y = 2$ तथा $x^2 + y^2 = 20$हो, तो $(x + y)^2$का मान होगा–

(a)38 (b)12

(c)16 (d)36

109. यदि $a + b = 12$ एवं $ab = 22$है, तो $(a^2 + b^2)$किसके बराबर है–

(a)188 (b)100

(c)144 (d)34

110. यदि $a - b = 3$तथा $a^3 - b^3 = 117$हो, तो$|a + b|$ किसके बराबर है–

(a)3 (b)5

(c)7 (d)9

111. यदि समीकरण $kx - y = -1$तथा $6x - 2y = 2$का कोई हल नहीं हो तो kका मान होगा–

(a)3 (b)-3

(c)0 (d)kके किसी भी मान के लिए हल होगा

112. युगपद समीकरण $2x - 3y = 8$, $6y - 4x = 9$के लिए होगा–

(a)$x = 4, y = 9$ (b)अनगिनत हल

(c)$x = 0, y = \frac{3}{2}$ (d)कोई हल नहीं होगा

113. निम्न समीकरण के मूल है : $2x^2 - 4x + 5 = 0$

(a)काल्पनिक (b)वास्तविक अपरिमेय

(c)वास्तविक परिमेय (d)समान

114. यदि समीकरण $x^2 + px + q = 0$के मूल α तथा β है तो $\frac{\alpha}{\beta} + \frac{\beta}{\alpha}$का मान होगा–

(a)$\frac{p^2-2q}{q}$ (b)$\frac{p^2+2q}{q}$

(c)$\frac{-p^2+2q}{q}$ (d)$\frac{-p^2-2q}{q}$

115. द्विघात समीकरण बताइये जिसके मूल 3 एवं –5 है–

(a)$x^2 + 2x + 15 = 0$ (b)$x^2 + 2x - 15 = 0$

(c)$x^2 -2x + 15 = 0$ (d)$x^2 - 2x - 15 = 0$

116. यदि $\frac{5x-3}{x} + \frac{5y-3}{y} + \frac{5z-3}{z} = 0$हो, तो $\frac{1}{x} + \frac{1}{y} + \frac{1}{z}$का मान है–

(a)5 (b)3

(c)10 (d)15

117. यदि $\frac{3-5x}{2x} + \frac{3-5y}{2y} + \frac{3-5z}{2z} = 0$हो, तो $\frac{2}{x} + \frac{2}{y} + \frac{2}{z}$ का मान है–

(a)20 (b)5

(c)10 (d)15

118. पूर्ण वर्ग बनाने के लिए$121a^2 + 64b^2$में जोड़ना होगा ?

(a)176ab (b)$276a^2b$

(c)178ab (d)$188b^2a$

119. यदि समीकरण $2x^2 - 7x + 12 = 0$के दो मूल α और βहै, तो $\frac{\alpha}{\beta} + \frac{\beta}{\alpha}$ का मान क्या होगा–

(a)$\frac{7}{2}$ (b)$\frac{1}{24}$

(c)$\frac{7}{24}$ (d)$\frac{97}{24}$

120. व्यंजक$x^4 - 2x^2 + k$ को पूर्ण वर्ग बनाने के लिएkका मान कितना होगा ?

(a)2 (b)1

(c)-1 (d)-2

121. असमिका$x^2 + x - 12 > 0$निम्न में से किसे संतुष्ट करेगा ?

(a)$-4<x<3$ (b)$x> -4$या$x> 3$

(c)$-3 <x< 4$ (d)$x< -4$या$x< 3$

122. निम्नलिखित में से xका कौन–सा मान असमिका $x^2 + 8x + 7 < 0$ को संतुष्ट करेगा ?

(a)-7 <या $x> -1$ (b)$-1 <x< -7$

(c)$-7 <x< -1$ (d)$-1 >x$या$x< -7$

123. निम्नलिखित में से कौन–सी असमानता $2x^2 - 7x< 15$ को संतुष्ट करेगी ?

(a)$-\frac{3}{2} < x < 5$ (b)$x > 5$या $x < -\frac{3}{2}$

(c)$x < 5$या$x < -\frac{3}{2}$ (d)$x > -\frac{3}{2}$और $x > 5$

124. xका कौन सा मान $x^2 - 3x + 2 > 2x - 4$ असमानता को संतुष्ट करता है –

(a) $2 < x < 3$ (b) $x > 3$ अथवा $x < 2$

(c) $x \geq 3$ (d) $x \leq 2$

125. असमिका $7x + 3 < 4x + 9$ में x का कौन–सा मान छोड़कर इसके अलावा x के सभी मानों के लिए यह असमिका संतुष्ट होगा ?

(a) -1 (b) -2

(c) 0 (d) 1

(e) 2

126. व्यंजक $x^4 + 4$ का एक गुणनखण्ड होगा –

(a) $(x^2 + 2)(x^2 - 2)$ (b) $(x + 2)(x^2 - 2)$

(c) $(x^2 + 2x + 2)$ (d) इनमें से कोई नहीं

127. व्यंजक $x^3 - 19x + 30$ का एक गुणनखण्ड होगा –

(a) $x - 2$ (b) $x + 2$

(c) $x - 1$ (d) $x + 1$

128. $8x^3 + 27$ का गुणनखण्ड है –

(a) $(2x - 3)(4x^2 + 6x + 9)$

(b) $(2x - 3)(4x^2 - 6x + 9)$

(c) $(2x + 3)(4x^2 - 6x + 9)$

(d) $(2x + 3)(4x^2 + 6x + 9)$

129. $x^2 - x - 132$ का एक गुणनखण्ड है –

(a) $(x + 6)$ (b) $(x + 11)$

(c) $(x + 7)$ (d) $(x + 9)$

ANSWER

1.	d	35.	a	69.	c	103.	b
2.	c	36.	b	70.	a	104.	b
3.	a	37.	a	71.	b	105.	d
4.	b	38.	b	72.	b	106.	d
5.	c	39.	b	73.	c	107.	a
6.	a	40.	d	74.	c	108.	d
7.	b	41.	d	75.	c	109.	b
8.	c	42.	b	76.	b	110.	c
9.	c	43.	a	77.	a	111.	a
10.	d	44.	c	78.	b	112.	d
11.	d	45.	b	79.	b	113.	a
12.	d	46.	d	80.	a	114.	a
13.	b	47.	b	81.	d	115.	b
14.	b	48.	a	82.	a	116.	a
15.	b	49.	b	83.	d	117.	c
16.	a	50.	d	84.	b	118.	a
17.	a	51.	a	85.	d	119.	b
18.	b	52.	b	86.	a	120.	b
19.	c	53.	a	87.	c	121.	b
20.	b	54.	b	88.	a	122.	c
21.	d	55.	c	89.	a	123.	a
22.	c	56.	d	90.	b	124.	b
23.	d	57.	b	91.	d	125.	e
24.	d	58.	d	92.	c	126.	c
25.	d	59.	d	93.	d	127.	a
26.	d	60.	b	94.	d	128.	c
27.	b	61.	c	95.	a	129.	b
28.	a	62.	b	96.	d		
29.	b	63.	c	97.	a		
30.	c	64.	b	98.	c		
31.	b	65.	d	99.	c		
32.	d	66.	c	100.	c		
33.	b	67.	c	101.	c		
34.	b	68.	b	102.	a		

Explanatory Notes

1. (d)$\left(x+\frac{1}{x}\right)^2 = 3$

या,$x+\frac{1}{x} = \sqrt{3}$

$\therefore x^3+\frac{1}{x^3} = \left(\sqrt{3}\right)^3 - 3\times\sqrt{3}$

$3\sqrt{3} - 3\sqrt{3} = 0$

2. (c)$m+\frac{1}{m-2} = 4$

दोनों पक्षों में से 2 घटाने पर–

$$(m-2)+\frac{1}{(m-2)} = 2$$

$\therefore (m-2)^2+\frac{1}{(m-2)^2} = (2)^2 - 2 = 4-2 = 2$

3. (a)$x+\frac{1}{4x} = \frac{3}{2}$

दोनों पक्षों में 2 से गुणा करने पर–

$2x+\frac{1}{2x} = \frac{3}{2}\times 2 = 3$

$\therefore (2x)^3+\frac{1}{(2x)^3} = (3)^3 - 3\times 2$

$= 27-9 = 18$

4. (b)$x+\frac{1}{16x} = 1$

दोनों पक्षों में 4 से गुणा करने पर–

$4x+\frac{1}{4x} = 4$

$\therefore (4x)^3+\frac{1}{(4x)^3} = (4)^3 - 3\times 4$

$= 64-12 = 52$

5. (c)$x+\frac{1}{2x} = 2$

दोनों पक्षों में 2 से गुणा करने पर–

$2x+\frac{1}{x} = 4$

दोनों पक्षों का घन करने पर–

$$8x^3+\frac{1}{x^3}+3\times 2x\times\frac{1}{x}\left(2x+\frac{1}{x}\right) = 64$$

$8x^3+\frac{1}{x^3}+6\times 4 = 64$

$8x^3+\frac{1}{x^3}+64-24 = 40$

6. (a)$x^2+3x+1 = 0$

या, $x^2+1 = -3x$

दोनों पक्षों में x से भाग देने पर–

$x+\frac{1}{x} = -3$

$\therefore x^3+\frac{1}{x^3} = (-3)^3 - 3(-3)$

$= -27+9 = -18$

7. (b)$2x+\frac{2}{x} = 1$

$2\left(x+\frac{1}{x}\right) = 1$

$\therefore x+\frac{1}{x} = \left(\frac{1}{2}\right)$

$\therefore x^3+\frac{1}{x^3} = \left(\frac{1}{2}\right)^3 - 3\times\frac{1}{2}$

$\therefore x^3+\frac{1}{x^3} = \frac{1}{8}-\frac{3}{2} = \frac{1-12}{8} = -\frac{11}{8}$

8. (c)$2x+\frac{1}{3x} = 6$

दोनों पक्षों में $\frac{3}{2}$ से गुणा करने पर–

$2x\times\frac{3}{2}+\frac{1}{3x}\times\frac{3}{2} = 6\times\frac{3}{2}$

$3x+\frac{1}{2x} = 9$

9. (c)$x-\frac{1}{x} = 5$

दोनों पक्षों का वर्ग करने पर

$x^2+\frac{1}{x^2} - 2\times x\times\frac{1}{x} = 25$

$\therefore x^2+\frac{1}{x^2} = 25+2 = 27$

10. (d)$x^2-3x+1 = 0$

या, $x^2+1 = 3x$

दोनों पक्षों में xसे भाग देने पर–

$x+\frac{1}{x} = 3$

11. (d)$x^4+\frac{1}{x^4} = 119$

$\therefore x^2+\frac{1}{x^2} = \sqrt{119+2} = 11$

अतः $x-\frac{1}{x} = \sqrt{11-2} = 3$

$x^3-\frac{1}{x^3} = (3)^3+3(3) = 36$

Note ;यदि $x-\frac{1}{x} = a$ हो तो $x^3-\frac{1}{x^3} = a^3+3a$

12. (d)$x^4+\frac{1}{x^4} = 23$

$\therefore x^2+\frac{1}{x^2} = \sqrt{23+2} = 5$

अतः$x-\frac{1}{x} = \sqrt{5-2} = \sqrt{3}$

$\therefore \left(x-\frac{1}{x}\right)^2 = \left(\sqrt{3}\right)^2 = 3$

13. (b)$x+\frac{1}{x+1} = 1$

दोनों पक्षों में 1 जोड़ने पर –

$(x+1)+\frac{1}{(x+1)} = 2$

$(x+1)^5+\frac{1}{(x+1)^2} = (2)^5 - 5(2)^3+5(2)$

$= 32-40+10$

$= 42-40 = 2$

14. (b)$x+\frac{1}{x} = 2$

अतः $x = 1$ समीकरण को संतुष्ट करेगा

$\left(x^2+\frac{1}{x^2}\right).\left(x^3+\frac{1}{x^3}\right) = \left(1^2+\frac{1}{1^2}\right)\left(1^3+\frac{1}{1^3}\right).$

$.= (1+1).(1+1)$

$= 2\times 2 = 4.$

15. (b)$x+\frac{1}{x} = 2$

अतः $x = 1$ समीकरण को संतुष्ट करेगा

$\therefore \sqrt{x} + \frac{1}{\sqrt{x}} = \sqrt{1} + \frac{1}{\sqrt{1}} = 1 + 1 = 2$

16. (a)$x + \frac{1}{x} = 2$

$\therefore x = 1$ से,

$\frac{2x^2+2}{3x^2+5x+3} = \frac{2(1)^2+2}{3(1)^2+5(1)+3}$

$\frac{2+2}{3+5+3} = \frac{4}{11}$

17. (a)$x + \frac{1}{x} = 2$

$\therefore x = 1$ से,

$x^{100} + \frac{1}{x^{100}} = (1)^{100} + \frac{1}{(1)^{100}} = 1 + 1 = 2$

18. (b)$\frac{x}{2x^2+5x+2} = \frac{1}{6}$

या, $6x = 2x^2 + 5x + 2$

या,$2x^2 + 5x - 6x + 2 = 0$

या,$2x^2 - x + 2 = 0$

या,$2x^2 + 2 = 0$

या, $2(x^2 + 1) = x$

या,$x^2 + 1 = \frac{x}{2}$

दोनों पक्षों में x से भाग देने पर–

$x + \frac{1}{x} = \frac{1}{2}$

19. (c)$x + \frac{1}{x} = 1$

या, $\frac{x^2+1}{x} = 1$

या,$x^2 + 1 = x$

$\therefore \frac{x^2+1+3x}{x^2+1+7x} = \frac{x+3x}{x+7x} = \frac{4x}{8x} = \frac{1}{2}$

20. (b)$x + \frac{1}{x} = 5$

या, $\frac{x^2+1}{x} = 5$

या,$x^2 + 1 = 5x$

$\therefore \frac{2x}{3x^2-5x+3} = \frac{2x}{3(x^2+1)-5x}$

$= \frac{2x}{3\times5x-5x} = \frac{2x}{10x} = \frac{1}{5}$

21. (d)$2x + \frac{1}{3x} = 5$

या, $\frac{6x^2+1}{3x} = 5$

या,$6x^2 + 1 = 15x$

$\therefore \frac{5x}{6x^2+20x+1} = \frac{5x}{15x+20x} = \frac{5x}{35x} = \frac{1}{7}$

22. (c)$a^2 + b^2 + c^2 = 2a - 2b - 2c - 1 - 1 - 1$

या,$a^2 + 1 - 2a + b^2 + 1 + 2b + c^2 + 1 + 2c = 0$

या,, $(a-1)^2 + (b+1)^2 + (c+1)^2 = 0$

$a = 1 \quad b = -1 \quad c = -1$

समी० को संतुष्ट करता है।

$\therefore a - b + c = 1 - (-1) + (-1) = 1 + 1 + -1 = 1$

23. (d)$a^2 + b^2 + c^2 + 1 + 1 + 1 = 2a - 2b - 2c$

या, $a^2 + 1 - 2a + b^2 + 1 + 2b + c^2 + 1 + 2c = 0$

या, $(a-1)^2 + (b+1)^2 + (c+1)^2 = 0$

$\boxed{a = 1}\ \boxed{b = -1}\ \boxed{c = -1}$

समी० को संतुष्ट करता है अतः

$2a - b + c = 2(1) - (-1) + (-1)$

$= 2 + 1 - 1 = 2$

24. (d)$a^2 + b^2 + 4c^2 = 2a + 2b - 4c - 1 - 1 - 1$

या, $a^2 + 1 - 2a + b^2 + 1 - 2b + 4c^2 + 1 + 4c = 0$

या, $(a-1)^2 + (b+1)^2 + (2c+1)^2 = 0$

$\boxed{a = 1}\ \boxed{b = 1}\ \boxed{c = \frac{-1}{2}}$

समी० को संतुष्ट करता है अतः

$a^2 + b^2 + c^2 = 1^2 + 1^2 + \left(-\frac{1}{2}\right)^2$

$1 + 1 + \frac{1}{4} = 2 + \frac{1}{4} = 2\frac{1}{4}$

25. (d)$(x-3)^2 + (y-4)^2 + (z-5)^2 = 0$

$\boxed{x = 3}\ \boxed{y = 4}\ \boxed{z = 5}$ समी० को संतुष्ट करता है अतः

$x + y + z = 3 + 4 + 5 = 12$

26. (d)$(a-1)^2 + (b+2)^2 + (c+1)^2 = 0$

$\boxed{a = 1}\ \boxed{b = -2}\ \boxed{c = -1}$ समी० को संतुष्ट करता है अतः

$2a - 3b + 7c = 2(1) - 3(-2) + 7(-1)$

$= 2 + 6 - 7 = 1$

27. (b)$a^2 + b^2 + c^2 = ab + bc + ca$

या, $a^2 + b^2 + c^2 - ab - bc - ca = 0$

या, $\frac{1}{2}\left[(a-b)^2 + (b-c)^2 + (c-a)^2\right] = 0$

या, $(a-b)^2 + (b-c)^2 + (c-a)^2 = 0$

$a = b, b = c, c = a$ से $a = b = c = k$ (माना)

$\therefore \frac{a+c}{b} = \frac{k+k}{k} = \frac{2k}{k} = 2$

28. (a)$(3a+1)^2 + (b-1)^2 + (2c-3)^2 = 0$

$a = -\frac{1}{3}, b = 1$ तथा $c = \frac{3}{2}$ समी० को संतुष्ट करता है अतः

$3a + b + 2c = 3\left(-\frac{1}{3}\right) + 1 + 2\left(\frac{3}{2}\right)$

$= -1 + 1 + 3 = 3$

29. (b)$x = z = 225$ तथा $y = 226$

$\therefore x^3 + y^3 + z^3 - 3xyz =$

$\frac{1}{2}(x + y + z)[(x-y)^2 + (y-z)^2 + (z-x)^2]$

$= \frac{1}{2}(225 + 226 + 225)[(225-226)^2] + (226-225)^2 + (225-225)^2$

$\frac{1}{2} \times 676 \times [(-1)^2 + (1)^2 + 0]$

$= 338 \times [1 + 1]$

$= 338 \times 2 = 676$

30. (c) $x + y + z = 13$ तथा $x^2 + y^2 + z^2 = 69$(दिया है)

$x^2+y^2+z^2+2(xy+yz+zx=169)$
$69+2(xy+yz+zx)=169$
$2(xy+yz+zx)=100$
$xy+yz+zx=50$
$xy+z(x+y)=50$

31. (b)$a+b+c=0$
$\frac{a^2}{bc}+\frac{b^2}{ca}+\frac{c^2}{ab}=\frac{a^3+b^3+c^3}{abc}$
Note
यदि$a+b+c=0$हो तो
$a^3+b^3+c^3=3abc$
अत:$\frac{3abc}{abc}=3$

32. (d)$a=331, b=336$और $c=-667$
$\therefore\ a^3+b^3+c^3-3abc=\frac{1}{2}(a+b+c)[(a-b)^2+(b-c)^2+(c-a)^2]$
$a+b+c=331+336+(-667)$
$=667-667=0$
$\because a+b+c=0$अत:
$a^3+b^3+c^3-3abc=0$

33. $x^3+y^3+z^3-3xyz=\frac{1}{2}(332+333+335)[(332-333)^2+(333-335)^2+(335-332)^2]$
$\frac{1}{2}\times1000\times[1+4+9]$
$=\frac{1}{2}\times1000\times14$
$=7000$

34. (b)$a+b+c=9$
दोनों पक्षों का वर्ग करने पर–
$a^2+b^2+c^2+2(ab+bc+ca)=81$
$29+2(ab+bc+ca)=81$
$2(ab+bc+ca)=81-29=52$
$\therefore ab+bc+ca=26$
$\therefore\ a^3+b^3+c^3-3abc=(a+b+c)[a^2+b^2+c^2-(ab+bc+ca)]$
$=9[29-26]$
$=9\times3=27$

35. (a)माना, $a-b=x, b-c=y$ तथा $c-a=z$
$\therefore\frac{x^3+y^3+z^3}{3xyz}$
$=\frac{3xyz}{3xyz}[\because x+y+z=0$अत:
$x^3+y^3+z^3=3xyz]$
$=1$

36. (b)$a+b+c=17$
दोनों पक्षों का वर्ग करनें पर

या, $a+3b=24-9=15\ ....(ii)$
$9a+3b=39\ ...(iii)$ समी० (i)में 3 से गुणा करनें पर
$-8a=-24$

$a^2+b^2+c^2+2(ab+bc+ca)=289$
$a^2+b^2+c^2+2\times94=289$
$a^2+b^2+c^2=289-188=101$
$\therefore\ a^3+b^3+c^3-3abc=(a+b+c)[a^2+b^2+c^2-(ab+bc+ca)]$
$a^3+b^3+c^3-3\times168=17[101-94]$
$a^3+b^3+c^3-504=119$
$a^2+b^2+c^2=119+504=623$

37. (a)$\frac{x^2}{yz}+\frac{y^2}{zx}+\frac{z^2}{xy}=\frac{x^3+y^3+z^3}{xyz}$
$\because x+y+z=0$अत: $x^3+y^3+z^3=3xyz$
$=\frac{3xyz}{xyz}=3$

38. (b)$x-2=0$अत: $x=2$मान व्यंजक में रखने पर
शेष $=2(2)^m+(2)^3-3(2)^2-26$
$994=2(2)^m+8-12-26$
$994+30=2(2)^m$
$1024=2(2)^m$
$(2)^m=\frac{1024}{2}=512$
$2^m=2^9$
$\therefore m=9$

39. (b)$x-2=0$अत: $x=2$मान व्यंजक में रखने पर
शेष $=4(2)^3-2(2)^2+5(2)-8$
$=32-8+10-8$
$=42-16$
$=26$

या, $2a-b=-1-1=-2\ ....(ii)$
$2a+4b=28\ ...(iii)$ समी० (i) में 2 से गुणा करनें पर
$-5b=-30$

40. (d)$x-1=0$अत: $x=1$मान व्यंजक में रखने पर
$16=2(1)^2+a(1)+2b$
या, $a+2b=16-2=14\ ...(i)$
अब,$x+1=0\therefore x=-1$मान दूसरे व्यंजक में रखने पर–
$-1=(-1)^2+b(-1)+2a$
समी०(i)में 2 से गुणा करनें पर
$\therefore b=6$यह मान (i) में रखने पर
$a+2(6)=14$
$\therefore a=14-12=2$
अत: $a+b=2+6=8$

41. (d) $x-3=0$ अत: $x=3$ पहले व्यंजक में रखने पर
$31=2(3)^2+a(3)+b$
या, $3a+b=31-18=13\ ...(i)$
पुन:,$x-3=0\therefore x=3$दूसरे व्यंजक में रखने पर–
$24=(3)^2+b(3)+a$

$\therefore a = 3$ यह मान (i) में रखने पर

$3(3) + b = 13$

$b = 13 - 9 = 4$

$\therefore a + b = 3 + 4 = 7$

42. (b) $x + a = 0$

$\therefore x = -a$ मान व्यंजक में रखने पर

$4 = (-a)^2 - 2a(-a) + a^2$

$4 = a^2 + 2a^2 + a^2$

$4a^2 = 4$

$\therefore a^2 = 1$

अतः $a = \pm 1$

43. (a) $x + 2 = 0 \therefore x = -2$ व्यंजक में रखने पर

शेष $= a(-2)^3 + b(-2)^2 + (-2) - 6$

$0 = -8a + 4b - 8$

या, $8a - 4b = -8$ ....या $2a - b = -2$....(i)

तथा $x - 2 = 0$ से $x = 2$ व्यंजक में रखने पर

शेष $= a(2)^3 + b(2)^2 + 2 - 6$

$4 = 8a + 4b - 4$

या, $8a + 4b = 8$

या, $2a + b = 2$.......(ii)

समी०(i) + समी० (ii) से,

$4a = 0 \therefore a = 0$ यह मान समी० (i) में रखने पर–

$2 \times 0 - b = -2$

$-b = -2$

$\therefore b = 2$

44. (c) $x + 3 = 0 \therefore x = -3$ व्यंजक में रखने पर

$15 = 3(-3)^2 + 2a(-3) + 4b$

$15 = 27 - 6a + 4b$

या, $6a - 4b = 27 - 15 = 12$.....

या $3a - 2b = 6$.....(i)

तथा $x - 3 = 0 \therefore x = 3$ दूसरे व्यंजक मे रखने पर

$65 = 2(3)^2 + 3b(3) + 5a$

या, $65 = 18 + 9b + 5a$

या, $5a + 9b = 65 - 18 = 47$......(ii)

समी(i) में 9 तथा समी० (ii) में 2 से गुणा करने पर

$27a - 18b = 54$.......(iii)

$10a + 18b = 94$.....(iv)

$37a = \quad 148$

$a = 4$

समी०(i) से,

$3 \times 4 - 2b = 6$

$2b = 12 - 6 = 6$

$b = 3$

$\therefore a + b = 4 + 3 = 7$

45. (b) $\because x - 1$ और $x + 3$ दिये गये व्यंजक के गुणनखण्ड है अतः व्यंजक इन दोनों से पूर्णतः विभक्त होगा।

$x - 1 = 0$ लेने पर $x = 1$ व्यंजक में रखने पर

$0 = (1)^2 + a(1) + b$

या, $a + b = -1$ ....(i)

$x + 3 = 0$ लेने पर, $x = -3$ व्यंजक में रखने पर–

$0 = (-3)^2 + a(-3) + b$

या, $3a - b = 9$.....(ii)

समी०(i) + समी०(ii) से,

$4a = 8 \therefore a = 2$

समी०(i) से, $2 + b = -1$

$b = -1 - 2 = -3$

46. (d) $\therefore (x + 1)$ और $(x + 2)$ दिये गये व्यंजक के गुणनखण्ड है अतः व्यंजक इन दोनों से पूर्णतः विभक्त होगा।

$x + 1 = 0$ से, $x = -1$ व्यंजक में रखने पर

$a(-1)^3 + 3(-1)^2 + b(-1) = 0$

$-a + 3 - b = 0$

या, $a + b = 3$......(i)

पुनः $x + 2 = 0$ सें, $x = -2$ व्यंजक में रखने पर

$a(-2)^3 + 3(-2)^2 + b(-2) = 0$

$-8a + 12 - 2b = 0$

या, $8a + 2b = 12$

या, $4a + b = 6$.....(ii)

$a + b = 3$.......(i)

$3a = 3 \therefore a = 1$

समी०(i) से, $1 + b = 3$

$\therefore b = 2$

47. (b) $x - 3 = 0$ से, $x = 3$ व्यंजक में रखने पर–

$(3)^4 - 2(3)^3 + 3(3)^2 - 3 + k = 0$

$81 - 54 + 27 - 3 + k = 0$

$51 + k = 0$

$\therefore k = -51$

48. (a) $2x - 1 = 0$ से, $x = \frac{1}{2}$ व्यंजक में रखने पर–

$2 \times \left(\frac{1}{2}\right)^4 - 7\left(\frac{1}{2}\right)^3 + \frac{1}{2} + k = 0$

$2 \times \frac{1}{16} - 7 \times \frac{1}{8} + \frac{1}{2} + k = 0$

या, $\frac{1}{8}-\frac{7}{8}+\frac{1}{2}=-k$

या, $-k=\frac{1-7+4}{8}$

या,$-k=-\frac{2}{8}=-\frac{1}{4}$

$\therefore k=\frac{1}{4}$

49. (b)समीकरण के मूल -2 और $+3$ है अतः

समीकरण, x^2-(मूलों का योग) $x+$ मूलों का गुणनफल $=0$

मूलों का योग $=-2+(+3)=1$

मूलों का गुणनफल $=(-2)\times(+3)=-6$

$\therefore$समी०, $x^2-(1)x+(-6)=0$

$x^2-x-6=0$

50. (d) $(4+m)x^2+(m+1)x+1=0$ की तुलना $ax^2+bx+c=0$ से करने पर–

$a=(4+m), b=(m+1), c=1$

मूल समान होंगे जब $D=0$

$b^2-4ac=0$

$(m+1)^2-4(4+m)\times1=0$

या, $m^2+1+2m-16-4m=0$

या$m^2-2m-15=0$

$m^2-5m+3m-15=0$

$m(m-5)+3(m-5)=0$

$\therefore(m-5)(m+3)=0$

$\therefore m=5$ या -3

51. (a)$x^2+8x+15k=0$ की तुलना $ax^2+bx+c=0$ से करने पर

$a=1, b=8$ तथा $c=15k$

मूलों का योग, $\alpha+\beta=-\frac{b}{a}=\frac{-8}{1}=-8$

मूलों का गुणनफल, $\alpha\beta=\frac{c}{a}=\frac{15k}{1}=15k$

$\alpha^2+\beta^2=34$ दिया है

$(\alpha+\beta)^2=\alpha^2+\beta^2+2\alpha\beta$

$(-8)^2=34+2\times15k$

$64-34=30k$

$30k=30$

$30k=30$

$\therefore k=1$

52. (b)$x^2-5x+m=0$की तुलना $ax^2+bx+c=0$ से करने पर

$a=1, b=-5, c=m$

$\alpha+\beta=\frac{-b}{a}=\frac{-(-5)}{1}=5$

$\alpha+\beta=5$---(i)

$\alpha-\beta=5$----(ii)

$2\alpha=6$

$\therefore\alpha=3$

समी० (i) से, $\beta=2$

अब, मूलों का गुणनफल,$\alpha\beta=\frac{c}{a}$

$3\times2=\frac{m}{1}$

$\therefore m=6$

53. (a)$\alpha+\beta=8$---(i)

$\alpha-\beta=2$----(ii)

$2\alpha=10$

$\therefore\alpha=5$

समी०(i) से, $\beta=3$

$\therefore\alpha+\beta=8$

$\alpha\beta=5\times3=15$

$\therefore$समी०, $x^2-(\alpha+\beta)x+\alpha\beta=0$

$x^2-8x+15=0$

54. (b) $kx(x-2)+6=0$

$kx^2-2kx+6=0$ की तुलना $ax^2+bx+c=0$ से करने पर

$a=k, b=-2k, c=6$

मूल समान होंगे जब, $D=0$

$b^2-4ac=0$

या, $b^2=4ac$

$(-2k)^2=k\times6\times4$

$4k^2-24k=0$

$4k(k-6)=0$

$\therefore k=0,6$

55. (c) समीकरण $x^2-4x+k=0$ में $x=3$ रखने पर–

$(3)^2-4\times3+k=0$

$9-12+k=0$

$\therefore$ k= 3 यह मान पुनः समीकरण में रखने पर

$x^2-4x+3=0$

$x^2-3x-x+3=0$

$x(x-3)-1(x-3)=0$

$(x-3)(x-1)=0$

$\therefore x=3$ या 1

अतः दूसरा मूल, $x=1$

56. (d) समीकरण $(2-P)x^2+2Px-(P+1)=0$ की तुलना $ax^2+bx+c=0$ से करने पर

$a=(2-p), b=2P, C=-(P+1)$

मूल समान होंगे, जब $b^2-4ac=0$

या, $b^2=4ac$

$(2P)^2=4(2-P)-(P+1)$

$4p^2=-4(2-P)(P+1)$

$P^2=-(2P+2-P^2-P)$

$P^2=-(-P^2+P+2)$

$P^2=P^2-P-2$

$\therefore P=-2$

57. (b) $2x^2 - 3x + k = 0$ की तुलना $ax^2 + bx + c =$ से करने पर

$a = 2, b = -3, c = k$

माना, दोनो मूल क्रमशः P तथा 2P है।

तब, $P + 2P = \frac{-b}{a} = \frac{-(-3)}{2} = \frac{3}{2}$

$3P = \frac{3}{2}$

$p = \frac{1}{2}$ ____(i)

तथा, $p \times 2p = \frac{c}{a} = \frac{k}{2}$

$2P^2 = \frac{k}{2}$

$\therefore k = 4P^2$

$k = 4\left(\frac{1}{2}\right)^2$ समी० (i) से

$k = 4 \times \frac{1}{4} = 1$

58. (d) $x^2 - Px + 54 = 0$ की तुलना $ax^2 + +bx + c = 0$ से करने पर

$a = 1, b = -P, c = 54$

माना, दोनों मूल क्रमशः $2k$ तथा $3k$ है तब–

$$2k + 3k = \frac{-b}{a} = \frac{-(-P)}{1} = P$$

$5k = p$

$\therefore k = \frac{P}{5}$ ____(i)

तथा, $2k \times 3k = \frac{c}{a} = \frac{54}{1} = 54$

$6k^2 = 54$

$k^2 = 9$

$\therefore k = 3$ यह मा समी० (i) में रखने पर

$3 = \frac{P}{5}$

$\therefore P = 15$

59. (d) $3x^2 + kx + k = 0$ की तुलना $ax^2 + bx + c = 0$ से करने पर,

$a = 3, b = k, c = k$

$\therefore$ उपर्युक्त समीकरण का कोई हल नही है अतः समी० के मूल काल्पनिक होंगे अर्थात्

$b^2 - 4ac < 0$

$k^2 - 4 \times 3k < 0$

$k(k - 12) < 0$

$k - 12 < 0$ तथा $k < 0$

या, $k < 12$ तथा $k < 0$

अतः अभीष्ट सम्बन्ध $= 0 < k < 12$

60. (b) $3x^2 + kx + k = 0$ की तुलना $ax^2 + bx + c = 0$ से करने पर

$a = 1, b = k, c = k$

$\therefore$ उपर्युक्त समीकरण का कोई हल नहीं है अतः समी० के मूल काल्पनिक होंगे अर्थात

$b^2 - 4ac < 0$

$k^2 - 4 \times 1 \times k < 0$

$k(k - 4) < 0$

$k - 4 < 0$ तथा $k < 0$

या, $k < 4$ तथा $k < 0$

अतः अभीष्ट सम्बन्ध $0 < k < 4$

61. (c) $6x - 5y + 11 = 0$

तथा $15x + ky - 9 = 0$ में,

$a_1 = 6, b_1 = -5, c_1 = 11$

$a_2 = 15, b_2 = k, c_2 = -9$

समीकरण का कोई हल नहीं होगा जब –

$\frac{a_1}{a_2} = \frac{b_1}{b_2} \neq \frac{c_1}{c_2}$

$\frac{6}{15} = \frac{-5}{k} \neq \frac{11}{-9}$

$6k = -5 \times 15$

$\therefore k = -\frac{75}{6} = -12.5$

62. (b) $3x + y - 1 = 0$

तथा $Px + 2y - 5 = 0$ में,

$a_1 = 3, b_1 = 1, c_1 = -1$

$a_2 = P, b_2 = 2, c_2 = -5$

समीकरण का कोई हल नहीं होगा जब –

$\frac{a_1}{a_2} = \frac{b_1}{b_2} \neq \frac{c_1}{c_2}$

$\frac{3}{P} = \frac{1}{2} \neq \frac{-1}{-5}$

$P = 3 \times 2 = 6$

63. (c) $x + 2y - 8 = 0$

तथा $2x + 4y - 16 = 0$ में,

$a_1 = 1, b_1 = 2, c_1 = -8$

$a_2 = 2, b_2 = 4, c_2 = -16$

$\frac{1}{2} = \frac{2}{4} = \frac{-8}{-16}$

या, $\frac{1}{2} = \frac{1}{2} = \frac{1}{2}$

$\because \frac{a_1}{a_2} = \frac{b_1}{b_2} = \frac{c_1}{c_2}$ है अतः हलों की संख्या अनन्त होगा।

64. (c) $20x + 5y + 11 = 0$

तथा $50x - ky - 9 = 0$ में,

$a_1 = 20, b_1 = 5, c_1 = 11$

$a_2 = 50, b_2 = -k, c_2 = -9$

समीकरण का कोई समाधान नहीं होगा जब–

$\frac{a_1}{a_2} = \frac{b_1}{b_2} \neq \frac{c_1}{c_2}$

$\frac{20}{50} = \frac{5}{-k} \neq \frac{11}{-9}$

$-20k = 250$

$\therefore k = \frac{250}{-20} = -12.5$

65. (d) $4x + 3y + 5 = 0$

तथा $10x - ky - 7 = 0$ में,

$a_1 = 4, b_1 = 3, c_1 = 5$

$a_2 = 10, b_2 = -k, c_2 = -7$

समीकरण का कोई समाधान नहीं होगा जब–

$\frac{a_1}{a_2} = \frac{b_1}{b_2} \neq \frac{c_1}{c_2}$

$\frac{4}{10} = \frac{3}{-k} \neq \frac{5}{-7}$

$-4k = 30$

$\therefore k = \frac{30}{-4} = -7.5$

66. (c) $\frac{x}{a} = (b-c), \frac{y}{b} = (c-a)$ तथा $\frac{z}{c} = (a-b)$

$\therefore \left(\frac{x}{a}\right)^3 + \left(\frac{y}{b}\right)^3 + \left(\frac{z}{c}\right)^3$

$\because \frac{x}{a} + \frac{y}{b} + \frac{z}{c} = b - c + c - a + a - b = 0$

अतः $\left(\frac{x}{a}\right)^3 + \left(\frac{y}{b}\right)^3 + \left(\frac{z}{c}\right)^3$

$= 3 \times \frac{x}{a} \times \frac{y}{b} \times \frac{z}{c} = \frac{3xyz}{abc}$

67. (c) $xy(x+y) = 1$

या, $\frac{1}{xy} = (x+y)$

तथा $\frac{1}{x+y} = xy$ ……………(i)

अतः $\frac{1}{x^3y^3} - x^3 - y^3$

$= (x+y)^3 - x^3 - y^3$

$= x^3 + y^3 + 3xy(x+y) - x^3 - y^3$

$= 3xy(x+y)$

$= 3 \times \frac{1}{(x+y)} \times (x+y)$

$= 3$

68. (b) $a + b = 3$

दोनों पक्षों का घन करने पर–

$a^3 + b^3 + 3ab(a+b) = (3)^3 = 27$

$9 + 3ab \times 3 = 27$

$9ab = 27 - 9 = 18$

$ab = 2$

$\therefore \frac{1}{a} + \frac{1}{b} = \frac{a+b}{ab} = \frac{3}{2}$

69. (c) $\frac{3-5x}{2x} + \frac{3-5y}{2y} + \frac{3-5z}{2z} = 0$

या, $\frac{3}{2x} - \frac{5x}{2x} + \frac{3}{2y} - \frac{5y}{2y} + \frac{3}{2z} - \frac{5z}{2z} = 0$

या, $\frac{3}{2x} + \frac{3}{2y} + \frac{3}{2z} = \frac{5}{2} + \frac{5}{2} + \frac{5}{2}$

$\frac{3}{2}\left[\frac{1}{x} + \frac{1}{y} + \frac{1}{z}\right] = \frac{15}{2}$

$\therefore \frac{1}{x} + \frac{1}{y} + \frac{1}{z} = \frac{15}{2} \times \frac{2}{3} = 5$

अतः $\frac{2}{x} + \frac{2}{y} + \frac{2}{z} = 2\left[\frac{1}{x} + \frac{1}{y} + \frac{1}{z}\right]$

$= 2 \times 5 = 10$

70. (a) $\frac{5x-3}{x} + \frac{5y-3}{y} + \frac{5z-3}{z} = 0$

या, $\frac{5x}{x} - \frac{3}{x} + \frac{5y}{y} - \frac{3}{y} + \frac{5z}{z} - \frac{3}{z} = 0$

या, $5 + 5 + 5 = \frac{3}{x} + \frac{3}{y} + \frac{3}{z}$

या, $3\left[\frac{1}{x} + \frac{1}{y} + \frac{1}{z}\right] = 15$

या, $\left[\frac{1}{x} + \frac{1}{y} + \frac{1}{z}\right] = \frac{15}{3} = 5$

71. (b) $2x^2 - 7x + 12 = 0$ की तुलना $ax^2 + bx + c = 0$ से करने पर

$a = 2, b = -7, c = 12$

मूलों का योग $(\alpha + \beta) = \frac{-b}{a} = \frac{-(-7)}{2} = \frac{7}{2}$

मूलों का गुणनफल $\alpha\beta = \frac{c}{a} = \frac{12}{2} = 6$

$(\alpha + \beta)^2 = \alpha^2 + \beta^2 + 2\alpha\beta$

$\left(\frac{7}{2}\right)^2 = \alpha^2 + \beta^2 + 2 \times 6$

$\therefore \alpha^2 + \beta^2 = \frac{49}{4} - 12 = \frac{1}{4}$

$\frac{\alpha}{\beta} + \frac{\beta}{\alpha} = \frac{\alpha^2 + \beta^2}{\alpha\beta}$

$= \frac{\frac{1}{4}}{6} = \frac{1}{4} \times \frac{1}{6} = \frac{1}{24}$

72.(b) $x^4 + \frac{1}{x^4} = (4)^4 - 4(4)^2 + 2$

$= 256 - 64 + 2$

$= 258 - 64 = 194$

73.(c)Note: यदि $x - \frac{1}{x} = a$ तो $x^3 - \frac{1}{x^3} = a^3 + 3a$

$\because x - \frac{1}{x} = 2$

दोनो पक्षों का घन करने पर

$x^3 - \frac{1}{x^3} - 3 \times x \times \frac{1}{x}\left(x - \frac{1}{x}\right) = 8$

$x^3 - \frac{1}{x^3} - 3 \times 2 = 8$

$x^3 - \frac{1}{x^3} = 8 + 6 = 14$

Short Method – $x^3 - \frac{1}{x^3} = (2)^3 + 3(2) = 14$

74.(c) $\left(x + \frac{1}{x}\right)^2 = \left(x + \frac{1}{x}\right)^2 + 4$

$= (4)^2 + 4$

$= 20$

$\therefore x + \frac{1}{x} = \sqrt{20} = 2\sqrt{5}$

Short Method $x + \frac{1}{x} = \sqrt{(4)^2 + 4} = 2\sqrt{5}$

Note:यदि $x - \frac{1}{x} = a$ **तो** $x + \frac{1}{x} = \sqrt{a^2 + 4}$

यदि $x + \frac{1}{x} = a$ **तो** $x - \frac{1}{x} = \sqrt{a^2 - 4}$

75.(c) $x - \frac{1}{x} = 5$

दोनों पक्षो का वर्ग करने पर

$x^2 + \frac{1}{x^2} - 2 \times x \times \frac{1}{x} = 25$

$\therefore \ x^2 + \frac{1}{x^2} = 25 + 2 = 27$

Note:यदि $x - \frac{1}{x} = a$ **तो** $x^2 + \frac{1}{x^2} = a^2 + 2$

Short Method : $x^2 + \frac{1}{x^2} = 5^2 + 2 = 27$

76.(b) $x^2 - 3x + 1 = 0$

दोनो पक्षों में x से भाग देने पर

$x - 3 + \frac{1}{x} = 0$

$x + \frac{1}{x} = 3$

$\therefore \ x^3 + \frac{1}{x^3} = (3)^3 - 3(3) = 18$

77.(a) $m + \frac{1}{m-2} = 4$

दोनों पक्षों में 2 घटाने पर

$(m-2) + \frac{1}{(m-2)} = 2$

$(m-2)^3 + \frac{1}{(m-2)^3} = (2)^3 - 3(2) = 2$

78.(b) $x + \frac{1}{16x} = 1$

दोनो पक्षों में 4 से गुणा करने पर

$4x + \frac{1}{16x} \times 4 = 4$

$4x + \frac{1}{4x} = 4$

$\therefore \ 64x^3 + \frac{1}{64x^3} = (4)^3 - 3(4)$

$= 64 - 12 = 52$

79.(b) $3x + \frac{1}{2x} = 5$

दोनो पक्षों में $\frac{2}{3}$ से गुणा करने पर

$3x \times \frac{2}{3} + \frac{1}{2x} \times \frac{2}{3} = 5 \times \frac{2}{3}$

$2x + \frac{1}{3x} = \frac{10}{3}$

दोनो पक्षों का घन करने पर

$\therefore \ 8x^3 + \frac{1}{27x^3} + 3 \times 2x \times \frac{1}{3x}\left(2x + \frac{1}{3x}\right) = \frac{1000}{27}$

$8x^3 + \frac{1}{27x^3} + 2 \times \frac{10}{3} = \frac{1000}{27}$

$8x^3 + \frac{1}{27x^3} = \frac{1000}{27} - \frac{20}{3}$

$= \frac{1000-180}{27}$

$= \frac{820}{27} = 30\frac{10}{27}$

80.(a) $x + \frac{1}{2x} = 2$

दोनों पक्षों में 2 गुणा करने पर

$2x + \frac{1}{x} = 4$

दोनों पक्षों का घन करने पर

$8x^3 + \frac{1}{x^3} + 3 \times 2x \times \frac{1}{x}\left(2x + \frac{1}{x}\right) = 64$

$8x^3 + \frac{1}{x^3} + 6 \times 4 = 64$

$8x^3 + \frac{1}{x^3} = 40$

81.(d) $x^4 + \frac{1}{x^4} = 119$

step – (1) $x^2 + \frac{1}{x^2} = \sqrt{119 + 2} = 11$

step – (2) $x - \frac{1}{x} = \sqrt{11 - 2} = 3$

अतः $x^3 - \frac{1}{x^3} = 3^3 + 3(3) = 36$

82.(a) $\because \ x + \frac{1}{x} = 2$ है अतः $x = 1$ से

$x^2 + \frac{1}{x^3} = 1^2 + \frac{1}{1^3} = 2$

83.(d) $\because \ x + \frac{1}{x} = 2$ है अतः $x = 1$ से

$x^{100} + \frac{1}{x^{100}} = (1)^{100} + \frac{1}{(1)^{100}} = 2$

84.(b) $\because \ a + \frac{1}{a} = -2$ है अतः $a = -1$से

$a^{37}-\frac{1}{a^{100}}=(-1)^{37}-\frac{1}{(-1)^{100}}=-1-1=-2$

85.(d)$\because\ x^2+1=2x$

$\because\ x+\frac{1}{x}=2$है

अतः $x^3+\frac{1}{x^3}=(2)^3-3(2)=2$ ......(1)

व्यंजक, $\frac{x^4+\frac{1}{x^2}}{x^2-3x+1}$

$=\frac{\frac{x^6+1}{x^2}}{x^2-3x+1}=\frac{x^6+1}{x^2-(x^2-3x+1)}$

$=\frac{x^6+1}{x^2(2x-3x)}$

$=\frac{x^6+1}{-x^3}=-\left(\frac{x^6+1}{x^3}\right)$

$=-\left(\frac{x^6}{x^3}+\frac{1}{x^3}\right)$

$=-\left(x^3+\frac{1}{x^3}\right)$

$=\ -2$ समी0 1 से

86.(a) व्यंजक, $\frac{2x}{3x^2-5x+3}$

$=\frac{2x}{3x^2+3-5x}$

अंश और हर में x से भाग देने पर

$=\frac{2}{3x+\frac{3}{x}-5}$

$=\frac{2}{3(x+\frac{1}{x})-5}$

$=\frac{2}{3\times5-5}=\frac{2}{10}=\frac{1}{10}$

87.(c)$\frac{a^2}{bc}+\frac{b^2}{ca}+\frac{c^2}{ab}=\frac{a^3+b^3+c^3}{abc}$

$=\frac{3abc}{abc}=3$

$\because$जब$a+b+c=0$ हो

तब$a^3+b^3+c^3=+3abc$

88.(a)$\because\ a+b+c=0$

अतः $a+b=-c, b+c=-a$ तथा $c+a=-b$

व्यंजक–$\frac{1}{(a+b)(b+c)}+\frac{1}{(a+c)(b+a)}+\frac{1}{(c+a)(c+b)}$

$=\frac{1}{(-c)\times(-a)}+\frac{1}{(-b)\times(-c)}+\frac{1}{(-b)\times(-a)}$

$=\frac{1}{ac}+\frac{1}{bc}+\frac{1}{ab}$

$=\frac{a+b+c}{abc}=\frac{0}{abc}=0$

89.(a)$\because\ a+b+c=0$

दोनो पक्षों का वर्ग करने पर

$a^2+b^2+c^2+2(ab+bc+ca)=0$

तब$a^2+b^2+c^2=-2(ab+bc+ca)$

अतः व्यंजक–: $\frac{a^2+b^2+c^2}{(bc+ca+ab)}=\frac{-2(ab+bc+ca)}{(ab+bc+ca)}=-2$

90.(b)$\because\ x+y+z=0$

अतः $x+y=-z, y+z=-x, z+x=-y$

व्यंजक–

$=\frac{xyz}{(x+y)(y+z)(z+x)}=\frac{xyz}{-z\times-x\times-y}$

$=\frac{xyz}{-xyz}=-1$

91.(d)$x+2=0$ तब $x=-2$ मान व्यंजक में रखने पर

शेष$=(-2)^4-8(-2)^3+(-2)^2+3(-2)-6$

$=16+64+4-6-6$

$=72$

92.(c)व्यंजक का एक गुणनखण्ड $(x+3)$ है अतः व्यंजक $(x+3)$ से पूर्णतः विभक्त होगा, अर्थात् शेष '0' प्राप्त होगा।

$(x+3)=0$अतः $x=-3$ का मान व्यंजक में रखने पर

शेष $=(-3)^2+k(-3)+12$

$0=9-3k+12$

$\therefore k=7$

93.(d)$x-2=0$ तब $x=2$ मान व्यंजक में रखने पर

शेष$=(2)^3+3(2)^2-k(2)+4$

$k=8+12-2k+4$

$3k=24$

$\therefore k=8$

94.(d)$x-2=0$ तब $x=2$ मान व्यंजक में रखने पर

$0=(2)^3+a(2)^2+b(2)+6$

$o=8+4a+2b+6$

$\therefore 4a+2b=-14$या$2a+b=-7$..............(1)

पुनः $x-3=0$ तब $x=3$ मान व्यंजक में रखने पर

$3=(3)^3+a(3)^2+b(3)+6$

$3=27+9a+3b+6$

$\therefore 9a+3b=-30$या$3a+b=-10$..............(2)

समी. 1 में से समी. 2 को घटाने पर

$-a = +3 \therefore a = -3$यह मान सभी 1 मे रखने पर $b = -1$

अतः a तथा b के मान (–3, –1) होगें।

95.(a)$(x-3)^2 + (y-5)^2 + (z-4)^2 = 0$

अतः$x = 3, y = 5, z = 4$समी. को संतुष्ट करेगा।

$\therefore \frac{x^2}{9} + \frac{y^2}{25} + \frac{z^2}{16} = \frac{3^2}{9} + \frac{5^2}{25} + \frac{4^2}{16}$

$= 1 + 1 + 1 = 3$

96.(d)$(x-3)^2 + (y-4)^2 + (z-5)^2 = 0$

अतः $x = 3, y = 4, z = 5$ समी. को संतुष्ट करेगा।

$\therefore x + y + z = 3 + 4 + 5 = 12$

97.(d)$a^2 + b^2 + c^2 = 2a - 2b - 2c - 1 - 1 - 1$

$(a^2 - 2a + 1) + (b^2 + 2b + 1) + (c^2 + 2c + 1) = 0$

$(a-1)^2 + (b+1)^2 + (c+1)^2 = 0$

अतः $a = 1, b = -1, c = -1$ समी. को संतुष्ट करता है

$\therefore 4a - 3b + 5c = 4 \times 1 - 3 \times -1 + 5 \times -1$

$= 4 + 3 - 5 = 2$

98.(c)$a + b + c = 0$

$b + c = -a$

दोनों पक्षो का वर्ग करने पर

$b^2 + c^2 + 2ab = a^2$

$b^2 + c^2 = a^2 - 2bc$

अतः व्यंजक,

$\frac{a^2+b^2+c^2}{(a^2-bc)} = \frac{a^2+a^2-2bc}{(a^2-bc)}$

$= \frac{2a^2-2bc}{(a^2-bc)}$

$= \frac{2(a^2-bc)}{(a^2-bc)} = 2$

99.(c)$a^2 + b^2 + 2b + 4a + 1 + 4 = 0$

$(a^2 + 4a + 4)+(b^2 + 2b + 1) = 0$

$(a+2)^2 + (b+1)^2 = 0$

अतः $a = -2, b = -1$समी. को संतुष्ट करता है।

$\therefore \frac{a-b}{a+b} = \frac{-2-(-1)}{-2+(-1)}$

$= \frac{-2+1}{-2-1} = \frac{-1}{-3} = \frac{1}{3}$

100.(c)$x^3 + y^3 + z^3 - 3xyz$

$= \frac{1}{2}(x+y+z)[(x-y)^2 + (y-z)^2 + (z-x)^2]$

$= \frac{1}{2}(333 + 333 + 334)[(0)^2 + (-1)^2 + (1)^2]$

$= \frac{1}{2} \times 1000 \times 2$

$= 1000$

101.(c)$a^2 + b^2 + c^2 - ab - bc - ca$

$= \frac{1}{2}[(a-b)^2 + (b-c)^2 + (c-a)^2]$

$= \frac{1}{2}[(x + y - x + y)^2 + (x - y - x - 2y)^2 + (x + 2y - x - y)^2]$

$= \frac{1}{2}[(2y)^2 + (-3y)^2 + (y)^2]$

$= \frac{1}{2} \times 14y^2$

$= 7y^2$

102.(a) $a + b + c = 1{\cdot}21 + 2{\cdot}12 + (-3{\cdot}33)$

$= 3{\cdot}33 - 3{\cdot}33 = 0$

$\because a + b + c = 0$

अतः $a^3 + b^3 + c^3 - 3abc = 0$

103.(b)$x + y + z = 6$ वर्ग करने पर

$x^2 + y^2 + z^2 + 2(xy + yz + zx) = 36$

$20 + 2(xy + yz + zx) = 36$

$2(xy + yz + zx) = 16$

$(xy + yz + zx) = 8$

$\therefore x^3 + y^3 + z^3 - 3abc$

$= (x+y+z)[x^2 + y^2 + z^2 - xy - yz - zx]$

$= 6(20 - 8)$

$= 72$

104.(b)$(a+b+c)^2 = a^2 + b^2 + c^2 + 2(ab + bc + ca)$

$(6)^2 = 14 + 2(ab + bc + ca)$

$22 = 2(ab + bc + ca)$

$11 = (ab + bc + ca)$..........................(1)

$a^3 + b^3 + c^3 - 3abc = (a+b+c)[a^2 + b^2 + c^2 - (ab + bc + ca)]$

$36 - 3abc = 6[14 - 11]$

$36 - 18 = 3abc$

$\therefore abc = 6$

105.(d)$(a+b)^2 = a^2 + b^2 + 2ab$

$= 24 + 2 \times 6$

$(a+b)^2 = 36$

$\therefore a+b = 6$

अतः $a^3+b^3 = (a+b)(a^2+b^2-ab)$

$= 6(24-6)$

$= 108$

106.(d) $x+y+z = 13$

वर्ग करने पर

$x^2+y^2+z^2+2(xy+yz+zx) = 169$

$69+2(xy+yz+zx) = 169$

$2(xy+yz+zx) = 100$

$(xy+yz+zx) = 50$

107.(d) $a+b = 5$

वर्ग करने पर

$a^2+b^2+2ab = 25$

$13+2ab = 25$

$2ab = 12$

$\therefore ab = 6$

अतः $(a-b)^2 = a^2+b^2-2ab$

$= 13-2\times 6$

$= 1$

$\therefore a-b = 1$

108.(d) $x-y = 2$

वर्ग करने पर

$x^2+y^2-2xy = 4$

$20-2xy = 4$

$2xy = 16$

$xy = 8$

$\therefore (x+y)^2 = x^2+y^2+2xy$

$= 20+2\times 8 = 36$

109.(b) $a+b = 12$

वर्ग करने पर

$a^2+b^2+2ab = 144$

$a^2+b^2+2\times 22 = 144$

$\therefore a^2+b^2 = 100$

110.(b) $a^3-b^3 = (a-b)^3+3ab(a-b)$

$117 = 27+3ab(3)$

$9ab = 90$

$\therefore ab = 10$

अतः $(a+b)^2 = (a-b)^2+4ab$

$= (3)^2+4\times 10$

$= 49$

$\therefore a+b = 7$

111.(b) $kx-y = -1$..........(1)

$6x-2y = 2$

यहां $\begin{bmatrix} a_1 = k, & b_1 = -1, & c_1 = 1 \\ a_2 = 6, & b_2 = -2, & c_2 = -2 \end{bmatrix}$

समी. का कोई हल नही होगा जब, $\frac{a_1}{a_2} = \frac{b_1}{b_2} \neq \frac{c_1}{c_2}$

$\frac{k}{6} = \frac{-1}{-2} \neq \frac{1}{-2}$

$-2k = -6$

$k = 3$

112.(d) समी. का कोई हल नही होगा जब, $\frac{a_1}{a_2} = \frac{b_1}{b_2} \neq \frac{c_1}{c_2}$

$\frac{2}{-4} = \frac{-3}{6} \neq \frac{-8}{-9}$

$-\frac{1}{2} = -\frac{1}{2} \neq \frac{8}{9}$

∴इस युगपद समीकरण का कोई हल नही होगा।

113.(a) $2x^2-4x+5 = 0$ की तुलना द्विघात समी. के मानक रूप

$ax^2+bx+c = 0$से तुलना करने पर

$a = 2, b = -4, c = 5$

$D = b^2-4ac$ से,

$= (-4)^2-4\times 2\times 5$

$= 16-40 = -24$

$D < 0$

अतः मूल काल्पनिक तथा असमान होगें।

114.(a) $x^2+px+q = 0$

मूलों का योग, $\alpha+\beta = -p$

मूलों का गुणनफल, $\alpha.\beta = q$

$\frac{\alpha}{\beta}+\frac{\beta}{\alpha} = \frac{\alpha^2+\beta^2}{\alpha\beta}$

$= \frac{(\alpha+\beta)^2-2\alpha\beta}{\alpha\beta}$

$= \frac{(-p)^2-2\times q}{q} = \frac{(p)^2-2q}{q}$

115.(b)मूल α, β क्रमशः : 3 और −5 है

अतः समीकरण, $x^2 - (\alpha+\beta)x + \alpha\beta = 0$

या$x^2 - (3-5)x + 3 \times -5 = 0$

या$x^2 + 2x - 15 = 0$

116.(a)$\frac{5x-3}{x} + \frac{5y-3}{y} + \frac{5z-3}{z} = 0$

$\frac{5x}{x} - \frac{3}{x} + \frac{5y}{y} - \frac{3}{y} + \frac{5z}{z} - \frac{3}{z} = 0$

$5 + 5 + 5 = \frac{3}{x} + \frac{3}{y} + \frac{3}{z}$

$\therefore \frac{1}{x} + \frac{1}{y} + \frac{1}{z} = \frac{15}{3} = 5$

117.(c)$\frac{3-5x}{2x} + \frac{3-5y}{2y} + \frac{3-5z}{2z} = 0$

$\frac{3}{2x} - \frac{5x}{2x} + \frac{3}{2y} - \frac{5y}{2y} + \frac{3}{2z} - \frac{5z}{2z} = 0$

$\frac{3}{2x} + \frac{3}{2y} + \frac{3}{2z} = \frac{5}{2} + \frac{5}{2} + \frac{5}{2}$

$\therefore \frac{1}{2x} + \frac{1}{2y} + \frac{1}{2z} = \frac{15}{2} \times \frac{1}{3} = \frac{5}{2}$

दोनों पक्षों में 4 से गुणा करने पर

$\frac{4}{2x} + \frac{4}{2y} + \frac{4}{2z} = \frac{20}{2}$

$\frac{2}{x} + \frac{2}{y} + \frac{2}{z} = 10$

118.(a)$121a^2 + 64b^2$

$(11a)^2 + (8b)^2 + 2 \times 11a \times 8b$

$\because x^2 + y^2 + 2xy$पूर्ण वर्ग है।

अतः 176 ab जोड़ना होगा

119.(b)समीकरण $2x^2 - 7x + 12 = 0$

मूलों का योग $\alpha + \beta = \frac{-(-7)}{2} = \frac{7}{2}$

मूलों का गुणनफल $\alpha.\beta = \frac{12}{2} = 6$

$\frac{\alpha}{\beta} + \frac{\beta}{\alpha} = \frac{\alpha^2+\beta^2}{\alpha\beta} = \frac{(\alpha+\beta)^2-2\alpha\beta}{\alpha\beta}$

$= \frac{\left(\frac{7}{2}\right)^2-2\times 6}{6}$

$\frac{\frac{49}{4}-12}{6} = \frac{1}{4} \times \frac{1}{6} = \frac{1}{24}$

120.(b)समीकरण $(a-b)^2 = a^2 - 2ab + b^2$

$x^4 - 2x^2 + k = (x^2)^2 - 2x^2.1 + k$

$\therefore k = (1)^2 = 1$

121.(b)समीकरण $x^2 + x - 12 > 0$ का संगत समी. $x^2 + x - 12 = 0$ लेने पर

$x^2 + 4x - 3x - 12 = 0$

$x(x+4) - 3(x+4) = 0$

$(x+4)(x-3) = 0$

$x = -4$ या 3

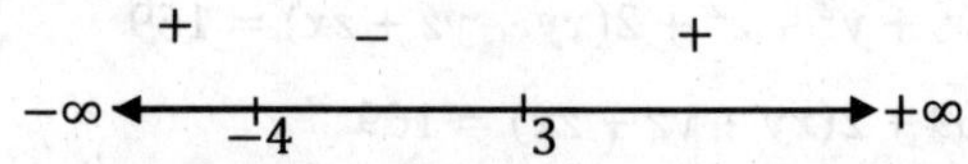

$x^2 + x - 12 > 0$अतः x का मान '+'*Region* में होगा।

$x < -4; kx > 3$

122.(c)समीकरण $x^2 + 8x + 7 < 0$

$x^2 + 7x + x + 7 < 0$

$x(x+7) + 1(x+7) < 0$

$(x+7)(x+1) < 0$

$x = -7, -1$

$x^2 + 8x + 7 < 0$अतः x का मान '−'*Region* में होगा।

$-7 < x < -1$

123.(a)समीकरण $2x^2 - 7x < 15$

$2x^2 - 7x - 15 < 0$

$2x^2 - 10x + 3x - 15 < 0$

$2x(x-5) + 3(x-5) < 0$

$(x-5)(2x+3) < 0$

$x = 5, -\frac{3}{2}$

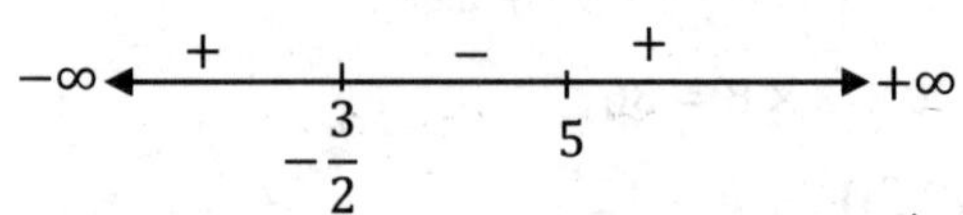

$2x^2 - 7x - 15 < 0$अतः x का मान '−'*Region* में होगा।

$-\frac{3}{2} < x < 5$

124.(b)समीकरण $x^2 - 3x + 2 > 2x - 4$

$x^2 - 3x - 2x + 2 + 4 > 0$

$x^2 - 5x + 6 > 0$

$x^2 - 3x - 2x + 6 > 0$

$x(x-3) - 2(x-3) > 0$

$(x-3)(x-2) > 0$

$x = 3$ या 2

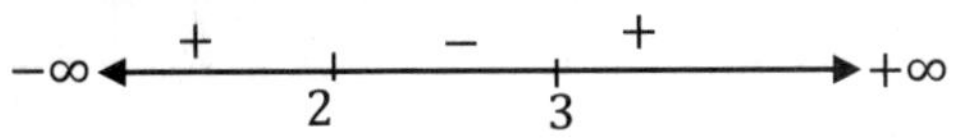

$x^2 - 5x + 6 > 0$अतः x का मान $'+'Region$ में होगा।

$x > 3$or$x < 2$

125.(e)Option(e) से $x = 2$से,

$7 \times 2 + 3 < 4 \times 2 + 9$

$17 < 17$अतः$x = 2$ सम्भव नही है।

126.(c)$x^4 + 4 = (x^2)^2 + 2.x^2.2 + 2^2 - 4x^2$

$(x^2+2)^2 - (2x)^2$

$(x^2 + 2 + 2x)(x^2 + 2 - 2x)$

127.(c)$x^3 - 19x + 30$

$\therefore x - 2 = 0$ या $x = 2$ मान व्यंजक रखने पर शेष '0' प्राप्त होता है अतः व्यंजक का एक गुणनखण्ड $(x-2)$है।

128.(c)$8x^3 + 27 = (2x)^3 + (3)^3$

$(2x+3)[(2x)^2 - 2x \times 3 + (3)^2]$

$(2x+3)[4x^2 - 6x + 9]$

129.(b)$x^2 - x - 132 = x^2 - 12x + 11x - 132$

$= x(x-12) + 11(x-12)$

$= (x-12)(x+11)$

22

प्रायिकता (Probability)

जब हम घटनाओं के घटित होने के अवसर का संख्यात्मक रूप से अध्ययन करते हैं तो इसें ही हम प्रायिकता कहते है।

यादृच्छिक प्रयोग (Random Experiment) : ऐसा प्रयोग जिसके परिणामों के विषय में कोई भविष्यवाणी निश्चित रूप से नहीं किया जा सके, यादृच्छिक प्रयोग कहलाता है

उदाहरण : किसी पासे में 1 से लेकर कुल 6 अंक होते हैं लेकिन यदि इस पासे को उछाला जाये तो हम निश्चित रूप से यह नहीं कह सकते है कि ऊपर कौन सा अंक होगा। अतः यह किया गया प्रयोग ही यादृच्छिक प्रयोग है।

प्रतिदर्श समष्टि (Sample Space) : किसी प्रयोग के किये जाने पर प्राप्त परिणामों के समुच्चय (set) को प्रतिदर्श समष्टि या प्रायिकता समष्टि (Sample space /Probability space) कहते हैं। इसे 's' द्वारा प्रदर्शित करते है।

उदाहरण : 1 पासे को उछालने पर प्रतिदर्श समष्टि

$S = \{1,2,3,4,5,6\}$

$\therefore n(s) = 4$

घटना (Event) : प्रतिदर्श समष्टि के प्रत्येक उपसमुच्च्य को घटना कहते है। इसे "E" द्वारा प्रदर्शित करते हैं।

उदाहरण : जब हम कोई एक सिक्का उछालते हैं तो ऊपर पट (Tail) आने की घटना , $E = \{T\} \therefore n(E)= 1$

प्रायिकता (Probability) : यदि प्रतिदर्श समष्टि (s) हो तो किसी घटना (E) की प्रायिकता P(E) को निम्न रूप से परिभाषित की जाती है–

$$P(E) = \frac{n(E)}{n(S)}$$

या प्रायिकता = $\dfrac{\text{अनुकूल परिणामों की संख्या}}{\text{प्रयोग के सभी संभव परिणामों की संख्या}}$

उदाहरण : यदि पासे को एक बार फेंकते है तो 4 से बड़ी संख्या प्राप्त होने की प्रायिकता होगी?

Sol $S = \{1,2,3,4,5,6\}$

$\therefore n(s) = 6$

तथा $E = \{5,6\}$

$n(E) = 2$

$\therefore P(E)=\frac{n(E)}{n(S)} - \frac{2}{6} = \frac{1}{3}$

प्रारम्भिक घटना (Elementry Event) : किसी प्रयोग की वह घटना जिसका केवल एक ही परिणाम हो प्रारम्भिक घटना कहलाता है।

उदाहरण : किसी पासे को एक बार उछाला जाता है तो
(i) एक चित (Head) प्राप्त करने की प्रायिकता बताइये।
(ii) एक पट (Tail) प्राप्त करने की प्रायिकता बताइये।

हल :

(i) $P(H)=\frac{n(E)}{n(S)} = \frac{1}{2}$

(i) $P(T)=\frac{n(E)}{n(S)} = \frac{1}{2}$

Note : $P(H)+P(T)=\frac{1}{2} + \frac{1}{2} = 1$

अर्थात् हम कह सकते है कि प्रयोग की सभी प्रारम्भिक घटनाओं का योग "1" होता है।

आइये, एक अन्य उदाहरण पर विचार करें–

उदाहरण : एक पासे को एक बार उछाला जाता है तो–
(i) 4 से बड़ी संख्या प्राप्त होने की प्रायिकता क्या है?
(ii) 4 से छोटी या उसके बराबर संख्या प्राप्त करने की प्रायिकता क्या है?

हल : (i) $E = \{5,6\}$

$\therefore N(E) = 2$

$S= \{1,2,3,4,5,6\}$

$\therefore N(S) = 6$

$\therefore P(i) = \frac{n(E)}{n(S)} = \frac{2}{6} = \frac{1}{3}$

$n(S) = 6$

$E = \{1,2,3,4\}$

$\therefore n(E) = 4$

$\therefore P(ii) = \frac{n(E)}{n(S)} = \frac{4}{6} = \frac{2}{3}$

उपर्युक्त दोनों हल में घटनायें प्रारम्भिक घटना नहीं है क्योकि (i) में घटना के 2 परिणाम तथा (ii) में घटना के 4 परिणाम है फिर भी हम देखते है कि

$P(i)+P(ii)=\frac{1}{3} + \frac{2}{3} = 1$

यहाँ, हल (ii) में ध्यान दें 4 से छोटी या उसके बराबर संख्या प्राप्त करने की प्रायिकता वही है जो 4 से बड़ी संख्या नहीं प्राप्त करने की अर्थात् 4 से बड़ी संख्या की प्रायिकता + 4 से बड़ी संख्या न प्राप्त करने की प्रायिकता = 1

या, $P(E)+P(\bar{E}) = 1$ (पूरक घटना)

यहाँ, P(E) = घटना की प्रायिकता

P(E)= घटना न होने की प्रायिकता

या, $P(\bar{E})=1-P(E)$

असम्भव घटना (Impossible Event : ऐसी घटना जिसका घटित होना असम्भव हो, को एक असम्भव घटना कहते हैं।

उदाहरण : पासे को एक बार फेंकने पर संख्या 7 होने की प्रायिकता क्या है?

Sol. एक पासे को एक बार फेंकने पर केवल 6 सम्भव परिणाम है (1,2,3,4,5 और 6) अतः किसी भी फलक पर 7 नहीं होगा अतः ऐसे परिणाम की संख्या "0" हैं।

$P(E) = \frac{n(E)}{n(S)} = \frac{0}{6} = 0$

अतः [असम्भव घटना की प्रायिकता "0" है।]

निश्चित घटना (Sure Event) : ऐसी घटना, जिसका घटित होना निश्चित हो, निश्चित घटना कहलाता है। निश्चित घटना की प्रायिकता '1' होता है।

उदाहरण : पासे को एक बार फेंकने पर 7 से छोटी संख्या प्राप्त करने की प्रायिकता ?

Sol. E = 7 से छोटी = {1,2,3,4,5,6}

n(E) = 6

S = {1,2,3,4,5,6}

n(S) = 6

$\therefore P(E) = \frac{n(E)}{n(S)} = \frac{6}{6} = 1$

Note : प्रायिकता के परिभाषा से स्पष्ट होता है कि अंश, (घटना के अनुकूल परिणामों की संख्या) सदैव हर (सभी सम्भव परिणामों की संख्या) से छोटा होता है।

अर्थात् $0 \le P(E) \le 1$

प्रायिकता की परिभाषा निम्न स्थितियों में सत्य नहीं है

(i) यदि घटना समसम्भावी नहीं है।

(ii) यदि सम्भव परिणाम अनन्त हो।

(iii) यदि परिणाम एक परिमेय संख्या न हो ।

प्रायिकता के नियम (Rule of Probability) : प्रायिकता के नियम को समझने से पूर्व कुछ संकेतों को जाने

(a) P (A ∪ B) या P (A + B) का अर्थ : A घटित होने या B घटित होने या दोनों का एक साथ घटित होने की प्रायिकता होता है।

(b) P (A ∩ B) या P (AB) का अर्थ : दोनों घटनाओं A तथा B के एक साथ घटने की प्रायिकता होता है

(c) P (A/B) का अर्थ : A के घटित होने की सप्रतिबंध प्रायिकतायें जबकि B पहले ही घटित हो चुका होता है

नियम (i) परस्पर अपवर्जी घटनायें :– मान लिया A तथाB परस्पर अपवर्जी है अर्थात् A के घटित होने पर B घटित नहीं होता या इसका विलोम।

तब $P(A \cup B) = P(A)+P(B)$ योग का नियम

उदाहरण : एक पासे को उछालने पर 1 या 5 आने की प्रायिकता क्या होगी?

Sol.एक बार उछालने पर दोनों घटनायें 1 तथा 5, एक साथ घटित नहीं हो सकता अतः ये दोनों घटनायें परस्पर अपवर्जी है।

P(1 या 5) = $P(1)+P(5)=\frac{1}{6}+\frac{1}{6}=\frac{1}{3}$

नियम (ii) A की प्रायिकता तथा B की सप्रतिबंध प्रायिकता (Conditional Probability) जबकि A पहले ही घटित हो चुका है, का गुणनफल होता है।

$P(A \cap B) = P(A).\ P(B/A)$ (गुणा का नियम)

उदाहरण : 52 पत्तो की एक गड्डी में से एक ताश का पत्ता निकाला गया। इस पत्ते को प्रतिस्थापित किये बिना एक और पत्ता निकाला गया। दोनों पत्ते के हुकुम होने की प्रायिकता क्या होगी?

Sol.यहाँ पहली घटना हुकुम का एक पत्ता प्राप्त करना तथा दूसरी घटना हुकुम का एक और पत्ता प्राप्त करना है अतः दूसरी घटना एक सप्रतिबंध घटना है।

माना, प्रथम घटना ही प्रायिकता = P(A)

तथा दूसरी घटना की प्रायिकता जबकि पहली घटित हो चुकी है = P(B/A)

$P(A)=\frac{13}{52}=\frac{1}{4}$

जब पहली पत्ता हुकुम का है जिसको प्रतिस्थापित नहीं किया गया तब गड्डी में 51 पत्ते बचे हैं।

$\therefore P(B/A) = \frac{12}{51}$

$\therefore P(A \cap B) = P(A) \times P(B/A)$

$\frac{13}{52} \times \frac{12}{51} = \frac{1}{4} \times \frac{12}{51} = \frac{3}{51}$

प्रश्नों के प्रकार (Types of Question)

(1) सिक्को पर प्रश्न

(2) पासे पर प्रश्न

(3) ताश के पत्तो पर प्रश्न

(4) विभिन्न रंगों के गेंद पर प्रश्न

(5) प्रतिशत्ता पर आधारित प्रश्न

(1) सिक्को पर प्रश्न

प्रयोग के सभी सम्भव परिणाम = $(face)^n$

दृष्टव्य : दो सिक्का उछालने पर

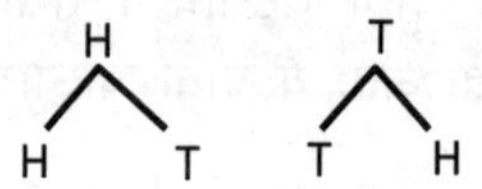

$\therefore$ कुल सम्भव परिणाम = (H, H), (H, T), (T, T), (T, H)= 4

या, कुल सम्भव परिणाम = $(2)^2$= 4

दृष्टव्य : तीन सिक्का उछालने पर

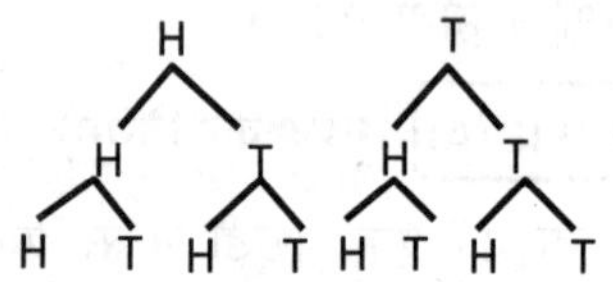

कुल सम्भव परिणाम = (HHH), (HHT), (HTH), (HTT), (THH), (THT), (TTH), (TTT) = 8

या, कुल सम्भव परिणाम $(2)^3$ = 8

प्रश्न : दो सिक्का उछालने पर कम से कम दो Head आने की प्रायिकता बताइये?

हल : कुल सम्भव परिणाम = (HHH), (HHT), (HTH), (HTT), (THH), (THT), (TTH), (TTT) = 8

अनुकूल परिणाम = 4

$\therefore P(E) = \frac{4}{8} = \frac{1}{2}$

प्रश्न : दो सिक्का उछालने पर कम से कम एक Tail आने की प्रायिकता बताइयें?

हल : कुल सम्भव परिणाम = (HHH), (HHT), (HTH), (HTT), (THH), (THT), (TTH), (TTT) = 8

कम से कम एक Tail = 7

$\therefore P(E) = \frac{7}{8}$

या, P(E) = 1– कोई tail न हो

$= 1 - \frac{1}{8} = \frac{7}{8}$

(2) पासा पर प्रश्न :

कुल सम्भव परिणाम $(face)^n$

1. एक पासा उछालने पर, कुल सम्भव परिणाम $(6)^1 = 6$

2. दो पासा उछालने पर, कुल सम्भव परिणाम= $(6)^2 = 36$

प्रश्न : एक पासा उछालने पर 3 के आने की प्रायिकता बताइये?

हल : $n(s) = (6)^1 = 6$

$n(E) = 1$

$\therefore P(E) = \frac{n(E)}{n(S)} = \frac{1}{6}$

प्रश्न : दो पासे को एक साथ फेंकने पर दोनों पासों पर समान अंक आने की प्रायिकता बताइये?

हल : $n(s) = (6)^2 = 36$

n(E) = (1,1), (2,2), (3,3), (4,4),(5,5), (6,6)= 6

$\therefore P(E) = \frac{n(E)}{n(S)} = \frac{6}{36} = \frac{1}{6}$

प्रश्न : दो पासे को एक साथ फेंका जाता है। इनके ऊपर प्रकट हुई संख्याओं का योग न्यूनतम 9 होने की प्रायिकता क्या है?

हल : $n(S) = (6)^2 = 36$

n(E)= (3,6), (4,5), (4,6), (5,4), (5,5), (5,6), (6,3) (6,4), (6, 5), (6,6) = 10

$\therefore P(E) = \frac{n(E)}{n(S)} = \frac{10}{36} = \frac{5}{18}$

प्रश्न : दो पासे को एक साथ उछालने पर योग 10 या 11 प्राप्त करने की प्रायिकता क्या होगी?

हल : $n(S) = (6)^2 = 36$

n(E)= (4,6), (5,5), (6,4), (5,6), (6,5) =5

$\therefore P(E) = \frac{n(E)}{n(S)} = \frac{5}{36}$

(3) ताश के पत्तो पर प्रश्न :

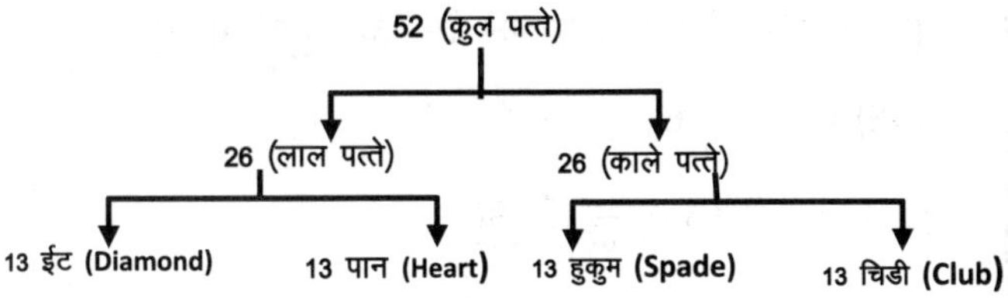

दृष्टव्य : Face card = 3 (Jack, Queen, King)

Total Face Card = 3 × 4 = 12

Honour card = 4 [Ace, Jack, Queen, king]

Total Honour card = 4 × 4 = 16

Number Card = 9 [2,3,4,5,,6,7,8,9,10]

Total Number Cord = 9 × 4 = 36

प्रश्न : तास के 52 पत्तों मे से किसी एक पत्ते को निकालने पर गुलाम (Jack) आने की प्रायिकता बताइयें

हल : $P(E)= \frac{4_{C_1}}{52_{C_1}} = \frac{4}{52} = \frac{1}{13}$

प्रश्न : ताश के 52 पत्तों मे से यादृच्छिक रूप से एक पत्ता निकाला गया। तो इसके न तो हुकुम और न ही इक्का होने की प्रायिकता बताइये।

हल :

हुकुम	इक्का	
13	3	∵ एक इक्का हुकुम वाले पत्तो में हैं

n(E)= न हुकुम और न इक्का = 52 – (13 + 3) = 36

n(S) = 52

$\therefore P(E) = \frac{36}{52} = \frac{9}{13}$

या, हुकुम और इक्का होने की प्रायिकता

$= \frac{13_{C_1} + 3_{C_1}}{52_{C_1}} = \frac{13+3}{52} = \frac{16}{52} = \frac{4}{13}$

अतः हुकुम और इक्का न होने की प्रायिकता $= 1 - \frac{4}{13}$

$= \frac{9}{13}$

प्रश्न : ताश के 52 पत्तों में से एक पत्ते को खींचने पर फेस कार्ड आने की प्रायिकता बताइयेः

हल:$P(E) = \frac{12_{C_1}}{52_{C_1}} = \frac{12}{52} = \frac{3}{13}$

प्रश्न : 52 पत्तो की एक गड्डी से यादृच्छिक रूप से दो पत्ते निकाले गये दोनों पत्तों के इक्का होने की प्रायिकता बताइये

हल: $P(E)= \frac{4_{C_2}}{52_{C_2}}$

$4_{C_2} = \frac{4!}{2!(4-2)!} = \frac{4\times3\times2!}{2\times1\times2!} = \frac{12}{2} = 6$

$52_{C_2} = \frac{52!}{2!(52-2)!} = \frac{52\times51\times50!}{2\times50!} = 26 \times 51$

$\therefore P(E)= \frac{4_{C_2}}{52_{C_2}} = \frac{6}{26\times51} = \frac{1}{221}$

प्रश्न : 52 पत्तो को अच्छी तरह से फेटी गई एक गड्डी में से से एक पत्ता निकाला जाता है। इसके लाल रंग का बादशाह होने की प्रायिकता बताइये।

हल : $P(E) = \frac{2_{C_1}}{52_{C_1}} = \frac{2}{52} = \frac{1}{26}$

प्रश्न : 52 ताश के पत्तों की एक गड्डी में से काले रंग के बादशाह और बेगम निकाले जाते है। शेष बचे हुये पत्तों को अच्छी तरह मिलाकर एक पत्ता निकाला जाता है इस पत्ते के हुकुम का पत्ता होने की प्रायिकता बताइये?

हल : कुल पत्ते = 52

काले रंग के पत्ते = 13 + 13 = 26

काले रंग के बादशाह और बेगम निकालने के बाद शेष पत्ते = 52 – (2 + 2) = 48

शेष पत्तों में हुकुम के पत्ते = 11

∴हुकुम के पत्ता होने की प्रायिकता $= \frac{11}{48}$

4. विभिन्न रंगों के गेंद पर प्रश्न :

प्रश्न:एक बॉक्स में 8 लाल, 7 नीली और 6 हरी गेंद है, एक गेंद को यादृच्छिक उठाया जाता है। इसकी न तो लाल और न ही हरी होने की प्रायिकता क्या है?

हल :

	लाल	नीली	हरी
गेंद	8	7	6

न तो लाल और न ही हरी गेंद होने की प्रायिकता

= नीली गेंद होने की प्रायिकता

P(E) = $\frac{7_{C_1}}{21_{C_1}} = \frac{7}{21} = \frac{1}{3}$

प्रश्न : एक बॉक्स में 4 लाल, 5 हरी और 6 सफेद गेंद हैं। बॉक्स से यादृच्छिक रूप से एक गेंद निकाली जाती है। क्या प्रायिकता है कि निकाली गेंद लाल या रही हो?

हलः

	लाल	**हरी**	**सफेद**
गेंद	4	5	6

लाल या हरी गेंद होने की प्रायिकता P(E)= $\frac{4_{C_1}+5}{15_{C_1}}$

$= \frac{4+5}{15} = \frac{9}{15} = \frac{3}{5}$

प्रश्न : एक टोकरी में 5 लाल, 4 नीली और 3 हरी गेंद है। यदि टोकरी से यादृच्छिक रूप से 2 गेंद निकाली जाती हैं। तो दोनों के नीली गेंद होने की प्रायिकता क्या है?

हल :

	लाल	**नीली**	**हरी**
गेंद	5	4	3

दोनों नीली गेंद होने की प्रायिकता P(E)= $\frac{4_{C_2}}{12_{C_2}}$

$= \frac{\frac{4!}{2!(4-2)!}}{\frac{12!}{2!(12-2)!}} = \frac{\frac{4\times3\times2!}{2!\times2}}{\frac{12\times11\times10!}{2\times10!}} = \frac{6}{66} = \frac{1}{11}$

प्रश्न : एक थैले में 5 हरी और 7 लाल गेंद हैं। दो गेंदों को एक साथ निकाला जाता है। इसकी क्या प्रायिकता होगी कि एक हरी और एक लाल हो?

हलःn(S) = $12_{C_2} = \frac{12!}{2!\times(12-2)!}$

$= \frac{12\times11\times10!}{2\times10!} = 66$

n(E)= $5_{C_1} \times 7_{C_1} = 5 \times 7 = 35$ [∵जब तक दो गेंद न निकले तब तक गुणा करेंगे]

∴P(E)= $\frac{n(E)}{n(S)} = \frac{35}{66}$

प्रश्न : एक टोकरी में 6 नीली, 2 लाल, 4 हरी और 3 पीली गेंद है। यदि 4 गेंदों को यादृच्छिक रूप से उठाया जाता है तो 2 लाल और 2 हरी होने की क्या प्रायिकता है?

हल : (6 + 2 + 4 + 3) = 15 गेंद है और उनमें से 4 गेंदों को 15_{C_4} तरीके से निकाल सकते है अतः

n(S) = $15_{C_4} = \frac{15!}{4!\times11!} = \frac{15\times14\times13\times12\times11!}{4\times3\times2\times11!}$

= 1365

2 लाल और 2 हरी होने की घटना = $2_{C_2} \times 4_{C_2}$

[∵जब तक 4 गेंद न निकले तब तक गुणा करेंगे]

n(E) = 1 × 6 = 6

∴p(E) = $\frac{n(E)}{n(S)} = \frac{6}{1365} = \frac{2}{455}$

5. प्रतिशतता पर बनने वाले प्रश्न

प्रश्नः 'A' 75% मामलों में सच बोलता है तथा 'B' 60% मामलों में सच बोलता है। दोनों का विरोधाभास होने की प्रायिकता बताइये?

हलः

	सत्य	**झूठ**
A	$\frac{3}{4}$	$\frac{1}{4}$
B	$\frac{3}{5}$	$\frac{2}{5}$

दोनों के विरोधाभास होने का मतलब यह है कि यदि A सत्य बोले तो B झूठ और यदि A झूठ बोले तो B सत्य।

∴दोनो के विरोधाभास होने की प्रायिकता P(E)

$= \frac{3}{4} \times \frac{2}{5} + \frac{1}{4} \times \frac{3}{5}$

$= \frac{6}{20} + \frac{3}{20} = \frac{9}{20}$

$= \frac{9}{20} \times 100 = 45\%$

प्रश्न : अनिल 60% मामलों में तथा सुनील 80% मामलों में सत्य बोलता है। किसी खास मामले में दोनों का विरोधाभास होने की सम्भवना ज्ञात कीजिए?

हलः

	सत्य	**झूठ**
अनिल	$\frac{3}{5}$	$\frac{2}{5}$
सुनील	$\frac{4}{5}$	$\frac{1}{5}$

∴दोनों के बातों में विरोधाभास होने की प्रायिकता

$= \frac{3}{5} \times \frac{1}{5} + \frac{2}{5} \times \frac{4}{5}$

$= \frac{3}{25} + \frac{8}{25} = \frac{11}{25}$

$= \frac{11}{25} \times 100 = 44\%$

प्रश्नावली

TYPE - 01

1. उस घटना की प्रायिकता क्या होती हैं जिसका घटित होना निश्चित हैं?
   (a) 0 (b) 1
   (c) 2 (d) −1
2. किसी प्रयोग के सभी प्रारंभिक घटनाओं की प्रायिकताओं का योग कितना होता हैं?
   (a) 2 (b) −1
   (c) 1 (d) 0
3. वह घटना जो घटित नही हो सकती, कैसी घटना कहलाती हैं?
   (a) पूरक (b) संभव
   (c) निश्चित (d) असंभव
4. घटनाएं जिनके घटित होने अथवा घटित नहीं होने की संभावनाएँ बराबर हों, कैसी घटनाएँ कहलाती हैं?
   (a) प्राथमिक (b) पूरक
   (c) समसंभावी (d) अपवर्जी
5. यदि दो घटनाएँ एक साथ नहीं घट सकें,तो उन्हें कैसी घटनाएँ कहते हैं?
   (a) पूरक (b) समप्रायिक
   (c) परस्पर अपवर्जी (d) इनमें कोई नहीं

TYPE - 02

6. तीन सिक्के उछाले जाते हैं तो कम से कम दो चित (Head) आने की प्रायिकता क्या होगी ?
   (a) $\frac{1}{4}$ (b) $\frac{1}{2}$
   (c) $\frac{3}{8}$ (d) $\frac{1}{8}$
7. तीन सिक्के उछाले जाते हैं तो अधिक से अधिक दो चित (Head) आने की क्या संभावना हैं?
   (a) $\frac{3}{4}$ (b) $\frac{1}{4}$
   (c) $\frac{3}{8}$ (d) $\frac{7}{8}$
8. 10 सिक्कों को उछालने पर पाँच बार हेड आने की प्रायिकता क्या हैं?
   (a) $\frac{9}{128}$ (b) $\frac{63}{256}$
   (c) $\frac{1}{2}$ (d) $\frac{143}{256}$
9. 6 सिक्कों को एक साथ फेंका जाता हैं तो कम से कम 4 हेड आने की क्या सम्भावना हैं?
   (a) $\frac{21}{32}$ (b) $\frac{11}{32}$
   (c) $\frac{11}{64}$ (d) इनमें से कोई नहीं
10. तीन सिक्के उछाले जाते हैं। कम से कम दो हेड आने की प्रायिकता हैं–
    (a) $\frac{1}{2}$ (b) $\frac{1}{3}$
    (c) $\frac{1}{4}$ (d) $\frac{1}{8}$
11. एक साथ दो सिक्कों को उछालने पर कम से कम एक हेड आने की प्रायिकता हैं–
    (a) $\frac{1}{2}$ (b) $\frac{1}{3}$
    (c) $\frac{2}{3}$ (d) $\frac{3}{4}$

TYPE - 03

12. दो पासों को एक साथ उछालने पर दोनों पासों पर आने वाली संख्याओं का योग 8 होने की प्रायिकता होगी:
    (a) $\frac{1}{6}$ (b) $\frac{1}{36}$
    (c) $\frac{5}{36}$ (d) $\frac{7}{36}$
13. दो पासों को एक साथ फेंका जाता है। इसकी प्रायिकता क्या है कि उन दोनों पर आई संख्याओं का योग कम से कम 7 हो?
    (a) $\frac{4}{9}$ (b) $\frac{7}{12}$
    (c) $\frac{1}{3}$ (d) $\frac{5}{18}$
14. पासों के एक युग्म को एक साथ फेंका जाता है। दोनों पासों पर आई संख्याओं के गुणनफल का एक अभाज्य संख्या होने की प्रायिकता हैं
    (a) 0 (b) $\frac{1}{4}$
    (c) $\frac{1}{6}$ (d) $\frac{7}{36}$
    CTET (VI-VIII) 23.12.2021
15. दो पासों को एक साथ फेंका जाता है। इनके ऊपर प्रकट हुई संख्याओं का योग न्यूनतम 9 होने की प्रायिकता क्या हैं?
    (a) $\frac{1}{4}$ (b) $\frac{2}{9}$
    (c) $\frac{5}{18}$ (d) $\frac{1}{6}$
    CTET (VI-VIII) 24.12.2021
16. एक पांसे को दो बार फेंके जाने पर प्राप्त होने वाली संख्याओं का योग 10 है। कम से कम एक बार संख्या 5 आने की प्रायिकता ज्ञात कीजिए।
    (a) 2/3 (b) 1/4
    (c) 1/2 (d) 1/3
    RRB NTPC 13.03.2021 (Shift-II) Stage Ist
17. किसी पासे के दो बार फेंके जाने पर आने वाले अंकों का योग 10 होने की प्रायिकता ज्ञात कीजिए।
    (a) 3 (b) 1/36
    (c) 1/12 (d) 5/36
    RRB RPF SI - 05/01/2019 (Shift-II)

18. दो पासे उछाले जाते है तो योग के अभाज्य होने की संभावना हैं–

(a) $\frac{1}{6}$ (b) $\frac{1}{2}$
(c) $\frac{5}{12}$ (d) $\frac{7}{9}$

19. एक साथ दो पासे फेंके जाते है। दोनों संख्याओं के गुणनफल के सम होने की संभावना क्या हैं।

1. (a) $\frac{1}{2}$ (b) $\frac{3}{4}$
2. (c) $\frac{3}{8}$ (d) $\frac{5}{16}$

20. दो पासे एक साथ फेंके जाते है। क्या सम्भावना है कि दोनों पर संख्याओं का योग 4 या 6 से विभाज्य हैं?

(a) $\frac{7}{36}$ (b) $\frac{11}{18}$
(c) $\frac{5}{18}$ (d) $\frac{7}{18}$

TYPE - 04

21. 52 पत्तों की अच्छी प्रकार से फेटी गई एक गड्डी में से एक पत्ता निकाला जाता है। इसके लाल रंग का बादशाह होने की प्रायिकता ज्ञात करें–

(a) $\frac{3}{13}$ (b) $\frac{1}{26}$
(c) $\frac{3}{26}$ (d) $\frac{2}{13}$

Haryana TET (1-V) November, 2011

22. ताश की 52 पत्ती की गड्डी से एक पत्ता स्वेच्छा से निकाला जाता है। क्या प्रायिकता है कि पत्ता हुकुम का हो या इक्का हो?

(a) $\frac{4}{13}$ (b) $\frac{6}{13}$
(c) $\frac{8}{13}$ (d) $\frac{2}{5}$

UPTET (VI-VIII) 23.01.2022
UP TET (Class VI-VIII) 15 Oct 2017

23. 32 संख्या–कार्डों को, जिन पर 1 से 32 तक संख्याएँ अंकित हैं, एक बक्से में रखा जाता है तथा उसमें से एक संख्या कार्ड को यादृच्छिक रूप से निकाला जाता है। उस संख्या कार्ड पर एक अभाज्य संख्या होने की क्या प्रायिकता हैं?

(a) $\frac{13}{32}$ (b) $\frac{3}{8}$
(c) $\frac{11}{32}$ (d) $\frac{5}{16}$

CTET (VI-VIII) 21.12.2021

24. संख्याओं 29, 30, 31 .... 88, 89 और 90 को पर्चियों पर लिखा जाता है (एक पर्ची पर एक संख्या) तथा इन पर्चियों को एक डिब्बों में रख दिया जाता है। तब, इस डिब्बे में से एक पर्ची यादृच्छिक रूप से निकाली जाती है। इसकी क्या प्रायिकता है कि निकाली गई पर्ची पर एक अभाज्य संख्या नहीं आएगी?

(a) $\frac{15}{62}$ (b) $\frac{7}{31}$
(c) $\frac{47}{62}$ (d) $\frac{24}{31}$

CTET (VI-VIII) 08.01.2022

25. संख्याओं 40, 41, 42, ... 130 को कार्डों पर लिखा जाता हैं (एक कार्ड पर एक संख्या) और फिर इन कार्डो को एक बॉक्स में रख दिया जाता है। इस बॉक्स में से एक कार्ड यादृच्छिक रूप से निकाला जाता है। इसकी प्रायिकता क्या है कि इस कार्ड पर लिखी संख्या 2, 3 और 4 से विभाज्य हैं?

(a) $\frac{8}{91}$ (b) $\frac{2}{13}$
(c) $\frac{1}{13}$ (d) $\frac{11}{91}$

CTET (VI-VIII) 10.01.2022

26. 10 से 60 तक की संख्याएँ पृथक–पृथक पर्चियों पर लिखी हुई हैं (एक पर्ची पर एक संख्या) और इन्हें एक बक्से में रखकर अच्छी प्रकार से मिला दिया जाता है। इस बक्से में से बिना अंदर देखे हुए, एक पर्ची चुनी जाती है। इसकी क्या प्रायिकता है कि चुनी हुई पर्ची पर लिखी संख्या 2 और 3 दोनों से विभाज्य होगी?

(a) $\frac{1}{5}$ (b) $\frac{3}{17}$
(c) $\frac{10}{51}$ (d) $\frac{9}{50}$

CTET (VI-VIII) 06.01.2022

TYPE - 05

27. किसी थैले में 3 सफेद, 2 नीली और 5 लाल गेंदें हैं। थैले में से यादृच्छया एक गेंद निकाली जाती है। निकाली गई गेंद लाल रंग की नहीं हैं, इसकी क्या प्रायिकता हैं?

(a) $\frac{3}{10}$ (b) $\frac{1}{5}$
(c) $\frac{1}{2}$ (d) $\frac{4}{5}$

CTET (Class VI-VIII) 7 July 2019

28. एक बैग में 4 काली गेंदे, 6 नीली गेंदें, 3 सफेद गेंदे तथा 5 लाल गेंदे हैं। इनमें से एक गेंद को निकाला जाता है। गेंद के काली या सफेद होने की प्रायिकता होगी

(a) $\frac{5}{18}$ (b) $\frac{7}{18}$
(c) $\frac{4}{15}$ (d) $\frac{4}{5}$

UP TET (Class VI-VIII) 21 Feb 2016

29. एक थैले में 5 लाल कंचे, 4 हरे कंचे और 3 नीले कंचे हैं। सभी कंचे रंग के अतिरिक्त सभी प्रकार से एक जैसे, अर्थात् सर्वसम हैं। थैले में से बिना इसमें देखे एक कंचा बाहर निकाला जाता है। यह कंचा हरे रंग का नहीं हैं, इसकी क्या प्रायिकता हैं?

(a) $\frac{5}{12}$ (b) $\frac{7}{12}$
(c) $\frac{1}{3}$ (d) $\frac{2}{3}$

C TET (Class VI-VIII) 18 Sep 2016

30. एक थैले में 5 लाल गेंदे, 8 सफेद गेंदे, 4 हरी गेंदे और 7 काली गेंदें हैं। यदि उनमें से एक गेंद यादृच्छया निकाली जाए, तो प्रायिकता ज्ञात कीजिए कि निकाली गई गेंद हरी नहीं होगी
(a) $\frac{1}{6}$ (b) $\frac{5}{6}$
(c) $\frac{5}{8}$ (d) $\frac{1}{2}$

31. एक थैले में 15 लाल गेंदे और कुछ हरी गेंदे हैं। यदि एक हरी गेंद निकालने की प्रायिकता 1/6 है, तब हरी गेंदों की संख्या है।
(a) 5 (b) 4
(c) 3 (d) 2

32. एक बक्से में 4 काली, 3 लाल और 5 हरी गेंदे हैं। बक्से में से यादृच्छिक रूप से कोई भी 2 गेंद निकाल ली जाती है। क्या सम्भावना है कि दोनों गेंद एक ही रंग की होगी?
(a) $\frac{1}{6}$ (b) $\frac{47}{66}$
(c) $\frac{19}{66}$ (d) $\frac{2}{11}$

(B.S.R.B., Banglalore, P.O., 1999)

33. किसी थैले में यदि 7 काली और 4 लाल गेंदे हों तो उसमें से एक गेंद को निकालने पर उसकी लाल गेंद होने की सम्भावना क्या होगी?
(a) $\frac{2}{11}$ (b) $\frac{3}{11}$
(c) $\frac{1}{11}$ (d) $\frac{4}{11}$

34. एक थैले में 4 लाल, 5 काली तथा 3 पीली गेंदें है। यादृच्छिक रूप से किन्हीं 4 गेंदों को निकालने पर उनमें से कम–से–कम एक लाल गेंद होने की क्या सम्भावना हैं?
(a) $\frac{70}{99}$ (b) $\frac{413}{495}$
(c) $\frac{85}{99}$ (d) $\frac{338}{495}$

35. एक झोले में 5 सफेद, 6 लाल तथा 3 नीले रंग की गोलियां है। यादृच्छिक रूप से किन्हीं 5 गोलियों को चुनने पर इस बात की क्या सम्भावना हैं कि उसमें से कम–से–कम एक गोली नीले रंग की हो?
(a) $\frac{5}{13}$ (b) $\frac{12}{13}$
(c) $\frac{3}{13}$ (d) $\frac{10}{13}$

36. एक थैले मं 5 हरी और 7 लाल गेंदे हैं। दो गेंदों को एक साथ निकाला जाता है। इसकी क्या प्रायिकता होगी कि एक हरी और शेष लाल हो?
(a) 35/66 (b) 40/66
(c) 12/66 (d) 35/65

37. दो बर्तन हैं जिनमें से एक में दो सफेद गेंद एवं चार काली गेंद हैं। दूसरे में तीन सफेद गेंद एवं 9 काली गेंद है। दोनों बर्तनो में से एक गेंद को निकाला जाता है। एक ही रंग की दोनों गेंदो के मिलने की प्रायिकता क्या हैं?
(a) 7/12 (b) 1/24
(c) 1/12 (d) 1/2

[RRB Mumbai (T.A./C.A.) Exam., 2006]

38. यदि एक बाक्स में 3 सफेद कुशन, 4 लाल कुशन और 5 नीले कुशन रखे है, तो एक सफेद या नीले रंग के कुशन के चयन की संभावना क्या है?
(a) 2/3 (b) 3/4
(c) 1/4 (d) 1/9

RRB NTPC 28.4.2016

39. जसप्रीत कौर 75% मामलों में सत्य बोलती हैं तथा प्रीती कौर 60% मामलों में सत्य बोलती है। दोनों का विरोधाभास होने की सम्भाविता ज्ञात कीजिए :
(a) 35% (b) 40%
(c) 45% (d) 55%

TYPE - 06

40. काठमाण्डू में होने वाले संपर्क सम्मेलन में भारत के भाग नहीं लेने की सम्भावना 25% है जबकि बांग्लादेश के भाग नहीं लेने की सम्भावना 30% है। दोनों में से किसी के भाग नहीं लेने की क्या सम्भावना हैं?
(a) $\frac{21}{40}$ (b) $\frac{19}{40}$
(c) $\frac{23}{40}$ (d) $\frac{3}{40}$

41. एक शूटिंग प्रतियोगिता में, एक लक्ष्य को भेदने की प्रायिकता A के लिए 1/2, B के लिए 2/3 और C के लिए 3/4 है। यदि वे एक साथ लक्ष्य को भेदने के लिए गोली चलाते हैं तो उनमें से किसी एक के लक्ष्य भेदने की प्रायिकता क्या हैं?
(a) 1/6 (b) 3/8
(c) 2/3 (d) 1/4

RRB JE - 28/05/2019 (Shift-I)

42. एक साधारण वर्ष में 53 मंगलवार होने की प्रायिकता हैं :
(a) $\frac{1}{7}$ (b) $\frac{2}{7}$
(c) $\frac{2}{7}$ (d) $\frac{4}{7}$

REET- (VI-VIII) 24.07.2022 Shift-IV

43. वर्ष 2020 में 53 रविवार होने की प्रायिकता होगी–
(a) 2/7 (b) 1/7
(c) 6/7 (d) 52/53

UT TET (I-V) 06.11.2019

44. बच्चों वाले 1500 परिवारों का यादृच्छिक रूप से चयन किया गया और निम्नलिखित आँकड़ें लिए गए–

परिवार में लड़कियों की संख्या	2	1	0
परिवारों की संख्या	475	814	211

यादृच्छिक रूप से चुने गए उस परिवार की प्रायिकता ज्ञात कीजिए जिसमें एक लड़की हो

(a) $\frac{407}{750}$ (b) $\frac{207}{250}$

(c) $\frac{40}{500}$ (d) $\frac{307}{350}$

Haryana TET (1-V) November, 2011

45. निम्नलिखित में कौन–सी संख्या किसी घटना की प्रायिकता नहीं हो सकती हैं?

(a) $\frac{2}{3}$ (b) -1.5

(c) 15% (d) 0.7

B TET (-V) 23.07.2017

H TET (Class VI-VIII) 2011

46. बारह टिकटों को 1 से 12 तक कमांकित किया गया है। यदि उनमें से एक टिकट का यादृच्छिक चयन किया जाये, तो टिकट पर अंकित संख्या के 2 या 3 के गुणज होने की प्रायिकता हैं–

(a) $\frac{1}{3}$ (b) $\frac{2}{3}$

(c) $\frac{5}{8}$ (d) $\frac{1}{2}$

HTET (I-V)-19.12.2021

47. एक पुरूष एवं एक स्त्री एक साक्षात्कार में समान पदों पर नियुक्ति हेतु सम्मिलित होते हैं। पुरूष के नियुक्त होने की प्रायिकता 1/4 तथा स्त्री के नियुक्त होने की 1/3 है। उनमे से केवल एक के नियुक्त होने की प्रायिकता कितनी हैं?

(a) 1/12 (b) 5/12

(c) 7/12 (d) 1/24

UP TET (Class VI-VIII) 27 June 2013

48. एक अधिवर्ष में 53 रविवार होने की प्रायिकता हैं–

(a) $\frac{1}{7}$ (b) $\frac{2}{7}$

(c) $\frac{3}{7}$ (d) $\frac{4}{7}$

UP TET (Class VI-VIII) 18 Nov 2018

49. 3 छात्र बैंक पो. ऑ. प्रवेश परीक्षा में शामिल होते हैं। उनकी नियुक्ति की प्रायिकता क्रमशः 1/3, 1/4 तथा 1/5 है। कम–से–कम दो छात्रों के नियुक्ति की प्रायिकता ज्ञात कीजिए :

(a) 1/6 (b) 4/15

(c) 7/15 (d) 2/15

(e) इनमें से कोई नहीं

50. अक्षर B, G, I, N और R को पुनः व्यवस्थित किया जाए तो 'BRING' शब्द आने की क्या प्रायिकता होगी?

(a) $\frac{1}{12}$ (b) $\frac{1}{115}$

(c) $\frac{1}{120}$ (d) $\frac{1}{211}$

51. एक कक्षा में 6 छात्र तथा 4 छात्राएं है।इनमें से यादृच्छिक रूप से किन्हीं चार विद्यार्थियों को चुन लिया जाए तो क्या सम्भावना रहेगी कि उनमें कम–से–कम एक छात्रा जरूर हों?

(a) $\frac{199}{210}$ (b) $\frac{203}{210}$

(c) $\frac{11}{14}$ (d) $\frac{13}{14}$

ANSWER

1.	b	2.	c	3.	d	4.	c	5.	c
6.	b	7.	d	8.	b	9.	b	10.	a
11.	d	12.	c	13.	b	14.	c	15.	c
16.	d	17.	c	18.	c	19.	b	20.	d
21.	b	22.	a	23.	c	24.	c	25.	c
26.	b	27.	c	28.	b	29.	d	30.	b
31.	c	32.	c	33.	d	34.	c	35.	d
36.	a	37.	a	38.	a	39.	c	40.	d
41.	d	42.	a	43.	a	44.	a	45.	b
46.	b	47.	b	48.	b	49.	a	50.	c
51.	d								

Explanatory Notes

1. (b) ऐसी घटना जिसका घटित होना निश्चित हो, की प्रायिकता (1) होगी।

2. (c) किसी प्रयोग के सभी प्रारम्भिक घटनाओं की प्रायिकताओं का योग '1' होता है।

3. (d) ऐसी घटना जो घटित नहीं हो सकती, असम्भव घटना कहलाती है।

4. (c) घटनाये जिनके घटित होने अथवा घटित नहीं होने की सम्भावनायें बराबर हो, समसंभावी घटना कहलाती है।

जैसे – किसी सिक्के को उछालने पर हेड आने की प्रायिकता $=\frac{1}{2}$ तथा हेड न आने की प्रायिकता $=1-\frac{1}{2}=\frac{1}{2}$

∵ उपर्युक्त उदाहरण में हेड आने तथा हेड न आने की सम्भावना बराबर है अतः उपर्युक्त घटना समसंभावी घटना है।

5. (c) यदि दो घटनायें एक साथ नहीं घट सके तो उन्हे परस्पर अपवर्जी घटना कहते हैं

जैसे :– किसी सिक्के को उछालने पर एक साथ हेड और टेल नहीं आ सकता अर्थात दोनों घटनाये एक साथ नहीं घट सकती।

6. (b) तीन सिक्के उछालने पर–

$n(s) = (face)^n = (2)^3 = 8$

कम से कम दो चित (Head) प्राप्त करने के तरीको की संख्या $n(E) = 3_{c_2} + 3_{c_3} = 3 + 1 = 4$

$\therefore P(E) = \frac{n(E)}{n(s)} = \frac{4}{8} = \frac{1}{2}$

7. (d) तीन सिक्के उछालने पर–

$n(s) = (Face)^n = (2)^3 = 8$

अधिक से अधिक 2 चित (Head) प्राप्त करने के तरीकों की संख्या $n(E) = 3_{c_0} + 3_{c_1} + 3_{c_2}$

$= 1 + 3 + 3 = 7$

$\therefore P(E) = \frac{n(E)}{n(s)} = \frac{7}{8}$

8. (b) 10 सिक्के उछालने पर–

$n(s) = (2)^{10} = 1024$

पांच बार हेड्स प्राप्त करने के तरीको की संख्या ,

$n(E) = 10_{c_5}$

$= \frac{10!}{5!(10-5)!} = \frac{10\times9\times8\times7\times6\times5!}{5!\times5!}$

$= \frac{10\times9\times8\times7\times6}{5\times4\times3\times2\times1} = 252$

$\therefore P(E) = \frac{n(E)}{n(s)} = \frac{252}{1024} = \frac{63}{256}$

9. (b) 6 सिक्को को फेंकने पर–

$n(s) = (2)^6 = 64$

कम से कम 4 हेड आने के तरीकों की संख्या n(E)

$= 6_{c_2} + 6_{c_5} + 6_{c_6}$

$= \frac{6\times5\times4!}{4!\times2!} + \frac{6\times5!}{5!\times1!} + 1$

$= 15+6+1 = 22$

$\therefore P(E) = \frac{n(E)}{n(s)} = \frac{22}{64} = \frac{11}{32}$

10. (a) तीन सिक्के उछालने पर–

$n(s) = (2)^3 = 8$

कम से कम दो हेड प्राप्त करने के तरीकों की संख्या, $n(E) = 3_{c_2} + 3_{c_3} = 3+1 = 4$

$\therefore P(E) = \frac{n(E)}{n(s)} = \frac{4}{8} = \frac{1}{2}$

11. (d) दो सिक्के उछालने पर–

$n(s) = 2^2 = 4$

कम से कम एक हेड प्राप्त करने के तरीको की संख्या, $n(E) = 2_{c_1} + 2_{c_2} = 2 + 1 = 3$

$\therefore P(E) = \frac{n(E)}{n(s)} = \frac{3}{4}$

12. (c) दो पासे को फेकने पर

$n(s) = (6)^2 = 36$

तथा n(E)= (2,6), (3,5),(4,4)(5,3)(6,2)= 5

$\therefore P(E) = \frac{n(E)}{n(s)} = \frac{5}{36}$

13. (b) दो पासे को फेकने पर–

$n(s) = (6)^2 = 36$

तथा, n(E) = (1,6), (2,5), (2,6), (3,4), (3,5) (3,6),(4,3),(4,4),(4,5),(4,6),(5,2),(5,3),(5,4), (5,5), (5,6), (6,1), (6,2),(6,3),(6,4),(6,5),(6,6) = 21

$\therefore P(E) = \frac{n(E)}{n(s)} = \frac{21}{36} = \frac{7}{12}$

14. (c) पासे के एक युग्म को फेंकने पर

$n(s) = (6)^2 = 36$

पासा (1)	पासा (2)	अनुकूल परिणाम
1	2,3,5	3
2	1	1
3	1	1
5	1	1

∴कुल अनुकूल परिणाम = 6

अतः $P(E) = \frac{6}{36} = \frac{1}{6}$

15. (c) दो पासे को फेकने पर –

$n(s) = (6)^2 = 36$ तथा

n(E) = (3,6),(4,5),(4,6),(5,4),(5,5),(5,6),(6,3),(6,4), (6,5),(6,6)= 10

$\therefore P(E) = \frac{n(E)}{n(s)} = \frac{10}{36} = \frac{5}{18}$

16. (d) एक पासे को दो बार फेकने पर –

योग 10 प्राप्त होने वाले कुल घटना के घटित होने की संख्या, n(s) = (4,6), (5,5), (6,4) = 3

तथा, कम से कम एक बार 5 आने की घटना,

n(E)= (5,5) = 1

$\therefore P(E) = \frac{n(E)}{n(s)} = \frac{1}{3}$

17. (c) किसी पासे के 2 बार फेंके जाने पर–

$n(s) = (6)^2 = 36$

योग 10 प्राप्त करने के तरीके, n(E)= (4,6),(6,4),(5,5) = 3

$\therefore P(E) = \frac{n(E)}{n(s)} = \frac{3}{36} = \frac{1}{12}$

18.(c) दो पासे को उछालने पर,

$n(s) = (6)^2 = 36$

दोनों पासे पर अकों के योग के अभाज्य होने का अनुकूल परिणाम = (1,1),(1,2),(1,4),(1,6),(2,1),(2,3),(2,5),(3,2), (3,4),(4,1),(4,3),(5,2),(5,6),(6,1),(6,5)

अतः n(E) = 15

$\therefore P(E) = \frac{n(E)}{n(s)} = \frac{15}{36} = \frac{5}{12}$

19.(b) दो पासे फेकने पर, $n(s) = (6)^2 = 36$

पासा (I)	पासा (II)	अनुकूल परिणाम
1	2,4,6,	3
2	1,2,3,4,5,6	6
3	2,4,6	3
4	1,2,3,4,5,6	6
5	2,4,6	3
6	1,2,3,4,5,6	6

∴ कुल अनुकूल परिणाम, n(E)= 27

$\therefore P(E) = \frac{n(E)}{n(s)} = \frac{27}{36} = \frac{3}{4}$

20.(d) दो पासे फेकने पर,

$n(s) = (6)^2 = 36$

योग के 4 से विभाज्य होने का अनुकूल परिणाम = (1,3), (2,2),(3,1) = 3

योग के 6 से विभाज्य होने का अनुकूल परिणाम = (1,5), (2,4),(3,3),(4,2),(5,1) = 5

योग के 8 से विभाज्य होने का अनुकूल परिणाम = (2,6),(3,5),(4,4), (6,2),(5,3) = 5

योग के 12 से विभाज्य होने का अनुकूल परिणाम = (6,6) = 1

∴ कुल अनुकूल परिणाम, n(E)= 3+5+5+1= 14

$\therefore P(E) = \frac{14}{36} = \frac{7}{18}$

21.(b) n(s) = 52

अनुकूल परिणामों की संख्या, n(E) = लाल रंग का बादशाह होने की संख्या = 2

$\therefore P(E) = \frac{n(E)}{n(s)} = \frac{2}{52} = \frac{1}{26}$

22.(a) n(s) = 52

अनुकूल परिणामों की संख्या, n(E) = हुकुम या इक्का

= 13+3 [∵एक इक्का हुकुम के पत्तो में है]

= 16

$\therefore P(E) = \frac{16}{52} = \frac{4}{13}$

23.(c) n(s) = 32

अनुकूल परिणामों की संख्या, n(E)= 1 से 32 तक में अभाज्य संख्यायें

= 2,3,5,7,11,13,17,19,23,29,31 = 11

$\therefore P(E) = \frac{11}{32}$

24.(c) n(s) = (90–29)+1 = 62

29 से 90 तक में कुल अभाज्य संख्यायें

=29,31,37,41,43,47,53,59,61,67,71,73,79,83,89 = 15

अतः अभाज्य न होने की संख्या = 62–15= 47

∴ n(E) = 47

तब , $P(E) = \frac{47}{62}$

25.(c) n(s) = (130–40)+1= 91

2,3 और 4 से विभाज्य होने वाली संख्या

= 48, 60, 72, 84, 96, 108, 120

= 7

∴ n(E) = 7

अतः $P(E) = \frac{7}{91} = \frac{1}{13}$

26.(b) n(s) = (60–10)+1= 51

2 और 3 से विभाज्य संख्यायें

= 12,18,24,30,36,42,48,54,60

= 9

∴ n(E) = 9

अतः $P(E) = \frac{9}{51} = \frac{3}{17}$

27.(c)

	सफेद	नीली	लाल
गेंद	3	2	5

n(s) = 3+2+5= 10

अनुकूल परिणाम, n(E)= गेंद लाल रंग की न हो = 3+2= 5

$\therefore P(E) = \frac{5}{10} = \frac{1}{2}$

28.(b)

	काली	नीली	सफेद	लाल
गेंद	4	6	3	5

n(s) = 4+6+3+5= 18

अनुकूल परिणाम, n(E)= गेंद काली या सफेद हो = 4+3 = 7

$\therefore P(E) = \frac{7}{18}$

29.(d)

	लाल	हरा	नीला
कंचे	5	4	3

n(s) = 5+4+3= 12

अनुकूल परिणाम, n(E) = कंचा हरा न हो = 5+3 = 8

$\therefore P(E) = \frac{8}{12} = \frac{2}{3}$

30.(b)

	लाल	सफेद	हरा	काला
गेंद	5	8	4	7

n(s) = 5+8+4+7= 24
अनुकूल परिणाम, n(E)= गेंद हरा न हो
= 5+8+7= 20
$\therefore$ P(E) = $\frac{20}{24} = \frac{5}{6}$

31.(c) हरी गेंद निकलने की प्रायिकता = $\frac{1}{6}$
$\therefore$लाल गेंद निकलने की प्रायिकता $1-\frac{1}{6} = \frac{5}{6}$
$\because \frac{5}{6}$ unit = 15
अतः $\frac{1}{6}$ unit = $\frac{15}{5}$ = 3 गेंद

32.(c)

	काली	लाल	हरी
गेंद	4	3	5

n(s) = 4+3+5= 12
12 गेंद में से दोनों गेंद एक ही रंग की हो, के प्राप्त करने की संभावना =
$\frac{4_{c_2}+3_{c_2}+5_{c_2}}{12_{c_2}}$
$4_{c_2} = \frac{4\times3\times2!}{2!\times2!} = 6$
$3_{c_2} = \frac{3\times2!}{2!\times1} = 3$
$5_{c_2} = \frac{5\times4\times3!}{2\times3!} = 10$
$12_{c_2} = \frac{12\times11\times10!}{2!\times(12-2)!} = 66$
P(E)= $\frac{6+3+10}{66} = \frac{19}{66}$

33.(d)

	काली	लाल
गेंद	7	4

n(s) = 7 + 4 = 11
अनुकूल परिणाम, n(E) = लाल रंग की गेंद
= 4
$\therefore$ P(E) = $\frac{4}{11}$

34.(c) कुल गेंद = 4 + 5 + 3 = 12
12 गेंदों में से 4 गेंद निकालने के तरीकों की संख्या
n(s) = 12_{c_4}
$\frac{12!}{4!(12-4)!} = \frac{12\times11\times10\times9\times8!}{4\times3\times2\times8!} = 495$
(5 काली + 3 पीली) गेंदों में से 4 गेंद निकालने के तरीकों की संख्या
= $8_{c_4} = \frac{8!}{4!\times(8-4)!} = \frac{8\times7\times6\times5\times4!}{4\times3\times2\times4!}$ = 70
अतः 12 गेंद में से एक लाल गेंद अवश्य होने की प्रायिकता
= $\frac{495-70}{495} = \frac{425}{495} = \frac{85}{99}$

35.(d) कुल गोलियाँ = 5+6+3= 14
14 गोलियों में 5 गोलियाँ चुनने के तरीकों की संख्या, n(s) = 14_{c_5}
= $\frac{14!}{5!\times9!} = \frac{14\times13\times12\times11\times10\times9!}{5\times4\times3\times2\times9!}$ = 2002
(5 सफेद + 6 लाल) गोलियों में से 5 गोलियाँ चुनने के तरीकों की संख्या
= $11_{c_5} = \frac{11!}{5!\times6!} = \frac{11\times10\times9\times8\times7\times6!}{5\times4\times3\times2\times6!} = 462$
अतः 14 गोलियों मे से एक नीली गेंद अवश्य होने की प्रायिकता = $\frac{2002-462}{2002} = \frac{1540}{2002} = \frac{10}{13}$

36.(a) कुल गेंद = 5+7= 12
12 गेंद में से 2 गेंद चुनने के तरीकों की संख्या,
n(s) = 12_{c_2}
= $\frac{12!}{2!\times10!} = \frac{12\times11\times10!}{2\times10!} = 66$
एक हरी गेंद और दूसरी लाल गेंद को निकालने के तरीकों की संख्या $5_{c_1}\times 7_{c_1}$
= $\frac{5!}{1!\times4!}\times\frac{7!}{1\times6!}$
= $\frac{5\times4!}{1\times4!}\times\frac{7\times6!}{1\times6!} = 5\times7 = 35$
$\therefore$ P(E) = $\frac{35}{66}$

37.(a) पहले बर्तन में कुल गेंद = 2+4 = 6
दूसरे बर्तन में कुल गेंद = 3+9 = 12
दोनों गेंद एक ही रंग की हो अर्थात यहाँ घटनायें भी परस्पर अपवर्जी होंगी।
$\therefore$ दोनो घटनाओं में से एक के घटित होने की प्रायिकता = दोनों गेंद सफेद होने की प्रायिकता + दोनों गेंद काली होने की प्रायिकता
= $\frac{2}{6}\times\frac{3}{12}+\frac{4}{6}\times\frac{9}{12} = \frac{7}{12}$

38.(a) कुल कुशन = 3 + 4 + 5 = 12
$\therefore$एक सफेद या एक नीले रंग की कुशन प्राप्त करने की प्रायिकता = $\frac{3_{c_1}+5_{c_1}}{12_{c_1}} = \frac{3+5}{12} = \frac{8}{12} = \frac{2}{3}$

39.(c)

	सत्य	झूठ
जसप्रीत	$\frac{3}{4}$	$\frac{1}{4}$
प्रीती	$\frac{3}{5}$	$\frac{2}{5}$

$\therefore$दोनों के विरोधाभास होने की प्रायिकता
= $\frac{3}{4}\times\frac{2}{5}+\frac{1}{4}\times\frac{3}{5}$
= $\frac{6}{20}+\frac{3}{20} = \frac{9}{20}$
= $\frac{9}{20}\times100 = 45\%$

40.(d)

	भारत	बांग्लादेश
भाग न लेने की संभावना	$\frac{1}{4}$	$\frac{3}{10}$

∵ दोनों एक –दूसरे से स्वतंत्र है अतः दोनो में से किसी के भाग नहीं लेने की प्रायिकता $= \frac{1}{4} \times \frac{3}{10}$
$= \frac{3}{40}$

41.(d)

	A	B	C
लक्ष्य भेदना	$\frac{1}{2}$	$\frac{2}{3}$	$\frac{3}{4}$
लक्ष्य से चूकना	$\frac{1}{2}$	$\frac{1}{3}$	$\frac{1}{4}$

∵ केवल एक ही लक्ष्य भेदता है इसकी प्रायिकता
$= \left(\frac{1}{2} \times \frac{1}{3} \times \frac{1}{4} + \frac{2}{3} \times \frac{1}{2} \times \frac{1}{4} + \frac{3}{4} \times \frac{1}{2} \times \frac{1}{3}\right)$
$= \frac{1}{24} + \frac{2}{24} + \frac{3}{24} = \frac{6}{24} = \frac{1}{4}$

42.(a) एक साधारण वर्ष = 365 दिन
= 52 सप्ताह और 1 दिन
∵ 52 सप्ताह में निश्चित रूप से 52 मंगलवार होगा। और शेष 1 दिन हो सकता है– सोमवार, मंगलवार, बुधवार , वृहस्पतिवार, शुक्रवार, शनिवार, रविवार
∴ कुल अनुकूल परिणाम = 7
∴ 53 मंगलवार प्राप्त होने की प्रायिकता $= \frac{1}{7}$

43.(a) ∵ 2020 एक लीप वर्ष है अतः कुल दिन = 366 दिन
= 52 सप्ताह और 2 दिन
∵ 52 सप्ताह में 52 रविवार निश्चित रूप से होगा। और शेष 2 दिन में रविवार होने की कुल सम्भावनायें

1. पहला रविवार, दूसरा सोमवार
2. पहला सोमवार, दूसरा मंगलवार
3. पहला मंगलवार, दूसरा बुधवार
4. पहला बुधवार, दूसरा वृहस्पतिवार
5. पहला वृहस्पतिवार, दूसरा शुक्रवार
6. पहला शुक्रवार, दूसरा शनिवार
7. पहला शनिवार, दूसरा रविवार

इस प्रकार कुल 7 सम्भावनाओं में में 2 बार रविवार आने की सम्भावना है।
∴ प्रायिकता $= \frac{2}{7}$

44.(a) परिवार की कुल जनसंख्या = 475 + 814 + 211 = 1500
एक लड़की रखने वाले परिवार की संख्या = 814
∴प्रायिकता जिसमें 1 लड़की है $= \frac{814}{1500} = \frac{407}{750}$

45.(b) किसी घटना की प्रायिकता 0 से 1 के बीच होती है।
अर्थात् $\boxed{0 \le P(E) \le 1}$
$\because \frac{2}{3} = 0{\cdot}66[0 \le 0.66 \le 1]$
$\frac{15}{100} = 0{\cdot}15[0 \le 0{\cdot}15 \le 1]$
$0{\cdot}7[0 \le 0{\cdot}7 \le 1]$
अतः -1·5 किसी घटना की प्रायिकता नहीं हो सकता।

46.(b) n(s) = 12
टिकट पर अंकित संख्या के यादृच्छिक चयन पर संख्या के 2 या 3 के गुणज होने की संख्या = {2,3,4,6,8,9,10,12} = 8
$\therefore P(E) = \frac{8}{12} = \frac{2}{3}$

47.(b)

	पुरूष	**महिला**
नियुक्त	$\frac{1}{4}$	$\frac{1}{3}$
अनियुक्त	$\frac{3}{4}$	$\frac{2}{3}$

∴ किसी एक के नियुक्त होने की प्रायिकता
$= \frac{1}{4} \times \frac{2}{3} + \frac{1}{3} \times \frac{3}{4} = \frac{1}{6} + \frac{1}{4} = \frac{5}{12}$

48.(b) 1 लीप वर्ष = 366 दिन
52 सप्ताह और 2 दिन
∴ 53 रविवार होने की प्रायिकता $= \frac{2}{7}$

49.(a)

	I	II	III
नियुक्त	$\frac{1}{3}$	$\frac{1}{4}$	$\frac{1}{5}$
अनियुक्त	$\frac{2}{3}$	$\frac{3}{4}$	$\frac{4}{5}$

Cond^n(A):- पहला छात्र नियुक्त नहीं होता और दो छात्र नियुक्त होते है कि प्रायिकता $= \frac{2}{3} \times \frac{3}{4} \times \frac{1}{5} = \frac{1}{30}$

Cond^n(B):- दूसरा छात्र नियुक्त नहीं होता और दो शेष 2 छात्र नियुक्त होते है कि प्रायिकता $= \frac{3}{4} \times \frac{1}{3} \times \frac{1}{5} = \frac{1}{20}$

Cond^n(A):- तीसरा छात्र नियुक्त नहीं होता और शेष 2 छात्र नियुक्त होते है कि प्रायिकता
$= \frac{4}{5} \times \frac{1}{3} \times \frac{1}{4} = \frac{1}{5}$

Cond^n(A):- तीनों छात्र नियुक्त होते है कि प्रायिकता $= \frac{1}{3} \times \frac{1}{4} \times \frac{1}{5} = \frac{1}{60}$

∴अभीष्ट प्रायिकता $= \frac{1}{30} + \frac{1}{20} + \frac{1}{15} + \frac{1}{60} = \frac{2+3+4+1}{60} = \frac{10}{60} = \frac{1}{6}$

50.(c) B, G, I, N और R से बनाये गये शब्दों की संख्या

$n(s) = 5_{p_5} = 5! = 120$

∴'BRING' शब्द आने की प्रायिकता $= \frac{1}{120}$

51.(d) कुल विद्यार्थी 6 + 4= 10

10 में से 4 विद्यार्थियों को चुनने के तरीकों की संख्या, $n(s)= 10_{c_4}$

$= \frac{10!}{4!\times 61} = \frac{10\times 9\times 8\times 7\times 6!}{4\times 3\times 2\times 6!} = 210$

6 छात्रों में से 4 छात्रों को चुनने के तरीकों की संख्या $= 6_{c_4}$

$\frac{6!}{4!\times 2!} = \frac{6\times 5\times 4!}{4!\times 2} = 15$

∴प्रत्येक ग्रुप में एक छात्रा होने से बने ग्रुप की संख्या $n(E) = 210 - 15 = 195$

∴ अभीष्ट प्रायिकता $= \frac{195}{210} = \frac{13}{14}$